suhrkamp taschenbuch
wissenschaft 126

Mircea Eliade, geb. 1907 in Bukarest, ist heute Professor für Religionsgeschichte in Chicago und Mitherausgeber der Zeitschrift *History of Religions*.
In deutsch zugängliche wissenschaftliche Werke: *Kosmos und Geschichte. Der Mythos der ewigen Wiederkehr; Mythen, Träume und Mysterien; Die Religionen und das Heilige; Schmiede und Alchemisten; Die Sehnsucht nach dem Ursprung; Das Heilige und das Profane.*
Das religiöse Phänomen des Schamanismus hat seine deutliche Ausprägung bei den Völkern Zentralasiens und Sibiriens gefunden, doch auch in Afrika und Australien, in Nord- und Südamerika ebenso wie bei den Griechen und den Germanen hat man ähnliche Erscheinungen verzeichnet. Eliades Darstellung des Schamanismus war bei ihrem Erscheinen der erste Versuch, dieses Phänomen umfassend darzustellen. Heute kann sie geradezu als das klassische Standardwerk angesehen werden.

Mircea Eliade
Schamanismus und archaische Ekstasetechnik

Suhrkamp

Titel der Originalausgabe:
»*Le chamanisme et les techniques archaiques de l'extase*«,
Erschienen 1951 bei Editions Payot, Paris.
Berechtigte Übertragung durch Inge Köck.
Die erste deutsche Ausgabe erschien 1957
im Verlag Rascher & Cie. AG., Zürich.
Das Zitat auf der Rückseite des Bandes ist dem Artikel
»Schamanismus« von Mircea Eliade aus:
Die Religion in Geschichte und Gegenwart,
3. Auflage Tübingen 1961 (Band V, Spalte 1387), entnommen.

Die Deutsche Bibliothek – CIP-Einheitsaufnahme
Eliade, Mircea:
Schamanismus und archaische Ekstasetechnik / Mircea Eliade.
[Berecht. Übertr. durch Inge Köck]. – 9. Aufl. –
Frankfurt am Main : Suhrkamp, 1997
(Suhrkamp-Taschenbuch Wissenschaft ; 126)
Einheitssacht.: Le chamanisme et les techniques
archaïques de l'extase <dt.>
ISBN 3-518-27726-X
NE: GT

suhrkamp taschenbuch wissenschaft 126
Erste Auflage 1975
© dieser Ausgabe Suhrkamp Verlag
Frankfurt am Main 1974
Suhrkamp Taschenbuch Verlag
Alle Rechte vorbehalten, insbesondere das
des öffentlichen Vortrags, der Übertragung
durch Rundfunk und Fernsehen
sowie der Übersetzung, auch einzelner Teile.
Druck: Nomos Verlagsgesellschaft, Baden-Baden
Printed in Germany
Umschlag nach Entwürfen von
Willy Fleckhaus und Rolf Staudt

9 10 11 12 13 14 – 02 01 00 99 98 97

INHALTSVERZEICHNIS

Seite

Einleitung   1

I. *Allgemeines. Rekrutierungsmethoden. Schamanismus und Psychopathologie*

Vorläufige Bemerkungen	13
Verleihung der Schamanenkraft	22
Rekrutierung von Schamanen in West- und Mittelsibirien	24
Rekrutierung bei den Tungusen	26
Rekrutierung bei den Buriäten und den Altaiern	28
Ererbtes und erwähltes Schamanentum	30
Schamanismus und Psychopathologie	33

II. *Initiationskrankheiten und -träume*

Initiation durch Krankheit	43
Initiationsekstasen und -visionen der jakutischen Schamanen	45
Initiationsträume der samojedischen Schamanen	48
Die Initiation bei den Tungusen, Buriäten usw.	52
Die Initiation der australischen Zauberer	54
Parallelen zwischen Australien und Südamerika	59
Zerstückelung bei der Initiation in Nord- und Südamerika, Afrika und Indonesien	62
Die Initiation der Eskimoschamanen	67
Die Betrachtung des eigenen Skeletts	71
Stammesinitiationen und Geheimbünde	73

III. *Die Erlangung der Schamanenkraft*

Sibirische Mythen vom Ursprung der Schamanen	77
Schamanische Berufung bei den Golden und Jakuten	81
Die Auserwählung bei den Buriäten und Teleuten	85
Die weiblichen Schutzgeister des Schamanen	89
Die Rolle der Seelen der Toten	91

	Seite
«Die Geister sehen»	95
Die Hilfsgeister	96
«Geheimsprache» – «Sprache der Tiere»	103
Die Erlangung der Schamanenkraft in Nordamerika	106

IV. *Die schamanische Initiation*

Die Initiation bei den Tungusen und Mandschu	116
Initiation bei den Jakuten, Samojeden und Ostjaken	119
Die Initiation bei den Buriäten	120
Die Initiation der araukanischen Schamanin	127
Die rituelle Besteigung von Bäumen	130
Die Himmelsreise des karibischen Schamanen	131
Aufstieg über den Regenbogen	135
Australische Initiationen	139
Aufstiegsriten	143

V. *Die Symbolik der Schamanentracht und -trommel*

Vorbemerkungen	148
Die sibirische Tracht	150
Die buriätische Tracht	152
Die altaische Tracht	154
Schamanenspiegel und -mützen	156
Vogelsymbolik	157
Die Symbolik des Skeletts	159
Aus den Knochen wiedergeboren werden	161
Schamanenmasken	166
Die Schamanentrommel	168
Rituelle Tracht und Zaubertrommel auf der ganzen Erde	174

VI. *Der Schamanismus Zentral- und Nordasiens:*

A. *Auffahrt in den Himmel, Abstieg in die Unterwelt*

Die Funktionen des Schamanen	177
«Weiße» und «schwarze» Schamanen. «Dualistische» Mythologien	180
Pferdeopfer und Himmelfahrt des Schamanen bei den Altaiern	185
Bai Ülgän und der altaische Schamane	193
Abstieg in die Unterwelt (Altai)	195
Der Schamane als Seelenführer (Altaier, Golden, Juraken)	199

Seite

VII. *Der Schamanismus in Zentral- und Nordasien:*

B. *Magische Heilungen. Der Schamane als Seelengeleiter*   208
Zurückrufen und Suchen der Seele: Teleuten, Burjäten,
Kirgisen   210
Die schamanische Sitzung bei den Ugriern und Lappen   213
Die Sitzungen bei den Ostjaken, Juraken und Samojeden   217
Schamanismus bei den Jakuten und Dolganen   220
Schamanensitzungen bei den Tungusen und den Orotschen   228
Der Schamanismus bei den Jukagiren   236
Religion und Schamanismus bei den Korjaken   240
Der Schamanismus bei den Tschuktschen   243

VIII. *Schamanismus und Kosmologie*

Die drei kosmischen Zonen und die Weltsäule   249
Der Kosmische Berg   255
Der Weltenbaum   259
Die mystischen Zahlen 7 und 9   263
Schamanismus und Kosmologie im ozeanischen Bereich   268

IX. *Der Schamanismus in Nord- und Südamerika*

Der Schamanismus bei den Eskimo   276
Nordamerikanischer Schamanismus   285
Die schamanische Sitzung   288
Schamanische Kur bei den Paviotso   290
Schamanische Sitzung bei den Achumawi   293
Abstieg in die Unterwelt   296
Die Geheimbruderschaften und der Schamanismus   301
Der südamerikanische Schamanismus: verschiedene Rituale   309
Die schamanische Heilung   313
Altertümlichkeit des Schamanismus auf dem amerikanischen
Kontinent   319

X. *Schamanismus in Südostasien und Ozeanien*

Schamanische Glaubensvorstellungen und Techniken bei den
Semang, Sakai und Jakun   323
Schamanismus auf den Andamanen und Nikobaren   327
Der malaiische Schamanismus   329
Schamanen und Priester auf Sumatra   331

	Seite
Schamanismus auf Borneo und Celebes	335
«Totenboot» und Schamanenboot	339
Jenseitsreisen bei den Dajak	343
Schamanismus in Melanesien	345
Schamanismus in Polynesien	350

XI. *Schamanische Lehren und Techniken bei den Indogermanen*

Vorbemerkungen	358
Ekstasetechniken bei den Germanen	362
Antikes Griechenland	369
Skythen, Kaukasier, Iranier	376
Das alte Indien: Auffahrtsriten	384
Das alte Indien: «magischer Flug»	387
Der *tapas* und die *dîksâ*	392
«Schamanische» Symbolismen und Techniken in Indien	394

XII. *Schamanische Symbolismen und Techniken in Tibet und China*

Buddhismus, Tantrismus, Lamaismus	402
Schamanistische Praktiken bei den Lolo	412
Schamanismus bei den Mo-so	414
Schamanische Symbolismen und Techniken in China	417

XIII. *Analoge Mythen, Symbole und Riten*

Hund und Pferd	430
Schamanen und Schmiede	434
Die «magische Hitze»	438
«Magischer Flug»	441
Brücke und «schwieriger Übergang»	445
Leiter – Totenweg – Auffahrt	449

Schlußbetrachtungen

Die Entstehung des nordasiatischen Schamanismus	457

Register

467

EINLEITUNG

Das vorliegende Werk ist unseres Wissens das erste, welches den Schamanismus in seinem ganzen Umfang behandelt und ihn zugleich in eine allgemein religionsgeschichtliche Perspektive stellt; damit sind von vornherein gewisse Unvollkommenheiten und Gefahren gegeben. Das Material, das uns heute über die verschiedenen Arten des Schamanismus – sibirischen, nord- und südamerikanischen, indonesischen, ozeanischen – zur Verfügung steht, ist beträchtlich. Viele in mehr als einer Hinsicht bedeutende Arbeiten haben die Erforschung des Schamanismus (oder einer seiner Arten) in ethnologischer, soziologischer und psychologischer Hinsicht in Gang gebracht, doch mit einigen bemerkenswerten Ausnahmen – wir denken dabei vor allem an die Arbeiten Holmberg-Harvas – hat das riesige Schrifttum es versäumt, eine Interpretation dieses überaus komplexen Phänomens im Rahmen der allgemeinen Religionsgeschichte zu unternehmen. Wenn wir nun unsererseits den Versuch gemacht haben, uns dem Schamanismus zu nähern und ihn zu begreifen und darzustellen, so geschah dies in unserer Eigenschaft als Religionshistoriker. Es sei ferne von uns, die bewundernswerten Untersuchungen zu verkleinern, welche von Gesichtspunkten der Psychologie, Soziologie und Ethnologie durchgeführt wurden; sie sind unserer Ansicht nach unentbehrlich für die Kenntnis des Schamanismus und seiner verschiedenen Aspekte. Aber vielleicht ist daneben auch Raum für eine andere Perspektive, wie wir sie auf den folgenden Seiten herauszuarbeiten versuchten.

Wer sich dem Schamanismus als Psychologe nähert, wird dazu kommen, ihn in erster Linie als das Sichtbarwerden einer Seele in ihrer Krise, ja ihrem Niedergang zu betrachten; er wird ihn unfehlbar mit bestimmten Formen seelischer Verirrung vergleichen oder gar unter die geistigen Krankheiten hysteroider und epileptischer Struktur einreihen.

Wir werden auseinandersetzen (s. S. 33 ff.), warum uns die Gleichsetzung des Schamanismus mit irgendeiner Geisteskrankheit unannehmbar erscheint. Doch ein Punkt bleibt, und zwar ein wichtiger, auf den der Psychologe immer wieder mit Recht die Aufmerksamkeit lenken wird: Die Berufung zum Schamanen gibt sich wie eine jede religiöse Berufung durch eine Krise kund, durch einen vorübergehenden Bruch im geistigen Gleichgewicht des künftigen Schamanen. Alle Beobachtungen und Analysen, die man über diesen Gegenstand zusammengetragen hat, sind kostbar, denn sie zeigen uns gewissermaßen *am lebenden Objekt,* welche Erschütterungen im Inneren der Seele durch das hervorgerufen werden, was wir die Dialektik der Hierophanien genannt haben: durch die radikale Trennung zwischen Profanem und Heiligem und die Durchbrechung des Wirklichen, die damit geschieht. Hierin und in nichts anderem liegt u. E. die Bedeutung derartiger religionspsychologischer Untersuchungen.

Der Soziologe beschäftigt sich vor allem mit der sozialen Funktion des Schamanen, Priesters, Zauberers; er wird sich den Ursprung der magischen Fähigkeiten zum Gegenstand nehmen, ihre Rolle in der Gliederung der Gesellschaft, das Verhältnis zwischen religiosen und politischen Oberhäuptern und dergleichen. Eine soziologische Analyse der Mythen vom «Ersten Schamanen» wird beredte Zeichen für die Ausnahmestellung der frühesten Schamanen in bestimmten archaischen Gesellschaften zutage bringen. Die Soziologie des Schamanismus bleibt noch zu schreiben; sie wird zu den bedeutsamsten Kapiteln einer allgemeinen Religionssoziologie gehören. Über alle diese Untersuchungen und ihre Ergebnisse hat der Religionshistoriker Buch zu führen. Wie die psychologischen Bedingungen, welche der Psychologe eruiert, verdeutlichen auch die soziologischen im weitesten Sinn des Wortes das menschlich und historisch Konkrete an den Zeugnissen, die der Religionshistoriker zu bearbeiten hat.

Einen weiteren Akzent wird dieses Konkrete von den Untersuchungen des Ethnologen empfangen. Es ist Sache der ethnologischen Monographien, den Schamanen in sein kulturelles Milieu zu stellen. So könnte man die wahre Persönlichkeit eines tschuktschischen Schamanen leicht verkennen, wenn man den Bericht seiner Taten läse ohne etwas von Leben und Traditionen der Tschuktschen zu wissen. Ebenso wird erschöpfendes Studium von Schamanentracht und -trommel oder Beschreibung der Sitzungen, Aufzeichnungen der Texte und Melodien Sache des Ethnologen sein. Durch die Aufstellung einer «Geschichte» dieses und jenes konstitutiven Elementes des Schamanismus – der Trommel, des Gebrauchs von Narkotika während der Sitzung – wird der Ethnologe, unter Umständen von einem vergleichenden Ethnologen und einem Historiker unterstützt, uns die Bewegung des fraglichen Motivs in Zeit und Raum beschreiben, Ausbreitungszentrum, Etappen und Chronologie seiner Verbreitung soweit als möglich bestimmen. Kurz, der Ethnologe wird selbst zum «Historiker» werden, ob er sich nun die Kulturkreislehre von Graebner-Schmidt-Koppers zu eigen macht oder nicht. Auf jeden Fall verfügen wir heute neben einer bewundernswerten rein deskriptiven ethnographischen Literatur auch über viele Arbeiten aus der historischen Ethnologie. In der erdrückenden «grauen Masse» des Materials über die sogenannten «geschichtslosen» Völker beginnt man jetzt bestimmte Kraftlinien sich abzeichnen zu sehen; man beginnt «Geschichte» wahrzunehmen, wo man nur «Naturvölker», «Primitive» und «Wilde» zu finden gewohnt war.

Es wäre müßig, davon zu sprechen, welch große Dienste schon jetzt die historische Ethnologie der Religionsgeschichte erwiesen hat. Dennoch glauben wir nicht, daß sie die Religionsgeschichte zu ersetzen vermag: Deren Berufung ist es, die Resultate der Ethnologie, der Psychologie und der Soziologie zu integrieren; dazu kann sie der eigenen Methode ebensowenig entraten wie ihrer spezifischen Perspektive. So kann die Kulturethnologie wohl das Verhältnis des Schamanismus zu bestimmten Kulturkreisen, die Verbreitung dieses oder jenes schamanischen Komplexes aufdecken – trotzdem ist es nicht ihre Sache, den tiefen Sinn all dieser religiösen Phänomene zu enthüllen, ihre Symbolik zu erhellen und sie in die allgemeine Religionsgeschichte einzugliedern. Dem Religionshistoriker obliegt es in letzter Instanz, alle die Einzeluntersuchungen über den Schamanismus zu ihrer Synthese zu bringen und eine Sicht des Ganzen zu geben, die zugleich Morphologie und Geschichte dieses komplexen religiösen Phänomenes ist.

Doch es ist an der Zeit, sich über die Bedeutung zu verständigen, die man bei dieser Art von Studien der «Geschichte» beizumessen hat. Wir haben schon mehr als einmal festgestellt und werden in dem ergänzenden Werk zum *Traité d'Histoire des Religions* ausführlich zu zeigen haben, daß die historische Bedingtheit eines religiösen Phänomens, wiewohl von höchster Bedeutung – alles Menschliche ist letzten Endes historisch –, es doch nicht völlig erschöpft. Nur ein Beispiel: Der Schamane ersteigt im Ritus eine Birke, an der man eine bestimmte Anzahl von Sprossen angebracht hat; die Birke symbolisiert den Weltenbaum, die Sprossen stellen die verschiedenen Himmel dar, welche der Schamane im Laufe seiner ekstatischen Himmelsreise zu passieren hat; sehr wahrscheinlich ist das in diesem Ritual enthaltene kosmologische Schema von orientalischem Ursprung. Religiöse Ideen des alten Nahen Orients haben sich sehr weit nach Zentral- und Nordasien vorgeschoben und stark zu dem gegenwärtigen Aussehen des zentralasiatischen und sibirischen Schamanismus beigetragen – ein gutes Beispiel dafür, wie die «Geschichte» über die Verbreitung der religiösen Lehren und Praktiken Aufschluß zu geben vermag. Doch, wie wir schon sagten, die *Geschichte* eines religiösen Phänomens kann uns nicht *alles* mitteilen, was dieses Phänomen, einfach durch sein Offenbarwerden, uns zeigen will. Nichts erlaubt anzunehmen, daß die Einflüsse der orientalischen Kosmologie und Religion bei den Altaiern Ideologie und Ritus der Himmelfahrt *geschaffen* hätten; ähnliche Ideologien und Riten wachsen so ziemlich überall auf der Welt, auch in Gegenden, wo altorientalische Einflüsse von vornherein außer Betracht bleiben müssen. Wahrscheinlich haben die orientalischen Vorstellungen die Himmelfahrt in ihrer rituellen Formel und ihrem kosmologischen Gehalt nur *modifiziert,* denn diese Himmelfahrt scheint ein Urphänomen zu sein, das heißt zum Menschen als solchem, in seiner Integrität zu gehören und nicht zu ihm als historischem Wesen – das bezeigen die Auffahrtsträume, -halluzinationen und -bilder, wie sie überall auf der Welt und ohne jede historische oder andere «Bedingtheit» begegnen. Alle diese Träume, Mythen und Heimwehäußerungen mit dem zentralen Thema des Aufstiegs oder des Fluges sind durch eine psychologische Erklärung nicht zu erschöpfen; immer bleibt am Ende der Erklärung ein nicht zurückführbarer Kern, und dieses unzurückführbare Etwas kann uns vielleicht die wahre Situation des Menschen im Kosmos entdecken, die – ich werde nie müde werden, das zu wiederholen – nicht einzig eine «historische» ist.

So notwendig es für den Religionshistoriker ist, seine Fakten so gut als möglich in eine historische Perspektive zu bringen, da sie nur auf diese Weise «konkret» werden, so darf er doch eines nicht vergessen:

Die Phänomene, mit denen er zu tun hat, enthüllen Grenzsituationen des Menschen, Situationen, die begriffen und begreiflich gemacht werden wollen. Diese Arbeit der Entzifferung des tiefen Sinnes der religiösen Phänomene steht von Rechts wegen dem Religionshistoriker zu. Gewiß, der Psychologe, der Soziologe, der Ethnologe, sogar der Philosoph und Theologe werden ihr Wort zu sagen haben, jeder von seiner Perspektive aus und mit der Methode, die ihm eigen ist. Doch der Religionshistoriker wird am meisten Gültiges sagen über das religiöse Faktum, *sofern es religiöses Faktum ist* – und nicht soweit psychologisches, soziales, ethnisches, philosophisches oder selbst theologisches Faktum. Genau in diesem Punkt unterscheidet sich der Religionshistoriker auch vom Phänomenologen; dieser versagt sich, wenigstens grundsätzlich, die Arbeit des Vergleichens. Er beschränkt sich angesichts dieses oder jenes religiösen Phänomens darauf, sich ihm zu «nähern» und seinen Sinn zu erahnen; der Religionshistoriker hingegen gelangt zum Begreifen eines Phänomens erst nach gehörigem Vergleich mit Tausenden von ähnlichen oder verschiedenen Phänomenen und entsprechender Einordnung, und diese Tausende von Phänomenen sind durch Raum und Zeit voneinander getrennt. Aus analogem Grund wird der Religionshistoriker sich nicht einfach auf eine Typologie oder Morphologie der religiösen Fakten beschränken: er weiß sehr wohl, daß die «Geschichte» den Gehalt eines religiösen Faktums nicht erschöpft, doch er vergißt deswegen nicht, daß nur in der Geschichte – im weiten Sinn des Wortes – ein religiöses Faktum alle seine Seiten entwickelt, alle seine Bedeutungen offenbart. Mit andern Worten, der Religionshistoriker benützt alle *historischen* Kundgebungen eines religiösen Phänomens, um zu entdecken, was dieses Phänomen «sagen will»; er hält sich einerseits an das historisch Konkrete, aber er bemüht sich andererseits um die Entzifferung dessen, was ein religiöses Faktum durch die Geschichte hindurch an Übergeschichtlichem offenbart.

Wir wollen uns bei diesen methodologischen Betrachtungen nicht zu lange aufhalten; um sie hinlänglich zu behandeln, bietet ein Vorwort nicht genug Raum. Trotzdem sei folgendes betont: Das Wort «Geschichte» führt manchmal zu Verwirrungen, denn es kann ebensowohl die Geschichtsschreibung bezeichnen (den Akt, die Geschichte von etwas zu schreiben) als einfach das, «was sich begeben hat» auf der Welt; und diese zweite Wortbedeutung zerlegt sich wieder in mehrere

Nuancen: Geschichte im Sinne dessen, was sich innerhalb bestimmter räumlicher und zeitlicher Grenzen begeben hat (Geschichte eines bestimmten Volkes, einer Epoche), also Geschichte einer Kontinuität, einer Struktur; doch auch Geschichte im allgemeinen Sinn des Wortes wie in den Ausdrücken «die geschichtliche Existenz des Menschen», «geschichtliche Situation», «geschichtlicher Moment» usw., oder auch in der existentialistischen Bedeutung des Wortes: Der Mensch ist «in einer Situation», das heißt also *in* der Geschichte.

Religions*historie* ist nicht immer und nicht notwendig *Historiographie* der Religionen, denn wer die Geschichte einer Religion oder eines vorgegebenen religiösen Faktums (des Opfers bei den Semiten, des Heraklesmythos) schreibt, ist nicht immer imstande nun alles, «was sich begeben hat», in chronologischer Sicht zu zeigen; gewiß, man kann das tun, wenn die Zeugnisse es erlauben, aber man ist nicht verpflichtet Historiographie zu treiben, wenn man Religionsgeschichte schreiben will. Die Mehrdeutigkeit des Terminus «Geschichte» hat hier die Mißverständnisse unter den Forschern begünstigt; in Wirklichkeit kommt der philosophische und allgemeine Sinn von «Geschichte» unserem Fach am meisten zu. Man treibt Religionsgeschichte, sofern man die religiösen Fakten als solche studiert, das heißt auf ihrer spezifischen Manifestationsebene; diese spezifische Manifestationsebene ist immer *geschichtlich*, konkret, existentiell, auch wenn die religiösen Fakten, die sich manifestieren, nicht immer und nicht völlig auf Geschichte zurückzuführen sind. Von den elementarsten Hierophanien – der Manifestation des Heiligen in diesem Baum oder jenem Stein zum Beispiel – bis zu den am höchsten ausgebildeten («Vision» einer neuen «göttlichen Gestalt» durch einen Propheten oder Religionsgründer) manifestiert sich alles im historisch Konkreten, und alles ist in gewissem Sinn bedingt durch die Geschichte. Und doch, in der bescheidensten Hierophanie regt sich ein «ewiger Wiederbeginn», eine ewige Rückkehr zu einem zeitlosen Augenblick, ein Wunsch nach Aufhebung der Geschichte, Auslöschung der Vergangenheit, Neuschaffung der Welt. Das alles ist in den religiösen *Fakten* «gezeigt», nicht der Religionshistoriker erfindet es. Ein Historiker, der nichts weiter sein will als Historiker, hat die Freiheit den spezifischen und übergeschichtlichen Sinn eines religiösen Faktums zu übersehen; ein Ethnologe, ein Soziologe, ein Psychologe darf das auch. Ein Religionshistoriker darf es nicht; vertraut mit einer großen Anzahl von Hierophanien ist sein Auge im Stande, die eigentlich *religiöse* Bedeutung eines Faktums zu entziffern. Und, um zu unserem Ausgangspunkt zurückzukommen, diese Arbeit verdient ganz genau den Namen Religionsgeschichte, auch wenn sie nicht in der chronologischen Perspektive der Historiographie verläuft.

Übrigens hat diese chronologische Perspektive, so interessant sie für gewisse Historiker sein mag, bei weitem nicht die Bedeutung, welche man ihr allgemein beimessen möchte. Denn, wie wir an anderer Stelle zu zeigen versuchten, die Dialektik des Heiligen selbst geht auf endlose Wiederholung einer Reihe von Archetypen aus, so daß eine Hierophanie, die in einem bestimmten «historischen Moment» geschieht, ihrer Struktur nach eine um tausend Jahre ältere oder jüngere Hierophanie wiederbringt. Diese Tendenz des hierophanischen Prozesses, dieselbe paradoxale Heiligung der Wirklichkeit *ad infinitum* zu wiederholen, erlaubt uns etwas am religiösen Phänomen zu begreifen und dessen «Geschichte» zu schreiben. Anders ausgedrückt, gerade weil die Hierophanien sich wiederholen, kann man die religiösen Fakten unterscheiden und zu ihrem Verständnis gelangen. Aber die Hierophanien haben die Eigentümlichkeit, daß sie das Heilige in seiner Ganzheit offenbaren wollen, selbst wenn die Menschen, in deren Bewußtsein sich das Heilige «zeigt», sich davon nur eine Seite oder ein bescheidenes Stückchen aneignen. In der elementarsten Hierophanie *ist alles gesagt:* Die Manifestation des Heiligen in einem «Stein» oder einem «Baum» ist nicht weniger geheimnisvoll und würdig als die Manifestation des Heiligen in einem «Gott». Der Prozeß der Heiligung der Wirklichkeit ist derselbe, nur die *Form,* welche der Prozeß der Heiligung im religiösen Bewußtsein des Menschen annimmt, ist verschieden.

Dies ist nicht ohne Konsequenzen für den Begriff einer chronologischen Sicht der Religion. Obwohl es eine *Geschichte* der Religion gibt, ist sie nicht unumkehrbar wie jede andere Geschichte. Ein monotheistisches religiöses Bewußtsein ist nicht notwendig monotheistisch bis zum Ende seines Daseins, nur weil es an einer monotheistischen «Geschichte» teil hat und weil man innerhalb dieser Geschichte weiß, daß man nicht mehr Polytheist oder Totemist werden kann, wenn man den Monotheismus gekannt und geteilt hat; im Gegenteil, man kann sehr gut Polytheist sein oder sich religiös als Totemist betragen, während man sich vorstellt und vorgibt Monotheist zu sein. Die Dialektik des Heiligen erlaubt jede Umkehrung: keine «Form» ist dem Absinken und der Zersetzung entrückt, keine «Geschichte» endgültig. Nicht nur eine Gemeinschaft kann – bewußt oder unbewußt – eine Menge von Religionen ausüben, auch ein und dasselbe Individuum kann eine Unzahl von religiösen Erlebnissen kennen von den «erhabensten» bis zu den abgegriffensten und verirrtesten. Das ist vom umgekehrten Gesichtspunkt aus ebenso wahr: In jedem beliebigen Kulturmoment kann man die vollständigste Offenbarung des Heiligen haben, die der menschlichen Verfassung zugänglich ist. Die Erlebnisse der monotheistischen Propheten können sich, ungeachtet des enormen geschichtlichen Abstandes, inmitten des «hinterweltlichsten» primitiven Stammes wiederholen; es genügt dafür, die Hierophanie eines Himmelsgottes zu «realisieren», wie er ziemlich überall auf der Welt bezeugt ist, wenn auch gerade dem aktuellen religiösen Leben fast entschwunden. Es gibt keine Form von Religion, so weit sie auch gesunken sei, die nicht eine sehr reine und sehr zusammenhängende Mystik hervorbringen könnte. Wenn solche Ausnahmen nicht zahlreich genug sind, um sich den Beobachtern aufzudrängen, so liegt das nicht an der Dialektik des Heiligen, sondern an den menschlichen Verhaltensweisen gegenüber dieser Dialektik. Und das Studium der menschlichen Verhaltensweisen liegt jenseits der Aufgabe des Religionshistorikers; es geht den Soziologen, den Psychologen, den Moralisten, den Philosophen an. Als Religionshistoriker lassen wir uns an der Feststellung genügen, daß die Dialektik des Heiligen die spontane Umkehrbarkeit einer jeden religiösen Position erlaubt. Gerade das Faktum dieser Umkehrbarkeit ist wichtig, denn sie bestätigt sich nur hier. Das ist der Grund dafür, daß wir uns durch gewisse Ergebnisse der kulturhistorischen Ethnologie nicht allzuviel suggerieren lassen. Natürlich sind die verschiedenen Kulturtypen an gewisse religiöse Formen organisch gebunden, doch das schließt in keiner Weise die Spontaneität und letzten Endes die Ungeschichtlichkeit des religiösen Lebens aus. Denn jede Geschichte ist irgendwie ein Absturz des Heiligen, eine Beschränkung und Minderung. Doch das Heilige hört nicht auf sich zu manifestieren, und mit jeder neuen Manifestation nimmt es seine erste Tendenz wieder auf, sich voll und ganz zu offenbaren. Freilich wiederholen die zahllosen neuen Manifestationen des Heiligen im religiösen Bewußtsein einer Gesellschaft zahllose andere Manifestationen, die diese Gesellschaft im Lauf ihrer Vergangenheit, ihrer «Geschichte» gekannt hat, doch diese Geschichte vermag die Spontaneität der Hierophanien nicht zu lähmen: In jedem Augenblick bleibt eine noch vollständigere Offenbarung des Heiligen möglich.

Nun aber ergibt es sich, und damit nehmen wir die Diskussion über die chronologische Perspektive in der Religionsgeschichte wieder auf, daß die Umkehrbarkeit der religiösen Positionen an den mystischen Erlebnissen der archaischen Gesellschaften noch stärker hervortritt. Denn wie oftmals zu zeigen sein wird, sind auf jeder Kulturstufe und in jeder religiösen Situation echte und reiche mystische Erlebnisse möglich. Das bedeutet, daß für manches in einer Krise befindliche religiöse Bewußtsein jederzeit ein geschichtlicher Sprung denkbar ist, der ihm eine eben noch unzugängliche religiöse Position zugänglich macht. Gewiß, am Ende kommt noch die «Geschichte» – die religiöse Überlieferung des betreffenden Stammes – und biegt die ekstatischen Erlebnisse der Privilegierten nach ihrem Kanon zurecht, doch dessen ungeachtet eignet solchen Erlebnissen oft nicht weniger Strenge und Adel als den Erlebnissen der großen Mystiker des Ostens und Westens.

Eben eine solche archaische Ekstasetechnik ist der Schamanismus, zugleich Mystik, Magie und «Religion» im weiteren Sinn. Wir haben uns bemüht, ihn in seinen verschiedenen historischen und kulturellen Aspekten darzustellen und haben sogar den Versuch einer kurzen Entstehungsgeschichte des zentral- und nordasiatischen Schamanismus gemacht. Das Hauptgewicht jedoch liegt auf der Darstellung des Phänomens Schamanismus, der Analyse seiner Ideologie und der Erörterung seiner Praktiken, seiner Symbolik, seiner Mythologie. Wir möchten glauben, daß eine solche Arbeit nicht nur den Spezialisten, sondern auch den Allgemeingebildeten zu interessieren geeignet sei, und an ihn wendet sich dieses Buch in erster Linie. Es wäre denkbar, daß etwa Ausführungen über die Ausbreitung der zentralasiatischen Trommel in die arktischen Gegenden zwar einen engen Kreis von Fachleuten interessierten, die übrigen Leser jedoch ziemlich gleichgültig ließen; aber die Sache sieht anders aus, wenigstens möchten wir es vermuten, wenn es sich darum handelt in ein so weites und bewegtes geistiges Universum wie das des Schamanismus und seiner Ekstasetechniken einzudringen. In diesem Fall hat man es mit einer ganzen geistigen Welt zu tun, die, von der unseren zwar verschieden, ihr doch an Interesse und innerem Zusammenhang nichts nachgibt. Wir wagen sogar zu denken, daß eine Kenntnis davon jedem guten Humanisten zugemutet werden kann, denn schon seit einiger Zeit ist es nicht mehr angängig, den Humanismus mit der geistigen Überlieferung des Abendlandes gleichzusetzen, so großartig und fruchtbar diese auch sein mag.

So aufgefaßt wird das vorliegende Werk keinen von den Aspekten ausschöpfen können, die es sich in seinen verschiedenen Kapiteln vornimmt. Eine erschöpfende Erforschung des Schamanismus war auch nicht unser Ziel, dazu hatten wir weder die Mittel noch die Absicht. Einzig als vergleichender Religionshistoriker haben wir diesen Gegenstand behandelt, und damit geben wir von vornherein die unvermeidlichen Lücken und Unvollkommenheiten einer Arbeit zu, welche letzten Endes der Versuch einer Synthese sein will. Wir sind weder Altaist noch Amerikanist noch Ozeanist, und es ist gut möglich, daß eine Anzahl von Spezialarbeiten uns entgangen ist.

Aber wir glauben kaum, daß sich dadurch das Bild, das hier entworfen wird, in seinen großen Zügen verändert hätte; viele Aufsätze enthalten nichts als Wiederholungen der ältesten Berichte mit minimalen Abwandlungen. Die Bibliographie von Popov, die 1932 erschienen ist und sich auf den sibirischen Schamanismus beschränkt, verzeichnet 650 Arbeiten von russischen Ethnologen. Auch die Literatur über den nordamerikanischen und indonesischen Schamanismus ist recht beträchtlich. Man kann nicht alles lesen. Noch einmal: wir denken nicht daran, den Ethnologen, Altaisten, Amerikanisten zu machen. Aber es wurde immer dafür gesorgt, daß in den Fußnoten die wichtigsten Arbeiten angegeben sind, wo man noch weiteres Material findet. Die Zeugnisse hätten sich natürlich vervielfachen lassen, aber nur in mehreren Bänden. Davon war kein Nutzen einzusehen: wir hatten ja nicht eine Monographienreihe über die verschiedenen Schamanismen im Sinn, sondern eine allgemeine Studie für ein nichtspezialisiertes Publikum. Viele Gegenstände, auf die wir nur anspielen konnten, werden übrigens in späteren Arbeiten noch genauer behandelt (*Mort et Initiation, Mythologie de la Mort* usw.).

Einen Teil der Ergebnisse habe ich schon in den Artikeln *Le problème du chamanisme* (Revue de l'Histoire des Religions, 131. Bd., 1946, S. 5–52), *Schamanism* (*Forgotten Religions,* herausgegeben von Vergilius Ferm, Philosophical Library, New York 1949, S. 299–308) und *Schamanismus* (Paideuma, 1950) und in den Vorträgen veröffentlicht, welche ich im März 1950 auf Einladung der Herren Professoren R. Pettazzoni und G. Tucci an der Universität Rom und am Istituto Italiano per il Medio ed Estremo Oriente zu halten die Ehre hatte.

Paris, März 1946 – März 1951 *Mircea Eliade*

N. B. Aus typographischen Gründen wurde die Transkription der orientalischen Wörter bedeutend vereinfacht.

Für die vorliegende deutsche Übersetzung wurde die Bibliographie auf den gegenwärtigen Stand gebracht.

Paris, September 1954 *M. E.*

In »Recent Works of Schamanism. A Review Article« (*History of Religions I*, Chicago 1961, 152–168) habe ich mich mit der weiteren, bis 1960 erschienenen Literatur auseinandergesetzt.

Chicago, Februar 1975 M. E.

I

ALLGEMEINES
REKRUTIERUNGSMETHODEN, SCHAMANISMUS
UND PSYCHOPATHOLOGIE

Vorläufige Bemerkungen

Seit dem Anfang unseres Jahrhunderts verwenden die Ethnologen unterschiedslos die Termini Schamane, Medizinmann (*medicine-man*), Zauberer oder Magier zur Bezeichnung bestimmter mit magisch-religiösen Fähigkeiten begabter Individuen, wie sie in jeder «primitiven» Gesellschaft bezeugt sind. Man hat diese Terminologie auch bei der religionsgeschichtlichen Erforschung «zivilisierter» Völker angewendet und sprach zum Beispiel von einem indischen, iranischen, germanischen, chinesischen, sogar babylonischen Schamanismus, wobei man sich auf die «primitiven» Elemente in der betreffenden Religion berief. Diese Verwirrung schadet dem Verständnis des Phänomens Schamanismus und zwar aus mehr als einem Grund. Wenn man unter dem Wort «Schamane» einen jeden Magier, Zauberer, Medizinmann oder Ekstatiker begreift, der im Laufe der Religionsgeschichte und Völkerkunde aufgetreten ist, so landet man bei einem zugleich äußerst komplexen und äußerst ungenauen Begriff, dessen Nutzen nicht einzusehen ist; bieten sich doch schon die Termini «Zauberer» und «Magier» zur Bezeichnung so disparater und ungefährer Begriffe wie «Magie» oder «primitive Mystik».

So ist es doch wohl von Vorteil, den Gebrauch der Wörter «Schamane» und «Schamanismus» einzugrenzen, um Doppelsinnigkeiten zu vermeiden und auch in der Geschichte der «Magie» und «Zauberei» klarer zu sehen. Denn der Schamane ist natürlich seinerseits auch ein Magier und Medizinmann; man glaubt, daß er heilen kann wie alle Ärzte und Fakirwunder wirken wie alle Zauberer, primitive und moderne. Aber er ist dazu noch Psychopomp, Seelengeleiter, und er kann Priester sein, Mystiker und Dichter. Unter der grauen und wirren Masse das in seiner Gesamtheit betrachteten religiös-magischen Lebens der archaischen Gesellschaften weist der Schamanismus im strikten und exakten Sinne schon eine eigene Struktur auf, verrät er eine «Geschichte», welche genauer zu bestimmen nur von Vorteil sein kann.

Der Schamanismus *stricto sensu* ist ein par excellence sibirisches und zentralasiatisches Phänomen. Das Wort stammt über das Russische vom tungusischen *shaman*. In den übrigen zentral- und nordasiatischen Sprachen entsprechen diesem Terminus jakutisch *ojun*, mongolisch *bügä, bögä (buge, bü)* und *udagan* (vgl. dazu buriätisch *udayan*, jakutisch *udoyan* «Schamanin»), turktatarisch *kam* (altaisch *kam, gam,* mongolisch *kami* usw.). Man hat den tungusischen Terminus aus pâli *samana* zu erklären versucht; auf die Möglichkeit dieser Etymologie, eine Frage aus dem großen Problemkreis des indischen Einflusses auf die sibirischen Religionen, werden wir im letzten Kapitel des vorliegenden Buches zurückkommen. In diesem ganzen riesigen Bereich Zentral- und Nordasiens hat das magisch-religiöse Leben seinen Mittelpunkt im Schamanen. Das heißt natürlich nicht, daß einzig und allein er das Sakrale handhabt, daß vom Schamanen alle religiöse Aktivität in Beschlag genommen ist. In vielen Stämmen steht neben dem Schamanen der Opferpriester, abgesehen davon, daß jedes Familienoberhaupt auch das Oberhaupt des häuslichen Kultes ist. Nichtsdestoweniger bleibt der Schamane die beherrschende Gestalt, denn in dem ganzen Bereich, wo das ekstatische Erlebnis für das religiöse Erlebnis schlechthin gehalten wird, ist der Schamane, und nur er, der große Meister der Ekstase. Eine allererste Definition dieses komplexen Phänomens, und vielleicht die wenigst gewagte, wäre: Schamanismus = *Technik der Ekstase*.

In diesem Sinne wird er von den ersten Reisenden bezeugt und geschildert, welche die verschiedenen Teile Zentral- und Nordasiens bereist haben. Später hat man in Nordamerika, Indonesien und Ozeanien ähnliche religiös-magische Phänomene beobachtet. Diese Phänomene sind, wie sich bald zeigen wird, ohne weiteres schamanisch, und es besteht Grund genug, sie zugleich mit dem sibirischen Schamanismus zu studieren. Doch eine Beobachtung drängt sich von Anfang an auf: Das Vorkommen eines schamanischen Komplexes in irgendeinem Bereich schließt nicht notwendig ein, daß das religiöse und magische Leben des betreffenden Volkes um den Schamanismus kristallisiert ist. Dies kann der Fall sein (so etwa in bestimmten Gegenden von Indonesien), doch es ist nicht das Übliche. Im allgemeinen lebt der Schamanismus mit anderen Formen von Magie und Religion zusammen.

Hier zeigt sich, welchen Vorteil es hat, den Terminus «Schamanismus» nur in seinem strengen und eigentlichen Sinn zu verwenden. Sobald man sich die Mühe nimmt den Schamanen von anderen «Magiern» und *medicine-men* primitiver Gesellschaften abzuheben, gewinnt die Feststellung schamanischer Komplexe in der und jener Religion eine recht erhebliche Bedeutung. Magie und Magier findet man fast überall auf der Welt; Schamanismus dagegen bedeutet eine eigentümliche «Spezialität» in der Magie, bei der wir lange verweilen werden, mit «Meisterschaft über das Feuer», magischem Flug usw. Wenn also der Schamane auch unter anderem ein Magier ist, kann doch nicht jeder beliebige Zauberer als Schamane gelten. Dieselbe Abgrenzung ergibt sich für die schamanischen Heilungen: Ein jeder *medicine-man* heilt, aber der Schamane bedient sich einer nur ihm eigenen Methode. Und was die Ekstasetechniken der Schamanen betrifft, so erschöpfen sie keineswegs alle religionsgeschichtlich und völkerkundlich bekannten Arten des Ekstaseerlebnisses. Man kann daher nicht einen jeden Ekstatiker als Schamanen betrachten; der Schamane ist der Spezialist einer Trance, in der seine Seele den Körper zu Himmel- und Unterweltfahrten verläßt.

Einer ähnlichen Unterscheidung bedarf es auch, wenn es gilt, die Beziehungen des Schamanen zu den «Geistern» näher zu bestimmen. Allenthalben in der primitiven und modernen Welt finden sich Individuen, welche behaupten, Beziehungen zu den «Geistern» zu haben, ob sie nun von ihnen besessen oder ihrer Meister sind. Es bedürfte mehrerer Bände, um all die Probleme des Begriffes «Geist» und seiner Beziehungen zu den Menschen hinlänglich zu bearbeiten, denn ein «Geist» kann ebensowohl die Seele eines Verstorbenen sein als ein «Naturgeist» oder ein mythisches Tier. Aber zum Studium des Schamanismus ist das nicht notwendig. Es genügt, wenn wir die Position herausarbeiten, welche der Schamane gegen seine Hilfsgeister einnimmt. Da ist leicht zu sehen, worin der Schamane sich vom «Besessenen» unterscheidet: er meistert seine «Geister», in dem Sinn, daß er als menschliches Wesen eine Verbindung mit den Toten, den «Dämonen» und den «Naturgeistern» zustandebringt, ohne sich dazu in ihr Instrument verwandeln zu müssen. Gewiß gibt es wirklich «besessene» Schamanen, doch eher als seltene Abirrungen, die sich erklären lassen.

Diese wenigen und vorläufigen Begriffsbestimmungen vermögen

schon den Weg zu zeigen, den wir verfolgen wollen, um zu einem richtigen Verständnis des Schamanismus zu gelangen. Da sich dieses magisch-religiöse Phänomen offenbar in seiner vollständigsten Form in Zentral- und Nordasien bekundet hat, wird man als typisches Exemplar den Schamanen dieser Gegenden nehmen. Wir wissen sehr wohl, und es wird einen Gegenstand unserer Untersuchung bilden, daß der zentral- und nordasiatische Schamanismus, zum mindesten in seinem gegenwärtigen Zustand, kein ursprüngliches, von jedem Einfluß freies Phänomen darstellt; er ist im Gegenteil ein Phänomen mit einer langen «Geschichte». Aber dieser zentralasiatische und sibirische Schamanismus hat den Vorzug einer Struktur, in welcher sich Elemente, die in der übrigen Welt nur zerstreut vorkommen – spezielle Beziehungen zu den «Geistern», ekstatische Fähigkeiten zum magischen Flug, zur Himmelfahrt und zum Abstieg in die Unterwelt, Meisterschaft über das Feuer –, innerhalb des fraglichen Bereiches schon in einer besonderen Ideologie integriert darstellen und spezifische Techniken sanktionieren.

Ein solcher Schamanismus *stricto sensu* ist nicht auf Zentral- und Nordasien begrenzt, und wir werden weiter unten versuchen, möglichst viele seiner Parallelen aufzuweisen. Andererseits findet man bestimmte Elemente des Schamanismus isoliert in verschiedenen Formen archaischer Magie und Religion, und ihre Bedeutung ist nicht gering; zeigen sie doch, wieweit der Schamanismus im engen Sinn einen Fonds primitiver Glaubensvorstellungen und Techniken bewahrt und wieweit er Neuerungen gebracht hat. Immer bemüht, den Ort des Schamanismus im Schoß der primitiven Religionen (mit allem, was dazugehört: «Magie», Glaube an höchste Wesen und «Geister», mythologische Vorstellungen und Techniken der Ekstase) richtig zu bestimmen, werden wir ständig zu Anspielungen auf mehr oder weniger ähnliche Phänomene Anlaß haben, ohne sie deswegen als «schamanisch» bezeichnen zu wollen. Aber es ist immer von Vorteil zu vergleichen und zu zeigen, was ein dem schamanischen ähnliches magisch-religiöses Element anderswo ergibt, wo es in einem anderen kulturellen Komplex und mit anderer geistiger Orientierung integriert ist[1].

[1] In diesem Sinn, und nur in diesem, erscheint uns das Aufsuchen «schamanischer» Elemente in einer weiter entwickelten Religion oder Mystik von Wert. Das Entdecken eines schamanischen Ritus oder Symbols im alten Indien gewinnt Bedeutung in dem Maß, als man im Schamanismus ein reinlich abgegrenztes religiöses Phänomen zu sehen gelernt hat. Andernfalls wird man unbestimmt von «primitiven Elementen»

Mag der Schamanismus auch das religiöse Leben Zentral- und Nordasiens beherrschen – er ist deshalb doch nicht *die* Religion dieses riesigen Bereiches. Nur Bequemlichkeit und Begriffsverwirrung konnten dazu führen, daß man die Religion der arktischen oder turktatarischen Völker einfach als Schamanismus betrachtete. Die Religionen Zentral- und Nordasiens gehen auf allen Seiten über den Schamanismus hinaus, so wie eine jede Religion über das mystische Erlebnis einiger Privilegierter unter ihren Mitgliedern hinausgeht. Die Schamanen sind «Auserwählte» und als solche haben sie Zutritt zu einem Bereich des Heiligen, der für die übrigen Mitglieder der Gemeinschaft unzugänglich ist. Ihre ekstatischen Erlebnisse haben auf die Schichtenbildung der religiösen Ideologie, auf Mythologie und rituelles Leben einen mächtigen Einfluß geübt und üben ihn noch. Aber Ideologie wie Mythologie und Riten der arktischen, sibirischen und zentralasiatischen Völkerschaften sind nicht die Schöpfung ihrer Schamanen. All diese Elemente waren früher als der Schamanismus oder gehen ihm zum mindesten parallel, das heißt sie sind die Frucht des religiösen Erlebnisses *aller* und nicht einer bestimmten Klasse von Privilegierten, der Ekstatiker. Im Gegenteil, es gibt eine immer wiederkehrende Beobachtung, daß das schamanische (also ekstatische) Erlebnis sich in der Sprache einer Ideologie ausdrücken möchte, die ihm nicht immer zum Vorteil gereicht.

Um nicht zu sehr auf den Inhalt der folgenden Kapitel vorauszugreifen, beschränken wir uns auf folgende Feststellung: Die Schamanen sind Wesen, die sich im Schoß ihrer jeweiligen Gesellschaft durch bestimmte Züge hervortun, welche innerhalb der Gesellschaften des modernen Europa die Zeichen einer «Berufung» oder doch einer «religiösen Krise» sind. Sie sind von der übrigen Gemeinschaft durch die Intensität ihres religiösen Erlebnisses abgesondert. Man würde also mit besserem Grund den Schamanismus unter die Mystiken einreihen als unter das, was man gewöhnlich mit «Religion» bezeichnet. Wir werden dem Schamanismus innerhalb vieler Religionen begegnen, denn er bleibt immer eine Technik der Ekstase, die einer gewissen Elite zur Verfügung steht und in gewisser Weise die Mystik der betreffenden Religion konstituiert.

sprechen, wie sie in jeder noch so «entwickelten» Religion zu finden sind. Denn die Religionen Indiens und des Iran weisen wie jede andere Religion des alten oder modernen Orient eine große Anzahl «primitiver Elemente» auf, die deswegen noch nicht schamanisch sind. Man kann nicht einmal jede Ekstasetechnik des Orients, mag sie auch noch so «primitiv» sein, als «schamanisch» ansprechen.

Ein Vergleich bietet sich auf den ersten Blick, der Vergleich mit den Mönchen, Mystikern und Heiligen der christlichen Kirchen. Aber man darf den Vergleich nicht zu weit treiben: Im Unterschied zum Christentum (wenigstens in seiner neueren Geschichte) messen die Völker, die sich als «schamanistische» zu erkennen geben, den ekstatischen Erlebnissen ihrer Schamanen eine erhebliche Bedeutung zu; sind es doch die Schamanen, die sie durch ihre Trancen heilen, die ihre Toten ins «Reich der Schatten» geleiten und als Mittler zwischen ihnen und ihren Göttern, himmlischen und unterweltlichen, großen und kleinen, dienen. Diese mystische Elite lenkt nicht nur das religiöse Leben der Gemeinschaft, sondern wacht in gewisser Weise über ihre «Seele». Der Schamane ist der große «Spezialist» für die menschliche Seele; er allein «sieht» sie, denn er kennt ihre «Gestalt» und ihr Schicksal.

Dort aber, wo das Los der Seele selber nicht berührt ist, wo es sich nicht um Krankheit (= Verlust der Seele), Tod oder Unglück handelt, oder um ein großes Opfer, das ein mystisches Erlebnis beliebiger Art (mystische Himmels- oder Unterweltsreise) einbegreift, dort ist der Schamane entbehrlich. Ein großer Teil des religiösen Lebens spielt sich ohne ihn ab.

Die arktischen, sibirischen und zentralasiatischen Völker setzen sich bekanntlich in ihrer überwiegenden Mehrheit aus Jägern und Fischern sowie aus Hirten und Viehzüchtern zusammen, und unbeschadet ihrer volklichen und sprachlichen Verschiedenheit stimmen ihre Religionen in den großen Zügen überein. Tschuktschen und Tungusen, Samojeden und Turktataren, um nur einige von den wichtigsten Gruppen zu nennen, verehren einen Großen Himmelsgott, der Schöpfer und allmächtig ist, doch im Begriff ein *deus otiosus*[2] zu werden. Mitunter bedeutet schon der Name des Großen Gottes «Himmel»; so zum Beispiel bei dem Num der Samojeden, dem Buga der Tungusen oder dem Tengri der Mongolen (vgl. auch Tengeri bei den Burjäten, Tängere bei den Wolgatataren, Tingir bei den Beltiren, Tangara bei den Jakuten usw.). Und wenn auch der konkrete Name «Himmel» fehlt, so findet sich doch

---

[2] Dieses für die Religionsgeschichte hochwichtige Phänomen ist keineswegs auf Zentral- und Nordasien beschränkt. Man begegnet ihm überall auf der Welt und seine Erklärung ist noch nicht abgeschlossen; vgl. Eliade, *Traité d'Histoire des Religions* (Payot, 1949, deutsch: *Die Religionen und das Heilige,* Salzburg 1954, S. 71 ff.). Das vorliegende Werk soll auf dieses Problem ein wenigstens indirektes Licht werfen.

eines seiner bezeichnendsten Attribute: er ist «hoch», «erhaben», «leuchtend» usw. So kommt bei den Irtysch-Ostjaken der Name des Himmelsgottes von dem Wort *sänke*, ursprünglich «leuchtend, glänzend, Licht». Die Jakuten nennen ihn «hocherhabenen Meister» (*ar tojon*), die Altaitataren «Weißes Licht» (*ak ajas*), die Korjaken «Den von oben», «den Meister der Höhe» usw. Die Turktataren, bei welchen der Große Himmelsgott seine religiöse Aktualität besser bewahrt als bei ihren nördlichen und nordöstlichen Nachbarn, nennen ihn in gleicher Weise «Oberhaupt», «Herr» und oft «Vater» (s. Eliade, *Die Religionen und das Heilige*, S. 88 ff.).

Dieser Himmelsgott, der den Oberhimmel bewohnt, verfügt über mehrere «Söhne» oder «Boten», die, ihm untergeordnet, die unteren Himmel innehaben. Zahl und Namen sind von Stamm zu Stamm verschieden: im allgemeinen ist von sieben oder neun «Söhnen» und «Töchtern» die Rede, und mit mehreren von ihnen unterhält der Schamane ganz besondere Beziehungen. Diese Söhne, Boten oder Diener des Himmelsgottes haben die Aufgabe, über die Menschen zu wachen und ihnen zu helfen. Das Pantheon ist manchmal noch weit zahlreicher, so zum Beispiel bei den Burjäten, Jakuten und Mongolen. Die Burjäten sprechen von 55 «guten» und 44 «bösen» Göttern, die seit jeher in endlosem Streit liegen. Doch, wie sich unten zeigen wird, gibt es Gründe dafür, daß diese Vervielfachung der Götter – wie auch der Gegensatz zwischen ihnen – vielleicht ziemlich junge Neuerungen sind.

Göttinnen kommen bei den Turktataren fast überhaupt nicht vor. Die mythisch-religiöse Funktion der Erde ist recht bescheiden; es gibt keine figürlichen Abbildungen der Erdgöttin und man bringt ihr keine Opfer dar. Die mythologische Rolle der Frau ist ebenfalls ziemlich beschränkt, wenn sie auch in gewissen schamanischen Traditionen noch spurenweise greifbar ist. Der einzige große Gott nach dem Himmels- oder Luftgott[3] ist bei den Altaiern der Herr der Unterwelt, Erlik Khan; auch er ist dem Schamanen gut bekannt. Ein sehr bedeutender Feuerkult, Jagdriten, die Todesvorstellung, auf welche wir noch mehrfach zurückzukommen haben, mögen diese kurze Aufzählung aus dem religiösen Leben Zentral- und Nordasiens vervollständigen. In morphologischer Hinsicht nähert sich diese Religion in ihren großen Zügen

---

[3] Auch in Zentralasien findet sich der bekannte Übergang vom Himmelsgott zu einem Luft- oder Sturmgott; vgl. *Religionen*, S. 117 ff.

der der Indogermanen: hier wie dort dieselbe Wichtigkeit des Großen Himmels- oder Sturmgottes, dasselbe Fehlen der Göttinnen (die so charakteristisch sind für den indisch-mediterranen Bereich), dieselbe Funktion der «Söhne» oder «Boten» (Açvins, Dioskuren usw.), dieselbe Betonung des Feuers. Noch deutlicher zeigt sich diese Nachbarschaft zwischen frühen Indogermanen und alten Turktataren auf dem Gebiet der Soziologie und der Wirtschaft: beides Gesellschaften von patriarchalischer Struktur mit besonderem Ansehen des Familienoberhauptes, die im Großen und Ganzen die Wirtschaft von Jägern oder Hirten und Viehzüchtern betreiben. Auf die religiöse Bedeutung des Pferdes bei den Turktataren und den Indogermanen wurde schon früh hingewiesen, und in jüngster Zeit hat man, wie wir noch zeigen werden, im ältesten griechischen Opfer, dem olympischen, Spuren des bezeichnendsten Opfers der Turktataren, der Ugrier und anderer arktischer Völker nachgewiesen – eines Opfers, das gerade die primitiven Jäger oder Hirten und Viehzüchter kennzeichnet. Dies ist nicht ohne Belang für unser Problem: Eine solche Symmetrie in Wirtschaft, Soziologie und Religion der frühen Indogermanen und der frühen Turktataren (oder besser Urtürken) [4] führt zu der Frage, ob es nicht auch bei den indogermanischen Völkern der geschichtlichen Zeit «schamanische» Spuren gibt, die sich mit dem turktatarischen Schamanismus vergleichen lassen.

Aber man kann es nicht oft genug wiederholen: Nirgendwo auf der Welt oder in der Geschichte läßt sich ein religiöses Phänomen finden, das wirklich «rein» und vollkommen «ursprünglich» wäre. Was wir an palethnologischen und prähistorischen Zeugnissen besitzen, reicht nicht über das Paläolithikum zurück, und nichts erlaubt uns zu glauben, die Menschheit habe in den Hunderttausenden von Jahren vor der ältesten Steinzeit ein weniger intensives und weniger reich abgewandeltes religiöses Leben geführt als später. Es ist so gut wie sicher, daß mindestens ein Teil der vorsteinzeitlichen magisch-religiösen Glaubensvorstellungen sich in den späteren religiösen Vorstellungen und My-

---

[4] Zur Vorgeschichte und ältesten Geschichte der Türken siehe die ausgezeichnete Zusammenstellung von René Grousset: *L'Empire des Steppes* (Paris 1938); vgl. auch W. Koppers, *Urtürkentum und Urindogermanentum im Lichte der völkerkundlichen Universalgeschichte* (Belleten Nr. 20, Istambul 1941, S. 481–525); W. Barthold, *Histoire des Turcs d'Asie Centrale* (Paris 1945); Karl Jettmar, *Zur Herkunft der türkischen Völkerschaften* (Archiv für Völkerkunde III, Wien 1948, S. 9—23).

thologien erhalten hat; doch es ist nicht weniger wahrscheinlich, daß dieses geistige Erbe der Vor-Steinzeit im Lauf der vielen kulturellen Berührungen zwischen den vor- und frühgeschichtlichen Völkern unaufhörlichen Veränderungen unterworfen war. Nirgends in der Religionsgeschichte also hat man es mit «ursprünglichen» Phänomenen zu tun, denn die «Geschichte» ist überall hingekommen und hat unter den religiösen Vorstellungen, den Schöpfungen der Mythologie, den Riten, den Ekstasetechniken verändernd, umschmelzend, bereichernd und verarmend gewirkt. Sicher hat jede Religion, wenn sie nach langen inneren Umbildungsprozessen endlich zu ihrer autonomen Struktur gefunden hat, eine nur ihr eigene «Gestalt», die als solche in der Geschichte weiterdauert, aber keine Religion ist gänzlich «neu», keine religiöse Botschaft vermag ganz die Vergangenheit abzuschaffen: es handelt sich viel eher um Einschmelzung, um Erneuerung, um Wiedereinsetzung und Integration von Elementen – und zwar den wesentlichsten! – aus unvordenklicher religiöser Überlieferung.

Diese wenigen Bemerkungen mögen genügen, um provisorisch den geschichtlichen Horizont des Schamanismus abzustecken; einige von seinen Elementen, die wir nun genauer zu bestimmen haben, sind eindeutig archaisch, aber auch damit nicht «rein» und «ursprünglich». Der turko-mongolische Schamanismus, wie er sich uns darstellt, ist sogar reich an orientalischen Einflüssen, und wenn es auch andere Schamanismen ohne so deutlich bestimmte und so junge Einflüsse gibt, so sind sie deswegen um nichts «ursprünglicher».

Die arktischen, sibirischen und zentralasiatischen Religionen, in welchen der Schamanismus die höchste Stufe seiner Integration erreicht hat, sind, wie wir gesehen haben, auf der einen Seite durch das – kaum spürbare – Vorhandensein eines Großen Himmelsgottes charakterisiert, auf der anderen durch Jagdriten und Ahnenkulte, die eine ganz andere religiöse Orientierung voraussetzen. Wie wir weiter unten sehen werden, ist der Schamane in jeden dieser religiösen Sektoren mehr oder weniger unmittelbar einbezogen, doch hat man immer den Eindruck, daß er in einem Sektor mehr «zuhause» ist als in einem anderen. Durch Ekstaseerlebnis und Magie konstituiert, paßt sich der Schamanismus mehr oder weniger schlecht den verschiedenen religiösen Strukturen an, auf die er trifft. Manchmal ist man geradezu frappiert, wenn man die Beschreibung einer schamanischen Sitzung sich im Ganzen des religiösen Lebens des betreffenden Volkes vorstellt, etwa zusammen mit dem Großen Himmelsgott und seinen Mythen; man hat den Eindruck zweier völlig verschiedener religiöser Welten. Und doch ist dieser Eindruck falsch: Der Unterschied beruht nicht in der Struktur der religiösen Welten, sondern in der Intensität des religiösen Erlebnisses, das durch die schamanische Sitzung ausgelöst wird. Eine solche Sitzung verzichtet selten auf die Ekstase, und aus der Religionsgeschichte wissen wir, daß kein religiöses Erlebnis mehr Entstellungen und Verirrungen ausgesetzt ist als das ekstatische.

Beschließen wir damit diese vorläufigen Bemerkungen. Beim Studium des Schamanismus hat man sich immer daran zu erinnern, daß er eine bestimmte Anzahl eigentümlicher, ja «privater» religiöser Elemente festhält und deshalb das religiöse Leben der übrigen Gemeinschaft bei weitem nicht erschöpft. Der Schamane beginnt sein neues, eigentliches Leben durch eine «Absonderung», das heißt, wie sich sogleich zeigen wird, durch eine geistige Krise, welche weder der tragischen Größe noch der Schönheit entbehrt.

Verleihung der Schamanenkraft

In Sibirien und Nordostasien gibt es vor allem folgende Arten, junge Schamanen auszuwählen: 1. erbliche Übertragung des Schamanenberufs und 2. spontane Berufung (der «Ruf» oder die «Auserwählung»). Man kennt auch den Fall des Individuums, das aus eigenem Willen (so z. B. bei den Altaiern) oder durch den Willen des Clans (Tungusen usw.) Schamane wird. Doch gelten die «self-made»-Schamanen für schwächer als die, welche diesen Beruf geerbt haben oder dem «Ruf» von Göttern und Geistern gefolgt sind [5]. Was die Wahl durch den Clan betrifft, so ist sie dem Ekstase-Erlebnis untergeordnet; hat ein solches nicht statt, so wird der zum Nachfolger des verstorbenen Schamanen ausersehene Jüngling wieder fallen gelassen (s. u. S. 27).

Welches nun die Art der Erwählung gewesen sei, anerkannt ist ein Schamane erst nach einer doppelten Unterweisung, die 1. durch Ekstase

---

[5] Für die Altaier siehe G. N. Potanin, *Otcherki severo-zapadnoj Mongolii IV* (Sankt Petersburg 1883), S. 57; M. Mikhailowski, *Shamanism in Siberia and European Russia* (Journal of the Royal Anthropological Institute, 24. Bd., 1894, S. 62–100; 126–158), S. 90.

(Träume, Trance), 2. durch Überlieferung (schamanische Techniken, Namen und Funktionen der Geister, Mythologie und Genealogie des Clans, Geheimsprache usw.) geschieht. Diese doppelte Unterweisung durch Geister und durch alte Schamanenmeister kommt einer Initiation gleich. Zuweilen ist die Initiation öffentlich und bildet schon für sich ein eigenständiges Ritual, doch bedeutet das Fehlen eines solchen Rituals keineswegs das Fehlen der Initiation; diese kann sich sehr wohl im Traum oder im Ekstaseerlebnis des Neophyten vollzogen haben. Die wenigen Zeugnisse von schamanischen Träumen zeigen durchgehends, daß es sich hier um Initiation handelt, wie sie in ihrer Struktur aus der Religionsgeschichte hinlänglich bekannt ist, in keinem Fall aber um sinnlose Halluzinationen und wirklich individuelle Erdichtung. Diese Halluzinationen und Erdichtungen halten sich an überlieferte, zusammenhängende Muster, welche deutlich artikuliert und von erstaunlich reichem theoretischem Gehalt sind.

Diese Feststellungen schaffen vielleicht eine festere Unterlage für die Frage der Psychopathie der Schamanen, die wir im folgenden zu behandeln haben. Ob Psychopathen oder nicht, auf jeden Fall müssen die künftigen Schamanen bestimmte Initiationsproben bestehen und eine – zuweilen sehr komplexe – Unterweisung empfangen. Nur diese doppelte Initiation durch Ekstase und Überlieferung verwandelt den Kandidaten aus einem etwaigen Neurotiker in einen von der Gesellschaft anerkannten Schamanen. Dieselbe Beobachtung gilt für den Ursprung der Schamanenkräfte: Nicht auf den Ausgangspunkt dieser Kräfte kommt es an (ob Erbschaft, Verleihung durch Geister, selbstgewollte Wahl), sondern auf die Technik und die dieser Technik zugrundeliegende Theorie, was beides durch die Initiation vermittelt wird.

Diese Feststellung scheint bedeutungsvoll, denn mehr als einmal wollte man aus der Verschiedenheit eines erblichen und eines spontanen Schamanismus, anders ausgedrückt aus der Abhängigkeit oder Unabhängigkeit des für die Schamanenlaufbahn entscheidenden «Rufes» von der psychopathischen Konstitution des Schamanen, entscheidende Schlüsse auf die Struktur und sogar die Geschichte dieses religiösen Phänomens ziehen. Wir werden weiter unten auf diese methodischen Fragen zurückkommen. Für den Augenblick beschränken wir uns darauf, einige sibirische und nordasiatische Zeugnisse für die Erwählung von Schamanen zu betrachten ohne den Versuch einer

Klassifizierung (erbliche Übertragung, Ruf, Ernennung durch den Clan, persönliche Entscheidung), denn wie wir sogleich sehen werden, kennen die meisten uns interessierenden Völker fast immer mehrere Wege der «Rekrutierung»[6].

Rekrutierung von Schamanen in West- und Mittelsibirien

Bei den Wogulen ist nach Gondattis Angaben der Schamanismus erblich und zwar auch in weiblicher Linie. Aber der künftige Schamane fällt von Jugend an auf: Schon früh wird er nervös und ist manchmal epileptischen Anfällen ausgesetzt, welche man als Begegnung mit den Göttern auslegt[7]. Anders scheint es bei den östlichen Ostjaken zu sein. Dort kann nach Dunin-Gorkawitsch der Schamanismus nicht erlernt werden; er ist eine Gabe des Himmels, die man bei der Geburt empfängt. Am Irtysch ist er ein Geschenk Sänkes (des Himmelsgottes) und macht sich schon im zartesten Alter bemerkbar. Auch die Waßjuganen sind der Ansicht, daß man als Schamane geboren wird[8]. Aber, wie Karjalainen (S. 250 f.) bemerkt, der Schamanismus, ob erblich oder spontan, ist immer eine Gabe der Götter oder der Geister; unter einem bestimmten Gesichtspunkt ist die Erblichkeit überhaupt nur eine scheinbare.

Im Allgemeinen bestehen die beiden Formen nebeneinander. Bei den Wotjaken zum Beispiel ist der Schamanismus erblich, aber er wird auch direkt vom höchsten Gott verliehen, der selbst durch Träume und Visionen den künftigen Schamanen unterrichtet[9].

---

[6] Über die Verleihung der Schamanenkraft s. Georg Nioradze, *Der Schamanismus bei den sibirischen Völkern* (Stuttgart 1925), S. 54–58; Leo Sternberg, *Divine Election in primitive religion* (Congrès International des Américanistes, Bericht von der XXI. Sitzung, zweiter Teil gehalten in Göteborg 1924, Göteborg 1925, S. 472–512), *passim*; ders., *Die Auserwählung im sibirischen Schamanismus* (Zeitschrift für Missionskunde und Religionswissenschaft, Bd. 50, 1935, S. 229–252; 261–274), *passim*; Uno Harva, *Die religiösen Vorstellungen der altaischen Völker* (FF Communications Nr. 125, Helsinki 1938), S. 452 ff.; Ake Ohlmarks, *Studien zum Problem des Schamanismus* (Lund-Kopenhagen 1939), S. 25 ff.; Ursula Knoll-Greiling, *Berufung und Berufungserlebnis bei den Schamanen* (Tribus, N. F., 2/3, 1952–1953, S. 227–238).

[7] K. F. Karjalainen, *Die Religion der Jugra-Völker*, Bd. III (FFC Nr. 63, Helsinki 1927), S. 248.

[8] Karjalainen, *ebd.* III, S. 248 f.

[9] Mikhailowski, *a. a. O.*, S. 153.

Genau so ist es bei den Lappen, wo die Gabe in der Familie weitergeht, aber auch durch die Geister frei verliehen wird [10].

Bei den sibirischen Samojeden und den Ostjaken ist der Schamanismus erblich. Beim Tod des Vaters macht der Sohn aus Holz ein Abbild seiner Hand und bewirkt durch dieses Symbol, daß die Kraft des Vaters auf ihn übergeht [11]. Aber es genügt nicht, ein Schamanensohn zu sein; der Neophyt muß außerdem von den Geistern akzeptiert und sanktioniert werden [12]. Bei den Jurak-Samojeden ist der künftige Schamane von Geburt an bekannt: die Kinder nämlich, welche mit ihrem «Hemd» auf die Welt kommen, sind dazu bestimmt Schamanen zu werden (die ihr «Hemd» nur über dem Kopf haben, werden ganz kleine Schamanen). Gegen die Reifezeit zu beginnt der Kandidat Visionen zu haben, singt im Schlaf, wandelt gern in der Einsamkeit herum usw. Nach dieser Inkubationszeit schließt er sich einem alten Schamanen an, um seine Unterweisung zu empfangen [13]. Bei den Ostjaken wählt sich manchmal der Vater selbst seinen Nachfolger unter den Söhnen aus; er hält sich dabei nicht an das Erstgeburtsrecht, sondern an die Fähigkeiten des Kandidaten. Ihm gibt er dann das überlieferte Geheimwissen weiter. Wer keine Kinder hat, übergibt es einem Freund oder Schüler. In jedem Fall verbringen die zu Schamanen Bestimmten ihre Jugend damit, die Lehren und die Technik ihres Berufes handhaben zu lernen [14].

Bei den Jakuten ist nach Sieroszewski [15] die Gabe des Schamanentums nicht erblich. Indes verschwindet der *ämägät* (Zeichen, Schutzgeist) nach dem Tod des Schamanen nicht und sucht sich deshalb in einem Mitglied derselben Familie zu verkörpern. Pripuzov [16] berichtet

---

[10] Mikhailowski, a. a. O., S. 147 f.; T. I. Itkonen, *Heidnische Religion und späterer Aberglaube bei den finnischen Lappen* (Mémoire de la Société Finno-Ougrienne, Bd. 87, Helsinki 1946), S. 116, 117 Anm. 1.

[11] P. I. Tretjakov, *Turushanskij Kraj, ego priroda i jiteli*, St. Petersburg 1871, S. 211; Mikhailowski, S. 86.

[12] A. M. Castrén, *Nordische Reisen und Forschungen* III, IV (St. Petersburg 1853, 1857), Bd. IV, S. 191; Mikhailowski, S. 142.

[13] T. Lehtisalo, *Entwurf einer Mythologie der Jurak-Samojeden* (Mémoires de la Société Finno-Ougrienne, Bd. 53, Helsinki 1927), S. 146.

[14] Belyavskij, zitiert bei Mikhailowski, S. 86.

[15] W. Sieroszewski, *Du chamanisme d'après les croyances des Yakoutes* (Revue de l'Histoire des Religions, Bd. 46, 1902, S. 204–235, 299–338), S. 312.

[16] zitiert bei Mikhailowski, S. 85 ff.

folgende Einzelheiten: Die zum Schamanen bestimmte Person beginnt zu toben, verliert dann auf einmal das Bewußtsein, zieht sich in die Wälder zurück, nährt sich von Baumrinden, stürzt sich ins Wasser und ins Feuer und bringt sich mit dem Messer Wunden bei. Die Familie wendet sich nun an einen alten Schamanen und dieser übernimmt die Aufgabe, den jungen Verwirrten über die verschiedenen Klassen von Geistern zu unterweisen und über die Art, wie man sie ruft und beherrscht. Dies ist aber erst der Anfang der Initiation im eigentlichen Sinn, über deren weitere Zeremonien wir noch zu sprechen haben.

Bei den transbaikalischen Tungusen erklärt ein Mensch, der Schamane werden will, daß ihm der Geist eines verstorbenen Schamanen im Traum erschienen ist und befohlen hat, seine Nachfolge zu übernehmen. Es ist Sitte, daß eine solche Erklärung, um glaubwürdig zu sein, von einer ziemlich weitgehenden Geistesverwirrung begleitet sein muß [17]. Nach dem Glauben der Turuschansker Tungusen sieht der zum Schamanen Bestimmte im Traum den «Teufel» *Khargi* schamanische Riten vollziehen. Bei dieser Gelegenheit erfährt er die Geheimnisse seines Berufes [18]. Auf diese «Geheimnisse» haben wir noch zurückzukommen, denn sie bilden eigentlich das Herz der schamanischen Initiation, welche sich zuweilen in Träumen und Trancen von scheinbar krankhaftem Charakter vollzieht.

Rekrutierung bei den Tungusen

Bei den Mandschus und den Tungusen der Mandschurei gibt es zwei Klassen von «großen» Schamanen (*amba saman*): die des Clans, und die vom Clan unabhängigen [19]. Im ersten Fall erfolgt die Weitergabe der Schamanenkräfte im allgemeinen vom Großvater zum Enkel, denn der Sohn muß für die Bedürfnisse seines Vaters sorgen und kann deshalb nicht Schamane werden. Bei den Mandschus ist es auch dem Sohn möglich, aber wenn kein Sohn da ist, erbt der Enkel die Schamanengabe, das heißt die «Geister», welche nach dem Tod des Scha-

---

[17] Mikhailowski, S. 85.
[18] Tretjakov, *Turushanskij Kraj*, S. 211; Mikhailowski, S. 85.
[19] S. Shirokogorov, *Psychomental complex of the Tungus* (Shanghai-London 1935), S. 344.

manen zur Verfügung stehen. Ein Problem entsteht dann, wenn in der Familie des Schamanen niemand da ist, der diese Geister in Besitz nehmen könnte; in diesem Fall wendet man sich an einen Fremden. Für den unabhängigen Schamanen gibt es hierin keine Regel (Shirokogorov, *a. a. O.*, S. 346), er folgt seiner eigenen Berufung.

Shirokogorov beschreibt mehrere Fälle schamanischer Berufungen. Es scheint sich immer um eine hysterische oder hysteroide Krise zu handeln, der eine Lehrzeit folgt, während welcher der Neophyt durch seinen Schamanen eingeweiht wird (Shirokogorov, S. 346 f.). In der Mehrzahl der Fälle treten diese Krisen während der Reifezeit ein, doch man kann erst einige Jahre nach dem ersten derartigen Erlebnis Schamane werden (*ebd.*, S. 349), und als Schamane anerkannt wird man nur von der ganzen Gemeinschaft und nach Bestehen der Initiationsprobe [20]. Fehlt etwas davon, so darf kein Schamane seine Funktion ausüben. Viele verzichten auf den Beruf, wenn sie nicht vom Clan als würdig zum Schamanentum befunden werden (*ebd.*, S. 350).

Die Unterweisung spielt eine bedeutende Rolle, aber sie findet erst nach dem ersten Ekstaseerlebnis statt. Bei den Tungusen der Mandschurei zum Beispiel wird das Kind ausgewählt und als künftiger Schamane erzogen, aber entscheidend ist die erste Ekstase; findet sie nicht statt, so läßt der Clan seinen Kandidaten fallen (*ebd.*, S. 350). Manchmal kann das Betragen des jungen Kandidaten die Weihe entscheiden und beschleunigen. So kommt es vor, daß er sich ins Gebirge flüchtet und dort eine Woche und länger bleibt, um sich von Tieren zu nähren, «die von ihm selber mit den Zähnen gefangen sind» [21], und schmutzig, blutig, mit zerrissenen Kleidern und zerrauften Haaren «wie ein Wilder» [22] ins Dorf zurückzukehren. Erst nach etwa zehn Tagen beginnt der Kandidat unzusammenhängende Worte zu stammeln [23]. Ein alter Schamane stellt ihm nun vorsichtig einige Fragen; der Kandidat (genauer der «Geist», welcher ihn besessen hält), wird rasend und bezeichnet

---

[20] Shirokogorov, S. 350 f.; über diese Initiation s. u. S. 113 f.

[21] Dies zeigt Verwandlung in ein wildes Tier an, also in gewisser Weise eine Reintegration in den Ahnen.

[22] All diese Einzelheiten haben Initiationsbedeutung, wie sich weiter unten zeigen wird.

[23] In dieser Schweigezeit vollendet sich seine Initiation durch die Geister, worüber die tungusischen und buriätischen Schamanen wertvolle Einzelheiten berichten; s. auch S. 81 ff.

schließlich denjenigen unter den Schamanen, der den Göttern die Opfer darbringen und die Initiations- und Weihezeremonie vorbereiten soll (Shirokogorov, S. 351; über die Abfolge der eigentlichen Zeremonie s. u. S. 116 f.).

Rekrutierung bei den Buriäten und den Altaiern

Bei den Alaren-Buriäten, welche Sandschejew erforscht hat, pflanzt sich das Schamanentum in väterlicher wie mütterlicher Linie fort, kann aber auch spontan sein. In beiden Fällen gibt sich die Berufung durch Träume und Krämpfe kund; das eine wie das andere bewirken die Geister der Ahnen *(utcha)*. Die Berufung zum Schamanen ist verpflichtend; man kann sich ihr nicht entziehen. Gibt es keinen passenden Kandidaten, dann quälen die Ahnengeister die Kinder; diese weinen im Schlaf, werden nervös und verträumt, und wenn sie 13 Jahre alt sind, weiht man sie zu Schamanen. Die Vorbereitungszeit bringt eine lange Reihe ekstatischer Erlebnisse; die Ahnengeister erscheinen dem Neophyten im Traum und tragen ihn manchmal bis in die Unterwelt. Der junge Mann bildet sich nebeneinander bei den Schamanen und bei den Ahnen aus; er erlernt Genealogie und Überlieferungen des Clans, die Mythologie und den Wortschatz der Schamanen. Der Lehrer nennt sich Schamanenvater. In seiner Ekstase singt der Kandidat schamanische Hymnen [24] – das Zeichen dafür, daß der Kontakt mit dem Jenseits bereits hergestellt ist.

Bei den südsibirischen Buriäten ist das Schamanentum im allgemeinen erblich, doch man kann auch durch göttliche Erwählung oder infolge eines Unglücksfalls Schamane werden; so wählen sich die Götter einen zum Schamanen, indem sie ihn mit dem Blitz treffen, oder sie zeigen ihm ihren Willen an durch Steine, die vom Himmel gefallen sind [25]; einer hat zufällig vom *tarasun* getrunken, in dem sich ein solcher Stein befand, und ist zum Schamanen geworden. Aber auch diese von den Göttern gewählten Schamanen müssen von alten Schamanen ge-

[24] Garma Sandschejew, *Weltanschauung und Schamanismus der Alaren-Burjaten* (aus dem Russischen übers. von R. Augustin, Anthropos, Bd. 22, 1927, S. 576–613, 933–955; Bd. 23, 1928, S. 538–560, 967–986), 1928, S. 977 f.
[25] Über die vom Himmel gefallenen «Blitzsteine» s. M. Eliade, *Die Religionen und das Heilige*, S. 80.

führt und unterwiesen werden (Mikhailowski, S. 86). Die Rolle des Blitzes bei der Bezeichnung des künftigen Schamanen ist bedeutsam, sie zeigt den himmlischen Ursprung der Schamanenkräfte an. Der Fall ist nicht isoliert; auch bei den Sojoten wird man Schamane, wenn man vom Blitz getroffen worden ist [26], und der Blitz ist auch manchmal auf der Schamanentracht bezeugt.

Beim erblichen Schamanismus wählen die Seelen der Schamanenahnen einen jungen Mann der Familie aus; dieser wird geistesabwesend und träumerisch, liebt die Einsamkeit, hat prophetische Gesichte und gelegentlich auch Anfälle, in denen er bewußtlos ist. Während dieser Zeit ist, nach dem Glauben der Buriäten, seine Seele durch die Geister entrückt – nach Westen, wenn er zum weißen, nach Osten, wenn er zum schwarzen Schamanen bestimmt ist. In den Palästen der Götter wird die Seele des Neophyten durch seine schamanischen Ahnen in den Geheimnissen seines Handwerks, den Gestalten und Namen der Götter, dem Kult und den Namen der Geister unterrichtet. Erst nach dieser ersten Initiation kehrt die Seele in den Körper zurück (Mikhailowski, S. 87). Wir werden sehen, daß die Initiation noch lange Zeit in Anspruch nimmt.

Für die Altaier ist die Gabe des Schamanentums im allgemeinen erblich. Schon als Kind zeigt sich der künftige *kam* kränklich, einzelgängerisch und kontemplativ. Aber er erfährt noch eine lange Vorbereitung durch seinen Vater, der ihn die Lieder und die Überlieferung des Stammes lehrt. Wenn in einer Familie ein junger Mann epileptische Anfälle hat, so sind die Altaier überzeugt, daß einer seiner Ahnen Schamane war. Doch kann man auch aus eigenem Willen ein *kam* werden, wenngleich ein solcher Schamane für geringer angesehen wird als die anderen [27].

Bei den Kasak-Kirgisen geht der Beruf des *baqça* in der Regel vom Vater auf den Sohn über; in Ausnahmefällen gibt ihn der Vater auch an seine beiden Söhne weiter. Doch man erinnert sich noch an eine alte Zeit, wo der Neophyt unmittelbar von den alten Schamanen gewählt

---

[26] Potanin, *Otcherki severo-zapadnoj Mongolii* IV, S. 289.
[27] Potanin, *Otcherki* IV, S. 56 f.; Mikhailowski, S. 90; Radlov, *Aus Sibirien* (Leipzig 1884) II, S. 16; A. V. Anochin, *Materialy po shamanstvu u altajcev*, S. 29 ff.; H. von Lankenau, *Die Schamanen und das Schamanenwesen* (Globus XXII, 1872), S. 278 ff.; W. Schmidt, *Der Ursprung der Gottesidee* IX (Freiburg 1949), S. 245–248 (für die Altai-Tataren), S. 687 f. (für die Abakan-Tataren).

wurde. «Früher nahmen die *baqças* manchmal ganz junge Kasak-Kirgisen in Dienst, meistens Waisenkinder, und weihten sie in den Beruf des *baqça* ein; doch war für den Erfolg darin eine Disposition zu nervösen Krankheiten nötig. Wer sich dem *baqçylyk* widmete, zeichnete sich durch plötzlichen Wechsel seines Zustandes aus, durch blitzschnellen Übergang von Erregung zum normalen Zustand, von Melancholie zu Heftigkeit [28].»

Ererbtes und erwähltes Schamanentum

Zwei Folgerungen ergeben sich schon aus diesem kurzen Überblick über den sibirischen und zentralasiatischen Bestand: 1. das Nebeneinander eines erblichen und eines unmittelbar von den Göttern und Geistern verliehenen Schamanismus, 2. die Häufigkeit krankhafter Erscheinungen bei der spontanen Kundgabe bzw. erblichen Weitergabe der Berufung zum Schamanen. Betrachten wir nun die Situation außerhalb Sibiriens, Zentralasiens und der arktischen Zone.

Es hat keinen Sinn, sich bei der Frage «Erblichkeit oder spontane Berufung des Zauberers und Medizinmanns» allzulang aufzuhalten. Im Großen und Ganzen ist die Lage überall gleich: beide Wege zu den magisch-religiösen Kräften bestehen nebeneinander. Einige Beispiele mögen genügen.

Der Beruf des Medizinmanns ist erblich bei den Zulus und den Betschuana in Südafrika [29], bei den Nyima im südlichen Sudan [30], den Negrito und Jakun auf der malaiischen Halbinsel [31], den Batak und anderen Völkern auf Sumatra [32], den Dajak [33], bei den Zauberern auf

---

[28] J. Castagné, *Magie et exorcisme chez les Kazak-Kırghizes et autres peuples turcs orientaux* (Revue des Etudes islamiques, 1930, S. 53–151), S. 60.

[29] Max Bartels, *Die Medizin der Naturvölker* (Leipzig 1893), S. 25.

[30] S. F. Nadel, *A study of shamanism in the Nuba Mountains* (Journal of the Royal Anthropological Institute, Bd. 76, 1946, S. 25–37), S. 27.

[31] Ivor H. N. Evans, *Studies in Religion, Folklore and Customs in British North Borneo and the Malay Peninsula* (Cambridge 1923), S. 159, 264.

[32] E. M. Loeb und Robert Heine-Geldern, *Sumatra* (Wien 1935), S. 81 (über die nördlichen Batak), 125 (die Minangkabau), 155 (die Nias).

[33] H. Ling Roth, *Natives of Sarawak and British North Borneo* (2 Bde., London 1896), I, S. 260; auch bei den Ngadju Dajak, vgl. H. Scharer, *Die Gottesidee der Ngadju Dajak in Süd-Borneo* (Leiden 1946), S. 58.

den Neuen Hebriden[34] und bei mehreren Stämmen in Guayana und am Amazonas (den Shipibo, Cobeno, Macushi usw.)[35]. «Nach Ansicht der Cobeno hat ein Schamane mit ererbtem Recht mehr Macht als einer, der sein Amt der eigenen Initiative verdankt» (A. Métraux, a. a. O., S. 201). Bei den Stämmen der Rocky Mountains in Nordamerika kann die Schamanenkraft ebenfalls erblich sein, doch geschieht die Weitergabe immer durch ein ekstatisches Erlebnis (Traum)[36]. Wie Park (S. 29) bemerkt, scheint die Beerbung mehr darin zu bestehen, daß nach dem Tod des Schamanen eines seiner Kinder oder ein anderes Familienmitglied eine Neigung zeigt, seine Kraft zu erlangen, indem es aus der nämlichen Quelle schöpft. Bei den Puyallup hat, wie Marian Smith mitteilt, «die Kraft die Neigung, in der Familie zu bleiben»[37]. Man kennt auch Fälle, wo der Schamane noch zu Lebzeiten die Kraft an sein Kind weitergibt (Park, S. 30). Erblichkeit der Schamanenkraft scheint die Regel zu sein bei den Stämmen des Plateaus (den Thompson, Shushwap, den südlichen Okanagon, den Klallam, Nez Percé, Klamath, Tenino) und in Nordkarolina und findet sich auch bei den Hupa, Chimariko, Wintu und westlichen Mono[38]. Die Weitergabe der «Geister» bleibt immer die Grundlage dieser schamanischen Beerbung, im Gegensatz zu der fast überall bei den nordamerikanischen Stämmen gebräuchlicheren Methode, die «Geister» durch ein spontanes Erlebnis (Traum usw.) oder freiwilliges Aufsuchen in Besitz zu nehmen. Bei den Eskimo ist der Schamanismus ziemlich selten erblich. Ein Iglulik wird Schamane, nachdem er durch ein Walroß verwundet worden ist; doch in gewisser Hinsicht hat er die Befähigung von seiner Mutter

---

[34] J. L. Maddox, *The Medicine Man. A sociological study of the character and evolution of shamanism* (Neuyork 1923), S. 26.

[35] Alfred Métraux, *Le shamanisme chez les Indiens de l'Amérique du Sud tropicale* (Acta Americana II, 1944, S. 197–219; 320–341), S. 200 ff.

[36] Willard Z. Park, *Shamanism in Western North America. A study of cultural relationship* (North-western University, Evanston und Chicago 1938), S. 22.

[37] Zitiert bei Marcelle Bouteiller, *Du «chaman» au «panseur de secret»* (Actes du XXVIIIe Congrès International des Américanistes, Paris 1947, Paris 1948, S. 237–245), S. 243. «Ein junges Mädchen, das mit uns bekannt ist, hat die Gabe Verbrennungen zu heilen von einer verstorbenen alten Nachbarin, die sie das Geheimnis gelehrt hat, weil sie keine Verwandten mehr hatte, die aber selber von einem Vorfahren eingeweiht war» (Bouteiller S. 243).

[38] W. Z. Park, *Shamanism*, S. 121. Vgl. auch Marcelle Bouteiller, *Don chamanistique et adaptation à la vie chez les Indiens de l'Amérique du Nord* (Journal de la Société des Américanistes, N. S., 39. Bd., 1950, S. 1—14).

geerbt, welche durch eine Feuerkugel, die in ihren Körper eindrang, Schamanin geworden war[39].

Nicht erblich ist das Amt des Medizinmanns bei einer beträchtlichen Anzahl primitiver Völker, deren Aufzählung hier nicht von Interesse sein kann[40]. Überall auf der Welt gilt ja auch die Möglichkeit, religiösmagische Kräfte ebensowohl spontan (durch Krankheit, Traum, zufällige Begegnung mit einer Quelle der «Macht» usw.) als willentlich (durch eigene Wahl) zu erlangen. Dabei ist zu beobachten, daß die nicht erbmäßige Aneignung religiös-magischer Fähigkeiten in nahezu zahllosen Formen und Varianten auftritt, welche jedoch mehr in das Gebiet einer allgemeinen Religionsgeschichte als einer systematischen Untersuchung des Schamanismus gehören, umfaßt sie doch ebenso die Möglichkeit, daß man sich auf spontane, willentliche Weise religiösmagische Fähigkeiten verschafft, um ein Schamane, Medizinmann oder Zauberer zu werden, wie die andere, daß man mit ihnen seine eigene Sicherheit und seinen eigenen Vorteil fördern will – beiden begegnen wir so gut wie überall in der archaischen Welt. Dieses zweite Motiv, sich religiös-magische Fähigkeiten zu verschaffen, bedeutet keine Absonderung von dem religiösen oder sozialen Leben der übrigen Gemeinschaft. Wer durch bestimmte elementare, jedoch überlieferte Praktiken ein Anwachsen seiner religiös-magischen Reserven erreicht – etwa um den Reichtum seiner Ernten zu sichern oder sich vor dem Bösen Blick zu schützen –, denkt nicht daran, deswegen seinen religionssoziologischen Stand zu wechseln und Medizinmann zu werden. Er möchte einfach seine vitalen und religiösen Kräfte vermehren. Damit stellt sich diese bescheidene und eng begrenzte Suche nach religiös-magischen Fähigkeiten zu den typischsten und elementarsten Verhaltensweisen, die der Mensch vor dem Heiligen einnehmen kann. Denn wie wir an anderem Ort gezeigt haben, wird beim primitiven wie bei jedem anderen Menschen der Wunsch nach Kontakt mit dem Heiligen durchkreuzt durch die Furcht, damit seinen Zustand als gewöhnlicher Mensch aufzugeben und zu einem mehr oder weniger wehrlosen Instrument für

---

[39] Knud Rasmussen, *Intellectual Culture of the Iglulik Eskimos* (Kopenhagen 1929), S. 120 ff. Bei den Eskimos auf den Diomedes-Inseln gibt zuweilen der Schamane seine Kraft direkt an einen von seinen Söhnen weiter, s. E. M. Weyer jr., *Eskimos* (New Haven 1932), S. 429.

[40] Vgl. Hutton Webster, *Magic. A sociological study* (Stanford, California 1948), S. 185 ff.

irgendeine Manifestation des Heiligen (Götter, Geister, Ahnen usw.) verwandelt zu werden.

Im folgenden wird uns die Frage: freiwillige Suche nach religiösmagischen Fähigkeiten oder Verleihung durch Götter und Geister nur dort beschäftigen, wo von einer ganz handfesten Aneignung des Sakralen die Rede ist, welche die religionssoziologische Stellung des Betreffenden von Grund auf ändert und ihn zu einem spezialisierten Techniker macht. Doch auch in solchen Fällen werden wir einen gewissen Widerstand gegen die «göttliche Erwählung» entdecken können.

Schamanismus und Psychopathologie

Hier wären die Beziehungen zu untersuchen, welche man zwischen dem arktischen und sibirischen Schamanismus und den Nervenkrankheiten, vor allem den verschiedenen Formen der arktischen Hysterie zu entdecken geglaubt hat. Seit Krivoshapkin (1861, 1865), Bogoraz (1910), Vitashevskij (1911) und Czaplicka (1914) hat man nicht aufgehört, die psychopathologische Phänomenologie des sibirischen Schamanismus ins Licht zu rücken [41]. Der letzte Vertreter dieser Erklärung des Schamanismus aus der arktischen Hysterie, A. Ohlmarks, geht so weit, zwischen einem arktischen und einem subarktischen Schamanismus zu unterscheiden, je nach dem Grad der Neuropathie seiner Vertreter. Nach diesem Autor war der Schamanismus ursprünglich eine rein arktische Erscheinung, welche in erster Linie von dem Einfluß der Umwelt auf die labilen Nerven der Polarmenschen herrührte. Die außerordentliche Kälte, die langen Nächte, die Wüsteneinsamkeit, der Vitaminmangel usw. hätten ihren Einfluß auf die nervliche Konstitution der arktischen Völker geübt und Geisteskrankheiten (die arktische Hysterie, das *meryak*, das *menerik* usw.) oder auch die schamanische Trance verursacht. Der einzige Unterschied zwischen

---

[41] Ohlmarks, *Studien zum Problem des Schamanismus*, S. 20 ff.; Nioradze, *Der Schamanismus*, S. 50 ff.: M. A. Czaplicka, *Aboriginal Siberia*, S. 179 ff. *(Tschuktschen)*; V. G. Bogoraz, *K psichologii shamanstva u narodov severo vostotchnoj Azii* (Etnografitcheskoe Obozrenie, 1910, Bd. 22, 1–2), S. 5 ff.; vgl. auch V. I. Jochelson, *The Koryak* (1905 ff.), S. 416 f.: ders., *The Yukaghir* (1910 ff.) S. 30–38.

einem Schamanen und einem Epileptiker sei, daß der Epileptiker die Trance nicht mit dem Willen hervorbringen kann[42]. In der arktischen Zone ist die schamanische Ekstase eine spontane und organische Erscheinung, und nur in dieser Zone kann man vom «großen Schamanismus» sprechen, das heißt von der Zeremonie, die mit einer wirklichen kataleptischen Trance endigt, während welcher die Seele den Körper verlassen und in den Himmel oder in die Unterwelt reisen soll[43]. In den subarktischen Gebieten dagegen, wo der Schamane keiner solchen kosmischen Beklemmung ausgesetzt ist, gelangt er nicht auf spontane Weise zu einer wirklichen Trance und sieht sich gezwungen, durch Narkotika eine Halbtrance hervorzurufen oder die Seelen«reise» dramatisch zu spielen[44].

Die These von der Gleichung Schamanismus-Geisteskrankheit wurde auch für andere, nichtarktische Formen des Schamanismus geltend gemacht. G. A. Wilken hat schon vor sechzig Jahren behauptet, der indonesische Schamanismus sei ursprünglich eine wirkliche Krankheit gewesen und man habe erst später angefangen, die echte Trance dramatisch nachzuahmen[45]. Man hat auch nicht versäumt auf die frappanten Beziehungen hinzuweisen, welche zwischen der Geistesverwirrung und den verschiedenen Formen des südasiatischen und ozeanischen Schamanismus bestehen. Nach Loeb ist der Niue-Schamane Epileptiker oder außerordentlich nervös und kommt aus bestimmten Familien, wo Instabilität der Nerven erblich ist[46]. Auf den Beschreibungen M. A. Czaplickas fußend glaubte J. Layard eine starke Ähnlichkeit zwischen dem sibirischen Schamanen und dem *bwili* in Malekula zu entdecken[47].

---

[42] Ake Ohlmarks, *Studien zum Problem des Schamanismus*, S. 11. Siehe unsern Artikel *Le problème du chamanisme* (Revue de l'Histoire des Religions, Bd. 131, 1946, S. 5–52), S. 9 ff. Vgl. Harva, *Die religiösen Vorstellungen der altaischen Völker*, S. 452 ff.

[43] Über diese Reisen siehe in den folgenden Kapiteln.

[44] Ohlmarks, *a. a. O.*, S. 100 ff., 122 ff. usw.

[45] G. A. Wilken, *Het Shamanisme bij de volken van den Indischen Archipel* ('s Gravenhage 1887), *passim*.

[46] E. M. Loeb, *The Shaman of Niue* (American Anthropologist, Bd. 26, 1924, S. 393–402), S. 395.

[47] J. W. Layard, *Shamanism. An analysis based on comparison with the flying tricksters of Malekula* (Journal of the Royal Anthropological Institute, Bd. 60, 1930, S. 525–550), S. 544. Dieselbe Beobachtung bei Loeb, *Shaman and Seer* (American Anthropologist, Bd. 31, 1929, S. 60–84), S. 61.

Der *sikerei* auf den Mentawei-Inseln[48], der *bomor* auf Kelanta[49] sind ebenfalls Neuropathen. Auf den Samoa-Inseln werden die Epileptiker Wahrsager. Die Batak auf Sumatra und andere indonesische Völker nehmen mit Vorliebe kränkliche und schwache Personen für das Amt des Zauberers. Bei den Subanum auf Mindanao ist der vollkommene Zauberer immer neurasthenisch oder zum mindesten exzentrisch. So auch andernorts: Bei den Sema Maga gleicht der Medizinmann zuweilen einem Epileptiker; auf dem Andamanen-Archipel gelten die Epileptiker als große Zauberer; bei den Lotuko in Uganda pflegen die Neuropathen Kandidaten der Magie zu sein (müssen sich aber trotzdem einer langen Initiation unterziehen, um ihren Beruf ausüben zu können)[50].

Nach dem Pater Housse sind bei den Araukaniern in Chile die Schamanen-Kandidaten «immer kränkliche oder empfindliche Leute mit schwachem Herzen, schlechtem Magen und Schwindelanfällen. Sie behaupten, daß für sie der Anruf der Gottheit unwiderstehlich ist und daß Widerstand oder Untreue mit einem unentrinnbaren, vorzeitigen Tod bestraft würde[51].» Mitunter, wie bei den Jivaro[52], ist der künftige Schamane nur ein zurückhaltender, schweigsamer Mensch oder wie bei den Selk'nam und den Yamana des Feuerlandes zu Meditation und Askese veranlagt[53]. Paul Radin zeigt die epileptoide bzw. hysteroide Struktur der meisten Medizinmänner, die er zur Stützung seiner These von der psychopathologischen Herkunft der Zauberer- und Priesterklasse anführt. Und ganz im Sinne von Wilken, Layard und Ohlmarks fügt er hinzu: «Was zuerst psychischen Notwendigkeiten entsprang, wird zu einer vorgeschriebenen mechanischen Formel für alle die, welche Priester werden und mit dem Übernatürlichen in Berührung

---

[48] Loeb, *Shaman and Seer*, S. 67.

[49] Jeanne Cuisinier, *Danses magiques de Kelantan* (Paris 1936, Travaux et Mémoires de l'Institut d'Ethnologie), S. 5 ff.

[50] Die Liste könnte leicht verlängert werden, vgl. H. Webster, *Magic*, S. 157 ff. Vgl. auch die langen Analysen von T. K. Österreich, *Die Besessenheit*, S. 129 ff., 231 ff.

[51] R. P. House, *Une épopée indienne, les Araucans du Chili* (Paris 1939), S. 98.

[52] R. Karsten, zitiert bei A. Métraux, *Le shamanisme chez les Indiens de l'Amérique du Sud tropicale*, S. 201.

[53] M. Gusinde, *Die Selk'nam* (Mödling bei Wien 1931), S. 779 ff.; ders., *Die Yamana* (ebd. 1937), S. 1394 ff.

kommen wollen⁵⁴.» A. Ohlmarks (a. a. O., S. 5) behauptet, daß nirgends auf der Welt die Seelen- und Geisteskrankheiten so heftig und so allgemein sind wie im arktischen Bereich. Er zitiert dabei ein Wort des russischen Ethnologen Dim. Zelenin: «Im Norden waren diese Psychosen viel stärker verbreitet als anderswo.» Doch ähnliche Beobachtungen wurden auch bei vielen anderen primitiven Völkern gemacht und es ist schwer einzusehen, inwiefern sie uns das Verständnis eines religiösen Phänomens erleichtern sollen⁵⁵.

Unter dem Aspekt des *homo religiosus* betrachtet – dem einzigen, der uns in der vorliegenden Arbeit maßgebend ist – erweist sich der Geisteskranke als mißglückter, besser noch als nachäffender Mystiker. Sein Erlebnis ist aus dem religiösen Zusammenhang gelöst, selbst wenn es scheinbar einem religiösen Erlebnis gleicht, so wie ein autoerotischer Akt zwar zu demselben physiologischen Ergebnis führt wie ein sexueller Akt im eigentlichen Sinn (der Ergießung des Samens), aber doch nur eine Nachäffung dieses Aktes darstellt, weil ohne die konkrete Anwesenheit des Partners erfolgt. Außerdem ist es leicht möglich, daß diese Ähnlichkeit der von Geistern «Besessenen» mit Nervenkranken, wie sie in der archaischen Welt häufig sein soll, in vielen Fällen nur aus den unvollkommenen Beobachtungen der ersten Ethnologen resultiert. Bei den Sudanvölkern, über welche unlängst Nadel gearbeitet hat, ist die Epilepsie ziemlich verbreitet, doch gelten weder Epilepsie noch eine andere Geisteskrankheit bei den Eingeborenen als echte Besessenheit⁵⁶. Wie dem auch sei, auf keinen Fall geht der behauptete

---

⁵⁴ Paul Radin, *La religion primitive* (übers. v. A. Métraux, Paris 1941), S. 110. Dazu s. jetzt *Gott und Mensch in der primitiven Welt* (Zürich 1953), S. 83 ff. und passim.

⁵⁵ Sogar Ohlmarks gibt zu (a. a. O., S. 24, 35), daß der Schamanismus nicht ausschließlich als Geisteskrankheit betrachtet werden darf, sondern ein komplizierteres Phänomen ist. Richtiger hat A. Métraux das Problem durchschaut, wenn er anläßlich der südamerikanischen Schamanen schreibt, nervöse oder von Natur religiöse Individuen fühlten sich «zu einer Lebensweise hingezogen, welche ihnen intime Berührung mit der übernatürlichen Welt verschafft und ein freies Ausgeben ihrer Nervenkraft ermöglicht. Im Schoß des Schamanismus finden die Unruhigen, Unbeständigen oder einfach Meditativen eine Atmosphäre, die ihnen günstig ist» (*Le Shamanisme chez les Indiens de l'Amérique du Sud tropicale*, S. 200). Für Nadel ist die Frage der Stabilisierung von Psychoneurosen durch den Schamanismus noch offen (*A study of shamanism in the Nuba Mountains*, S. 36), doch siehe weiter unten einige Folgerungen bezüglich der geistigen Gesundheit der Nyima-Schamanen (s. S. 42).

⁵⁶ Nadel, *A study of shamanism*, S. 36; s. auch weiter unten S. 42.

arktische Ursprung des Schamanismus notwendig aus der Nervenlabilität der Völker hervor, welche zu nah am Pol leben, noch aus spezifisch nördlichen Epidemien oberhalb eines bestimmten Breitengrades. Wie wir gesehen haben, finden sich ähnliche psychopathische Phänomene so ziemlich überall auf der Erdkugel.

Daß diese Krankheiten fast immer in einer Beziehung mit der Berufung zum Medizinmann erscheinen, hat nichts Überraschendes an sich. Wie der Kranke, so ist auch der religiöse Mensch auf eine Lebensebene geworfen, welche ihm die fundamentalen Gegebenheiten der menschlichen Existenz enthüllt, ihre Einsamkeit, ihre Unsicherheit und die Feindseligkeit der sie umgebenden Welt. Doch der primitive Zauberer, der Medizinmann und der Schamane ist nicht einfach ein Kranker; er ist vor allem ein Kranker, der sich selber geheilt hat. Oft, wenn die Berufung des Schamanen oder des Medizinmanns sich durch eine Krankheit, einen epileptoiden Anfall offenbart, kommt die Initiation des Kanddidaten einer Heilung gleich [57]. Der berühmte jakutische Schamane Tüsput («vom Himmel Gefallener») war zwanzig Jahre krank gewesen; er begann zu singen und fühlte sich besser. Als Sieroszewski ihm begegnete, war er sechzig Jahre alt und gab Proben einer unermüdlichen Energie. «Wenn nötig, kann er trommeln, tanzen und springen eine ganze Nacht lang.» Er war übrigens ein weitgereister Mann, er hatte sogar in den sibirischen Goldminen gearbeitet. Doch es war ihm ein Bedürfnis zu schamanisieren; unterließ er es längere Zeit, so fühlte er sich schlecht [58].

Ein goldischer Schamane erzählte Sternberg: «Die alten Leute sagen, daß vor einigen Generationen in meiner Familie drei große Schamanen waren. Unter meinen näheren Ahnen weiß man keine Schamanen. Meine Eltern erfreuten sich einer ausgezeichneten Gesundheit. Ich bin vierzig Jahre alt; ich bin verheiratet und habe keine Kinder. Bis zu zwanzig Jahren war ich sehr gesund, dann wurde ich krank, mein Körper tat mir weh, ich hatte furchtbare Kopfschmerzen. Schamanen versuchten mich zu heilen, aber ohne Erfolg. Als ich selbst zu schamanisieren anfing, besserte sich mein Zustand. Ich wurde vor zehn Jahren

---

[57] Jeanne Cuisinier, *Danses magiques de Kelantan*, S. 5; Loeb, *Shaman and Seer*, S. 66 ff. (diesen Fall siehe im nächsten Kapitel S. 66); Nadel, *ebd.* S. 36; Harva, *Die religiösen Vorstellungen*, S. 457.

[58] W. Sieroszewski, *Du chamanisme d'après les croyances des Yakoutes*, S. 310.

Schamane, aber am Anfang übte ich mich nur an mir selbst; erst vor drei Jahren ging ich daran, andere zu kurieren. Der Schamanenberuf ist sehr, sehr anstrengend [59].»

Sandschejew traf einen Buriäten, der in seiner Jugend «Antischamanist» gewesen war. Aber er wurde krank, und nachdem er vergeblich Heilung gesucht hatte (auf der Suche nach einem guten Arzt kam er bis nach Irkutsk), versuchte er zu schamanisieren. Er genas sofort und wurde für den Rest seiner Tage Schamane [60]. Auch Sternberg bemerkt, daß die Auserwählung des Schamanen sich durch eine ziemlich schwere Krankheit kundgibt, welche im allgemeinen mit der geschlechtlichen Reife zusammenfällt. Doch zuletzt genest der künftige Schamane mit Hilfe eben der Geister, die in der Folge seine Schutz- und Hilfsgeister sein werden. Manchmal sind es Ahnen, welche ihm die frei gebliebenen Hilfsgeister weitergeben möchten. Es handelt sich also um eine Art erbliche Weitergabe; in solchen Fällen ist die Krankheit nur ein Zeichen der «Wahl» und vorübergehend [61].

Immer ist die Rede von einer Heilung, einer Bemeisterung, einer Gleichgewichtsherstellung, welche eben durch die Ausübung des Schamanismus erreicht werden. Nicht dem Umstand, daß er epileptische Anfälle hat, verdankt zum Beispiel der Eskimo- oder der indonesische Schamane seine Kraft und sein Ansehen, sondern dem Umstand, daß er sie meistert. Von außen gesehen hat man leichtes Spiel, zwischen der Phänomenologie des *meryak* oder *menerik* und der Trance des sibirischen Schamanen eine Menge Ähnlichkeiten zu finden, aber der wesentliche Unterschied bleibt dabei die Fähigkeit des Schamanen, seine «epileptoide Trance» mit dem Willen hervorzurufen. Und mehr als dies: Die Schamanen, scheinbar so ähnlich den Epileptikern und Hysterikern, geben Proben einer übernormalen Nervenkonstitution. Sie vermögen sich mit einer Intensität zu konzentrieren, welche dem profanen Menschen unerreichbar bleibt; sie trotzen erschöpfenden Anstrengungen; sie beobachten ihre Bewegungen in der Ekstase.

---

[59] L. Sternberg, *Divine election in primitive religion*, S. 476 ff. Die Fortsetzung dieser bedeutsamen Autobiographie des goldischen Schamanen siehe weiter unten S. 81 ff.

[60] Garma Sandschejew, *Weltanschauung und Schamanismus der Alaren-Burjaten*, S. 977.

[61] L. Sternberg, *ebd.*, S. 474.

Nach den von Karjalainen gesammelten Auskünften Bjeljavskijs und anderer zeigt der wogulische Schamane lebhafte Intelligenz, einen Körper von vollendeter Geschmeidigkeit und eine Energie, die keine Grenzen kennt. Bei seiner Vorbereitung auf die künftige Arbeit bemüht sich der Neophyt seinen Körper zu kräftigen und seine geistigen Eigenschaften zu vervollkommnen[62]. Mytchyll, ein jakutischer Schamane, den Sieroszewski kannte, übertraf bei der Sitzung troz seines Alters die Jüngeren durch die Höhe seiner Sprünge und die Energie seiner Bewegungen. «Er wurde lebhaft, er schäumte über von Geist und Schwung. Er durchbohrte sich mit dem Messer, schlang Stöcke hinunter und verzehrte glühende Kohlen» (*Du Chamanisme d'après les croyances des Yakoutes*, S. 317). Der vollkommene Schamane muß für die Jakuten «ernst sein, Takt haben, seine Umgebung zu überzeugen wissen; vor allem darf er sich nicht anmaßend, stolz und aufbrausend zeigen. Man muß in ihm eine innere Kraft spüren, die nicht erschreckt, gleichwohl sich ihrer Macht bewußt ist» (*ebd.*, S. 318). Man hat Mühe in einem solchen Porträt den Epileptoiden zu erkennen, den man sich nach anderen Beschreibungen vorgestellt hat...

Die Schamanen halten ihren ekstatischen Tanz in einer Jurte voll Menschen, auf genau begrenztem Raum und in Kostümen mit mehr als 15 kg Eisen in Scheiben und anderer Form, und doch wird nie jemand getroffen[63]. Und der kasak-kirgisische *baqça* wirft sich in der Trance «nach allen Seiten, die Augen geschlossen, und findet doch alles, was er braucht»[64]. Diese erstaunliche Beherrschung selbst der ekstatischen Bewegungen verrät eine bewundernswerte Nervenkonstitution. Ganz allgemein zeigt der sibirische und nordasiatische Schamane keinerlei Zeichen geistiger Zerrüttung[65]. Gedächtnis und Selbstbeherrschung liegen klar über dem Durchschnitt. Nach Kai Donner (*La Sibérie*, S. 223) «darf man sagen, daß bei den Samojeden, Ostjaken und

---

[62] Karjalainen, *Die Religion der Jugra-Völker III*, S. 247 f.

[63] E. J. Lindgren, *Notes on the Reindeer Tungus of Manchuria* (Journal of the Royal Central Asian Society, Bd. 22, 1935, S. 218 ff., zitiert bei N. Kershaw Chadwick, *Poetry and Prophecy* (Cambridge 1942), S. 17.

[64] Castagné, *Magie et exorcisme*, S. 99.

[65] Vgl. H. Munro–Chadwick et N. Kershaw Chadwick, *The Growth of Literature*, Bd. III (Cambridge 1940), S. 214; N. K. Chadwick, *Poetry and Prophecy*, S. 17 ff. Der Lappenschamane muß vollkommen gesund sein: Itkonen, *Heidnische Religion und späterer Aberglaube bei den finnischen Lappen*, S. 116.

bestimmten anderen Stämmen der Schamane in der Regel gesund und in geistiger Beziehung oft seiner Umgebung überlegen ist». Bei den Burjäten sind die Schamanen die vorzüglichsten Bewahrer der reichen mündlichen Heldendichtung [66]. Der poetische Wortschatz eines jakutischen Schamanen umfaßt 12 000 Worte, während seine gewöhnliche Sprache – die Sprache der übrigen Gemeinschaft – nur 4000 Worte enthält (Chadwick, *Growth of literature* III, S. 199). Bei den Kasak-Kirgisen scheint der *baqça* «Sänger, Dichter, Musiker, Wahrsager, Priester und Arzt in einem, auch Träger der religiösen Volksüberlieferung und Bewahrer jahrhundertealter Legenden zu sein» (Castagné, *Magie et exorcisme*, S. 60).

Die nämlichen Beobachtungen hat man bei den Schamanen anderer Länder gemacht. Nach Koch-Sternberg «sind die Taulipang-Schamanen ganz allgemein intelligente Individuen, manchmal verschlagen, immer aber von starkem Charakter, denn zu ihrer Ausbildung und der Ausübung ihres Amtes bedarf es starker Energie- und Selbstbeherrschungsproben» [67]. A. Métraux bemerkt über die Schamanen am Amazonas: «Es hat nicht den Anschein, als ob eine physische oder physiologische Anomalie oder Besonderheit als Symptom spezieller Veranlagung zum Schamanismus in Betracht käme [68].»

Bei den Wintu liegt die Vermittlung und die Vervollkommnung des spekulativen Denkens in den Händen des Schamanen [69]. Die geistige Leistung des Schamanen und Propheten bei den Dajak ist enorm und bekundet eine Geisteskraft, die weit über der der Gesamtheit liegt [70]. Dasselbe gilt für die afrikanischen Schamanen ganz allgemein (Chadwick, *Poetry and Prophecy*, S. 30). Bei den von Nadel erforschten Sudanstämmen «gibt es keinen Schamanen, der im täglichen Leben ‚anomal', ein Neurastheniker oder Paranoiker wäre; dann würde man ihn nämlich unter die Narren einreihen und nicht als Priester respektieren. In summa, es ist nicht möglich, den Schamanismus mit einer entstehenden oder latenten Anomalität in Verbindung zu bringen;

---

[66] G. Sandschejew, *a. a. O.*, S. 983.

[67] Zitiert bei A. Métraux, *Le chamanisme chez les Indiens de l'Amérique du Sud tropicale*, S. 201.

[68] A. Métraux, *a. a. O.*, 202.

[69] Cora du Bois, *Wintu Ethnography* (University of California Publications AAE Bd. 36, Nr. I, 1935), S. 118.

[70] Chadwick, *Poetry and Prophecy*, S. 28 ff.; *Growth of Literature* III, S. 476 ff.

ich erinnere mich an keinen einzigen Schamanen, bei dem die Hysterie seines Berufes zu ernstlicher Geistesstörung entartet wäre [71].»

Weiter ist zu bedenken, daß die Initiation im eigentlichen Sinne nicht nur aus einem Ekstaseerlebnis besteht, sondern dazu noch, wie wir gleich sehen werden, aus einer theoretischen und praktischen Lehre, welche für einen Neurotiker viel zu schwierig ist. Mögen Schamanen, Zauberer, überhaupt Medizinmänner nun wirklichen epileptischen oder hysterischen Anfällen ausgesetzt sein oder nicht – auf keinen Fall sind sie einfach als Kranke zu betrachten, denn in ihrem psychopathischen Erlebnis steckt ein theoretischer Gehalt. Sich selbst und die anderen heilen können sie unter anderem gerade deshalb, weil sie den Mechanismus – oder besser: die Theorie – der Krankheit kennen.

All diese Beispiele vermögen jedenfalls die Vereinzelung des Medizinmannes innerhalb der Gesellschaft zu illustrieren. Ob er nun von den Göttern oder Geistern zu ihrem Sprecher gemacht, ob er durch körperlichen Makel zu seiner Funktion disponiert oder Träger einer Erbschaft ist, welche eine religiös-magische Berufung bedeutet, immer sondert sich der Medizinmann von der Welt der Profanen eben dadurch ab, daß er mit dem Sakralen in näherer Beziehung steht und wirksamer mit seinen Manifestationen umzugehen weiß. Gebrechen, Nervenkrankheit, spontane oder erbliche Berufung sind äußere Zeichen seiner «Wahl», einer «Erwählung». Manchmal sind diese Zeichen körperlich (angeborene oder erworbene Gebrechen), manchmal ist von einem Unfall die Rede, zuweilen von einem recht häufigen (z. B. Sturz von einem Baum, Schlangenbiß); gewöhnlich aber zeigt sich die Erwählung durch ein ganz besonderes Ereignis: Blitzschlag, Erscheinung, Traum. Das werden wir im nächsten Kapitel noch im Einzelnen sehen.

Diese Vereinzelung durch ein ungewöhnliches und anomales Erlebnis wäre einer näheren Betrachtung wert, ja sie vermag sogar etwas über die Dialektik des Sakralen selbst auszusagen. Auch die elementarsten Hierophanien sind eigentlich nichts anderes als eine radikale Sonderung, eine Sonderung von ontologischer Gültigkeit, zwischen

---

[71] Nadel, *A study of shamanism*, S. 36. Man kann also nicht sagen, daß der «Schamanismus die in der Gemeinschaft verteilte geistige Anormalität absorbiert, oder daß er auf einer deutlich gekennzeichneten und weit verbreiteten psychopathischen Veranlagung gründet. Es ist zweifellos unmöglich, den Schamanismus einfach als eine Einrichtung zu erklären, durch welche die Anormalität gerechtfertigt und die psychopathologische Erbanlage ausgenützt werden soll» (*ebd.*, S. 36).

irgendeinem Objekt und der es umgebenden kosmischen Zone. Indem dieser Stein, dieser Baum, dieser Ort *sich als heilig offenbart*, als irgendwie «auserwählt» zum Sitz einer Manifestation des Heiligen, sondert er sich ontologisch von den anderen Steinen, Bäumen und Orten und gelangt auf eine andere, übernatürliche Ebene. An anderer Stelle (s. Eliade, *Die Religionen und das Heilige,* passim) haben wir Strukturen und Dialektik der Hierophanien und Kratophanien, also der religiös-magischen Manifestationen des Heiligen analysiert. Hier nun gilt es auf die Symmetrie zu achten, welche zwischen der Vereinzelung der heiligen Dinge, Wesen und Zeichen und der Auserwählten-Vereinzelung derer besteht, die sich an dem Heiligen mit größerer Intensität versuchen als die übrige Gemeinschaft – die in gewisser Weise dieses Heilige verkörpern, da sie es in vollem Maße leben oder vielmehr «gelebt werden» von der religiösen «Gestalt», die sie erwählt hat (Götter, Geister, Ahnen). Diese vorläufigen Aufstellungen werden ihre Tragweite erweisen, sobald wir die bei der Vorbereitung und Initiation der künftigen Schamanen angewendeten Praktiken kennengelernt haben.

II

INITIATIONSKRANKHEITEN UND -TRÄUME

Initiation durch Krankheit

Krankheiten, mehr oder weniger pathogene Träume und Ekstasen sind Mittel, zum Schamanentum zu gelangen. Manchmal bedeuten diese außerordentlichen Erlebnisse einfach die «Erwählung», die von oben kommt, und sind für den Kandidaten nur eine Vorbereitung auf neue Offenbarungen. Meistens jedoch bilden Krankheiten, Träume und Ekstasen schon selbst eine Initiation, haben also den Zweck, den profanen Menschen von vor der «Erwählung» in einen Handhaber des Sakralen zu verwandeln. Freilich folgt diesem Erlebnis ekstatischer Ordnung immer und überall eine theoretische und praktische Unterweisung durch die alten Meister, aber deshalb ist es nicht weniger entscheidend, denn in ihm ist die radikale Änderung des religiösen Status der «erwählten» Person erfolgt.

Wie wir sogleich sehen werden, weisen alle ekstatischen Erlebnisse, welche die Berufung des künftigen Schamanen bestimmen, das traditionelle Schema einer Initiationszeremonie auf: Leiden, Tod und Auferstehung. Von diesem Gesichtspunkt aus betrachtet erfüllt eine jede «Krankheitsberufung» die Rolle einer Initiation, denn ihre Leiden entsprechen den Initiationsfolterungen; ebenso bildet die psychische Isolierung eines «erwählten Kranken» das Gegenstück zu der rituellen Isolierung und Einsamkeit der Initiationszeremonien, und die Todesgefahr, welche der Kranke erlebt hat (Agonie, Bewußtlosigkeit), die Analogie zu dem symbolischen Tod, der in allen Initiationszeremonien dargestellt wird. Die folgenden Beispiele werden zeigen, wie weit die Annäherung zwischen Krankheit und Initiation gehen kann. Bestimmte körperliche Leiden erfahren eine genaue Übersetzung in die Terminologie eines (symbolischen) Initiationstodes, so zum Beispiel die Zerstückelung des Körpers des Kandidaten (= Kranken), ein ekstatisches Erlebnis, das sich in den Leiden der «Krankheitsberufung» ebenso ereignen kann wie in gewissen rituellen Zeremonien und Träumen.

Fast immer umfaßt der – ziemlich reiche – Inhalt dieser Initiationserlebnisse eines oder mehrere von den folgenden Themen: Zerstükkelung des Körpers, darnach Erneuerung der inneren Organe und der Eingeweide; Auffahrt zum Himmel und Unterredung mit den Göttern oder Geistern; Abstieg in die Unterwelt und Unterhaltungen mit den Geistern und den Seelen der verstorbenen Schamanen; verschiedenerlei Offenbarungen religiöser und schamanischer Art (Berufsgeheimnisse) – offensichtlich alles Themen aus der Initiation. In gewissen Zeugnissen sind sie alle belegt, während anderswo nur eines oder zwei erwähnt sind (Zerstückelung des Körpers, Auffahrt zum Himmel). Freilich kann das Fehlen gewisser Initiationsthemen wenigstens da und dort auch auf mangelhaften Nachrichten beruhen, zumal die frühesten Ethnologen sich im allgemeinen mit summarischen Auskünften zufrieden gaben.

Doch abgesehen davon kann das Vorhandensein oder Fehlen solcher Themen auch eine bestimmte religiöse Orientierung der betreffenden schamanischen Praktiken anzeigen. Ohne Zweifel gibt es den Unterschied zwischen einer «himmlischen» Schamaneninitiation und einer anderen, die man mit gewissem Vorbehalt «unterweltlich» nennen könnte. Einerseits die wichtige Rolle eines Höchsten Wesens bei der Verleihung der Ekstasefähigkeit, andererseits die Bedeutung von Schamanenseelen und Dämonen – darin zeigen sich zwei auseinandergehende Richtungen. Wahrscheinlich rühren diese Unterschiede von verschiedenen oder gar entgegengesetzten religiösen Vorstellungen; auf jeden Fall aber setzen sie eine lange Entwicklung, eine Geschichte voraus, welche sich im gegenwärtigen Stadium der Forschung nur hypothetisch und provisorisch skizzieren läßt. Mit dieser Geschichte der beiden Typen haben wir uns im Augenblick nicht zu befassen. Um die Darstellung nicht unnötig zum komplizieren, soll jedes von den großen mythischrituellen Themen einzeln dargestellt werden: Zerstückelung des Körpers des Kandidaten, Auffahrt in den Himmel, Abstieg in die Unterwelt. Doch ist dabei nie zu vergessen, daß eine solche Trennung nur in seltenen Fällen der Wirklichkeit entspricht; daß, wie wir sogleich an den sibirischen Schamanen sehen werden, die drei Hauptthemen der Initiation manchmal nebeneinander im Erlebnis ein und desselben Individuums vorkommen, auf jeden Fall aber innerhalb des Ganzen einer einzigen Religion zusammentreffen. Und schließlich ist zu berücksichtigen, daß diese ekstatischen Erlebnisse, obwohl Elemente der eigentlichen Initiation, doch zugleich immer einem komplexen System traditioneller Unterweisung angehören.

Daß wir die Beschreibung der schamanischen Initiation mit der Darstellung des ekstatischen Typus beginnen, hat zwei Gründe: einmal, daß dieser Typus der älteste zu sein scheint und weiter, daß er der vollständigste ist, insofern er alle die oben aufgezählten mythisch-rituellen Themen umfaßt. Anschließend sollen Beispiele des nämlichen Initiationstypus aus anderen Gegenden folgen.

Initiationsekstasen und -visionen der jakutischen Schamanen

Das vorhergehende Kapitel brachte mehrere Beispiele von Berufung zum Schamanentum durch eine Krankheit. Mitunter handelt es sich eigentlich nicht um eine Krankheit im strengen Sinn, sondern mehr um eine zunehmende Veränderung der Lebensweise. Der Kandidat beginnt viel zu meditieren, sucht die Einsamkeit, schläft viel, zeigt sich geistesabwesend, hat prophetische Träume, manchmal auch Anfälle[1]. All diese Symptome sind nichts anderes als das Vorspiel des neuen Lebens, das den Kandidaten erwartet, ohne daß er davon weiß. Sein Benehmen erinnert übrigens an die ersten Zeichen der mystischen Berufung, die in allen Religionen dieselben sind und zu bekannt, um dabei zu verweilen.

Aber es gibt auch «Krankheiten», Anfälle, Träume und Halluzinationen, welche in kurzer Zeit einen Menschen zum Schamanen bestimmen. Es ist hier gleichgültig, ob diese pathogenen Ekstasen wirklich erlebt oder eingebildet sind oder wenigstens nachträglich mit Erinnerungen aus der Volksüberlieferung angereichert wurden, um schließlich in das Schema der traditionellen schamanischen Mythologie hineinzupassen. Als das Wesentliche erscheint uns die Anerkennung dieser Erlebnisse, der Umstand, daß sie die Berufung und die religiös-magische Kraft eines Schamanen beweisen als die einzig mögliche Sanktionierung eines solchen radikalen Umbruchs im religiösen Leben.

So sagt ein jakutischer Schamane, Sofron Zateev, daß für gewöhnlich

---

[1] Mehrere tschuktschische und buriätische Beispiele bei M. A. Czaplicka, *Aboriginal Siberia* (Oxford 1914), S. 179, 185 usw.; vgl. das vorhergehende Kapitel.

der künftige Schamane stirbt und drei Tage ohne Essen und Trinken in der Jurte liegt. Früher habe man sich dreimal der Zeremonie der Zerstückelung unterzogen. Ein anderer Schamane, Petr Ivanov, unterrichtet uns ausführlicher über diese Zeremonie: Die Glieder des Kandidaten werden mit einem eisernen Haken abgeschnitten und zertrennt, die Knochen werden gesäubert, das Fleisch wird abgekratzt, das Flüssige weggeschüttet, die Augen werden aus ihren Höhlen gerissen. Nach dieser Prozedur werden alle Knochen gesammelt und mit Eisen wieder verbunden. Nach einem anderen Schamanen, Timofei Romanov, dauert die Zeremonie der Zerstückelung drei bis sieben Tage[2]; während dieser ganzen Zeit liegt der Kandidat, fast ohne zu atmen, an einem einsamen Ort.

Nach dem Jakuten Gavriil Alekseev hat ein jeder Schamane einen Mutterraubvogel, das ist eine Art großer Vogel mit einem eisernen Schnabel, hakenförmigen Krallen und langem Schwanz. Dieser mythische Vogel zeigt sich nur zweimal, bei der geistigen Geburt des Schamanen und bei seinem Tod. Er nimmt seine Seele, trägt sie in die Unterwelt und läßt sie dort auf dem Zweig einer Fichte reifen. Ist die Seele zur Reife gelangt, so kehrt der Vogel auf die Erde zurück und schneidet den Körper des Kandidaten in kleine Stücke, die er unter die bösen Krankheits- und Todesgeister verteilt. Jeder Geist verschlingt das Stück, das ihm paßt; dadurch erhält der künftige Schamane die Fähigkeit, die entsprechenden Krankheiten zu heilen. Wenn der ganze Körper verzehrt ist, entfernen sich die Geister. Der Muttervogel bringt die Knochen wieder an ihren Platz und der Kandidat erwacht wie aus einem tiefen Schlaf.

Nach einer anderen jakutischen Nachricht tragen die bösen Geister die Seele des künftigen Schamanen in die Unterwelt und sperren sie dort drei Jahre lang in einem Haus ein (für niedrigere Schamanen nur ein Jahr). Hier erlebt der Schamane seine Initiation: die Geister schneiden ihm den Kopf ab und legen ihn auf die Seite (denn der Kandidat soll mit eigenen Augen bei seiner Zerstückelung zusehen). Darauf zerschneiden sie ihn in winzige Stücke, welche sogleich unter die Geister

---

[2] Diese mystischen Zahlen spielen in den zentralasiatischen Mythologien eine wichtige Rolle (s. unten S. 263). Es handelt sich dabei um einen traditionellen theoretischen Rahmen, in welchen das ekstatische Erlebnis des Schamanen gebracht wird, um daraus seine Gültigkeit zu empfangen.

der verschiedenen Krankheiten verteilt werden. Nur unter dieser Bedingung erlangt der künftige Schamane die Macht zu heilen. Darauf werden seine Gebeine mit frischem Fleisch bedeckt und in gewissen Fällen gibt man ihm auch neues Blut [3].

Nach einer anderen jakutischen Legende, ebenfalls von Ksenofontov aufgenommen (*Legendy i raskazy*, S. 60 ff.), entstehen die Schamanen im Norden. Dort wächst eine riesige Tanne, die auf ihren Ästen Nester trägt. Die großen Schamanen sind auf den höchsten Zweigen, die mittleren in der Mitte und die kleinsten unten am Baum [4]. Der Mutterraubvogel, der einen Adlerkopf und eiserne Federn hat, setzt sich auf den Baum, legt Eier und bebrütet sie; bis zum Ausschlüpfen der großen Schamanen dauert es drei Jahre, die mittleren brauchen zwei Jahre und die kleinen Schamanen eines. Wenn die Seele aus dem Ei gekommen ist, vertraut der Muttervogel sie zur Unterweisung einer Schamanenteufelin an, die nur ein Auge, einen Arm und einen Knochen hat. Diese wiegt die Seele des künftigen Schamanen in einer eisernen Wiege und nährt sie mit geronnenem Blut. Nun kommen drei schwarze «Teufel», die ihm den Körper in Stücke schneiden, eine Lanze in seinen Kopf stoßen und Fleischstücke als Opfergaben in verschiedene Richtungen werfen. Drei weitere «Teufel» schneiden ihm den Kinnbacken ab – ein Stück für jede Krankheit, die er zu heilen berufen sein wird. Wenn beim Zählen der Gebeine eines fehlt, muß jemand aus seiner Familie sterben, um es zu ersetzen. Dabei kommt es vor, daß bis zu neun Verwandte sterben.

Nach einer anderen Mitteilung bewachen die «Teufel» die Seele des Kandidaten, bis er sich ihr Wissen angeeignet hat. Während dieser ganzen Zeit liegt der Kandidat krank. Seine Seele wird in einen Vogel oder ein anderes Tier, auch in einen Menschen verwandelt. Die «Kraft»

---

[3] G. W. Ksenofontov, *Legendy i raskazy o shamanach u jakutov, burjat i tungusov* (2. Aufl., Moskau 1930), S. 44 ff.; T. Lehtisalo, *Der Tod und die Wiedergeburt des künftigen Schamanen* (Journal de la Société finno-ougrienne XLVIII, Helsinki 1937, Heft 3, S. 1–34), S. 13 ff.

[4] Nach einer weiteren jakutischen Legende (Lehtisalo, *Der Tod*, S. 30) entstehen die Schamanenseelen auf einer Tanne auf dem Berg Dzokuo. Eine andere Vorstellung spricht vom Baum Yiyk-Mar, dessen Wipfel bis in den Neunten Himmel reicht. Dieser Baum hat keine Äste, sondern die Schamanenseelen befinden sich in seinen Knoten (*ebd.*, S. 31). Offensichtlich haben wir es dabei mit dem Weltenbaum zu tun, der im Zentrum der Welt wächst und die drei kosmischen Zonen Unterwelt, Erde und Himmel verbindet. Dieses Symbol spielt in allen nord- und zentralasiatischen Mythologien eine große Rolle. S. unten S. 259.

des Kandidaten wird in einem Nest aufbewahrt, das unter dem Laub eines Baumes verborgen ist, und wenn die Schamanen kämpfen (in Tiergestalt), bemühen sie sich das Nest ihres Gegners zu zerstören (Lehtisalo, *a. a. O.*, S. 29 f.).

In allen diesen Beispielen begegnen wir dem zentralen Thema einer Initiationszeremonie: Zerlegung des Körpers des Neophyten und Erneuerung seiner Organe; ritueller Tod, dem Auferstehung und mystische Erfüllung folgt. Festzuhalten wäre auch das Motiv vom Riesenvogel, welcher auf den Ästen des Weltenbaumes die Schamanen ausbrütet; es hat in den nordasiatischen, speziell den schamanischen Mythologien eine große Tragweite.

Initiationsträume der samojedischen Schamanen

Nach den jurak-samojedischen Gewährsmännern Lehtisalos beginnt die Initiation im eigentlichen Sinne mit der Lehre im Trommeln; bei dieser Gelegenheit sieht man zum ersten Mal die Geister. Der Schamane Ganykka erzählte ihm, daß, als er einmal beim Trommeln war, die Geister herabstiegen und ihn in Stücke schnitten, wobei sie ihm auch die Hände abschlugen. Sieben Tage und sieben Nächte blieb er bewußtlos auf dem Boden ausgestreckt. Während dieser Zeit weilte seine Seele im Himmel, ging dort mit dem Donnergeist spazieren und machte dem Gott Mikkulei einen Besuch [5].

A. A. Popov erzählte das Folgende von einem avam-samojedischen Schamanen [6]. Dieser bekam die Pocken und war drei Tage bewußtlos, fast tot, so daß man ihn beinahe am dritten Tag begraben hätte. Während dieser Zeit fand seine Initiation statt. Er erinnerte sich, daß er mitten auf einen See getragen wurde. Dort hörte er die Stimme der Kranheit (also der Pocken) zu ihm sprechen: «Du erhältst von den Herren des Wassers die Gabe zu schamanisieren. Dein Schamanen-

---

[5] T. Lehtisalo, *Entwurf einer Mythologie der Jurak-Samojeden* (Mémoires de la Société Finno-Ougrienne, Bd. LIII, Helsinki 1927), S. 146; ders., *Der Tod und die Wiedergeburt des künftigen Schamanen*, S. 3.

[6] A. A. Popov, *Tavgijcy. Materialy po etnografii avamskich i vedeevskich tavgicev* (Trudy Instituta Antropologii i Etnografii, Bd. 1, S. 5, Moskau-Leningrad 1936) S. 84 ff.; s. auch Lehtisalo, *Tod und Wiedergeburt*, S. 3 ff.; E, Emsheimer, *Schamanentrommel und Trommelbaum* (Ethnos, Bd. IV, 1946, S. 166–181), S. 173 ff.

name ist *huottarie* (Taucher).» Darauf wühlte die Krankheit das Wasser des Sees auf. Er stieg aus dem Wasser und kletterte einen Berg hinan. Dort begegnete er einer nackten Frau und begann ihre Brust zu saugen. Die Frau, wahrscheinlich die Herrin des Wassers, sagte zu ihm: «Du bist mein Kind, darum lasse ich dich meine Brust saugen. Du wirst vielen Schwierigkeiten begegnen und es sehr schwer haben.» Der Gatte der Herrin des Wassers, der Herr der Unterwelt, gab ihm nun zwei Führer, ein Hermelin und eine Maus, die ihn in die Unterwelt führten. Als sie auf einem hochgelegenen Ort angekommen waren, zeigten seine Führer ihm sieben Zelte mit zerrissenen Dächern. Er trat in das erste ein und traf dort die Bewohner der Unterwelt und die Männer der Großen Krankheit (der Pocken). Diese rissen ihm das Herz heraus und warfen es in einen Kochtopf. In den andern Zelten lernte er den Herrn des Wahnsinns kennen und die Herren aller Nervenkrankheiten, auch derjenigen der bösen Schamanen. Auf diese Weise lernte er die verschiedenen Krankheiten, welche die Menschen quälen [7].

Darauf kam der Kandidat, immer hinter seinen Führern, in das Land der Schamaninnen, welche ihm Kehle und Stimme kräftigten [8]. Von dort wurde er zu den Ufern der Neun Seen getragen. In der Mitte eines dieser Seen fand er eine Insel, und in der Mitte der Insel erhob sich eine junge Birke bis zum Himmel. Das war der Baum des Herrn der Erde. In seiner Nähe wuchsen neun Kräuter, die Ahnen von allen Pflanzen der Erde. Der Baum war von Seen umgeben und in jedem See schwamm eine Vogelart mit den zugehörigen Jungen; da gab es verschiedene Arten von Enten, einen Schwan, einen Sperber. Der Kandidat besuchte alle diese Seen; einige davon waren salzig, andere wieder so heiß, daß er sich ihrem Ufer nicht nähern konnte. Als er damit fertig war, hob der Kandidat den Kopf und gewahrte im Wipfel des Baumes Menschen [9] aus mehreren Nationen: Tavgy-Samojeden, Russen, Dolganen, Jakuten und Tungusen. Er hörte Stimmen: «Es ist beschlossen worden, daß du ein Tamburin (das heißt einen Trommelstock) aus den Ästen dieses Baumes bekommen sollst» [10], worauf der Kandidat mit den

[7] Gemeint ist: er lernte sie kennen und heilen.

[8] Wahrscheinlich: sie lehrten ihn singen.

[9] Es handelt sich um die Stammväter der Völker, welche sich zwischen den Ästen des Weltenbaumes befinden – eine Mythe, der wir auch anderwärts begegnen (s. S. 261).

[10] Über die symbolische Gleichsetzung Trommel = Weltenbaum und ihre Konsequenzen für die schamanische Praktik s. unten S. 168 ff.

Seevögeln fortflog. Als er sich vom Ufer entfernte, rief ihm der Herr des Baumes zu: «Mein Ast ist eben heruntergefallen, nimm ihn und mach dir daraus eine Trommel, sie soll dir dein Leben lang dienen.» Der Zweig hatte drei Gabelungen und der Herr des Baumes befahl ihm, sich drei Trommeln zu machen, die von drei Frauen bewacht werden müßten, jede Trommel für eine spezielle Zeremonie: eine zum Schamanisieren bei den Wöchnerinnen, die zweite für die Heilung der Kranken und die letzte zur Auffindung der im Schnee Verirrten.

Ebenso gab der Herr des Baumes auch allen anderen Männern im Baumwipfel einen Ast. Dann aber stieg er in Menschengestalt bis zur Brust aus dem Baum hervor und rief: «Einen einzigen Ast gebe ich den Schamanen nicht, sondern behalte ihn für die übrigen Menschen. Sie dürfen sich aus diesem Ast Wohnungen machen und ihn auch sonst verwenden. Ich bin der Baum, der allen Menschen das Leben gibt.» Der Kandidat drückte den Ast an sich und wollte eben seinen Flug wieder aufnehmen, als er von neuem eine menschliche Stimme hörte, die ihm die medizinischen Kräfte der sieben Pflanzen kundtat und Anweisungen für die Kunst des Schamanisierens gab. Doch müsse er drei Frauen heiraten (was er übrigens auch tat; er heiratete drei Waisen, die er von den Pocken geheilt hatte).

Darauf kam er an einen unendlich großen See und fand dort Bäume und sieben Steine. Diese Steine sprachen der Reihe nach mit ihm. Der erste hatte Zähne wie ein Bär und eine Höhlung in Form eines Korbes und eröffnete ihm, daß er der Stein der Erdpressung sei; er beschwere mit seinem Gewicht die Felder, damit sie nicht vom Wind davongetragen würden. Der zweite diente zum Schmelzen des Eisens. Er blieb sieben Tage bei diesen Steinen und lernte so, wozu sie den Menschen dienen konnten.

Die beiden Führer, die Maus und das Hermelin, führten ihn nun auf ein hohes, rundes Gebirge. Er sah eine Öffnung vor sich und drang in eine leuchtende Höhle ein; sie war mit Spiegelglas ausgekleidet und in der Mitte war etwas, das wie ein Feuer aussah. Er bemerkt zwei nackte, aber mit Haaren bedeckte Frauen wie Renntiere[11] und er sieht, daß keines von den Feuern brennt, sondern daß das Licht von oben durch eine Öffnung hereinkommt. Eine von den beiden Frauen teilt

[11] Personifikationen der Mutter der Tiere, eines mythischen Wesens, das in den arktischen und sibirischen Religionen eine große Rolle spielt.

ihm mit, daß sie schwanger ist und zwei Renntiere zur Welt bringen wird; das eine werde das Opfertier [12] der Dolganen und Evenken, das andere der Tavgy sein. Sie gibt ihm noch ein Haar, das ihm von Wert sein werde, wenn er für die Renntiere zu schamanisieren habe. Die andere Frau bringt ebenfalls zwei Renntiere zur Welt, Symbole der Tiere, die dem Menschen bei der Arbeit helfen und ihm auch zur Nahrung dienen sollen. Die Höhle hatte zwei Öffnungen, eine nach Norden, eine nach Süden; zu jeder schickten die Frauen ein junges Renntier hinaus, das den Waldleuten (den Dolganen und Evenken) helfen sollte. Auch die zweite Frau gab ihm ein Haar; wenn er schamanisiert, wendet er sich im Geist nach dieser Höhle.

Nun kommt der Kandidat in eine Wüste und sieht in weiter Ferne ein Gebirge. Nach dreitägigem Marsch ist er dort angelangt, dringt durch eine Öffnung ein und begegnet einem nackten Mann, der mit einem Blasebalg arbeitet. Über dem Feuer befindet sich ein Kessel «so groß wie die halbe Erde». Der Nackte erblickt den Novizen und ergreift ihn mit einer riesigen Zange; der kann gerade noch denken: «Ich bin tot!» Der Mann schneidet ihm den Kopf ab, teilt seinen Körper in kleine Stücke, wirft alles in den Kessel und kocht den Körper darin drei Jahre lang. Dort waren auch drei Ambosse und der Nackte schmiedete seinen Kopf auf dem dritten, auf dem die besten Schamanen geschmiedet wurden. Dann warf er den Kopf in einen von den drei Töpfen, die dort standen, in dem das Wasser am kältesten war. Bei dieser Gelegenheit entdeckte er ihm folgendes: Wenn er zu jemandem gerufen werde um ihn zu heilen und das Wasser sei sehr heiß, dann sei es nutzlos zu schamanisieren, denn der Mensch sei schon verloren; bei lauwarmem Wasser sei er krank, werde aber gesunden, und das kalte Wasser sei das Kennzeichen für einen gesunden Menschen.

Der Schmied fischte nun seine Gebeine auf, die in einem Fluß schwammen, setzte sie zusammen und bedeckte sie mit Fleisch. Er zählte sie und teilte ihm mit, er habe drei Stück zuviel, er müsse sich also drei Schamanenkostüme verschaffen. Er schmiedete seinen Kopf und zeigte ihm, wie man die Buchstaben darin lesen kann. Er wechselte ihm die Augen aus, deshalb sieht er, wenn er schamanisiert, nicht mit seinen fleischlichen Augen, sondern mit diesen mystischen. Er durchstach ihm die Ohren und setzte ihn damit in den Stand, die Sprache der Pflanzen

---

[12] Gemeint ist, es wird durch den Kranken freigelassen.

zu verstehen. Darauf fand sich der Kandidat auf dem Gipfel eines Berges und erwachte endlich in seiner Jurte bei den Seinen. Jetzt kann er singen und schamanisieren ohne Ende, ohne jemals müde zu werden [13].

Wir haben diesen Bericht wegen seines erstaunlichen mythologischen und religiösen Reichtums wiedergegeben. Wenn man die Bekenntnisse der übrigen sibirischen Schamanen mit ebensolcher Sorgfalt gesammelt hätte, wäre es wohl nie zu der üblichen Formel gekommen: Der Kandidat blieb eine gewisse Anzahl von Tagen bewußtlos, träumte, daß er durch die Geister in Stücke geschnitten und in den Himmel gebracht wurde usw. Diese Initiationsekstase hält sich offenbar sehr genau an drei Musterthemen: Der Novize begegnet einigen göttlichen Gestalten (Herrin des Wassers, Herr der Unterwelt, Herrin der Tiere), bevor er von den Tieren, die ihn führen, zum Zentrum der Welt auf dem Gipfel des kosmischen Gebirges gebracht wird, wo der Weltenbaum und der Herr aller Welt ist; halbdämonische Wesen entdecken ihm Natur und Behandlung aller Krankheiten; zuletzt schneiden andre dämonische Wesen seinen Körper in Stücke, kochen diese und tauschen sie gegen bessere Organe aus.

Alle Elemente dieses Initiationsberichtes hängen zusammen und fügen sich in den Rahmen eines in der Religionsgeschichte wohlbekannten symbolisch-rituellen Systems. Auf jedes dieser Elemente haben wir noch zurückzukommen. Das Ganze ist eine wohlausgeprägte Variante des weltumfassenden Themas von Tod und mystischer Auferstehung des Kandidaten, ausgedrückt durch einen Abstieg in die Unterwelt und eine Auffahrt in den Himmel.

Die Initiation bei den Tungusen, Buriäten usw.

Dasselbe Initiationsschema begegnet auch bei anderen sibirischen Völkern. Nach der Angabe des tungusischen Schamanen Ivan Colko muß der zukünftige Schamane krank sein, sein Körper muß in Stücke

---

[13] Lehtisalo glaubt, daß die Rolle des Schmiedes in den samojedischen Legenden sekundär ist und speziell in Ausgestaltungen wie der vorliegenden Einfluß von außen verrät (*Tod und Wiedergeburt*, S. 13). Tatsächlich sind die Beziehungen zwischen Metallurgie und Schamanismus in Mythologie und Glauben der Buriäten aber weit bedeutender. S. unten S. 434 ff.

geschnitten und sein Blut von den bösen Geistern (*saargi*) getrunken werden. Diese Geister – in Wirklichkeit die Seelen der toten Schamanen – werfen seinen Kopf in einen Kessel; dort schmiedet man ihn zugleich mit anderen Metallstücken, die dann Bestandteile seines rituellen Kostüms bilden [14]. Ein anderer tungusischer Schamane erzählt, daß er ein ganzes Jahr lang krank war. Während dieser Zeit sang er, um sich Erleichterung zu schaffen. Seine schamanischen Ahnen kamen und weihten ihn ein; sie durchbohrten ihn mit Pfeilen, bis er das Bewußtsein verlor und zu Boden fiel; sie schnitten ihm das Fleisch ab, rissen ihm die Knochen aus und zählten sie; hätte einer gefehlt, so hätte er nicht Schamane werden können. Während dieser Prozedur blieb er ein ganzes Jahr ohne Speise und Trank (Ksenofontov, S. 103).

Obwohl die Buriäten sehr komplexe öffentliche Zeremonien der Schamanenweihe habe, kennen sie auch «Traumkrankheiten» als Initiation. Ksenofontov berichtet die Erfahrungen Michail Stepanovs: Bevor der Kandidat Schamane wird, muß er lange Zeit krank sein; die Seelen der schamanischen Ahnen umgeben den Kandidaten, sie martern und schlagen ihn und zerschneiden seinen Körper mit einem Messer usw. Während dieser Prozedur liegt der künftige Schamane leblos da; Gesicht und Hände sind blau, das Herz schlägt kaum (Ksenofontov, *Legendy i raskazy*, S. 101). Nach einem anderen buriätischen Schamanen, Bulagat Buchatcheev, bringen die Geister der Ahnen die Seele des Kandidaten vor die «Versammlung der Saaitans» im Himmel und dort wird er unterwiesen. Nach der Initiation kocht man sein Fleisch, um ihn die Kunst des Schamanisierens zu lehren. Während dieser Initiationsfolter bleibt der Schamane sieben Tage und sieben Nächte wie tot. Dabei kommen die Verwandten (außer den Frauen) und singen: «Unser Schamane ersteht wieder auf und wird uns helfen!» Während sein Körper von den Ahnen zerstückelt und gekocht wird, kann kein Fremder ihn berühren (*ebd.*, S. 101).

Dieselben Erlebnisse finden sich auch sonst. Eine Teleutenfrau wurde Schamanin, nachdem sie in einer Vision unbekannte Männer ihren Körper in Stücke schneiden und in einem Topf kochen sah [15]. Nach der Überlieferung der Altai-Schamanen essen die Ahnengeister ihr Fleisch,

---

[14] G. W. Ksenofontov, *Legendy i raskazy*, S. 103.
[15] Dyrenkowa, zitiert bei V. Ja. Propp, *Le radici storiche dei racconti di fate* (Turin 1949; die russische Ausgabe 1946 erschienen), S. 154.

trinken ihr Blut und öffnen ihnen den Bauch usw. [16]. Der kasak-kirgisische *baqça* gibt an: «Ich habe im Himmel fünf Geister, die mich mit vierzig Messern zerschneiden, mit vierzig Nägeln zwicken» usw. [17].

Das ekstatische Erlebnis der Zerstückelung des Körpers und der Erneuerung der Organe kennen auch die Eskimos. Sie sprechen von einem Tier (Bär, Walroß, Robbe), das den Kandidaten verwundet, zerteilt und verschlingt; darauf wächst neues Fleisch um seine Knochen (Lehtisalo, S. 20 ff.). Zuweilen wird das Tier, das ihn foltert, der Hilfsgeist des künftigen Schamanen (*ebd.*, S. 21 f.). Gewöhnlich manifestieren sich solche Fälle spontaner Berufung durch eine Krankheit oder wenigstens durch ein besonderes Unglück (Kampf mit einem Meertier, Einbrechen im Eis usw.), das den künftigen Schamanen ernstlich angreift. Doch die meisten Eskimoschamanen suchen selbst die ekstatische Initiation und unterziehen sich in ihrem Verlauf vielen Prüfungen, die manchmal an die Zerstückelung der sibirischen und zentralasiatischen Schamanen nahe herankommen. Gelegentlich handelt es sich um ein mystisches Erlebnis von Tod und Auferstehung, das durch die Betrachtung des eigenen Skeletts hervorgerufen wird. Darauf werden wir sogleich zurückkommen; zuvor seien noch einige andere Initiationserlebnisse angeführt, die mit den eben vorgeführten Zeugnissen parallel laufen.

Die Initiation der australischen Zauberer

Die ältesten Beobachter haben seit langem bezeugt, daß gewisse Initiationszeremoniale australischer Medizinmänner den rituellen Tod des Kandidaten und die Erneuerung seiner Organe enthalten, und zwar werde das bald durch Geister, bald durch die Seelen der Toten vollzogen. So berichtet Colonel Collins (1798), daß bei den Stämmen von Port Jackson derjenige Medizinmann wurde, der auf einem Grabe schlief. «Der Geist des Toten kam, packte ihn an der Gurgel, riß

---

[16] A. V. Anochin, *Materialy po shamanstvu u altajcev*, S. 131; Lehtisalo, *Tod und Wiedergeburt*, S. 18.
[17] W. Radlov, *Proben der Volksliteratur der türkischen Stämme Süd-Sibiriens*, 4. Bd. (St. Petersburg 1870); ders., *Aus Sibirien. Lose Blätter aus dem Tagebuch eines reisenden Linquisten*, II (Leipzig 1884), S. 65; Lehtisalo, a. a. O., S. 18.

ihn auf, nahm ihm die Eingeweide heraus, ersetzte sie durch andere und die Wunde schloß sich von selbst [18].»

Durch die neueren Forschungen wurden diese Nachrichten genugsam bestätigt und ergänzt. Den Nachrichten Howitts zufolge glauben die Wotjoballuk, daß ein übernatürliches Wesen, Ngatje, den Medizinmann weiht; es öffnet ihm den Bauch und setzt ihm die Felskristalle ein, welche die magische Kraft bringen [19]. Wenn die Euahlayi jemanden zum Medizinmann machen wollen, gehen sie in der folgenden Weise vor: Sie bringen den dazu erwählten jungen Mann auf einen Friedhof und lassen ihn dort gebunden mehrere Nächte lang. Sobald er allein ist, erscheinen viele Tiere und berühren und lecken den Neophyten. Dann erscheint ein Mann mit einem Stock; er bohrt ihm den Stock in den Kopf und legt in die Wunde einen magischen Stein in der Größe einer Zitrone. Darauf kommen die Geister und stimmen Zauber- und Initiationslieder an, um ihn in der Heilkunst zu unterrichten [20].

Bei den Ureinwohnern von Warburton Ranges (im westlichen Australien) spielt sich die Initiation in folgender Weise ab: Der Bewerber dringt in eine Höhle ein und zwei Totemheroen (die Wildkatze und der Emu) töten ihn, öffnen seinen Körper, nehmen die Organe heraus und ersetzen sie durch magische Substanzen. Sie entfernen auch das Schulterblatt und das Schienbein, trocknen sie, füllen sie mit denselben Substanzen und setzen sie wieder ein. Während dieser Probe wird der Aspirant von seinem Initiationsmeister überwacht, welcher die angezündeten Feuer unterhält und seine ekstatischen Erlebnisse kontrolliert [21].

Die Arunta kennen drei Methoden, Medizinmänner zu weihen: 1. durch die *Iruntarinia* oder «Geister», 2. durch die *Eruncha* (d. h. die Geister der *Eruncha*-Leute aus der mythischen *Alchera*-Zeit), 3. durch andere Medizinmänner. Im ersten Fall nähert sich der Kandidat dem

---

[18] Collins, zitiert bei A.W. Howitt, *The Native Tribes of South-East Australia* (London 1904), S. 405; s. auch M. Mauss, *L'origine des pouvoirs magiques dans les sociétés australiennes* (1904; wieder veröffentlicht in H. Hubert et Mauss, *Mélanges d'histoire des religions*, 2. Aufl., Paris 1929, S. 131—187); vgl. Helmut Petri, *Der australische Medizinmann* (Annali Lateranensi, XVI, 1952, S. 159–317).

[19] A.W. Howitt, *On Australian medicine men* (Journal of the Royal Anthropological Institute XVI, 1887, S. 23–58), S. 48; ders., *The Native Tribes of South-East Australia*, S. 404.

[20] K. Langloh Parker, *The Euahlayi Tribe* (London 1905), S. 25 f.

[21] A.P. Elkin, *The Australian Aborigines* (Sydney-London 1938), S. 223.

Eingang einer Höhle und schläft ein. Ein Iruntarinia kommt, «wirft eine unsichtbare Lanze nach ihm, die ihm den Nacken durchschneidet, die Zunge durchbohrt, so daß es eine große Wunde gibt, und durch den Mund herauskommt». Die Zunge des Kandidaten bleibt weiterhin durchlöchert; man kann mit Leichtigkeit den kleinen Finger hineinstecken. Die zweite Lanze durchschneidet ihm den Kopf und das Opfer erliegt. Der Iruntarinia trägt es ins Innere der Höhle, die sehr tief und die Wohnung der Iruntarinia sein soll, wo sie immer im Licht und an frischen Quellen leben (dies ist nämlich das Paradies der Arunta). In der Höhle reißt ihm der Geist die inneren Organe heraus und setzt ihm andere, ganz neue, ein. Der Kandidat kehrt zum Leben zurück, beträgt sich aber einige Zeit wie ein Irrer. Die Iruntarinia-Geister – unsichtbar für die übrigen Menschen außer den Medizinmännern – bringen ihn nun in sein Dorf. Die Etikette verbietet ihm, vor Ablauf eines Jahres zu praktizieren. Wenn sich in der Zwischenzeit das Loch in seiner Zunge schließt, tritt der Kandidat zurück, denn seine magischen Kräfte gelten für verschwunden. Während dieser Zeit lernt er von anderen Medizinmännern die Geheimnisse seines Handwerks, besonders wie die Quarzstücke (*atnongara*) zu benützen sind [22], die ihm die *Iruntarinia* in den Körper gesenkt haben [23].

Die zweite Methode gleicht merklich der ersten, mit dem einen Unterschied, daß die *Eruncha* den Kandidaten nicht in eine Höhle tragen, sondern mit sich unter die Erde ziehen. Die dritte schließlich enthält ein langes Ritual an einem einsamen Ort, wobei der Kandidat schweigend die Operation erleiden muß, die zwei alte Medizinmänner an ihm vornehmen: Sie reiben ihm den Körper mit Felskristallen, bis die Haut aufreißt, drücken ihm Kristalle auf den Haarboden, bohren ihm ein Loch unter den Nagel der rechten Hand und machen ihm einen Einschnitt in die Zunge. Schließlich bringt man auf seiner Stirne eine Zeichnung mit Namen *erunchilda* (wörtlich «Die Hand des Teufels») an; *Eruncha* ist der böse Geist bei den Arunta. Auf den Körper macht man ihm eine andere Zeichnung, in der Mitte eine schwarze Linie, die den Eruncha darstellt, und darum herum andere Linien, anscheinend

---

[22] Über diese magischen Steine s. unten Anm. 25.
[23] B. Spencer und F. J. Gillen, *The Native Tribes of Central Australia* (London 1899), S. 522 ff.; ders., *The Arunta. A study of a Stone Age Poeple* (London 1927), 2. Bd., S. 391 ff.

Symbole der magischen Kristalle, welche er in seinem Körper trägt. Nach dieser Initiation muß sich der Kandidat einer besonderen Lebensweise unterziehen und zahllose Tabus berücksichtigen [24].

Ilpailurkna, ein berühmter Zauberer des Unmatjera-Stammes, erzählte Spencer und Gillen: «Als er Medizinmann wurde, kam eines Tages ein sehr alter Doktor und warf mit einem Wurfspießwerfer einige *atnongara*-Steine [25] nach ihm. Einige von den Steinen trafen ihn an der Brust, andere fuhren durch seinen Kopf von einem Ohr zum anderen und töteten ihn. Darauf nahm ihm der Greis alle seine inneren Organe heraus – Darm, Leber, Herz und Lunge – und ließ ihn die ganze Nacht ausgestreckt auf dem Erdboden liegen. Am nächsten Tag kam er wieder, betrachtete ihn, legte weitere *atnongara*-Steine in das Innere seines Körpers, seine Arme und Beine und bedeckte ihn mit Blättern; dann sang er über seinem Körper, bis dieser aufschwoll. Nun versah er ihn mit neuen Organen, deponierte noch viele *atnongara*-Steine in ihm und klopfte ihm den Kopf; das belebte ihn und er sprang auf die Füße. Darauf ließ ihn der alte Medizinmann Wasser trinken und Fleisch essen, das *atnongara*-Steine enthielt. Als er aufwachte, wußte er nicht, wo er war. ‚Ich glaube, ich bin verloren!' sagte er. Dann aber schaute er sich um und sah den Greis an seiner Seite, der zu ihm sprach: ‚Nein, du bist nicht verloren; ich habe dich vor langer Zeit getötet.' Ilpailurkna hatte alles vergessen, was ihn und sein früheres Leben betraf. Der Greis führte ihn nun zum Lager zurück und zeigte ihm seine Frau, seine *lubra:* er hatte sie ganz vergessen. Aus dieser sonderbaren Rückkehr und aus seinem fremdartigen Benehmen konnten die Eingeborenen sofort entnehmen, daß er ein Medizinmann geworden war [26].»

Bei den Warramunga geschieht die Initiation durch die *puntidir*-Geister, die den *Iruntarinia* der Arunta entsprechen. Ein Medizinmann erzählte Spencer und Gillen, daß er zwei Tage lang von zwei Geistern verfolgt wurde, die sich «seinen Vater und seinen Bruder» nannten. In

---

[24] *The Native Tribes*, S. 526 ff.; *The Arunta* II, S. 394 ff.

[25] «Diese *atnongara*-Steine sind kleine Kristalle, die ein Medizinmann nach Belieben aus seinem Körper zutage bringen kann, wo sie verteilt sein sollen. Der Besitz eben dieser Steine gibt dem Medizinmann seine Macht» (Anmerkung bei Spencer und Gillen, *Northern Tribes*, S. 480).

[26] Spencer und Gillen, *The Northern Tribes of Central Australia* (London 1904)), S. 480 f.

der zweiten Nacht näherten sich ihm die Geister von Neuem und töteten ihn. «Während er tot da lag, öffneten sie ihm den Körper und nahmen die Organe heraus, ersetzten sie aber durch neue; zum Schluß setzten sie eine kleine Schlange in seinen Körper, die ihm die Kraft zum Medizinmann verlieh» (*Northern Tribes,* S. 484).

Ein ähnliches Erlebnis gehört zu der zweiten Initiation der Warramunga, die, nach Spencer und Gillen (ebd. S. 485), noch geheimnisvoller ist. Die Kandidaten müssen marschieren oder stehen bleiben, bis sie entkräftet und bewußtlos niedersinken. «Dann öffnet man ihnen die Seiten und entfernt wie gewöhnlich ihre inneren Organe, um sie durch neue zu ersetzen.» Man bringt eine Schlange in ihren Kopf und durchbohrt ihnen die Nase mit einem magischen Gegenstand (*kupitja*), der ihnen später zur Pflege der Kranken dienen wird. Diese Gegenstände sind in der mythischen Zeit Alcheringa von bestimmten sehr mächtigen Schlangen verfertigt worden (*ebd.,* S. 486).

Bei den Binbinga gelten die Medizinmänner als von den Geistern Mundadji und Munkaninji (Vater und Sohn) geweiht. Der Zauberer Kurkutji erzählte, wie er eines Tages in eine Höhle eindrang und dort den alten Mundadji fand, der ihn am Hals packte und tötete. «Mundadji öffnete ihm den Körper in Höhe der Taille, nahm ihm die inneren Organe heraus und setzte seine eigenen in den Körper Kurkutjis, wobei er eine bestimmte Anzahl heiliger Steine beifügte. Als das vollzogen war, näherte sich ihm der jüngere Geist, Munkaninji, und gab ihm das Leben zurück; er bedeutete ihm, daß er jetzt ein Medizinmann sei und zeigte ihm, wie man Knochen ausreißt und die Menschen von bösem Geschick befreit. Dann ließ er ihn zum Himmel aufsteigen und brachte ihn wieder auf die Erde zurück und in sein Lager, wo man ihn beweinte, weil die Eingeborenen glaubten, er sei tot. Er blieb noch lange in einem Zustand der Betäubung, kam aber nach und nach wieder zu sich. Da begriffen die Eingeborenen, daß er ein Medizinmann geworden war. Wenn er eine magische Operation ausführt, soll der Geist Munkaninji neben ihm sein und ihn beaufsichtigen, ohne natürlich vom Volk gesehen zu werden. Wenn Kurkutji einen Knochen ausreißt – welche Operation für gewöhnlich unter dem Deckmantel der Nacht vollführt wird –, saugt er zuerst heftig in der Magengend des Patienten und zieht eine bestimmte Menge Blut heraus. Dann streicht er einigemale über den Körper hin, gibt ihm Faustschläge, hämmert auf ihm herum und saugt, bis der Knochen herauskommt, wirft ihn dann ganz plötzlich, bevor die Umstehenden noch schauen können, dahin, wo Munkaninji sitzt und ganz ruhig das Ganze beaufsichtigt. Dann sagt Kurkutji zu den Eingeborenen, daß er Munkaninji um die Erlaubnis bitten muß, den Knochen sehen zu lassen, und wenn er sie erhalten hat, geht er dorthin, wo er vermutlich vorher einen hingelegt hat, und kehrt damit zurück» (*ebd.*, S. 487 f.).

Im Stamm der Mara ist die Praktik fast dieselbe. Wer Medizinmann werden will, zündet ein Feuer an und verbrennt Fett, um damit zwei Geister, die Minungarra, herbeizuziehen. Diese nähern sich und machen dem Kandidaten Mut mit der Versicherung, daß sie ihn nicht ganz töten werden. «Zuerst machen sie ihn gefühllos, dann schneiden sie wie gewöhnlich seinen Körper auf und nehmen die Organe heraus, die sie durch die Organe eines der Geister ersetzen. Dann gibt man ihm das Leben zurück, sagt ihm, daß er jetzt Medizinmann ist, zeigt ihm, wie er den Patienten Knochen ausziehen und die Menschen von bösem Zauber befreien muß, und bringt ihn zuletzt in den Himmel. Zum Schluß läßt man ihn wieder heruntersteigen und bringt ihn ganz nah zu dem Feld, wo ihn seine Freunde finden, die ihn beweint haben... Zu den Kräften eines Medizinmannes des Mara-Stammes gehört es, während der Nacht mit Hilfe eines für die gewöhnlichen Sterblichen unsichtbaren Seiles bis in den Himmel klettern zu können, wo er sich mit den Geistern der Sterne unterhalten darf» (*ebd.*, S. 488).

Parallelen zwischen Australien und Südamerika

Wie wir gesehen haben, ist die Analogie zwischen den Initiationen der sibirischen Schamanen und der australischen Medizinmänner ziemlich stark. Im einen wie im andern Fall erleidet der Kandidat von halbgöttlichen Wesen oder Ahnen eine Operation, die aus der Zerteilung des Körpers und der Erneuerung der inneren Organe und der Knochen besteht. Im einen wie im andern Fall findet diese Operation in einer «Unterwelt» statt oder bringt einen Abstieg in die Unterwelt mit sich. Dagegen hat die Praktik der Quarzstücke oder anderen magischen Gegenstände, welche die Geister in den Körper des australischen Kandidaten einsetzen sollen, in Sibirien nur eine sehr geringe Bedeutung.

Nur selten wurden Eisenstücke oder andere Gegenstände erwähnt, die zum Schmelzen in denselben Kessel geworfen werden, in den man Knochen und Fleisch des künftigen Schamanen geworfen hat[27]. Und noch ein Unterschied trennt Australien von Sibirien: in Sibirien wird der größte Teil der Schamanen von den Geistern und Göttern «erwählt», während in Australien die Laufbahn des Medizinmanns anscheinend ebensowohl auf selbstgewollter Wahl des Kandidaten beruhen kann als auf der spontanen «Auserwählung» durch die Geister und göttlichen Wesen.

Andererseits ist noch zu bemerken, daß die Initiationsmethoden der australischen Zauberer sich nicht auf die erwähnten Typen beschränken lassen. Zwar scheint das wichtigste Element einer Initiation in der Zerstückelung des Körpers und dem Ersatz innerer Organe zu bestehen, doch gibt es noch andere Mittel um einen Medizinmann zu weihen und zwar an erster Stelle das ekstatische Erlebnis einer Auffahrt in den Himmel samt Unterweisung durch himmlische Wesen. Zuweilen enthält die Initiation sowohl die Zerteilung des Kandidaten als seinen Aufstieg zum Himmel (wie wir soeben für die Binbinga und die Mara gesehen haben). Andernorts vollzieht sich die Initiation im Verlauf eines mystischen Abstiegs zur Unterwelt. Allen diesen Initiationstypen begegnen wir ebenso bei den sibirischen und zentralasiatischen Schamanen. Derartige Symmetrie zwischen zwei Gruppen mystischer Praktik bei so weit voneinander entfernten archaischen Völkern muß für die Rolle des Schamanismus in der allgemeinen Religionsgeschichte sehr ins Gewicht fallen.

Auf jeden Fall geht aus dieser Analogie zwischen Australien und Sibirien Echtheit und Altertümlichkeit der schamanischen Initiationsriten genugsam hervor. Die Bedeutung der Höhle in der Initiation des

---

[27] Die große Bedeutung der Felskristalle bei den australischen Medizinmännern ist wahrscheinlich das Ergebnis einer Konvergenz zweier gleich bedeutender religiösmagischer Vorstellungen: 1. Einerseits gelten diese Kristalle, wie wir eben sahen, als von den Höchsten Wesen aus dem Himmel herabgeworfen oder von den himmlischen Thronen dieser Gottheiten abgebrochen und haben deshalb an der religiös-magischen Kraft des Himmels teil; 2. andererseits erklären die Australier wie viele andere archaische Völker die Krankheiten damit, daß bestimmte magische Gegenstände in den Körper eingeführt worden sind, und zwar tun dies die Zauberer und bösen Geister aus der Ferne. (Die Heilung besteht dann im Herausziehen dieser magischen Gegenstände.) Demgemäß sind die Felskristalle mit einer polaren religiös-magischen Kraft geladen, mit positiver und negativer zugleich.

australischen Medizinmanns verstärkt noch diesen Eindruck der Altertümlichkeit. In den paläolithischen Religionen scheint die Rolle der Höhle recht bedeutend gewesen zu sein[28]. Andererseits haben Höhle und Labyrinth auch in den Initiationsriten anderer archaischer Kulturen diese erstrangige Funktion (so z. B. in Malekula); beides konkrete Symbole eines Übergangs in die andere Welt, eines Abstiegs zur Unterwelt. Nach den ersten Auskünften über die araukanischen Schamanen in Chile vollziehen diese ihre Initiation in Höhlen, die häufig mit Tierköpfen geschmückt sind[29].

Bei den Eskimo von Smith Sound muß der Aspirant sich in der Nacht an eine höhlenreiche Steilküste begeben und in der Dunkelheit immer geradeaus gehen. Ist er zum Schamanen prädestiniert, so gelangt er geradenwegs in eine Höhle, wenn nicht, rennt er gegen den Felsen. Sobald er eingetreten ist, schließt sich die Höhle hinter ihm und öffnet sich erst nach einiger Zeit wieder. Der Kandidat muß das benützen und schnell entkommen, sonst läuft er Gefahr für immer in der Felsküste eingeschlossen zu bleiben[30]. Die Höhlen spielen auch in der Initiation der nordamerikanischen Schamanen eine bedeutende Rolle; hier haben die Aspiranten ihre Träume, hier begegnen sie ihren Hilfsgeistern[31].

Andererseits ist schon jetzt auf die Parallelen zu verweisen, die der Glaube an die Einsetzung von Felskristallen in den Körper des Kandidaten durch Geister und Einweihende bei anderen Völkern hat. Man begegnet ihm bei den Semang auf Malakka[32], doch für den südameri-

---

[28] Siehe zuletzt G. R. Levy, *The Gate of Horn. A study of the religious conceptions of the Stone Age, and their influence upon european thought* (London 1948), bes. S. 46 ff., 50 ff., 151 ff.; doch siehe dazu auch unsere Bemerkungen in Bibliotheca Orientalis VI, Nr. 6, Nov. 1949, S. 192 f.

[29] A. Métraux, *Le shamanisme araucan* (Revista del Instituto de Antropologia de la Universidad nacional de Tucumán, Bd. II, Nr. 10, Tucumán 1942, S. 309–362), S. 313. Auch in Australien gibt es ausgemalte Höhlen, doch werden sie zu anderen Riten benützt. Beim gegenwärtigen Stand unserer Kenntnis ist es schwer zu sagen, ob die südafrikanischen bemalten Höhlen einmal zur Initiation von Schamanen gedient haben; s. Levy, *The Gate of Horn*, S. 38 f.

[30] A. L. Kroeber, *The Eskimo of Smith Sound* (Bulletin of the American Museum of Natural History XII, 1899, S. 303 ff.), S. 307. Das «Motiv» von den Türen, die sich nur für Eingeweihte öffnen und nur kurz offen bleiben, kommt in schamanischen und anderen Legenden ziemlich häufig vor, s. S. 447.

[31] Willard Z. Park, *Shamanism in Western North America*, S 27 ff.

[32] P. Schebesta, *Les Pygmées* (Paris) 1940), S. 154. Vgl. auch Evans, *Schebesta on the sacerdo-therapie of the Semangs*, S. 119: Der *hala*, der Medizinmann der Semang, behandelt mit Hilfe von Quarzkristallen, die direkt von den Cenoi zu erhalten sind.

kanischen Schamanismus ist er eines der hervorstechendsten Kennzeichen. «Der Schamane Cobeno führt in den Kopf des Novizen Felskristalle ein, die ihm Gehirn und Augen zernagen und selbst an die Stelle dieser Organe treten als seine ‚Kraft' [33].» Anderswo wieder symbolisieren die Felskristalle die Hilfsgeister des Schamanen (Métraux, *ebd.*, S. 210). Im allgemeinen ist bei den Schamanen des tropischen Südamerika die magische Kraft in einer unsichtbaren Substanz verkörpert, welche die Meister den Novizen zuweilen von Mund zu Mund weitergeben (*ebd.*, S. 214). «Die magische Substanz, eine unsichtbare, doch berührbare Masse, und die Pfeile, Dornen und Kristalle, mit denen der Schamane gefüllt ist, sind gleicher Natur. In diesen Gegenständen materialisiert sich die Kraft des Schamanen, die bei zahlreichen Stämmen unter der vageren und nahezu abstrakten Gestalt einer magischen Substanz gedacht ist» (*ebd.*, S. 215; vgl. Webster, *Magic*, S. 20 ff.).

Dieser archaische Zug, der den südamerikanischen Schamanismus mit der australischen Magie verbindet, ist bedeutsam und steht, wie wir gleich sehen werden, nicht allein [34].

Zerstückelung bei der Initiation in Nord- und Südamerika, Afrika und Indonesien

Sowohl spontane Berufung als selbstgewollte Initiation bringen in Südamerika wie in Australien und Sibirien entweder eine mysteriöse Krankheit oder ein mehr oder weniger symbolisches Rituell des my-

---

Diese Cenoi sind himmlische Geister; sie leben manchmal auch in den Kristallen und stehen in diesem Fall dem *hala* zu Diensten. Mit ihrer Hilfe sieht der *hala* in den Kristallen das Übel des Patienten und findet zugleich schon das Heilmittel. Beachten wir die himmlische Herkunft der Kristalle (Cenoi); sie zeigt schon, wo die Kraft des Medizinmannes ihre Quelle hat.

[33] A. Métraux, *Le shamanisme chez les Indiens de l'Amérique du Sud tropicale*, S. 216.

[34] Über das Problem der Beziehungen zwischen Australien und Südamerika siehe W. Koppers, *Die Frage eventueller alter Kulturbeziehungen zwischen Südamerika und Südost-Australien* (Proceedings XXIII Intern. Congress of Americanists, Neuyork 1928, *ebd.*, Neuyork 1930, S. 678—686). Vgl. auch P. Rivet, *Les Mélano-Polynésiens et les Australiens en Amérique* (Anthropos XX, 1925, S. 51—54; sprachliche Annäherungen zwischen Patagoniern und Australiern S. 52)

stischen Todes mit sich, welcher manchmal durch Zerstückelung des Körpers und Erneuerung der Organe ausgedrückt wird.

Bei den Araukanern zeigt sich die Erwählung im allgemeinen in einer plötzlichen Krankheit. Der junge Mensch fällt hin «wie tot», und wenn er wieder zu Kräften kommt, erklärt er, daß er *machi* wird[35]. Ein Fischermädchen erzählte dem Pater Housse: «Ich sammelte eben Muscheln zwischen den Klippen, als ich etwas wie einen Stoß gegen meine Brust fühlte und eine Stimme von innen sehr deutlich zu mir sagte: ,Werde *machi!* Es ist mein Wille!' Zugleich befielen mich heftige Schmerzen in den Eingeweiden und nahmen mir das Bewußtsein. Das was ohne Zweifel der *Ngenechen*, der Herr der Menschen, der in mich herabstieg» (Métraux, *Le shamanisme araucan*, S. 316).

Der symbolische Tod wird, wie Métraux mit Recht bemerkt, im allgemeinen durch lange Ohnmachten und lethargischen Schlaf des Kandidaten angedeutet[36]. Bei den Yamana auf Feuerland reiben sich die Neophyten das Gesicht solange, bis eine zweite und sogar eine dritte Haut erscheint, «die neue Haut», die nur Eingeweihte sehen können[37]. Bei den Bakairi, den Tupi-Imba und den Kariben werden Tod (durch Tabaksaft) und Auferstehung des Kandidaten formell beglaubigt[38]. Beim Konsekrationsfest des araukanischen Schamanen gehen die Meister und Neophyten barfuß über das Feuer ohne sich zu verbrennen oder ihre Kleider in Brand zu setzen. Man sah sie sich auch die Nase oder die Augen ausreißen. «Der Einweihende machte die Laien glauben, daß er sich Zunge und Augen ausriß, um sie gegen die des Eingeweihten auszutauschen. Er durchbohrte sich auch mit einer Gerte, die ihm beim

---

[35] A. Métraux, *Le shamanisme araucan*, S. 315.

[36] A. Métraux, *Le shamanisme chez les Indiens de l'Amérique du Sud tropical*, S. 339.

[37] M. Gusinde, *Une école d'hommes-médicine chez les Yamanas de la Terre de Feu* (Revue Ciba, Nr. 60, August 1947, S. 2159–2162), S. 2162: «Die alte Haut muß verschwinden und einer neuen zarten und durchsichtigen Schicht Platz machen. Wenn die ersten Wochen Reiben und Malen sie endlich zum Vorschein gebracht haben – wenigstens in der Einbildung und den Halluzinationen der erprobten *yékamush* (= Medizinmann) –, hegen die alten Eingeweihten an den Fähigkeiten des Kandidaten keinen Zweifel mehr. Mit diesem Augenblick muß dieser seinen Eifer verdoppeln und immer vorsichtig seine Wangen reiben, bis eine noch feinere und zartere dritte Haut erscheint; sie ist nun so empfindlich, daß man sie kaum berühren kann, ohne heftige Schmerzen zu verursachen. Wenn der Schüler dieses Stadium erreicht hat, ist die gewöhnliche Unterweisung, wie sie der Loima-Yekamush zu bieten hat, abgeschlossen.»

[38] Ida Lublinski, *Der Medizinmann bei den Naturvölkern Südamerikas* (Zeitschrift für Ethnologie, Bd. 52–53, 1920–1921, S. 234–263), S. 248 ff.

Bauch eindrang und durch das Rückgrat wieder herauskam ohne Blutverlust oder Schmerzen (Rosales, *Historia general del Regno de Chile*, Bd. I, S. 168). Die Toba-Schamanen empfangen mitten auf die Brust eine Gerte, die wie eine Gewehrkugel in sie eindringt [39].»

Ähnliche Züge sind auch im nordamerikanischen Schamanismus bezeugt. Bei den Maidu legen die Einweihenden die Kandidaten in einen Graben voll «Medizin» und «töten» sie mit einer «Giftmedizin». Im Verlauf dieser Initiation werden die Neophyten in Stand gesetzt, glühende Steine in der Hand zu halten, ohne sich weh zu tun [40]. Die Initiation der Schamanengesellschaft «Ghost ceremony», bei den Pomo enthält Folter, Tod und Auferstehung der Neophyten; sie liegen wie Leichen auf der Erde und werden mit Stroh bedeckt. Dasselbe Ritual begegnet bei den Yuki, den Huchnom und den Miwok an der Küste [41]. Die Initiationszeremonien der Schamanen der Küstenpomo haben als Ganzes den bezeichnenden Namen «Einschnitt» [42]. Bei den River-Patwin heißt es, daß dem Aspiranten der Kuksu-Gesellschaft von Kuksu selbst der Nabel mit einer Lanze durchbohrt wird; er verscheidet und wird durch einen Schamanen wieder auferweckt [43]. Die Luiseno-Schamanen «töten» sich gegenseitig mit Pfeilen. Bei den Tlingit zeigt sich das erste Besessensein eines Schamanenkandidaten in einer Trance, die ihn zu Boden wirft. Bei den Menomini wird der Neophyt vom Initianten mit magischen Gegenständen «gesteinigt» und dann wieder auferweckt [44]. Fast überall in Nordamerika enthalten die Initiationsriten der Geheimbünde (ob sie schamanisch sind oder nicht) das Todes- und Auferstehungsritual (Loeb, *a. a. O.*, S. 266 ff.).

---

[39] A. Métraux, *Le shamanisme araucan*, S. 313 f. Bei der Initiation des Warrau-Schamanen verkündete man mit lauten Schreien seinen «Tod»; Métraux, *Le shamanisme chez les Indiens de l'Amérique du Sud tropicale*, S. 339.

[40] E. W. Gifford, *Southern Maidu religious ceremonies* (American Anthropologist, Bd. 29, Nr. 3, 1927, S. 214–257), S. 244.

[41] E. M. Loeb, *Tribal initiation and secret societies* (University of California Publications in American Archaeology and Ethnology, Bd. 25, 3, S. 249–288, Berkeley 1929), S. 267.

[42] Loeb, *a. a. O.*, S. 268.

[43] Loeb, *ebd.*, S. 269.

[44] Cora du Bois, *Religion of the Luiseño Indian* (Univ. of California Publ. in American Archaeology and Ethnology, Bd. 8, 1908), S. 81; Swanton, *The Tlingit Indians* (Annual Report, Bureau of American Ethnology, Bd. 26, 1908), S. 466; Loeb, *a. a. O.*, S. 270–278.

Der nämliche mystische Tod- und Auferstehungssymbolismus in Gestalt geheimnisvoller Krankheiten oder schamanischer Initiationszeremonien findet sich auch anderweitig. Bei den Sudannegern der Nubaberge heißt die erste Initiationsweihe «Kopf» und es wird erzählt, daß man dabei «den Kopf des Novizen öffnet, damit der Geist hinein kann»[45]. Doch kennt man auch Initiationen auf dem Wege schamanischer Träume und eigenartiger Unfälle. So hatte ein Schamane gegen die Dreißig eine Reihe bedeutsame Träume: Ihm träumte von einem roten Pferd mit weißem Bauch, von einem Leoparden, der ihm die Tatze auf die Schulter legte, von einer Schlange, die ihn biß – alle diese Tiere spielen in den schamanischen Träumen eine wichtige Rolle. Bald darauf begann er plötzlich zu zittern, verlor das Bewußtsein und begann zu prophezeihen. Das war das erste Zeichen der «Auserwählung», aber er mußte zwölf Jahre warten, bis er zum *Kujur* geweiht wurde. Ein anderer Schamane hatte keine Träume, doch wurde eines Nachts seine Hütte vom Blitz getroffen und er «blieb zwei Tage wie tot» (Nadel, *a.a.O.*, S. 28 f.).

Ein Amazulu-Zauberer «erzählt seinen Freunden, er habe geträumt, daß ihn ein Fluß davontrage. Er träumt verschiedenerlei. Sein Körper ist schwach und er wird von Träumen verfolgt. Er träumt viele Dinge und sagt beim Erwachen zu seinen Freunden: ‚Mein Körper ist heute gebrochen. Ich habe geträumt, daß viele Leute im Begriff waren mich zu töten. Ich bin entkommen, ich weiß nicht recht wie. Beim Aufwachen verspürte ein Teil meines Körpers andere Gefühle als der andere. Mein Körper war nicht mehr überall derselbe[46].'»

Traum, Krankheit oder Initiationszeremonie – das zentrale Element bleibt immer dasselbe, nämlich symbolischer Tod und Auferstehung des Neophyten mit verschiedenen Arten der Zerstückelung (Zerteilung, Aufschneiden, Öffnen des Bauchs usw.). An den folgenden Beispielen ist die Tötung des Kandidaten durch die Initiationsmeister noch deutlicher abzulesen.

So verläuft in Malekula die erste Phase der Initiation eines Medizinmanns[47]: «Ein Bwili in Lol-narong empfängt den Besuch des Sohns sei-

---

[45] S. F. Nadel, *A study of shamanism in the Nuba Mountains*, S. 27.
[46] Canon Callaway, *The Religious System of the Amazulu* (Natal 1870), S. 259 ff., zitiert bei P. Radin, *La religion primitive* (franz. Übers. 1941), S. 104.
[47] E. M. Loeb, *Shaman and Seer* (American Anthropologist, Bd. 31, 1929, S. 60–84),

ner Schwester. Dieser sagt zu ihm: ‚Ich möchte, daß du mir etwas gibst.' Der Bwili sagt: ‚Hast du die Bedingungen erfüllt?' ‚Ja, ich habe sie erfüllt.' Er sagt weiter: ‚Du hast nicht mit einer Frau geschlafen?' ‚Nein.' Der Bwili sagt: ‚Gut.' Dann sagt er zu dem Neffen: ‚Komm hierher. Lege dich auf dieses Blatt.' Der junge Mann legte sich darauf. Der Bwili machte sich aus Bambus ein Messer. Er schnitt den Arm des jungen Mannes ab und legte ihn auf zwei Blätter. Er lachte über seinen Neffen und dieser antwortete mit einem Gelächter. Er schnitt den andern Arm ab und legte ihn auf die Blätter neben den ersten. Er kam zurück und beide lachten. Er schnitt ein Bein ab in Höhe des Oberschenkels und legte es neben die Arme. Er kam zurück und lachte, so auch der junge Mann. Er schnitt darauf das andere Bein ab und legte es neben das erste. Er kam zurück und lachte. Der Neffe lachte wieder. Zum Schluß schnitt er den Kopf ab und hielt ihn vor sich hin. Er lachte und der Kopf lachte ebenfalls. Er tat den Kopf wieder an seinen Platz. Er nahm die Arme und Beine, die er entfernt hatte, und brachte sie wieder an ihren Platz.» Der weitere Verlauf dieser Initiationszeremonie bringt die magische Verwandlung des Meisters und des Schülers in Hühner, ein bekanntes Symbol der «Flugkraft» der Schamanen und der Zauberer überhaupt, auf die wir noch zurückzukommen haben.

Bei den Dajak auf Borneo enthält die Initiation des *manang* drei verschiedene Zeremonien, welche den drei Graden des Dajak-Schamanismus entsprechen. Der erste Grad, *besudi* (das Wort bedeutet anscheinend «betasten, berühren»), ist auch der unterste und mit ganz wenig Geld zu erlangen. Der Kandidat liegt wie ein Kranker auf der Veranda und die anderen *manang* streichen ihm die ganze Nacht den Körper. Vermutlich wird ihm auf diese Weise beigebracht, wie er künftig als Schamane durch die Palpation des Patienten die Krankheiten und die Heilmittel finden soll. (Es ist nicht ausgeschlossen, daß bei dieser Gelegenheit die alten Meister die magische «Kraft» in Form von kleinen Kieseln oder anderen Gegenständen in den Körper des Kandidaten einführen.)

Die zweite Zeremonie, *bekliti* («Öffnung»), ist komplizierter und von eindeutig schamanischem Charakter. Nach einer Nacht der Beschwörungen führen die alten *manang* den Neophyten in ein Zimmer,

---

S. 66 ff. Wir benützen die Übersetzung von Métraux (P. Radin, *La religion primitive*, S. 99 ff.).

das durch Vorhänge abgetrennt ist. «Dort, sagen sie, schneiden sie ihm den Kopf ab und entfernen das Gehirn; dann waschen sie es und setzen es wieder ein; so geben sie dem Kandidaten einen hellen Verstand, mit dem er die Geheimnisse der bösen Geister und Krankheiten durchdringen kann; dann tun sie ihm Gold in die Augen, das gibt ihm einen durchdringenden Blick, mit dem er die Seele sehen kann, wo immer sie herumirrt oder herumschweift; dann befestigen sie gezähnte Haken an seinen Fingerspitzen, damit er die Seele fangen und sie festhalten kann; zuletzt durchbohren sie ihm das Herz mit einem Pfeil, um ihn mitleidig zu machen und voll Sympathie mit den Kranken und Leidenden[48].» Natürlich ist die Zeremonie symbolisch; man setzt ihm eine Kokosnuß auf den Kopf und zerbricht sie, usw. Es gibt noch eine dritte Zeremonie, welche die schamanische Initiation abschließt und eine ekstatische Himmelsreise auf einer rituellen Leiter enthält. In einem späteren Kapitel werden wir auf diese letzte Zeremonie zurückkommen.

Wir haben es also mit einer Zeremonie zu tun, die den Tod und die Auferstehung des Kandidaten symbolisiert. Das Austauschen der Eingeweide geschieht auf rituelle Weise, die nicht notwendig das ekstatische Erlebnis des Traumes, der Krankheit oder des vorübergehenden Wahnsinns wie bei den australischen und sibirischen Kandidaten enthält. Die Rechtfertigung für das Erneuern der Organe (daß ein besseres Auge, ein zärtliches Herz verliehen wird) verrät, sofern sie überhaupt echt ist, daß man den ursprünglichen Sinn des Ritus vergessen hat.

Die Initiation der Eskimoschamanen

Bei den Ammasilik-Eskimos stellt sich nicht der Schüler dem alten *angakkok* (Plural *angákut*) vor, um sich einweihen zu lassen, sondern der Schamane selbst wählt ihn schon im zartesten Alter aus[49]. Er sucht

---

[48] H. Ling Roth, *Natives of Sarawak and British North Borneo* (London 1896), I, S. 280 f.; er zitiert die durch Archdeacon J. Perham in Journal of the Straits Branch of Asiatic Society, Nr. 19, 1887 veröffentlichten Beobachtungen.

[49] W. Thalbitzer, *The heathen Priests of East Greenland (angakut)*, XVI. Internationaler Amerikanistenkongreß, 1908, Wien-Leipzig 1910, Bd. II, S. 447–464), S. 452 ff.

sich unter den Knaben (im Alter von 6 bis 8 Jahren) die, welche nach seiner Meinung die besten Anlagen für die Initiation haben, «damit die Kenntnis der höchsten Kräfte, die es gibt, für die künftigen Generationen bewahrt bleiben möge» (Thalbitzer, *The heathen Priests*, S. 454). «Nur bestimmte Seelen von ganz besonderen Gaben, Träumer, hysterisch veranlagte Visionäre, kommen für die Wahl in Betracht. Ein alter *angakkok* findet einen Schüler und dann wird im tiefsten Geheimnis die Unterweisung vorgenommen, fern der Hütte, im Gebirge[50].» Der *angakkok* lehrt ihn sich in der Einsamkeit abzusondern, bei einem alten Grab, am Ufer eines Sees, und dort mit einem Stein auf einem anderen zu reiben und das Ereignis zu erwarten. «Dann wird der Bär des Sees oder des Eisberges darin hervorkommen, er wird dein ganzes Fleisch verschlingen und aus dir ein Skelett machen und du wirst sterben. Doch du wirst dein Fleisch wiederfinden, du wirst wieder erwachen und deine Kleider werden dir zufliegen[51].» Bei den Labrador-Eskimos erscheint der Große Geist selbst in Gestalt eines riesigen weißen Bären und verschlingt den Aspiranten (Weyer, *a. a. O.*, S. 429). Im westlichen Grönland bleibt der Kandidat nach dem Erscheinen des Geistes drei Tage «tot» (*ebd.*).

Es handelt sich natürlich um ein ekstatisches Todes- und Auferstehungserlebnis, während welchem der Knabe für einige Zeit das Bewußtsein verliert. Daß der Schüler zum Skelett gemacht und dann mit neuem Fleisch bedeckt wird, ist eine spezifische Note der Eskimoinitiation, welcher wir bei einer anderen mystischen Praktik sogleich noch einmal begegnen werden. Der Neophyt reibt seine Steine den ganzen Sommer, ja mehrere Sommer hintereinander bis zu dem Augenblick, wo er seine Hilfsgeister erhält (Thalbitzer, *The heathen Priests*, S. 454; Weyer, *a. a. O.*, S. 429), doch in jeder neuen Jahreszeit sucht er sich einen neuen Meister, um dadurch seine Erfahrung zu erweitern (jeder *angakkok* ist Spezialist in einer bestimmten Technik) und sich eine ganze Truppe von Hilfsgeistern zu schaffen (Thalbitzer, *Les magiciens*, S. 78). Während er die Steine reibt, ist er verschiedenen Tabus

---

[50] W. Thalbitzer, *Les magiciens esquimaux, leurs conceptions du monde, de l'âme et de la vie* (Journal de la Société des Américanistes, N. S., Bd. 22, 1930, S. 73–106), S. 77. Vgl. auch E. M. Weyer jr., *Eskimos, Their environment and Folkways* (New Haven 1932), S. 428.

[51] W. Thalbitzer, *Les magiciens esquimaux*, S. 78; ders., *The heathen Priests*, S. 454.

unterworfen⁵². Ein *angakkok* unterrichtet fünf oder sechs Schüler auf einmal (Thalbitzer, *Les magiciens*, S. 79) und wird dafür bezahlt (*The heathen priests*, S. 454; Weyer, S. 433 f.) ⁵³

Bei den Iglulik-Eskimos scheint es anders zu sein. Wenn ein junger Mann oder eine junge Frau Schamane werden wollen, stellen sie sich mit einem Geschenk bei dem Meister vor, den sie gewählt haben, und erklären: «Ich komme zu dir, weil ich sehen möchte.» Am selben Abend befragt der Schamane seine Geister, «um alle Hindernisse zu beseitigen». Darauf schreiten der Kandidat und seine Familie zur Bekennung der Sünden (Übertretungen der Tabus usw.) und reinigen sich damit vor den Geistern. Die Unterrichtszeit dauert nicht lang, besonders wenn es sich um einen Mann handelt. Es können sogar fünf Tage genügen. Doch wird der Kandidat seine Vorbereitung in der Einsamkeit fortsetzen. Der Unterricht ist morgens, mittags, abends und in der Nacht. Während dieser Zeit ißt der Kandidat nur sehr wenig und seine Familie nimmt nicht an der Jagd teil⁵⁴.

Die Initiation im eigentlichen Sinn beginnt mit einer Prozedur, über die wir nur ziemlich schlecht orientiert sind. Der alte *angakkok* zieht aus den Augen, dem Gehirn und den Eingeweiden des Schülers seine «Seele» heraus, damit die Geister das Beste an dem künftigen Schamanen erkennen können (Rasmussen, *a. a. O.*, S. 112). Infolge dieses «Herausziehens der Seele» wird der Kandidat fähig, selbst seinen Geist

---

⁵² Thalbitzer, *The heathen Priests*, S. 454. Wo auf der Welt die Initiation auch geschehe und von welcher Art sie sei, in jedem Fall enthält sie eine bestimmte Anzahl von Tabus. Es wäre langweilig, hier auf die unendlich reiche Morphologie dieser Verbote einzugehen, welche in summa ohne unmittelbares Interesse für unsere Untersuchung sind. S. H. Webster, *Taboo. A sociological study* (Stanford 1942), besonders S. 273–276.

⁵³ Über die Unterrichtung der Aspiranten s. auch Stefansson, Anthropological papers of the American Museum of Natural History XIV, Pt. I (1914), S. 367 (Mackenzie-Eskimo); F. Boas, *The Central Eskimo* (Sixth annual report of the bureau of American Ethnology, 1888, S. 399–669), S. 591 (Zentraleskimo); J. W. Bilby, *Among unknown Eskimos* (London 1923), S. 196 ff. (Baffininseln). Knud Rasmussen, *Across arctic America* (1927) S. 82 ff., berichtet die Geschichte des Schamanen Igjugarjnh, der sich während seiner Initiationseinsamkeit «ein wenig tot» fühlte. In der Folge weihte er selbst seine Schwägerin ein, indem er eine Kugel auf sie abschoß (bei der er das Blei durch einen Stein ersetzt hatte). Bei einem dritten Initiationsfall heißt es von fünf Tagen Aufenthalt im eisigen Wasser, bei dem die Kleider des Kandidaten nicht naß wurden.

⁵⁴ Knud Rasmussen, *Intellectual Culture of the Iglulik Eskimos* (Report on the fifth Thule Expedition 1921–1924, Bd. VII, Nr. 1, Kopenhagen 1929), S. 111 ff.

aus dem Körper zu ziehen und große mystische Reisen durch den Raum und die Tiefen des Meeres zu unternehmen (*ebd.*, S. 113). Vielleicht gleicht diese geheimnisvolle Operation in gewisser Hinsicht den Praktiken der australischen Schamanen, die wir oben kennengelernt haben. Auf jeden Fall ist «das Herausziehen der Seele» nur eine schwache Tarnung für eine «Erneuerung» der inneren Organe.

Darauf verschafft der Meister ihm den *angákoq*, auch *qaumaneq* genannt, das heißt seinen «Blitz», seine «Erleuchtung», denn der *angákoq* besteht «in einem geheimnisvollen Licht, welches der Schamane plötzlich in seinem Körper, im Innern seines Kopfes, im Herzen seines Hirns verspürt, ein unerklärlicher Leuchtturm, ein leuchtendes Feuer, das ihn in den Stand setzt im Dunkeln zu sehen, und zwar im wörtlichen und im übertragenen Sinn, denn fortan ist es ihm möglich sogar mit geschlossenen Augen durch die Finsternisse zu sehen und künftige Dinge und Ereignisse wahrzunehmen, die den anderen Menschen verborgen sind; so kann er ebensowohl die Zukunft erkennen wie die Geheimnisse der Mitmenschen» (Rasmussen, *a. a. O.*, S. 112).

Der Kandidat erhält dieses mystische Licht nach langen Stunden des Wartens, wo er auf einer Bank in seiner Hütte sitzt und die Geister anruft. Wenn er es das erstemal ausprobiert, ist es «wie wenn das Haus, in dem er ist, sich auf einmal in die Höhe heben würde; er sieht sehr weit, durch die Berge hindurch, gerade wie wenn die Erde eine große Ebene wäre, und seine Augen berühren die Grenzen der Erde. Nichts ist mehr vor ihm verborgen. Er kann nicht nur sehr weit sehen, sondern sogar die entflogenen Seelen entdecken, ob sie in fremden, fernen Gegenden bewacht und verborgen sind oder nach oben oder nach unten ins Land der Toten entführt» (*ebd.*, S. 113).

Wir treffen hier auch dieses Erlebnis der Erhebung und Auffahrt, ja sogar der Levitation, das den sibirischen Schamanismus kennzeichnet, aber auch andernorts zu finden und ganz allgemein als ein spezifischer Zug der schamanischen Praktiken zu betrachten ist. Wir werden noch mehr als einmal auf diese Auffahrtstechniken und ihren religiösen Gehalt zu kommen haben. Für jetzt halten wir nur fest, daß das Erlebnis des inneren Lichtes, welches die Laufbahn des Iglulikschamanen bestimmt, vielen höheren Mystikern vertraut ist. Nur einige Beispiele: Das «innere Licht» (*antarjyotirmâyâ*) bezeichnet in den Upanischaden sogar das Wesen des *âtman*. In den Yogitechniken, besonders jenen der buddhistischen Schulen, zeigt das verschieden gefärbte Licht das Gelingen gewisser Meditationen an [55]. Ebenso mißt das *Tibetanische Totenbuch* dem Licht eine große Bedeutung zu, in welchem, wie es scheint, die Seele des Sterbenden während des Todeskampfes und unmittelbar nach dem Tode badet: Von der Festigkeit, mit der man das unbefleckte Licht wählt, hängt das Geschick des Menschen nach dem Tode (Befreiung oder Reinkarnation) ab [56]. Denken wir zum Schluß noch an die überaus große Rolle, welche das innere Licht in der christlichen Mystik und Theologie spielt [57]. All das läßt uns die Erlebnisse der Eskimoschamanen mit noch größerem Verständnis beurteilen, und manches spricht dafür, daß derartige mystische Erlebnisse irgendwie schon der archaischen Menschheit in ihrer fernsten Frühzeit zugänglich waren.

Die Betrachtung des eigenen Skeletts

Quamaneq ist eine mystische Fähigkeit, die zuweilen der Meister dem Schüler vom Mondgeist verschafft. Sie kann auch direkt vom Schüler erlangt werden und zwar mit Hilfe der Geister der Toten, des Karibischen Meeres oder der Bären (Rasmussen, *a. a. O.*, S. 113). Aber es handelt sich immer um ein persönliches Erlebnis; die mythischen Wesen sind nur die Quelle, aus der der vorbereitete Neophyt die Offenbarung erwarten darf.

Schon bevor er darangeht, sich einen oder mehrere von den Hilfsgeistern zu erwerben, die gleichsam neue «mystische Organe» des Schamanen sind, muß der Eskimoneophyt eine große Initiationsprüfung be-

---

[55] Vgl. Mircea Eliade, *Yoga. Essai sur les origines de la mystique indienne* (Paris-Bukarest, 1936) S. 192 ff. und *passim*; G. Tucci, *Some glosses upon the Guhyasamāja* (Mélanges chinoises et bouddhiques, Bd. III, Brüssel 1935, S. 339–353), S. 348 ff.

[56] Vgl. G. Tucci, *Teoria e pratica del mandala* (Rom 1949), S. 15 ff.

[57] Vgl. zuletzt Max Pulver, *Die Lichterfahrung im Johannesevangelium, im Corpus Hermeticum, in der Gnosis und in der Ostkirche* (Eranos-Jahrbuch 1943, Bd. X, Zürich 1944, S. 253–296); «Abba Antonius, völlig erleuchtet durch die Erscheinung des geistigen Lichtes, wird hellsehend und sieht über eine Entfernung von zehn Stadien die Seele des seligen Ammon, wie sie zum Himmel getragen wird. Abba Joseph erklärt, man könne nicht Mönch werden, ohne ganz leuchtend zu werden wie ein Feuer». (C. M. Edsman, *Le baptême de feu*, Uppsala 1940, S. 156, nach Budge, *The Book of Paradise*, London 1904, S. 950 ff.)

stehen. Zu diesem Erlebnis bedarf es einer langen Anstrengung in physischer Askese und geistiger Betrachtung mit dem Ziel, *sich selbst als Skelett sehen zu können*. Die von Rasmussen befragten Schamanen gaben über diese geistige Übung nur ziemlich unbestimmte Auskünfte, welche der berühmte Forscher so zusammenfaßt: «Kein Schamane kann das Wie und Warum erklären, doch er ist durch die Kraft, die seinem Denken aus dem Übernatürlichen kommt, imstande seinen Körper von Fleisch und Blut zu entkleiden, so daß nichts übrig bleibt als die Knochen. Darauf muß er alle Teile seines Körpers nennen und einen jeden Knochen mit Namen aufführen, und zwar darf er sich dazu nicht der gewöhnlichen menschlichen Sprache bedienen, sondern einzig der speziellen, heiligen Schamanensprache, die er von seinem Lehrer gelernt hat. Während er sich nun so nackt und von dem vergänglichen, ephemeren Fleisch und Blut völlig befreit erblickt, weiht er sich selbst – immer in der heiligen Sprache der Schamanen – durch diesen der Wirkung von Sonne, Wind und Zeit am längsten standhaltenden Teil seines Körpers seiner großen Aufgabe» (Rasmussen, *a. a. O.*, S. 114).

Diese wichtige Meditationsübung, die einer Initiation gleichkommt (denn mit ihrem Gelingen ist in jedem Fall die Verleihung von Hilfsgeistern verbunden), erinnert außerordentlich an die Träume der sibirischen Schamanen, nur mit dem Unterschied, daß dort die Zurückführung auf den Skelettzustand eine Handlung ist, die von den schamanischen Ahnen oder anderen mythischen Wesen durchgeführt wird, während es sich bei den Eskimo um eine durch Askese und persönliche Konzentrationsübung erreichte geistige Operation handelt. Hier wie dort sind die wesentlichen Elemente dieser mystischen Vision die Entäußerung vom Fleisch und die Aufzählung und Benennung der Knochen. Der Eskimoschamane erreicht diesen Zustand nach einer langen und harten Vorbereitung. Die sibirischen Schamanen werden in den meisten Fällen «erwählt» und wohnen ihrer Zerteilung durch mythische Wesen nur passiv bei. Aber in allen diesen Fällen bezeichnet die Zurückführung auf das Skelett ein Überschreiten der profanen menschlichen Verfassung und damit eine Befreiung aus ihr.

Es bleibt noch zu sagen, daß dieses Überschreiten nicht immer zu denselben mystischen Konsequenzen führt. Wie wir bei der Untersuchung des Symbolismus der Schamanentracht sehen werden, stellt unter dem geistigen Horizont der Hirtenvölker das Skelett die Quelle des Lebens dar, und zwar ebenso des menschlichen wie des großen animalischen Lebens. Sich selbst auf den Skelettzustand zurückführen bedeutet eine Reintegration im Schoß dieses «Großen Lebens», also eine vollständige Erneuerung, eine mystische Wiedergeburt. Im Rahmen gewisser zentralasiatischer Meditationen von mehr oder weniger buddhistischer und tantristischer Herkunft dagegen hat die Zurückführung auf den Skelettzustand eine mehr asketische und metaphysische Geltung, nämlich das Werk der Zeit vorwegzunehmen, das Leben durch das Denken auf das zurückzuführen, was es in Wahrheit ist: eine ephemere Illusion in dauerndem Wandel.

Beachten wir, daß solche Kontemplation mitten im Herzen der christlichen Mystik lebendig geblieben ist – wieder einmal ein Beweis für die Unveränderlichkeit der Grenzsituationen, welche der archaische Mensch bei dem ersten Erwachen seines Bewußtseins vorgefunden hat. Gewiß, ein Unterschied des Gehaltes trennt diese religiösen Erlebnisse, wie wir bei den zentralasiatischen Buddhistenmönchen sehen werden. Doch unter einem bestimmten Gesichtswinkel erscheinen alle diese kontemplativen Erlebnisse gleichwertig. Überall begegnet der Wille zur Überschreitung der profanen individuellen Verfassung und zur Gewinnung einer überzeitlichen Perspektive. Mag es ein Wiedereintauchen in das ursprüngliche Leben zur geistigen Erneuerung des ganzen Wesens sein oder (wie in der buddhistischen Mystik und im Eskimoschamanismus) eine Befreiung von der Illusion des Fleisches, das Ergebnis ist immer dasselbe, ein Zurückfinden zur Quelle des geistigen Lebens, das die «Wahrheit» und das «Leben» zugleich ist.

Stammesinitiationen und Geheimbünde

Wir haben mehr als einmal den *Initiations*charakter des «Todes» und der «Auferstehung» des Kandidaten festgestellt, unter welcher Form diese auch auftreten: ekstatischer Traum, Krankheit, ungewöhnliche Ereignisse oder Rituell im eigentlichen Sinn. Die Zeremonien, welche den Übergang von einer Altersklasse zur anderen oder die Zulassung zu einem «Geheimbund» vermitteln, setzen immer eine Reihe von Riten voraus, die sich in der bequemen Formel «Tod und Auferstehung des

Kandidaten» zusammenfassen lassen. Nennen wir noch einmal die gebräuchlichsten [58]:

a) Zeit der Abschließung im Busch (Symbol des Jenseits) und larvenhafte Existenz nach Art der Toten (Australien, Melanesien); Verbote für die Kandidaten, die den Toten angeglichen sind (ein Toter kann gewisse Gerichte nicht essen, sich nicht seiner Finger bedienen usw.);

b) Gesicht und Körper mit Asche oder bestimmten kalkigen Substanzen hergerichtet, um das bleiche Leuchten der Gespenster zu erreichen (Australien, Melanesien, Afrika); Totenkultmasken (Melanesien, Afrika);

c) symbolische Bestattung im Tempel oder im Haus der Fetische (Kongo, Molukken, Neu-Guinea);

d) symbolischer Abstieg in die Unterwelt (Ostafrika usw.);

e) hypnotischer Schlaf (Nordamerika, Melanesien usw.); Getränk, das die Kandidaten bewußtlos macht (Kongo, Indianer in Virginia);

f) schwierige Proben: Prügel (Melanesien), die Füße am Feuer geröstet (Australien: Yuin-Stamm), Aufhängen in der Luft (beim nordamerikanischen Sioux- und Dakotastamm); Amputation von Fingern und verschiedene andere Grausamkeiten (besonders bei den nordamerikanischen Stämmen).

Alle diese Rituale und Proben haben den Sinn, das vergangene Leben vergessen zu machen. Deshalb scheint an vielen Orten der Kandidat, wenn er nach der Initiation in sein Dorf zurückkommt, das Gedächtnis verloren zu haben und man muß ihn von neuem gehen, essen und sich anziehen lehren. Im allgemeinen lernen die Neophyten eine neue Sprache und tragen einen neuen Namen (so von Australien bis Brasilien). Während ihres Aufenthaltes im Busch gelten die Kandidaten bei der übrigen Gemeinschaft als tot und begraben oder von einem

---

[58] Vgl. Heinrich Schurtz, *Altersklassen und Männerbünde* (Berlin 1902); H. Webster, *Primitive Secret Societies: a study in early politics and religion* (Neuyork 1908; italienische Übersetzung, Bologna 1920; 2. amerikanische Aufl. 1932); Van Gennep, *Les rites de passage* (Paris 1909); E. M. Loeb, *Tribal initiation and secret Societies* (Univ. of California Publications in American Archaeology and Ethnology, Bd. 25, 3, S. 249–288, Berkeley 1929). In einem in Vorbereitung befindlichen Werk, *Mort et Initiation*, werden wir auf dieses Problem zurückkommen.

Untier oder einem Gott verschlungen[59], und wenn sie ins Dorf zurückkehren, betrachtet man sie als Wiedergänger.

Morphologisch gehören die Initiationsproben des künftigen Schamanen zu der großen Klasse von Übergangsriten und Eintrittszeremonien in die Geheimbünde. Es ist manchmal schwierig, zwischen Stammesinitiations- und Geheimbundriten zu unterscheiden (so in Neu-Guinea, vgl. Loeb, *Tribal initiation,* S. 269 ff.), oder zwischen Zulassungsriten einer Geheimgesellschaft und schamanischen Initiationsriten (besonders in Nordamerika, Loeb, S. 269 ff.). Es handelt sich übrigens in allen diesen Fällen um ein «Suchen» von Kräften durch den Kandidaten.

In Sibirien und Zentralasien gibt es keine Initiationsriten für den Übergang von einer Altersklasse in die andere. Doch es wäre verkehrt, dieser Tatsache zuviel Bedeutung zuzumessen und aus ihr Schlüsse über den Ursprung der schamanischen Initiationsriten in Sibirien zu ziehen. Denn die beiden großen Gruppen von Ritualen (Stammesinitiation – schamanische Initiation) bestehen anderwärts nebeneinander, so in Australien, Ozeanien und den beiden Amerika. In Australien scheinen die Dinge sogar ziemlich klar zu liegen: Zwar sind alle Männer durch die Initiation Mitglieder des Clans geworden, doch gibt es eine weitere Initiation, die den Medizinmännern vorbehalten ist. Diese Initiation verleiht dem Kandidaten andere Kräfte als die Stammesinitiation. Sie bedeutet schon eine hohe Spezialisierung in der Handhabung des Sakralen. Der große Unterschied zwischen den beiden Initiationstypen besteht in der überwiegenden Bedeutung des inneren, ekstatischen Erlebnisses für die künftigen Medizinmänner. Nicht jeder, der will, ist Medizinmann; die Berufung ist unentbehrlich. Und diese Berufung offenbart sich vor allem in einer einzigartigen Befähigung zum ekstatischen Erlebnis. Wir werden später noch von diesem Aspekt des Schamanismus handeln, der uns charakteristisch erscheint und der letzten Endes den Unterschied zwischen Stammesinitiation oder Zulassung zu Geheimbünden und schamanischer Initiation im eigentlichen Sinn ausmacht.

Denken wir zum Schluß noch daran, daß der Mythos von der Erneuerung durch Zerstückelung, Kochen oder Feuer die Menschheit

---

[59] Über diesen Aspekt der Initiationsriten s. Ewald Volhardt, *Kannibalismus* (Stuttgart 1939), S. 454 ff.

auch über den geistigen Umkreis des Schamanismus hinaus verfolgt hat. Medea erreicht die Tötung des Pelias durch seine eigenen Töchter, indem sie sie überzeugt, daß sie ihn wieder auferwecken und verjüngen wird, wie sie es mit einem Widder gemacht hat (Appollodoros, *Bibliothek*, I, IX, 27). Und als Tantalos seinen Sohn Pelops tötete und den Göttern beim Gelage auftischte, weckten diese ihn wieder auf, indem sie ihn in einem Topf kochten (Pindar, *Olymp.* I, 26 (40) ff.); es fehlte nichts an ihm als die Schulter, die Demeter aus Versehen gegessen hatte (über dieses Motiv s. S. 161 ff.). Der Mythos von der Verjüngung durch Zergliederung ist auch in die Volksüberlieferung Sibiriens, Zentralasiens und Europas eingegangen, wobei die Rolle des Schmiedes von Jesus Christus oder von bestimmten Heiligen gespielt wird [60].

---

[60] S. Oskar Dahnhardt, *Natursagen* (Leipzig 1909–1912), 2. Bd., S. 154; J. Bolte und G. Polivka, *Anmerkungen zu den Kinder- und Hausmärchen der Brüder Grimm* (Leipzig, 1913–1930), 3. Bd., S. 198, Anm. 3; Stith Thompson, *Motif-Index of Folk-Literature*, 2. Bd. (Helsinki 1933), S. 294; C. M. Edsman, *Ignis divinus: le feu comme moyen de rajeunissement et d'immortalité: contes, légendes, mythes et rites* (Lund 1949), S. 30 ff., 151 ff. Edsman benützt auch den reichhaltigen Artikel von C. Marstrander, *Deux contes irlandais* (Miscellany presented to Kuno Meyer, Halle 1912, S. 371–486), der Bolte-Polivka und S. Thompson entgangen ist.

III

DIE ERLANGUNG DER SCHAMANENKRAFT

Eine der geläufigsten Formen der Auserwählung des künftigen Schamanen ist, wie wir gesehen haben, die Begegnung mit einem göttlichen oder halbgöttlichen Wesen, das ihm durch einen Traum, eine Krankheit oder etwas anderes erscheint, ihm die Tatsache seiner «Erwählung» entdeckt und ihn veranlaßt, fortan einer neuen Lebensordnung zu folgen. Meistens sind es die Seelen schamanischer Ahnen, welche ihm die Neuigkeit mitteilen. Man hat sogar angenommen, daß die schamanische Erwählung in Beziehung zum Ahnenkult stehe. Doch wie L. Sternberg (*Divine Election*, S. 474 ff.) richtig gezeigt hat, müssen auch die Ahnen am Morgen der Zeiten durch ein göttliches Wesen «erwählt» worden sein. Nach buriätischer Tradition (Sternberg, S. 475) hatten in alter Zeit die Schamanen ihr *utcha* (das göttliche Recht der Schamanen) unmittelbar von den himmlischen Geistern; erst heutzutage empfangen sie es bloß von ihren Ahnen. Dieser Glaube fügt sich in die allgemeine Vorstellung von dem Niedergang der Schamanen ein, der in den arktischen Gegenden ebenso wie in Zentralasien belegt ist; nach dieser Vorstellung flogen die «ersten Schamanen» *wirklich* auf ihren Pferden durch die Wolken und wirkten Wunder, die ihre heutigen Nachkommen nicht zu wiederholen im Stande sind [1].

Sibirische Mythen vom Ursprung der Schamanen

Gewisse Legenden erklären den gegenwärtigen Tiefstand der Schamanen aus dem «Hochmut» des «ersten Schamanen», der mit Gott in Wettstreit getreten sei. Als nach der buriätischen Version der erste

---

[1] Vgl. u. a. Rasmussen, *Intellectual Culture of the Iglulik Eskimos*, S. 131; Köprülüzade Mehmed Fuad, *Influence du chamanisme turco-mongol sur les ordres mystiques musulmans* (in Mémoires de l'Institut de Turcologie de l'Université de Stamboul, N. S., 1. Bd., 1929), S. 17.

Schamane, Khara-Gyrgän, seine Macht für unbegrenzt erklärt hatte, wollte Gott ihn auf die Probe stellen; er nahm die Seele eines jungen Mädchens und schloß sie in eine Flasche. Um sicher zu sein, daß die Seele nicht entkommen konnte, verstopfte Gott die Flasche mit dem Finger. Der Schamane flog auf seinem Tamburin sitzend in die Himmel, bemerkte die Seele des jungen Mädchens, verwandelte sich, um sie zu befreien, in eine Spinne und stach Gott ins Gesicht. Dieser zog seinen Finger heraus und die Seele des jungen Mädchens entkam. Gott wurde wütend und begrenzte die Macht Khara-Gyrgäns, und in der Folge ging die Zauberkraft der Schamanen bedeutend zurück[2].

Nach der jakutischen Überlieferung besaß der «erste Schamane» außerordentliche Macht und weigerte sich in seinem Stolz, den obersten Gott der Jakuten anzuerkennen. Der Körper dieses Schamanen bestand aus einer Menge Schlangen. Gott schickte Feuer, um ihn zu verbrennen, aber aus den Flammen ging eine Kröte hervor; aus diesem Tier wurden die «Dämonen», welche den Jakuten hervorragende Schamanen und Schamaninnen lieferten[3]. Die Turukan-Tungusen haben eine andere Legende: Der «erste Schamane» hat sich selbst gemacht, aus eigener Kraft und mit Hilfe des Teufels. Er entflog durch das Loch der Jurte und kam nach einiger Zeit in Begleitung von Schwänen wieder[4].

Wir haben es hier mit einer dualistischen Vorstellung zu tun, die wahrscheinlich iranische Einflüsse zeigt. Es ist auch durchaus möglich, daß diese Art von Legenden sich mehr auf den Ursprung der «schwarzen Schamanen» bezieht, die nur mit der Unterwelt und dem «Teufel» in Beziehung stehen. Aber die meisten von diesen Ursprungsmythen lassen das Höchste Wesen selber oder als seinen Vertreter den Adler, den Sonnenvogel, auftreten.

So erzählen die Buriäten: Im Anfang gab es nur die Götter (*tengri*) im Westen und die Bösen Geister im Osten. Die Götter erschufen den Menschen und dieser lebte glücklich bis zu dem Augenblick, wo die

---

[2] S. Shashkov, *Shamanstvo v Sibiri* (St. Petersburg 1864), S. 81, zitiert bei V. M. Mikhailowski, *Shamanism in Siberia*, S. 63; andere Varianten: Harva, *Religiöse Vorstellungen*, S. 543 f. Vgl. auch W. Schmidt, *Ursprung*, 10. Bd. (1952), 215–218, 391 f. usw.

[3] Pripuzov, zitiert bei Mikhailowski, S. 64.

[4] P. I. Tretjakov, *Turushanskij Kraj, ego priroda i jiteli* (St. Petersburg 1871), S. 210 f.; Mikhailowski, S. 64. Gewisse Einzelheiten dieser Legenden (Der Flug durch das Loch der Jurte, die Schwäne usw.) werden uns noch beschäftigen.

bösen Geister die Krankheit und den Tod auf der Erde ausbreiteten. Die Götter beschlossen, den Menschen einen Schamanen zu geben, der gegen die Krankheit und den Tod kämpfen sollte, und sie schickten den Adler. Aber die Menschen verstanden seine Sprache nicht; außerdem hatten sie kein Zutrauen zu einem gewöhnlichen Vogel. Der Adler kehrte zu den Göttern zurück und bat sie, ihm die Gabe des Wortes zu verleihen oder aber einen buriätischen Schamanen zu den Menschen zu schicken. Die Götter schickten ihn wieder herunter mit dem Befehl, der ersten Person, der er auf Erden begegne, die Gabe des Schamanisierens zu verleihen. Wieder auf der Erde angekommen, bemerkte der Adler eine Frau, die neben einem Baum eingeschlafen war, und vereinigte sich mit ihr. Nach einiger Zeit brachte die Frau einen Sohn zur Welt und dieser wurde der «erste Schamane». Nach einer anderen Variante konnte die Frau infolge ihrer Beziehungen zu dem Adler die Geister sehen und wurde selbst Schamanin [5].

Aus diesem Grund wird in anderen Legenden das Erscheinen eines Adlers als ein Zeichen schamanischer Berufung gedeutet. Ein buriätisches Mädchen sah eines Tages einen Adler, der Lämmer stahl, verstand das Zeichen und war gezwungen Schamanin zu werden. Seine Initiation dauerte sieben Jahre; nach seinem Tode wurde es *sajan* («Geist», «Idol») und fuhr fort, die Kinder vor bösen Geistern zu beschützen [6].

Auch bei den Turushansker Jakuten gilt der Adler als der Schöpfer des ersten Schamanen. Doch der Adler trägt auch den Namen des höchsten Wesens, Ajy (der «Schöpfer») oder Ajy tojen (der «Schöpfer des Lichtes»). Die Kinder Ajy tojens werden als Vogelgeister dargestellt, die auf den Zweigen des Weltenbaumes sitzen; im Wipfel befindet sich der Adler mit zwei Köpfen, Tojon Kötör («der Herr der Vögel»), welcher wahrscheinlich Ajy tojen selbst verkörpert [7]. Die Jakuten wie

---

[5] Agapitov und Changalov, *Materialy*, S. 41 f.; Mikhailowski, S. 64; Harva, *Die religiösen Vorstellungen der altaischen Völker*, S. 465 f. Eine ähnliche Mythe ist bei den Pondo in Südafrika bezeugt; s. W. J. Perry, *The primordial Ocean* (London 1935), S. 143 f.

[6] Garma Sandschejew, *Weltanschauung und Schamanismus der Alaren-Burjaten*, S. 605.

[7] Leo Sternberg, *Der Adlerkult bei den Völkern Sibiriens. Vergleichende Folklore-Studie* (Archiv für Religionswissenschaft 28, 1930, S. 125–153). Vgl. die analogen Vorstellungen bei den Ket oder Jenissei-«Ostjaken», s. B. D. Shimkin, *A sketch of the Ket, or Yenissei Ostyak* (Ethnos IV, 1939, S. 147–176), S. 160 ff.

übrigens eine Anzahl anderer sibirischer Völker setzen eine Beziehung zwischen dem Adler und den heiligen Bäumen, besonders der Birke. Als Ajy tojen den Schamanen erschuf, pflanzte er gleichzeitig in seiner himmlischen Wohnung eine Birke mit acht Ästen und auf diesen Ästen Nestern, in denen die Kinder des Schöpfers waren. Außerdem pflanzte er drei Bäume auf der Erde; zur Erinnerung an sie besitzt auch der Schamane einen Baum, von dessen Leben er in gewisser Weise abhängt[8]. Es wurde schon erwähnt, daß in den schamanischen Initiationsträumen der Kandidat zum Weltenbaum gebracht wird, in dessen Wipfel sich der Herr der Welt befindet. Zuweilen wird das Höchste Wesen in Gestalt eines Adlers vorgestellt und zwischen den Zweigen des Baumes befinden sich die Seelen der künftigen Schamanen (vgl. Emsheimer, *Schamanentrommel und Trommelbaum*, S. 174). Wahrscheinlich hat dieses mythische Bild einen altorientalischen Prototyp.

Bei den Jakuten wird der Adler immer auch in Beziehung zu den Schmieden gebracht, denen ja derselbe Ursprung zugeschrieben wird wie den Schamanen (Sternberg, *Adlerkult*, S. 141). Nach den Jennissej-Ostjaken, den Teleuten, Orotschen und noch anderen sibirischen Völkern wurde der erste Schamane von einem Adler gezeugt oder zum mindesten durch einen Adler in seiner Kunst unterrichtet[9].

[8] Sternberg, *Adlerkult*, S. 134. Über die Beziehungen zwischen Baum, Seele und Geburt im Glauben der Mongolen und Sibirien vgl. U. Pestalozza, *Il manicheismo presso i Turchi occidentali ed orientali* (Reale instituto Lombardo di Scienze e Lettere, Rendiconti, Bd. 67, 1934, S. 417–497), S. 487 ff.

[9] Sternberg, *Adlerkult*, S. 143 f. Über den Adler im Glauben der Jakuten s. W. Sierozewski, *Du chamanisme*, S. 218 f.; über die Bedeutung des Adlers in der Religion und Mythologie der sibirischen Völker vgl. Harva, *Die religiösen Vorstellungen*, S. 465 ff.; bestimmte Stämme nähren manchmal den Adler mit rohem Fleisch, vgl. D. Zelenin, *Kult ongonov v Sibiri* (Moskau, 1936), S. 182 ff., doch scheint dieser Kult sporadisch und spät zu sein. Bei den Tungusen ist der «Kult» des Adlers dagegen unbedeutend (s. Shirokogorov, *Psychomental Complex of the Tungus*, S. 298). Sternberg, *a. a. O.*, S. 131, erinnert an Wäinämöinen, den «ersten Schamanen» der finnischen mythologischen Tradition, der ebenfalls von einem Adler abstammte, s. Kalevala, 1. Rune, Vers 270 ff. (vgl. die Analyse dieses Motivs in Kaarle Krohn, *Kalevalastudien*, V.: *Väinämöinen* (FFC Nr. 75, Helsinki 1938, 15 ff.). Der höchste Himmelsgott der Finnen, Ukko, nennt sich auch Aijä (lappisch *Aijo, Aije*), was Sternberg mit Ajy zusammenbringt. Wie der jakutische Ajy ist auch der finnische Aijä der Ahnherr der Schamanen. Der «weiße Schamane» heißt bei den Jakuten Ajy Ojûna, nach Sternberg sehr nahe dem finnischen Aijä Ukko. Das Motiv vom Adler und Weltenbaum fänden wir in der germanischen Mythologie wieder (Yggdrasil). Odin wird manchmal «Adler» genannt (vgl. z. B. E. Mogk, *Germanische Mythologie*, Straßburg 1898, S. 342 f.).

Erinnern wir uns an die Rolle des Adlers in den Berichten über schamanische Initiationen (S. 47 ff.) und die vogelgestaltigen Elemente der Schamanentracht, welche den Schamanen auf magische Weise in einen Adler verwandeln (S. 157). Diese Konstellation offenbart einen komplexen Symbolismus, der sich um ein himmlisches göttliches Wesen und um die Idee des magischen Flugs zum Zentrum der Welt (= Weltenbaum) kristalisiert und dem wir in der Folge noch öfter begegnen werden. Aber schon jetzt muß betont werden, daß die Rolle der Ahnen bei der Auserwählung eines Schamanen nicht so groß ist wie man glauben möchte. Die Ahnen sind nur die Abkommen jenes mythischen «ersten Schamanen», welcher unmittelbar von dem Höchsten Wesen geschaffen wurde, dessen Solarisierung sich in seiner Adlergestalt zeigt. Die schamanische Berufung durch die Seelen der Ahnen ist manchmal nur die Weitergabe einer übernatürlichen Botschaft, des Erbes aus einem mythischen *illud tempus*.

Schamanische Berufung bei den Golden und Jakuten

Die Golden machen eine deutliche Unterscheidung zwischen dem Schutzgeist (*áyami*), der den Schamanen wählt, und den Hilfsgeistern (*sywén*), die ihm untergeordnet sind und die ihm die *áyami* selbst gegeben hat (Sternberg, *The divine election*, S. 475). Nach Sternberg erklärten die Golden die Beziehungen zwischen dem Schamanen und seiner *áyami* als einen sexuell-emotionalen Komplex. So berichtet ein goldischer Schamane (der Anfang seines Bekenntnisses wurde bereits im ersten Kapitel, S. 37 f., wiedergegeben):

«Eines Tages schlief ich auf meinem Schmerzenslager, als sich mir ein Geist näherte. Es war eine sehr schöne Frau, winzig klein, nicht größer als ein halber *arshin* (71 cm). An Gesicht und Schmuck glich sie ganz und gar einer von unsern goldischen Frauen. Die Haare gingen in kleinen schwarzen Zöpfen auf die Schultern herab. Manche Schamanen sagen, sie hätten die Vision einer Frau mit halb schwarzem, halb rotem Gesicht gehabt. Sie sagte zu mir: ‚Ich bin die *áyami* deiner Ahnen, der Schamanen. Ich habe sie das Schamanisieren gelehrt, jetzt werde ich es dich lehren. Die alten Schamanen sind einer nach dem andern ge-

storben und es gibt niemand mehr, der die Kranken heilt. Du wirst
Schamane werden.' Dann fuhr sie weiter: ‚Ich liebe dich. Du wirst mein
Mann sein, denn ich habe keinen jetzt, und ich werde deine Frau sein.
Ich werde dir Geister geben, die dir in der Heilkunst helfen werden;
ich werde dich heilen lehren und dir selber dabei helfen. Die Leute
werden uns zu essen bringen.' Ich war bestürzt und wollte Widerstand
leisten. ‚Wenn du mir nicht gehorchen willst', sagte sie, ‚dann umso
schlimmer für dich. Ich werde dich töten.'

Und nun kam sie immerfort zu mir; ich schlafe mit ihr wie mit meiner eigenen Frau, aber wir haben keine Kinder. Sie lebt ganz allein, ohne
Eltern, in einer Hütte, die auf einem Berg liegt. Doch wechselt sie ihren
Wohnort oft. Manchmal erscheint sie in Gestalt einer alten Frau oder
eines Wolfs und man kann sie nicht ohne Schrecken anschauen. Andere
Male wieder nimmt sie das Aussehen eines geflügelten Tigers an und
trägt mich fort, um mir verschiedene Gegenden zu zeigen. Ich habe
Berge gesehen, wo nur alte Männer und Frauen wohnen, und Dörfer,
wo es nur ganz junge Männer und Frauen gibt. Sie gleichen den Golden
und sprechen ihre Sprache; manchmal werden sie in Tiger verwandelt [10].
Zur Zeit kommt meine *áyami* weniger oft zu mir als früher. In der Zeit,
wo sie mich unterwies, kam sie jede Nacht. Sie hat mir drei Helfer gegeben, den *jarga* (Panther), den *doonto* (Bär) und den *amba* (Tiger).
Sie besuchen mich im Traum und erscheinen mir, sooft ich sie beim
Schamanisieren herbeirufe. Wenn einer von ihnen nicht kommen will,
zwingt die *áyami* sie dazu, aber es soll welche geben, die sogar ihren
Befehlen Widerstand leisten. Wenn ich schamanisiere, bin ich von der
áyami und den Hilfsgeistern besessen; sie durchdringen mich wie Rauch
oder Feuchtigkeit. Wenn die *áyami* in mir ist, spricht sie durch meinen
Mund und lenkt alles. Ebenso wenn ich die *sukdu* (Opfergaben) esse
oder Schweineblut trinke (nur der Schamane hat das Recht davon zu
trinken, die Profanen dürfen es nicht einmal berühren), bin nicht ich
es, der ißt und trinkt, sondern meine *áyami* allein...» (Sternberg,
a. a. O., S. 476 ff.).

[10] All diese Nachrichten über die ekstatischen Reisen sind sehr wichtig. Der geisterhafte Lehrer der jungen Kandidaten bei der Initiation erscheint im nördlichen und
südöstlichen Asien in der Gestalt eines Bären oder Tigers. Manchmal wird der
Kandidat auf dem Rücken eines solchen Geistertieres in den Dschungel (Symbol des
Jenseits) getragen. Die Leute, die sich in Tiger verwandeln, sind Initiierte oder
«Tote» (was in den Mythen manchmal dasselbe ist).

Ohne Zweifel spielen in dieser schamanischen Autobiographie die sexuellen Elemente eine wichtige Rolle. Aber es ist zu beachten, daß die *áyami* ihren «Gatten» nicht einfach dadurch zum Schamanisieren fähig macht, daß sie geschlechtliche Beziehungen mit ihm unterhält; erst die geheime Unterweisung, die sie ihm in langen Jahren und auf den ekstatischen Reisen ins Jenseits erteilt, ändert das religiöse Leben des «Gatten» und bereitet ihn nach und nach auf seine Funktion als Schamane vor. Wie wir sogleich sehen werden, kann jeder Mensch Beziehungen zu den Geisterfrauen haben, ohne deswegen die religiös-magischen Kräfte der Schamanen zu erlangen.

Sternberg dagegen sieht das primäre Element des Schamanismus in der geschlechtlichen Erregung, zu der dann der Gedanke der erblichen Weitergabe der Geister hinzugekommen sei (*a. a. O.*, S. 480). Er erwähnt noch mehrere andere Züge, die alle seine Interpretation stützen sollen: Eine Schamanin, welche Shirokogorov beobachtete, verspürte bei den Initiationsproben sexuelle Erregungen; der rituelle Tanz des goldischen Schamanen, wenn er seine *áyami* nährt (die währenddem in ihn eindringt), habe sexuellen Sinn; in der jakutischen Folklore, die Trostschansky erforscht hat, ist immer von jungen Himmelsgeistern die Rede (Kinder der Sonne, des Mondes, der Plejaden usw.), welche auf die Erde herabsteigen und sterbliche Frauen heiraten usw. Keiner von diesen Zügen scheint uns entscheidend; im Fall der von Shirokogorov bobachteten Schamanen und des goldischen Schamanen sind die sexuellen Erregungen deutlich sekundär, wenn nicht Abirrungen, denn zahlreiche andere Beobachtungen wissen von diesen erotischen Trancen gar nichts, und die jakutische Folklore bringt einen allgemeinen Volksglauben, welcher in keiner Weise unser Problem löst, das da lautet: Warum sind unter so vielen von Himmelsgeistern «Besessenen» nur einige zu Schamanen berufen? Es hat nicht den Anschein, als ob die geschlechtlichen Beziehungen zu den Geistern das wesentliche und entscheidende Element der schamanischen Berufung bildeten. Doch Sternberg bringt auch unveröffentlichte Informationen über die Jakuten, Buriäten und Teleuten, die schon an sich von großem Interesse sind, so daß wir uns kurz bei ihnen aufhalten müssen.

Nach seiner Quelle, der Jakutin N. M. Sliepzova, dringen die *abassy*, junge Männer und Mädchen, in den Körper junger Leute des anderen Geschlechts ein, versetzen sie in Schlaf und sie lieben sich. Die jungen

Leute, die von den *abassy* besucht werden, nähern sich nicht mehr den jungen Mädchen und mehrere von ihnen bleiben Junggesellen für den Rest ihres Lebens. Liebt eine *abassy* einen verheirateten Mann, so wird er impotent mit seiner Frau. All dies, schließt die Sliepzova, geschieht allgemein bei den Jakuten; also müßte dasselbe sich auch bei den Schamanen ereignen.

Doch bei diesen handelt es sich noch um Geister anderer Ordnung. «Die Herren und Herrinnen der *abassy* in der Ober- oder Unterwelt», schreibt die Sliepzova, «erscheinen dem Schamanen im Traum, treten aber nicht selber mit ihm in geschlechtliche Beziehungen; das bleibt ihren Söhnen und Töchtern vorbehalten» (*ebd.*, S. 482). Dieses Detail ist wichtig und zwar spricht es gegen Sternbergs Hypothese vom erotischen Ursprung des Schamanismus, denn eben nach dem Zeugnis der Sliepzova wird die Berufung des Schamanen durch die Erscheinung himmlischer oder unterweltlicher Geister und nicht durch die von den *abassy* hervorgerufene sexuelle Erregung entschieden. Die geschlechtlichen Beziehungen mit ihnen folgen erst auf die Weihe des Schamanen, die durch das ekstatische Sehen der Geister geschieht.

Im übrigen sind, wie die Sliepzova selbst bemerkt, geschlechtliche Beziehungen junger Leute zu den Geistern bei den Jakuten ziemlich häufig; sie sind es ebenso bei vielen anderen Völkern, ohne daß man deshalb sagen dürfte, daß sie in einem so komplexen religiösen Phänomen wie dem Schamanismus das primäre Erlebnis bilden. In Wirklichkeit spielen die *abassy* im jakutischen Schamanismus eine sekundäre Rolle; wenn – nach den Angaben der Sliepzova – ein Schamane von einer *abassy* und Beziehungen zu ihr träumt, so erwacht er gut gestimmt, sicher, daß er an diesem Tag zur Konsultation gerufen wird und auch sicher, daß er Erfolg hat; sieht er dagegen im Traum die *abassy* voll Blut und die Seele des Kranken verschlingend, so weiß er, daß der Kranke nicht davonkommen wird, und wird er am nächsten Tag zu ihm gerufen, so tut er was er kann um sich zu verbergen. Wird er aber gerufen ohne einen Traum gehabt zu haben, so ist er ratlos und weiß nicht was tun (*ebd.*, S. 483).

Die Auserwählung bei den Buriäten und Teleuten

Bezüglich des buriätischen Schamanismus ist Sternberg von den Informationen eines seiner Schüler, A. N. Mikhailof, abhängig, der selber Buriät ist und früher an schamanischen Zeremonien teilgenommen hat (S. 485 ff.). Nach ihm beginnt die Laufbahn des Schamanen mit der Botschaft eines schamanischen Ahnen, der dann die Seele des Kandidaten in den Himmel bringt, um ihn zu unterrichten. Unterwegs verweilen sie bei den Göttern der Mitte der Welt, nämlich Tekha Shara Matzkala, dem Gott des Tanzes, der Fruchtbarkeit und des Reichtums, und den neun Töchtern Solbonis, des Gottes der Morgenröte, mit welchen er lebt. Das sind spezifisch schamanische Gottheiten und nur die Schamanen bringen ihnen Opfer dar. Die Seele des jungen Kandidaten tritt in Liebesbeziehungen mit den neun Gattinnen Tekhas. Wenn die schamanische Unterweisung beendet ist, begegnet die Seele des Schamanen im Himmel seiner künftigen himmlischen Gattin und tritt auch mit ihr in Beziehungen. Zwei oder drei Jahre nach diesem ekstatischen Erlebnis findet die eigentliche Initiationszeremonie statt, die einen Aufstieg zum Himmel enthält und der ein dreitägiges ziemlich ausgelassenes Fest folgt. Vor dieser Zeremonie besucht der Kandidat alle benachbarten Dörfer und erhält Geschenke von hochzeitlicher Bedeutung. Der Baum, der zur Initiation dient und dem Baum im Haus von Neuvermählten gleicht, repräsentiert nach Mikhailof das Leben der himmlischen Gattin, und der Strick, der diesen in der Jurte gepflanzten Baum mit dem Baum des Schamanen auf dem Hof verbindet, wäre das Sinnbild der hochzeitlichen Vereinigung des Schamanen mit seiner Geisterfrau. Der schamanische Initiationsritus der Buriäten bedeutet – immer nach Mikhailof – die Hochzeit des Schamanen mit seiner himmlischen Braut. Und Sternberg erinnert daran, daß bei der Initiation getrunken, getanzt und gesungen wird ganz wie bei einer Hochzeit (S. 487).

Das alles mag wahr sein, doch es erklärt nicht den buriätischen Schamanismus. Wie wir gesehen haben, enthält die Auserwählung des Schamanen bei den Buriäten wie überall sonst ein ziemlich komplexes ekstatisches Erlebnis, bei dem der Kandidat gefoltert, in Stücke geschnitten, getötet und zum Schluß wieder auferweckt wird. *Einzig und allein dieser Initiationstod und diese Auferstehung vermögen einen Scha-*

manen zu weihen. Die Unterweisung durch die Geister und die alten Schamanen vervollständigt dann diese erste Weihe. Die Initiation im eigentlichen Sinn, auf welche wir im folgenden Kapitel zurückkommen werden, besteht in der triumphalen Himmelsreise. Daß die Volksbelustigungen bei dieser Gelegenheit denen bei der Hochzeit gleichen, ist natürlich, denn die Möglichkeiten kollektiver Belustigungen sind bekanntlich nicht zahlreich. Doch die Rolle der Himmlischen Gattin scheint sekundär zu sein; sie geht nicht über die Rolle einer Inspirierenden und einer Helferin hinaus. Wir werden sehen, daß diese Rolle auch noch durch andere Tatsachen verständlich gemacht werden kann.

Auf Grund des Materials V. A. Anochins über den teleutischen Schamanismus sagt Anochin (S. 487), daß jeder teleutische Schamane eine himmlische Gattin hat, die im Siebten Himmel wohnt. Auf seiner ekstatischen Reise zu Ülgän begegnet der Schamane seiner Frau und sie lädet ihn ein, bei ihr zu bleiben; sie hat dafür auserlesene Gerichte vorbereitet: «Mein Gatte, junger *kam* (sagt sie zu ihm), wir setzen uns an den blauen Tisch... Komm! wir verbergen uns im Schatten des Vorhangs – und wir lieben uns und unterhalten uns!...» Sie versichert ihm, daß der Weg zum Himmel abgeschnitten ist. Doch der Schamane will ihr nicht glauben und beharrt darauf, daß er seine Auffahrt fortsetzen will: «Wir werden auf den *tapty* (den Sprossen des Schamanenbaumes) aufsteigen und dem Mond unsere Huldigung erweisen!...» (Anspielung darauf, daß der Schamane auf seiner Reise Station macht, um den Mond und die Sonne zu verehren). Er wird kein Gericht anrühren, bevor er wieder auf die Erde kommt. Er nennt sie «seine geliebte Gattin», und die irdische Gattin «ist nicht wert Wasser auf ihre Hände zu gießen». Der Schamane wird bei seiner Arbeit nicht nur von seiner himmlischen Gattin, sondern noch von anderen Geisterfrauen unterstützt. Im Vierzehnten Himmel befinden sich die neun Töchter Ülgäns; sie verleihen dem Schamanen seine magischen Kräfte (glühende Kohlen zu verschlingen usw.). Wenn ein Mensch stirbt, steigen sie auf die Erde herab, nehmen seine Seele und tragen sie in die Himmel.

An diesen teleutischen Auskünften sind mehrere Einzelheiten bemerkenswert. Die Episode von der himmlischen Gattin, welche ihren Mann zum Essen einladet, erinnert an das wohlbekannte mythische Thema von der Mahlzeit, die die Geisterfrauen des Jenseits einem jeden Sterblichen anbieten, der durch ihr Gebiet kommt, um ihn das irdische

Leben vergessen zu machen und ihn für immer in ihre Gewalt zu bekommen; das gilt für die Halbgöttinnen wie für die Feen des Jenseits. Der Dialog des Schamanen mit seiner Gattin bildet einen Teil eines langen und komplexen dramatischen Szenarios, auf das wir noch zurückkommen, und ist in keinem Fall für wesentlich zu halten. Das wesentliche Element einer jeden schamanischen Auffahrt ist, wie wir später sehen werden, der Schlußdialog mit Ülgän. Der Dialog mit der Gattin ist eben ein recht lebendiges dramatisches Element, geeignet, die Anwesenden bei der manchmal eher monotonen Sitzung zu interessieren. Nichtsdestoweniger behält er seine ganze Tragweite für die Initiation. Daß der Schamane eine himmlische Gattin besitzt, die ihm im Siebten Himmel Mahlzeiten bereitet und mit ihm schläft, ist wiederum ein Beweis dafür, daß er in gewisser Weise an der Natur der halbgöttlichen Wesen teilhat, daß er ein Heros ist, der Tod und Auferstehung erfahren hat und sich deshalb einer zweiten Existenz in den Himmeln erfreut.

Sternberg (S. 488) zitiert noch eine Urankhai-Legende über den ersten Schamanen, Bo-Khan. Dieser liebte ein himmlisches Mädchen. Als die Fee entdeckte, daß er verheiratet war, ließ sie ihn und seine Frau von der Erde verschlungen werden. Darauf brachte sie einen Knaben zur Welt, den sie unter einer Birke aussetzte, die ihn mit ihrem Saft ernähren sollte. Von diesem Kind stammt die Rasse der Schamanen (Bö-Khâ-näkn).

Das Motiv der Feengattin, die ihren Mann verläßt, nachdem sie ihm einen Sohn geschenkt hat, ist allgemein verbreitet. Manchmal sind diese Peripetien in der Suche des Gatten nach der Fee Reflexe von Initiationsszenarios (Aufstieg zum Himmel, Abstieg in die Unterwelt usw.) [11]. Die Eifersucht der Feen auf die irdischen Frauen ist ebenfalls ein ziemlich häufiges Thema in Mythen und Folklore: Die Nymphen, Feen und Halbgöttinnen sind auf das Glück der irdischen Gattinnen neidisch und

---

[11] Die Gattin des Maori-Heros Tawhaki, eine Fee, die vom Himmel herabgestiegen ist, bleibt nur bis zu der Geburt seines ersten Kindes bei ihm; danach steigt sie auf eine Hütte und verschwindet. Tawhaki erhebt sich zum Himmel, indem er an einem Weinstock emporklettert, und kommt dann sogar wieder auf die Erde (Sir George Grey, *Polynesian Mythology*, Neudruck, Auckland 1929, S. 42 ff.). Nach anderen Varianten erreicht der Heros den Himmel auf einer Kokospalme, einem Seil, einem Spinnwebfaden oder einem Papierdrachen. Auf den Hawai-Inseln heißt es, daß er auf dem Regenbogen hinaufklettert, auf Tahiti, daß er einen hohen Berg ersteigt und seine Frau unterwegs trifft (vgl. Chadwick, *The growth of literature*, 3. Bd., S. 273).

stehlen oder töten ihre Kinder[12]. Auf der anderen Seite gelten sie als die Mütter, Gattinnen oder Erzieherinnen der Heroen, das heißt derjenigen unter den Menschen, denen es gelingt das menschliche Los zu übersteigen und wenn auch nicht göttliche Unsterblichkeit, so doch ein privilegiertes Schicksal nach dem Tod zu erreichen. Eine große Anzahl von Mythen und Legenden zeugen für die wesentliche Rolle, welche eine Fee, eine Nymphe oder eine halbgöttliche Frau in den Abenteuern der Heroen spielt; sie unterweist sie, hilft ihnen bei ihren Proben (die oft Initiationsproben sind) und entdeckt ihnen die Mittel, sich des Symbols der Unsterblichkeit oder des langen Lebens (des wunderbaren Krauts, der Wunderäpfel, des Jungbrunnens) zu bemächtigen. Es ist das Thema eines wichtigen Sektors der «Mythologie der Frau», daß es immer ein weibliches Wesen ist, welches dem Heros hilft die Unsterblichkeit zu erlangen und als Sieger aus seinen Initiationsproben hervorzugehen.

Es ist hier für eine Diskussion dieses mythischen Motivs nicht der Ort, aber sicherlich haben sich in ihm die Spuren einer späten matriarchalischen Mythologie erhalten, der schon die Zeichen der «maskulinen» (heroischen) Reaktion gegen die Allmacht der Frau (= Mutter) anzumerken sind. In gewissen Varianten ist die Rolle der Fee bei der Suche des Helden nach der Unsterblichkeit kaum der Rede wert; so bleibt die Nymphe Siduri, von der in den archaischen Versionen der Gilgamesch-Legende der Heros die Unsterblichkeit verlangt hat, im klassischen Text unerwähnt. Manchmal nimmt der Held, obwohl eingeladen den seligmachenden Zustand der halbgöttlichen Frau und damit ihre Unsterblichkeit zu teilen, nur widerwillig diese Seligkeit an und sucht sich so schnell als möglich zu befreien, um wieder zu seiner irdischen Frau und seinen Gefährten zu kommen (Odysseus und die Nymphe Kalypso). Die Liebe einer solchen Halbgöttin wird für den Helden oft mehr ein Hindernis als eine Hilfe.

---

[12] Vgl. Stith Thompson, *Motif-Index of Folk-Literature*, 3. Bd., S. 44 ff. (F 320 ff.).

Die weiblichen Schutzgeister des Schamanen

In einen ähnlichen mythischen Horizont gilt es die Beziehungen der Schamanen zu ihren «himmlischen Gattinnen» zu stellen: Nicht sie weihen eigentlich den Schamanen, aber sie helfen ihm bei seiner Unterweisung oder seinem ekstatischen Erleben. Natürlich ist manches Mal das Auftreten der «himmlischen Gattin» in dem mystischen Erlebnis des Schamanen von geschlechtlichen Erregungen begleitet; ein jedes ekstatische Erlebnis unterliegt solchen Abirrungsmöglichkeiten, und wir kennen die engen Beziehungen zwischen der mystischen und der fleischlichen Liebe zu gut, um uns über den Mechanismus dieses Niveauwechsels zu täuschen. Auf der anderen Seite darf man nicht vergessen, daß die in den schamanischen Riten vorhandenen erotischen Elemente über die Beziehungen Schamane – «himmlische Gattin» hinausgehen. Bei den Kumandinen der Gegend von Tomsk gehört zum Pferdeopfer auch das Zeigen von Masken und Holzphallen, die drei junge Leute tragen; sie galoppieren mit dem Phallus zwischen den Beinen «wie ein Hengst» und berühren die Anwesenden. Das Lied, das dabei angestimmt wird, ist unverkennbar erotisch [13]. Wenn bei den Teleuten der Schamane bei der Ersteigung des Baums auf die dritte *tapty* kommt, verlassen Frauen, junge Mädchen und Kinder den Platz und der Schamane beginnt ein obszönes Lied, das dem der Kumandinen gleicht; Zweck ist die sexuelle Stärkung der Männer (Zelenin, *a. a. O.*, S. 91). Dieser Ritus hat Parallelen (Kaukasus, Altchina, Amerika usw.; vgl. Zelenin, S. 94 ff.) und sein Sinn ist umso ausdrücklicher, als er zum Pferdeopfer gehört, dessen kosmologische Funktion (Erneuerung von Welt und Leben) bekannt ist [14].

---

[13] D. Zelenin, *Ein erotischer Ritus in den Opferungen der altaischen Türken* (Intern. Archiv für Ethnologie, Bd. 29, 1928, S. 83–98), S. 88 f.

[14] Über die sexuellen Elemente des *açvamedha* und anderer ähnlicher Riten s. P. Dumont, *L'aśvamedha* (Paris 1927), S. 276 ff.; W. Koppers, *Pferdeopfer und Pferdekult der Indogermanen* (Wiener Beiträge zur Kulturgeschichte und Linguistik, 4. Bd., Salzburg-Leipzig 1936, S. 279–411), S. 344 ff., 401 ff. Hier wäre noch auf einen anderen schamanischen Fruchtbarkeitsritus hinzuweisen, welcher sich auf einem ganz anderen religiösen Niveau vollzieht. Die Jakuten verehren eine Fruchtbarkeits- und Fortpflanzungsgöttin Aisyt, die im Osten wohnt, in dem Teil des Himmels, wo die Sonne im Sommer aufgeht. Ihre Feste finden im Frühling und Sommer statt und gehören in den Bereich spezieller «Sommerschamanen» *(saingy)* oder «weißer Schamanen». Aisyt wird

Um auf die Rolle der «himmlischen Gattin» zurückzukommen: Es ist bemerkenswert, daß wie der Held bei den erwähnten späten Mythenvarianten, so auch der Schamane durch seine *áyami* ebenso belästigt wie gefördert wird. Sie beschützt ihn zwar, will ihn aber für sich allein im Siebten Himmel behalten und stellt sich der Fortsetzung seiner Himmelfahrt in den Weg. Sie versucht ihn außerdem mit einer himmlischen Mahlzeit, was den Schamanen seiner irdischen Frau und der menschlichen Gesellschaft entreißen könnte.

So spielt der Schutzgeist (*áyami* usw.), auch in Gestalt einer himmlischen Gattin (oder eines Gatten) vorgestellt, im sibirischen Schamanismus eine wichtige, aber nicht die entscheidende Rolle. Das entscheidende Element ist, wie wir gesehen haben, das Initiationsdrama von rituellem Tod und Auferstehung (Krankheit, Zerstückelung, Abstieg in die Unterwelt, Aufstieg in die Himmel usw.). Die geschlechtlichen Beziehungen zu seiner *áyami*, die man dem Schamanen zuschreibt, sind nicht konstitutiv für seine ekstatische Berufung, denn einerseits ist die sexuelle Traumbesessenheit durch «Geister» nicht auf die Schamanen beschränkt, andererseits gehen die sexuellen Elemente gewisser schamanischer Zeremonien über die Beziehungen zwischen Schamane und *áyami* hinaus und gehören in den Zusammenhang der bekannten Rituale, die der Vermehrung der geschlechtlichen Kraft in der Gemeinschaft dienen.

Das Schutzverhältnis zwischen dem sibirischen Schamanen und seiner *áyami* entspricht, wie wir gesehen haben, der Rolle der Feen und Halbgöttinnen bei der Unterrichtung und Initiation der Heroen. Diese «Protektion» spiegelt zweifellos matriarchalische Vorstellungen wieder. Die «Große Mutter der Tiere», zu welcher der sibirische und arktische Schamane die besten Beziehungen hat, ist ein noch deutlicheres Bild archaischen Matriarchats. Es besteht Grund zu der Annahme, daß diese Große Mutter der Tiere sich in einem bestimmten Moment an die Stelle eines Höchsten Himmelswesens gesetzt hat, doch diese Frage über-

---

angerufen um Kinder, besonders um Knaben. Der Schamane eröffnet singend und trommelnd die Prozession von neun jungen Männern und neun Jungfrauen, die sich an den Händen halten und im Chor singen. «Der Schamane zeigt so den Weg zum Himmel und führt dorthin die jungen Paare, doch die Diener Aisyts sind an den Toren, mit silbernen Peitschen bewaffnet; alle Verdorbenen, Bösen, Gefährlichen stoßen sie zurück; auch die läßt man nicht ein, die zu früh ihre Unschuld verloren haben» (Sieroszewski, *Du chamanisme d'après les croyances des Yakoutes*, S. 336 f.).

schreitet unser Thema[15]. Hier genüge ein Hinweis: Ganz wie die Große Mutter der Tiere den Menschen – und speziell den Schamanen – das Recht verleiht, die Tiere zu jagen und sich von ihrem Fleisch zu nähren, geben die «weiblichen Schutzgeister» den Schamanen die Hilfsgeister, die ihnen für ihre ekstatischen Reisen in gewisser Beziehung unentbehrlich sind.

Die Rolle der Seelen der Toten

Wir haben gesehen, daß die Berufung des künftigen Schamanen – im Traum, in der Ekstase oder während einer Krankheit – durch die zufällige Begegnung mit einem halbgöttlichen Wesen, der Seele eines Ahnen, einem Tier oder auch durch ein ungewöhnliches Ereignis (Blitz, tödlicher Unfall usw.) ausgelöst sein kann. Im allgemeinen eröffnet diese Begegnung eine «Vertrautheit» zwischen dem künftigen Schamanen und dem «Geist,» der seine Laufbahn bestimmt hat; sie wird uns später noch beschäftigen. Zunächst wollen wir den Anteil der Seelen der Toten bei der Heranziehung der künftigen Schamanen näher ins Auge fassen. Wie wir gesehen haben, ergreifen häufig die Seelen der Ahnen von einem jungen Mann «Besitz» und schreiten zu seiner Initiation. Jeder Widerstand ist nutzlos. Dieses Phänomen der Vorauserwählung ist im nördlichen und arktischen Asien allgemein[16].

Einmal durch diese erste «Besitzergreifung» und die darauf folgende Initiation geweiht, wird der Schamane ein Sammelplatz auch für unbeschränkt viele andere Geister; doch sind es immer die Seelen verstor-

---

[15] Vgl. Al. Gahs, *Kopf-, Schädel- und Langknochenopfer bei Rentiervölkern* (Festschrift W. Schmidt, Wien 1928, S. 231–268), S. 241 (Samojeden usw.), 249 (Ainu), 255 (Eskimo). Vgl. auch U. Holmberg, *Über die Jagdriten der nördlichen Völker Asiens und Europas* (Journal de la Société Finno-Ougrienne 41, Heft 1, Helsinki 1926); Bonerjea, *Hunting Superstitions of America Aborigenes* (Internationales Archiv für Ethnographie, 1934, 32. Bd., S. 180 ff.). Die «Mutter der Tiere» begegnet auch im Kaukasus, vgl. A. Dirr, *Der kaukasische Wild- und Jagdgott* (Anthropos 20, 1905, S. 139–147), S. 146. Der afrikanische Bereich wurde neuerdings von H. Baumann erforscht: *Afrikanische Wild- und Buschgeister* (Zeitschrift für Ethnologie, 70. Bd., Heft 3–5, 1939, S. 208–239).

[16] Dasselbe Phänomen begegnet natürlich auch anderweitig. Bei den Batak auf Sumatra z. B. folgt auf die Weigerung Schamane zu werden, wenn man durch die Geister «gewählt» ist, der Tod. Kein Batak wird aus eigenem Willen Schamane (E. M. Loeb, *Sumatra*, Wien 1935, S. 81).

bener Schamanen oder von «Geistern», die früheren Schamanen gedient haben. Der berühmte jakutische Schamane Tüspüt erzählte Sieroszewski: «Eines Tages, als ich auf den Bergen herumirrte, dort unten gegen Norden, verhielt ich neben einem Holzhaufen, um mir mein Essen zu kochen. Ich setzte den Haufen in Brand, aber darunter war ein tungusischer Schamane begraben. Sein Geist hat sich meiner bemächtigt» (*Du chamanisme*, S. 314). Das war der Grund dafür, daß Tüspüt bei seinen Sitzungen tungusische Worte sprach. Aber er nahm auch andere Geister auf, Russen, Mongolen usw., und sprach ihre Sprache[17].

Die Rolle der Seelen der Toten bei der Auserwählung des künftigen Schamanen ist auch außerhalb Sibiriens bedeutend. Ihre Funktion im nordamerikanischen Schamanismus werden wir sogleich untersuchen. Die Eskimos, die Australier, auch andere schlafen, wenn sie Medizinmänner werden wollen, in der Nähe von Gräbern, und dieser Brauch hat sich sogar bei historischen Völkern erhalten (z. B. den Kelten). In Südamerika ist die Initiation durch die verstorbenen Schamanen wenn auch nicht allgemein, so doch ziemlich häufig. «Die Bororo-Schamanen werden, ob sie nun zur *aroettawaraare-* oder zur *bari*-Klasse gehören, durch die Seele eines Toten oder einen Geist auserwählt. Bei den *aroettawaraare* geht die Offenbarung so vor sich: Der Auserwählte geht im Wald spazieren und sieht auf einmal einen Vogel sich in Griffweite niedersetzen und sofort wieder verschwinden. Flüge von Papageien steigen vom Himmel zu ihm herab und verschwinden wie durch Zauber. Der künftige Schamane kehrt heim, zitternd und unverständliche Worte sprechend. Von seinem Körper geht ein Geruch von Fäulnis[18] und Orlean aus. Auf einmal läßt ein Windstoß ihn stolpern und er sinkt hin wie tot. In diesem Augenblick ist er der Sitz eines Geistes geworden, der durch seinen Mund spricht. Von diesem Moment an ist er ein Schamane[19].

Bei den Apinayé werden die Schamanen durch die Seele eines Verwandten ausersehen, der sie mit den Geistern in Verbindung bringt, doch übertragen ihm die Geister das schamanische Wissen und Können.

---

[17] Derselbe Glaube bei den Tungusen und Golden, s. Harva, *Rel. Vorstell.*, S. 463. Ein Haida-Schamane, der von einem Tlingit-Geist besessen ist, spricht tlingit, obwohl er es sonst nicht kann (Swanton, zitiert bei Webster, *Magic*, S. 213).

[18] Er ist also rituell schon ein «Toter».

[19] A. Métraux, *Le shamanisme chez les Indiens de l'Amérique du Sud tropicale*, S. 203.

Bei anderen Stämmen wird man durch ein spontanes ekstatisches Erlebnis Schamane, zum Beispiel indem man in einer Vision den Planeten Mars sieht (Métraux, *ebd.*, S. 203). Bei den Campa und den Amahuaca erhalten die Kandidaten ihren Unterricht von einem lebenden oder toten Schamanen (*ebd.*). «Der Schamanenlehrling bei den Conibo von Ucayali hat seine ärztliche Wissenschaft von einem Geist. Um mit ihm in Verbindung zu treten, trinkt der Schamane einen Tabaksud und raucht in einer hermetisch verschlossenen Hütte soviel als er kann» (*ebd.*, S. 204). Der Cashinawa-Kandidat wird im Busch unterrichtet; die Seelen geben ihm die nötigen magischen Substanzen und impfen sie ihm in den Körper ein. Die Yaruro-Schamanen werden von ihren Göttern unterrichtet, wenn sie auch die eigentliche Technik von den anderen Schamanen erlernen. Doch halten sie sich nicht eher für ausübungsfähig, als sie im Traum einem Geist begegnet sind» (*ebd.* 204f.). «Im Stamm der Apapocuvá-Guarani wird man einzig durch die Kenntnis von Zauberliedern Schamane, die einem im Traum von einem verstorbenen Verwandten gelehrt werden» (*ebd.*, S. 205). Doch woher auch die Offenbarung gekommen ist, alle diese Schamanen praktizieren nach den traditionellen Vorschriften ihres Stammes. «Sie handeln also nach Regeln und Techniken, welche sie nur erwerben konnten, indem sie bei erfahrenen Männern in die Schule gingen», schließt Métraux (S. 205). Das bestätigt sich auch für jeden anderen Schamanismus. Wenn die Seele des verstorbenen Schamanen beim «Ausschlüpfen» der schamanischen Berufung überhaupt eine wichtige Rolle spielt, so nur, indem sie den Kandidaten auf spätere Offenbarungen vorbereitet. Die Seelen der verstorbenen Schamanen bringen ihn in Verbindung mit den Geistern oder tragen ihn in den Himmel (vgl. Sibirien, Altai, Australien usw.). Diesen ersten ekstatischen Erlebnissen folgt übrigens eine Unterweisung durch alte Schamanen [20]. Bei den Selk'nam zeigt sich die spontane Berufung durch das seltsame Benehmen des jungen Mannes: er singt im Schlaf usw. (Gusinde, *Selk'nam*, S. 779). Doch einen solchen Zustand kann man auch freiwillig erreichen; es handelt sich nur darum, die Geister zu sehen (*ebd.*, S. 781 f.). «Die Geister sehen», im Traum oder wach, ist das entscheidende Zeichen für die schamanische Berufung, ob sie nun spontan ist oder frei gewollt. Aus diesem

---

[20] Vgl. M. Gusinde, *Der Medizinmann bei den südamerikanischen Indianern*, S 293; ders., *Die Selk'nam*, S. 782–786, usw.; Métraux, *a. a. O.*, S. 206 ff.

Grund muß in ganz Südamerika [21] der Schamane sterben, um die Seelen der Schamanen treffen und von ihnen unterrichtet werden zu können, denn die Toten wissen alles (Lublinski, S. 250); das ist ein allgemeiner Glaube, welcher die Mantik durch den Verkehr mit den Toten erklärt.

In ganz Südamerika bewahrt die schamanische Auserwählung oder Initiation das vollständige Schema von rituellem Tod und Auferstehen. Doch kann der Tod auch durch andere Mittel angedeutet sein, durch außerordentliche Ermüdung, Foltern, Fasten, Schläge usw. Wenn sich ein junger Jivaro Schamane zu werden entschließt, sucht er einen Meister, zahlt ihm das Honorar und verpflichtet sich zu einer außerordentlich strengen Lebensweise. Tagelang berührt er keine Nahrung und nimmt narkotische Getränke zu sich, besonders Tabaksaft (der bekanntlich bei der Initiation der südamerikanischen Schamanen eine wesentliche Rolle spielt). Zuletzt erscheint ein Geist Pasuka in Gestalt eines Kriegers vor dem Kandidaten, und unverzüglich beginnt der Meister den Lehrling zu schlagen, bis er bewußtlos zu Boden fällt. Beim Erwachen tut ihm der ganze Körper weh; die Schmerzen, die Vergiftung und die Schläge, welche die Ohnmacht hervorgerufen haben, kommen auch in etwa einem rituellen Tode gleich [22].

Aus alldem geht hervor, daß die Seelen der Toten, welches auch ihre Rolle bei der Auslösung der Berufung oder Initiation des künftigen Schamanen gewesen ist, nicht durch ihre einfache Anwesenheit (Besitzergreifung oder nicht) diese Berufung schaffen, sondern dem Kandidaten den Kontakt mit den göttlichen und halbgöttlichen Wesen vermitteln (durch die ekstatischen Reisen zum Himmel und in die Unterwelt) oder den künftigen Schamanen in den Stand setzen, sich die heiligen Wirklichkeiten anzueignen, die nur den Abgeschiedenen zugänglich sind. Marcel Mauss hat das für die australischen Zauberer sehr gut ans Licht gerückt (vgl. *L'origine des pouvoirs magiques,* S. 144 ff.). Auch hier vermischen sich oft die Rollen der Toten und der «reinen Geister». Und mehr als das: Auch wenn der Geist des Toten selbst die Offenbarung gibt, enthält diese Offenbarung entweder den Initiationsritus der Tötung und Wiedergeburt des Kandidaten (s. das vorhergehende

---

[21] Vgl. Ida Lublinski, *Der Medizinmann bei den Naturvölkern Südamerikas,* S. 249; vgl. auch das vorhergehende Kapitel, S. 63.

[22] M. W. Stirling, *Jivaro Shamanism* (Proceedings of the American Philosophical Society, 72. Bd., 1933, S. 140 ff.); H. Webster, *Magic,* S. 213.

Kapitel) oder das so bezeichnend schamanische Thema der ekstatischen Himmelsreise, wo der Ahnengeist die Rolle des Seelengeleiters übernimmt, ein Thema, das schon in seiner Struktur die «Besessenheit» ausschließt. So scheint die wichtigste Funktion der Toten bei der Verleihung der Schamanenkräfte weniger darin zu liegen, daß sie von dem Menschen «Besitz ergreifen», als daß sie ihm helfen sich in einen «Toten» zu verwandeln – kurz: selbst ein «Geist» zu werden.

«Die Geister sehen»

Die außerordentliche Bedeutung der «Geisterschau» in allen Abarten schamanischer Initiationen erklärt sich aus folgendem: Einen Geist «sehen», im Traum oder wach, ist ein sicheres Zeichen dafür, daß man irgendwie einen «Geisterzustand» erreicht, also die Verfassung des profanen Menschen überstiegen hat. Deshalb verleiht bei den Mentawai die «Vision» (der Geister), ob spontan oder durch Willensanstrengung erreicht, den Schamanen augenblicklich die magische Kraft (*kerei*) [23]. Die Andamanen-Zauberer ziehen sich in den Dschungel zurück, um dieser «Vision» teilhaftig zu werden; die dabei nur Träume gehabt haben, erhalten nur geringere magische Kräfte [24]. Die *dukun* bei den Minangkabau auf Sumatra machen ihre Lehre in der Einsamkeit, auf einem Berge durch; hier lernen sie unsichtbar zu werden, hier glückt es ihnen, in der Nacht die Seelen der Toten zu sehen [25]; das bedeutet, daß sie Geister *werden,* daß sie Tote sind.

Ebenfalls bei den Mentawai «kann ein Mann oder eine Frau hellsehend werden, wenn sie von den Geistern körperlich emporgehoben werden. Nach der Geschichte vom jungen Sitakigagailau wurde dieser durch Himmelsgeister zum Himmel getragen, wo er einen wunderbaren Körper bekam, der dem ihren glich. Er kam auf die Erde zurück, wo er ein Hellseher war, und die Himmelsgeister halfen ihm bei seinen Kuren... Um Hellseher zu werden, müssen junge Männer und Mädchen eine Krankheit bekommen, Träume haben und eine Periode vor-

---

[23] E. M. Loeb, *Shaman and Seer* (American Anthropologist, 31. Bd., 1929, S. 60–89), S. 66.

[24] A. R. Brown, *The Andaman Islanders* (Cambridge 1922), S. 177; vgl. einige andere Beispiele (Meerdajaks usw.) in dem Artikel von Loeb, *Shaman and Seer*, S. 64.

[25] E. M. Loeb, *Sumatra*, S. 125.

übergehenden Wahnsinns durchmachen. Krankheit und Träume sind von den Himmels- oder Dschungelgeistern geschickt. Der Träumer bildet sich ein, daß er zum Himmel steigt oder durch die Wälder geht und Affen sucht...[26].» Darauf schreitet der Hellsehermeister zur Initiation des jungen Mannes. Sie gehen mitsammen in den Wald, um Zauberpflanzen zu pflücken; der Meister singt: «Geister des Talismans, offenbaret euch. Macht die Augen dieses Knaben hell, damit er die Geister sehen kann.» Wenn sie in das Haus des Hellsehermeisters zurückgekehrt sind, ruft dieser die Geister an: «Laß deine Augen hell werden, laß deine Augen hell werden, damit wir unsere Väter und Mütter in den unteren Himmeln sehen können.» Nach dieser Anrufung «reibt der Meister die Augen seines Schülers mit den Kräutern. Drei Tage und drei Nächte bleiben die beiden einander gegenüber und singen und läuten mit ihren Glocken. Sie nehmen keine Mahlzeit zu sich, bis die Augen des Lehrlings hellsehend geworden sind. Am Ende des dritten Tages kehren sie in den Wald zurück, um neue Kräuter zu suchen... Wenn am siebten Tag der junge Mann die Waldgeister sieht, ist die Zeremonie beendet. Im andern Fall muß diese siebentägige Zeremonie wiederholt werden» (Loeb, *Shaman and Seer*, S. 67 ff.).

Diese ganze lange und anstrengende Zeremonie hat den Zweck, das erstmalige, vorübergehende ekstatische Erlebnis des Zauberlehrlings (das Erlebnis der «Auserwählung») in eine dauernde Verfassung zu verwandeln, in der man «die Geister sehen», das heißt an ihrer «geisterhaften» Natur teilnehmen kann.

Die Hilfsgeister

Noch deutlicher ergibt sich das aus einer Untersuchung der übrigen «Geister»kategorien, die ebenfalls bei der Initiation des Schamanen oder bei der Auslösung seiner ekstatischen Erlebnisse eine Rolle spielen. Wie wir oben sagten, stellt sich zwischen dem Schamanen und seinen «Geistern» ein «Vertrautheits»verhältnis ein. Man nennt sie übrigens in der ethnologischen Literatur *spiritus familiaris*, Hilfsgeister oder Schutzgeister. Doch ist gut zu unterscheiden zwischen eigentlichen *spi-*

---

[26] Loeb, *Shaman and Seer*, S. 67 ff. (hier nach der französischen Übersetzung von Alfred Métraux in: Paul Radin, *La religion primitive*, S. 101 ff.).

ritus familiaris und einer anderen, stärkeren Kategorie von Geistern, die man Schutzherren nennt, und diese wieder sind von den göttlichen und halbgöttlichen Wesen zu trennen, welche die Schamanen bei ihren Sitzungen anrufen. Ein Schamane ist ein Mensch, der konkrete, unmittelbare Beziehungen zu der Welt der Götter und Geister hat; er sieht sie von Angesicht zu Angesicht, er spricht mit ihnen, bittet sie, fleht sie an – aber er «kontrolliert» nur eine beschränkte Anzahl von ihnen. Nicht ein jeder Gott oder Geist, der in der schamanischen Sitzung angerufen wird, ist deswegen schon ein «Vertrauter» oder «Helfer» des Schamanen. Oft ruft man die großen Götter an, so etwa bei den Altaiern. Bevor der Schamane seine ekstatische Reise unternimmt, lädet er Jajyk Khan (den Herrn des Meeres), Kaira Khan, Bai Ülgän mit seinen Töchtern und noch andere mythische Gestalten ein (Radlov, *Aus Sibirien* II, S. 30 ff.). Der Schamane ruft sie an, und die Götter, Halbgötter und Geister kommen herbei, ganz wie die vedischen Gottheiten zu dem Priester herabsteigen, wenn er sie während des Opfers anruft. Die Schamanen haben übrigens Gottheiten, die ihnen speziell zugeordnet und der übrigen Bevölkerung unbekannt sind und denen nur sie Opfer darbringen. Doch dieses ganze Pantheon steht dem Schamanen nicht zur Verfügung wie seine Hausgeister, und die göttlichen oder halbgöttlichen Wesen, die ihm helfen, dürfen nicht unter diese Haus-, Hilfs- und Schutzgeister eingereiht werden.

Diese Geister spielen jedoch für den Schamanismus eine beträchtliche Rolle; ihre Funktionen werden deutlicher erscheinen, wenn wir uns mit den schamanischen Sitzungen befassen. Für jetzt sei gesagt, daß die meisten von diesen Haus- und Hilfsgeistern Tiergestalt haben. So können sie bei den Sibiriern und den Altaiern in Bären-, Wolfs-, Hirsch-, Hasen- und in jeder Vogelgestalt erscheinen (besonders als Ente, Adler, Eule, Krähe usw.), als große Würmer, doch auch als Gespenster, Wald-, Erd-, Herdgeister usw. Wir brauchen die Liste nicht zu vervollständigen[27]. Gestalt, Namen und Zahl wechseln von einer Gegend zur anderen. Nach Karjalainen kann die Zahl der Hilfsgeister eines Waßjugan-Schamanen wechseln, doch sind es im allgemeinen sieben. Neben

---

[27] Siehe u. a. Nioradze, *Schamanismus*, S. 26 ff.; U. Harva, *Die religiösen Vorstellungen der altaischen Völker*, S. 334 ff.; Ohlmarks, *Studien*, S. 170 ff. (dort eine ziemlich eingehende, wenn auch weitschweifige Beschreibung der Hilfsgeister und ihrer Funktion bei den schamanischen Sitzungen).

diesen «Hausgeistern» genießt der Schamane noch die Protektion eines «Kopfgeistes», der ihn auf seinen ekstatischen Reisen verteidigt, eines «Geistes in Bärengestalt», der ihn auf seinen Unterweltsfahrten begleitet, eines grauen Pferdes, auf dem er in die Himmel aufsteigt usw. In anderen Gegenden entspricht diesem Hilfsgeisterapparat des Waßjugan-Schamanen ein einziger Geist: bei den nördlichen Ostjaken ein Bär, bei den Tremjugan und noch anderen Völkern ein «Bote», der die Antwort der Geister bringt und an die «Boten» der Himmelsgeister (die Vögel usw.) erinnert. Der Schamane ruft sie von allen Enden der Welt und sie kommen einer nach dem andern herbei und sprechen mit ihm durch seine Stimme [29].

Der Unterschied zwischen einem Hausgeist in Tiergestalt und dem eigentlichen schamanischen Schutzherrngeist zeigt sich ziemlich deutlich bei den Jakuten. Jeder Schamane hat ein *ié-kyla* («Muttertier»), etwa das mystische Abbild eines Hilfstieres, das er verborgen hält. Die Schwachen haben als *ié-kyla* einen Hund, die Mächtigsten erfreuen sich eines Stiers, eines Füllens, eines Adlers, Elentiers oder brauen Bären; die einen Wolf, einen Bären oder einen Hund besitzen, sind am schlechtesten gestellt. Ein völlig anderes Wesen ist der *ämägät*. Im allgemeinen ist er die Seele eines verstorbenen Schamanen oder ein niederer himmlischer Geist. «Der Schamane sieht und hört nur durch seinen *ämägät*, sagte mir Tüspüt; ich sehe und höre auf eine Entfernung von drei *nosleg*, aber es gibt andere, die viel weiter sehen und hören [30].»

Wie wir gesehen haben, muß sich ein Eskimoschamane nach seiner Erleuchtung ganz allein seine Hilfsgeister besorgen. Im allgemeinen sind es Tiere in Menschengestalt; sie kommen aus freiem Willen, wenn der Lehrling sich würdig zeigt. Fuchs, Eule, Bär, Hund, Haifisch und alle Arten von Berggeistern sind mächtige und wirksame Helfer [31]. Bei den Alaskaeskimos ist der Schamane umso stärker, je mehr Hilfsgeister

---

[28] K. F. Karjalainen, *Die Religion der Jugravölker*, 3. Bd., S. 282 f.

[29] *Ebd.*, S. 311. Die Geister werden im allgemeinen mit der Trommel herbeigerufen, *ebd.*, S. 318. Die Schamanen können ihre Hilfsgeister an Kollegen vergeben, ebd., S. 282; sie können sie sogar verkaufen (z. B. bei den Jurak und Ostjaken, s. Mikhailowski, *Shamanism in Siberia*, 137 f.).

[30] Sieroszewski, *Du chamanisme d'après les croyances des Yakoutes*, S. 312 f.; vgl. M. A. Czaplicka, *Aboriginal Siberia* (Oxford 1914), S. 182, 213 usw.

[31] Rasmussen, *Intellectual Culture of the Iglulik Eskimo*, S. 113; vgl. auch Weyer, *Eskimos*, S. 425–428.

er hat. Im nördlichen Grönland hat ein *angakok* bis zu fünfzehn Hilfsgeister[32].

Rasmussen hat unmittelbar aus dem Munde von Schamanen die Geschichte ihrer Geistergewinnung gesammelt. Der Schamane Aua fühlte, als er seine «Erleuchtung» bekam, in seinem Körper und seinem Gehirn ein himmlisches Licht, das irgendwie aus seinem ganzen Wesen erfloß, und obwohl unsichtbar für die Menschen, war es doch sichtbar für alle Geister der Erde, des Himmels und des Meeres, und sie kamen zu ihm und wurden seine Hilfsgeister. «Mein erster Hilfsgeist war mein Namensvetter, eine kleine *aua*. Als sie zu mir kam, war es, als ob das Dach des Hauses sich plötzlich gehoben hätte, und ich fühlte eine solche Visionsgewalt, daß ich durch das Haus und die Erde sah und weit hinein in den Himmel; meine kleine *aua* hatte mir dieses innere Licht gebracht, indem sie über mir herumflog, während ich sang. Ich habe sie dann in einen Winkel des Hauses getan, wo sie unsichtbar war für die andern, aber immer bereit, wenn ich sie brauchte» (*Intellectual Culture of the Iglulik Eskimo*, S. 119). Ein zweiter Geist, ein Hai, kam eines Tages, als er auf dem Meer war, in sein Kajak; schwimmend näherte er sich ihm und rief ihn beim Namen. Aua ruft seine beiden Hilfsgeister mit einem monotonen Gesang an: «Freude, Freude – Freude, Freude – Ich sehe einen kleinen Geist vom Strand, – eine kleine *aua* –, ich bin selber eine *aua*, – der Namensvetter des Geistes –, Freude, Freude...» Diesen Gesang wiederholt er, bis er in Tränen ausbricht, und darauf spürt er in sich eine unendliche Freude (*ebd.*, S. 119 f.). In diesem Fall ist also das ekstatische Erlebnis der Erleuchtung irgendwie an die Erscheinung des Hilfsgeistes gebunden. Doch diese Ekstase entbehrt nicht des mystischen Schreckens: Rasmussen (*a. a. O.*, S. 112) betont das Gefühl «unerklärlichen Schreckens», das man fühlt, wenn man «von einem Hilfsgeist angefallen» wird, er bringt diese schreckliche Angst mit der Todesgefahr der Initiation in Verbindung.

Übrigens haben alle Kategorien von Schamanen ihre Hilfsgeister und Schutzherrn, doch kann ihre Natur und Wirksamkeit bei den ver-

---

[32] H. Webster, *Magic*, S. 231, Anm. 36. Die Geister manifestieren sich alle durch den Schamanen und zwar mit seltsamen Geräuschen, unverständlichen Lauten usw.; vgl. Thalbitzer, *The heathen Priests*, S. 460. Über die Hilfsgeister der Lappen s. Mikhailowski, S. 149; Itkonen, *Heidnische Religion und späterer Aberglaube bei den finnischen Lappen*, S. 152.

schiedenen Kategorien sehr verschieden sein. Der jakutische *poyang* besitzt einen *spiritus familiaris*, der im Traum zu ihm kommt oder sich von einem andern Schamanen auf ihn vererbt [33]. Im tropischen Südamerika erwirbt man die Schutzgeister zu Ende der Initiation; sie «dringen ein» in den Schamanen, «entweder unmittelbar oder in Gestalt von Felskristallen, die in seine Tasche fallen... Bei den Barama-Kariben sind die verschiedenen Klassen der Geister, mit denen der Schamane in Beziehungen tritt, durch kleine Kieselsteine von verschiedener Art vertreten. Der *piai* bringt sie an seiner Viehglocke an und kann sie so nach Belieben anrufen [34].» In Südamerika und überall sonst können die Hilfsgeister von verschiedener Art sein: Seelen von schamanischen Ahnen, Pflanzen- oder Tiergeister. Bei den Bororo unterscheidet man die beiden Schamanenklassen nach den Geistern, von denen sie ihre Macht erhalten: Naturdämonen und Seelen verstorbener Schamanen oder Ahnenseelen (Métraux, *a. a. O.*, S. 211). Doch haben wir es hier weniger mit Hilfsgeistern als mit Schutzherren zu tun, wenn auch die Grenze zwischen diesen beiden Kategorien nicht immer leicht zu ziehen ist.

Die Beziehungen zwischen dem Zauberer bzw. Hexer und seinen Geistern variieren von dem Verhältnis eines Wohltäters zu seinem Schützling bis zu dem Verhältnis eines Dieners zum Herrn, sind jedoch immer von intimer Art [35]. Selten werden den Geistern Opfer oder Gebete dargebracht, doch wenn sie verletzt sind, leidet der Zauberer mit (s. z. B. Webster, S. 232, Anm. 41). In Australien, in Nordamerika und auch sonst überwiegt die Tiergestalt der Hilfsgeister und Schutzherren; man könnte sie vielleicht mit der westafrikanischen «bush soul» oder dem *nagual* in Mittelamerika und Mexiko vergleichen [36].

---

[33] Ivor H. Evans, *Studies in Religion, Folk-lore and Customs in British North Borneo and the Malay Peninsula* (Cambridge 1923), S. 264.

[34] A. Métraux, *Le shamanisme chez les Indiens de l'Amérique du Sud tropicale*, S. 210 f. Man erinnere sich an den himmlischen Charakter der Felskristalle in der ozeanischen Magie; diese Bedeutung ist im gegenwärtigen südamerikanischen Schamanismus natürlich verdunkelt, zeigt aber darum nicht weniger den *Ursprung* der Schamanenkraft.

[35] H. Webster, *Magic*, S. 215; vgl. auch *ebd.*, S. 39–44, 388–391. Über die Hilfsgeister in der europäischen mittelalterlichen Hexenkunst vgl. Margaret Alice Murray, *The God of the Witches* (London, ohne Datum), S. 80 ff.; G. L. Kittredge, *Witchcraft in Old and New England* (Cambridge, Mass. 1929), S. 613, bes. s. «familiars»; S. Thompson, 3. Bd., S. 60 (F 403), S. 215 (G 225).

[36] Vgl. Webster *a. a. O.*, S. 215. Über die Schutzgeister in Nordamerika vgl. Frazer, *Totemism and Exogamy* III (London 1910), S. 370–456; Ruth Benedict, *The concept*

Eine wichtige Rolle spielen diese tiergestaltigen Hilfsgeister bei der Einleitung der schamanischen Sitzung, der Vorbereitung der ekstatischen Himmels- oder Unterweltsreise. Im allgemeinen zeigt sich ihre Anwesenheit dadurch, daß der Schamane Tierschreie ausstößt und das Verhalten von Tieren nachahmt. Der Tungusenschamane, der eine Schlange als Hilfsgeist hat, bemüht sich während der Sitzung die Bewegungen eines Reptils nachzuahmen; ein anderer, welcher den Wirbelwind als *syvén* hat, benimmt sich dementsprechend (Harva, *Religiöse Vorstellungen*, S. 462). Die Schamanen der Tschuktschen und Eskimos verwandeln sich in Wölfe[37], die lappischen werden Wölfe, Bären, Renntiere, Fische[38], und der Hala der Semang kann sich in einen Tiger verwandeln[39] wie der *halak* der Sakai[40] und der *bomor* bei den Kelantan[41].

Es sieht so aus, als könnte diese Nachahmung von Tierbewegungen und Tierstimmen als «Besessenheit» gelten. Richtiger spräche man vielleicht von einem *Besitzergreifen des Schamanen von seinen Hilfsgeistern;* er selbst *verwandelt* sich in ein Tier, obwohl er ein ähnliches Resultat erreicht, wenn er eine Tiermaske anzieht. Man könnte auch von einer *neuen Identität* des Schamanen sprechen; er wird Geistertier und «spricht», singt oder fliegt wie ein Tier, ein Vogel. Die «Sprache der Tiere» ist nur eine Abart der «Geistersprache», der schamanischen Geheimsprache, auf die wir sogleich zu sprechen kommen.

Zuvor noch ein Hinweis auf folgenden Punkt: Die Anwesenheit eines Hilfsgeistes in der Gestalt eines Tieres, das Gespräch mit ihm in einer Geheimsprache oder die Einverleibung dieses Tiergeistes in den

---

of the Guardian Spirit in North America (Memoirs of the American Anthropological Association, Nr. 29, 1923). S. auch unten S. 106 ff., 293 ff.

[37] V. G. Bogoraz, *The Chukchee*, S. 437; K. Rasmussen, *Intellectual Culture of the Copper Eskimos*, S. 35.

[38] Lehtisalo, *Entwurf*, S. 114, 59; Itkonen, *Heidnische Religion*, S. 116, 120 ff.

[39] Ivor Evans, *Schebesta on the sacerdo-therapy of the Semang* (Journal of the Royal Anthropological Institute 1930, 60. Bd., S. 115–125), S. 120.

[40] Ivor Evans, *Studies in Religion*, S. 210. Am 14. Tag nach dem Tod verwandelt sich die Seele in einen Tiger, *ebd.* S. 211.

[41] J. Cuisinier, *Danses magiques de Kelantan*, S. 38 ff. Wir haben es hier mit einem allgemein verbreiteten Glauben zu tun. Für das alte und moderne Europa s. Kittredge, *Witchcraft*, S. 174–184; Thompson, 3. Bd., S. 212 f.; Lily Weiser-Aall, *Hexe* (in *Handwörterbuch des deutschen Aberglaubens*, 3. Bd.); Arne Runeberg, *Witches, demons and fertility magic* (Helsingfors 1947), S. 212 f.; vgl. auch das konfuse, doch überaus materialreiche Buch von Montague Summers, *The werewolf* (London 1933).

Schamanen (Masken, Gesten, Tänze usw.), das alles zeigt wieder die Fähigkeit des Schamanen seine menschliche Verfassung aufzugeben, mit einem Wort «zu sterben». Fast alle Tiere wurden seit frühester Zeit entweder als Seelenführer aufgefaßt, welche die Seelen ins Jenseits begleiten, oder als die neue Gestalt des Abgeschiedenen. Ob das Tier als «Ahne» auftritt oder als «Initiationsmeister», immer symbolisiert es eine wirkliche und unmittelbare Verbindung mit dem Jenseits. In vielen Mythen und Legenden aus der ganzen Welt wird der Held durch ein Tier ins Jenseits gebracht[42]. Immer trägt ein Tier den Neophyten auf seinem Rücken zum Busch (= Unterwelt) oder hält ihn zwischen seinen Kiefern oder «verschlingt» ihn, um ihn zu «töten und wieder aufzuerwecken» usw.[43].

Von diesem Gesichtspunkt aus darf man die Schutz- und Hilfsgeister, ohne die keine schamanische Sitzung möglich ist, als authentische Zeichen für die ekstatischen Jenseitsreisen des Schamanen betrachten. Und damit nähmen die Geistertiere die Rolle der Ahnenseelen auf, die ebenfalls den Schamanen ins Jenseits (Himmel, Unterwelt) bringen, ihm die Geheimnisse enthüllen, ihn unterrichten usw. Die Rolle des Geistertiers bei den Initiationsriten und den mythischen und legendären Jenseitsreisen entspricht der der Totenseele bei der (schamanischen) Initiations-«Besitzergreifung». Aber man sieht deutlich, daß *der Schamane selbst zum Toten* (zum Geistertier, zum Gott) *wird*, um seine wirkliche Fähigkeit zu Himmelfahrt oder Unterweltsreise demonstrieren zu können. Daraus ergibt sich die Möglichkeit einer gemeinsamen Erklärung all dieser Tatsachen: es handelt sich gewissermaßen um die periodische (bei jeder neuen Sitzung neu begonnene) Wiederholung von Tod und Auferstehung des Schamanen. Die Ekstase ist nichts anderes als das konkrete Erlebnis des rituellen Todes, mit anderen Worten des Überschreitens der profanen menschlichen Verfassung. Und wie wir sehen werden, weiß der Schamane diesen «Tod» durch alle Arten von Mitteln zu erreichen, von den Narkotika und der Trommel bis zur «Besessenheit» durch die Geister.

---

[42] Himmel, Unterwelt unter der Erde oder unter dem Meer, undurchdringlicher Wald, Gebirge, einsamer Ort, Dschungel usw.
[43] Vgl. C. Hentze, *Die Sakralbronzen und ihre Bedeutung in den frühchinesischen Kulturen* (Antwerpen 1941), S. 46 ff., 67 ff., 71 ff. usw.

«Geheimsprache» – «Sprache der Tiere»

Im Verlauf der Initiation hat der künftige Schamane die Geheimsprache zu erlernen, die er bei den Sitzungen zum Verkehr mit den Geistern und Tiergeistern benützen wird. Diese Geheimsprache lernt er entweder von einem Meister oder aus Eigenem, also unmittelbar von den «Geistern»; die beiden Methoden bestehen auch nebeneinander, z. B. bei den Eskimos [44]. Bei den Lappen [45], den Ostjaken, Tschuktschen, Jakuten und Tungusen [46] ließ sich das Vorhandensein einer spezifischen Geheimsprache feststellen. Der tungusische Schamane versteht während seiner Trance die Sprache der ganzen Natur [47]. Sehr ausgearbeitet ist die Geheimsprache bei den Eskimos; sie wird zur Verständigung zwischen den *angákut* und ihren Geistern verwendet [48]. Jeder Schamane hat sein besonderes Lied, das er anstimmt, um die Geister anzurufen [49]. Auch wo es keine eigentliche Geheimsprache gibt, erscheinen doch noch ihre Spuren in unverständlichen Kehrreimen, die man während der Sitzung wiederholt, so etwa bei den Altaiern [50].

Dieses Phänomen ist nicht ausschließlich nordasiatisch und arktisch; man begegnet ihm fast überall. Der *hala* der Semang-Pygmäen spricht während der Sitzung mit den Cenoi (himmlischen Geistern) in ihrer Sprache; wenn er dann aus der Zeremonienhütte kommt, will er alles vergessen haben [51]. Bei den Mentawei bläst der Initiationsmeister durch ein Bambusrohr dem Lehrling ins Ohr, damit er fähig wird die Stimmen der Geister zu hören [52]. Der Batak-Schamane bedient sich bei den Sitzungen der «Geistersprache» (Loeb, *Sumatra*, S. 81) und die Scha-

---

[44] Vgl. Rasmussen, *Intellectual culture of the Iglulik Eskimo*, S. 114.

[45] Vgl. Eliel Lagercrantz, *Die Geheimsprachen der Lappen* (Journal de la Soc. Finno-Ougrienne 42, 2, 1928, S. 1–13).

[46] T. Lehtisalo, *Beobachtungen über die Jodler* (Journal de la Soc. Finno-Ougrienne, 48, 1936–1937, 2, S. 1–34), S. 12 ff.

[47] Lehtisalo, *ebd.*, S. 13.

[48] Thalbitzer, *The heathen Priests of East Greenland*, S. 448, 454 ff.; ders., *Les magiciens esquimaux*, S. 75; Weyer, *Eskimos*, S. 435 f.

[49] Rasmussen, *Intellectual Culture*, S. 111, 122. S. die Texte in der «Geheimsprache», *ebd.*, S. 125, 131 usw.

[50] Lehtisalo, *Beobachtungen*, S. 22.

[51] P. Schebesta, *Les Pygmées*, S. 153; I. Evans. *Schebesta on the sacerdotherapy of the Semang*, S. 118 ff.; dies., *Studies*, S. 156 ff., 160 usw.

[52] Loeb, *Shaman and Seer*, S. 71.

manenlieder der Dusun (Nordborneo) sind in Geheimsprache gehalten (Evans, *Studies*, S. 4) [53]. «Nach karibischer Tradition war der erste *piai* (Schamane) ein Mann, der aus einem Fluß ein Lied aufsteigen hörte, beherzt in den Fluß tauchte und nicht mehr herauskam, bis er das Lied der Geisterfrauen auswendig gelernt und von ihnen das Zubehör seines Berufes empfangen hatte» (Métraux, *Le shamanisme dans l'Amérique du Sud tropicale*, S. 210).

Sehr häufig ist diese Geheimsprache die «Sprache der Tiere» oder aus der Nachahmung von Tierschreien entstanden. In Südamerika ist der Neophyt während der Initiationszeit gehalten, die Stimmen der Tiere nachzuahmen [54]. Dasselbe gilt in Nordamerika; bei den Pomo und den Menomini z. B. ahmen die Schamanen den Gesang der Vögel nach [55]. Bei den Sitzungen der Jakuten, Jukagiren, Tschuktschen, Golden, Eskimos und anderer hört man Schreie von wilden Tieren und Vögeln [56]. Castagné schildert den kirgisisch-tatarischen *baqça*, wie er um das Zelt herumläuft und Sprünge macht, brüllt und springt: er «bellt wie ein Hund, wittert an den Anwesenden, muht wie ein Ochse, schreit, blökt wie ein Lamm, grunzt wie ein Schwein, wiehert und gurrt und ahmt so mit bemerkenswerter Genauigkeit die Schreie der Tiere, den Gesang der Vögel, das Rauschen ihres Fluges usw. nach, was seinen Eindruck auf die Umstehenden nicht verfehlt» (*Magie et exorcisme*, S. 93). Das «Niedersteigen der Geister» vollzieht sich oft auf diese Weise. Bei den Indianern in Guayana «wird das Schweigen plötzlich durch einen Ausbruch in Schreie unterbrochen, die sonderbar, doch dabei wirklich schreckenerregend sind; Gebrüll und Heulen erfüllt die Hütte und macht die Wände zittern. Dieses Geschrei erhebt sich wie ein rhythmisches Brüllen, das immer mehr zu einem dumpfen, fernen Grollen wird, um dann von neuem wieder aufzubranden [57].»

Durch diese Schreie wird die Gegenwart der Geister verkündigt, ebenso wie durch das tierische Benehmen (s. o. S. 96). Viele während der Sitzung gebrauchte Wörter haben die Schreie der Vögel und anderer

---

[53] Vgl. auch L. Roth, *Natives of Sarawak* I, S. 270.
[54] Ida Lublinski, *Der Medizinmann*, S. 247 ff.; Métraux, *Le shamanisme*, S. 206, 210 usw.
[55] Loeb, *Tribal Initiation*, S. 278.
[56] Lehtisalo, *Beobachtungen*, S. 23 ff.
[57] Thurn, *Among the Indians of Guyana*, S. 336–337, zitiert und übersetzt bei Métraux, *Le shamanisme*, S. 326.

Tiere zum Vorbild (Lehtisalo, *Beobachtungen*, S. 25). Nach Lehtisalos Beobachtungen fällt der Schamane mit Hilfe einer Trommel und des «Jodlers» in Ekstase und werden die magischen Texte überall gesungen (*ebd.*, S. 26). «Zauberei» und «Gesang» – besonders der Gesang nach Vogelart – werden häufig mit ein und demselben Wort bezeichnet. Das germanische Wort für den Zauberspruch ist *galdr;* man gebraucht es zusammen mit dem Verbum *galan,* «singen», das speziell auf die Schreie der Vögel angewendet wird[58].

Die Sprache der Tiere, an erster Stelle die der Vögel, zu erlernen, heißt überall auf der Welt die Geheimnisse der Natur kennen und damit auch prophezeien können[59]. Die Sprache der Vögel lernt man im allgemeinen, indem man von der Schlange oder einem anderen als magisch geltenden Tier ißt[60]. Diese Tiere können die Geheimnisse der Zukunft enthüllen, weil sie von den Seelen der Toten bewohnt und Epiphanien von Göttern sind. Ihre Sprache lernen, ihre Stimme nachahmen bedeutet mit dem Jenseits und dem Himmel in Verbindung treten können. Derselben Identifikation mit einem Tier, besonders mit einem Vogel, werden wir später bei der Tracht der Schamanen und beim mystischen Flug begegnen. Die Vögel sind Seelenführer. Selber ein Vogel zu werden oder von einem Vogel begleitet zu sein bezeichnet die Fähigkeit, noch in diesem Leben die ekstatische Reise zum Himmel, ins Jenseits, zu tun. Die Nachahmung von Tierstimmen und der Gebrauch einer Geheimsprache bei der Sitzung ist ein weiteres Zeichen dafür, daß der Schamane zwischen den drei kosmischen Zonen Unterwelt, Erde und Himmel freie Bahn hat. Das heißt, er kann ungestraft dorthin vordringen, wo nur die Toten und die Götter Zugang haben. Sich während der Sitzung ein Tier einverleiben bedeutet, wie wir es bei den Toten gesehen haben, weniger ein Besessenwerden als eine magische

---

[58] Jan de Vries, *Altgermanische Religionsgeschichte* II (Berlin und Leipzig 1937), S. 51 ff.; Lehtisalo, *Beobachtungen*, S. 27 ff.; vgl. *carmen*, Zauberlied; *incantare*, bezaubern; rumänisch *descântare* (wörtlich entzaubern, des-enchanter) einen Exorzismus ausüben (Geister austreiben), *descântec*, Beschwörung, Exorzismus.

[59] S. Antti Aarne, *Der tiersprachenkundige Mann und seine neugierige Frau* (FFC Nr. 15, Hamina 1914); Tawney-Penzer, *The Ocean of Story* (*Somadeva's Kathâsaritsâgara*, London 1923 ff.), Bd. I, S. 48; II, 107 Anm.; Stith Thompson, *Index*, Bd. I, S. 314 ff. (B 215).

[60] Vgl. Philostrat, *Das Leben des Apollonios von Tyana*, 1, 20, usw.; s. L. Thorndike, *A History of Magic and Experimental Science* (London 1923), Bd. I, S. 261; Tawney-Penzer, *Ocean of Story*, 2. Bd., S. 108, Anm. 1.

Verwandlung des Schamanen in dieses Tier. Eine ähnliche Verwandlung läßt sich übrigens auch durch andere Mittel erreichen, zum Beispiel durch das Anlegen der Schamanentracht oder das Verbergen des Gesichts unter einer Maske.

Die Erlangung der Schamanenkraft in Nordamerika

Wir haben uns schon flüchtig mit den verschiedenen Arten beschäftigt, wie man in Nordamerika Schamanenkräfte erlangt. Quellen dieser Kräfte sind göttliche Wesen, die Seelen schamanischer Ahnen, mythische Tiere oder bestimmte kosmische Gegenstände und Zonen. Man erlangt die Kräfte spontan oder infolge einer freiwilligen Wahl; im einen wie im anderen Fall muß sich der künftige Schamane bestimmten Initiationsproben unterziehen. Im allgemeinen äußert sich in Nordamerika wie auch sonst die Verleihung schamanischer Kräfte durch die Gewinnung eines Hilfsgeistes oder Schutzherrn.

Bei den Shushwap, einem Stamm der Salish-Familie im Innern von Britisch Columbia, geht dies so vor sich: «Der Schamane wird durch Tiere eingeweiht, welche seine Schutzherren werden. Die Initiationsriten, deren Ziel einzig die Gewinnung eines übernatürlichen Beistandes für die Erfüllung aller Wünsche bildet, scheinen bei den Kriegern und bei den Schamanen dieselben zu sein. Der junge Mann, der die Pubertät erreicht, aber noch keine Frau berührt hat, muß ins Gebirge gehen und dort eine bestimmte Anzahl von Heldentaten verrichten. Er muß eine Schwitzhütte (*sweat-house*) errichten, in der er die Nächte zuzubringen hat; am Morgen darf er in sein Dorf zurückkehren. Während der Nacht reinigt er sich durch Dämpfe, tanzt und singt. Er führt dieses Leben manchmal jahrelang, bis er träumt, daß ihm das Tier, das er zu seinem Schutzherrn machen will, erscheint und seine Hilfe verspricht. Bei seiner Erscheinung fällt der Novize in Ohnmacht. ‚Er fühlt sich wie betrunken, weiß nicht wie ihm geschieht und ob es Tag oder Nacht ist [61].' Das Tier sagt ihm, daß er es anrufen soll, wenn er Hilfe braucht, und teilt ihm ein besonderes Lied mit, mit dem er es rufen kann. Aus diesem Grund hat ein jeder Schamane sein eigenes Lied, das niemand

---

[61] Das ist bekanntlich das Zeichen eines echten ekstatischen Erlebnisses; vgl. den «unerklärlichen Schrecken» der Eskimolehrlinge vor dem Erscheinen ihrer Hilfsgeister.

anders zu singen berechtigt ist, außer wenn man einen Hexer zu entdecken sucht. Zuweilen steigt der Geist in Gestalt eines Blitzstrahls auf den Novizen herab [62]. Wenn ein Tier den Novizen einweiht, lehrt es ihn seine Sprache. Man erzählt, daß ein Schamane von Nicola Valley bei seinen Beschwörungen die ‚Sprache des Koyoten' spricht... Wer über einen Schutzherrn verfügt, wird unverwundbar für Kugeln und Pfeile, und wenn eine Kugel oder ein Pfeil ihn berührt, dann blutet seine Wunde nicht; das Blut rinnt in seinen Magen, er spuckt es aus und befindet sich so wohl wie zuvor... Ein Mensch kann mehrere Schutzherren-Geister erwerben; mächtige Schamanen haben immer mehr als einen zur Hilfe [63].»

Bei diesem Beispiel ist die Verleihung der Schamanenkraft die Folge des eigenen Entschlusses. Anderswo in Nordamerika ziehen sich die Kandidaten in Höhlen im Gebirge oder in einsame Gegenden zurück und bemühen sich, durch intensive Konzentration die Visionen zu erreichen, von denen die Schamanenlaufbahn abhängt. Gewöhnlich muß man genau angeben, welche Art «Kraft» man verlangt [64] – ein wichtiges Detail, denn es zeigt, daß es sich um eine allgemeine Technik zur Erlangung religiös-magischer Kräfte überhaupt, nicht nur schamanischer, handelt.

Folgende Geschichte eines Paviotsoschamanen wurde von Park aufgewiesen und veröffentlicht: Mit fünfzig Jahren beschließt er «Doktor» zu werden. Er begibt sich in eine Höhle und betet: «Mein Volk ist krank, ich will es retten» usw. Er bemüht sich zu schlafen, wird aber durch sonderbare Geräusche daran gehindert; er hört das Brummen und Heulen von Tieren (Bären, Berglöwen, Damhirschen usw.). Schließlich schläft er ein und wohnt im Schlaf einer schamanischen

[62] Bei den Buriäten wird der vom Blitz Getroffene wie ein Schamane beerdigt und seine nächsten Verwandten haben das Recht, Schamanen zu werden, denn er ist gewissermaßen durch die Himmelsgottheit «erwählt» worden (Mikhailowski, *Shamanism*, S. 86). Die Sojoten, die Kamtschadalen und andere glauben, daß man Schamane wird, wenn beim Gewitter der Blitz losbricht (Mikhailowski, S. 68). Eine Eskimoschamanin hat ihre Kraft erlangt, nachdem sie von einer «Eisenkugel» getroffen wurde (Rasmussen, *Intellectual Culture of the Iglulik Eskimo*, S. 122 ff.).

[63] Franz Boas, *The Shushwap* (Sixth Report of the Comittee on the North-Western Tribes of Canada: Report of the British Association, Leeds, 1890, Sonderdruck), S. 93 ff. Wir werden auf den schamanischen Charakter der Schwitzhütte *(sweat-house)* noch zurückzukommen haben.

[64] Willard Park, *Shamanism in Western North America*, S. 27. Vgl. auch Marcelle Bouteiller, *Don chamanistique et adaption à la vie chez les Indiens de l'Amérique du Nord*, passim; dies., *Chamanisme et guérison magique* (Paris 1950), S. 57 ff.

Heilsitzung bei: «Sie waren drunten am Fuß des Berges. Ich konnte ihre Stimmen und ihre Gesänge hören. Dann hörte ich den Kranken seufzen. Ein Doktor sang und behandelte ihn.» Zum Schluß stirbt der Kranke und der Kandidat hört die Klagen der Familie. Der Felsen beginnt zu krachen. «Ein Mann erschien in dem Spalt, er war groß und dünn. Er hatte eine Adlerfeder in der Hand.» Er befiehlt ihm, sich solche Federn zu verschaffen und lehrt ihn, wie man eine Heilung erreicht. Wie der Kandidat am Morgen aufwacht, findet er niemanden neben sich (Park, *Shamanism,* S. 28).

Wenn ein Kandidat die im Traum erhaltenen Anweisungen oder ihr traditionelles Schema nicht befolgt, ist er zum Scheitern verurteilt (Park, *ebd.,* S. 29). In bestimmten Fällen erscheint der Geist des toten Schamanen dem Erben in seinem ersten Traum, doch in den folgenden Träumen erscheinen höhere Geister, die ihm die «Kraft» verleihen. Wenn der Erbe die Kraft nicht annimmt, wird er krank (*ebd.,* S. 30), derselbe Sachverhalt, wie wir ihn fast überall sonst angetroffen haben.

Die Seelen der Toten als Quelle der schamanischen Kräfte begegnen bei den Paviotso, den Shoshoni, den Seed Eaters und weiter nördlich bei den Lilloet und Thompson [65]. In Nordkalifornien ist diese Art Verleihung der Kräfte außerordentlich verbreitet. Die Yurok-Schamanen träumen von einem Toten ganz allgemein, doch nicht immer einem Schamanen. Bei den Sinkyone empfängt man die Kraft zuweilen in Träumen, wo die abgeschiedenen Eltern erscheinen. Die Wintu werden infolge solcher Träume Schamanen, besonders wenn sie von ihren eigenen gestorbenen Kindern träumen. Bei den Shasta folgt die erste Anzeige einer schamanischen Kraft auf Träume, in denen Mutter, Vater oder ein toter Ahne erscheinen [66].

---

[65] Park, *a. a. O.,* S. 79; J. Teit, *The Lillooet Indians* (Leyden und Neuyork, 1906: The Jesup North Pacific Expedition II, Memoirs of the American Museum of Natural History, 4. Bd., S. 193–300), S. 287 ff.; ders. *The Thompson Indians of British Columbia* (The Jesup North Pacific Expedition I, Memoirs ... 2. Bd., S. 163–442, 1900), S. 353. Die Lehrlinge bei den Lillooet schlafen auf den Gräbern, manchmal mehrere Jahre lang (Teit, *The Lillooet,* S. 287).

[66] Park, *a. a. O.,* S. 80. Dieselbe Tradition bei den Atsugewi, den nördlichen Maidu, den Crow, Arapaho, Gros Ventre usw. Bei einigen von diesen Stämmen und auch sonst sucht man die Kräfte zu erlangen, indem man an einem Grab schläft; manchmal (z. B. bei den Tlingit) greift man zu einem noch eindrucksvolleren Mittel: der Lehrling verbringt die Nacht mit der Leiche eines Schamanen (vgl. Frazer, *Totemism and Exogamy,* 3. Bd., S. 439).

Doch gibt es in Nordamerika auch andere «Quellen schamanischer Kräfte» und ebenso auch andere Arten von Lehrern als die Seelen der Toten und die Schutztiere. Im Grand Bassin handelt es sich um einen «kleinen grünen Mann», der nicht mehr als zwei Fuß mißt und mit seinen Pfeilen die trifft, die schlecht von ihm reden. Der «kleine grüne Mann» ist der Schutzgeist der Medizinmänner und zwar derer, die einzig durch übernatürliche Hilfe Zauberer geworden sind (Park, S. 77). Die Vorstellung von einem Zwerg, der die Kraft verleiht oder als Schutzgeist dient, ist im Westen der Rocky Mountains, unter den Stämmen des Groups-Plateaus (Thompson, Shushwap usw.) und in Nordkalifornien (Shasta, Atsugewi, nördliche Maidu und Yuki) sehr verbreitet [67].

Manchmal wird die Schamanenkraft direkt von dem Höchsten Wesen oder anderen göttlichen Wesen hergeleitet. So erhalten z. B. nach dem Glauben der Cahuilla in Südkalifornien (Cahuilla-Wüste) die Schamanen ihre Macht von Mukat, dem Schöpfer, jedoch durch Vermittlung von Schutzgeistern (Eule, Fuchs, Koyote, Bär usw.), die als Boten der Götter an die Schamanen auftreten (Park, S. 82). Bei den Mohawe und Yuma kommt die Kraft von großen mythischen Wesen, welche sie den Schamanen am Anfang der Welt übergeben haben (*ebd.*, S. 83). Die Übergabe findet im Traum statt und ist mit einem Initiationsszenario verbunden. Der Yuma-Schamane wohnt im Traum der Entstehung der Welt bei und sieht noch einmal die mythischen Zeiten [68]. Bei den Manicopa folgen die Initiationsträume einem traditionellen Schema: Ein Geist ergreift die Seele des künftigen Schamanen und führt ihn von Berg zu Berg, wobei er ihm jedesmal Gesänge und Kuren offenbart [69]. Bei den Walapai ist die Reise unter der Führung von Geistern ein wesentliches Charakteristikum schamanischer Träume (Park, S. 116).

[67] Siehe das vollständige Verzeichnis der Stämme bei Park, S. 77ff . Vgl. ebd., S. 111: der «kleine grüne Mann», der den künftigen Ute-Schamanen in der Jugend erscheint.
[68] A. L. Kroeber, *Handbook of the Indians of California* (Bureau of American Ethnology, Bull. 78, 1925), S. 754 ff.; C. D. Forde, *Ethnography of the Yuma Indians* (Univ. Calif. Publ. American Archaeology and Ethnology, 28, 1931, Nr. 4), S. 201 ff. Die Initiation des schamanischen Geheimbundes Midewiwin ist ebenfalls mit einer Rückkehr zu den mythischen Zeiten des Weltanfanges verbunden, wo der Große Geist den ersten «großen Ärzten» die Mysterien enthüllte. Wie wir sehen werden, handelt es sich bei diesen Initiationsritualen um eine Verbindung zwischen Erde und Himmel, wie sie bei der Erschaffung der Welt hergestellt wurde.
[69] L. Spier, *Yuman tribes of the Gila River* (Chikago 1933), S. 247; Park, S. 115.

Wie wir schon öfter gesehen haben, findet die Unterweisung der Schamanen oft im Traume statt. Im Traum gewinnt man wieder den Anschluß an das heilige Leben par excellence und stellt die direkten Beziehungen zu den Göttern, den Geistern und den Seelen der Ahnen wieder her. Nur im Traum vermag man die geschichtliche Zeit abzuschaffen und die mythische wiederzufinden, was den künftigen Schamanen zum Zeugen des Weltanfangs und damit zum Zeitgenossen der Kosmogonie und der uranfänglichen mythischen Offenbarungen macht. Manchmal sind die Initiationsträume unwillkürlich und beginnen schon in der Kindheit, so zum Beispiel bei den Stämmen des Grand Bassin (vgl. Park, S. 110). Die Träume haben zwar kein starres Szenario, sind aber nichtsdestoweniger stereotyp: man träumt von Geistern und Ahnen oder hört ihre Stimmen (Lieder und Unterweisung). Nur im Traume empfängt man die Initiationsregeln (Lebensweise, Tabus usw.) und erfährt die Gegenstände, die man zur schamanischen Kur braucht [70]. Auch bei den nordöstlichen Maidu wird man Schamane, indem man von Geistern träumt. Obwohl der Schamanismus erblich ist, erhält man die Qualifikation erst, wenn man im Traum die Geister gesehen hat, die sich übrigens gewissermaßen von einer Generation zur anderen vererben. Die Geister zeigen sich manchmal in Tiergestalt (in diesem Fall darf der Schamane von dem betreffenden Tier nicht essen), aber sie leben auch ohne bestimmte Gestalt in Felsen, Seen usw. [71].

Der Glaube, daß die Geistertiere oder die Naturerscheinungen Quellen schamanischer Kräfte sind, ist in ganz Nordamerika sehr verbreitet [72]. Bei den Salish im Inneren von Britisch Columbia erben nur wenige Schamanen die Schutzgeister ihrer Eltern. Fast alle Tiere und eine große Anzahl von Gegenständen können Geister werden, so alles, was irgendeine Beziehung zum Tod hat (z. B. Gräber, Knochen, Zähne) und jede Naturerscheinung (der blaue Himmel, Osten und Westen usw.). Doch haben wir es hier wie auch sonst oft mit einem religiösmagischen Erlebnis zu tun, das über die Sphäre des Schamanismus hinausreicht, denn auch die Krieger haben ihre Schutzgeister in ihrer Be-

---

[70] Paviotso, Park, S. 23; Stämme in Südkalifornien, *ebd.*, S. 82. Hörträume s. S. 23 usw. Bei den südlichen Okanagon sieht der künftige Schamane die Schutzgeister nicht, er hört nur ihre Gesänge und Anweisungen, *ebd.*, S. 118.
[71] R. Dixon, *The Northern Maidu* (Neuyork 1905), S. 274 ff.
[72] Siehe das Verzeichnis der Stämme und die bibliographischen Angaben bei Park, S. 76 ff

waffnung und den wilden Tieren, die Jäger bekommen die ihren vom Wasser, von den Bergen und den Tieren, die sie erjagen, usw. [73].

Nach den Angaben gewisser Paviotso-Schamanen kommt ihnen die Kraft vom «Geist der Nacht». Dieser Geist «ist überall. Er hat keinen Namen. Es gibt keinen Namen für ihn.» Adler und Eule sind nur die Boten, welche die Unterweisung vom Geist der Nacht bringen. Auch die «water-babies» oder ein anderes Tier können seine Boten sein. «Wenn der Geist der Nacht die Kraft zu schamanisieren schenkt (*power for doctoring*), sagt er dem Schamanen, er solle Hilfe erbitten von den *water-babies,* dem Adler, der Eule, dem Damhirsch, der Antilope, dem Bären oder einem anderen Tier oder Vogel [74].» Der Koyote ist nie Quelle der Kraft für die Paviotso, obwohl er die Hauptperson ihrer Märchen ist (Park, S. 19). Die Geister, die die Kraft verleihen, sind unsichtbar; nur die Schamanen können sie wahrnehmen (*ebd.*).

Dazu kommen noch die «Leiden» (*pains*), die ebenso als Quellen der Kraft wie als Ursachen der Krankheiten vorgestellt werden. Die «pains» scheinen belebt zu sein und haben manchmal sogar eine gewisse Personalität. Sie haben keine Menschengestalt, gelten aber als konkret [75]. Bei den Hupa zum Beispiel gibt es «pains» in allen Schattierungen; die eine gleicht einem Stück rohen Fleisches, andere sind Krabben, kleine Damhirsche, Pfeilspitzen usw. (Park, S. 81). Der Glaube an die «pains» ist bei den Stämmen Nordkaliforniens allgemein (*ebd.,* S. 80), in anderen Gegenden Nordamerikas dagegen unbekannt oder selten (*ebd.,* S. 81).

Die *damagomi* der Achumawi sind zugleich Schutzgeister und «pains». Eine Schamanin, Old Dixie, erzählt, wie sie ihre Berufung bekam. Sie war schon verheiratet, als eines Tages «mein erster *damagomi* mich aufsuchte. Ich habe ihn noch. Er ist ein kleines schwarzes Ding, man sieht ihn kaum. Als er das erstemal kam, machte er einen großen Lärm. Das war in der Nacht. Er sagte zu mir, daß ich ihn auf dem Berg besuchen müsse. Da bin ich hingegangen. Ich hatte große

---

[73] F. Boas, *The Salish Tribes of the interior of British Columbia* (Annual Archaeological Report for 1905, Toronto 1906), S. 222 ff.

[74] Ein Paviotso-Gewährsmann, den Park, S. 17 zitiert. Der «Geist der Nacht» ist wahrscheinlich eine späte mythologische Formel für das Höchste Wesen, das gewissermaßen zum *deus otiosus* geworden ist, der den Menschen durch «Boten» hilft.

[75] Kroeber, *Handbook,* S. 63 ff., 111, 852; R. Dixon, *The Shasta* (Bull. Am. Mus. of Nat. History, Neuyork 1907), S. 472 ff.

Angst. Ich wagte es fast nicht. Später hatte ich andere. Ich habe sie gefangen [76].» Das waren *damagomi,* die anderen Schamanen gehört hatten und die ausgeschickt waren, um die Leute zu vergiften oder zu anderen schamanischen Aufgaben. Old Dixie schickte einen von ihren eigenen *damagomi* aus und fing sie. So brachte sie es auf mehr als fünfzig *damagomi,* während ein junger Schamane nur drei oder vier hat (J. de Angulo, S. 565). Die Schamanen nähren sie mit dem Blut, das sie während der Kur saugen *(ebd.,* S. 563). Nach de Angulo (S. 580) sind diese *damagomi* zugleich wirklich (Fleisch und Bein) und Phantasiegebilde. Wenn der Schamane jemanden vergiften will, schickt er einen *damagomi:* «Suche den und den. Geh in ihn ein. Mach ihn krank. Töte ihn nicht sofort. Laß ihn in einem Monat sterben» *(ebd.,* S. 580).

Wie wir schon bei den Salish gesehen haben, kann jedes Tier und jeder kosmische Gegenstand Quelle der Kraft oder Schutzgeist werden. Bei den Thompson-Indianern z. B. gilt das Wasser als der Schutzgeist der Schamanen, Krieger, Jäger und Fischer; die Sonne, der Blitz oder der Blitzvogel, die Gipfel der Berge, der Bär, der Wolf, der Adler und der Rabe sind die Schutzgeister der Schamanen und der Krieger. Andere Schutzgeister sind Schamanen und Jägern oder Schamanen und Fischern gemeinsam. Es gibt auch Schutzgeister, die ausschließlich den Schamanen reserviert sind: die Nacht, der Nebel, der blaue Himmel, der Osten, der Westen, die Frau, das heranwachsende junge Mädchen, das Kind, die Hände und Füße des Menschen, die Geschlechtsorgane von Mann und Frau, die Fledermaus, das Land der Seelen, die Wiedergänger, die Gräber, die Knochen, Zähne und Haare der Toten, usw. [77]. Doch ist das Verzeichnis der «Quellen schamanischer Kräfte» damit noch bei weitem nicht zu Ende (vgl. Park, S. 18, 76 ff.).

Wie wir soeben festgestellt haben, kann eine jede geistige, tierische oder physische Wesenheit Quelle der Kraft oder Schutzgeist werden und zwar für den Schamanen wie für jedes andere Individuum. Dies scheint wichtig für die Frage nach dem Ursprung der Schamanenkräfte: ihre spezielle Qualität als «Schamanenkräfte» geht in keinem Fall auf die Art ihrer *Quellen* zurück (die oft für alle anderen religiösmagischen Fälle dieselben sind) noch darauf, daß die «Schamanen-

---

[76] Jaime de Angulo, *La psychologie religieuse des Achumawi, IV: Le chamanisme* (Anthropos, 23. Bd., 1938. S. 561–582), S. 565.

[77] James Theit, *The Thompson Indians of British Columbia,* S. 354 ff.

kräfte» in bestimmten Schutztieren inkarniert wären. Ein jeder Indianer kann seinen Schutzgeist bekommen, wenn er zu einer gewissen Willensanstrengung und Konzentration bereit ist [78]. Außerdem schließt die Stammesinitiation mit dem Erlangen eines Schutzgeistes. Von diesem Gesichtspunkt aus gliedert sich das Streben nach schamanischen Kräften in das viel allgemeinere Streben nach religiös-magischen Kräften ein. Wir haben das schon in einem früheren Kapitel gesehen: Die Schamanen unterscheiden sich von den anderen Gliedern des Kollektivs nicht durch ihre Suche nach dem Heiligen – dies ist die normale und allgemeine Haltung aller Menschen –, sondern durch ihre Fähigkeit zum ekstatischen Erlebnis, die meistens auf eine Berufung zurückgeht.

Daraus können wir schließen, daß die Schutzgeister und mythischen Hilfstiere nicht ein charakteristisches und ausschließliches Merkmal des Schamanismus sind. Diese schirmenden und helfenden Geister lassen sich fast überall im ganzen Kosmos gewinnen und sind einem jeden Individuum erreichbar, wenn es sich nur gewissen Proben unterziehen will. Das heißt, daß der archaische Mensch überall im Kosmos eine Quelle des religiös-magisch Sakralen findet, daß nach der Dialektik des Sakralen jedes beliebige Stück des Kosmos einer Hierophanie Raum geben kann (vgl. Eliade, *Die Religionen und das Heilige*, S. 19 ff.). Nicht der Besitz einer Kraft oder eines Schutzgeistes unterscheidet einen Schamanen von einem anderen Individuum des Clans, sondern das ekstatische Erlebnis. Außerdem sind, wie wir schon gesehen haben und in der Folge noch deutlicher sehen werden, die Schutz- oder Hilfsgeister nicht die unmittelbaren Urheber dieses ekstatischen Erlebnisses. Sie sind nur die Boten eines göttlichen Wesens oder die Helfer bei einem Erlebnis, welches die Anwesenheit noch ganz anderer Wesen einschließt.

Andererseits wissen wir, daß die «Kraft» manchesmal durch die Seelen der schamanischen Ahnen (die sie ihrerseits am Morgen der Zeiten, in der mythischen Zeit empfangen haben), durch göttliche und halbgöttliche Personen, mitunter durch ein Höchstes Wesen, geoffenbart wird. Auch hier hat man den Eindruck, daß die Schutz- und Hilfsgeister nichts weiter darstellen als Instrumente, die für das schamanische

---

[78] H. Haeberlin und E. Gunther, *Ethnographische Notizen über die Indianerstämme des Puget-Sundes* (Zs. f. Ethnologie, 56. Bd., 1924, S. 1–74), S. 56 ff. Über die besonderen Geister der Schamanen s. *ebd.*, S. 65, 69 ff.

Erlebnis unentbehrlich sind, gleichsam neue Organe, die der Schamane infolge seiner Initiation erhält, um sich in dem neu zugänglichen religiös-magischen Universum besser orientieren zu können. In den folgenden Kapiteln soll die Rolle der Schutz- und Hilfsgeister als «mystische Organe» noch heller beleuchtet werden.

Wie überall sonst ist auch in Nordamerika die Gewinnung solcher Schutz- und Hilfsgeister bald spontan, bald gewollt. Man wollte die nordamerikanische und die sibirische Schamaneninitiation voneinander trennen, weil es sich bei der ersteren immer um eine *selbstgesuchte* handle, während in Asien die schamanische Berufung in gewisser Weise von den Geistern *auferlegt* sei [79]. Bogoras gibt unter Benützung der Ergebnisse von Ruth Benedict [80] folgende Zusammenfassung über die Erlangung schamanischer Kräfte in Nordamerika: Um mit den Geistern in Berührung zu kommen oder Schutzgeister zu erlangen, zieht sich der Aspirant in die Einsamkeit zurück und unterwirft sich einem Leben rigoroser Selbstpeinigung. Wenn die Geister sich in Tiergestalt manifestieren, glaubt man, daß ihnen der Aspirant sein eigenes Fleisch zur Nahrung gibt (Bogoras, S. 442). Aber das Anbieten seiner selbst als Nahrung für die Tiergeister, das sich in der Zerstückelung des eigenen Körpers verwirklicht (wie z. B. bei den Assiniboin, *ebd.*), ist nur eine Parallelformel zu dem ekstatischen Ritus der Zerstückelung des Lehrlings, den wir schon im vorhergehenden Kapitel analysiert haben und der ein zur Initiation gehöriges Schema (Tod und Auferstehung) enthält. Er begegnet übrigens auch in anderen Gegenden, so z. B. in Australien [81] und Tibet (in dem bon-tantrischen *tchin*-Ritus), und ist als Ersatz oder als Parallelformel zu der ekstatischen Zerstückelung des Kandidaten durch die teuflischen Geister zu betrachten; dort, wo er nicht oder selten vorkommt, ist das spontane ekstatische Erlebnis der Zerstückelung des Körpers und der Erneuerung der Organe zuweilen

---

[79] Waldemar G. Bogoras, *The shamanistic call and the period of initiation in Northern Asia and Northern America* (Proceedings of the XXIII International Congress of Americanists, Neuyork 1930, S. 441–444), bes. S. 443.

[80] Vgl. R. Benedict, *Vision in Plains Culture* (American Anthropologist XXIV, 1922, S. 1–23).

[81] Bei den australischen Stämmen der Lunga und Djara steigt einer, der Medizinmann werden will, in einen Teich, der als von Riesenschlagen bewohnt gilt. Diese «töten» ihn und durch diesen Initiationstod erlangt der Aspirant seine magischen Kräfte; s. P. Elkin, *The Rainbow-Serpent Myth in North-West Australia* (Oceania 1930, 1. Bd., Nr. 3, S. 349–353), S. 350; vgl. ders., *The Australian Aborigines*, S. 223.

durch Opferung des eigenen Körpers an die Geistertiere (wie bei den Assiniboin) oder dämonischen Geister (Tibet) ersetzt.

Wenn die «eigene Suche» auch den beherrschenden Zug im nordamerikanischen Schamanismus bildet, so ist sie doch bei weitem nicht die einzige Art, Kräfte zu erlangen. Wir sind mehreren Beispielen spontaner Berufung begegnet (vgl. z. B. dem Fall der Old Dixie), aber ihre Zahl ist noch bedeutend größer. Erinnern wir uns nur an die erbliche Übertragung der schamanischen Kräfte, wo die Entscheidung in letzter Instanz bei den Geistern und Ahnenseelen liegt. Außerdem wäre an die Vorladungsträume der künftigen Schamanen zu erinnern, die nach Park zu tödlichen Krankheiten ausschlagen, wenn man sie nicht richtig versteht und fromm befolgt. Man ruft einen alten Schamanen, damit er sie deutet; er verordnet dem Kranken, den Befehlen der Geister zu folgen, die diese Träume hervorgerufen haben. «Im allgemeinen fügt man sich nur widerwillig in das Schamanentum und entschließt sich erst dann zur Annahme der Kräfte und zur Erfüllung der Befehle der Geister, wenn die anderen Schamanen einem versichern, daß sonst der Tod die Folge ist» (Park, S. 26). Das ist genau der Fall der sibirischen und zentralasiatischen Schamanen und noch anderer dazu. Dieser Widerstand gegen die «göttliche Auserwählung» erklärt sich eben aus der ambivalenten Haltung des Menschen gegen das Heilige.

Übrigens findet man auch in Asien, wenngleich seltener, die freiwillige Suche nach Schamanenkräften. In Nordamerika, besonders in Südkalifornien, ist die Gewinnung schamanischer Kräfte oft mit den Initiationszeremonien verbunden. Bei den Kawaiisu, den Luiseño, Juaneño und Gabrielino wie bei den Diegueño, Cocopa und Akwa'ala erwartet man die Erscheinung des tierischen Schutzherrn als Folge der Vergiftung durch eine bestimmte Pflanze (*jimson weed*) [82]. Hier haben wir es mehr mit dem Initiationsritus eines Geheimbundes als mit einem schamanischen Erlebnis zu tun. Die Selbstpeinigungen der Aspiranten, auf die Bogoras anspielte, gehören mehr zu den schrecklichen Prüfungen des Kandidaten, der zu einem Geheimbund zugelassen werden will, als zum eigentlichen Schamanismus, obwohl es in Nordamerika immer schwierig ist, die Grenzen zwischen diesen beiden religiösen Formen genau zu bestimmen.

---

[82] Kroeber, *Handbook*, S. 604 ff., 712 ff; Park, S. 84.

IV

DIE SCHAMANISCHE INITIATION

Die Initiation bei den Tungusen und Mandschu

Auf die ekstatische Auserwählung folgt in Nordasien wie überall sonst im allgemeinen eine Unterrichtszeit, während welcher der Neophyt durch einen alten Meister gebührend eingeweiht wird. In dieser Zeit soll der künftige Schamane seine mystischen Techniken beherrschen lernen und sich die religiöse Überlieferung und Mythologie des Stammes aneignen. Oft, aber nicht immer, wird die Vorbereitungszeit durch eine Reihe von Zeremonien gekrönt, die man die Initiation des neuen Schamanen zu nennen pflegt. Doch kann, wie Shirokogorov bezüglich der Tungusen und Mandschu mit Recht bemerkt, nicht von einer Initiation im eigentlichen Sinn die Rede sein, da die Kandidaten in Wirklichkeit lang vor ihrer formellen Anerkennung durch die Schamanenmeister und die Gemeinschaft «eingeweiht» sind (*Psychomental Complex of the Tungus*, S. 350). Dies bestätigt sich übrigens fast überall in Sibirien und Zentralasien; selbst dort, wo es sich um eine öffentliche Zeremonie handelt (z. B. bei den Buriäten), ist diese nur eine Bekräftigung und Gültigerklärung der wahren ekstatischen, geheimen Initiation, die, wie wir gesehen haben, das Werk der Geister ist (Krankheiten, Träume usw.) und durch die Lehrzeit bei einem Schamanenmeister vollendet wird[1].

Nichtsdestoweniger existiert eine formelle Anerkennung durch die Schamanenmeister. Bei den transbaikalischen Tungusen wird ein Kind für das Schamanentum ausgesucht und erzogen. Nach einer gewissen Vorbereitungszeit kommen die ersten Proben: es muß Träume deuten, seine Wahrsagerfähigkeiten beweisen usw. Am dramatischsten ist der folgende Augenblick: Der Kandidat, der sich in Ekstase befindet, beschreibt mit äußerster Genauigkeit die Tiere, die ihm die Geister schik-

---

[1] Vgl. z. B. E. J. Lindgren, *Notes on the Reindeer Tungus of Manchuria* (Journal of the Royal Central Asian Society, 22. Bd., 1935, S. 218 ff.), S. 221 ff.; Chadwick, *Poetry and Prophecy*, S. 53.

ken werden, damit er sich aus ihren Häuten eine Tracht macht. Lange Zeit darnach, wenn die Tiere erlegt sind und die Tracht schon genäht ist, legt der Kandidat sie an und schamanisiert in «großer Sitzung» (Shirokogorov, *a. a. O.*, S. 350).

Bei den mandschurischen Tungusen geht die Initiation ein wenig anders vor sich. Das Kind wird ausgesucht und unterrichtet, doch hängt seine Laufbahn von seinen ekstatischen Fähigkeiten ab (s. o. S. 27). Nach der Vorbereitungsperiode, auf die wir schon hingewiesen haben, folgt die eigentliche «Initiations»zeremonie.

Man richtet vor einem Haus zwei *turö* auf (Bäume, denen man die dicken Äste abgeschnitten, die Wipfel aber belassen hat). Diese beiden *turö* sind durch Querbalken verbunden, die ungefähr 90 bis 100 cm lang und in ungerader Zahl sind – 5, 7 oder 9. Man stellt einen dritten *turö* gegen Süden im Abstand von einigen Metern auf und verbindet ihn mit den östlichen *turö* durch eine Schnur oder einen dünnen Riemen (*sijim*, «Seil»), der ungefähr alle 30 cm mit Bändern und Federn verschiedener Vögel geschmückt ist. Man kann rote chinesische Seide oder rot gefärbte Sehnen verwenden. Das ist der «Weg», an dem die Geister sich niedersetzen werden. Auf der Schnur läßt man einen Holzring laufen, der von einem turö zum andern gleiten kann. In dem Augenblick, wo der Meister ihn schickt, befindet sich der Geist in der Fläche des Rings (*jûldu*). Drei menschengestaltige Holzfiguren (*an'nakan*), ziemlich groß (30 cm), befinden sich neben jedem *turö*.

«Der Kandidat setzt sich zwischen die beiden *turö* und schlägt die Trommel. Der alte Schamane ruft die Geister einen nach dem andern und schickt sie mit dem Ring dem Kandidaten. Der Meister nimmt den Ring jedesmal wieder, bevor er einen neuen Geist abschickt; wenn er das nicht täte, würden die Geister so stark in den Kandidaten eindringen, daß sie nie mehr herausgingen... Sobald er von den Geistern besessen ist, wird der Kandidat von den Alten befragt und muß die ganze Geschichte (die ‚Biographie') des Geistes in allen Einzelheiten erzählen, namentlich wer er vorher war, wo er gelebt hat, was er getan hat, mit welchem Schamanen er zusammen war und wann dieser gestorben ist...; all dies, um die Zuschauer davon zu überzeugen, daß der Geist wirklich den Kandidaten besucht... Nach dieser Vorführung klettert der Schamane jeden Abend auf den höchsten Querbalken und bleibt dort eine gewisse Zeit. Man hängt seine Tracht an dem Querbalken des *turö* auf...» (Shirokogorov, a. a. O., S. 352). Die Zeremonie dauert 3, 5, 7 oder 9 Tage. Wenn der Kandidat Erfolg hat, opfert man den Geistern des Clans.

Übergehen wir für den Augenblick die Rolle der «Geister» bei der Weihe des künftigen Schamanen – der tungusische Schamanismus scheint tatsächlich von Führergeistern beherrscht zu sein – und halten wir nur zwei Einzelheiten fest: 1. das Seil, das den Namen «Weg» hat, 2. den Ritus des Hinaufsteigens. Die Wichtigkeit dieser Riten ist sofort ersichtlich. Das Seil ist das Symbol des «Weges», der die Erde mit dem Himmel verbindet (obgleich bei den heutigen Tungusen der «Weg» vielmehr zur Verbindung mit den Geistern dient); das Besteigen des Baumes bedeutete ursprünglich den Aufstieg des Schamanen zum Himmel. Wenn, wie zu vermuten, die Tungusen diese Initiationsriten von den Buriäten überkommen haben, ist es durchaus möglich, daß sie sie ihrer eigenen Ideologie anpaßten und dabei ihrer ursprünglichen Bedeutung entleerten; dieser Bedeutungsverlust könnte in jüngster Zeit unter dem Einfluß anderer Ideologien (z. B. des Lamaismus) stattgefunden haben. Wie dem auch sei, selbst wenn dieser Initiationsritus entliehen sein sollte, fügt er sich doch irgendwie der allgemeinen Konzeption des tungusischen Schamanismus ein, denn wie wir schon gesehen haben und noch deutlicher sehen werden, teilen die Tungusen mit allen anderen nordasiatischen und arktischen Völkern den Glauben an die Himmelfahrt des Schamanen.

Bei den Mandschu gehörte es ehemals zu der öffentlichen Initiationszeremonie, daß der Kandidat über glühende Kohlen ging; verfügte er wirklich über die Geister, wie er es vorgab, so konnte er ungestraft über das Feuer gehen. Heute ist die Zeremonie ziemlich selten geworden; man sagt, daß die Kräfte der Schamanen abgenommen haben (Shirokogorov, S. 353), was der allgemein nordasiatischen Vorstellung von dem gegenwärtigen Niedergang des Schamanismus entspricht.

Die Mandschu kennen noch eine andere Initiationsprobe: Während des Winters schlägt man neun Löcher ins Eis, und der Kandidat muß durch eines dieser Löcher untertauchen und, unter dem Eis schwimmend, durch das zweite wieder herauskommen und so weiter bis zum neunten Loch. Die Mandschu behaupten, die außerordentliche Härte dieser Probe gehe auf chinesischen Einfluß zurück (Shirokogorov, S. 352). In Wirklichkeit gleicht sie gewissen yogi-tantrischen Proben in Tibet, bei denen man in einer Winternacht voller Schnee mit nacktem Körper eine bestimmte Anzahl von nassen Tüchern trocknen muß. Der Yogi-Lehrling legt damit die Probe von der «psychischen Wärme» ab, die er in seinem Körper hervorbringen kann. Wir erinnern uns, daß bei den Eskimos eine ähnliche Probe ertragener Kälte als das sichere Zeichen für die schamanische Auserwählung betrachtet wird. In der Tat ist das absichtliche Hervorbringen von Wärme eine der wesentlichen Künste des primitiven Zauberers und Medizinmanns; wir haben darauf noch zurückzukommen.

Initiation bei den Jakuten, Samojeden und Ostjaken

Über die Initiationszeremonien der Jakuten, Samojeden und Ostjaken haben wir nur unsichere und veraltete Nachrichten. Sehr wahrscheinlich sind die mitgeteilten Beschreibungen oberflächlich und ungenau, denn die Beobachter und Ethnographen des 19. Jahrhunderts sahen oft im Schamanismus ein Teufelswerk; für sie konnte der künftige Schamane sich nur dem «Teufel» verschreiben. So stellt Pripuzov die jakutische Initiationszeremonie dar: Nach der «Auserwählung» durch die Geister (s. oben S. 26) führt der alte Schamane seinen Schüler auf einen Hügel oder auf eine Ebene, übergibt ihm die Schamanentracht, investiert ihn mit Trommel und Stock und stellt zu seiner Rechten neun Jünglinge und zu seiner Linken neun Jungfrauen auf. Darauf legt er seine Tracht an, stellt sich hinter den Neophyten und läßt ihn bestimmte Formeln wiederholen. Zuerst fordert er ihn auf, Gott und allem, was er liebt, abzusagen und läßt ihn versprechen, sein ganzes Leben dem Teufel zu weihen, wofür ihm dieser alle Wünsche erfüllen werde. Darauf bezeichnet ihm der Schamanenmeister die Örtlichkeiten, wo der Dämon haust, die Krankheiten, die er heilt, und die Art, wie man ihn beruhigen kann. Zuletzt schlachtet der Kandidat das Tier, das zum Opfer bestimmt ist; seine Tracht wird mit Blut besprengt und das Fleisch von den Teilnehmern verzehrt[2].» (Man hat es hier wahrscheinlich mit einer Initiation von «schwarzen Schamanen» zu tun, die ausschließlich den unterweltlichen Geistern und Gottheiten geweiht sind,

---

[2] N. V. Pripuzov, *Sredenija dlja izutchenija shamanstva u Jakutov*, S. 64–65; Mikhailowski, *Shamanism*, S. 85–86; Harva, *Religiöse Vorstellungen*, S. 485–486.

wie man sie auch bei den anderen sibirischen Völkern antrifft; vgl. Harva, *Rel. Vorstell.*, S. 482 ff.).

Nach Tretjakov gehen die Samojeden und die Ostjaken in der Gegend von Turuschansk bei der Initiation des neuen Schamanen auf folgende Weise vor: Der Kandidat wendet sich nach Westen und der Meister bittet den Geist der Finsternis, dem Novizen zu helfen und ihm einen Führer zu geben. Darauf stimmt er einen Hymnus an den Geist der Finsternis an, den der Kandidat wiederholt. Zum Schluß spielen sich die Proben ab, die der Geist dem Novizen auferlegt; dabei verlangt er seine Frau, seinen Sohn und seinen Besitz von ihm[3].

Bei den Golden findet die Initiation wie bei den Tungusen und Buriäten in der Öffentlichkeit statt; die Familie des Kandidaten und viele Geladene nehmen daran teil. Man singt, tanzt (es müssen mindestens neun Tänzer sein) und opfert neun Schweine; die Schamanen trinken ihr Blut, fallen in Ekstase und schamanisieren lang. Das Fest dauert mehrere Tage[4] und entwickelt sich gewissermaßen zu einer allgemeinen Volksbelustigung.

Ein solches Ereignis betrifft natürlich unmittelbar den ganzen Stamm, und seine Kosten können nicht immer von der Familie allein getragen werden. Insofern spielt die Initiation eine bedeutende Rolle für die Soziologie des Schamanismus.

Die Initiation bei den Buriäten

Die am reichsten gegliederte und am besten bekannte Initiationszeremonie – vor allem dank Changalov und dem «Handbuch» von Pozdneyev, das Partanen übersetzt hat – ist die der Buriäten[5]. Auch

---

[3] P. I. Tretjakov, *Turushanskij Krai*, S. 210 f.; Mikhailowski, S. 86.
[4] Harva, *Religiöse Vorstellungen*, S. 486 f., zitiert Lopatin.
[5] N. N. Agapitov und M. N. Changalov, *Materialy dlja izutchenija shamanstva v Sibiri*, S. 42–52, übersetzt und zusammengefaßt von L. Stieda, *Das Schamanentum unter den Burjäten* (Globus 1887, 52. Bd., S. 250 ff.; Initiation s. S. 287 f.); Mikhailowski, S. 87–90; Harva, *Rel. Vorstell.*, S. 487–496. Changalov, der in Irkutsk Erzieher war und selber von Buriäten abstammte, hatte Agapitov sehr reiches Material aus erster Hand an schamanischen Riten und Glaubensvorstellungen mitgeteilt. S. auch Jorma Partanen, *A description of Buriat Shamanism* (Journal de la Société Finno-Ougrienne, Bd. 51, 1941/42, 34 Seiten). Es handelt sich um ein Manuskript, das 1879 Pozdneyev in einem buriätischen Dorf gefunden und in seiner *Chrestomathie mongole* (St. Petersburg 1900,

hier findet die wirkliche Initiation vor der öffentlichen Weihe des neuen Schamanen statt. Nach den ersten ekstatischen Erlebnissen (Träume, Visionen, Gespräche mit Geistern usw.) bereitet sich der Lehrling lange Jahre hindurch in der Einsamkeit vor und wird von alten Meistern unterrichtet, besonders von dem, der sein Initiator sein soll und «Vaterschamane» genannt wird. Während dieser ganzen Zeit schamanisiert er, ruft die Götter und die Geister an und erlernt die Geheimnisse des Handwerks. Auch bei den Buriäten ist dann die «Initiation» mehr öffentliche Demonstration der mystischen Fähigkeiten des Kandidaten und Weihe durch den Meister als eine wirkliche Enthüllung von Mysterien.

Sobald das Datum der Weihe festgelegt ist, findet eine Reinigungszeremonie statt, die sich grundsätzlich drei- bis neunmal wiederholen soll, meistens aber nur zweimal vollzogen wird. Der «Vaterschamane» und neun junge Männer, seine «Söhne» genannt, tragen Wasser von drei Quellen herbei und bringen den Geistern dieser Quellen *tarasun*-Libationen dar. Auf dem Rückweg reißt man junge Birken aus und nimmt sie nachhause mit. Das Wasser wird gekocht und man wirft wilden Thymian, Wacholder und Tannenrinde hinein, um es zu reinigen. Man wirft auch einige Haare hinein, die vom Ohr eines Bockes abgeschnitten sind. Darauf wird das Tier getötet und man läßt einige Tropfen von seinem Blut in den Topf fallen. Das Fleisch wird den Frauen zum Herrichten gegeben. Nun schreitet man zur Wahrsagung aus einem Schulterblatt des Hammels, und der «Vaterschamane» ruft die schamanischen Ahnen des Kandidaten an und opfert ihnen Wein und *tarasun*. Er taucht einen Besen aus Birkenzweigen in den Topf und berührt damit den nackten Rücken des Lehrlings. Die «Söhne des Schamanen» wiederholen diese rituelle Geste, während ihr «Vater» spricht: «Wenn ein Armer dich braucht, verlange wenig von ihm und nimm, was er dir gibt. Denke an die Armen, hilf ihnen und bitte Gott, daß er sie vor den bösen Geistern und ihrer Macht beschützt. Wenn ein Reicher dich ruft, verlange nicht viel von ihm für deine Dienste. Wenn ein Reicher und ein Armer dich zur gleichen Zeit rufen, geh zu dem Ar-

---

S. 293–311) veröffentlicht hat. Der Text ist in Schriftmongolisch mit Spuren von modernem Buriätisch abgefaßt. Der Verfasser scheint ein halb lamaistischer Buriäte gewesen zu sein (Partanen, S. 3). Leider berichtet dieses Dokument nur die äußere Seite des Rituals. Mehrere von Changalov notierte Einzelheiten fehlen.

men und dann zu dem Reichen [6].» Der Lehrling verspricht diese Regeln zu befolgen und wiederholt das Gebet, das der Meister gesprochen hat. Nach der Waschung bringt man den Schutzgeistern von neuem *tarasun*-Libationen dar und die Vorbereitungszeremonie ist abgeschlossen. Diese Reinigung durch Wasser ist für die Schamanen obligatorisch und zwar mindestens einmal im Jahr, wenn nicht jeden Monat bei Neumond. Auf dieselbe Weise reinigt sich der Schamane auch jedesmal, wenn er sich eine Befleckung zugezogen hat; ist die Befleckung besonders schwer, so geschieht die Reinigung auch durch Blut.

Einige Zeit nach der Reinigung findet die Zeremonie der ersten Konsekration statt, Khärägä-Khulkä, an deren Kosten sich die ganze Gemeinschaft beteiligt. Die Opfergaben werden vom Schamanen und seinen neun Helfern, «den Söhnen», gesammelt, die zu Pferd von einem Weiler zum anderen ziehen. Sie bestehen im allgemeinen in Taschentüchern und Bändern, seltener in Silber. Man kauft auch hölzerne Schalen, Glöckchen für die «Steckenpferde» (horse-sticks), Seide, Wein usw. In der Gegend von Balagansk ziehen sich der Kandidat, der «Vaterschamane» und die neun «Schamanensöhne» in ein Zelt zurück und fasten neun Tage lang, wobei sie nur von Tee und Mehlbrei leben. Um das Zelt zieht man dreimal ein Seil aus Pferdehaaren, an dem kleine Tierhäute befestigt sind.

Am Vorabend der Zeremonie schneiden die jungen Männer unter der Leitung des Schamanen eine genügende Anzahl starke und gerade Birken. Die Fällung geschieht in dem Wald, wo die Bewohner des Dorfes begraben werden, und zur Beruhigung des Waldgeistes bringt man Opfer von Hammel-Fleisch und *tarasun* dar. Am Festmorgen werden die Bäume der Reihe nach aufgestellt. Man beginnt damit, in der Jurte eine starke Birke aufzustellen und zwar sind die Wurzeln im Herd, während der Wipfel zur oberen Öffnung (dem Rauchloch) hinausragt. Diese Birke heißt *udeshi burkhan*, «der Türhüter», denn sie öffnet dem Schamanen den Himmel. Sie bleibt immer im Zelt und dient als Kennzeichen der Schamanenwohnung.

---

[6] Harva beschreibt diesen Reinigungsritus nach der eigentlichen Initiation. In der Tat findet, wie wir sogleich sehen werden, ein analoger Ritus unmittelbar nach der Zeremonie der Birkenbesteigung statt. Wahrscheinlich hat sich das Initiationsszenario im Lauf der Zeit sehr geändert; außerdem gibt es bedeutende Unterschiede von einem Stamm zum anderen.

Die anderen Birken werden außerhalb der Jurte dort aufgestellt, wo die Initiationszeremonie stattfinden soll. Sie werden in einer bestimmten Ordnung gepflanzt: 1. eine Birke, unter der man *tarasun* und andere Opfergaben niederlegt und an deren Zweige rote und gelbe Bänder gebunden werden, wenn es sich um einen «schwarzen Schamanen» handelt, weiße und blaue für einen «weißen Schamanen» und Bänder in allen vier Farben, wenn der neue Schamane allen Kategorien von Geistern, guten und bösen, dienen will; 2. eine zweite Birke, an der man eine Glocke und die Haut eines geopferten Pferdes aufhängt; 3. eine dritte, recht starke und gut in die Erde gesteckte, auf die der Neophyt klettern muß. Diese drei Birken, die im allgemeinen mit den Wurzeln ausgerissen werden, heißen «Pfeiler» (särgä). Weiter 4. neun Birken, die zu dreien gruppiert und alle mit einem Seil aus weißem Perdehaar zusammengebunden sind, an dem verschiedenfarbige Bänder in einer bestimmten Ordnung befestigt sind: weiß, blau, rot, gelb (die Farben bedeuten vielleicht die verschiedenen himmlischen Ebenen); auf diesen Birken sollen die Häute der neun geopferten Tiere und Speisen ausgestellt werden; 5. neun Pfosten, an denen man die zum Opfer bestimmten Tiere anbindet; 6. dicke Birken, der Reihe nach aufgestellt, an denen später die in Stroh gewickelten Knochen der Opfertiere aufgehängt werden[7]. Von der Hauptbirke im Inneren der Jurte zu den anderen Bäumen draußen laufen zwei Bänder, das eine rot, das andere blau; dies ist das Symbol des «Regenbogens», des Weges, auf dem der Schamane das Reich der Geister, den Himmel erreichen wird.

Wenn diese Vorbereitungen beendigt sind, schreiten der Neophyt und die «Söhne des Schamanen», alle weiß gekleidet, zur Weihe der schamanischen Instrumente; man opfert einen Hammel zu Ehren des Herrn und der Herrin des Steckenpferds und bringt *tarasun* dar. Zuweilen beschmiert man den Stock mit dem Blut des Opfertieres, und

---

[7] Der von Partanen übersetzte Text gibt viele Einzelheiten über die Birken und die rituellen Pfosten (§ 10–15). «Der Baum im Norden heißt Mutterbaum. In seinem Wipfel ist mit seidenen oder baumwollnen Bändern ein Vogelnest aufgehängt, in dem auf Baumwolle oder weißer Wolle neun Eier und ein Mond liegen, der aus einem Stück weißem Samt besteht und auf eine Scheibe Birkenrinde geklebt ist... Der große Baum im Süden heißt Vaterbaum. An seinem Wipfel (ist ein Stück) Rinde, mit rotem Samt bedeckt (aufgehängt), das man Sonne nennt» (§ 10). «Nördlich des Mutterbaums, neben der Jurte, pflanzt man sieben Birken; auf jeder von den vier Seiten der Jurte stellt man vier Bäume und unter sie eine Stufe, auf der man Wacholder und Thymian (als Weihrauch) verbrennt. Das heißt die Leiter *(shita)* oder Stufen *(geskigür)*» § 15.

sogleich belebt sich das «Steckenpferd» und verwandelt sich in ein wirkliches Pferd.

Nach dieser Weihe der schamanischen Instrumente beginnt eine lange Zeremonie mit Opferung von *tarasun* an die Schutzgottheiten – die westlichen Khans und ihre neun Söhne –, an die Ahnen des «Schamanenvaters», an die Lokalgeister und die Schutzherrn des neuen Schamanen, an berühmte tote Schamanen, an die *burkhan* und andere niedere Gottheiten[8]. Der «Schamanenvater» richtet nochmal ein Gebet an die verschiedenen Götter und Geister und der Kandidat wiederholt seine Worte; nach bestimmten Überlieferungen hält der Kandidat ein Schwert in der Hand und klettert damit auf die Birke im Inneren der Jurte, erreicht den Wipfel, kommt durch das Rauchloch heraus und ruft laut die Götter um Hilfe. Unterdessen werden die Menschen und Gegenstände in der Jurte fortwährend Reinigungen unterzogen. Darauf tragen vier «Schamanensöhne» den Kandidaten auf einem Filzteppich aus der Jurte hinaus und singen dazu.

Die ganze Gruppe mit dem «Schamanenvater» an der Spitze, hinter ihm der Kandidat, die neun «Söhne», die Verwandten und Zuschauer, begibt sich in Prozession zu dem Ort, wo die Birkenreihe steht. An einem bestimmten Punkt neben einer Birke macht die Prozession halt; man opfert einen Bock, und der Kandidat wird mit nacktem Oberkörper an Haupt, Augen und Ohren mit dem Blut gesalbt, während die anderen Schamanen das Tamburin schlagen. Die neun «Söhne» tauchen ihre Besen ins Wasser, schlagen damit auf den bloßen Rücken des Kandidaten und schamanisieren.

Man opfert noch neun oder mehr Tiere. Während ihr Fleisch hergerichtet wird, findet der rituelle Aufstieg zum Himmel statt. Der «Schamanenvater» steigt auf eine Birke und macht an ihrem Wipfel neun Einschnitte. Er steigt wieder herunter und nimmt auf einem Teppich Platz, den seine «Söhne» an den Fuß der Birke gebracht haben.

---

[8] Über die Khans und das ziemlich komplizierte Pantheon der Burjäten s. Sandschejev, *Weltanschauung und Schamanismus*, S. 939 ff. Über die *burkhan* s. die ausführliche Notiz von Shirokogorov (*Sramana-Shaman*, S. 120 f.), gegen B. Laufer (*Burkhan*, Journal of the American Oriental Society, 1917, S. 390–395), welcher die Spuren von Buddhismus bei den Amur-Tungusen bestreitet. Zu den späteren Bedeutungen des Wortes *burkhan* bei den Türken (wo es abwechselnd auf Buddha, Mani, Zarathustra usw. angewendet wird) s. Pestalozza, *Il manicheismo presso i Turchi occidentali ed orientali*, S. 456, Nr. 3

Der Kandidat steigt nun seinerseits hinauf, wobei ihm die anderen Schamanen folgen. Dabei fallen sie alle in Ekstase. Bei den Buriäten von Balagansk wird der Kandidat, auf einem Filzteppich sitzend, neunmal um die Birke herumgetragen; er steigt auf jede Birke und macht an ihrem Wipfel neun Einschnitte. Während er oben ist, schamanisiert er; auf dem Boden schamanisiert der «Schamanenvater» von einem Baum zum andern. Nach Potanin werden die neun Birken eine neben der andern in den Boden gesteckt und der Kandidat springt von seinem Filzteppich, auf dem er getragen wird, vor die erste hin, klettert bis zum Wipfel und wiederholt dieses Ritual auf jedem von den neun Bäumen, die ebenso wie die neun Einschnitte die neun Himmel symbolisieren.

Inzwischen sind die Gerichte fertig; man bringt den Göttern davon Opfer dar (indem man Stücke ins Feuer und in die Luft wirft) und das Gelage beginnt. Der Schamane und seine «Söhne» ziehen sich dann in die Jurte zurück, aber die Geladenen schmausen noch lange. Die Knochen der Tiere werden in Stroh eingewickelt und an den neun Birken aufgehängt.

In der alten Zeit gab es mehrere Initiationen: Changalov und Sandschejev (S. 979) sprechen von neun, Petri (Harva. S. 495) von fünf. Nach dem von Pozdneyev veröffentlichten Text mußten nach drei bzw. sechs Jahren eine zweite und dritte Initiation stattfinden (Partanen, S. 24, § 37). Ähnliche Zeremonien sind bei den Sibo (einem mit den Tungusen verwandten Volk), den Altai-Tataren und in gewisser Hinsicht auch bei den Jakuten und Golden bezeugt (Harva, S. 498).

Doch selbst dort, wo es sich nicht um eine Initiation dieses Typus handelt, treffen wir schamanische Himmelsaufstiegrituale, die auf analoge Vorstellungen hinweisen. Über diese fundamentale Einheitlichkeit des zentral- und nordasiatischen Schamanismus werden wir uns beim Studium der Technik der Sitzungen klar werden; dann wird es nämlich möglich sein, die kosmologische Struktur all dieser schamanischen Riten herauszuarbeiten. So ist zum Beispiel evident, daß die Birke den kosmischen Baum oder die Weltachse symbolisiert und deshalb im Zentrum der Welt vorgestellt wird; wenn er sie erklettert, unternimmt der Schamane eine ekstatische Reise zum «Zentrum». Wir sind diesem wichtigen mythischen Motiv schon bei den Initiationsträumen begegnet und es wird anläßlich der altaischen Schamanensitzungen und der Trommelsymbolik noch deutlicher in Erscheinung treten.

Es wird sich übrigens zeigen, daß der Aufstieg mit Hilfe eines Baums oder eines Pfostens auch in anderen Initiationen des schamanischen Typus eine wichtige Rolle spielt; wir haben in ihm eine von den Varianten des mythisch-rituellen Themas vom Himmelsaufstieg vor uns (das auch den «magischen Flug», den Mythus von der «Pfeilkette», vom Seil, von der Brücke usw. umfaßt). Derselbe Aufstiegssymbolismus ist durch das Seil (= Brücke) bezeugt, das die Birken verbindet und auf dem Bänder von verschiedener Farbe (= die Farben des Regenbogens, die verschiedenen Himmelsregionen) aufgehängt sind. Diese mythischen und rituellen Themen sind wohl spezifisch für die sibirischen und altaischen Religionen, eignen aber nicht nur diesen Kulturen; ihr Verbreitungsgebiet geht über Zentral- und Nordostasien weit hinaus. Man fragt sich sogar, ob ein so komplexes Ritual wie die Initiation des buriätischen Schamanen eine absolute Neuschöpfung sein kann, denn wie Uno Harva schon vor einem Vierteljahrhundert bemerkte, erinnert die buriätische Initiation merkwürdig an bestimmte Zeremonien aus den Mithrasmysterien. Der Kandidat, dessen Oberkörper nackt ist, wird durch das Blut eines Bockes gereinigt, den man in manchen Fällen über seinem Kopfe opfert; an bestimmten Orten muß er sogar vom Blut des Opfertieres trinken (vgl. Harva, *Der Baum des Lebens*, S. 140 ff.; *Relig. Vorstell.*, S. 492 ff.) – eine Zeremonie, die an das *taurobolion*, den Hauptritus der Mithrasmysterien erinnert[9]. Und bei denselben Mysterien benützte man eine Leiter (*climax*) mit sieben Sprossen, jede Sprosse aus einem anderen Metall. Nach Celsus (Origenes, *C. Celsum* VI, 22) war die erste Sprosse aus Blei (entsprechend dem «Himmel» des Planeten Saturn), die zweite aus Zinn (Venus), die dritte aus Bronze (Jupiter), die vierte aus Eisen (Merkur), die fünfte aus «Münzlegierung» (Mars), die sechste aus Silber (Mond), die siebte aus Gold (Sonne). Die achte Sprosse stellt nach Celsus die Fixsternsphäre dar. Indem der Eingeweihte diese Zeremonialleiter hinaufsteigt, durchläuft er in Wirklichkeit die «sieben Himmel» und erhebt sich so bis zum

---

[9] Im 2. Jh. n. Chr. beschreibt Prudentius (*Peristeph*. X, S. 11 ff.) dieses Ritual in Verbindung mit den Mysterien der Magna Mater, doch besteht Grund zu der Annahme, daß das phrygische *taurobolion* von den Persern entlehnt ist (vgl. Fr. Cumont, *Les religions orientales dans le paganisme romain*, 3. Aufl. Paris 1929, S. 63 ff., 229 ff.)

Empyreum[10]. Wenn man noch andere, mehr oder weniger verformte iranische Elemente in den zentralasiatischen Mythologien[11] berücksichtigt und an die wichtige Vermittlerrolle der Sogder des ersten Jahrtausends zwischen China und Zentralasien und zwischen dem Iran und dem Nahen Orient denkt[12], erscheint die Hypothese des finnischen Gelehrten als wahrscheinlich.

Diese Beispiele für iranische Einflüsse auf das buriätische Ritual mögen für den Augenblick genügen. All dies wird erst später in seiner wirklichen Bedeutung erscheinen, wenn von den süd- und westasiatischen Einlagerungen im sibirischen Schamanismus die Rede ist.

Die Initiation der araukanischen Schamanin

Es ist nicht unsere Absicht, nun alle Parallelen zu diesem buriätischen Initiationsritual beizubringen. Wir wollen nur die frappantesten davon aufführen, besonders soweit sie die Besteigung eines Baumes oder ein anderes mehr oder weniger deutliches Symbol des Himmelsaufstiegs als wesentlichen Ritus enthalten. Wir beginnen mit der südamerika-

---

[10] Über den Himmelsaufstieg auf Stufen, Leitern, Bergen usw. vgl. A. Dieterich, *Eine Mithrasliturgie* (2. Aufl., Leipzig-Berlin 1910), S. 183 und 254; s. unten. Auch bei den Altaiern und den Samojeden spielt ja die Zahl sieben eine wichtige Rolle. Die «Weltsäule» hatte sieben Stockwerke (U. Holmberg, *Finno-Ugric and Siberian Mythology*, Boston 1927, S. 338 ff.), der Weltenbaum sieben Zweige (ders., *Baum des Lebens*, S. 137; *Rel. Vorstell.*, S. 51 ff.) usw. Die Zahl sieben, welche den Mithrassymbolismus beherrscht (sieben Himmelssphären, sieben Sterne, oder sieben Messer, sieben Bäume, sieben Altäre usw. auf den Bilddenkmälern), stammt von babylonischen Einflüssen, die in früher Zeit auf die iranischen Mysterien gewirkt haben (vgl. z. B. R. Pettazzoni, *I Misteri*, Bologna 1924, S. 231, 247 usw.). Über die Symbolik der Zahlen s. unten S. 263 ff

[11] Einige Beispiele: der Mythus vom Wunderbaum Gaokêrêna, der auf einer Insel des Vourukasha-Meeres (oder -Sees) wächst und bei dem sich die von Ahriman erschaffene Rieseneidechse befindet (Vidêvdât XX, 4; Bundahishn XXVII, 4 usw.), welcher Mythus sich auch bei den Kalmücken (ein Drache im Ozean bei dem Wunderbaum Zamba), den Buriäten (die Schlange Abyrga bei dem Baum im «Milchsee») und anderweitig findet (Holmberg-Harva, *Finno-Ugric and Siberian Mythology*, S. 356 ff.). Doch wäre auch die Möglichkeit eines indischen Einflusses ins Auge zu fassen; hierüber vgl. S. 255 ff.

[12] S. Kai Donner, *Über soghdisch nôm «Gesetz» und samojedisch nom «Himmel, Gott»* (in Studia Orientalia, Helsingfors 1925, 1. Bd., S. 1–8).

nischen Weihe der *machi*, der araukanischen Schamanin[13]. Diese Initiationszeremonie hat ihren Mittelpunkt im rituellen Besteigen eines Baumes oder vielmehr eines entrindeten Stamms, der den Namen *rewe* führt; er ist übrigens das Symbol des Schamanenberufes und jede *machi* bewahrt ihn für immer vor ihrer Hütte.

Man entrindet einen drei Meter hohen Baum, macht Einschnitte in Form einer Stiege hinein und steckt ihn vor der Behausung der künftigen Schamanin fest in die Erde, «ein wenig nach hinten geneigt, um den Aufstieg zu erleichtern». Manchmal «sind hohe Äste rund um die *rewe* in die Erde eingerammt und bilden eine Umzäunung von 15 auf 4 Meter» (Métraux, S. 319). Wenn diese heilige Leiter hergerichtet ist, entkleidet sich die Kandidatin und streckt sich, nur im Hemd, auf einem Lager von Hammelhäuten und Decken aus. Die alten Schamaninnen beginnen ihren Körper mit Caneloblättern zu reiben, wobei sie fortwährend magische Striche vollführen. Inzwischen singen die Anwesenden im Chor und läuten mit den Viehglocken. Diese rituelle Massage wird mehrmals wiederholt. Dann «beugen sich die Älteren über sie und saugen an ihrer Brust, ihrem Bauch und ihrem Kopf so heftig, daß das Blut hervorspringt» (Métraux, S. 321). Nach dieser ersten Vorbereitung erhebt sich die Kandidatin, kleidet sich an und setzt sich auf einen Stuhl. Die Lieder und Tänze gehen den ganzen Tag weiter.

Am nächsten Tag ist das Fest auf seinem Höhepunkt. Es kommt eine Menge von Geladenen. Die alten *machi* bilden einen Kreis und trommeln und tanzen der Reihe nach. Zum Schluß begeben sich die *machi* und die Kandidatin zu dem Leiterbaum und beginnen eine nach der anderen den Aufstieg. (Nach Moesbachs Gewährsmann steigt die Kandidatin als erste hinauf.) Die Zeremonie endet mit einem Hammelopfer.

Das war eine Zusammenfassung der Beschreibung von Robles Rodriguez. Pater Housse gibt weitere Einzelheiten. Die Anwesenden bilden einen Kreis rund um den Altar, auf dem man Lämmer opfert, welche die Familie des Schamanen darbringt. Die alte *machi* wendet

---

[13] Wir folgen der Beschreibung in A. Métraux, *Le shamanisme araucan* (Revista del Instituto de Antropologia de la Universidad nacional de Tucumán, 2. Bd., Nr. 10, Tucumán 1942, S. 309–362), wo alles ältere Material verarbeitet ist, bes. Robles Rodriguez, *Guillatunes, costumbres y creencias araucanas* (Anales de la Universidad de Chile, 127. Bd., Santiago de Chile 1910, S. 151–177) und R. P. Housse, *Une épopée indienne, Les Araucans de Chili* (Paris, 1939).

sich an Gott: «O Herrscher und Vater der Menschen, ich besprenge dich mit dem Blut dieser Tiere, die du erschaffen hat. Sei uns gnädig!» usw. Das Tier wird geschlachtet und sein Herz auf einem der Canelozweige aufgehängt. Die Musik beginnt und alle sammeln sich um den *rewe*. Darauf folgt Bankett und Tanz die ganze Nacht hindurch.

Beim Morgengrauen erscheint die Kandidatin wieder, und die *machi* beginnen von Trommeln begleitet wieder zu tanzen. Mehrere von ihnen fallen in Ekstase. Die Alte verbindet sich die Augen und macht mit einem Messer aus weißem Quarz tastend mehrere Einschnitte in die Finger und die Lippen der Kandidatin; darauf macht sie sich selbst die gleichen Einschnitte und vermischt ihr Blut mit dem der Kandidatin. Nach einem anderen Ritual steigt die junge Eingeweihte «tanzend und trommelnd auf den *rewe*. Die Älteren folgen ihr und stützen sich auf die Stufe; die beiden Patinnen nehmen sie auf der Fläche des *rewe* zwischen sich. Sie nehmen ihr den Halsschmuck aus Blättern und das blutige Vließ ab (mit denen sie kurz zuvor geschmückt wurde) und hängen beides an den Zweigen der Sträucher auf. Nur die Zeit darf sie nach und nach zerstören, denn sie sind heilig. Darauf steigt das Hexenkollegium wieder herunter, die Kandidatin als letzte, doch rückwärts und im Takt. Kaum berühren ihre Füße den Boden, so begrüßt sie unermeßliches Geschrei; das ist ein Triumph, ein Rasen und ein Gedränge – ein jeder will sie von der Nähe sehen, ihre Hände berühren, sie küssen» (Housse, *Une épopée indienne,* zitiert bei Métraux, S. 325). Es folgt das Bankett, an dem alle Anwesenden teilnehmen. Die Wunden heilen in acht Tagen.

Nach den von Moesbach gesammelten Texten scheint das Gebet der *machi* an den Vater-Gott («Padre dios rey anciano» usw.) gerichtet zu sein. Sie bittet ihn um die Gabe des Zweiten Gesichts (damit sie das Übel im Körper des Kranken wahrnimmt) und um die Kunst des Trommelns. Weiter bittet sie ihn um ein «Pferd», einen «Stier» um ein «Messer», die Symbole bestimmter geistiger Kräfte, und zuletzt um einen Stein, «gestreift oder farbig» (ein magischer Stein, den man in den Körper des Kranken bringen kann, um ihn zu reinigen. Kommt er blutig heraus, so ist der Kranke in Lebensgefahr. Mit diesem Stein reibt man die Kranken). Die *machi* versprechen den Versammelten, daß die junge Eingeweihte keine schwarze Magie treiben wird. Der Text von Rodriguez erwähnt an Stelle des «Vatergottes» *vileo,* den *machi* des Himmels, d. h. den Großen Himmelsschamanen. (Die *vileo* bewohnen «die Mitte des Himmels».)

Wie überall im Bereich des Initiationsaufstiegs wiederholt sich derselbe Aufstieg auch bei der schamanischen Kur (Métraux, S. 336).

Halten wir noch einmal die Hauptzüge dieser Initiation fest, die ekstatische Besteigung eines Leiterbaumes als Symbol der Himmelsreise, das Gebet auf dem *rewe* zum Höchsten Gott oder zum Großen Himmelsschamanen, von denen man sowohl die Verleihung der Heilkraft (Hellsehen usw.) als der zur Kur nötigen Gegenstände (gestreifter Stein usw.) erwartet. Der göttliche oder mindestens himmlische Ursprung der ärztlichen Kräfte ist auch bei vielen anderen archaischen Völkern bezeugt, so z. B. bei den Semangpygmäen, wo der *hala* die Krankheiten mit Hilfe der Cenoi (Vermittler zwischen Ta Pedn, dem höchsten Gott, und den Menschen) behandelt oder mit Quarzsteinen, in denen vielfach diese himmlischen Geister wohnend gedacht sind, doch auch mit der Hilfe Gottes[14]. Auch der «gestreifte oder farbige Stein» ist himmlischen Ursprungs; wir fanden dafür schon eine Reihe von Beispielen aus Südamerika und anderen Ländern (S. 57 ff.) und werden noch darauf zurückzukommen haben[15].

Die rituelle Besteigung von Bäumen

Die rituelle Baumbesteigung als schamanischer Initiationsritus begegnet auch in Nordamerika. Bei den Pomo dauert der Eintritt in die Geheimbünde vier Tage; ein ganzer Tag gehört der Besteigung eines Baumpfahls von acht bis zehn Metern Höhe und fünfzehn Zentimetern

---

[14] «Wenn Ta Pedu ihm nicht die Medizin gesagt hätte, die er anwenden muß, und den richtigen Moment sie dem Kranken zu geben und die Worte, die er dabei sprechen muß, wie könnte der *hala* heilen?» fragte ein Semang-Pygmäe (Schebesta, *Les Pygmées*, S. 152).

[15] Bemerkenswert ist, daß bei den Araukanern die Frauen den Schamanismus ausüben; früher war es das Vorrecht der Homosexuellen. Eine recht ähnliche Situation begegnet bei den Tschuktschen: Die meisten Schamanen sind Homosexuelle, sie nehmen manchmal sogar Männer; doch auch im Fall der sexuellen Normalität werden sie von den Geistern, die sie leiten, gezwungen, sich als Frauen anzuziehen (vgl. V. Bogoroz, *The Chukchee*, The Jesup North Pacific Expedition Bd. VII, Neuyork 1904 ff., II, S. 450 ff.). Besteht zwischen diesen beiden Arten des Schamanismus eine genetische Beziehung? Die Entscheidung scheint uns schwierig zu sein.

Durchmesser[16]. Wir erinnern uns, daß in Sibirien die künftigen Schamanen während oder vor ihrer Konsekration auf Bäume klettern. Wie wir sehen werden, steigt auch der vedische Opferer auf einen rituellen Pfahl, um den Himmel und die Götter zu erreichen. Der Aufstieg mittels eines Baumes, einer Liane oder eines Seils ist ein sehr verbreitetes Motiv; Beispiele dafür folgen in einem späteren Kapitel.

Auch die Initiation zum dritten und höchsten schamanischen Grad des *manang* von Sarawak enthält eine rituelle Besteigung: Man bringt einen großen Krug auf die Veranda, an dessen Rand man zwei kleine Leitern lehnt; eine ganze Nacht lang stehen sich die Initiationsmeister gegenüber und führen den Kandidaten auf die eine Leiter hinauf und über die andere wieder herunter. Archdeacon J. Perham, der als einer der ersten diese Initiation beobachtet hat, schrieb gegen 1885, daß er für diesen Ritus keine Erklärung bekommen könne[17]. Doch scheint der Sinn ziemlich klar; es kann sich nur um einen symbolischen Aufstieg zum Himmel handeln, dem der Abstieg auf die Erde folgt. Ähnliche Rituale finden sich in Malekula; ein höherer Grad der Maki-Zeremonie heißt sogar «Leiter»[18] und der Aufstieg auf eine Plattform bildet ihren wichtigsten Teil[19].

Die Himmelsreise des karibischen Schamanen

Die Initiation der karibischen Schamanen in Niederländisch Guayana ist ebenfalls um die ekstatische Himmelsreise des Neophyten zentriert, verwendet jedoch andere Mittel[20]. Man kann nur *pujai* werden, wenn

---

[16] E. M. Loeb, *Pomo Folkways* (Univ. of California Publications in American Archaeology and Ethnology, 19. Bd., Berkeley 1926, Nr. 2, S. 149–404), S. 372–374.
[17] Abgedruckt bei H. Ling Roth, *Natives of Sarawak* I, S. 281. Über die zwei ersten Initiationsgrade s. o. S. 66 f.
[18] Über diese Zeremonie s. J. Layard, *Stone Men of Malekula* (London 1942), 14. Kap.
[19] Vgl. auch B. Deacon, *Malekula. A vanishing people of the New Hebrides* (London 1934), S. 379 ff.; A. Riesenfeld, *The megalithic culture of Melanesia*, S. 59 ff., usw.
[20] Wir folgen der Arbeit von Friedrich Andres, *Die Himmelsreise der caraibischen Medizinmänner* (Zs. f. Ethnologie, 70. Bd., Heft 3/5, 1939, S. 331–342), wo die Untersuchungen der holländischen Ethnologen F. P. Penard und A. Ph. Penard, W. Ahlbrinck und C. H. de Goeje benützt sind. Vgl. auch W. E. Roth, *An inquiry into the Animism and Folklore of the Guiana-Indians* (30. Annual Report of the Bureau of American Ethnology 1908–1909, Washington 1915, S. 103–386); A. Métraux, *Le shamanisme chez les Indiens de l'Amérique du Sud tropicale*, S. 208 f.

es einem gelingt die Geister zu sehen und mit ihnen unmittelbare und dauerhafte Beziehungen anzuknüpfen [21]. Es handelt sich weniger um ein «Besessenwerden» als um eine ekstatische Vision, welche den Umgang und das Gespräch mit den Geistern ermöglicht. Diese Vision ist an einen Himmelsaufstieg geknüpft. Doch kann der Novize diese Reise erst unternehmen, wenn er einerseits in der traditionellen Ideologie unterwiesen, andererseits durch die Trance physisch und psychologisch vorbereitet worden ist. Die Lehrzeit ist, wie sich erweisen wird, von einer außerordentlichen Härte.

Gewöhnlich werden sechs junge Männer auf einmal eingeweiht. Sie leben völlig isoliert in einer Hütte, die eigens zu diesem Zweck errichtet wurde und mit Palmblättern bedeckt ist. Man verlangt von ihnen etwas körperliche Arbeit; sie kümmern sich um das Tabakfeld des Initiationsmeisters und zimmern aus einem Zedernstamm eine Bank in Form eines Kaimans, die sie vor die Hütte tragen; auf diese Bank setzen sie sich jeden Abend, um dem Meister zuzuhören und auf die Visionen zu warten. Außerdem macht sich jeder seine eigenen Glocken und einen zwei Meter langen «Zauberstab». Sechs junge Mädchen, die von einer alten Lehrerin beaufsichtigt werden, bedienen die Kandidaten. Sie beschaffen täglich den Tabaksaft, den die Neophyten in großen Mengen trinken müssen, und an den Abenden reibt jede von ihnen einen Lehrling am ganzen Körper mit einer roten Flüssigkeit ein; das soll ihn schön machen und würdig, vor den Geistern zu erscheinen. Der Initiationskurs dauert 24 Tage und 24 Nächte und ist in vier Abschnitte eingeteilt; auf drei Tage und Nächte Unterricht folgen immer drei Ruhetage Der Unterricht findet nachts in der Hütte statt. Man tanzt in der Runde, man singt und hört dann wieder auf der kaimanförmigen Bank sitzend dem Meister zu, der über die guten und bösen Geister spricht und besonders über den «Großen Vater Geier», der bei der Initiation eine wesentliche Rolle spielt. Er hat das Aussehen eines nackten Indianers und hilft dem Schamanen mittels einer Wendeltreppe zum Himmel aufzufliegen. Durch den Mund dieses Geistes spricht der «Große Indianervater», das heißt der Schöpfer, das Höchste Wesen [22]. Die Tänze

---

[21] Ahlbrinck nennt ihn *püyéi* und übersetzt das Wort mit «Geisterbeschwörer» (Andres, S. 333). Vgl. Roth, S. 326 ff.

[22] Friedrich Andres, S. 336. Beachten wir, daß auch bei den Kariben die schamanische Kraft letzten Endes vom Himmel und vom Höchsten Wesen kommt. Erinnern

ahmen die Bewegungen der Tiere nach, von denen der Meister beim Unterricht gesprochen hat. Tagsüber bleiben die Kandidaten in den Hängematten im Inneren der Hütte. Während der Ruhezeit liegen sie auf der Bank, haben die Augen stark mit Gewürzsaft eingerieben und denken über die Lektionen des Meisters nach oder bemühen sich die Geister zu sehen (Andres, S. 336 f.).

Während der ganzen Unterrichtszeit ist das Fasten fast vollkommen; die Lehrlinge rauchen andauernd Zigaretten, kauen Tabakblätter und trinken Tabaksaft. Nach den erschöpfenden Tänzen der Nacht samt Fasten und Vergiftung sind die Lehrlinge auf die ekstatische Reise vorbereitet. In der ersten Nacht der zweiten Periode lehrt man sie, sich in Jaguare und Fledermäuse zu verwandeln (Andres, S. 337). In der fünften Nacht, nach einem totalen Fasten (wobei sogar der Tabaksaft verboten ist), spannt der Meister mehrere Seile in verschiedener Höhe und die Lehrlinge tanzen der Reihe nach darauf oder balancieren in der Luft, indem sie sich an den Händen halten (*ebd.*, S. 338). Nun haben sie ihr erstes ekstatisches Erlebnis: Sie begegnen einem Indianer, der in Wirklichkeit ein wohlwollender Geist ist (Tukajana). «Komm, Novize. Du wirst dich auf der Leiter des Großen Vaters Geier in den Himmel begeben. Es ist nicht weit.» Der Lehrling «erklettert eine Art Wendeltreppe und gelangt in das erste Stockwerk des Himmels, wo er durch Indianerdörfer und von Weißen bewohnte Städte kommt. Dann begegnet der Novize einem Geist der Gewässer (Amana), einer Frau von großer Schönheit, die ihn veranlaßt, mit ihr in den Fluß zu tauchen. Dort teilt sie ihm Zaubermittel und magische Formeln mit. Der Novize und sein Führer landen am anderen Ufer des Flusses und gelangen zum Kreuzweg des ‚Lebens und des Todes'. Der künftige Schamane hat die Wahl zwischen dem ‚Land ohne Abend' und dem ‚Land ohne Morgen'. Dann enthüllt ihm der Geist, der ihn begleitet, das Los der Seelen nach dem Tode. Durch eine lebhafte Schmerzempfindung wird der Kandidat jäh auf die Erde zurückversetzt. Sie rührt daher, daß der Meister eine Art Matte, das *maragui*, gegen seine Haut gedrückt hat, in deren Zwischenräumen dicke Giftameisen stecken [23].»

---

wir uns auch an die Rolle des Adlers in den schamanischen Mythologien Sibiriens: Vater des ersten Schamanen, Sonnenvogel, Bote des Himmelsgottes, Vermittler zwischen dem Gott und den Menschen.

[23] Métraux, *Le shamanisme*, S. 208, eine Zusammenfassung von F. Andres, S. 338 f.

In der zweiten Nacht des vierten Unterrichtsabschnittes stellt der Meister die Lehrlinge der Reihe nach auf «eine Plattform, die von der Decke der Hütte an mehreren zusammengedrehten Seilen herunterhängt, so daß die Seile beim Aufdrehen die Plattform sich immer schneller drehen lassen» (Métraux, S. 208). Der Novize singt: «Die Plattform des *pujai* wird mich in den Himmel tragen. Ich werde das Dorf Tukajanas sehen.» Und er dringt nach und nach in die verschiedenen Himmelssphären vor und sieht in einer Vision die Geister[24]. Man wendet auch die Vergiftung durch die *takini*-Pflanze an, die ein starkes Fieber hervorruft. Der Novize zittert an allen Gliedern und glaubt, daß die bösen Geister in ihn eingedrungen sind und seinen Körper zerreißen (das wohlbekannte Initiationsmotiv der Zerstückelung des Körpers durch die Dämonen). Zuletzt fühlt sich der Lehrling in die Himmel getragen und genießt himmlische Visionen (Andres, S. 341).

Die karibische Folklore bewahrt die Erinnerung an eine Zeit, wo die Schamanen sehr stark waren; sie konnten angeblich die Geister mit leiblichem Auge schauen und hatten sogar die Fähigkeit der Totenerweckung. Einmal stieg ein *pujai* zum Himmel auf und bedrohte Gott; dieser ergriff einen Säbel und stieß den Unverschämten zurück; seither können die Schamanen nur noch in der Ekstase in den Himmel gelangen (Andres, S. 341 f.). Beachten wir die Ähnlichkeit zwischen diesen Legenden und den nordasiatischen Glaubensvorstellungen von der anfänglichen Größe und dem späteren Niedergang der Schamanen, der in unseren Tagen noch zugenommen hat; daraus können wir schon wie im Transparent den Mythus von einer uranfänglichen Epoche ablesen, wo die Verbindung zwischen den Schamanen und Gott unmittelbarer war und auf konkretere Weise stattfand. Infolge einer stolzen oder revoltierenden Tat hat Gott den ersten Schamanen den direkten Zugang zu den geistigen Realitäten verwehrt; sie können die Geister nicht mehr mit leiblichem Auge sehen und der Aufstieg zum Himmel geschieht nur mehr in Ekstase. Wie wir bald sehen werden, schließt dieses mythische Motiv noch mehr in sich.

---

[24] Andres, S. 340. *Ebd.* Nr. 3 zitiert der Verfasser anläßlich der durch Lorbeer hervorgerufenen Ekstase H. Fühner, *Solanazeen als Berauschungsmittel. Eine historisch-ethnologische Studie* (Archiv für experimentelle Pathologie und Pharmakologie, 3. Bd., 1926, S. 281–294). Über die Rolle der Narkotika im sibirischen und sonstigen Schamanismus s. u. S. 380 ff.

A. Métraux (S. 209) erwähnt die Beobachtungen der ersten Reisenden über die Initiation der Insel-Kariben. Laborde berichtet, daß die Meister «ihm (dem Neophyten) noch den Körper mit Gummi einreiben und ihn mit Federn bekleiden, damit er zum Fliegen geschickt wird und zur Hütte der *zemeen* (Geister) kommt...» Diese Einzelheit überrascht uns nicht, da die Vogeltracht und die anderen Symbole des magischen Flugs einen integrierenden Bestandteil des sibirischen, nordamerikanischen und indonesischen Schamanismus bilden.

Mehrere Elemente der karibischen Initiation finden sich auch sonst in Südamerika: Die Tabakvergiftung ist ein Charakteristikum des südamerikanischen Schamanismus; die rituelle Einschließung in einer Hütte und die harten physischen Proben der Lehrlinge bilden eine wichtige Seite der Initiation bei den Feuerländern (Selk'nam und Yamana); die Unterweisung durch einen Meister und die «Sichtbarmachung» der Geister sind ebenfalls konstitutive Elemente des südamerikanischen Schamanismus. Doch die Technik der Vorbereitung auf die ekstatische Himmelsreise scheint nur dem karibischen *pujai* eigen zu sein. Wir haben es hier mit dem kompletten Szenario einer Muster-Initiation zu tun: Aufstieg, Begegnung mit einer Geisterfrau, Eintauchen ins Wasser, Enthüllung von Geheimnissen (vor allem das Schicksal des Menschen nach dem Tode betreffend), Reise in die jenseitigen Regionen. Aber der *pujai* will um jeden Preis ein ekstatisches Erlebnis haben, auch wenn dies nur mit nichtnormalen Mitteln zu erreichen ist. Man hat den Eindruck, daß der karibische Schamane alles ins Werk setzt, um *in concreto* in einer geisterhaften Verfassung zu leben, welche sich doch von Natur dem Experiment entzieht, wenigstens in dem Sinn, wie man bestimmte menschliche Situationen «herbeiexperimentieren» kann. Halten wir diese Beobachtung fest; sie soll später, anläßlich anderer schamanischer Techniken, wieder aufgegriffen und vervollständigt werden.

Aufstieg über den Regenbogen

Die Initiation des australischen Medizinmannes in der Gegend des Forrest River enthält sowohl symbolischen Tod und Auferstehung des Kandidaten als einen Aufstieg zum Himmel. Die gewöhnliche Methode ist folgende: Der Meister nimmt die Gestalt eines Skelettes an und hängt sich einen Beutel um, in den er den Kandidaten steckt, der durch seinen Zauber zu den Ausmaßen eines ganz kleinen Kindes zusammengeschrumpft ist. Darauf setzt er sich rittlings auf die Regenbogenschlange und beginnt sich mit Hilfe seiner Arme vorwärtszuziehen, wie man an einem Seil hinaufklettert. Am höchsten Punkt angekommen, wirft er den Kandidaten in den Himmel, indem er ihn «tötet». Im Himmel angelangt führt der Meister in den Körper des Lehrlings kleine Regenbogenschlangen, die *brimures* (kleine Süßwasserschlangen), und Quarzkristalle ein (die übrigens denselben Namen führen wie die mythische Regenbogenschlange). Nach dieser Operation wird der Kandidat auf die Erde zurückgebracht und zwar wieder auf dem Rücken des Regenbogens. Der Meister führt noch einmal magische Gegenstände durch den Nabel in ihn ein und erweckt ihn durch Berührung mit einem magischen Stein. Der Kandidat gelangt wieder zu seiner normalen Größe. Am nächsten Tag wiederholt man die Besteigung des Regenbogens auf dieselbe Weise [25].

Mehrere Züge dieser australischen Initiation sind uns bereits bekannt: Tod und Auferstehung des Kandidaten, die Einführung magischer Gegenstände in seinen Körper. Bemerkenswert ist, daß der Initiationsmeister sich magisch in ein Skelett verwandelt und die Figur des Lehrlings auf die Maße eines Neugeborenen verkleinert. Beides symbolisiert das Außerkraftsetzen der profanen Zeit und die Reintegration in einer mythischen Zeit, der australischen «Traumzeit» [26]. Der Aufstieg geschieht mittels des Regenbogens, der mythisch in Gestalt einer riesigen Schlange vorgestellt wird, auf deren Rücken der Lehrmeister wie auf einem Seil hinaufklettert. Wir haben bereits die Himmelsaufstiege der australischen Medizinmänner erwähnt; bald werden wir noch deutlichere Beispiele dafür zeigen.

Was den Regenbogen betrifft, so sehen bekanntlich viele Völker in ihm die Brücke, die die Erde mit dem Himmel verbindet, und insbe-

---

[25] A. P. Elkin, *The Rainbow-Serpent Myth in North West Australia* (Oceania 1930, 1. Bd., Nr. 3, S. 349–352), S. 349 f.; ders., *The Australian Aborigines* (Sydney-London 1938), S. 223 f. Das Buch desselben Verfassers *Aboriginal Men of High Degree* (Sydney 1946) ist unzugänglich geblieben.

[26] Darüber s. Elkin, *The Australian Aborigines, passim,* und mit psychoanalytischer Interpretation G. Roheim, *The Eternal Ones of the Dream* (Neuyork 1945).

sondere die Brücke der Götter[27]. Deshalb wird sein Erscheinen nach dem Gewitter als Zeichen von Gottes Beruhigung betrachtet (z. B. bei den Pygmäen, s. Eliade, *Die Religionen*, S. 75). Die mythischen Heroen erreichen den Himmel immer auf dem Regenbogen. So besuchen z. B. in Polynesien der Maori-Heros Tawhaki mit seiner Familie und der hawaiische Heros Aukelenuiaiku regelmäßig die oberen Regionen mit Hilfe des Regenbogens oder eines Papierdrachens, um die Seelen der Toten zu befreien oder ihre Geisterfrauen wiederzufinden[29]. Dieselbe mythische Funktion hat der Regenbogen in Indonesien, Melanesien und Japan[30].

Diese Mythen deuten, wenn auch auf indirekte Weise, auf eine Zeit, wo die Verbindung zwischen Himmel und Erde möglich war; infolge eines bestimmten Ereignisses oder eines rituellen Fehlers wurde die Verbindung unterbrochen, aber den Heroen und den Medizinmännern gelingt es trotzdem, sie wiederherzustellen. Dieser Mythus von einer paradiesischen Zeit, welche durch den «Fall» des Menschen brutal abgebrochen wurde, wird uns im Lauf unserer Darstellung noch mehrmals beschäftigen; er ist mit bestimmten schamanischen Vorstellungen verbunden. Die australischen Medizinmänner tun, ebenso wie viele an-

---

[27] Vgl. z. B. L. Frobenius, *Die Weltanschauung der Naturvölker* (Weimar 1898), S. 131 ff.; P. Ehrenreich, *Die allgemeine Mythologie und ihre ethnologischen Grundlagen* (Mythologische Bibliothek IV, I, Leipzig 1910), S. 141. Für den finno-ugrischen und tatarischen Bereich s. Holmberg, *Finno-Ugric and Siberian Mythology* (Boston 1927), S. 443 ff.; für die mediterrane Welt vgl. die ein wenig enttäuschende Studie von Ch. Renel, *L'Arc-en-Ciel dans la tradition religieuse de l'antiquité* (Revue de l'Histoire des Religions 1902, 46. Bd., S. 58–80).

[28] Ehrenreich, *a. a. O.*, S. 133 ff.

[29] Vgl. Chadwick, *The Growth of Literature*, 3. Bd., S. 273 ff., 298 usw.; Nora Chadwick, *Notes on Polynesian Mythology* (Journal of the Royal Anthropological Society, 60. Bd., 1930, S. 425–446); dies., *The Kite. A study in Polynesian Tradition* (ebd., 61. Bd., S. 453–491); über den Papierdrachen in China s. B. Laufer, *The prehistory of aviation* (Field Museum, Anthropological Series, 18. Bd., Nr. 1, Chicago 1928), S. 31–43. Die polynesischen Traditionen erwähnen im allgemeinen zehn übereinanderliegende Himmel; in Neu-Seeland spricht man von zwölf Himmeln. (Der indische Ursprung dieser Kosmologien ist mehr als wahrscheinlich.) Der Held geht von einem Himmel zum anderen, wie wir den buriätischen Schamanen sich erheben sahen. Er trifft Geisterfrauen (oft seine eigenen Ahnen), die ihm den Weg finden helfen, vgl. die Rolle der Geisterfrauen bei der Initiation des karibischen *pujai*, die Rolle der «Himmelsgattin» bei den sibirischen Schamanen usw.

[30] H. Th. Fischer, *Indonesische Paradiesmythen* (Zs. f. Ethnologie, 64. Bd., 1932, S. 204–245), S. 208, 238 ff.; F. K. Numazawa, *Die Weltanfänge in der japanischen Mythologie*, Luzern-Paris, 1946), S. 155.

dere Schamanen und Zauberer, nichts anderes, als provisorisch und nur für sich selbst diese «Brücke» zwischen Himmel und Erde wiederherzustellen, die einstmals allen Menschen zugänglich war[31].

Der Mythus vom Regenbogen als Weg der Götter und Brücke zwischen Himmel und Erde findet sich auch in japanischen Überlieferungen[32] und war zweifellos auch in den religiösen Vorstellungen Mesopotamiens vorhanden[33]. Die sieben Regenbogenfarben wurden außerdem mit den sieben Himmeln zusammengebracht, ein Symbolismus, dem wir ebenso in Indien und Mesopotamien wie im Judentum begegnen. Auf den Fresken von Bâmiyân ist der Buddha auf einem siebenfarbigen Regenbogen sitzend dargestellt[34]; das bedeutet, er transzendiert den Kosmos, genau wie er im Mythus der Geburt die sieben Himmel transzendiert, indem er sieben Schritte gegen Norden macht und das «Zentrum der Welt», den Gipfel des Universums erreicht.

Der Thron Gottes ist von einem Regenbogen überwölbt (Apokalypse 4, 3), und dieses Symbol hält sich bis in die christliche Kunst der Renaissancezeit (Rowland, *a. a. O.,* S. 46, Anm. 1). Die babylonische *ziqqurat* wurde manchmal mit sieben Farben dargestellt, welche die sieben himmlischen Regionen versinnbildeten: indem man von einem Stockwerk zum andern stieg, erreichte man den Gipfel der kosmischen Welt (s. *Die Religionen,* S. 139 ff.). Ähnliche Ideen begegnen in Indien (Rowland, S. 48) und, was noch wichtiger ist, in der australischen Mythologie. Der Höchste Gott der Kamilaroi, der Wiradjuri und der Euahlay wohnt im Oberhimmel, auf einem kristallenen Thron sitzend (*Religionen,* S. 65); Bundjil, das höchste Wesen der Kulin, hält sich über den Wolken auf (*ebd.,* S. 66). Wenn die mythischen Heroen und die Medizinmänner zu diesen himmlischen Wesen aufsteigen, benützen sie neben vielen anderen Hilfsmitteln den Regenbogen.

Die bei der buriätischen Initiation gebrauchten Bänder trugen den Namen «Regenbogen»; sie versinnbilden im allgemeinen die Himmels-

---

[31] Über den Regenbogen in der Folklore s. S. Thompson, *Motif-Index,* F. 152 (3. Bd., S. 22).

[32] Vgl. R. Pettazzoni, *Mitologia Giapponese* (Bologna 1929), S. 42, Anm. 1; Numazawa, *a. a. O.,* S. 154 f.

[33] A. Jeremias, *Handbuch der altorientalischen Geisteskultur* (2. Aufl., Berlin 1929), S. 139 ff.

[34] Benjamin Rowland jr., *Studies in the Buddhist Art of Bâmiyân: The Boddhisattva of Group E* (Art and Thought, London 1947, S. 46–50); vgl. Mircea Eliade, *Les*

reise des Schamanen[35]. Die Schamanentrommeln tragen Zeichnungen des Regenbogens in Gestalt einer Brücke zum Himmel[36]. In den türkischen Sprachen hat der Regenbogen übrigens auch die Bedeutung von Brücke (Räsänen, S. 6). Bei den Jurak-Samojeden heißt die Schamanentrommel «Bogen»; durch ihren Zauber wird der Schamane wie ein Pfeil zum Himmel geschleudert. Außerdem spricht manches dafür, daß die Türken und die Uiguren die Trommel als «Himmelsbrücke» betrachteten, auf der der Schamane seine Auffahrt ausführte[37]. Dieser Gedanke fügt sich in den symbolischen Komplex der Trommel und der Brücke ein, von denen jedes eine andere Formel desselben ekstatischen Erlebnisses, der Himmelfahrt, darstellt. Durch die musikalische Magie der Trommel kann der Schamane den höchsten Himmel erreichen.

Australische Initiationen

Wie wir sahen, enthielten mehrere Berichte über Initiationen australischer Medizinmänner, obwohl symbolischer Tod und Auferstehung des Kandidaten im Mittelpunkt standen, Erwähnungen einer Himmelfahrt. Doch es gibt auch andere Formen der Initiation, wo der Aufstieg die Hauptrolle spielt. Bei den Wiradjuri führt der Initiationsmeister in den Körper des Lehrlings Felskristalle ein und gibt ihm Wasser zu trinken, in das man solche Kristalle gelegt hat; darauf gelingt es dem Lehrling Geister zu sehen. Der Meister führt ihn nun in ein Grab und die Toten geben ihm ihrerseits magische Steine. Der Kandidat begegnet auch einer Schlange, die sein Totem wird und ihn ins Innere der Erde führt, wo sich viele andere Schlangen befinden; diese reiben sich an ihm und flößen ihm so magische Kräfte ein. Nach diesem symbolischen Unterweltsabstieg schickt sich der Meister an, ihn zum Lager Baiames, des Höchsten Wesens zu führen. Um dorthin zu kommen, klettern sie an

---

sept pas du Bouddha (*Pro Regno pro Sanctuario*, Festschrift Van der Leeuw, Nijkerk 1950, S. 169–175).

[35] Holmberg-Harva. *Baum des Lebens*, S. 144 ff.; ders., *Religiöse Vorstellungen*, S. 489.

[36] Harva, *Rel. Vorstell.*, S. 531; Martti Rasanen, *Regenbogen-Himmelsbrücke* (Studia Orientalia XIV, I. 1947, Helsinki, 11 S.), S. 7 f.

[37] Rasanen, S. 8. Der Verfasser bringt das urmongolische *gewür* «Brücke» und das urtürkische *köpür* mit griech. γέφυρα zusammen.

einem Seil hinauf, bis sie Wombu, dem Vogel des Baiame begegnen. «Wir kamen durch die Wolken, erzählt der Lehrling, und auf der anderen Seite war der Himmel. Wir drangen durch eine Öffnung hinein, wo die Doktoren hindurchgehen, und die sich sehr schnell öffnete und wieder schloß.» Wenn man von den Türen berührt wurde, verlor man die magische Kraft und mußte sterben, sobald man wieder auf die Erde herunterkam [38].

Wir haben hier ein fast vollständiges Initiationsschema vor uns: Abstieg zu den unteren Regionen und Aufstieg zum Himmel, wo das Höchste Wesen die schamanische Kraft verleiht. Der Zugang zu den oberen Regionen ist schwierig und gefährlich; es kommt wirklich darauf an, in einem Augenblick dort hinaufzudringen, bevor die Tore sich wieder schließen. (Ein spezifisches Initiationsmotiv, dem wir schon früher begegnet sind.)

In einem anderen, ebenfalls von Howitt aufgezeichneten Bericht handelt es sich um ein Seil, an dem der Kandidat mit verbundenen Augen auf einen Felsen entführt wird, wo sich dieselbe magische Pforte sehr schnell öffnet und schließt. Der Kandidat und seine Initiationsmeister dringen in den Felsen ein und dort werden ihm die Augen frei gemacht. Er findet sich in einem ganz hellen Raum, von dessen Wänden Kristalle glänzen. Er erhält mehrere solche Kristalle und man lehrt ihn ihren Gebrauch. Dann wird er, immer an dem Seil hängend, durch die Luft zum Lager zurückgebracht und auf einem Baumwipfel abgesetzt [39].

Diese Initiationsriten und -mythen fügen sich der allgemeineren Vorstellung ein, daß der Medizinmann imstande ist mit einem Seil [40], einer Binde [41] oder einfach fliegend [42] oder eine spiralförmige Treppe hinaufsteigend den Himmel zu erreichen. Viele Mythen und Legenden erzählen von den ersten Menschen, die sich zum Himmel erhoben, indem sie auf einen Baum kletterten; so hatten die Vorfahren der Mara die

---

[38] A. W. Howitt, *On Australian Medicine Men*, S. 50 ff.; ders., *The Native Tribes of South-East Australia*, S. 404–413.

[39] Howitt, *Medicine Men*, S. 51 f.; *The Native Tribes*, S. 400 ff.; Marcel Mauss, *L'Origine des pouvoirs magiques dans les sociétés australiennes*, S. 159. Dazu vergleiche oben die Initiationshöhle der Samojeden und der nord- und südamerikanischen Schamanen.

[40] S. z. B. M. Mauss, *a. a. O.*, S. 149, Anm. 1.

[41] R. Pettazzoni, *Miti e Leggende: I, Africa, Australia* (Turin 1948), S. 413.

[42] Mauss, S. 148. Die Medizinmänner verwandeln sich in Geier und fliegen (Spencer und Gillen, *The Arunta*, 2. Bd., S. 430).

Sitte auf einem solchen Baum bis zum Himmel und wieder herunter zu steigen[43]. Bei den Wiradjuri konnte der erste Mensch, der von dem Höchsten Wesen, Baiame, erschaffen war, auf einem Bergpfad zum Himmel steigen und dann auf einer Leiter bis zu Baiame hinaufklettern, genau wie es bei den Wurundjeri und den Wotjobaluk die Medizinmänner noch heute machen (Howitt, *Native Tribes*, S. 501 ff.). Die Yuin-Medizinmänner steigen zu Daramulun auf, der ihnen Heilmittel gibt (Pettazzoni, *Miti e Leggende*, S. 416).

Ein Euahlayi-Mythus erzählt, wie die Medizinmänner Baiame wiederfanden. Sie marschierten mehrere Tage gegen Nordosten, bis sie an den Fuß des großen Berges Oubi-Oubi kamen, dessen Gipfel sich in den Wolken verloren. Sie erstiegen ihn auf einer spiralenförmigen Steinstiege und erreichten am Ende des vierten Tages den Gipfel. Dort trafen sie den Botengeist Baiames; dieser rief Dienstgeister herbei, welche die Medizinmänner durch ein Loch in den Himmel transportierten (Van Gennep, Nr. 66, S. 92 ff.).

Die Medizinmänner können also nach Belieben wiederholen, was die (mythischen) ersten Menschen einmal am Morgen der Zeiten getan haben: zum Himmel aufsteigen und wieder auf die Erde herabsteigen. Wie die Fähigkeit des Aufstiegs (oder des magischen Fluges) für die Laufbahn eines Medizinmanns wesentlich ist, so enthält die schamanische Initiation einen Aufstiegsritus. Auch wenn nicht direkt auf einen solchen Ritus hingewiesen wird, ist er doch irgendwie mitenthalten. Die Felskristalle, die bei der Initiation des australischen Medizinmanns eine wichtige Rolle spielen, sind von himmlischem Ursprung oder stehen wenigstens in – wenn auch nur indirekter – Beziehung zum Himmel. Baiame sitzt auf einem Thron von durchsichtigem Kristall (Howitt, *Native Tribes*, S. 501). Bei den Euahlayi wirft Baiame selbst (= Boyerb) die Kristallstücke auf die Erde, die ohne Zweifel von seinem Thron abgebrochen sind[44]. Derselbe Glaube findet sich auch bei den Negrito von Malakka[45]. Es handelt sich um Steine, die vom Thron des Höchsten Wesens oder vom Himmelsgewölbe abgebrochen sind. Des-

---

[43] A. van Gennep, *Mythes et légendes d'Australie* (Paris 1906), Nr. 32 und 49; vgl. auch Nr. 44.

[44] Parker, *The Euahlayi Tribe*, S. 7.

[45] R. Pettazzoni, *Io and Rangi* (*Pro Regno Pro Sanctuario*, Festschrift f. Van der Leeuw, Nijkerk 1950, S. 359–364), S. 362, zitiert Evans.

halb können sie widerspiegeln, was sich auf der Erde zuträgt: Die Meerdajak-Schamanen von Sarawak haben «Lichtsteine», die alles widerspiegeln, was der Seele des Kranken widerfährt und so auch offenbaren, wohin sie sich verirrt hat (Pettazzoni, *Io and Rangi*, S. 362). Bei den *hala* der Semang haben wir denselben Glauben und dieselbe Technik gefunden (s. auch Pettazzoni, *ebd.*).

Wie wir gesehen haben, verleihen die Felskristalle in enger Beziehung zur Regenbogenschlange die Fähigkeit, sich zum Himmel zu erheben. Übrigens vermitteln dieselben Steine die Kraft zu fliegen, so z. B. in einer von Boas (*Indianische Sagen*, Berlin, 1895, S. 152) aufgezeichneten amerikanischen Sage, wo ein junger Mann, der einen «glänzenden Berg» hinaufsteigt, sich mit Felskristallen bekleidet und unmittelbar darauf zu fliegen beginnt. Die nämliche Vorstellung von einem festen Himmelsgewölbe erklärt die Kräfte der Meteoriten und Blitzsteine; vom Himmel gefallen, sind sie durchtränkt von religiösmagischer Kraft, die man benützen, mitteilen, verbreiten kann als eine Art neues Zentrum der Himmelsheiligkeit auf Erden[46].

Im Zusammenhang mit diesem Symbolismus wäre auch an das Motiv der kristallnen Berge und Paläste zu erinnern, welche die Heroen bei ihren mythischen Abenteuern treffen, ein Motiv, das sich ebenso in der europäischen Volksüberlieferung erhalten hat. Und schließlich spricht eine späte Schöpfung desselben Symbolismus von dem Stirnstein des Luzifer und der gefallenen Engel (in bestimmten Varianten schon vor dem Fall abgelöst) und von Diamanten, die sich im Kopf oder im Maul von Schlangen finden usw. Natürlich haben wir hier mit sehr komplexen Glaubensvorstellungen zu tun, die immer wieder ausgearbeitet und zu neuer Gültigkeit gebracht wurden; dennoch bleibt ihre Grundstruktur deutlich erkennbar: Es handelt sich immer um einen magischen Kristall oder Stein, der sich vom Himmel abgelöst hat und, obwohl auf die Erde gefallen, weiterhin uranische Heiligkeit – Hellsichtigkeit, Weisheit, Prophezeiungsgabe, Flugkraft – vermittelt.

Die Felskristalle spielen eine wesentliche Rolle in der australischen Magie und Religion; im übrigen ozeanischen Raum und den beiden Amerika ist ihre Bedeutung nicht geringer. Ihr uranischer Ursprung ist in den betreffenden Glaubensvorstellungen nicht immer deutlich

---

[46] Vgl. M. Eliade, *Metallurgy, Magic and Alchemy* (Paris-Bucarest 1938), S. 3 ff.; *Die Religionen*, S. 79, 258 ff.

bezeugt, doch ist das Vergessen der ursprünglichen Bedeutung in der Religionsgeschichte eine durchaus geläufige Erscheinung. Uns kam es darauf an, zu zeigen, daß die australischen Medizinmänner wie auch andere ihre Kräfte dunkel mit dem Vorhandensein dieser Felskristalle in ihrem eigenen Körper verknüpfen. Das heißt sie gründen das Gefühl ihrer Verschiedenheit von den anderen Menschen auf die Assimilation (im konkretesten Wortsinn) einer heiligen Substanz himmlischen Ursprungs.

Aufstiegsriten

Zu einem wirklichen Verständnis des Komplexes von religiösen und kosmologischen Ideen auf dem Grunde der schamanistischen Ideologie müßten wir eine ganze Reihe von Aufstiegsmythen und -riten an uns vorbeiziehen lassen. In den folgenden Kapiteln wollen wir einige von den wichtigsten studieren, doch kann das Problem in seiner Gesamtheit hier nicht zu Ende diskutiert werden, sondern muß einer späteren Arbeit überlassen bleiben. Für den Augenblick mag es genügen, die Aufstiegsmorphologie der schamanischen Initiationen durch einige neue Aspekte zu ergänzen, ohne daß deshalb auf eine erschöpfende Behandlung des Gegenstandes Anspruch erhoben wird.

Bei den Nias verschwindet der zum Propheten-Priester Bestimmte plötzlich, von den Geistern entführt (sehr wahrscheinlich wird der junge Mann in den Himmel gebracht); nach drei oder vier Tagen kommt er in das Dorf zurück. Wenn nicht, macht man sich auf die Suche und findet ihn gewöhnlich zu oberst auf einem Baum im Gespräch mit den Geistern. Er scheint den Verstand verloren zu haben und man muß Opfer darbringen, damit er ihn wiederfindet. Die Initiation enthält auch einen rituellen Gang zu den Gräbern, an einen Wasserlauf und zu einem Berg [47].

Bei den Mentawei wird der künftige Schamane von den himmlischen Geistern in den Himmel mitgenommen und erhält dort einen Wunderleib wie sie. Im allgemeinen wird er krank und bildet sich ein, zum Himmel aufzusteigen [48]. Nach diesen ersten Symptomen findet die Zeremonie der Initiation durch einen Meister statt. Zuweilen verliert der

[47] E. M. Loeb, *Sumatra*, S. 155.
[48] E. M. Loeb, *Shaman and Seer*, S. 66; ders., *Sumatra*, S. 195.

Schamanenlehrling während oder unmittelbar nach der Initiation das Bewußtsein, und sein Geist steigt in einem von Adlern getragenen Boot zum Himmel, um sich mit den himmlischen Geistern zu unterhalten und sie um Heilmittel zu bitten (Loeb, *Shaman and Seer*, S. 78).

Wie wir sogleich sehen werden, verleiht der Aufstieg bei der Initiation dem künftigen Zauberer die Fähigkeit zu fliegen. Überall auf der Welt schreibt man ja den Schamanen und Hexenmeistern die Flugkraft zu, die Fähigkeit in einem Augenblick riesige Strecken zurückzulegen und unsichtbar zu werden. Es ist schwer zu entscheiden, ob alle Zauberer, die glauben, sich durch die Lüfte bewegen zu können, im Lauf ihrer Lehrzeit ein ekstatisches Erlebnis oder Aufstiegsritual erlebt haben, ob sie also die magische Kraft des Fliegens durch eine Initiation oder ein ekstatisches Erlebnis erlangt haben, in dem sich ihre schamanische Berufung erwies. Vermutlich hat wenigstens ein Teil von ihnen diese magische Kraft wirklich infolge und auf dem Weg einer Initiation erlangt. Viele Nachrichten, welche die Flugkraft der Schamanen und Hexer bezeugen, teilen die Art und Weise, wie sie diese Kräfte erlangt haben, nicht genau mit, doch kann es wohl sein, daß dieses Schweigen von der Unvollkommenheit unserer Quellen rührt.

Wie dem auch sei, in vielen Fällen ist die schamanische Berufung oder Initiation unmittelbar an eine Himmelfahrt gebunden. So empfing ein großer Basutoprophet, um nur einige Beispiele zu nennen, seine Berufung auf eine Ekstase hin, während welcher er das Dach seiner Hütte über seinem Kopf aufgehen sah und sich zum Himmel getragen fühlte, wo er eine Menge Geister traf [49]. Viele ähnliche Fälle wurden in Afrika verzeichnet (Chadwick, *a. a. O.*, S. 94 f.). Bei den Nuba hat der künftige Schamane den Eindruck, daß «der Geist von oben her seinen Kopf faßt» oder «in seinen Kopf eingeht» (Nadel, *Shamanism*. S. 26). Die meisten von diesen Geistern sind himmlische (*ebd.*, S. 27), und es ist anzunehmen, daß das «Besessenwerden» als eine Auffahrts-Trance zu verstehen ist.

In Südamerika spielt die Initiationsreise in den Himmel oder auf sehr hohe Berge eine wichtige Rolle [50]. Bei den Araukanern z. B. folgt auf die Krankheit, welche die Laufbahn einer *machi* begründet, eine ekstatische Krise, während der die künftige Schamanin zum Himmel

---

[49] Nora Chadwick, *Poetry and Prophecy*, S. 50 f.
[50] Ida Lublinski, *Der Medizinmann bei den Naturvölkern Südamerikas*, S. 248.

steigt und Gott selbst begegnet. Im Verlauf dieses Aufenthalts im Himmel zeigen ihr übernatürliche Wesen die Heilmittel, die zu den Kuren notwendig sind[51]. Die schamanische Zeremonie der Manasi enthält ein Niedersteigen des Gottes in die Hütte, worauf ein Aufstieg folgt; der Gott nimmt die Schamanen mit sich in den Himmel. «Sein Weggehen war mit Erschütterungen verbunden, die die Wände des Heiligtums zittern ließen. Einige Augenblicke später brachte die Gottheit den Schamanen wieder auf die Erde oder ließ ihn mit dem Kopf voraus in den Tempel fallen[52].»

Zum Schluß noch ein nordamerikanisches Beispiel der Initiationsauffahrt. Ein Winnebago-Medizinmann fühlte sich getötet und nach manchem Abenteuer in den Himmel gebracht, wo er sich mit dem Höchsten Wesen unterhielt. Die himmlischen Geister stellten ihn auf die Probe: Es gelang ihm, einen für unverwundbar gehaltenen Bären zu töten und durch Anhauchen wieder aufzuerwecken. Schließlich stieg er wieder auf die Erde herab und wurde zum zweitenmal geboren.

Der Gründer der «Ghost-dance religion», und übrigens auch alle wichtigen Propheten dieser mystischen Bewegung, hatten ein ekstatisches Erlebnis, das ihre Laufbahn bestimmte. So erklomm z. B. der Gründer in Trance einen Berg und begegnete einer schönen weißgekleideten Frau, die ihm kundtat, daß der «Meister des Lebens» sich auf dem Gipfel befinde. Auf den Rat der Frau entledigte sich der Prophet seiner Kleider, tauchte in einen Fluß und stellte sich im Zustand ritueller Nacktheit dem «Meister des Lebens» vor. Dieser erteilte ihm Befehle aller Art: nicht länger die Weißen auf seinem Gebiet zu dulden, gegen die Trunksucht zu kämpfen, auf den Krieg und die Polygamie zu verzichten usw., und gab ihm darauf ein Gebet, das er den Menschen mitteilen sollte[54].

Woworka, der bedeutendste Prophet der «Ghost-dance religion», hatte seine Offenbarung mit achtzehn Jahren. Er schlief mitten am Tage

---

[51] A. Métraux, *Le shamanisme araucan*, S. 316.
[52] A. Métraux, *Le shamanisme chez les Indiens de l'Amérique du Sud tropicale*, S. 338.
[53] P. Radin, *La religion primitive*, S. 98 f., Wir haben es hier mit einer kompletten Initiation zu tun: Tod und Auferstehung (= Wiedergeburt), Auffahrt, Proben usw.
[54] J. Mooney, *The Ghost Dance Religion and the Sioux outbreak of 1890* (14th Annual Report of the Bureau of American Ethnologie, part II, Washington 1896, S. 641–1136), S. 663 ff.

ein und fühlte sich ins Jenseits getragen. Gott gab ihm eine Botschaft für die Menschen und empfahl ihnen anständig, arbeitsam und wohltätig zu sein usw. (Mooney, *a. a. O.*, S. 771 ff.). Ein anderer Prophet, John Slocum von Pujet Sound, «starb» und sah seine Seele den Körper verlassen. «Ich sah ein blendendes Licht, ein großes Licht... ich schaute und sah, daß mein Körper keine Seele mehr hatte; er war tot... Meine Seele verließ den Körper und erhob sich zu dem Ort von Gottes Gericht... Ich habe ein großes Licht in meiner Seele gesehen, ein Licht, das aus diesem guten Land gekommen ist...[55].»

Diese anfänglichen ekstatischen Erlebnisse der Propheten sollten nun allen Adepten der «Ghost-dance religion» zum Muster dienen. Auch sie fallen nach langen Tänzen und Gesängen in Trance; dann besuchen sie die Regionen des Jenseits und begegnen den Seelen der Toten, den Engeln und zuweilen Gott selbst. Die ersten Offenbarungen des Gründers und der Propheten werden so zum Muster für alle späteren Konversionen und Ekstasen.

Ebenso spezifisch sind die Himmelfahrten für die stark schamanisierte Geheimgesellschaft der *midêwiwin* bei den Ojibwa. Als typisches Beispiel wäre die Vision jenes jungen Mädchens anzuführen, das eine Stimme hörte, ihr folgte, einen engen Pfad hinaufklomm und schließlich den Himmel erreichte. Dort begegnete sie dem Himmelsgott, der ihr eine Botschaft für die Menschen auftrug[56]. Das Ziel der *midêwiwin*-Gesellschaft ist die Wiederherstellung des Weges zwischen Himmel und Erde, so wie er durch die Schöpfung eingerichtet war; deshalb unternehmen die Mitglieder dieser Geheimgesellschaft regelmäßig ekstatische Reisen in den Himmel; dadurch helfen sie in gewisser Weise dem gegenwärtigen Verfall des Universums und der Menschheit ab und stellen die uranfängliche Situation wieder her, wo der Verkehr mit dem Himmel allen Menschen leicht möglich war.

Wiewohl es sich hier nicht um Schamanismus im eigentlichen Sinne handelt – «Ghost-dance religion» wie *midêwiwin* sind Geheimbünde, denen sich ein jeder anschließen kann, wenn er sich nur gewissen Proben unterzieht oder eine bestimmte ekstatische Disposition aufweist –,

---

[55] J. Mooney, *a. a. O.*, S. 752. Vgl. das Licht des Eskimoschamanen. Für den «Ort von Gottes Gericht» vgl. die Visionen von der *Auffahrt des Propheten Isaias*, das *Ardâ Virâf* usw.

[56] H. R. Schoolcraft, zitiert bei Pettazzoni, *Dio*, 1. Bd. (Rom 1922), S. 299 ff.

findet man in diesen nordamerikanischen religiösen Bewegungen viele spezifische Züge des Schamanismus: Ekstasetechniken, mystische Himmelsreise, Abstieg in die Unterwelt, Unterhaltung mit Gott, halbgöttlichen Wesen und den Seelen der Toten usw.

Wie wir gesehen haben, spielt die Himmelfahrt bei den schamanischen Initiationen eine wesentliche Rolle. Riten mit Besteigung eines Baums oder einer Stange, Mythen von Auffahrt oder magischem Flug, ekstatische Erlebnisse mit Erhebung, Flug oder mystischer Himmelsreise – alle diese Elemente erfüllen bei der schamanischen Berufung oder Weihe eine entscheidende Aufgabe. Zuweilen scheint dieser Kreis religiöser Praktiken und Ideen mit dem Mythus von einer frühen Zeit in Beziehung zu stehen, wo der Verkehr zwischen Himmel und Erde viel leichter war. Unter diesem Gesichtswinkel betrachtet, bedeutet das schamanische Erlebnis eine Restauration dieser uranfänglichen mythischen Zeit, und der Schamane erscheint als ein Privilegierter, der für sich persönlich den glücklichen Zustand des Menschen am Morgen der Zeiten zurückgewinnt. Eine große Anzahl Mythen – einige davon sollen in den folgenden Kapiteln angeführt werden – illustrieren diesen paradiesischen Zustand eines seligen *illud tempus,* den die Schamanen in ihren Ekstasen wenigstens vorübergehend zurückgewinnen.

V

DIE SYMBOLIK DER SCHAMANENTRACHT UND -TROMMEL

Vorbemerkungen

Die Tracht des Schamanen bildet schon in sich eine Hierophanie und religiöse Kosmographie; sie offenbart nicht nur die Gegenwart von etwas Sakralem, sondern darüberhinaus kosmische Symbole und metapsychische Reisewege. Aufmerksam geprüft, enthüllt die Tracht das System des Schamanismus nicht weniger deutlich als die schamanischen Mythen und Techniken [1].

Im Winter trägt der altaische Schamane seine Tracht über einem Hemd, im Sommer direkt auf dem Körper, während die Tungusen Winter wie Sommer die Tracht gleich auf dem Körper tragen. So halten es auch andere arktische Völker (vgl. Harva, *Religiöse Vorstellungen*,

---

[1] Allgemeine Studien über die Schamanentracht: V. N. Vasiljev, *Shamanskij Kostjum i buben u jakutov*, in Sbornik Muzeja po Antropologii i Etnografii pri Akademii Nauk, 1, 8 (St. Petersburg 1910), Kai Donner, *Ornements de la tête et de la chevelure*, Journal de la Société Finno-Ougrienne 37, 3, 1920, S. 1–23 (bes. S. 10–20); Georg Nioradze, *Der Schamanismus bei den sibirischen Völkern*, S. 60–78; K. F. Karjalainen, *Die Religion der Jugra-Völker*, 2. Bd., 1927, S. 255–259; Hans Findeisen, *Der Mensch und seine Teile in der Kunst der Jenissejer* (Keto), Zeitschrift für Ethnologie, 63. Bd., 1931, S. 296–315 (bes. S. 311–313); E. J. Lindgren, *The Shaman Dress of the Dagurs, Solons and Numinchens in N. W. Manchuria*, Geografiska Annaler I, 1935, S. 365 ff.; Uno Harva (= Holmberg), *The Shaman costume and its significance*, Annales Universitatis Fennicae Aboensis, 1, 2, Turku 1922); ders., *Die religiösen Vorstellungen der altaischen Völker*, S. 499–525; Jarma Partanen, *A description of Buriat Shamanism*, S. 18 ff.; s. auch L. Stieda, *Das Schamanenthum unter den Burjäten*, S. 286; V. M. Mikhailowski, *Shamanism in Siberia and European Russia*, S. 81–85; T. Lehtisalo, *Entwurf einer Mythologie der Jurak-Samojeden*, S. 147 ff.; G. Sandschejew, *Weltanschauung und Schamanismus der Alaren-Burjaten*, S. 979 f.; A. Ohlmarks, *Studien*, S. 211 f.; K. Donner, *La Sibérie*, S. 226 f.; ders., *Ethnological Notes about the Yenisey-Ostyak (in the Turushansk Region)*, Mémoires de la Société Finno-Ougrienne, 46, Helsinki 1933), bes. S. 78–84; V. I. Jochelson, *The Yakughir and the Yukaghirized Tungus*, S. 169 ff., 176–186 (Jakuten), 186–191 (Tungusen); ders., *The Yakut* (Anthropological Papers of the American Museum of Natural History, 33. Bd., 1931, S. 37–225), S. 107–118; S. M. Shirokogorov, *Psychomental Complex of the Tungus* (London 1935), S. 287–303; W. Schmidt, *Der Ursprung der Gottesidee*, 9. Bd., S. 251 ff., 694 ff. (Altaier, Abakan-Tataren).

S. 500), wiewohl es in Nordostsibirien und bei den meisten Eskimostämmen keine eigentliche Tracht gibt[2]. Der Schamane entblößt seinen Oberkörper, und bei den Eskimos zum Beispiel besteht seine ganze Kleidung aus einem Gürtel. Diese Quasi-Nacktheit hat höchstwahrscheinlich religiöse Bedeutung, auch wenn die Hitze in den arktischen Behausungen schon eine hinreichende Erklärung zu bieten scheint. Auf jeden Fall, ob es sich um rituelle Nacktheit handelt (wie im Fall der Eskimoschamanen) oder um ein für das schamanische Erlebnis spezifisches Kostüm, das Wichtige ist, daß dieses Erlebnis nicht in der täglichen, profanen Tracht des Schamanen statthat. Auch wenn keine Tracht existiert, wird sie durch die Mütze, den Gürtel, das Tamburin und andere magische Gegenstände ersetzt, die einen Bestandteil der Sakral-Kleidung des Schamanen ausmachen und die eigentlichen Gewänder ersetzen. So versichert z. B. Radlow (*Aus Sibirien* II, S. 17), daß die Schwarztataren, Schoren und Teleuten keine Schamanentracht kennen; nichtdestoweniger kommt es häufig vor (so z. B. bei den Lebed-Tataren, Harva, *a. a. O.*, S. 501), daß man ein Tuch um den Kopf windet und ohne dieses Tuch unmöglich schamanisieren kann.

Die Tracht stellt für sich selbst einen geistigen Mikrokosmos vor, der von dem umgebenden profanen Raum qualitativ verschieden ist. Einerseits bildet sie ein fast vollständiges symbolisches System, anderseits ist sie durch die Konsekration mit vielerlei geistigen Kräften und vor allem mit «Geistern» getränkt. Einfach durch das Anlegen der Tracht – oder durch das Benützen der Gegenstände, die sie ersetzen – überschreitet der Schamane den profanen Raum und rüstet sich, mit der geistigen Welt in Berührung zu treten. Im allgemeinen bedeutet diese Vorbereitung fast schon die konkrete Einführung in jene Welt, denn man legt die Tracht erst nach manchen Vorbereitungen, unmittelbar vor dem Beginn der schamanischen Trance an.

Der Kandidat muß in seinen Träumen den genauen Ort sehen, wo sich seine künftige Tracht befindet, und er geht selber aus sie zu suchen[3]. Dann wird sie den Verwandten des verstorbenen Schamanen

---

[2] Die Tracht beschränkt sich auf einen Ledergürtel, an dem viele Fransen aus Karibuleder und kleine beinerne Figuren befestigt sind, vgl. Rasmussen, *Intellectual culture of the Iglulik Eskimos*, S. 114. Das wesentliche rituelle Instrument des Eskimoschamanen bleibt die Trommel.

[3] In anderen Gegenden erlebt man den fortschreitenden Verfall der rituellen Anfertigung des Kostüms: Früher hat der Jenissej-Schamane selbst das Renntier getötet, aus

abgekauft, und zwar zahlt man als Preis (z. B. bei den Birartschen) ein Pferd. Doch kann die Tracht den Clan nicht verlassen (Shirokogorov, *Psychomental complex of the Tungus*, S. 302), denn in einem gewissen Sinn geht sie den Clan in seiner Gesamtheit an, nicht nur, weil sie mit Beteiligung des ganzen Clans angefertigt oder gekauft wurde, sondern in erster Linie, weil sie mit «Geistern» getränkt ist und nicht von jemand getragen werden darf, der sie nicht zu meistern weiß, denn sie würden den Frieden der ganzen Gemeinschaft stören (Shirokogorov, S. 302).

Die Tracht ist Gegenstand derselben Furcht- und Sorgegefühle wie jeder andere «Geisterplatz» (*ebd.*, 301). Ist sie zu abgenützt, so hängt man sie im Wald an einem Baum auf; die «Geister», die sie bewohnen, verlassen sie und ziehen in das neue Kostüm (*ebd.*, S. 302).

Bei den seßhaften Tungusen wird die Tracht nach dem Tod des Schamanen in seinem Haus aufbewahrt; die «Geister», die sie erfüllen, geben Lebenszeichen, indem sie sie zittern und sich bewegen lassen usw. Die nomadischen Tungusen legen wie die meisten sibirischen Stämme die Tracht am Grab des Schamanen nieder (Shirokogorov, S. 301; Harva, S. 499 usw.). Mancherorts wird die Tracht unrein, wenn sie bei der Behandlung eines Kranken gedient hat, der gestorben ist. Dasselbe gilt für die Tamburine, die sich als untauglich erwiesen haben (Kai Donner, *Ornements de la tête*, S. 10).

Die sibirische Tracht

Nach Shashkow (der vor fast hundert Jahren schrieb) müßte jeder sibirische Schamane folgendes besitzen: 1. einen Kaftan, der mit eisernen Scheiben und Figuren mythischer Tiere behängt ist, 2. eine Maske (bei den Tadibei-Samojeden ein Taschentuch, mit dem man die Augen verbindet, damit der Schamane durch sein eigenes inneres Licht in die Welt der Geister eindringen kann); 3. ein Bruststück aus Eisen oder Kupfer; 4. eine Mütze, in den Augen dieses Autors ein Hauptattribut des Schamanen. Bei den Jakuten hat der Kaftan am Rücken in der Mitte zwischen den angehängten Scheiben, die die «Sonne» vorstellen, eine

dessen Haut er seine Tracht zu machen hatte; heute kauft er die Haut direkt von den Russen (Nioradze, *Der Schamanismus*, S. 62).

durchlöcherte Scheibe; man nennt sie nach Sieroszewski (*Le chamanisme chez les Yakoutes*, S. 320) das «Loch der Sonne» (*oibonküngätä*), doch im allgemeinen gilt sie als eine Darstellung der Erde mit ihrer Öffnung in der Mitte, durch welche der Schamane in die Unterwelt dringt (s. Nioradze, Fig. 16; Harva, *Religiöse Vorstellungen*, Fig. 1) [4]. Der Rücken trägt noch einen Halbmond und eine eiserne Kette, ein Symbol der Macht und Widerstandskraft des Schamanen (Mikhailowski, *Shamanism in Siberia*, S. 81) [5]. Die Eisenplatten dienen, nach Aussage der Schamanen, als Schutz gegen die Schläge der bösen Geister. Die aus Pelz genähten Quasten bedeuten die Federn (Mikhailowski, S. 81, nach Pripuzov).

Ein schönes jakutisches Schamanenkostüm muß nach Sieroszewski (*a. a. O.*, S. 320) dreißig bis vierzig Pfund Metallschmuck tragen. Das Klingen dieser Schmuckstücke ist es vor allem, das den Tanz des Schamanen zu einer Höllensarabande macht. Diese Metallstücke haben eine «Seele»; sie rosten nicht. «Den Armen entlang sind Stangen angebracht, welche die Armknochen vorstellen (*tabytala*). An den beiden Seiten der Brust sind kleine Blätter aufgenäht, die die Rippen vorstellen (*oigos timir*); darüber befinden sich große runde Platten für die weiblichen Brüste, die Leber, das Herz und die übrigen inneren Organe. Oft näht man dort auch Bilder von Tieren und heiligen Vögeln auf. Man hängt auch einen kleinen metallenen *ämägät* (den «Geist des Wahnsinns») in Gestalt eines kleinen Pirogen mit dem Bild eines Mannes dazu (Sieroszewski, S. 321; Bedeutung und Rolle all dieser Gegenstände werden im folgenden erklärt).

Bei den nördlichen und transbaikalischen Tungusen herrschen zwei Arten von Trachten vor, eine Enten- und eine Renntiertracht. Das eine Ende der beiden Trommelschlegel ist zu einer Art Pferdekopf geschnitzt. Vom Rücken des Kaftans hängen Bänder in 10 cm Breite und 1 m Länge herunter, die *kulin*, «Schlangen» genannt werden [6]. «Pferde» und «Schlangen» werden bei den schamanischen Unterweltsreisen be-

---

[4] Wir werden noch sehen (S. 251 ff.), was für ein kosmologisches System ein solches Symbol impliziert.
[5] Natürlich ist die Doppelsymbolik von «Eisen» und «Kette» noch weit komplexer.
[6] Bei den Birartschen heißt das Band *tabjan*, «boa constrictor»; Shirokogorov, *Psychomental complex*, S. 301. Da dieses Reptil in den nördlichen Gegenden unbekannt ist, ist das ein wichtiger Beweis für die zentralasiatischen Einflüsse im sibirischen schamanischen Komplex.

nützt. Nach Shirokogorov (S. 290) sind die tungusischen Eisengegenstände – «Mond», «Sonne», «Sterne» usw. – von den Jakuten entlehnt. Die «Schlangen» stammen von den Buriäten und Türken, die «Pferde» von den Türken. (Dies wird für die Frage der südlichen Einflüsse im nordasiatischen und sibirischen Schamanismus von Bedeutung werden.)

Die buriätische Tracht

Pallas beschreibt in der zweiten Hälfte des 18. Jahrhunderts das Äußere einer buriätischen Schamanin folgendermaßen: Sie hatte zwei Stöcke, die in Pferdeköpfe ausliefen und mit Glöckchen besetzt waren; von den Schultern fielen dreißig «Schlangen» aus schwarzem und weißem Pelzwerk bis zur Erde herab; ihre Kopfbedeckung bestand aus einem eisernen Helm mit drei Hörnern wie ein Hirschgeweih [7]. Die vollständigste Beschreibung des buriätischen Schamanen verdanken wir jedoch Agapitov und Changalov [8]. Ein solcher Schamane muß haben: 1. einen Pelz (*orgoi*) und zwar einen weißen, wenn es ein «weißer Schamane» ist (dem von den guten Geistern geholfen wird), einen schwarzen, wenn es ein «schwarzer Schamane» ist (dem die bösen Geister helfen); auf dem Pelz sind viele Metallfiguren – Pferde, Esel usw. – aufgenäht; 2. eine Mütze in Luchsgestalt; nach der fünften Waschung (die einige Zeit nach der Initiation erfolgt) erhält der Schamane einen eisernen Helm (s. Fig. 3, Tafel II bei Agapitov und Changalov), dessen beide Enden zu Hörnern gedreht sind; 3. ein «Steckenpferd» aus Holz oder Eisen, das hölzerne am Vorabend der ersten Initiation angefertigt, wobei die Birke, von der man das Holz nimmt, nicht eingehen soll, das eiserne erst nach der fünften Initiation verliehen. Das Ende dieses Stockes ist als Pferdekopf gebildet und mit mehreren Glöckchen geschmückt.

Folgende Beschreibung gibt das «Handbuch» eines buriätischen Schamanen (aus dem Mongolischen übersetzt von Partanen): «Ein

[7] P. S. Pallas, *Reise durch verschiedene Provinzen des russischen Reiches*, I–III (St. Petersburg 1771–1776), 3. Bd., S. 181 f. S. die Beschreibung einer andern buriätischen Schamanin aus der Gegend von Telenginsk bei J. G. Gmelin, *Reise durch Sibirien von dem Jahr 1733 bis 1743*, 2. Bd., Göttingen 1752, S. 11–13.

[8] N. N. Agapitov und M. N. Changalov, *Materialy*, S. 42–44; vgl. Mikhailowski, *Shamanism in Siberia*, S. 82; Nioradze, *Der Schamanismus*, S. 77.

eiserner Helm, der oben aus mehreren eisernen Reifen besteht und mit zwei Hörnern geschmückt ist und hinten eine eiserne Kette aus neun Gliedern, darunter ein lanzenförmiges Eisenstück mit Namen Rückgrat (*nigurasun;* vgl. tungusisch *nikima, nikama,* Wirbel) hat. An beiden Schläfen hat der Helm je einen Ring und drei eiserne Röhren, die ein *vershok* (4,445 cm) lang, mit dem Hammer geschmiedet und *qolbugas* benannt sind (Vereinigung, paarweise gehen, oder Schnur, Band). An beiden Seiten und an der Rückseite des Helms sind Bänder aus Seide, Baumwolle, feinem Tuch oder dem Pelz verschiedener wilder und zahmer Tiere aufgehängt, die zu Schlangen gedreht sind; man bindet dann noch Baumwollfransen in der Farbe von *körüne-*, Eichkatzen- und Wieselfell daran. Das Ganze heißt *maiqabtchi* (wörtlich: Kopfbedeckung).

«An einem Stück Baumwollstoff von etwa 30 cm Breite, das als Binde am Halsausschnitt des Kleides befestigt ist, sind verschiedene Abbildungen von Schlangen und wilden Tieren befestigt. Man nennt das *dalabtchi* (Flügel) oder *ziber* («Flosse» oder «Flügel»; *A description of Buriat shamanism,* S. 18, § 19–20).

«Zwei Stöcke in Krückenform, ungefähr zwei Ellen lang (grob verziert), das Ende ein Pferdekopf, an dessen Hals ein Ring mit drei *qolbugas* befestigt ist, was man Mähne nennt, am unteren Ende ebenfalls drei *qolbugas,* der Schwanz des Pferdes. Oben an diesen Stöcken ist in ähnlicher Weise ein *qolbuga*-Ring befestigt, außerdem (alles in Miniatur) ein Steigbügel, eine Lanze und ein Schwert, eine Axt, ein Hammer, ein Boot, ein Ruder, eine Harpune – alles in Eisen; darunter sind, wie darüber, drei *qolbugas* angebunden. Diese vier (*qolbugas*-Ringe) werden Füße genannt, die beiden Stöcke *sorbi.*

«Eine Peitsche in Gestalt eines Stiels *suqai,* mit dem Fell einer Moschusratte überzogen, das neunmal darum gerollt ist, und mit einem eisernen Ring und drei *qolbugas,* Hammer, Schwert, Lanze, spitziger Keule (alles in Miniatur); ferner hängen Streifen aus Baumwolle und farbiger Seide daran. Das Ganze trägt den Namen ‚Peitsche der lebendigen Dinge'. Wenn er (der *böge*) schamanisiert, hält er sie zusammen mit einem *sorbi* in der Hand; der *sorbi* kann fehlen, wenn er in der Jurte schamanisiert» (*ebd.,* S. 19, § 23 f.).

Mehrere von diesen Einzelheiten werden später noch einmal behandelt. Halten wir für den Moment die große Bedeutung fest, die das

«Pferd» des buriätischen Schamanen hat; es ist eines von den speziell zentral- und nordasiatischen Hilfsmitteln der Schamanenreise, und wir werden ihm noch anderswo begegnen. Die Schamanen der Olkhonsk-Buriäten haben außerdem noch ein Kästchen, in das sie ihre magischen Gegenstände legen (Tamburine, Steckenpferde, Pelze, Glöckchen usw.) und das im allgemeinen mit Bildern von Sonne und Mond verziert ist. Nil, Erzbischof von Jaroslav, erwähnt noch zwei Gegenstände aus der Ausrüstung des buriätischen Schamanen: *abagaldei*, eine monströse Maske aus Fell, Holz oder Metall, auf die ein riesiger Bart gemalt ist, und *toli*, einen Metallspiegel mit den Abbildungen von zwölf Tieren, der auf Brust oder Rücken hängt, manchmal auch direkt auf den Kaftan genäht ist. Doch sind nach Agapitov und Changalov (*a. a. O.* 44) diese beiden Dinge kaum mehr in Gebrauch [9]. Wir werden bald auf ihr anderweitiges Auftreten und ihre komplexe religiöse Bedeutung zurückkommen.

Die altaische Tracht

Potanins Beschreibung des altaischen Schamanen erweckt den Eindruck, daß diese Tracht vollständiger und besser erhalten ist als die Trachten der sibirischen Schamanen. Der Kaftan besteht aus Bocks- oder Renntierhaut. Die vielen Bänder und Taschentücher, die auf die Kutte genäht sind, stellen Schlangen vor, einige sind als Schlangenköpfe mit zwei Augen und offenem Maul gebildet. Bei den großen Schlangen ist der Schwanz gegabelt; manchmal haben drei Schlangen nur einen Kopf. Man sagt, daß ein reicher Schamane 1070 Schlangen haben muß [10]. Außerdem gibt es viele Gegenstände aus Eisen, darunter

---

[9] Über Spiegel, Glöckchen und andere magische Gegenstände des buriätischen Schamanen s. auch Partanen, *Description*, § 26.

[10] Weiter nördlich ist die Schlangenbedeutung dieser Bänder im Begriff, einer religiös-magischen Umwertung zu weichen. So erklärten z. B. gewisse ostjakische Schamanen Kai Donner gegenüber, die Bänder hätten dieselben Eigenschaften wie Haare (*Ornements de la tête et de la chevelure*, S. 12; *ebd.*, S. 14, Fig. 2, Tracht eines ostjakischen Schamanen mit einer Menge von Bändern, die bis zu den Füßen herabhängen; vgl. Harva, *Rel. Vorstell.*, Fig. 78). Die jakutischen Schamanen nennen die Bänder «Haare» (Harva, S. 516). Wir erleben hier einen Bedeutungswechsel, einen in der Religionsgeschichte recht häufigen Prozeß: Die religiös-magische Bedeutung als Schlangen, die bei mehreren sibirischen Völkern unbekannt ist, wird bei dem Gegen-

ein kleiner Bogen mit Pfeilen um die Geister zu schrecken [11]. Auf dem Rücken der Kutte sind Tierfelle und zwei Lederscheiben aufgenäht. Das Halsband ist mit Fransen aus schwarzen und braunen Eulenfedern geschmückt. Ein Schamane hatte außerdem sieben Puppen auf seinem Halsband aufgenäht, jede mit einer braunen Eulenfeder als Kopf. Das seien die sieben himmlischen Jungfrauen, und die sieben Glöckchen seien die Stimmen der sieben Jungfrauen, die die Geister zu sich rufen [12]. Anderswo sind sie zu neunt und gelten als die Töchter Ülgäns (s. z. B. Harva, *Religiöse Vorstellungen*, S. 505).

Von den übrigen Gegenständen an der Schamanentracht, die alle ihre religiöse Bedeutung haben, wollen wir nur noch nennen: bei den Altaiern zwei kleine Untiere aus dem Reich Erliks, *jutpa* und *arba*, das eine aus schwarzem oder braunem, das andere aus grünem Stoff, mit zwei Paar Füßen, einem Schwanz und offenem Maul (Harva, Fig. 69 f., nach Anochin); bei den Völkern des äußersten sibirischen Nordens bestimmte Abbildungen von Wasservögeln wie Möwe und Schwan als Symbol für das Eintauchen des Schamanen in die submarine Unterwelt – eine Vorstellung, auf die wir noch anläßlich des Eskimoglaubens zurückzukommen haben; eine große Anzahl mythische Tiere (Bär, Hund, Alder mit einem Ring um den Hals bei den Jenissejern, vgl. Nioradze, S. 70, als Symbol dafür, daß der kaiserliche Vogel sich im Dienst des Schamanen befindet); sogar Zeichnungen der menschlichen Geschlechtsorgane (Nioradze, S. 70), die ebenfalls dazu beitragen, die Tracht zu heiligen [13].

---

stand, der anderswo die «Schlangen» vorstellt, durch die religiös-magische Bedeutung als «Haare» ersetzt. Denn auch die langen Haare verraten eine starke religiös-magische Kraft, so bei den Zauberern (z. B. dem *muni* des *Rig Veda* X, 136, 7), den Königen (z. B. den babylonischen), den Heroen (Samson) usw. Doch steht das Zeugnis des von Kai Donner befragten Schamanen einzeln da.

[11] Ein weiteres Beispiel von Bedeutungswechsel, da Bogen und Pfeile in erster Linie ein Symbol des magischen Fluges waren und deshalb zur Himmelfahrtsausrüstung des Schamanen gehörten.

[12] G. N. Potanin, *Otcherki severo-zapadnoj Mongolii*, 4. Bd., S. 49–54; vgl. Mikhailowski, S. 84; Harva, *Religiöse Vorstellungen*, S. 595; W. Schmidt, *a. a. O.*, S. 254 ff.

[13] Man fragt sich, ob das Vorkommen der beiden Geschlechtssymbole (s. z. B. Nioradze, Fig. 32, nach Anutchin) auf ein und derselben Verzierung nicht eine vage Erinnerung an die rituelle Androgynisation enthält. Vgl. auch B. D. Shimskin, *A sketch of the Ket, or Yenisei Ostyak* (Ethnos, IV, 1939, S. 147–176), S. 161.

Schamanenspiegel und -mützen

Bei den verschiedenen Tungusenvölkern der nördlichen Mandschurei (Tungusen, Khingan, Birartschen usw.) spielen die Kupferspiegel eine wichtige Rolle (vgl. Shirokogorov, *Psychomental complex,* S. 296). Ihr Ursprung ist mit Deutlichkeit chinesisch-mandschurisch (*ebd.,* S. 299), doch ihre magische Bedeutung wechselt von einem Stamm zum anderen. Man sagt, daß der Spiegel dem Schamanen hilft «die Welt zu sehen» (das heißt sich zu konzentrieren) oder «die Geister unterzubringen» oder über das, was dem Menschen Not tut, nachzudenken, usw.

Die Mütze gilt bei gewissen Stämmen (z. B. den Jurak-Samojeden) als wichtigster Teil der Schamanenkleidung. «Nach den Aussagen der Schamanen ist ein großer Teil ihrer Kraft in diesen Mützen verborgen» (Kai Donner, *Les ornements de la tête,* S. 11). Deshalb ist es gang und gäbe, daß der Schamane eine Vorstellung, die auf Verlangen von Russen erfolgt, ohne Mütze absolviert» (Donner, *La Sibérie,* S. 227). «Auf meine diesbezügliche Frage gaben sie mir zur Antwort, daß sie, ohne Mütze schamanisierend, aller wirklichen Kraft beraubt seien und daß die ganze Zeremonie dann nur eine Parodie zur Unterhaltung der Zuschauer sei» (ders., *Les ornements,* S. 11). In Westsibirien besteht die Mütze aus einer langen Binde, die rund um den Kopf geht und an der Eidechsen oder andere schützende Tiere und zahllose Bänder aufgehängt sind. Im Osten von Ket «sehen die Mützen oft wie Kronen mit eisernem Renntiergeweih aus, dann wieder sind sie aus einem Bärenkopf geschnitten und die Hauptteile der Kopfhaut darangebunden» (Kai Donner, *La Sibérie,* S. 228; s. auch Harva, *Religiöse Vorstellungen*.

---

[14] «Die Bedeutung der Mütze geht auch aus frühen bronzezeitlichen Felszeichnungen hervor, wo der Schamane mit einer Mütze versehen ist, die deutlich in Erscheinung tritt, während alle anderen Attribute seiner Würde fehlen können» (Kai Donner, *Sibérie,* S. 227), siehe u. S. 427. Doch glaubt Karjalainen nicht an die Bodenständigkeit der Schamanenmütze bei den Ostjaken und den Wogulen, sondern denkt an samojedischen Einfluß (vgl. *Die Religionen der Jugra-Völker* III, S. 256 ff.). Jedenfalls ist die Frage noch nicht geklärt. Der kasak-kirgisische *baqça* «ist mit dem traditionellen *malakhai* bekleidet, einer Art Spitzmütze aus Lamm- oder Fuchsfell, die weit auf den Rücken herabfällt. Manche *baqças* tragen eine nicht weniger seltsame Kopfbedeckung aus Filz, die mit rotem Kamelhaarstoff bedeckt ist; andere, jedoch mehr in den Steppen, die an den Syr-Daria, den Tschu und den Aralsee angrenzen, tragen einen Turban, der fast immer blau ist» (Castagné, *Magie et exorcisme,* S. 66 f.).

S. 514 ff., Fig. 82, 83, 86). Der häufigste Typ ist der mit Renntiergeweih (Harva, S. 516 ff.), obwohl bei den östlichen Tungusen manche Schamanen angeben, daß die eisernen Gehörne auf ihren Mützen Hirschgeweihe seien. In anderen Gegenden – sowohl im Norden, etwa bei den Samojeden, als im Süden, etwa bei den Altaiern – ist die Schamanenmütze mit Vogelfedern geschmückt (Schwan, Adler, Eule). So gibt es z. B. Federn vom Goldadler oder von der Braueule bei den Altaiern (Potanin) [15], Eulenfedern bei den Sojoten und Karagassen usw. (Harva, *ebd.*, S. 508 ff.). Manche Teleutenschamanen machen ihre Mütze aus dem Balg einer Braueule und lassen die Flügel, zuweilen auch den Kopf, als Verzierung daran (Mikhailowski, S. 84) [16].

Vogelsymbolik

Es ist offensichtlich, daß mit all diesem Schmuck die Schamanentracht darauf abzielt, dem Schamanen einen neuen, magischen Körper in Tiergestalt zu verschaffen. Die drei Haupttypen sind dabei Vogel-, Renntier- (Hirsch-) und Bärengestalt, vor allem aber Vogelgestalt. Auf die Bedeutung des renntier- und bärengestaltigen Körpers werden wir noch zurückkommen; zunächst wollen wir uns mit der vogelgestaltigen Tracht beschäftigen. Vogelfedern erscheinen fast in allen Beschreibungen von Schamanenkostümen, sogar die Struktur der Kostüme versucht möglichst getreu die Gestalt eines Vogels nachzuahmen. Die Schamanen der Altaier, Minnusinsk-Tataren, Teleuten, Sojoten und Karagassen bemühen sich bei ihren Trachten um Ähnlichkeit mit einer Eule (Harva, 504 ff.). Das sojotische Kostüm läßt sich sogar als eine vollkommene Ornithophanie betrachten (*ebd.*, Fig. 71–73, 87–88, S. 507 f., 519 bis 520). Besonders tritt das Streben nach Adlergestalt hervor [17]. Auch bei den Golden herrscht die vogelgestaltige Tracht (Shirokogorov, S. 296).

---

[15] Erschöpfend über die altaische Mütze A. V. Anochin in *Materialy po shamanstvu u altaijcev* (Leningrad 1924), S. 46 ff.

[16] Übrigens darf in manchen Gegenden der Schamane die Braueulenmütze nicht gleich nach seiner Weihe tragen. Im Lauf der *kamlanie* tun die Geister kund, von welchem Moment an die Mütze und andere höhere Insignien von dem neuen Schamanen ohne Gefahr getragen werden können (Mikhailowski, S. 84 f.).

[17] Vgl. Leo Sternberg, *Der Adlerkult bei den Völkern Sibiriens* (Archiv für Religionswissenschaft 1930, 28. Bd., S. 125–153), S. 145.

Dasselbe wäre von den sibirischen Völkern zu sagen, die weiter nördlich wohnen, den Dolganen, Jakuten und Tungusen. Der Stiefel eines Tungusenschamanen ist die Nachahmung eines Vogelfußes (Harva, S. 511, Fig. 76). Die komplizierteste Form der Vogeltracht begegnet bei den jakutischen Schamanen; ihre Tracht zeigt ein vollständiges Vogelskelett aus Eisen (Shirokogorov, S. 296). Übrigens scheint – nach demselben Autor – das Ausbreitungszentrum des Vogelkostüms die Gegend zu sein, die heute von den Jakuten besetzt ist.

Auch dort, wo die Tracht keine sichtliche Vogelstruktur zeigt, wie z. B. bei den mehrfach von chinesisch-buddhistischen Kulturwellen beeinflußten Mandschu (Shirokogorov, S. 296), enthält der Kopfschmuck Federn und stellt einen Vogel dar (*ebd.*, S. 295). Der Mongolenschamane hat «Flügel» an den Schultern und fühlt sich, sobald er die Tracht anlegt, in einen Vogel verwandelt (Ohlmarks, *Studien*, S. 211). Wahrscheinlich war bei den Altaiern im allgemeinen der ornithomorphe Anblick früher noch mehr betont (Harva, S. 504). Heute ist nur mehr der Stock des kasak-kirgisischen *baqça* mit Eulenfedern geschmückt (Castagné, S. 67).

Aus den Angaben seiner tungusischen Gewährsleute entnimmt Shirokogorov, daß das Vogelkostüm für den Flug in die andere Welt unentbehrlich ist: «Sie sagen, daß man leichter dorthin kommt, wenn die Tracht leicht ist» (*Psychomental complex*, S. 296). Ebenso fliegt in der Legende eine Schamanin in die Luft davon, sobald sie die magische Feder erlangt hat[18]. A. Ohlmarks (*Studien*, S. 211) glaubt, daß dieser Komplex arktischen Ursprungs und direkt mit dem Glauben an «Hilfsgeister» in Beziehung zu bringen ist, die dem Schamanen zu seiner Luftreise helfen. Doch wie wir bereits gesehen haben und noch sehen werden, begegnet derselbe Symbolismus fast überall auf der Welt und zwar gerade in Beziehung zu den Schamanen und Zauberern und zu den mythischen Wesen, welche diese zuweilen verkörpern.

Andererseits ist an die mythischen Beziehungen Adler – Schamane zu denken. Erinnern wir uns, daß der Adler als Vater des ersten Scha-

---

[18] Ohlmarks, *Studien*, S. 212. Das Folkloremotiv des Flugs mit Vogelfedern ist ziemlich verbreitet, besonders in Nordamerika, s. Stith Thompson, *Motiv-Index*, 3. Bd., S. 10, 381. Noch häufiger ist das Motiv von der Vogelfee, die, mit einem Menschen verheiratet, wieder davonfliegt, sobald es ihr gelingt, sich der lange von ihrem Mann gehüteten Federn zu bemächtigen. S. auch die Legende von der buriätischen Schamanin, die sich auf ihrem achtfüßigen Zauberpferd erhebt, unten S. 433.

manen gilt, eine bedeutende Rolle bei der Initiation des Schamanen spielt und schließlich im Mittelpunkt eines mythischen Komplexes steht, der den Weltenbaum und die ekstatische Reise des Schamanen mitumfaßt. Ebenso ist nicht zu vergessen, daß der Adler in gewisser Weise das Höchste Wesen repräsentiert, wenn auch stark solarisiert. All diese Elemente wirken, scheint uns, zusammen, die religiöse Bedeutung der Schamanentracht sehr genau zu umschreiben: Diese Tracht anlegen heißt den mystischen Zustand wiedergewinnen, der in den langen Initiationserlebnissen und -zeremonien geoffenbart und befestigt worden ist.

Die Symbolik des Skeletts

Dies findet seine Bestätigung durch gewisse knochenförmige Eisenteile, die der Schamanentracht, wenn auch nur teilweise, das Aussehen eines Skelettes geben sollen. (S. z. B. Findeisen, *Der Mensch und seine Teile in der Kunst der Jennissejer*, Fig. 37 f., nach Anutschin, Fig. 16 und 37). Einige Autoren, darunter Holmberg-Harva (*The shaman costume*, S. 14 ff.), dachten, es handle sich um ein Vogelskelett. Doch Troschtschanskij hat schon 1902 gezeigt, daß zumindest beim jakutischen Schamanen diese «Knochen» aus Eisen ein menschliches Skelett darstellen sollen. Ein Jenissejer sagte zu Kai Donner, die Knochen seien das Skelett des Schamanen selbst [19]. Harva hat sich selber zu dem Gedanken bekehrt, daß es sich um ein menschliches Skelett handelt (S. 514), obwohl N. Pekarskij inzwischen (1910) eine andere Hypothese aufgestellt hat, daß es sich nämlich um eine Kombination zwischen Menschen- und Vogelskelett handle. Bei den Mandschu sind die «Knochen» aus Eisen und Erz gemacht und die Schamanen behaupten (wenigstens heute), daß sie Flügel vorstellen (Shirokogorov, S. 294). Doch bleibt kein Zweifel, daß man in vielen Fällen ein Menschenskelett abbilden will. Findeisen (Fig. 39) bringt die erstaunlich gute Nachbildung einer menschlichen Tibia (Berliner Museum für Völkerkunde).

---

[19] Kai Donner, *Beiträge zur Frage nach dem Ursprung der Jenissei-Ostyaken* (Journal de la Société Finno-Ougrienne 38, I, 1928, S. 1–21), S. 15; ders., *Ethnological Notes about the Yenissey-Ostyak*, S. 80. Neuestens scheint dieser Autor seine Ansicht geändert zu haben, vgl. *La Sibérie*, S. 228.

Im Grunde laufen die beiden Hypothesen auf ein und denselben Grundgedanken hinaus: Mit der Nachbildung eines (Menschen- oder Vogel-) Skeletts soll die Schamanentracht das besondere Statut ihres Trägers kundtun, als das eines Menschen, der gestorben war und wieder auferweckt worden ist. Wie wir gesehen haben, glauben die Jakuten, Buriäten und andere sibirische Völker, daß die Schamanen von den Geistern ihrer Ahnen getötet worden sind, daß die Geister ihren Körper «gekocht», ihre Gebeine gezählt, mit Eisen wieder zusammengesetzt und mit neuem Fleisch bekleidet haben. Nun stellen bei den Jägervölkern die Knochen von Mensch und Tier die letzte Quelle des Lebens dar, aus der sich die Art nach Wunsch wieder herstellt. Aus diesem Grund werden die Knochen am Wildpret nicht gebrochen, sondern sorgfältig gesammelt und nach dem jeweiligen Brauch behandelt – begraben, auf Plattformen und unter Bäumen niedergelegt, ins Meer geworfen usw.[20]. Von diesem Gesichtspunkt betrachtet folgt das Begraben der Tiere genau der Art, wie man mit dem Menschen verfährt (Harva, *Religiöse Vorstellungen*, S. 440 f.). Bei den einen wie bei den anderen wohnt die «Seele» in den Knochen und deshalb darf man die Auferstehung der Individuen aus ihren Knochen erhoffen.

Das Skelett auf der Schamanentracht soll das Initiationsdrama, das Drama von Tod und Auferstehung, wieder aufnehmen und vergegenwärtigen. Es liegt wenig daran, ob dabei an ein Menschen- oder ein Tierskelett gedacht ist. Im einen wie im andern Fall handelt es sich um die Lebenssubstanz, um die von den mythischen Ahnen bewahrte *materia prima*. Das menschliche Skelett repräsentiert in gewisser Weise den Archetyp des Schamanen, denn es gilt als die Repräsentation der Familie, aus der die schamanischen Ahnen der Reihe nach hervorgegangen sind. (Man bezeichnet ja auch den Familienstamm als «Bein»; man sagt «Bein von meinem Bein».) Das Vogelskelett ist eine Variante derselben Vorstellung: Einerseits ist der erste Schamane aus der Verbindung eines Adlers und einer Frau hervorgegangen, andererseits sucht der Schamane selbst sich in einen Vogel zu verwandeln und zu fliegen,

---

[20] Vgl. Uno Holmberg (Harva), *Über die Jagdriten der nördlichen Völker Asiens und Europas* (Journal de la Société Finno-Ougrienne 41, I, 1925), S. 34 ff.; *Die religiösen Vorstellungen*, S. 434 ff.; Adolf Friedrich, *Knochen und Skelett in der Vorstellungswelt Nordasiens* (Wiener Beiträge zur Kulturgeschichte und Linguistik V, 1943, S. 189–247), S. 194 f.; K. Meuli, *Griechische Opferbräuche* (Phyllobolia für Peter von der Mühll, Basel 1946, S. 185–288), S. 234 ff. mit sehr reichem Material.

ja er *ist* ein Vogel insoweit er, wie der Vogel, zu den höheren Regionen Zutritt hat. Dort, wo dieses Skelett oder die Maske den Schamanen in ein anderes Tier verwandelt (Hirsch usw.), haben wir es mit einer ähnlichen Theorie zu tun [21]. Denn das mythische Ahnentier wird als der unerschöpfliche Mutterschoß für das Leben der Art vorgestellt, und ihn sieht man in den Knochen dieser Tiere. Man zögert, hier von Totemismus zu sprechen. Es handelt sich vielmehr um mystische Beziehungen zwischen dem Menschen und seinem Beutetier, Beziehungen, die für die Jägergesellschaft grundlegend sind und die von Friedrich und Meuli neuerdings mit Erfolg zur Geltung gebracht wurden.

Aus den Knochen wiedergeboren werden

Daß das erlegte oder gezähmte Tier aus seinen Knochen wiedergeboren werden kann, ist ein Glaube, dem man auch außerhalb Sibiriens begegnet. Schon Frazer verzeichnet einige amerikanische Beispiele [22]. Nach Frobenius ist dieses mythisch-rituelle Motiv bei den Aranda, den Stämmen im Inneren Südamerikas, bei den Boshimas und den Hamiten in Afrika jetzt noch lebendig [23]. Friedrich hat den afrikanischen Bestand vervollständigt und eingeordnet [24], wobei er dieses Motiv ganz richtig für einen geistigen Ausdruck des Hirtenlebens nahm. Dieser mythisch-rituelle Komplex hat sich übrigens auch in höher entwickelten Kulturen erhalten und zwar ebenso im Zentrum der religiösen Tradition als in Gestalt von Märchen [25]. Eine Legende der Gagautz er-

---

[21] So stellt z. B. das Kostüm des Tungusenschamanen einen Hirsch vor, dessen Skelett durch Eisenstücke gegeben ist. Auch das Geweih ist aus Eisen. Nach den Legenden der Jakuten kämpfen die Schamanen in Stiergestalt miteinander, usw. Vgl. Friedrich, S. 212.

[22] Viele Minetaris-Indianer »glauben, daß die Knochen der Bisons, die sie getötet und zerteilt haben, mit neuem Fleisch und neuem Leben auferstehen, fett werden und vom folgenden Juni an noch einmal zur Tötung bereit sind«. Dasselbe gibt es bei den Dakota, den Eskimo von Baffinland und der Hudsonbai, bei den Yurakaren in Bolivien, den Lappen usw. S. Sir James Frazer, *Spirits of Corn* (London 1913), II, S. 247 ff.; vgl. auch P. Saintyves, *Les Contes de Perrault* (Paris 1923), S. 39 ff.; Edsman, *Ignis divinus*, S. 151 ff.

[23] V. Frobenius, *Kulturgeschichte Afrikas* (Berlin 1933), 183–185.

[24] A. Friedrich, *Afrikanische Priestertümer* (Stuttgart 1939), S. 184–89.

[25] Waldemar Liungman, *Traditionswanderungen: Euphrat–Rhein* (Helsinki 1937 bis 1938), 2. Bd., S. 1078 ff. führt an, daß das Verbot, die Knochen der Tiere zu zer-

zählt, wie Adam, um seinen Söhnen Frauen zu verschaffen, Knochen von verschiedenen Tieren sammelte und Gott bat, sie zu beleben[26]. In einem armenischen Märchen wohnt ein Jäger einer Geisterhochzeit im Walde bei. Zum Festessen geladen, enthält er sich der Speise, bewahrt jedoch die Rippe des Ochsen auf, von dem man ihm angeboten hat. Als nun die Geister die Knochen des Tieres sammelten, um es wieder lebendig zu machen, mußten sie die fehlende Rippe durch den Ast eines Nußbaumes ersetzen[27].

Dazu ließe sich auch eine Stelle aus der Prosa-Edda anführen, die Geschichte von Thors Böcken. Thor ist mit seinem Wagen und seinen Böcken auf die Reise gegangen und nimmt bei einem Bauern Wohnung.

«Vor dem Nachtessen packte Thor seine Böcke und schlachtete sie beide. Dann wurden sie enthäutet und für den Kessel zurechtgemacht. Und als sie gar gekocht waren, da setzte sich Thor mit seinen Gefährten zum Essen. Er lud den Bauern mit Frau und Kindern dazu ein... Da legte Thor die Bocksfelle vor dem Feuer auf den Boden und sagte, der Bauer und die Seinen sollten die Knochen auf die Felle werfen. Thjalfi, der Bauernsohn, faßte den Schenkelknochen des Bockes, spaltete ihn auf seinem Messer und brach ihn auseinander, um zu dem Mark zu gelangen. Thor übernachtete dort. Im Morgengrauen, vor Tage, stand er auf, kleidete sich an, nahm den Hammer Mjölnir, erhob ihn und weihte die Bocksfelle. Da standen die Böcke auf. Der eine aber lahmte am Hinterfuß» (Gylfaginning 44, übers. von G. Neckel und F. Niedner, Sammlung Thule 20. Bd., S. 90).

Diese Episode bezeugt das Überleben der archaischen Jäger- und Nomadenvorstellung noch bei den alten Germanen. Nicht unbedingt ist das ein Zug «schamanistischer» Geistigkeit. Wir haben ihn trotz-

---

brechen, sich auch in den Märchen der Juden und der Germanen, im Kaukasus, in Siebenbürgen, Österreich, den Alpenländern, Frankreich, Belgien, England und Schweden findet. Doch der schwedische Gelehrte als Sklave seiner Orient-Ausbreitungsthesen betrachtet all diese Vorstellungen als ziemlich jung und orientalischen Ursprungs.

[26] C. Fillingham Coxwell, *Siberian and other Folk-tales*, London 1925, S. 422.

[27] Coxwell, *a. a. O.*, S. 1020. T. Lehtisalo, *Der Tod und die Wiedergeburt des künftigen Schamanen* (Journal de la Société Finno-Ougrienne, 47, 1937), S. 19 erwähnt das ähnliche Abenteuer eines Helden des Bogda Gesser Khan: Ein Kalb, das getötet und verzehrt wurde, entsteht wieder aus seinen Knochen, aber es fehlt ihm einer.

[28] Über diese Episode gibt es eine sehr reichhaltige Studie von C. W. von Sydow, *Tors färd till Utgard: I. Tor bockslaktning* (Danske Studier 1910, S. 65–105), die Edsman, *Ignis divinus*, S. 52 ff. benützt.

dem schon hier verzeichnet und behalten uns vor, die Reste des indogermanischen Schamanismus zu prüfen, sobald wir zu einer Gesamtansicht der schamanischen Theorien und Praktiken gelangt sind.

Zu dem Thema der Auferstehung aus den Gebeinen könnte man auch die berühmte Vision des Ezechiel anführen, wenngleich sie in einen ganz anderen religiösen Zusammenhang gehört als die oben angeführten Beispiele: «Die Hand des Herrn kam über mich, und der Herr führte mich im Geiste hinaus und ließ mich nieder inmitten der Ebene, und diese war voller Gebeine... Er sprach zu mir: Menschensohn, können wohl diese Gebeine wieder lebendig werden? Ich aber antwortete: O Herr, mein Gott, du weißt es. Nun sprach er zu mir: Weissage über diese Gebeine und sprich zu ihnen: Ihr dürren Gebeine, höret das Wort des Herrn! So spricht Gott der Herr zu diesen Gebeinen: siehe ich bringe Lebensodem in euch, damit ihr wieder lebendig werdet... und ihr werdet erkennen, daß ich der Herr bin. Da weissagte ich, wie mir befohlen war; und als ich weissagte, siehe, da entstand ein Rauschen, und die Gebeine rückten eines ans andere. Und als ich hinschaute, siehe da bekamen sie Sehnen und es wuchs Fleisch an ihnen» usw. (Ezechiel 37, 1–8; ff.) [29].

A. Friedrich erwähnt noch ein Gemälde, das Grünwedel in den Ruinen eines Tempels in Sängimäghiz aufgedeckt hat und auf dem die Auferstehung eines Menschen aus seinen Gebeinen infolge der Segnung durch einen buddhistischen Mönch dargestellt ist [30]. Es ist hier nicht der Ort für eine Erörterung der iranischen Einflüsse auf das buddhistische Indien oder der noch wenig erforschten Symmetrien zwischen tibetanischer und iranischer Überlieferung. Wie J. J. Modi [31] vor einiger Zeit bemerkte, besteht eine frappante Ähnlichkeit zwischen der tibetanischen und der iranischen Sitte der Leichenaussetzung. Die einen wie die anderen lassen Hunde und Geier die Leichen auffressen; für die Tibetaner ist es von großer Bedeutung, daß der Leichnam sich mög-

---

[29] S. auch das *Totenbuch,* Kap. 125: auch in Ägypten mußten die Gebeine für die Auferstehung aufbewahrt werden. In einer aztekischen Legende entsteht die Menschheit aus Gebeinen, die aus der unterirdischen Region kommen, vgl. H. B. Alexander, *Latin American Mythology* (The Mythology of all Races, 11. Bd., Boston 1920), S. 90.

[30] A. Grünwedel, *Teufel des Awesta* (Berlin 1924) II, S. 68 f., Fig. 62; A. Friedrich, *Knochen und Skelett,* S. 230.

[31] Vgl. *Tibetan disposal of the Dead,* in *Memorial Papers* (Bombay 1922), S. 1 ff.; Friedrich, S. 227.

lichst bald in ein Skelett verwandelt. Die Perser legen die Gebeine in das *astodan*, den «Ort der Gebeine», wo sie die Auferstehung erwarten[32]. Man kann diesen Brauch als ein Überlebsel aus der Geistigkeit der Hirtenvölker ansehen.

Die indische Volksüberlieferung schreibt bestimmten Heiligen und Yogis die Macht der Totenerweckung aus Gebeinen oder Asche zu; das tut z. B. Goraknâth[33] und es wäre schon hier zu vermerken, daß dieser berühmte Zauberer als Gründer einer yogi-tantrischen Sekte, der Kânphata-Yogi gilt, bei denen wir noch mehrere andere schamanistische Überlebsel antreffen werden. Endlich seien noch die buddhistischen Meditationen erwähnt, bei denen man den Körper sich in ein Skelett verwandeln sieht[34], die wichtige Rolle der menschlichen Schädel und Gebeine im Lamaismus und Tantrismus[35], der Skelettanz in Tibet und der Mongolei[36] und die Funktion der *brâhmarandhra* (= sutura frontalis) in den tibetanisch-indischen Ekstasetechniken und im Lamaismus[37]. Alle diese Riten und Vorstellungen scheinen uns zu zeigen, daß trotz ihrer jetzigen Integration in verschiedene andersartige Systeme die archaische Identifizierung des Lebensprinzips mit den Gebeinen nicht völlig aus dem geistigen Horizont Asiens verschwunden ist.

Die Gebeine kommen in den schamanischen Riten und Mythen auch noch in anderen Rollen vor. So benützt z. B. der waßjugan-ostjakische Schamane, wenn er zur Suche der Seele des Kranken auszieht, für seine ekstatische Reise in die andere Welt ein Boot, das aus einem Sarg ge-

---

[32] Vgl. das Beinhaus in einer großrussischen Legende: Coxwell, *Siberian and other Folk-tales*, S. 682. Es wäre von Interesse, im Licht dieser Tatsachen einmal den iranischen Dualismus zu untersuchen, der bekanntlich dem «Geistigen» das Wort *ushtâna*, «beinern» gegenüberstellt. Weiterhin ist, wie Friedrich a. a. O., S. 245 ff. bemerkt, der Dämon Astôvidatu («Knochenbrecher») nicht ohne Beziehung zu den bösen Geistern, welche die Schamanen der Jakuten, Tungusen und Buriäten quälen.

[33] S. z. B. George W. Briggs, *Gorakhnâth and the Kânphata Yogîs* (Oxford 1938), S. 189, 190.

[34] Vgl. A. Pozdnejev, *Dhyâna und Samâdhi im mongolischen Lamaismus* (Untersuchungen zur Geschichte des Buddhismus und verwandter Gebiete, 23. Bd., Hannover 1928), S. 24 ff. Über die «Meditation über den Tod» im Taoismus vgl. Rouselle, *Die Typen der Meditation in China* (Chinesisch-deutscher Almanach für das Jahr 1932), bes. S. 30 ff.

[35] Vgl. Robert Bleichsteiner, *Die Gelbe Kirche*, Wien 1937, S. 203; Friedrich, S. 211.

[36] Bleichsteiner, a. a. O., S. 203; Friedrich, S. 225.

[37] Mircea Eliade, *Yoga. Essai sur les origines de la mystique indienne* (Paris-Bukarest 1936), S. 228 ff., 306; Friedrich S. 236.

macht ist, und als Ruder ein Schulterblatt (Karjalainen, *Religion der Jugravölker* II, S. 335). Hier wäre auch die Weissagung durch das Schulterblatt eines Widders oder Lamas anzuführen, die bei den Kalmücken, Kirgisen und Mongolen sehr verbreitet ist, sowie die Weissagung durch ein Robbenschulterblatt bei den Korjaken [38]. Die Weissagung an sich ist eine Technik zur Aktualisierung der dem Schamanismus zugrundeliegenden geistigen Wirklichkeit oder zur Erleichterung des Kontakts damit. Das Tiergebein symbolisiert hier noch das «totale Leben» in beständiger Regeneration und schließt deshalb, wenn auch nur in virtueller Weise, die ganze Vergangenheit und Zukunft dieses «Lebens» mit ein.

Wir hoffen, uns mit der Anführung all dieser Praktiken und Vorstellungen nicht allzuweit von unserem Gegenstand, dem Skelett auf der Schamanentracht, entfernt zu haben. Sie gehören fast in ihrer Gesamtheit gleichartigen oder vergleichbaren Kulturebenen an, und wir haben mit ihrer Aufzählung bestimmte Orientierungspunkte für das weite Gebiet der Geistigkeit der Hirtenvölker angemerkt. Doch sei betont, daß nicht alle diese Religionen in gleicher Weise «schamanistische» Struktur verraten. Und was die Symmetrien zwischen gewissen tibetanischen, mongolischen und nordasiatischen Bräuchen betrifft, so wäre an die Einflüsse aus dem Süden Asiens und besonders aus Indien zu denken, auf die wir noch zurückzukommen haben.

---

[38] Das Wesentliche hierüber wurde schon von R. Andree, *Scapulamantia* (Boas-Festschrift, Neuyork 1906, S. 143–165) gesagt. S. auch Friedrich, S. 214 ff.; zu seiner Bibliographie noch G. L. Kittredge, *Witchcraft in Old and New England* (Cambridge, Mass., 1929), S. 144 und 462, Anm. 44. Der Schwerpunkt dieser Weissagetechnik scheint Zentralasien zu sein; vgl. B. Laufer, *Columbus and Cathay* (Journal of the American Oriental Society, 51. Bd., 1931, S. 87–103), S. 99; sehr im Schwang war sie im frühgeschichtlichen China seit der Changperiode (s. H. G. Creel, *La naissance de la Chine*, franz. Übers. Paris 1937, S. 17 ff.). Dieselbe Technik bei den Lolo, vgl. L. Vannicelli, *La religione dei Lolo* (Mailand 1944), S. 151. Die nordamerikanische Schulterblattweissagung, die sich übrigens auf Labrador- und Quebecstämme beschränkt, ist asiatischen Ursprungs, vgl. John M. Cooper, *Northern Algonkian Scrying and Scapulimancy* (Festschrift W. Schmidt, Mödling 1928, S. 207–215) und B. Laufer, *a. a. O.*, S. 99.

Schamanenmasken

Wir erinnern uns, daß Nil, Erzbischof von Jaroslav, unter den Gegenständen des buriätischen Schamanen eine monströse Maske erwähnte. Bei den Buriäten ist sie heute außer Gebrauch gekommen. Im übrigen begegnen schamanische Masken nur ziemlich selten in Sibirien und Nordasien. Shirokogorov berichtet von einem einzigen Fall, wo ein tungusischer Schamane eine Maske improvisierte «um zu zeigen, daß der Geist *malu* in ihm sei» (*Psychomental Complex*, S. 152, Nr. 2). Bei den Tschuktschen, Korjaken, Kamtschadalen, Jukagiren und Jakuten spielt die Maske im Schamanismus überhaupt keine Rolle; sie dient vielmehr, und dies nur sporadisch, als Kinderschreck (so bei den Tschuktschen) und um beim Begräbnis nicht von den Seelen der Toten erkannt zu werden (Jukagiren). Was die Eskimovölker betrifft, so verwendet besonders bei den stark von indianischen Kulturen beeinflußten Alaska-Eskimos der Schamane eine Maske (s. Ohlmarks, S. 65 ff.).

In Asien stammen die wenigen bezeugten Fälle fast ausschließlich von den südlichen Stämmen. Bei den Schwarztataren gebrauchen die Schamanen manchmal eine Maske aus Birkenrinde mit Schnurrbart und Augenbrauen aus Eichkatzenschwanz [39]. Denselben Brauch gibt es bei den Tomsk-Tataren [40]. Im Altai und bei den Golden bedeckt der Schamane, wenn er die Seele des Abgeschiedenen ins Reich der Schatten geleitet, sein Gesicht mit Ruß, um von den Geistern nicht erkannt zu werden [41]. Derselbe Brauch begegnet übrigens mit demselben Ziel beim Bärenopfer [42]. Hier ist daran zu denken, daß die Sitte, sich das Gesicht mit Ruß zu beschmieren, bei den «Primitiven» sehr verbreitet ist und daß ihre Bedeutung nicht immer so einfach ist, wie es den Anschein hat. Es handelt sich nicht immer um eine Tarnung oder eine Abwehr gegen die Geister, sondern auch um eine elementare Technik zur magischen Integration in die Welt der Geister. In vielen Teilen der Welt repräsentieren ja die Masken die Ahnen, und die Träger der Masken

---

[39] G.N. Potanin, *Otcherki severo-zapadnoj Mongolii* IV, S. 54; Harva, *Relig. Vorstellungen*, S. 524.

[40] D. Zelenin, *Ein erotischer Ritus in den Opferungen der altaischen Türken* (Internat. Archiv für Ethnographie 29, 1928, S. 83–98), S. 84 ff.

[41] Radlov, *Aus Sibirien* II, S. 55; Harva, S. 525.

[42] Nioradze, S. 77.

gelten als Verkörperung der Ahnen selbst[43]. Sich das Gesicht mit Ruß beschmieren ist eine der einfachsten Methoden sich zu maskieren und damit die abgeschiedenen Seelen sich einzukörpern. Die Masken stehen in Beziehung zu den Geheimbünden der Männer und zum Ahnenkult. Man hat behauptet, daß der Komplex Maske – Ahnenkult – Initiationsgeheimbund zum Kulturkreis des Mutterrechts gehört, da die Geheimbünde ja eine Reaktion gegen die Frauenherrschaft darstellten[44].

Die Seltenheit der schamanischen Masken darf uns nicht überraschen. Das Kostüm des Schamanen ist ja, wie Harva (*a.a.O.*, S. 524 ff.) mit Recht bemerkt, selbst eine Maske und kann als Derivat einer Urmaske betrachtet werden. Man hat den orientalischen und damit neuen Ursprung des sibirischen Schamanismus unter anderem gerade mit der Tatsache zu beweisen gesucht, daß die Masken vom südlichen Asien gegen Norden hin immer seltener werden und schließlich ganz verschwinden[45]. Wir können hier keine Diskussion über den «Ursprung» des sibirischen Schamanismus eröffnen. Halten wir aber fest, daß im nordasiatischen und arktischen Schamanismus die Tracht und die Maske verschiedene Geltung haben. An bestimmten Orten (z.B. bei den Samojeden, s. Castrén, zitiert bei Ohlmarks, S. 67) soll die Maske die Konzentration erleichtern. Wir haben gesehen, daß das Taschentuch, das die Augen oder sogar das ganze Gesicht des Schamanen bedeckt, in gewissen Fällen eine gleiche Rolle erfüllt. Andererseits handelt es sich auch dort, wo man nicht eigentlich von einer Maske spricht, um etwas derartiges, so z.B. bei den Pelzen und Taschentüchern, die bei den Golden und den Sojoten den Kopf des Schamanen fast ganz verdecken (Harva, Fig. 86–88). Aus diesen Gründen und unbeschadet ihrer vielfältigen Geltungen in den Ritualen und Ekstasetechniken darf

---

[43] K. Meuli, *Maske*, in Bächtold, *Handwörterbuch des deutschen Aberglaubens*, Bd. V (Berlin 1933), Sp. 1749 ff.; ders., *Schweizer Masken und Maskenbräuche* (Zürich 1943), S. 44 ff.; A. Slawik, *Kultische Geheimbünde der Japaner und Germanen* (Wiener Beiträge zur Kulturgeschichte und Linguistik IV, 1936, S. 675–764), S. 717 ff.

[44] Vgl. z. B. Georges Montandon, *Traité d'Ethnologie Culturelle* (Paris 1934), S. 723 ff. S. die Vorbehalte, die A. L. Kroeber und Catharine Holt für Amerika machen (*Masks and Moieties as a Culture Complex*, Journal of the Royal Anthropological Institute, 50. Bd., 1920, S. 452–460), und die Antwort von W. Schmidt, *Die kulturhistorische Methode und die nordamerikanische Ethnologie* (Anthropos, Bd. 14–15, S. 546–563), S. 553 ff.

[45] Vgl. A. Gahs in W. Schmidt, *Ursprung der Gottesidee*, 3. Bd. (Münster 1931), S. 336 ff.; dagegen A. Ohlmarks, S. 65 ff. Dazu s. u. S. 458 ff.

man folgern, daß die Maske dieselbe Rolle spielt wie die Tracht des Schamanen; die beiden Elemente wären somit untereinander vertauschbar. In der Tat verkündet die Maske überall, wo man sie verwendet (und auch außerhalb der eigentlich schamanistischen Ideologie), die Inkarnation einer mythischen Person (Ahne, mythisches Tier, Gott). Das Kostüm seinerseits transsubstanziiert den Schamanen, indem es ihn vor aller Augen in ein übermenschliches Wesen verwandelt, gleichgültig welches Attribut man vor allem ins Licht rücken will, den Nimbus des Toten, der wieder auferweckt worden ist (Skelett), die Fähigkeit zu fliegen (Vogel), das Leben als Gatte einer «himmlischen Gattin» (Frauentracht, weibliche Attribute) usw.

Die Schamanentrommel

Die Trommel spielt bei den schamanischen Zeremonien eine hervorragende Rolle[46]. Ihre Symbolik ist komplex, ihre magische Funktion vielfältig. Sie ist zur Abwicklung der Sitzung unentbehrlich, ob sie nun den Schamanen zum «Zentrum der Welt» bringt, ob sie ihm ermöglicht in die Lüfte zu fliegen, ob sie die Geister ruft und «gefangen setzt» oder ob sie dem Schamanen zur Konzentration verhilft und zur Kontaktaufnahme mit der spirituellen Welt, in die zu reisen er sich bereitet.

Wie wir uns erinnern, enthalten mehrere Initiationsträume von künftigen Schamanen eine mystische Reise zum «Zentrum der Welt», zum Sitze des Weltenbaumes und des Herrn des Universums. Aus einem Ast dieses Baumes, den der Herr zu diesem Zweck fallen läßt, fertigt der Schamane seine Trommel. Die Bedeutung dieser Symbolik scheint uns klar ersichtlich aus dem Komplex, in dem sie integriert ist, der Verbindung von Himmel und Erde durch den Weltenbaum, durch die Achse im «Zentrum der Welt». *Da sein Trommelkasten von dem Holz des*

---

[46] Außer der oben S. 148 Anm. zitierten Bibliographie s. noch A. A. Popov, *Ceremonija odjevlenija bubnu u ostyak-samojedov* (Leningrad 1934); J. Partanen, *A description of Buriat shamanism*, S. 20; E. Emsheimer, *Schamanentrommel und Trommelbaum* (Ethnos 1946, 4, S. 166–181); W. Schmidt, *Ursprung der Gottesidee*, 9. Bd., S. 258 ff., 646 ff., 696 ff.

Weltenbaumes selbst genommen ist, wird der Schamane beim Trommeln auf magische Weise an den Weltenbaum versetzt: Er ist ins Zentrum versetzt und damit kann er auch zu den Himmeln aufsteigen.

Von diesem Gesichtspunkt aus betrachtet läßt sich die Trommel dem sprossenreichen Schamanenbaum gleichsetzen, auf dem der Schamane symbolisch zum Himmel klettert. Indem er die Birke ersteigt oder die Trommel rührt, nähert sich der Schamane dem Weltenbaum, um ihn wirklich zu ersteigen. Die sibirischen Schamanen haben auch ihre persönlichen Bäume, die nichts anderes als Repräsentationen des kosmischen Baumes sind; manche benützen auch «umgekehrte Bäume» [47], d. h. Bäume, deren Wurzeln in die Luft ragen – bekanntlich eines der altertümlichsten Symbole des Weltenbaums. Dieser ganze Komplex, zusammengesehen mit den schon erwähnten Beziehungen zwischen dem Schamanen und seinen Zeremonialbirken, zeigt eine feste Verbindung zwischen kosmischem Baum, Schamanentrommel und Himmelfahrt.

Selbst die Wahl des Holzes, aus dem man den Trommelkasten verfertigt, hängt einzig von den «Geistern» oder jedenfalls von einem übermenschlichen Willen ab. Der ostjakisch-samojedische Schamane nimmt seine Axt, dringt mit geschlossenen Augen in einen Wald ein und kommt zufällig an einen Baum; von diesem Baum beziehen seine Gefährten am anderen Tag das Holz für den Trommelkasten [48]. Am andern Ende Sibiriens, bei den Altaiern, wird dem Schamanen der Wald und der Platz, wo der Baum wächst, direkt von den Geistern angezeigt und er schickt seine Helfer aus, die ihn finden und davon das Holz für den Trommelkasten nehmen sollen [49]. In anderen Gegenden sammelt der Schamane selbst alle Splitter des Holzes auf. Wieder anderswo bringt man dem Baum Opfer dar, wobei man ihn mit Blut und Wodka bestreicht. Man schreitet sogar zur «Belebung der Trommel», indem man den Kasten mit Alkohol besprengt [50]. Bei den Jakuten wird die Wahl eines Baumes empfohlen, den der Blitz getroffen hat (Sieros-

---

[47] Vgl. E. Kagarow, *Der umgekehrte Schamanenbaum* (Archiv für Religionsgeschichte 1929, 27. Bd., S. 183–185); s. auch Uno Holmberg, *Der Baum des Lebens*, S. 17, 59 usw.; ders., *Finno-Ugric and Siberian Mythology*, S. 349 ff.; A. Coomoraswamy, *The inverted Tree* (The Quarterly Journal of the Mythic Society, Bangalore, 29. Bd., Nr. 2, 1938, S. 1–38); M. Eliade, *Die Religionen und das Heilige*, S. 312 ff.
[48] A. A. Popov, *Ceremonija...*, S. 94; Emsheimer, S. 167.
[49] Emsheimer, S. 168, nach Menges-Potapov.
[50] Emsheimer, S. 172.

zewski, S. 322). Alle diese Bräuche und rituellen Vorsichtsmaßregeln zeigen deutlich, daß der konkrete Baum kraft einer übermenschlichen Offenbarung transfiguriert ist, daß er tatsächlich aufgehört hat ein profaner Baum zu sein und nun den Weltenbaum selbst repräsentiert.

Im allgemeinen ist die Trommel oval; ihre Haut ist aus Renntier-, Elen- oder Pferdeleder. Bei den Ostjaken und Samojeden in Westsibirien trägt die äußere Oberfläche keinerlei Zeichnung [51]. Auf den tungusischen Trommeln sind nach Georgi Vögel, Schlangen, aber auch andere Tiere dargestellt. Shirokogorov beschreibt die Zeichnungen auf den Trommeln der transbaikalischen Tungusen folgendermaßen: das Symbol des Festlandes (denn der Schamane benützt seine Trommel als Boot zum Durchfahren des Meeres und gibt deshalb in der Zeichnung das Festland an), rechts und links verschiedene Gruppen mit menschengestaltigen Figuren und viele Tiere. Auf die Mitte der Trommel malt man kein Bild; die acht Dopellinien, die hier stehen, symbolisieren die acht Füße, auf welchen die Erde über dem Meer steht (*Psychomental Complex*, S. 297). Bei den Jakuten findet man geheimnisvolle Zeichen in rot und schwarz, die Menschen und Tiere darstellen (Sieroszewski, S. 322). Auch auf den Trommeln der Jenisseij-Ostjaken sind verschiedenerlei Bilder bezeugt (Kai Donner, *La Sibérie*, S. 230).

«An der Rückseite der Trommel ist ein senkrechter Griff aus Holz oder Eisen, den der Schamane mit der rechten Hand hält. Drähte oder wagrechte Holzspäne tragen unzählige bimmelnde Metallstücke, Schellen, Glöckchen, eiserne Figuren, die Geister darstellen, verschiedene Tiere usw. und oft Waffen, etwa einen Pfeil, einen Bogen oder ein Messer [52].» Jeder von diesen magischen Gegenständen ist Träger einer ganz bestimmten Symbolik und erfüllt seine Rolle bei der Vorbereitung oder Durchführung der ekstatischen Reise oder anderer mystischer Erlebnisse des Schamanen.

Zeichnungen auf der Trommelhaut sind ein Charakteristikum aller Tataren- und Lappenstämme. Bei den Tataren sind die beiden Seiten der Haut mit Bildern bedeckt. Eine große Vielfalt zeichnet sie aus, doch sind darunter immer auch die wichtigsten Symbole wie Weltenbaum, Sonne und Mond, Regenbogen usw. zu finden. Die Trommeln bilden

[51] Kai Donner, *La Sibérie*, S. 230; U. Harva, *Relig. Vorstellungen*, S. 526 ff.
[52] Kai Donner, *La Sibérie*, S. 230; Harva, S. 527, 530; W. Schmidt, S. 260 usw.

wirklich ein Mikrokosmos; eine Grenzlinie trennt Himmel und Erde, in manchen Gegenden auch Erde und Unterwelt. Der Weltenbaum, d. h. die Opferbirke, die der Schamane ersteigt; das Pferd, das Opfertier; die Hilfsgeister des Schamanen; Sonne und Mond, die er im Lauf seiner Himmelsreise erreicht; die Unterwelt Erlik Khans (mit den Sieben Söhnen und Sieben Töchtern des Herrn der Toten usw.), in die er bei seinem Abstieg zum Totenreich eindringt – alle diese Elemente, in denen gewissermaßen Reiseweg und Abenteuer des Schamanen zusammengefaßt sind, finden sich auf seiner Trommel dargestellt. Es fehlt an Raum, um alle diese Zeichen und Bilder zu verzeichnen und ihre Symbolik zu kommentieren [53]. Halten wir nur soviel fest: Die Trommel veranschaulicht einen Mikrokosmos mit seinen drei Zonen Himmel, Erde und Unterwelt und zeigt gleichzeitig die Mittel an, mit denen der Schamane die Ebenen zu durchbrechen vermag und die Verbindung mit der oberen und der unteren Welt herstellt. Die Abbildung der Opferbirke (des Weltenbaumes) ist ja, wie wir gesehen haben, nicht die einzige; man findet auch den Regenbogen – der Schamane erhebt sich in die oberen Regionen, indem er den Regenbogen hinansteigt [54]. Man trifft auch das Bild der Brücke, auf welcher der Schamane von einer kosmischen Region in die andere gelangt [55].

Die Bebilderung der Trommel ist beherrscht von der Symbolik der ekstatischen Reise, der Reise, die das Durchbrechen einer Ebene und insofern ein «Zentrum der Welt» in sich schließt. Das Trommeln zu Anfang der Sitzung, das die Geister rufen und in der Trommel des Schamanen «einschließen» soll, bildet die Einleitung zu der ekstatischen Reise. Das ist der Grund dafür, daß die Trommel das «Pferd des Schamanen» heißt (Jakuten, Buriäten), oder dort, wo die Haut von einem Rehbock genommen ist, «das Reh des Schamanen» (Karagassen, Sojoten). Die Legenden der Jakuten erzählen ausführlich, wie der Schamane mit seiner Trommel durch die sieben Himmel fliegt. «Ich reise mit einem wilden Rehbock!» singen die Schamanen bei den Karagassen

---

[53] Vgl. Potanin, *Otcherki* IV, S. 43 ff.; Anochin, *Materialy*, S. 55 ff., Harva, *Rel. Vorstell.*, S. 530 ff. (und Fig. 89–100 usw.); W. Schmidt, *Ursprung*, 9. Bd., S. 262 ff., 697 ff.

[54] Vgl. Martti Rasanen, *Regenbogen-Himmelsbrücke* (Studia Orientalia XIV, 1, 1947, Helsinki).

[55] H. von Lankenau, *Die Schamanen und das Schamanenwesen* (Globus XXII, 1872, S. 278–283), S. 279 ff.

und Sojoten, und der Stock, mit dem man die Trommel schlägt, bekommt bei den Altaiern den Namen «Peitsche» (Harva, *Religiöse Vorstellungen*, S. 536).

Der Gedanke der ekstatischen Reise kehrt auch in dem Namen wieder, den die Schamanen der Tundra-Juraks ihrer Trommel geben: *Bogen* oder *singender Bogen*. Nach Lehtisalo und Harva (S. 538) diente die Schamanentrommel ursprünglich dazu, die bösen Geister zu verjagen, was man ebenso auch mit einem Bogen habe erreichen können. Es ist richtig, daß die Trommel zuweilen zum Vertreiben der bösen Geister verwendet wird (Harva, S. 537), doch ist in diesen Fällen ihre eigentliche Anwendung vergessen; es handelt sich um einen «Lärmzauber», mit dem man die Dämonen austreibt. Beispiele eines solchen Funktionswandels sind in der Religionsgeschichte häufig. Wir glauben aber nicht, daß die ursprüngliche Funktion der Trommel das Verjagen der Geister gewesen ist. Die Schamanentrommel unterscheidet sich ja gerade von allen anderen «Lärmzauber»-Instrumenten, indem sie ein ekstatisches Erlebnis möglich macht. Ob ursprünglich dieses Erlebnis durch den Zauber der Trommeltöne («Geisterstimmen») vorbereitet wurde oder ob man zu einem ekstatischen Erlebnis infolge höchster Konzentration durch ein langes Trommeln kam, diese Frage wollen wir noch zurückstellen. Doch eins ist sicher: Die *Magie der Musik* hat die schamanische Funktion der Trommel begründet und nicht ein apotropäischer *Lärmzauber*.

Der Beweis dafür: Auch dort, wo die Trommel durch einen Bogen ersetzt wird wie bei den Lebed-Tataren und den Altaiern, handelt es sich immer um ein magisches Musikinstrument und nicht um eine dämonenabwehrende Waffe. Man findet nie Pfeile, und der Bogen wird als Instrument mit einer Saite benützt. Auch die kirgisischen *baqça* benützen nicht die Trommel zur Vorbereitung der Trance, sondern den *kobuz*, ein Saiteninstrument [56]. Und die Trance tritt wie bei den sibirischen Schamanen durch das Tanzen auf die magische Melodie des *kobuz* ein. Der Tanz reproduziert, wie wir im folgenden noch sehen werden, die ekstatische Himmelsreise des Schamanen. Die magische Musik, die Symbolik von Trommel und Tracht und der Tanz selbst sind alles Mittel zur Durchführung und zum Gelingen der ekstatischen Reise. Die Stöcke

---

[56] Castagné, *Magie et exorcisme*, S. 67 ff.

mit Pferdekopf, die bei den Buriäten sogar «Pferde» heißen, sind Zeugen für dieselbe Symbolik[57].

Die ugrischen Völker kennen keine Zeichnungen auf den Schamanentrommeln. Dagegen verzieren die Lappenschamanen ihre Trommeln noch reicher als die Tataren. In dem großen Werk von Manker über die Zaubertrommel der Lappen finden sich Abbildungen und erschöpfende Analyse einer großen Anzahl von Zeichnungen[58]. Die mythischen Personen auf diesen manchmal recht mysteriösen Bildern und ihre Bedeutung sind nicht immer leicht zu identifizieren. Im allgemeinen stellen die Lappentrommeln die drei kosmischen Zonen mit ihren Grenzlinien dar. Da gibt es den Himmel mit Mond und Sonne, Götter und Göttinnen (wohl mit Einflüssen aus der skandinavischen Mythologie[59]), Vögel (Schwan, Kuckuck usw.), die Trommel, Opfertiere usw.; der Weltenbaum, vielerlei mythische Personen, Boote, Schamanen, der Gott der Jagd, Reiter usw. bevölkern den Raum in der Mitte (die Erde) und in der untersten Zone finden sich die Unterweltgötter, Schamanen mit den Toten, Schlangen und Vögel.

Die Lappenschamanen benützen ihre Trommel auch zum Weissagen[60], was bei den Türken unbekannt ist. Die Tungusen üben eine Art reduzierte Weissagung, indem sie den Trommelschlegel in die Luft werfen; die Lage des Schlegels nach dem Niederfallen gibt Antwort auf die gestellte Frage (Harva, S. 539).

Die Frage des Ursprungs und der Verbreitung der Schamanentrommel in Nordasien ist überaus verwickelt und noch bei weitem nicht gelöst. Verschiedene Anzeichen deuten auf Südasien als wahrscheinlichen Ausbreitungsherd. Ohne Zweifel hat die lamaistische Trommel auf die Form der sibirischen, aber auch der tschuktschischen und der Eskimotrommel eingewirkt (vgl. Shirokogorov, *Psychomental Complex*, S. 299), was für die Herausbildung des Schamanismus im heutigen Zentralasien und Sibirien nicht ohne Bedeutung ist. Wir werden anläßlich der Entwicklung des asiatischen Schamanismus darauf zurückzukommen haben.

[57] Harva, *Relig. Vorstell.*, S. 538 ff. und Fig. 65.
[58] E. Manker, *Die lappische Zaubertrommel. Teil I: Die Trommel als Denkmal materieller Kultur* (Stockholm 1938); s. auch T. I. Itkonen, *Heidnische Religion und späterer Aberglaube bei den finnischen Lappen*, S. 139 ff. und Fig. 24–27.
[58] Manker, *a. a. O.*, S. 17.
[60] Itkonen, *a. a. O.*, S. 121 ff.; Harva, S. 538.

Rituelle Tracht und Zaubertrommel auf der ganzen Erde

Wir können hier nicht eine vergleichende Überschau über die Trachten und die Trommeln oder anderen rituellen Instrumente aller Zauberer[61], Medizinmänner und Priester auf der Welt geben. Das wäre Sache der Völkerkunde, während es für die Religionsgeschichte von nur subsidiärem Interesse ist. Erinnern wir uns jedoch daran, daß die Symbole der sibirischen Schamanentracht auch anderweitig erscheinen, so die Masken – von den einfachsten bis zu den ausgebildetsten –, die Tierhäute und -pelze und vor allem die Vogelfedern, deren Auffahrtssymbolik nicht eigens betont zu werden braucht. Ebenso wiederholen sich Zauberstöcke, Glöckchen und die vielerlei Trommelformen. So legt der Zauberer bei den Dusun Schmuck und heilige Federn an, wenn er an eine Heilung geht (Evans, *Studies*, S. 21); zum Zeremonialkostüm des Mentawei-Schamanen gehören Vogelfedern und Glöckchen (Loeb, *Shaman and Seer*, S. 69 ff.); die afrikanischen Zauberer und Heiler bekleiden sich mit Wildfellen, mit Tierzähnen und -knochen usw. (Webster, *Magic*, S. 253 ff.). Auch im tropischen Südamerika, wo eine Ritualtracht selten ist, kehrt schamanisches Zubehör wieder. So etwa die *maraca*, Viehglocke, «aus einem Kürbis mit Kernen oder Steinen darin und einem Griff». Dieses Instrument gilt als heilig und die Tupinamba bringen ihm sogar Nahrung als Opfer dar (Métraux, *La religion des Tupinamba*, S. 72 ff.). Die Yaruro-Schamanen führen auf ihren Glocken stark stilisierte «Darstellungen» der wichtigsten Gottheiten aus, die sie in ihrer Trance besuchen (Métraux, *Le shamanisme dans l'Amérique du Sud*, S. 218).

Mehr Symbole enthält die Zeremonialtracht der nordamerikanischen Schamanen: Adler- oder andere Vogelfedern, eine Art Viehglocke oder ein Tamburin, Täschchen mit Felskristallen, Steinen und anderen Zaubersachen. Der Adler, von dem man die Federn nimmt, gilt als heilig und

---

[61] Vgl. z. B. E. Crawley, *Dress, drinks and drums* (hrsg. Th. Bestermann, London 1931), S. 159 ff., 233 ff.; Maddok, *The medicin-man*, S. 95 ff.; Webster, *Magic*, S. 252 ff.; usw. Über die Trommel der Bhil s. Wilhelm Koppers, *Die Bhil* (Wien, 1946), S. 223; für die Jakun Evans, *Studies*, S. 265, die Malaien Skeat, *Malay Magic*, S. 25 ff., 40 ff., 512 ff. usw.; für Afrika Heinz Wieschoff, *Die afrikanischen Trommeln und ihre außerafrikanischen Beziehungen* (Stuttgart 1933); Adolf Friedrich, *Afrikanische Priestertümer* (Stuttgart 1939), S. 194 ff., 324 usw. Vgl. auch A. Schaefner, *Origine des instruments de musique* (Paris 1936), S. 166 ff. (Membrantrommel).

wird deshalb in Freiheit gelassen (Park, *Shamanism,* 34). Die Tasche mit dem Zubehör verläßt den Schamanen nie; in der Nacht verbirgt er sie unter seinem Kopfkissen oder unter dem Bett (*ebd.*). Bei den Tlingit und Haida kann man sogar von einem eigentlichen Zeremonialkostüm sprechen (Kleid, Decke, Hut usw.), das sich der Schamane nach den Anweisungen seines Schutzgeistes macht (Swanton, zitiert bei M. Bouteiller, *Chamanisme et guérison magique,* S. 88). Bei den Apachen hat der Schamane außer Adlerfedern einen Rhombus, eine Zauberschnur (die ihn unverwundbar macht und die Zukunft vorhersehen läßt usw.) und einen Ritualhut [62]. An anderen Orten, so bei den Sanpoil und Nespelem, sitzt die magische Kraft des Kostüms nur in einem roten Lappen, den man sich um den Arm wickelt (Park, S. 129) Die Adlerfedern sind bei allen nordamerikanischen Stämmen belegt (Park, S. 134). An Stöcke gebunden werden sie auch bei den Initiationszeremonien verwendet (so bei den nordöstlichen Maidu), man legt diese Stöcke auf die Gräber der Schamanen (Park, 134) als Zeichen für die Richtung, welche die Seele des Abgeschiedenen einschlägt.

Auch in Nordamerika benützt der Schamane ein Tamburin oder eine Glocke [63]. Wo die Zeremonialtrommel fehlt, wird sie durch das Gong oder die Muschel ersetzt (besonders in Ceylon [64], Südasien und China). Immer ist es ein Instrument, das auf die eine oder andere Art den Kontakt mit der «Geisterwelt» herzustellen vermag – einer «Geisterwelt» im weitesten Sinn, nicht nur mit Göttern, Geistern und Dämonen, sondern auch den Seelen der Ahnen, den Toten und mythischen Tieren. Ein solcher Kontakt mit der übersinnlichen Welt setzt unbedingt Konzentration voraus, und diese wird durch die «Einfügung» des Schamanen oder Zauberers in seine Zeremonialtracht erleichtert und durch rituelle Musik beschleunigt.

Dieser Symbolismus der heiligen Tracht lebt weiter bis in die höchstentwickelten Religionen, siehe die Wolfs- und Bärenpelze in China [65],

---

[62] J. G. Bourke, *The medicin-men of the Apache* (9th Annual Report of the Bureau of Ethnology, Washington 1892, S. 451–617), S. 476 ff. (Rhombus, vgl. Fig. 430–431), 533 ff. (Vogelfedern), S. 550 ff. (und Fig. 435–439 «medicine-cord»), S. 589 ff. (und Taf. V «medicine-hat»).

[63] Park, *Shamanism,* S. 34 ff., 131 ff.

[64] Vgl. Paul Wirz, *Exorzismus und Heilkunde auf Ceylon* (Bern 1941).

[65] Vgl. Carl Hentze, *Die Sakralbronzen und ihre Bedeutung in den frühchinesischen Kulturen* (Antwerpen 1941), S. 34 ff.

die Vogelfedern des irischen Propheten [66] usw. Auch auf den Gewändern der altorientalischen Priester und Herrscher kehrt die makrokosmische Symbolik wieder. Wir stoßen hier auf ein in der Religionsgeschichte wohlbekanntes «Gesetz»: *Man wird, was man darstellt*. Die Träger der Masken *sind* wirklich die durch diese Masken dargestellten mythischen Ahnen. Dieselbe Wirkung, nämlich totale Verwandlung des Individuums in etwas *anderes,* ist aber auch von verschiedenen Zeichen und Symbolen zu erwarten, die manchmal nur auf dem Kostüm oder direkt auf dem Körper angedeutet sind: Die Fähigkeit des magischen Fluges gewinnt man durch das Tragen einer Adlerfeder, oder auch nur der stark stilisierten Zeichnung einer solchen Feder und so weiter. Der Gebrauch der Trommel und anderer magischer Musikinstrumente ist indessen nicht ausschließlich auf die Sitzungen beschränkt. Viele Schamanen trommeln und singen auch nur zum Vergnügen, und es kommt dabei genau so zu Himmelfahrten und Unterweltsfahrten zum Besuch der Toten. Diese «Autonomie», zu der die Instrumente einer magisch-religiösen Musik gediehen, hat zur Bildung einer Musik geführt, die, wenn auch noch nicht «profan», doch auf jeden Fall freier und bilderreicher ist. Dasselbe Phänomen zeigt sich an den Gesängen der Schamanen von ekstatischen Himmelsreisen und gefährlichen Unterweltsfahrten. Nach Ablauf einer bestimmten Zeit geht diese Art Abenteuer in die Volksüberlieferung der betreffenden Völker über und bereichert die mündliche Volksliteratur um neue Themen und Personen [67].

[66] Vgl. Nora Chadwick, *Poetry and Prophecy*, S. 58.
[67] Vgl. K. Meuli, *Scythica* (Hermes, 70. Bd., 1935, S. 121–176), S. 151 ff.

VI

DER SCHAMANISMUS ZENTRAL- UND NORDASIENS

A

AUFFAHRT IN DEN HIMMEL
ABSTIEG IN DIE UNTERWELT

Die Funktionen des Schamanen

So bedeutend die Rolle der Schamanen im religiösen Leben Zentral- und Nordasiens auch ist, sie hat doch ihre Grenzen [1]. Der Schamane ist kein Opferer: «Es gehört nicht zu seinen Befugnissen für die Opfer zu sorgen, die an festgesetzten Tagen den Göttern des Wassers, des Waldes und der Familie dargebracht werden» (Kai Donner, *La Sibérie*, S. 222). Im Altai hat der Schamane, wie schon Radlov bemerkt hat, bei den Geburts-, Hochzeits- und Bestattungszeremonien nichts zu tun – außer wenn sich etwas Ungewöhnliches ereignet. So wendet man sich zum Beispiel bei Unfruchtbarkeit oder schwerer Geburt an den Schamanen (Radlov, *Aus Sibirien* II, S. 55). Weiter im Norden wird der Schamane mitunter zu den Bestattungen eingeladen, um die Seele des Toten an der Wiederkehr zu hindern, und er ist auch bei den Hochzeiten zugegen, um die Neuvermählten vor den bösen Geistern zu schützen [2]. Seine Rolle ist also sichtlich auf Abwehrmagie beschränkt.

Als unersetzlich erweist sich der Schamane dagegen bei jeder Zeremonie, welche die Erlebnisse der menschlichen Seele als solcher betrifft, als der gefährdeten Einheit Seele, die dazu neigt den Körper zu

---

[1] Ebenso ist die soziale Stellung der sibirischen Schamanen vom allerersten Rang, abgesehen von den Tschuktschen, wo die Schamanen nicht allzu geachtet scheinen, vgl. Mikhailowski S. 131-132. Bei den Buriäten seien die Schamanen die ersten politischen Oberhäupter gewesen (Sandschejev, *Weltanschauung*, S. 981 f.).

[2] Karjalainen, *a. a. O.* III, S. 295. Nach Sieroszewski ist der jakutische Schamane bei allen wichtigen Ereignissen zugegen (*Du chamanisme*, S. 322), aber daraus geht noch nicht hervor, daß er auch das «normale» religiöse Leben beherrscht; wirklich unentbehrlich wird er erst im Krankheitsfall (ebd.). Bei den Buriäten werden die Kinder bis zum Alter von 15 Jahren von den Schamanen vor eben diesen Geistern beschützt (Sandschejev, S. 594).

verlassen und die leicht zur Beute von Dämonen und Zauberern wird. Das ist der Grund dafür, daß in ganz Nordasien und Nordamerika, aber auch sonst (Indonesien usw.) der Schamane die Funktion des Arztes und Heilenden innehat; er sagt die Diagnose, er sucht die flüchtige Seele des Kranken auf, fängt sie ein und läßt sie sich mit dem Körper, den sie eben verlassen hat, wieder vereinigen. Immer ist er es, der die Seele des Verstorbenen in die Unterwelt führt, denn er ist in besonderer Weise «Psychopomp», Seelengeleiter.

Heilender und Psychopomp, das ist der Schamane, weil er die Techniken der Ekstase kennt, das heißt weil seine Seele ungestraft den Körper verlassen und in sehr großen Entfernungen umherschweifen, weil sie in die Unterwelt hinabdringen und zum Himmel steigen kann. Durch sein eigenes Ekstase-Erlebnis kennt er die Reisewege in den außerirdischen Regionen. Die Gefahr, sich in diesen verbotenen Regionen zu verirren, bleibt immer groß, doch geheiligt durch die Initiation und mit seinen Schutzgeistern bewehrt vermag der Schamane als einziges menschliches Wesen dieser Gefahr zu trotzen und sich in die Abenteuer einer mystischen Geographie zu begeben.

Dieselben ekstatischen Fähigkeiten machen es dem Schamanen, wie wir gleich sehen werden, bei den periodischen Opfern der Altaier möglich, die Seele des dem Gott dargebrachten Pferdes zu begleiten. In diesem Fall opfert der Schamane selbst das Pferd, aber nur, weil er die Seele des Tieres auf ihrer Himmelsreise bis zum Thron Bai Ülgäns zu geleiten hat und nicht etwa, weil seine Funktion die eines Opferpriesters wäre. Im Gegenteil, es scheint, daß sich bei den Altai-Tataren der Schamane an die Stelle des Opferpriesters gesetzt hat, denn bei den Pferdeopfern der Urtürken (Hiungnu, Tukuë), der Katšinzen und der Beltiren an den höchsten Himmelsgott spielen die Schamanen keine Rolle, während sie an den anderen Opfern aktiv teilnehmen.

Ebenso verhält es sich bei den ugrischen Völkern. Bei den Wogulen und den Irtysch-Ostjaken opfern die Schamanen im Fall einer Krankheit und vor Beginn der Heilung, doch scheint dies eine späte Neuerung zu sein; ursprünglich und wichtig wäre dann daran nur die Suche nach der verirrten Seele des Kranken (Karjalainen III, S. 286). Bei denselben Völkern wohnen die Schamanen den Sühnopfern bei, und in der

---

[3] Vgl. W. Schmidt, *Der Ursprung der Gottesidee*, Bd. IX, S. 14, 31, 63 (Hiungnu, Tukuë usw.), 686 f. (Katšinzen, Beltiren), 771 f.

Irtyschgegend zum Beispiel können sie sogar opfern, doch ist daraus nichts zu entnehmen, denn den Göttern opfern kann ein jeder (*ebd.*, S. 287 ff.). Selbst wenn der ugrische Schamane am Opfer teilnimmt, schlachtet er nicht selbst das Tier, sondern nimmt sich gewissermaßen der «spirituellen» Seite des Ritus an, indem er Räucherungen ausführt, Gebete spricht usw. (Karjalainen, S. 288). Beim Opfer der Tremjugan heißt der Schamane «der Mann, der betet», ist aber nicht unentbehrlich (*ebd.*). Bei den Waßjuganen richtet man sich, wenn man im Krankheitsfall den Schamanen befragt hat, mit dem Opfer nach seinen Befehlen, doch wird das Opfertier vom Hausherrn geschlachtet. Bei Gemeinschaftsopfern der ugrischen Völker besteht die Rolle des Schamanen nur darin, die Gebete zu sprechen und die Seelen der Opfertiere zu den betreffenden Gottheiten zu führen (Karjalainen, S. 289). Auch wenn er am Opfer teilnimmt, spielt also der Schamane eine mehr «geistige» Rolle[4]; er beschäftigt sich allein mit dem mystischen Reiseweg der Seele des Opfertieres. Der Grund ist leicht einzusehen: der Schamane kennt diesen Weg und er weiß eine «Seele» zu meistern und zu führen, ob es nun die Seele eines Menschen oder eines Opfertiers ist.

Gegen Norden scheint die religiöse Rolle des Schamanen an Bedeutung und Reichhaltigkeit zuzunehmen. Im äußersten Norden Asiens wendet man sich, wenn das Wild ausgeht, zuweilen an den Schamanen (Harva, *Religiöse Vorstellungen*, S. 542). So ist es auch bei den Eskimos[5] und bestimmten nordamerikanischen Stämmen[6], doch sind diese Jagdriten nicht eigentlich schamanisch. Wenn der Schamane unter diesen Umständen eine Rolle zu spielen scheint, so liegt das einzig an seinen ekstatischen Fähigkeiten: Er sieht Veränderungen der Atmosphäre voraus, er besitzt die Kraft des Hellsehens und in die Ferne Sehens (kann also das Wild ausmachen); mehr noch, er steht in engeren, magisch-religiösen Beziehungen zu den Tieren.

Wahrsagen und Hellsehen gehören zu den mystischen Künsten des Schamanen. Deshalb konsultiert man einen Schamanen, um in der Tundra oder im Schnee verirrte Menschen und Tiere oder einen ver-

---

[4] Siehe die Analogie mit der Funktion des *brahman* im vedischen Ritual.
[5] Z. B. Rasmussen, *Intellectual Culture of the Iglulik Eskimos*, S. 109 ff.; Weyer, *Eskimos*, S. 422 usw.
[6] Z. B. das «antelope-charming» bei den Paviotso, vgl. Park, *Shamanism*, S. 62 ff., 139 ff.

lorenen Gegenstand wiederzufinden. Doch sind so kleine Aufgaben mehr Sache der Schamaninnen oder anderer Klassen von Zauberern und Zauberinnen. Ebenso ist es keine «Spezialität» des Schamanen, den Feinden seiner Klienten zu schaden, wenngleich er sich manchmal dazu hergibt. Aber der nordasiatische Schamanismus ist ein außerordentlich komplexes, mit einer langen Geschichte beladenes Phänomen und hat mit der Zeit viele magische Künste an sich gezogen, vor allem infolge des großen Prestiges, das den Schamanen im Lauf der Zeit zuwuchs.

«Weiße» und «schwarze» Schamanen. «Dualistische» Mythologien

Die deutlichste Scheidung ist, wenigstens bei bestimmten Völkern, die in «weiße» und «schwarze» Schamanen, wiewohl es nicht immer leicht fällt, das Gegensatzmoment zu definieren. Miss Czaplicka [7] kennt bei den Jakuten *ajy ojuna,* die den Göttern opfern, und *abasy ojuna* mit Beziehungen zu den «bösen Geistern». Doch wie Harva (*Religiöse Vorstellungen,* S. 483) bemerkt, ist der *ajy ojuna* nicht unbedingt ein Schamane; es kann auch ein Opferpriester sein. Nach Pripuzov kann derselbe Jakutenschamane ebenso die höheren (himmlischen) Geister wie die der unteren Regionen beschwören [8]. Bei den Tungusen von Turuschansk gibt es unter den Schamanen keine Differenzierung; dort kann jeder beliebige Priester dem Himmelsgott opfern, nur der Schamane nicht, und diese Opferriten finden bei Tage statt, die schamanischen Riten hingegen bei Nacht (Harva, *a.a.O.,* S. 483).

Deutlich zu erkennen ist diese Unterscheidung bei den Buriäten. Sie sprechen von «weißen Schamanen» (*sagani bö*), die Beziehungen zu den Göttern, und «schwarzen Schamanen» (*karain bö*), die Beziehun-

---

[7] *Aboriginal Siberia,* S. 247 ff.
[8] Harva, *Rel. Vorstell.,* S. 483. Sieroszewski teilt die jakutischen Schamanen nach ihrer Macht ein und unterscheidet: a) die «letzten» (*Kenniki oüna*), eigentlich mehr Wahrsager und Traumdeuter, die nur leichte Krankheiten behandeln; b) «gewöhnliche» Schamanen (*orto oüna*), die gewöhnlichen Heiler, und c) «große» Schamanen, die mächtigen Zauberer, denen Ulu-Toion selbst einen Schutzgeist gesandt hat (*Du chamanisme,* S. 315). Wie wir sogleich sehen werden, zeichnet sich das jakutische Pantheon durch eine Zweiteilung aus, der aber anscheinend keine Differenzierung in der Schamanenschaft entspricht. Der Gegensatz liegt vielmehr zwischen Opferpriestern und Schamanen. Nichtsdestoweniger spricht man von «weißen» oder «Sommerschamanen» im Zeremonial der Göttin Aisyt, s. o. S. 89, Anm. 14.

gen zu den Geistern haben[9]. Ihre Tracht ist verschieden, die der ersteren weiß, die der andern blau. Auch die Mythologie der Buriäten weist einen bemerklichen Dualismus auf: Die zahllose Schar der Halbgötter teilt sich in schwarze und weiße Khans, die heftige Feindschaft entzweit[10]. Den schwarzen Khans dienen die «schwarzen Schamanen». Sie sind nicht beliebt, aber trotzdem für die Menschheit von Nutzen, denn nur sie übernehmen die Vermittlung zu den schwarzen Khans (Sandschejew, S. 952). Das ist aber nicht das Ursprüngliche; nach den Sagen war der erste Schamane «weiß» und ist der schwarze erst später erschienen (Sandschejew, S. 976). Und wie wir gesehen haben, schickte der Himmelsgott den Adler, um den ersten Menschen, der auf der Erde anzutreffen war, mit den Gaben des Schamanentums auszustatten. Die Zweiteilung der Schamanenschaft könnte sehr wohl ein sekundäres, ja spätes Phänomen sein, das auf iranische Einflüsse zurückgeht oder auch auf eine negative Wertung der chthonischen und «unterweltlichen» Hierophanien, welche mit der Zeit zur Abgrenzung «dämonischer» Mächte geführt hat.

Wir dürfen nicht vergessen, daß ein großer Teil der Erd- und Unterweltsgottheiten und -mächte nicht notwendig «böse» oder «teuflisch» ist. Sie repräsentieren im allgemeinen autochthone, sogar örtliche Hierophanien, die durch Veränderungen im Pantheon ihren Rang verloren haben. Manchmal ist die Teilung der Götter in himmlische oder chthonisch-infernale nur eine bequeme Klassifikation ohne jedes pejorative Moment für die letzteren. Bei den Buriäten haben wir einen ziemlich scharfen Gegensatz zwischen weißen und schwarzen Khans gesehen. Auch die Jakuten kennen zwei große Klassen (*bis*) von Göttern, «obere» und «untere», *tangara* («himmlische») und «unterirdische»[11], ohne daß man deshalb von einem klaren Gegensatz sprechen könnte (Sieroszewski, S. 300 ff.). Es handelt sich vielmehr um eine Klassifikation und Spezifizierung verschiedener religiöser Gestaltungen und Mächte.

---

[9] N. N. Agapitov und M. N. Changalov, *Shamanstvo u burjat*, S. 46; Mikhailowski, S. 130; Harva, *Rel. Vorstell.*, S. 484.

[10] Garma Sandschejew, *Weltanschauung und Schamanismus*, S. 952 ff.

[11] «Oben» und «unten» sind übrigens ziemlich vage Bezeichnungen, sie können auch stromaufwärts und stromabwärts gelegene Gegenden bezeichnen, Sieroszewski, S. 300. Vgl. auch W. Jochelson, *The Yakut*, S. 107 ff.; B. D. Shimkin, *A sketch of the Ket*, S. 161 ff.

Wie wohlwollend die Götter und Geister «von oben» auch sein mögen, sie zeigen sich unglücklicherweise passiv und im Drama der menschlichen Existenz ist von ihnen fast gar keine Hilfe zu erwarten. Sie bewohnen «die obersten Himmelssphären, befassen sich fast gar nicht mit den Angelegenheiten der Menschen und haben deshalb viel weniger Einfluß auf den Lauf des Lebens als die Geister des ,unteren *bis*', die rachsüchtig, der Erde näher, den Menschen durch Blutsbande und eine viel strengere Clanorganisation verbunden sind» (Sieroszewski, S. 301). Das Oberhaupt der Götter und Geister ist Art-Toion-Aga, der «Herr, Vater, Oberhaupt der Welt», der «in den neun Sphären des Himmels wohnt. Er ist mächtig, bleibt aber inaktiv; er leuchtet wie die Sonne, sein Emblem, spricht durch den Donner, mischt sich aber wenig in menschliche Dinge. In unsern täglichen Nöten würden wir vergeblich zu ihm beten; man darf nur in außerordentlichen Fällen seine Ruhe stören, und selbst dann zeigt er wenig Geneigtheit, sich mit den Dingen der Menschen abzugeben [12].»

Außer Art-Toion-Aga gibt es noch sieben große «obere» Götter und eine Menge kleinere. Doch bedeutet ihr Aufenthalt im Himmel nicht notwendig uranische Struktur. Neben dem «Weißen Schöpferherrn» (Urüng-Ai-Toion), der den vierten Himmel bewohnt, treffen wir z. B. «die süße Schöpferinmutter», «die süße Herrin der Geburt» und die «Herrin der Erde» (An-Alai-Chotun). Der Gott der Jagd, *Bai Bainai,* bewohnt den östlichen Teil des Himmels sowie die Felder und Wälder. Und doch opfert man ihm schwarze Büffel – ein Zeichen seiner tellurischen Herkunft [13].

Der «untere *bis*» enthält acht große Götter, mit dem «Allmächtigen Herrn des Unendlichen» (*Ulutuier Ulu Toion*) an der Spitze und eine zahllose Menge von «bösen Geistern». Ulu Toion ist aber nicht böse: «Er befindet sich nur sehr nahe an der Erde, deren Angelegenheiten ihn

---

[12] Sieroszewski, S. 302, nach Chudjakow. Über den passiven Charakter der uranischen Höchsten Wesen s. unser Buch *Die Religionen und das Heilige,* S. 71 ff.

[13] «Wenn die Jäger kein Jagdglück haben oder einer von ihnen krank wird, opfert man einen schwarzen Büffel, wobei der Schamane Fleisch, Eingeweide und Fett verbrennt. Bei dieser Zeremonie badet man eine Figur aus Bainaiholz, mit Hasenfell bekleidet, im Blut des Tieres. Wenn Tauwetter die Wasser befreit, steckt man ins Ufer Pfähle, die durch ein Seil aus Haaren *(sety)* mit bunten Lappen und Haarbüscheln verbunden sind. Außerdem wirft man Butter, Kuchen, Zucker und Geld ins Wasser» (Sieroszewski, S. 303). Der Typ eines bastardisierten Opfers, vgl. Al. Gahs, *Kopf-, Schädel- und Langknochenopfer bei Rentiervölkern, passim.*

lebhaft interessieren... Ulu Toion ist die Personifikation der aktiven Existenz voll Leiden, Wünschen und Kampf... Er ist im Westen zu suchen, im dritten Himmel. Aber man soll seinen Namen nicht leichtfertig anrufen: Die Erde zittert und wankt, wenn er seinen Fuß aufsetzt; das Herz des Sterblichen zerspringt vor Schrecken, wenn er in sein Angesicht zu schauen wagt. Kein Mensch hat ihn deshalb gesehen. Aber er ist der einzige von den mächtigen Bewohnern des Himmels, der in dieses Tränental herabsteigt... Er hat den Menschen das Feuer gegeben, er hat den Schamanen erschaffen und ihn gegen das Unheil kämpfen gelehrt... Er ist der Schöpfer der Vögel, der Waldtiere, und der Wälder» (Sieroszewski, S. 306 ff.). Ulu-Toion ist Art-Toion-Aga nicht botmäßig, sondern behandelt ihn als seinesgleichen [14].

Bezeichnenderweise bringt man mehreren von diesen «unteren» Gottheiten weiße oder falbe Tiere zum Opfer. Dem mächtigen Kahtyr-Kaghta Burai-Toion, der nur Ulu-Toion selbst über sich hat, opfert man ein graues Pferd mit weißem Stirnfleck; der «Dame mit dem weißen Fohlen» opfert man ein weißes Fohlen, den übrigen «unteren» Göttern und Geistern falbe Stuten mit weißen Kniekehlen oder weißem Kopf oder Apfelschimmelstuten usw. (Sieroszewski, S. 303 ff.). Natürlich gehören zu den «unteren» Geistern auch einige berühmte Schamanen. Am berühmtesten ist der jakutische «Fürst der Schamanen»; er wohnt im westlichen Teil des Himmels und gehört zur Familie Ulu-Toions. «Er war vor nicht langer Zeit ein Schamane vom *ülüs* Nam, vom *nosleg* Bötiügne, vom Geschlecht Tchaky... Man opfert ihm einen stahlfarbenen Jagdhund mit weißen Flecken, weiß am Kopf zwischen Augen und Schnauze» (Sieroszewski, S. 305).

Schon diese wenigen Beispiele zeigen, wie schwierig eine saubere Abgrenzung zwischen «uranischen» und «tellurischen» Göttern, zwischen «guten» und «bösen» religiösen Mächten ist. Nur soviel hat sich mit Sicherheit ergeben, daß der höchste Himmelsgott ein *deus otiosus* ist und daß die Stellungen und Hierarchien im jakutischen Pantheon mehrfachen Wechsel, vielleicht sogar Usurpation, erlebt haben. Angesichts dieses ebenso komplexen wie vagen Dualismus versteht man, daß der jakutische Schamane sowohl den «oberen» wie den «unteren»

---

[14] Man erkennt aus dieser Beschreibung, wie falsch es ist Ulu-Toion unter die «*niederen*» von den «unteren» Göttern einzureihen, vereinigt er doch die Attribute des Herrn der Tiere, des Demiurgen und sogar noch eines Fruchtbarkeitsgottes.

Göttern «dienen» kann, denn «unterer *bis*» heißt nicht immer «böse Geister». Der Unterschied zwischen Schamanen und anderen Priestern (den «Opferern») liegt nicht in Dingen des Rituals, sondern in der Frage der Ekstase: Nicht davon, ob ein Schamane dies oder jenes Opfer darbringen kann oder nicht, hängt seine ganz besondere Situation innerhalb der religiösen Gemeinschaft (die Priester wie Laien umfaßt) ab, sondern von der Eigenart seiner Beziehungen zu den Gottheiten, den «oberen» wie den «unteren». Diese Beziehungen sind bei ihm, wie wir später noch besser sehen werden, «vertrauter», «konkreter» als bei den anderen, Opferpriestern oder Laien, denn beim Schamanen ist das religiöse Erlebnis immer von ekstatischer Struktur, welche Gottheit es auch hervorruft.

Dieselbe Zweiteilung wie bei den Buriäten, wenn auch nicht so deutlich, begegnet bei den altaischen Schamanen. Anochin[15] spricht von «weißen Schamanen» (*ak kam*) und «schwarzen Schamanen» (*kara kam*). Bei Radlov und Potapov fehlt diese Unterscheidung; nach ihnen kann derselbe Schamane Himmelsreise und Unterweltsfahrt ausführen. Doch liegt darin kein Widerspruch: Anochin (S. 108 ff.) bemerkt, daß es auch «schwarz-weiße» Schamanen gibt, welche die beiden Reisen machen können. Dieser russische Ethnologe traf sechs «weiße», drei «schwarze» und fünf «weißschwarze» Schamanen. Wahrscheinlich hatten Radlov und Potapov nur mit Schamanen dieser dritten Kategorie zu tun.

Die Tracht der «weißen Schamanen» ist einfacher; der Kaftan (*manyak*) scheint dabei nicht unbedingt nötig. Doch haben sie einen Hut aus weißem Lammfell und andere Insignien[16]. Die Schamaninnen sind immer «schwarz», denn sie machen keine Himmelsreisen. Die Altaier scheinen also drei Gruppen von Schamanen zu haben: solche, die sich ausschließlich himmlischen Göttern und Mächten widmen, solche, die auf den (ekstatischen) Kult der Unterweltsgötter spezialisiert sind und schließlich solche, die zu beiden Klassen mystische Beziehungen haben. Diese letzte Gruppe scheint zahlenmäßig ziemlich stark zu sein.

---

[15] *Materialy po shamanstvu u altajcev*, S. 33.
[16] Anochin, *Materialy*, S. 34; Harva, *Rel. Vorstell.*, S. 482; W. Schmidt, *Ursprung* IX, S. 244.

Pferdeopfer und Himmelfahrt des Schamanen bei den Altaiern

Noch klarer wird dies alles durch die Darstellung einiger schamanischer Sitzungen mit verschiedenem Zweck: Pferdeopfer und Himmelfahrt, Suche nach den Ursachen einer Krankheit und Behandlung des Kranken, Begleitung der Seele des Abgeschiedenen in die Unterwelt und Reinigung des Hauses usw. Wir beschränken uns dabei zunächst auf eine Beschreibung der Sitzungen ohne Studium der eigentlichen Trance des Schamanen und nur mit einigen Andeutungen über die religiösen und mythologischen Vorstellungen, welche diesen ekstatischen Reisen zugrundeliegen. Die Frage nach den mythischen und theologischen Grundlagen der schamanischen Ekstase soll später wieder aufgenommen werden. Dabei ist noch zu sagen, daß die Phänomenologie der Sitzung von einem Stamm zum anderen wechselt, wenngleich ihre Struktur immer dieselbe bleibt. Wir haben es nicht für notwendig gehalten, all diesen Unterschieden nachzugehen, die sich mehr auf Einzelheiten erstrecken. Was uns in diesem Kapitel vorschwebt, ist vor allem eine möglichst gedrängte Beschreibung der wichtigsten Typen der schamanischen Sitzung. Wir beginnen dabei mit der klassischen Beschreibung des altaischen Rituals durch Radlov, die sich nicht nur auf seine eigenen Beobachtungen stützt, sondern dazu noch auf die Texte der Gesänge und Anrufungen, die zu Beginn des 19. Jahrhunderts durch die Altai-Missionäre aufgezeichnet und später von dem Priester Verbitskii redigiert wurden [17]. Dieses Opfer wird von jeder Familie von Zeit zu Zeit gefeiert und dauert drei Abende nacheinander.

Der erste Abend ist der Vorbereitung des Ritus gewidmet. Der *Kam* sucht einen Platz auf einer Wiese aus und errichtet dort eine neue Jurte; darin stellt er eine Birke auf, deren untere Äste entfernt sind und an deren Stamm neun Stufen (*tapty*) angebracht werden. Das oberste

---

[17] Radlov, *Aus Sibirien* II, S. 20–50. Verbitskii hat 1870 den tatarischen Text in einer Tomsker Zeitung publiziert, nachdem er schon 1858 eine Beschreibung der Zeremonie gegeben hatte. Die Übersetzung der tatarischen Lieder und Anrufungen und ihre Einfügung in die Darstellung des Rituals ist Radlovs Werk. Einen Auszug aus dieser klassischen Beschreibung s. bei Mikhailowski, *a. a. O.*, S. 74–78; vgl. auch Harva, *Rel. Vorstell.*, S. 553–556. Vor kurzem widmete W. Schmidt ein ganzes Kapitel des 9. Bandes seines *Ursprungs der Gottesidee* (S. 278–341) der Wiedergabe und Analyse des Radlovschen Texts.

Laub der Birke, die an ihrem Wipfel ein Tuch trägt, ragt aus der oberen Öffnung der Jurte hervor. Rund um die Jurte errichtet man einen kleinen Zaun aus Birkenstöcken; am Eingang steckt man einen Stock aus Birkenholz mit einem Knoten aus Pferdehaar in die Erde. Dann sucht man ein Pferd von heller Farbe aus, und nachdem der Schamane festgestellt hat, ob es der Gottheit wohlgefällig ist, vertraut er es einem der Anwesenden an, der nun Bash-tut-kan-kiski, «die Person, die den Kopf hält», heißt. Der Schamane schwenkt einen Birkenzweig über dem Rücken des Pferdes, um die Seele des Tieres zum Austritt zu zwingen und ihren Flug zu Bai Ülgän vorzubereiten. Dieselbe Geste wiederholt er über der «Person, die den Kopf hält», denn die «Seele» dieser Person hat die Seele des Tieres auf ihrer ganzen Himmelsreise zu begleiten und muß deshalb für den *kam* verfügbar sein.

Der Schamane kehrt in die Jurte zurück, wirft Zweige auf das Feuer und beräuchert sein Tamburin. Er beginnt die Geister anzurufen und befiehlt ihnen sich in die Trommel zu begeben; auf seiner Himmelfahrt wird er jeden von ihnen brauchen. Bei jedem namentlichen Aufruf antwortet der Geist: «Hier bin ich, *kam!*» und der Schamane manövriert mit der Trommel, wie wenn er den Geist damit fangen würde. Wenn er seine Hilfsgeister (alles himmlische Geister) versammelt hat, verläßt der Schamane die Jurte. Einige Schritte entfernt befindet sich eine Vogelscheuche in Gänsegestalt; er setzt sich rittlings darauf, rudert heftig mit den Händen, wie wenn er fliegen wollte, und singt:

> Unterhalb des weißen Himmels,
> Oberhalb der weißen Wolke,
> Unterhalb des blauen Himmels,
> Oberhalb der blauen Wolke,
> Steig empor zum Himmel, Vogel!

Auf diese Anrufung antwortet die Gans schnatternd: «Ungaigakgak, ungangak, kaigaigakgak, kaigaigak.» Das ist natürlich der Schamane selbst, der den Schrei des Vogels nachahmt. Auf der Gans sitzend verfolgt der *kam* die Seele des Pferdes (*pûra*), das geflohen ist, und wiehert wie ein Rennpferd. Mit Hilfe der Umstehenden zwingt er die Seele des Pferdes in die Hürde und mimt angestrengt, wie es eingefangen wird: er wiehert, schlägt aus und zeigt, wie die Schlinge, die man nach dem Pferd ausgeworfen hat, ihm den Hals zuschnürt. Manchmal läßt er das Tamburin fallen, um anzudeuten, daß die Seele des Pferdes entflohen ist. Schließlich ist sie wieder eingefangen und der Schamane beräuchert sie mit Wacholder und schickt die Gans fort. Dann segnet er das Pferd und tötet es mit Hilfe einiger von den Anwesenden auf grausame Weise, indem er ihm die Wirbelsäule bricht, wobei kein Tropfen Blut auf die Erde fallen oder die Opfernden bespritzen darf [18]. Haut und Knochen werden an einer langen Stange aufgehängt und ausgestellt [19]. Nach Opfern für die Ahnen und die Schutzgeister der Jurte bereitet man das Fleisch zu und ißt es auf zeremonielle Weise, wobei der Schamane die besten Stücke bekommt.

Der zweite und wichtigste Teil der Zeremonie findet am folgenden Abend statt. Jetzt ist der Moment, wo der Schamane auf seiner Himmelsreise bis zum himmlischen Sitz Bai Ülgäns seine schamanischen Fähigkeiten zeigen kann. Das Feuer brennt in der Jurte. Der Schamane opfert den Meistern der Trommel – den Geistern, in denen die schamanischen Kräfte seiner Familie verkörpert sind – Pferdefleisch und singt:

> Nimm du es o Kaira Khan,
> Herr der Trommel mit sechs Buckeln!
> Komm du klingelnd her zu mir!
> Ruf ich «Čok!», verneige dich!
> Ruf ich «Mä!», so nimm es an!

Auf dieselbe Art wendet er sich an den Meister des Feuers, des Symbols für die heilige Kraft des Besitzers der Jurte, der das Fest organi-

---

[18] Nach Potanin, *Otcherki* IV, S. 79, befestigt man neben dem Opfertisch zwei Stangen mit hölzernen Vögeln an der Spitze, die durch ein Seil mit grünen Zweigen und einem Hasenfell verbunden sind. Bei den Dolganen stellen Stangen mit Holzvögeln an der Spitze die Weltsäulen dar, vgl. Holmberg (Harva), *Der Baum des Lebens*, S. 16, Fig. 5–6; ders., *Rel. Vorstell.*, S. 44. Der Vogel symbolisiert natürlich die magische Flugkraft, die der Schamane besitzt.

[19] Dieselbe Art von Pferde- und Lammopfer findet sich bei anderen altaischen Stämmen und bei den Teleüten, vgl. Potanin, *a. a. O.* IV, S. 78 ff. Dies ist das spezifische Schädel- und Langknochenopfer, das in seiner reinsten Form bei den arktischen Völkern vorkommt, vgl. A. Gahs, *Kopf-, Schädel- und Langknochenopfer bei Rentiervölkern* (W. Schmidt-Festschrift, Wien 1928, S. 231–268); W. Schmidt, *Der Ursprung der Gottesidee*, 3. Bd. (Münster 1931), S. 334, 367 ff., 462 ff. usw.; 6. Bd. (1935), S. 70–75, 274–281 usw.; 9. Bd., S. 287–292; ders. *Das Himmelsopfer bei den innerasiatischen Pferdezüchtervölkern* (Ethnos, 7. Bd., 1942, S. 127–148). S. auch K. Meuli, *Griechische Opferbräuche* (Phyllobolia für Peter von der Mühll, Basel 1946), S. 283 ff.

siert hat. Der Schamane erhebt einen Becher und macht mit den Lippen das Geräusch einer unsichtbaren Gesellschaft von Geladenen, die mit Trinken beschäftigt sind. Dann schneidet er Stücke vom Pferd ab und verteilt sie an die Anwesenden (die Repräsentanten der Geister), welche sie geräuschvoll verschlingen[20]. Dann beräuchert der Schamane die neun Gewänder, die als Opfer des Hausherrn an Bai Ülgän an einem Strick aufgehängt sind und singt:

> Gaben, die kein Pferd kann tragen,
>   Alás, alás, alás!
> Die kein Mann vermag zu heben,
>   Alás, alás, alás!
> Kleider mit dreifachem Kragen,
>   Dreimal wendend schauet an sie!
> Decke, gib sie für den Renner,
>   Alás, alás, alás!
> Fürst Ülgän, du Freudenvoller!

Darauf legt der *kam* seine Schamanentracht wieder an, setzt sich auf einen Schemel, beräuchert seine Trommel und beginnt eine Menge Geister anzurufen, groß und klein, und jeder Geist antwortet: «Hier bin ich, *kam*!» Auf diese Weise zitiert er: Yayyik Khan, den Geist des Meeres, Kaira Khan, Paisyn Khan, dann die Familie Bai Ülgäns (die Mutter Tasygan mit neun Töchtern zur Rechten und sieben zur Linken), und schließlich die Meister und Heroen des Abakan und des Altai (Mordo Khan, Altai Khan, Oktu Khan usw.). Am Ende dieser langen Anrufung wendet er sich an die Märküt, die Himmelsvögel:

> Himmelsvögel, fünf Märküt,
> Ihr mit mächtgen Kupferkrallen,
> Kupfer ist die Mondeskralle,
> Und von Eis der Mondesschnabel.
>
> Mächtgen Schwungs die breiten Flügel,
> Fächergleich der lange Schwanz,

---

[20] Über die palethnologische und religiöse Bedeutung dieses Ritus vgl. Meuli, *a. a. O.*, S. 224 ff. und *passim*.

Deckt den Mond der linke Flügel,
Und die Sonn der rechte Flügel.

Du die Mutter der neun Adler,
Der nicht irrt, den Yaik durchfliegend,
Der ermattet nicht um Edil,
Singend komme du zu mir!
Spielend komm zum rechten Auge,
Setz dich auf die rechte Schulter!

Um die Gegenwart des Vogels anzuzeigen, ahmt der Schamane seinen Schrei nach: Kazak, kak, kak! Hier bin ich, *kam*! Dabei beugt der Schamane seine Schulter wie erliegend unter dem Gewicht eines riesigen Vogels.

Der Geisterappell dauert weiter, die Trommel wird schwer. Mit diesen vielen mächtigen Schutzherrn gerüstet kreist der Schamane mehrmals um die Birke im Inneren der Jurte[21], dann kniet er sich vor der Tür nieder und bittet den «Pförtner»-Geist, er möge ihm einen Führer geben. Nach günstiger Antwort kehrt er in die Mitte der Jurte zurück, schlägt die Trommel und fällt in Zuckungen, wozu er unverständliche Worte murmelt. Dann beginnt er mit seiner Trommel alle Leute zu reinigen, zuerst den Hausherrn – eine lange und verwickelte Zeremonie, bei welcher der Schamane zuletzt in Begeisterung gerät. Das ist das Zeichen für die eigentliche Auffahrt, und bald darnach stellt sich der Schamane plötzlich auf den ersten Einschnitt *(tapty)* der Birke und schlägt dabei heftig die Trommel und schreit: Čok! Čok! Auch seine Bewegungen zeigen an, daß er sich zum Himmel erhebt. In «Ekstase» (?!) umkreist er Birke und Feuer, wobei er das Grollen des Donners nachahmt, und stürzt auf einen Schemel, der mit einer Pferdedecke bedeckt ist. Diese Decke stellt die Seele des geopferten Pferdes *(pûra)* dar. Der Schamane besteigt es und ruft:

---

[21] Diese Birke symbolisiert den Weltenbaum in der Mitte des Universums, die kosmische Achse, welche Himmel, Erde und Unterwelt verbindet: die sieben, neun oder zwölf Einschnitte *(tapty)* stellen die «Himmel», die himmlischen Ebenen dar. Bemerkenswert ist dabei, daß sich die ekstatische Reise des Schamanen immer an einem «Zentrum der Welt» vollzieht. Erinnern wir uns, daß bei den Buriäten die Schamanenbirke *udeshi-burkan*, «der Hüter der Türe» heißt, weil sie dem Schamanen den Himmel öffnet.

> Hab erstiegen eine Stufe,
>   Aihai, aihai!
> Eine Schicht hab ich erreicht!
>   Šagarbata!
> Hab des *tapty* Kopf erklettert,
>   Šagarbata!
> Bis zum Vollmond mich erhoben,
>   Šagarbata!

Darauf erregt sich der Schamane noch mehr, und während er weiter seine Trommel schlägt, befiehlt er dem bash-tut-kan-kiski sich zu beeilen. Und wirklich verläßt die Seele der «Person, die den Kopf hält» ihren Körper zur gleichen Zeit wie die Seele des Opferpferdes. Bash-tut-kan-kiski klagt über die Beschwerlichkeit des Wegs, der Schamane ermuntert ihn. Dann steigt er auf den zweiten *tapty*, d. h. er dringt symbolisch in den zweiten Himmel vor, und schreit:

> Hab den zweiten Grund durchbrochen,
> Hab die zweite Schicht erstiegen,
> Seht, in Trümmern liegt der Grund!

und wieder Blitz und Donner nachahmend verkündet er:

> Šagarbata! Šagarbata!
> Hab zwei Stufen jetzt erstiegen!

Im dritten Himmel ist der *pûra* sehr müde, und um es ihm zu erleichtern, ruft der Schamane die Gans. Der Vogel erscheint: «Kagak, Kagak! Hier bin ich, *kam*!» Der Schamane besteigt die Gans und setzt seine Himmelsreise fort. Er beschreibt die Fahrt und macht das Schnattern der Gans nach, die sich ebenfalls über die Schwierigkeiten der Reise beklagt. Im dritten Himmel kommt ein Halt, für den Schamanen die Gelegenheit, von der Müdigkeit seines Pferdes und seiner eigenen zu

---

[22] Das alles ist offenbar Übertreibung infolge der Trunkenheit durch die Durchbrechung der ersten kosmischen Ebene. In Wirklichkeit hat der Schamane ja erst den ersten Himmel erreicht und ist noch nicht bis zum Gipfel der *tapty* geklettert, er hat sich auch nicht bis zum Vollmond (sechster Himmel) erhoben.

sprechen. Außerdem gibt er Auskünfte über die Wetteraussichten, über drohende Epidemien und Unglücksfälle und über Opfer, die die Gemeinde darbringen soll.

Wenn sich der bash-tut-kan-kiski gut ausgeruht hat, geht die Reise weiter. Der Schamane ersteigt die Birkenstufen eine nach der andern und gelangt so der Reihe nach in die übrigen himmlischen Regionen. Zur Belebung der Vorstellung finden verschiedene Episoden statt, einige ziemlich grotesk: Karakush, der Schwarze Vogel im Dienst des Schamanen, bekommt Tabak angeboten und jagt den Kuckuck; der Schamane tränkt den *pûra* und macht dazu das Geräusch eines trinkenden Pferdes. Der sechste Himmel ist der Schauplatz der letzten komischen Episode, der Hasenjagd [23]. Im fünften Himmel hat der Schamane eine lange Unterhaltung mit dem mächtigen Yayutschi (dem «Höchsten Schöpfer»), der ihm verschiedene Geheimnisse der Zukunft enthüllt; ein Teil davon wird laut mitgeteilt, anderes nur gemurmelt.

Im sechsten Himmel verneigt sich der Schamane vor dem Mond, im siebten vor der Sonne. Er durchreist Himmel auf Himmel bis zum neunten, und wenn er wirklich mächtig ist, zum zwölften und noch höher; die Höhe der Auffahrt hängt einzig von der Kraft des Schamanen ab. Hat der Schamane den Gipfel seines Vermögens erreicht, so macht er halt, senkt die Trommel und ruft demütig Bai Ülgän an:

> Fürst, zu dem drei Leitern führen,
> Bai Ülgän mit den drei Herden,
> Blauer Abhang, der erschienen,
> Blauer Himmel, der sich zeigt!
>
> Blaue Wolke, die dahinschwebt,
> Blauer Himmel unerreichbar,
> Weißer Himmel unerreichbar,
> Jahreweite Wasserstelle!
>
> Vater Ülgän, Dreierhabner,
> Den des Mondbeils Schneide meidet,
> Der den Pferdehuf benutzet.

---

[23] Der Hase ist ein Mondtier, deshalb findet die Hasenjagd im sechsten Himmel, dem Mondhimmel statt.

> Alles Volk erschufst du, Ülgän,
> Das da lärmend uns umgibt.
> Alles Vieh verliehst du, Ülgän!
>
> Übergib uns nicht dem Unheil,
> Laß uns widerstehn dem Bösen!
> Zeige uns nicht dem Körmös,
> Gib uns nicht in seine Hand!
>
> Der den sternenreichen Himmel
> Tausend-tausendmal gewendet,
> Richte du nicht meine Sünden!

Der Schamane erfährt von Bai Ülgän, ob das Opfer günstig aufgenommen worden ist, und empfängt Wetter- und Erntevoraussagen, außerdem Weisungen über weitere Opfer, welche die Gottheit erwartet. Hier erreicht die «Ekstase» ihren Gipfelpunkt; der Schamane bricht erschöpft zusammen. Bash-tut-kan-kiski tritt herzu und nimmt Trommel und Stock aus seinen Händen. Der Schamane bleibt bewegungslos und stumm. Nach einiger Zeit reibt er sich die Augen, benimmt sich wie einer, der aus tiefem Schlaf erwacht und begrüßt die Anwesenden wie nach langer Abwesenheit.

Es kommt vor, daß das Fest damit endet; häufiger, vor allem bei reichen Leuten, folgt noch ein Tag mit Libationen und Gelagen, bei denen enorme Mengen von Alkohol konsumiert werden[24].

---

[24] Harva (*Rel. Vorstell.* S. 557, Fig. 105) bringt eine Zeichnung, auf der ein altaischer Schamane die Himmelfahrt beim Pferdeopfer ausführt. Anochin veröffentlicht Texte (Gedichte und Gebete) von der Himmelfahrt des Schamanen bei dem Opfer an Karshüt, den beliebtesten Sohn Bai Ülgäns (A. V. Anochin, *Materialy po shamanstvu u altajcev*, S. 101–104; vgl. Übersetzung und Kommentar W. Schmidts in *Ursprung* IX, S. 357 bis 363). Zelenin beschreibt das Pferdeopfer der Altai-Kumandinen, das sich ziemlich eng an das von Radlov beschriebene hält bis auf die Himmelsreise des Schamanen mit der Seele des Pferdes zu Sulta-Khan (= Bai Ülgän), die es nicht kennt; s. D. Zelenin, *Ein erotischer Ritus in den Opferungen der altaischen Türken*, S. 84–86. Bei den Lebed-Tataren opfert man ein Pferd zur Zeit des Vollmonds nach der Sommersonnenwende; das Ziel ist Fruchtbarkeit der Felder – wahrscheinlich eine späte Substitution (Harva, S. 577, nach K. Hildén). Dieselbe «Agrarisation» des Pferdeopfers begegnet bei den Teleüten (das Opfer des 20. Juli «auf den Feldern», Harva, S. 577).

Bai Ülgän und der altaische Schamane

Zu dem obigen Ritual nur einige Bemerkungen. Wie man deutlich sieht, besteht es aus zwei verschiedenen, keineswegs unzertrennlichen Teilen: a) dem Opfer an das Himmelswesen und b) der symbolischen Himmelfahrt des Schamanen und seinem Erscheinen vor Bai Ülgän mit dem geopferten Tier. In der Form, die schon für das 19. Jahrhundert belegt ist, gleicht das altaische Pferdeopfer den Opfern, wie sie im äußersten Nordasien und auch sonst in hocharchaischen Religionen dem höchsten Himmelswesen dargebracht werden, ohne daß dafür die Anwesenheit eines opfernden Schamanen in irgendeiner Weise erforderlich wäre. Auch verschiedene türkische Völker kennen wie schon erwähnt dieses Pferdeopfer an das Himmelswesen, ohne daß sie dazu den Schamanen brauchten. Von den Turktataren abgesehen wurde das Pferdeopfer auch bei den meisten indogermanischen Völkern geübt [25] und zwar immer im Hinblick auf einen Himmels- oder Sturmgott. Das gibt doch wohl ein Recht zu der Konjektur, daß die Rolle des Schamanen in dem altaischen Ritus jung ist und daß sie auf anderes abzielt als die Opferung des Tieres an das Höchste Wesen.

Die zweite Überlegung bezieht sich auf Bai Ülgän selbst. Trotz seiner himmlischen Attribute ist Grund zu der Vermutung, daß er nicht eigentlich und nicht von jeher ein höchster Himmelsgott ist. Er zeigt vielmehr den Charakter eines Gottes der «Atmosphäre» und der Fruchtbarkeit, hat er doch eine Genossin und viele Kinder und regiert über die Fruchtbarkeit der Herden und die Fülle der Ernte. Der wahre höchste Himmelsgott der Altaier scheint Tengere Kaira Khan [26] («der barmherzige Herr Himmel») zu sein, nach seiner dem samojedischen Num und dem turkomongolischen Tengri «Himmel» recht ähnlichen Struktur zu schließen (s. *Die Religionen und das Heilige*, S. 88).

---

[25] Vgl. W. Koppers, *Pferdeopfer und Pferdekult der Indogermanen* (Wiener Beiträge zur Kulturgeschichte und Linguistik, 4. Bd., Salzburg-Leipzig 1936, S. 279–412); ders., *Urtürkentum und Urindogermanentum im Lichte der völkerkundlichen Universalgeschichte* (Belleten, Nr. 20 den ayri basim, Istanbul 1941, S. 481–525).

[26] Zum Namen s. Paul Pelliot, *Tängrim >tärim* (T'oung Pao, 37. Bd., 1944, S. 165-185): «Der Name ‚Himmel' ist der älteste in den altaischen Sprachen bezeugte, man kennt ihn schon in Hiong-Nu etwa zu Beginn der christlichen Zeitrechnung» (*ebd.*, S. 165).

Tengere Kaira Khan spielt in den Mythen von Kosmogonie und Weltende die Hauptrolle, während Bai Ülgän darin nie vorkommt. Auffallend ist, daß man für ihn kein Opfer vorsieht, während Bai Ülgän und Erlik Khan unzählige erhalten (Schmidt, *Ursprung* IX, S. 143). Aber dieser Rückzug aus dem Kult ist das Schicksal fast aller Himmelsgötter (vgl. *Religionen,* S. 71 ff.). Wahrscheinlich galt das Pferdeopfer ursprünglich Tengere Kaira Khan; wie wir gesehen haben, fügt es sich ja der Klasse der Kopf- und Langknochenopfer ein, die für die arktischen und nordasiatischen Himmelsgottheiten charakteristisch sind (s. den Aufsatz von Gahs). Denken wir daran, daß im vedischen Indien das Pferdeopfer (*açvamedha*), das ursprünglich Varuna und wahrscheinlich Dyaus dargebracht wurde, schließlich auf Prajâpati und sogar auf Indra überging (*Religionen,* S. 128). Dieses Phänomen der langsamen Substitution eines atmosphärischen Gottes (in Ackerbaureligionen eines befruchtenden Gottes) für einen Himmelsgott ist in der Religionsgeschichte ziemlich häufig (s. *Religionen,* S. 128 ff.).

Wie alle Atmosphäre- und Fruchtbarkeitsgötter ist Bai Ülgän weniger fern, weniger passiv als die reinen Himmelsgottheiten; er nimmt Anteil am Geschick der Menschen und hilft ihnen in ihren täglichen Anliegen. Die «Anwesenheit» dieses Gottes ist konkreter, der «Dialog» mit ihm «menschlicher» und «dramatischer». Man darf wohl annehmen, daß der Sieg des Schamanen über den früheren Opferer beim Pferdeopfer aus einem mehr konkreten, morphologisch reicheren religiösen Erlebnis erwuchs – so wie der Sieg Bai Ülgäns über den alten Himmelsgott. Das Opfer wird nun zu einer Art «Psychophorie», einem Seelenauszug bis zur dramatischen Begegnung zwischen dem Gott und dem Schamanen und einem wirklichen Gespräch (wobei der Schamane zuweilen sogar die Stimme des Gottes nachahmt).

Es ist leicht zu verstehen, wieso der Schamane, welchem von allen religiösen Erlebnisarten gerade die «ekstatischen» zugeordnet sind, sich bei dem altaischen Pferdeopfer die Hauptrolle aneignen konnte. Seine Ekstasekunst erlaubt ihm den Körper zu verlassen und in den Himmel zu reisen. Es war ihm ein Leichtes diese Reise auch hier wieder vorzunehmen und dabei die Seele des Opfertieres mitzuführen, um sie *unmittelbar und konkret* Bai Ülgän darzubringen. Daß es sich um eine – wahrscheinlich ziemlich späte – Substitution handelt, zeigt auch die mäßige Intensität der «Trance». Bei dem von Radlov beschriebenen

Opfer ist die «Ekstase» deutlich unecht. In Wirklichkeit spielt der Schamane, und zwar angestrengt, eine Himmelfahrt (nach dem traditionellen Kanon: Vogelflug, Umritt usw.); die Absicht des Ritus ist mehr eine dramatische als eine ekstatische. Daraus darf man freilich nicht schließen, daß die altaischen Schamanen der Trance nicht fähig sind; sie gehört nur zu anderen Arten von Sitzungen als zum Pferdeopfer.

Abstieg in die Unterwelt (Altai)

Die Himmelfahrt des Schamanen hat ihr Gegenstück in seinem Abstieg in die Unterwelt. Diese Zeremonie ist bei weitem schwieriger, und wenn auch den zugleich «weißen» und «schwarzen» Schamanen möglich, so natürlich doch die Spezialität der schwarzen. Radlov konnte keiner einzigen schamanischen Unterweltsfahrt beiwohnen. Anochin, der die Texte von fünf Auffahrtszeremonien gesammelt hat, traf nur einen einzigen Schamanen (Mampüi), der sich bereit fand ihm die Formeln einer Höllenfahrtssitzung aufzusagen. Dieser Mampüi war ein «weiß-schwarzer» Schamane; vielleicht erwähnte er aus diesem Grund bei seiner Anrufung des Erlik (= ärlik) Khan auch Bai Ülgän. Anochin[27] gibt nur die Texte der Zeremonie wieder ohne irgendeine Nachricht über das eigentliche Ritual.

Nach diesen Texten scheint der Schamane die sieben «Stiegen» oder unterirdischen Regionen (genannt *pudak*, «Hindernisse») senkrecht eine nach der anderen hinabzusteigen. Er wird dabei von seinen Ahnen und sieben Hilfsgeistern begleitet. Nach der Überwindung eines jeden «Hindernisses» beschreibt er eine neue unterirdische Epiphanie, wobei das Wort *schwarz* fast in jedem Vers vorkommt. Beim zweiten «Hindernis» kommt anscheinend der Klang von Metallen vor, beim fünften hört er Wogen und das Pfeifen des Windes, beim siebten schließlich, an der Mündung der neun unterirdischen Flüsse, erblickt er den Palast Erlik Khans, der aus Stein und schwarzem Ton erbaut und nirgends zugänglich ist. Der Schamane spricht vor Erlik ein langes Gebet (in dem er auch Bai Ülgän, den «Oberen», erwähnt), darauf kehrt er in die Jurte zurück und teilt den Anwesenden die Ergebnisse seiner Reise mit.

---

[27] A. V. Anochin, *Materialy po shamanstvu u altajcev*, S. 84–91; vgl. den Kommentar von W. Schmidt, *Ursprung*, IX, S. 384–393.

Potanin gibt eine gute Beschreibung des Abstiegrituals – ohne die Texte – nach den Mitteilungen eines orthodoxen Priesters, Tschivalkov, der in seiner Jugend mehreren solchen Zeremonien beiwohnte und sogar zum Chor gehörte[28]. Zwischen Potanins Ritual und Anochins Texten bestehen einige Differenzen, zweifellos deshalb, weil es sich um zweierlei Stämme handelt, doch auch weil Anochin nur die Texte der Anrufungen und Gebete und keinerlei Erklärung des Rituals gibt. Der wichtigste Unterschied besteht in der Richtung: sie ist senkrecht bei Anochin, horizontal und zweifach senkrecht (Aufstieg, dann Abstieg) bei Potanin.

Der Schamane beginnt seine Reise von seiner Jurte aus. Er schlägt den Weg nach Süden ein, durchquert die benachbarten Gegenden, erklimmt die Berge des Altai und beschreibt die chinesische Wüste aus rotem Sand. Dann reitet er über eine gelbe Steppe, die eine Elster nicht überfliegen könnte. «Kraft der Lieder kommen wir durch!» ruft der Schamane den Anwesenden zu und stimmt ein Lied an, zu dem sie den Chor bilden. Eine weitere Steppe öffnet sich vor ihm, eine fahle Steppe, über die kein Rabe fliegen könnte. Wieder wendet sich der Schamane an die magische Kraft der Gesänge und die Anwesenden begleiten ihn im Chor. Schließlich kommt er zum Eisernen Berg, Temur taiksha, der mit seinen Gipfeln an den Himmel stößt. Die Ersteigung ist gefährlich, der Schamane mimt den schwierigen Aufstieg und atmet tief, erschöpft kommt er zum Gipfel.

Der Berg ist übersät mit den weißen Gebeinen anderer Schamanen, die aus Mangel an Kraft den Gipfel nicht erreichten, und von den Gebeinen ihrer Pferde. Nachdem er den Berg hinter sich hat, bringt ein weiterer Ritt ihn bis zu einem Loch, dem Eingang in die andre Welt, *yer mesi*, «die Kiefer der Erde», oder *yer tunigi*, «das Rauchloch der Erde». Der Schamane begibt sich hinein und kommt zu einer Ebene und an ein Meer, über das eine Brücke von der Breite eines Haares geht; er bedient sich ihrer, und um ein packendes Bild von der Überschreitung dieser gefährlichen Brücke zu geben, schwankt er, bis er beinahe fällt. Auf dem Grund des Meeres sieht er die Gebeine von unzähligen Schamanen, die hineingefallen sind, denn kein Sünder kommt über die

---

[28] S. N. Potanin, *Otcherki severo-zapadnoj Mongolii*, 4. Bd., S. 64–68; Auszug bei Mikhailowski, S. 72 f.; Harva, *Rel. Vorstell.*, S. 558–559; Kommentar bei Schmidt, a. a. O., S. 393–398.

Brücke. Der Schamane kommt an dem Ort vorüber, wo die Sünder gefoltert werden. Er hat gerade Zeit genug, einen Mann mit dem Ohr an einen Pfosten genagelt zu sehen, der im Leben an den Türen gehorcht hat; ein Verleumder ist an seiner Zunge aufgehängt, ein Fresser von den besten Gerichten umgeben, die er nicht erreichen kann, usw.

Nach Überquerung der Brücke reitet der Schamane wieder weiter und zwar zur Wohnung Erlik Khans. Es gelingt ihm dort einzudringen trotz den Hunden, die sie bewachen, und dem Pförtner, der sich schließlich durch Geschenke überzeugen läßt. (Bier, gesottenes Rindfleisch und Iltishäute sind zu diesem Zweck vor der Abreise des Schamanen hergerichtet worden.) Der Pförtner nimmt die Geschenke und läßt den Schamanen in Erliks Jurte eintreten. Nun beginnt die bewegteste Szene. Der Schamane wendet sich zur Tür des Zeltes, in dem sich die Sitzung abspielt, und tut, als ob er sich Erlik nähern würde. Er verneigt sich vor dem König der Toten und versucht die Aufmerksamkeit Erliks zu erregen, indem er seine Stirn mit der Trommel berührt und mehrmals *mergu! mergu!* ruft. Gleich darauf beginnt der Schamane zu schreien – der Gott hat ihn bemerkt und ist sehr erzürnt. Der Schamane flüchtet sich an die Tür des Zeltes und die Zeremonie wiederholt sich dreimal. Endlich richtet Erlik Khan das Wort an ihn: «Die Federn haben, können nicht hierher fliegen, die Krallen haben, können nicht hierher kommen; du schwarzer abscheulicher Käfer, wo kommst du her?!»

Der Schamane nennt ihm seinen Namen und die Namen seiner Ahnen und lädet ihn zum Trinken ein; er tut, als ob er Wein in seine Trommel gießen würde und bietet ihn dem König der Unterwelt dar. Erlik nimmt an und beginnt zu trinken, und der Schamane stellt alles dar bis zu Erliks Aufstoßen. Dann bringt er Erlik einen vorher geschlachteten Ochsen dar und verschiedene Kleidungsstücke und Pelze, die an einem Strick aufgehängt sind. Dabei berührt der Schamane einen jeden Gegenstand mit der Hand, doch bleiben die Pelze und Kleider im Besitz ihres Eigentümers.

Inzwischen betrinkt Erlik sich vollständig und der Schamane macht mit Anstrengung die Phasen seiner Trunkenheit nach. Der Gott wird wohlwollend, segnet ihn, verspricht Vermehrung des Viehs usw. Der Schamane kehrt fröhlich auf die Erde zurück, wobei er diesmal nicht ein Pferd reitet, sondern eine Gans; er geht in seiner Jurte auf den Zehenspitzen herum, wie wenn er flöge, und macht den Schrei des Vogels:

Naingak! naingak! Die Sitzung geht zu Ende, der Schamane setzt sich nieder, einer nimmt ihm die Trommel aus der Hand und schlägt dreimal darauf. Der Schamane reibt sich die Augen, wie wenn er aufwachte. Man fragt ihn: «Sie sind gut geritten? Haben Sie Erfolg gehabt?» Und er antwortet: «Ich bin ausgezeichnet gereist. Ich bin sehr gut aufgenommen worden!»

Solche Abstiege zur Unterwelt unternimmt man vor allem, um die Seele eines Kranken zu suchen. Weiter unten folgen einige sibirische Berichte über diese Reise. Natürlich findet die Unterweltsfahrt des Schamanen auch zu dem umgekehrten Zweck statt, nämlich um die Seele des Abgeschiedenen in das Reich Erliks zu geleiten.

Wir werden später noch Gelegenheit haben, diese beiden Typen ekstatischer Reisen – zum Himmel und in die Unterwelt – miteinander zu vergleichen und bei einer jeden das kosmographische Schema zu zeigen, das sie enthält. Für den Augenblick wollen wir jedoch das von Potanin beschriebene Abstiegsritual genauer betrachten. Gewisse Details gehören speziell den Unterweltsfahrten an, so z. B. Hund und Pförtner, die den Eingang zum Totenreich verwehren – ein bekanntes Motiv der Unterweltsmythologien, dem wir noch öfter begegnen werden. Nicht so spezifisch unterweltlich ist das Motiv von der haarbreiten Brücke. Die Brücke symbolisiert den Übergang ins Jenseits, jedoch nicht notwendig in die Unterwelt; nur die Schuldigen können nicht darüberkommen und werden in den Abgrund gestürzt. Das Überschreiten einer außerordentlich engen Brücke, die zwei kosmische Regionen verbindet, bezeichnet auch den Übergang von einer Seinsweise zur anderen, vom Nichteingeweihten zum Eingeweihten, vom «Lebenden» zum «Toten».

Potanins Bericht enthält einiges Disparate: Der Schamane wendet sich auf seinem Ritt nach Süden, erklettert einen Berg und steigt dann durch ein Loch in die Unterwelt hinab, von wo er nicht mehr auf seinem Pferd, sondern auf einer Gans zurückkommt. Dieses letztere Detail hat etwas Verdächtiges – nicht, daß es schwer wäre, sich einen Flug innerhalb des Loches vorzustellen, das zur Unterwelt führt [29], sondern

---

[29] In der sibirischen Folklore wird der Held manchmal durch einen Adler oder anderen Vogel vom Grund der Unterwelt an die Erdoberfläche getragen. Bei den Golden kann der Schamane die ekstatische Reise in die Unterwelt nur mit Hilfe eines Geistervogels *(Koori)* machen, der ihm die Rückkehr auf die Erde sichert; den schwierigsten Teil der Rückreise macht der Schamane auf dem Rücken seines *Koori* (vgl. Harva, *Rel. Vorstell.* 338).

weil der Flug auf dem Gansrücken an die Himmelfahrt des Schamanen erinnert. Sehr wahrscheinlich haben wir es hier mit einer Kontamination der beiden Themen Abstieg und Aufstieg zu tun.

Von dem Reiseweg des Schamanen zu Pferd nach Süden, dann einen Berg hinan und dann erst hinunter in den Schlund der Unterwelt hat man die vage Erinnerung einer Reise nach Indien ablesen wollen, ja man versuchte die Unterweltsvisionen sogar mit den Bildern der Höhlentempel in Turkestan und Tibet zusammenzubringen[30]. Südliche, letzten Endes indische Einflüsse in der zentralasiatischen Mythologie und Folklore sind gesichert, doch haben diese Einflüsse eine mythische Geographie gebracht und nicht vage Gedächtnisspuren einer wirklichen (Orographie, Reiserouten, Tempel, Höhlen usw.). Wahrscheinlich hat Erliks Unterwelt iranische Vorbilder, doch das würde hier zu weit führen und sei deshalb für eine spätere Untersuchung zurückgestellt.

Der Schamane als Seelenführer (Altaier, Golden, Juraken)

Für die Völker Nordasiens ist die andere Welt ein umgekehrtes Bild der unseren. Alles geht dort vor sich wie hier, nur verkehrt; wenn es auf Erden Tag ist, ist es im Jenseits Nacht (deshalb finden die Totenfeste nach Sonnenuntergang statt – erst jetzt wachen die Toten auf und beginnen ihren Tag); dem Sommer der Lebenden entspricht Winter im Totenreich; sind Wild oder Fische rar auf der Erde, so gibt es besonders viel davon in der andern Welt, usw. Die Beltiren geben dem Toten die Zügel und die Weinflasche in die linke Hand, denn sie entspricht der rechten Hand des Lebenden. Die Flüsse in der Unterwelt fließen zu ihren Quellen hinauf, und alles, was auf der Erde umgekehrt ist, hat bei den Toten seine richtige Lage; deshalb kehrt man die Gegenstände um, die man zum Gebrauch des Toten auf dem Grabe opfert, wenn man sie nicht gleich zerbricht, denn was hier zerbrochen ist, ist dort ganz und umgekehrt[31].

[30] N. K. Chadwick, *Shamanism among the Tatars of Central Asia* (Journal of the Royal Anthropological Institute, Bd. 66, 1936, S. 75–112), S. 111; dies., *The Growth of Literature*, 3. Bd., S. 217; dies., *Poetry and Prophecy*, S. 82, 101.
[31] Vgl. Harva, *Rel. Vorstell.*, S. 343 ff; s. auch W. Schmidt, *Ursprung* X, S. 386 f. usw. Dies alles soll in unserem Werk *Mythologies de la Mort* behandelt werden.

Die Totengeographie der zentral- und nordasiatischen Völker ist ziemlich verwickelt, da sie fortwährend mit religiösen Vorstellungen vom Süden her kontaminiert wurde. Die Toten wenden sich entweder nach Norden oder nach Westen (Harva, S. 346). Aber es gibt auch die Vorstellung, daß die Guten sich zum Himmel erheben und die Sünder unter die Erde steigen (so zum Beispiel bei den Altai-Tataren, s. Radlov, *Aus Sibirien* II, S. 12); doch scheint diese moralische Auslegung der Totenwege eine ziemlich späte Neuerung (Harva, S. 360 ff.). Die Jakuten glauben, daß nach dem Tod Gute wie Böse zum Himmel aufsteigen, wo ihre Seelen (*kut*) die Gestalt von Vögeln annehmen (Harva, ebd.). Wahrscheinlich setzen sich die «Vogelseelen» auf die Äste des Weltenbaums, ein mythisches Bild, das wir auch anderwärts treffen. Andererseits wohnen nach jakutischem Glauben die bösen Geister, die ja auch Seelen von Toten sind, unter der Erde – wir haben es also mit einer zweifachen religiösen Tradition zu tun [32].

Doch trifft man auch die Vorstellung, daß gewisse Privilegierte, deren Körper man verbrennt, mit dem Rauch zum Himmel auffliegen, wo sie eine der unseren völlig gleiche Existenz führen. Das sagen die Buriäten von ihren Schamanen und der nämliche Glaube findet sich bei den Tschuktschen und Korjaken (s. u. S. 240 ff.). Der Gedanke, daß das Feuer zu einem Aufenthalt im Himmel verhilft, wird bestätigt durch den Glauben, daß die vom Blitz Getroffenen zum Himmel fliegen. Wie auch die Natur des Feuers sei, es verwandelt den Menschen zum «Geist»; dadurch gelten die Schamanen als «Meister des Feuers» und werden gegen glühende Kohlen gefeit. «Meisterschaft über das Feuer» wie Einäscherung kommen gewissermaßen einer Initiation gleich. Ein ähnlicher Gedanke liegt der Vorstellung zugrunde, daß die Heroen und alle eines gewaltsamen Todes Gestorbenen zum Himmel aufsteigen (Harva, S. 362); ihr Tod wird als eine Initiation betrachtet. Dagegen kann ein Tod durch Krankheit den Abgeschiedenen

---

[32] Nach Sieroszewski verlegen bestimmte Jakuten das Totenreich «über den achten Himmel, in den Norden, in eine Gegend, wo ewige Nacht herrscht, wo ohne Unterlaß eisiger Wind weht, wo die bleiche Sonne des Nordens glänzt, und der Mond sich nur von hinten zeigt, wo die Mädchen und Burschen ewig jungfräulich bleiben ...», während es nach anderen unter der Erde eine andere Welt gibt ganz gleich der unseren, in die man durch die Öffnung gelangen kann, welche die Unterirdischen für ihre Lüftung belassen haben (*Du chamanisme*, S. 206 ff.). Vgl. auch B. D. Shimkin, *A sketch of the Ket, or Yenisei Ostyak*, S. 166 ff.

nur in die Unterwelt bringen, denn die Krankheit kommt von den bösen Geistern oder den Toten. Wenn bei den Altaiern und Telengiten jemand krank wird, sagen sie: «Jetzt wird er von den *körmös* (den Toten) aufgefressen.» Und wer gestorben ist, ist «von den *körmös* aufgefressen worden» (Harva, S. 367).

Aus diesem Grund verabschieden sich die Golden von dem Toten, den sie beerdigt haben, mit der Bitte, er möge nicht Witwe und Kinder mitnehmen. Die Gelben Uiguren sagen: «Nimm dein Kind nicht mit, dein Vieh und deine Habe!» Und wenn jemandem Witwe, Kinder oder Freunde bald im Tode folgen, glauben die Teleuten, daß er ihre Seelen mitgenommen hat (Harva, S. 281, vgl. auch S. 309). Die Gefühle gegen die Toten sind ambivalent; auf der einen Seite verehrt man sie, lädt sie zu Totenmählern, betrachtet sie mit der Zeit als Schutzgeister der Familie, auf der anderen fürchtet man sich vor ihnen und ergreift alle Vorsichtsmaßregeln gegen ihre Rückkehr unter die Lebenden. Diese Ambivalenz kann man auf zwei gegensätzliche, einander ablösende Einstellungen zurückführen: Man fürchtet die neuen Toten, die alten aber verehrt man und erwartet ihre Protektion. Die Furcht vor den Toten hat ihren Grund darin, daß ein jeder Abgeschiedene sich zuerst gegen die neue Seinsweise wehrt; er will leben und kehrt zu den Seinen zurück. Und das stört das geistige Gleichgewicht der Gemeinschaft. Da der eben Verstorbene der Welt der Abgeschiedenen noch nicht eingegliedert ist, sucht er seine Familie, seine Freunde, sogar seine Herden mitzunehmen; er möchte sein Leben fortsetzen, das jäh unterbrochen wurde, das heißt unter den Seinen «leben». Man fürchtet also weniger eine Bösartigkeit des Toten als seine Unkenntnis der neuen Lage, die Weigerung «seine Welt» zu verlassen.

Daher all die Vorkehrungen, daß der Tote nicht ins Dorf zurückkehren kann: Bei der Rückkehr vom Friedhof schlägt man einen anderen Weg ein, um die Seele des Toten irrezuführen; man verläßt das Grab in aller Eile und reinigt sich beim Heimkommen; man zerstört auf dem Friedhof alle Transportmittel (Schlitten, Karren – all das dient den Toten in ihrem neuen Land); man bewacht einige Nächte lang die Wege, die zum Dorf führen, und zündet Feuer an (Harva, S. 282 ff.). All diese Vorsichtsmaßregeln vermögen aber die Seelen der Toten nicht zu hindern, daß sie drei oder sieben Tage um ihre Häuser streichen (*ebd.*, S. 287 ff.). Ein anderer Gedanke steht damit in Zusammenhang, nämlich daß die Toten sich erst nach dem Totengelage endgültig zum Jenseits wenden, das man ihnen zu Ehren sieben oder vierzig Tage nach dem Hinschied gibt [33]. Bei dieser Gelegenheit opfert man ihnen Lebensmittel und Getränke, die man ins Feuer wirft, besucht den Friedhof, opfert das Lieblingspferd des Abgeschiedenen, verzehrt es am Grab und hängt den Kopf des Tieres an einem Pfahl auf, den man darnach unmittelbar in das Grab steckt (Abakan-Tataren, Beltiren, Sagai, Karginz usw.; Harva, S. 322 ff.). Außerdem läßt man durch einen Schamanen eine «Reinigung» der Wohnung des Toten vornehmen. Die Zeremonie enthält unter anderem die dramatische Suche nach der Seele des Verstorbenen und ihre schließliche Austreibung durch den Schamanen (Teleuten, Anochin, *Materialy*, S. 20 ff., Harva, S. 324). Gewisse altaische Schamanen begleiten sogar die Seele des Toten bis in die Unterwelt, und um von ihren Bewohnern nicht erkannt zu werden, beschmieren sie sich das Gesicht mit Ruß (Radlov, *Aus Sibirien* II, S. 55). Bei den Turuschansker Tungusen wendet man sich nur dann an den Schamanen, wenn der Tote noch lange nach dem Leichenbegängnis an seinen alten Stätten spukt (Harva, S. 541).

Die Rolle des Schamanen im altaischen und sibirischen Totenwesen wird aus den erwähnten Bräuchen deutlich. Der Schamane wird unentbehrlich, wenn der Tote zögert die Welt der Lebenden zu verlassen. In einem solchen Fall vermag nur der Schamane den Seelengeleiter zu machen, denn einerseits kennt er den Weg durch die Unterwelt gut, weil er ihn selber oft gemacht hat, und andererseits kann nur er die ungreifbare Seele des Toten einfangen und an ihren neuen Wohnort bringen.

---

[33] Höchstwahrscheinlich sind diese altaischen Glaubensvorstellungen vom Christentum und vom Islam beeinflußt. Die Teleuten nennen das Totenbankett sieben bzw. vierzig Tage oder ein Jahr nach dem Tode *üzüt pairamy;* schon der Name *pairam* verrät südliche Herkunft (persisch *bairam* «Fest»; Harva, S. 323). Man findet auch den Brauch, den Toten 49 Tage nach dem Tod zu ehren, was lamaistischen Einfluß zeigt (*ebd.*, S. 332). Doch ist anzunehmen, daß diese südlichen Einflüsse einem alten Totenfest aufgepfropft wurden und dabei ihre Bedeutung etwas geändert haben, denn die «Totenwache» ist ein weitverbreiteter Brauch, der vor allem die symbolische Begleitung des Toten ins Jenseits oder die Rezitation des Unterweltswegs zum Ziele hat, den er einschlagen muß um sich nicht zu verirren. In diesem Sinn zeigt das «Tibetanische Totenbuch» einen Stand weit vor dem Lamaismus: Statt den Toten auf seiner Jenseitsreise zu begleiten (wie der sibirische oder indonesische Schamane), erinnert ihn der Lama an alle Reisewege eines Toten (wie die indonesischen Klagefrauen usw.). Über die mystische Zahl 49 (7×7) in China, Tibet und bei den Mongolen s. R. Stein, *Leao-Tche* (T'oung-Pao, 35. Bd., 1940, S. 1–154), S. 118 ff.

Aus der Tatsache, daß diese seelengeleitende Reise erst beim Totengelage und bei der «Reinigungs»zeremonie stattfindet und nicht unmittelbar nach dem Tod, darf man entnehmen, daß die Seele des Toten drei, sieben oder vierzig Tage noch auf dem Friedhof wohnt und sich erst dann endgültig zur Unterwelt wendet[34]. Wie dem auch sei, bei bestimmten Völkern (so bei den Altaiern, Golden, Juraken) führt der Schamane die Toten zu Ende des Totenmahles in das Jenseits, während er bei anderen (Tungusen) nur dann zu diesem Zweck gerufen wird, wenn der Tote nach Ablauf der üblichen Frist noch weiter die Stätten der Lebenden heimsucht. Wenn man bedenkt, daß bei anderen Völkern mit einer Art Schamanismus (z. B. den Lolos) der Schamane alle Totenseelen ohne Unterschied zu ihrer Wohnstatt zu führen hat, so scheint der Schluß erlaubt, daß dies ursprünglich in ganz Nordasien der Fall war und daß die Neuerungen (wie bei den Tungusen) erst spät erfolgten.

So beschreibt Radlov die Sitzung, bei der die Seele einer vor vierzig Tagen verstorbenen Frau in die Unterwelt geführt werden soll: Die Zeremonie findet am Abend statt. Der Schamane beginnt mit dem Umkreisen der Jurte, wobei er die Trommel schlägt; dann betritt er das Innere des Zelts, nähert sich dem Feuer und ruft die Abgeschiedene an. Auf einmal ändert sich die Stimme des Schamanen und er beginnt mit gellender Kopfstimme zu sprechen, denn in Wirklichkeit ist es die Tote, die jetzt spricht. Sie klagt, daß sie den Weg nicht weiß, daß sie Angst hat, sich von den Ihrigen zu entfernen usw. Zuletzt ist sie aber damit einverstanden, von dem Schamanen fortgeführt zu werden, und die beiden machen sich in das unterirdische Reich auf. Bei der Ankunft dort verweigern die Seelen der Toten dem Schamanen die Aufnahme der neuen Seele. Bitten bleiben ohne Erfolg; man bringt den Toten Aquavit dar. Die Sitzung belebt sich und wird grotesk, denn die Seelen der Toten beginnen – durch die Stimme des Schamanen – zu streiten und singen alle miteinander. Schließlich lassen sie sich herbei, die Tote aufzunehmen. Der zweite Teil des Rituals stellt die Rückreise dar. Der Schamane tanzt und schreit, bis er bewußtlos zu Boden fällt (Radlov, *Aus Sibirien* II, S. 52–55).

Die Golden haben zwei Totenzeremonien, das *nimgan,* das sieben Tage oder noch länger (zwei Monate) nach dem Tod stattfindet, und

---

[34] Für die Mehrzahl der turktatarischen und sibirischen Völker hat freilich der Mensch drei Seelen, von denen mindestens eine immer im Grabe bleibt.

das *kazatauri,* die große Zeremonie einige Zeit nach der ersten, die mit dem Fortführen der Seele in die Unterwelt endigt. Beim *nimgan* kommt der Schamane mit seiner Trommel in das Haus des Toten, sucht die Seele, fängt sie und bannt sie in eine Art Kissen (*fanja*). Es folgt das Gelage, an dem alle Verwandten und Freunde des im Kissen anwesenden Toten teilnehmen; der Schamane bringt ihm Aquavit dar. Das *kazatauri* beginnt ebenso. Der Schamane legt seine Tracht an, ergreift die Trommel, und sucht rund um die Jurte nach der Seele. Dabei tanzt er und erzählt von den Schwierigkeiten des Weges in die Unterwelt. Schließlich fängt er die Seele und bringt sie wieder ins Haus, wo er sie in dem Kissen (*fanja*) tanzen läßt. Das Gelage geht bis spät in die Nacht hinein weiter und die Lebensmittel, die übrigbleiben, werden von dem Schamanen ins Feuer geworfen. Die Frauen tragen ein Bett in die Jurte, der Schamane legt das *fanja* auf das Bett, bedeckt es mit einer Decke und sagt dem Toten, daß er schlafen soll. Er selbst streckt sich in der Jurte aus und schläft ein.

Am nächsten Tag zieht er wieder seine Tracht an und weckt den Toten mit der Trommel auf. Es folgt ein neues Gelage, und wenn es Nacht geworden ist – die Zeremonie dauert mehrere Tage –, legt der Schamane das *fanja* wieder aufs Bett und bedeckt es mit einer Decke. An einem Morgen endlich beginnt der Schamane seinen Gesang und rät dem Toten, gut zu essen, aber wenig zu trinken, denn die Reise in die Unterwelt sei für einen Betrunkenen außerordentlich schwierig. Bei Sonnenuntergang trifft man die Vorbereitungen für die Abreise. Der Schamane singt, tanzt und bestreicht sein Gesicht mit Ruß. Er ruft die Hilfsgeister an und bittet sie, ihn und den Toten ins Jenseits zu führen. Er verläßt kurz die Jurte und steigt auf einen Baum mit Einschnitten, der vorher errichtet wurde; von dort sieht er den Weg in die Unterwelt. (Er hat dabei den Weltenbaum erstiegen und befindet sich auf dem Gipfel der Welt.) Dabei sieht er auch noch vieles andere: viel Schnee, reiche Jagd, glücklichen Fischfang usw.

Wenn er in die Jurte zurückkehrt, ruft er zwei mächtige Schutzgeister zur Hilfe herbei, *butchu,* eine Art Monstrum mit einem einzigen Fuß, Menschengesicht und Federn, und *koori,* einen Vogel mit langem Hals. (Es gibt Holzfigürchen von diesen mythischen Wesen, vgl. Harva, Fig. 39–40, S. 339. Der Schamane trägt sie bei seinem Abstieg in die Unterwelt mit sich.) Ohne die Hilfe dieser beiden Geister könnte der Schamane nicht aus der Unterwelt zurückkommen; den schlimmsten Teil des Rückweges macht er auf dem Rücken der *koori*.

Nachdem er bis zur Erschöpfung schamanisiert hat, setzt er sich, die Augen nach Westen gerichtet, auf ein Brett, das einen sibirischen Schlitten darstellt. Man legt das Kissen (*fanja*) mit der Seele des Toten und einen Korb mit Lebensmitteln neben ihn. Der Schamane bittet die Geister, die Hunde an den Schlitten anzuschirren und verlangt auch einen «Diener» zur Gesellschaft auf der Reise. Noch einige Augenblicke und er ist ins Totenland «abgereist».

Die Gesänge, die er anstimmt, und die Worte, die er mit dem «Diener» wechselt, lassen seinen Reiseweg verfolgen. Zuerst ist der Weg leicht, doch die Schwierigkeiten wachsen, je näher man dem Bereich der Toten kommt. Ein großer Fluß versperrt den Weg und man muß ein guter Schamane sein, wenn man das Gefährt ans andere Ufer bringen will. Etwas später bemerkt man Spuren von Menschen: Fußspuren, Asche, Holzstücke; das Dorf der Toten ist also nicht mehr weit. Und wirklich, man hört schon nahes Hundegebell, man erkennt den Rauch der Jurten, man begegnet den ersten Renntieren. Die beiden sind in der Unterwelt angekommen. Sofort versammeln sich die Toten und fragen den Schamanen nach seinem Namen und nach dem Namen des Neugekommenen. Der Schamane hütet sich, seinen wahren Namen zu sagen; er sucht unter der Menge der Geister die nahen Verwandten der Seele, die er bringt, um sie ihnen anzuvertrauen. Nun beeilt er sich wieder auf die Erde zu kommen, und wenn er angekommen ist, erzählt er ausführlich, was er im Land der Toten gesehen hat samt den Eindrücken des Toten, den er begleitete. Jedem von den Anwesenden bringt er Grüße von seinen verstorbenen Verwandten und er verteilt sogar kleine Geschenke von ihnen. Am Ende der Zeremonie wirft der Schamane das Kissen (*fanja*) ins Feuer. Damit enden die eigentlichen Verpflichtungen der Lebenden gegen den Abgeschiedenen[35].

Eine ähnliche Zeremonie findet, weit entfernt von den Golden, bei den Wald-Juraken in Zentralsibirien statt. Der Schamane sucht die

---

[35] Harva, *Relig. Vorstell.*, S. 334–340, 345, nach I. A. Lopatin, *Goldy Amurskie, Ussurijskie i Sungarijskie* (Wladivostock 1922) und P. P. Shimkewitch, *Materialy dlja izutchenija shamanstva u goldov* (Chabarovsk 1896). Das Wichtigste aus dem Buch von Shimkewitch war schon in dem Artikel von W. Grube, *Das Schamanentum bei den Golden* (Globus 1897, 71. Bd., S. 89–93) zusammengefaßt. Eine ähnliche Zeremonie gibt es bei den Tungusen, vgl. Shirokogorov, *Psychomental Complex*, S. 309.

Seele des Toten und nimmt sie in die Unterwelt mit. Das Ritual spielt sich auf zweimal ab. Am ersten Tag erfolgt der Abstieg zum Totenland, am zweiten kommt der Schamane allein auf die Erde zurück. Die Lieder, die er singt, ermöglichen es, seinen Abenteuern zu folgen. Er trifft auf einen Fluß voll Holzstücken; sein Vogelgeist, *jorra,* bahnt ihm den Weg über diese Hindernisse (wahrscheinlich alte, ausrangierte Skier der Geister). Ein zweiter Fluß ist voll von Resten alter Schamanentrommeln, ein dritter unbefahrbar durch die Genickwirbel toter Schamanen. *Jorra* bahnt dem Schamanen den Weg und er kommt an das Große Wasser, auf dessen anderer Seite sich das Reich der Schatten erstreckt. Die Toten setzen dort ihre irdische Existenz fort; der Reiche ist weiter reich, der Arme arm. Doch werden sie wieder jung und bereiten sich darauf vor, auf Erden wiedergeboren zu werden. Der Schamane führt die Seele zu ihren Verwandten. Wie er dem Vater des Toten begegnet, ruft dieser: «Schau, der Sohn ist da!» Die Rückkehr des Schamanen erfolgt auf einem anderen Weg und ist reich an Abenteuern; der Reisebericht beansprucht einen ganzen Tag. Der Schamane begegnet nacheinander einem Hecht, einem Renntier, einem Hasen usw.; er erjagt sie und bringt Jagdglück mit auf die Erde [36].

Manche von diesen Themen schamanischer Unterweltsfahrt sind in die mündliche Literatur der sibirischen Völker eingegangen. So erzählt man die Abenteuer des buriätischen Heros Mu-monto, der an Stelle seines Vaters in die Unterwelt hinabsteigt und, auf die Erde zurückgekehrt, die Qualen der Sünder beschreibt (Harva, *a. a. O.,* S. 354 f.). A. Castrén hat bei den Tataren der Sajansteppe die Geschichte von Kubaiko, dem mutigen Mädchen aufgezeichnet, das in die Unterwelt hinabsteigt, um den Kopf seines von einem Untier enthaupteten Bruders zurückzubringen. Nachdem sie viele Abenteuer erlebt und den Qualen der verschiedenen Sünder beigewohnt hat, kommt Kubaiko zum König

---

[36] T. Lehtisalo, *Entwurf einer Mythologie der Jurak-Samojeden* (Helsinki 1927), S. 133–135. *Ebd.,* S. 135–137, über die rituellen Gesänge der samojedischen Schamanen. Die Juraken glauben, daß einige von den Menschen nach dem Tode zum Himmel steigen, aber ihre Zahl ist gering und umfaßt nur die, welche in ihrem Erdenleben fromm und rein waren (*ebd.,* S. 138). Die postmortale Himmelfahrt ist auch in den Märchen bezeugt: Ein Alter, Vyriirje Seerradeetta, teilt seinen zwei jungen Frauen mit, daß der Gott (Num) ihn zu sich ruft und daß am nächsten Tag ein Eisendraht vom Himmel herabkommen wird; an diesem Draht wird er bis zur Wohnstatt Gottes klettern (*ebd.,* S. 139). Vgl. das Motiv vom Aufstieg an einer Liane, einem Baum, einer Binde unten S. 449 ff.

der Unterwelt, Irle-Khan, selbst. Dieser erlaubt ihr den Kopf ihres Bruders zurückzubringen, wenn sie siegreich aus einer Prüfung hervorgeht: sie muß einen Widder aus der Erde ziehen, der so tief eingegraben ist, daß man nur mehr die Hörner sieht. Kubaiko besteht die Heldentat und kehrt mit dem Kopf ihres Bruders und dem wunderbaren Wasser, das ihr der Gott zu seiner Auferweckung gegeben hat, auf die Erde zurück [37].

Die Tataren haben eine beträchtliche Literatur über diesen Gegenstand, doch handelt es sich mehr um zyklische Heldengedichte, in denen die Hauptperson unter vielen anderen Proben auch in die Unterwelt hinabsteigen muß [38]. Nicht immer haben solche Abstiege schamanische Struktur, das heißt basieren auf der Macht des Schamanen, sich ungestraft mit den Seelen der Toten zu befassen, die Seele des Kranken in der Unterwelt zu suchen oder einen Verstorbenen dorthin zu begleiten. Die tatarischen Helden haben bestimmte Proben zu bestehen, die, wie wir bei Kubaiko gesehen haben, ein heroisches Initiationsschema bilden und sich an die Kühnheit, den Mut und die Kraft der Person wenden. Immérhin sind in der Kubaiko-Legende gewisse Elemente schamanisch: Das junge Mädchen steigt in die Unterwelt hinab, um von dort den Kopf seines Bruders, das heißt seine «Seele», zurückzubringen [39], ganz wie der Schamane die Seele des Kranken aus der Unterwelt zurückbringt; sie beschreibt die Folterungen in der Unterwelt, die, wenn auch von südasiatischen oder altorientalischen Gedanken beeinflußt, doch einiges von der Unterweltstopographie erkennen lassen, von der überall auf der Welt die Schamanen als erste den Lebenden Mitteilung gemacht haben. Und wie man in der Folge noch deutlicher sehen wird, sind einige von den berühmtesten Unterweltsreisen, die der Erhellung des menschlichen Schicksals nach dem Tode dienten, insofern von «schamanischer» Struktur, als sie die Ekstasetechnik der Schamanen verwenden.

---

[37] A. Castrén. *Nordische Reisen und Forschungen*, 3. Bd. (St. Petersburg 1853), S. 147 ff.

[38] S. die gute Zusammenfassung der Texte von Radlov und Castrén bei Chadwick, *The Growth of Literature*, 3. Bd., S. 81 ff. Vgl. auch N. Poppe, *Zum Khalkhamongolischen Heldenepos* (Asia Major, 5. Bd., 1930, S. 183–213), bes. S. 202 ff. (die Tat des Bolot Khan).

[39] Dasselbe «Orpheusmotiv» bei den Mandschu, Polynesiern und Nordamerikanern; vgl. u. S. 232, 298 ff. 351 ff.

VII

DER SCHAMANISMUS IN ZENTRAL- UND NORDASIEN

B

MAGISCHE HEILUNGEN
DER SCHAMANE ALS SEELENGELEITER

Die Hauptfunktion des zentral- und nordasiatischen Schamanen ist die magische Heilung. Es gibt in diesem Bereich verschiedene Vorstellungen von der Ursache der Krankheit, aber der Gedanke des «Seelenraubes» herrscht darunter bei weitem vor [1]. Man führt dabei die Krankheit auf Verirrung oder Raub der Seele zurück und die Behandlung besteht darin, daß man die Seele sucht, einfängt und sich wieder mit dem Körper des Kranken vereinigen läßt. In bestimmten Gegenden von Asien kann die Ursache des Übels auch darin liegen, daß ein magischer Gegenstand in den Körper des Kranken eingedrungen oder daß dieser von bösen Geistern «besessen» ist; dann besteht die Heilung darin, den schädlichen Gegenstand herauszuziehen, beziehungsweise die Dämonen auszutreiben. Zuweilen hat die Krankheit eine doppelte Ursache; der Seelenraub ist noch verschlimmert durch «Besessensein» von bösen Geistern, so daß die schamanische Heilung das Aufsuchen der Seele und die Vertreibung der Dämonen umfaßt.

Das alles wird aber noch kompliziert durch das Vorhandensein einer Mehrzahl von Seelen. Wie soviele andere «primitive» Völker, besonders die Indonesier, glauben auch die nordasiatischen Völker, daß der Mensch bis zu drei oder sogar sieben Seelen haben kann. Beim Tode bleibt eine von diesen Seelen im Grab, eine zweite steigt zum Reich der Schatten hinab und eine dritte hinauf zum Himmel. So bei den Tschuktschen und den Jukagiren [2], doch gibt es noch viele andere Vorstellungen vom Schicksal der drei Seelen nach dem Tode. Im Glauben anderer Völker verschwindet mindestens eine von den Seelen beim Tod

---

[1] Vgl. Forest E. Clements, *Primitive concepts of disease* (Univ. of California, Publications in American Archaeology and Ethnology, 32. Bd., 1932, S. 185–254), S. 190 ff.

[2] Vgl. Bogoraz, *The Chukchee*, S. 332; Jochelson, *The Yukaghirs*, S. 157.

oder wird von den Dämonen verschlungen[3]. Im Rahmen dieser Vorstellungen verursacht *die* Seele während des Erdenlebens durch ihre Flucht die Krankheiten, die dann beim Tod von den bösen Geistern verschlungen wird oder ins Land der Toten hinabsteigt.

Nur der Schamane kann eine solche Heilung vornehmen, denn nur er «sieht» die Geister und weiß, wie man sie austreibt; er allein vermag die Flucht der Seele festzustellen und sie in der Ekstase einzuholen und ihrem Körper zurückgegeben. Oft fordert die Heilung bestimmte Opfer und immer befindet der Schamane über deren Notwendigkeit und Art; das Wiedererlangen der physischen Gesundheit steht in enger Beziehung zu der Wiederherstellung des Gleichgewichts der geistigen Kräfte, denn oft rührt eine Krankheit von einer Nachlässigkeit oder Unterlassung gegenüber den unterweltlichen Mächten, die ja auch an der Sphäre des Sakralen teilhaben. Alles was die Seele und ihr Schicksal angeht, sei es hienieden oder im Jenseits, ist der ausschließliche Bereich des Schamanen. Aus seinen eigenen Erlebnissen vor und bei der Initiation kennt er das Drama der menschlichen Seele, ihre geringe Stabilität und ihre Gefährdung, und er kennt auch die Mächte, die sie bedrohen, die Gegenden, in die sie entführt werden kann. Und wenn zur schamanischen Heilung die Ekstase gehört, so deshalb, weil man sich die Krankheit als eine Veränderung, eine Zerrüttung der Seele vorstellt.

Im folgenden soll von mehreren Heilungssitzungen berichtet werden, doch ohne Anspruch darauf, die Fülle der bis zum heutigen Tage zusammengestellten und veröffentlichten Zeugnisse zu erschöpfen. Um die Monotonie abzuschwächen (denn im Grund sind die meisten Beschreibungen einander sehr ähnlich), wurde das Material zusammengefaßt, ohne daß dabei jedesmal auf den geographischen und kulturellen Zusammenhang Rücksicht genommen ist.

---

[3] Über die drei Seelen der Buriäten s. Sandschejew, *Weltanschauung und Schamanismus*, S. 578 ff., 933 usw.; eine erste Seele sitzt in den Knochen; die zweite Seele – mit Sitz wahrscheinlich im Blut – kann den Körper verlassen und in Gestalt einer Wespe oder einer Biene herumfliegen; die dritte, eine Art Phantom, gleicht in allem dem Menschen. Beim Tod bleibt die erste Seele im Skelett, die zweite wird von den Geistern verschlungen, die dritte zeigt sich den Menschen als Gespenst; Sandschejew, S. 585. Über die sieben Seelen der Ket vgl. B. D. Shimkin, *A sketch of the Ket*, S. 166.

*Zurückrufen und Suchen der Seele:
Teleuten, Burjäten, Kirgisen*

So ruft der Teleuten-Schamane die Seele des kranken Kindes: «Komm in deine Heimat..., in deine Jurte, komm an das helle Feuer!... Zu deinem Vater, zu deiner Mutter... kehr zurück!...» (Harva, *Religiöse Vorstellungen*, S. 268). Das Zurückrufen der Seele bildet bei bestimmten Völkern eine Stufe der schamanischen Heilung. Nur wenn die Seele des Kranken nicht in den Körper zurückkehren will oder kann, geht der Schamane auf die Suche nach ihr und steigt schließlich in das Totenreich hinab, um sie zurückzubringen. Die Burjäten zum Beispiel kennen sowohl Seelenanrufung als Seelensuche durch den Schamanen.

Bei den Burjäten von Alarsk setzt sich der Schamane in der Nähe des Kranken auf einen Teppich; um ihn herum liegen verschiedene Gegenstände, darunter ein Pfeil. Von der Spitze des Pfeils geht ein roter Seidenfaden zu der Birke, die vor der Jurte auf dem Hof aufgestellt ist. Durch diesen Faden soll die Seele des Kranken in den Körper zurückkehren, deshalb bleibt die Tür der Jurte offen. Neben dem Baum steht jemand mit einem Pferd; die Burjäten glauben nämlich, daß das Pferd die Rückkehr der Seele zu allererst bemerkt und zu zittern anfängt. Auf einen Tisch in der Jurte legt man Kuchen, *tarasun*, Aquavit, Tabak. Ist der Kranke alt, so lädt man lieber alte Leute zu der Sitzung; ist er erwachsen, Männer, und Kinder, wenn es sich um ein Kind handelt. Der Schamane beginnt mit der Anrufung der Seele: «Dein Vater ist A, deine Mutter B, dein eigener Name ist C. Wo hältst du dich auf, wohin bist du gegangen?...» Die Anwesenden zerfließen in Tränen. Der Schamane verbreitet sich lange über den Schmerz der Familie und die Traurigkeit des Hauses. «Deine... lieben Kinder rufen dich mit Weinen und Heulen: ‚Vater, wo bist du?...' Höre auf ihr Rufen und komme bald her!... Deine zahlreiche Pferdeschar verlangt laut wiehernd nach dir und zugleich ruft sie betrübt aus: ‚Wo bist du, unser Herr? Kehre zurück zu uns!'[4]»

---

[4] Harva, *a. a. O.*, S. 268–272, nach Baratov; vgl. Sandschejew, *Weltanschauung und Schamanismus*, S. 582 f. Über die Schamanensitzung bei den Burjäten s. auch L. Stieda, *Das Schamanenthum unter den Burjäten* (Globus 1887, 52. Bd., S. 299 ff., 316 ff.);

Das ist meistens nur eine erste Zeremonie. Wenn sie ohne Erfolg bleibt, erneuert der Schamane seine Bemühungen auf andere Art. Nach den Berichten Potanins hält der buriätische Schamane eine Vor-Sitzung, in der er sich vergewissert, ob der Kranke seine Seele fortziehen ließ oder ob sie ihm gestohlen wurde und sich bei Erlik im Gefängnis befindet. Der Schamane beginnt die Seele zu suchen; wenn er sie in Reichweite des Dorfes findet, ist die Zurückführung leicht. Im andern Fall sucht er sie in den Wäldern, auf den Steppen und sogar am Meeresgrund. Findet er sie nirgends, so weiß man, daß sie bei Erlik gefangen liegt und es gibt nur mehr ein Mittel, nämlich Löseopfer. Manchmal verlangt Erlik eine andere Seele für die gefangene und es gilt, eine verfügbare Seele zu finden. Mit Einverständnis des Kranken bestimmt der Schamane das Opfer. Während der Betreffende schläft, nähert sich ihm der Schamane in Adlergestalt, entreißt ihm seine Seele, steigt mit ihr ins Totenreich hinab und bringt sie vor Erlik, der ihm dafür erlaubt die Seele des Kranken mitzunehmen. Bald darauf stirbt das Opfer und der Kranke wird gesund. Aber das ist nur ein Aufschub, denn auch er stirbt drei, sieben oder neun Jahre darnach [5].

Bei den Abakan-Tataren dauert die Sitzung bis zu fünf und sechs Stunden und enthält unter anderem die ekstatische Reise des Schamanen in ferne Gegenden. Doch diese Reise ist mehr bildlich zu verstehen. Nachdem der *kam* lange schamanisiert und um die Gesundheit des Patienten zu Gott gebetet hat, verläßt er die Jurte. Sobald er zurück ist, zündet er die Pfeife an und erzählt, er sei bis nach China gegangen und habe Berge und Meere überquert, um das zur Heilung notwendige Mittel zu finden [6]. Also ein hybrider Typ der schamanischen Sitzung, bei dem die Suche nach der verirrten Seele des Kranken zu einer ekstatischen Pseudoreise um Heilmittel wird. Dasselbe begegnet bei den Tschuktschen im äußersten Nordosten von Sibirien. Dort veranstaltet

---

N. Melnikov, *Die ehemaligen Menschenopfer und der Schamanismus bei den Buriäten des Irkutskischen Gouvernements* (Globus 1899, 75. Bd., S. 132–134); W. Schmidt, *Der Ursprung der Gottesidee* X, S. 375–385.

[5] G. N. Potanin, *Otcherki severo-zapadnoj Mongolii* IV, S. 86–87; Mikhailowski, *Shamanism*, S. 69–70; vgl. Sandschejew, *a. a. O.*, S. 580 ff. S. auch Mikhailowski, S. 127 ff. über die verschiedenen Techniken der Heilung bei den Buriäten.

[6] H. von Lankenau, *Die Schamanen und das Schamanenwesen* (Globus, 22. Bd., 1872, S. 278–283), S. 281 ff. Über rituelle Gesänge bei den Teleuten s. Mikhailowski, S. 98.

der Schamane eine Scheintrance von fünfzehn Minuten, während der er angeblich eine ekstatische Reise zu den Geistern macht und sie um Rat fragt (Bogoras, *The Chukchee,* S. 441). Auch bei den ugrischen Völkern wird der rituelle Schlaf dazu benützt, eine Verbindung mit den Geistern herzustellen und dadurch Krankheiten zu heilen (s. u. S. 213 ff.), doch haben wir bei den Tschuktschen eher eine späte, dekadente Form der schamanischen Technik vor uns. Die «alten Schamanen» unternahmen, wie wir sogleich sehen werden, bei ihrer Seelensuche wirkliche ekstatische Reisen.

Einer hybriden Methode, bei welcher die schamanische Heilung bereits zum Exorzismus geworden ist, begegnen wir bei dem kasak-kirgisischen *baqça*. Die Sitzung beginnt mit einer Anrufung Allahs und der muselmanischen Heiligen, darauf folgen eine Anrufung der *djins* und Drohungen an die bösen Geister. Dabei singt der *baqça* pausenlos weiter. In einem bestimmten Augenblick ergreifen die Geister von ihm Besitz; in dieser Trance «geht der *baqça* barfuß auf einem glühenden Eisen» und nimmt mehrmals einen glühenden Docht in den Mund. Er berührt das glühende Eisen mit der Zunge und «bringt sich mit seinem Messer, das scharf wie ein Rasiermesser ist, im Gesicht Schnitte bei, ohne daß davon die geringste Spur bleibt.». Nach diesen schamanischen Heldentaten ruft er noch einmal Allah an: «O Gott, gib Glück! O sieh auf meine Tränen! Ich rufe zu dir um Hilfe!» usw.[7]. Die Anrufung des höchsten Gottes ist nicht unvereinbar mit der schamanischen Heilung, wir finden sie bei verschiedenen Völkern des nordöstlichen Sibirien. Doch steht bei den Kasak-Kirgisen an erster Stelle die Austreibung der bösen Geister, von denen der Kranke besessen ist; dazu versetzt sich der *baqça* in einen schamanischen Zustand, das heißt er wird gegen Feuer und Messerschnitte gefeit – mit andern Worten, er erreicht die Verfassung des «Geistes», als welcher er die Macht hat, die Krankheitsdämonen zu schrecken und auszutreiben.

---

[7] Castagné, *Magie et exorcisme chez les Kazak-Kirghizes,* S. 68 ff., 90 ff., 101 ff., 125 ff. Vgl. auch Mikhailowski, S. 98: Der Schamane reitet lang über die Steppe und schlägt zurückgekehrt den Kranken mit seiner Peitsche.

*Die schamanische Sitzung bei den Ugriern
und Lappen*

Wenn der Tremjugan-Schamane zu einer Heilung gerufen wird, beginnt er zu trommeln und Gitarre zu spielen, bis er in Ekstase fällt. Seine Seele verläßt den Körper, dringt in die Unterwelt ein und begibt sich auf die Suche nach der Seele des Kranken. Er erhält von den Toten die Erlaubnis, die Seele auf die Erde zurückzubringen, wenn er ihnen ein Hemd oder andere Geschenke verspricht; manchmal muß er aber auch zu stärkeren Mitteln greifen. Beim Erwachen aus der Ekstase hält der Schamane die Seele des Kranken in der Faust eingeschlossen und fügt sie durch das rechte Ohr wieder in den Körper ein [8].

Bei den Irtysch-Ostjaken ist die schamanische Technik eine andere. Wenn der Schamane in ein Haus gerufen wird, beginnt er mit Räucherungen und weiht Sänke, dem Höchsten Himmelswesen, ein Stück Stoff (der ursprüngliche Sinn von *sänke* war «leuchtend, glänzend; Licht»: Karjalainen II, 260). Nach ganztägigem Fasten nimmt er am Abend ein Bad, ißt drei oder sieben Pilze und schläft ein. Nach einigen Stunden erwacht er jäh und verkündet zitternd und bebend, was ihm die Geister durch ihren «Boten» geoffenbart haben: welchem Geist man opfern muß, wer den Erfolg der Jagd vereitelt hat usw. Darauf verfällt der Schamane wieder in tiefen Schlaf und am nächsten Tag schreitet man zu den verlangten Opfern [9].

Die Ekstase durch Pilzvergiftung ist in ganz Sibirien bekannt. Sie findet ihr Gegenstück in der Ekstase durch Narkotika oder Tabak in anderen Teilen der Erde; wir werden auf die mystische Kraft der Gifte noch zurückzukommen haben. Halten wir für den Augenblick nur einige Anomalien in dem beschriebenen Ritus fest: Man opfert das

---

[8] K. F. Karjalainen, *Die Religion der Jugra-Völker*, 3. Bd., S. 305. Dieselben Ekstasemittel (Trommel, Gitarre) wendet man an, wenn man für die Jagd schamanisiert oder wissen will, was für Opfer die Götter wünschen; Karjalainen, a. a. O., S. 306. Über die Seelensuche s. *ebd.*, 1. Bd., S. 31.

[9] Karjalainen, 3. Bd., S. 306. Ein ähnlicher Brauch ist bei den Tsingala (Ostjaken) bezeugt: Man bringt Sänke Opfer dar, der Schamane ißt drei Pilze und fällt in Trance. Die Schamaninnen gebrauchen ähnliche Mittel; sie geraten durch eine Pilzvergiftung in Ekstase, machen einen Besuch bei Sänke und offenbaren in Liedern, was sie von dem Höchsten Wesen selbst erfahren haben; Karjalainen, S. 307. Vgl. auch Jochelson, *The Koryak*, 2. Bd., S. 582–583.

Stoffstück dem Höchsten Wesen, setzt sich aber in Verbindung mit den Geistern, und ihnen bringt man Opfer dar; die eigentlich schamanische Ekstase wird durch Pilzvergiftung erreicht, welche übrigens auch den Schamaninnen entsprechende Trancen bringt, nur daß diese sich direkt an den Himmelsgott Sänke wenden. Diese Widersprüche verraten, daß die Ideologie, welche den Ekstasetechniken zugrundeliegt, in gewisser Hinsicht hybrid ist. Wie schon Karjalainen bemerkt hat (III, 315 ff.), scheint diese ugrische Form des Schamanismus ziemlich jung und entlehnt.

Bei den Waßjugan-Ostjaken ist die schamanische Technik weit komplizierter. Wenn die Seele des Kranken durch einen Toten entführt ist, schickt der Schamane einen von seinen Hilfsgeistern aus sie zu suchen. Dieser nimmt die Gestalt eines Toten an und steigt in die Unterwelt hinab. Sobald er dort den Entführer trifft, läßt er aus seinem Inneren einen Geist in Bärengestalt hervorgehen; der Tote bekommt Angst und entläßt die Seele des Kranken aus seinem Schlund oder seiner Faust. Der Hilfsgeist fängt sie und bringt sie seinem Meister auf der Erde zurück. Während dieser ganzen Zeit spielt der Schamane auf der Gitarre und erzählt die Abenteuer seines Boten. Ist die Seele des Kranken von einem bösen Geist entführt, so muß der Schamane selbst die Befreiungsreise unternehmen, was viel schwieriger ist (Karjalainen III, S. 308 ff.).

Man schamanisiert bei den Waßjuganen auch auf folgende Weise: Der Schamane setzt sich in den dunkelsten Winkel des Hauses und beginnt Gitarre zu spielen. In der linken Hand hält er eine Art Löffel, der sonst auch zum Wahrsagen dient. Dann ruft er seine Hilfsgeister an, sieben an der Zahl. Zu diesem Zweck hat er einen mächtigen Boten, die «strenge Frau mit dem Stock», welche ausfliegen und seine Hilfsgeister zusammenrufen muß. Einer nach dem andern kommen sie daher und der Schamane beginnt in Liedform ihre Reisen zu berichten. «Von den himmlischen Gegenden von Mäy-junk-kân gibt man mir die Töchterchen Mäy-junk-kâns; ich vernehme ihre Ankunft von den sechs Gegenden der Erde, ich höre wie das Behaarte Tier der Großen Erde (der Bär) von der ersten Unterweltsgegend kommt und das Wasser der zweiten Gegend erreicht.» (In diesem Augenblick bewegt er den Löffel.) Ebenso beschreibt er die Ankunft der Geister von der zweiten und dritten Unterweltsgegend und so weiter bis zu denen der sechsten und zeigt sie jedesmal mit seinem Löffel an. Darauf erscheinen die Geister aus den verschiedenen Himmelsregionen. Einen nach dem andern ruft er sie von allen Richtungen herbei: «Aus der Himmelsgegend der Renntiersamojeden, aus der Himmelsgegend der Nordvölker, aus der Stadt der Fürsten der Samojedengeister und ihrer Gattinnen...» Darauf folgt ein Gespräch zwischen all diesen Geistern (durch den Mund des Schamanen) und dem Schamanen selbst. Dies alles dauert einen ganzen Abend.

Am zweiten Abend findet die ekstatische Reise des Schamanen und seiner Hilfsgeister statt, eine schwierige und gefährliche Unternehmung, über deren Wechselfälle die Zuhörerschaft aufs Genaueste unterrichtet wird. Sie gleicht Punkt für Punkt der Reise, welche der Schamane unternimmt, um die Seele des geopferten Pferdes zum Himmel zu geleiten (Karjalainen, S. 310–317). Es handelt sich hier nicht um ein «Besessenwerden» des Schamanen durch seine Hilfsgeister, sondern, wie Karjalainen bemerkt (S. 318), die Hilfsgeister flüstern dem Schamanen ins Ohr, ganz wie die «Vögel» die Epensänger inspirieren. «Der Atem der Geister kommt in den Zauberer», sagen die nördlichen Ostjaken; ihr Atem «berührt» den Schamanen, sagen die Wogulen (Karjalainen, S. 318).

Bei den Ugriern ist die schamanische Ekstase weniger eine Trance als ein «Zustand der Inspiration». Der Schamane sieht und hört die Geister; er ist «außer sich», da er in der Ekstase in ferne Gegenden reist, aber er ist nicht bewußtlos. Er ist ein Visionär, ein Inspirierter. Doch ist das Grunderlebnis immerhin ein ekstatisches und das Hauptmittel zu seiner Einleitung bleibt, wie in vielen anderen Gegenden, die magisch-religiöse Musik. Auch die Vergiftung durch Pilze bewirkt den Kontakt mit den Geistern, wenn auch nur auf eine passive und etwas brutale Art; doch wie schon bemerkt, scheint dies eine späte und entlehnte schamanische Technik zu sein. Die Vergiftung bewirkt auf mechanische, abwegige Art die «Ekstase», das «Heraustreten aus sich selbst»; sie folgt gewaltsam einem älteren Vorbild, das sich auf andere Bereiche bezieht.

Bei den Jenessej-Ostjaken gehören zu der Heilung zwei ekstatische Reisen; die erste davon ist mehr eine rasche Kundfahrt, und erst im Verlauf der zweiten, die zur Trance führt, dringt der Schamane tief in das Jenseits ein. Die Sitzung beginnt wie üblich mit der Anrufung der

Geister, die einer nach dem anderen in die Trommel gebracht werden. Indessen singt und tanzt der Schamane andauernd. Sind die Geister angekommen, so beginnt er in die Luft zu springen; das bedeutet, daß er die Erde verlassen hat und sich zu den Wolken erhebt. Nun kommt der Augenblick, wo er ruft: «Ich befinde mich ganz hoch oben und ich sehe den Jenessej in einer Entfernung von hundert Werst!» Auf seinem Weg begegnet er anderen Geistern und erzählt der Zuhörerschaft alles, was er sieht. Schließlich wendet er sich an den Hilfsgeist, der ihn durch die Luft trägt, und ruft: «Oh, meine kleine Fliege, trag mich noch höher hinauf, ich will noch weiter sehen!...» Bald darauf kehrt der Schamane von seinen Geistern umgeben in die Jurte zurück. Wahrscheinlich hat er die Seele des Kranken nicht gefunden, oder er sah sie nur von fern, in der Region der Toten. Um sie zu erreichen, beginnt der Schamane von neuem seinen Tanz, bis die Trance eintritt. Von den Geistern getragen verläßt er nun seinen Körper und dringt in das Jenseits ein, aus dem er schließlich mit der Seele des Kranken zurückkehrt [10].

Über den lappischen Schamanismus genügt eine kurze Notiz, denn er ist seit dem 18. Jahrhundert verschwunden; außerdem verweisen die Einflüsse der skandinavischen Mythologie und des Christentums in den religiösen Überlieferungen der Lappen sein Studium in den Rahmen der europäischen Religionsgeschichte. Nach den Autoren des 17. Jahrhunderts, welche durch die Folklore ihre Bestätigung finden, hielten die Lappenschamanen ihre Sitzung wie viele andere arktische Völker ganz nackt und erreichten echte kataleptische Trancen, in denen ihre Seele zur Unterwelt abstieg um die Toten zu begleiten oder die Seelen der Kranken zu suchen [11]. Dieser Abstieg zum Reich der Schatten begann wie bei den Altaiern mit der ekstatischen Reise auf einen Berg; der Berg ist dabei das Symbol für die Weltachse und befindet sich deshalb im «Zentrum der Welt». Die Lappenzauberer von heute wissen noch von den Wundertaten ihrer Ahnen, die durch die Luft fliegen konnten

---

[10] Ohlmarks, *Studien zum Problem des Schamanismus*, S. 184, dort zitiert V. I. Anutchin, *Otcherk shamanstva u Jenisejskich ostjakov* (St. Petersburg 1914), S. 28–31; vgl. auch B. D. Shimkin, *A sketch of the Ket, or Yenissei Ostyak*, S. 169 ff. Zur Kulturgeschichte dieses Volkes umfassend Kai Donner, *Beiträge zur Frage nach dem Ursprung der Jenissei-Ostjaken* (Journal de la Société Finno-Ougrienne, 37. Bd., I. 1928, S. 1–21).

[11] Vgl. Ohlmarks, *Studien zum Problem des Schamanismus*, S. 34, 50, 51, 176 ff. (Abstieg zur Unterwelt), 302 ff., 312 ff.

und vieles anderes[12]. Zu der Sitzung gehörten Lieder und Geisteranrufungen; die Trommel mit ihren den altaischen Trommeln genau entsprechenden Zeichnungen spielte bei der Herbeiführung der Trance eine wichtige Rolle[13]. Man hat die skandinavische *seiðr* als Entlehnung aus dem lappischen Schamanismus zu erklären versucht[14], doch die Religion der alten Germanen bewahrte, wie wir sehen werden, selber soviele als «schamanisch» zu bezeichnende Elemente, daß es gar nicht dieses Einflusses zur Erklärung bedarf.

Sitzungen bei den Ostjaken, Juraken und Samojeden

Die rituellen Gesänge der ostjakischen und jurak-samojedischen Schamanen, die Tretjakov bei Heilungssitzungen aufgezeichnet hat, berichten ausführlich über die zum Heil des Patienten unternommene ekstatische Reise. Doch haben diese Gesänge eine gewisse Autonomie gegenüber der eigentlichen Heilung erreicht: Der Schamane dehnt seine eigenen Abenteuer bis in den höchsten Himmel und in das Jenseits aus, und man hat den Eindruck, daß die Suche nach der Seele des Kranken – das erste Motiv einer ekstatischen Reise – an die zweite Stelle gerückt, ja in Vergessenheit geraten ist. Denn Gegenstand des Gesanges sind jetzt mehr seine eigenen ekstatischen Erlebnisse und es ist nicht schwer, in diesen Heldentaten die Wiederholung eines exemplarischen Modells zu erkennen und zwar vor allem der Initiationsreise des Schamanen in die Unterwelt und zum Himmel.

So erzählt der Schamane, wie er sich mittels eines eigens für ihn herabgekommenen Seils zum Himmel erhebt und wie er die Sterne wegstößt, die ihm den Weg versperren. Im Himmel fährt der Schamane in einem Boot herum und steigt dann an einem Fluß entlang zur Erde herab und zwar mit einer solchen Geschwindigkeit, daß der Wind

---

[12] H. R. Ellis, *The road to Hel* (Cambridge 1943), S. 90.
[13] Vgl. Mikhailowski, *Shamanism in Siberia*, S. 144 ff. Über Trommelwahrsagung ebd., S. 148 f. Über den heutigen lappischen Zauberer und seine Folklore s. T. I. Itkonen, *Heidnische Religion und späterer Aberglaube bei den finnischen Lappen*, S. 116 ff.; über die Riten der magischen Heilung s. J. Quigstad, *Lappische Heilkunde* (Oslo 1932).
[14] So schon Johan Fritzner 1877 und wieder Dag Strömback, *Sejd. Textstudier i nordisk religionshistoria* (Stockholm-Kopenhagen 1935); vgl. die Diskussion dieser These bei Ohlmarks, *Studien*, S. 310–350.

durch ihn hindurchweht. Mit Hilfe geflügelter Dämonen dringt er in die Erde; dort ist es so kalt, daß er vom Geist der Finsternis, *Ama,* oder vom Geist seiner Mutter einen Mantel verlangt. (Hier wirft ihm einer von den Anwesenden einen Mantel um die Schultern.) Schließlich steigt der Schamane wieder zur Erde empor, erzählt jedem von den Anwesenden seine Zukunft und erklärt dem Kranken, daß der Dämon, der seine Krankheit verursachte, entfernt ist[15].

Es handelt sich hier also nicht mehr um eine schamanische Ekstase mit wirklichem Aufstieg und Abstieg, sondern um einen Bericht voll mythologischer Erinnerungen, dessen Ausgangserlebnis bedeutend früher liegt als der Augenblick der Heilung. Die Schamanen der Tazowsky-Ostjaken und der Juraken sprechen von ihrem wunderbaren Flug durch blühende Rosen; sie schießen so weit in den Himmel hinauf, daß sie die Tundra in einer Entfernung von sieben Werst sehen, und in weiter Ferne erblicken sie den Ort, wo einst ihre Meister ihre Trommeln gemacht haben (das heißt sie sehen den «Mittelpunkt der Welt»). Endlich kommen sie zum Himmel und gelangen nach manchen Abenteuern in eine Hütte aus Eisen, wo sie zwischen Purpurwolken einschlafen. Zum Abstieg auf die Erde benützen sie einen Fluß. Der Gesang endigt mit einem Anbetungshymnus an den Himmelsgott und an alle anderen Gottheiten (Mikhailowski, S. 67).

Nicht selten geschieht die ekstatische Reise in einer Vision: Der Schamane sieht seine Hilfsgeister in Renntiergestalt in die anderen Welten vordringen und singt ihre Abenteuer[16]. Die Funktion der Hilfsgeister ist bei den samojedischen Schamanen eine mehr «religiöse» als bei den übrigen sibirischen Völkern. Bevor der Schamane an eine Heilung geht, tritt er in Kontakt mit seinen Hilfsgeistern, um zu erfahren, worin die Ursache der Krankheit liegt; ist sie von Num, dem höchsten Gott, gesandt, so lehnt er die Behandlung ab. Dann steigen seine Geister zum Himmel auf und bitten Num um Hilfe[17]. Damit ist aber nicht gesagt, daß alle samojedischen Schamanen «gut» sind; wenn die Samojeden auch die Scheidung zwischen «weißen» und «schwarzen» Scha-

---

[15] P. I. Tretjakov, *Turushanskij Kraj, ego priroda i jiteli* (St. Petersburg 1871), S. 217 ff.; Mikhailowski, *Shamanism in Siberia and European Asia,* S. 67 ff.; Shimkin, *A sketch of the Ket,* S. 169 ff.

[16] Lehtisalo, *Entwurf einer Mythologie der Yurak-Samojeden,* S. 153 ff.

[17] A. Castrén, *Reiseberichte und Briefe aus den Jahren 1845–1849* (hg. von A. Schiefner, St. Petersburg 1856), S. 194 ff.

manen nicht kennen, so weiß man doch von Schamanen, welche auch schwarze Magie üben und Böses tun (Mikhailowski, S. 144).

Die Beschreibungen der Sitzungen bei den Samojeden hinterlassen den Eindruck, daß die ekstatische Reise entweder nur «gesungen» oder aber von den Hilfsgeistern im Namen des Schamanen ausgeführt wird. Manchmal genügt dem Schamanen eine Unterredung mit seinen Geistern, um den «Willen der Götter» in Erfahrung zu bringen. Ein Zeugnis dafür ist die Sitzung, die Castrén bei den Tomsker Samojeden erlebt und auf folgende Weise beschrieben hat: Die Teilnehmer gruppieren sich um den Schamanen, wobei sie die Türe freilassen, auf welche der Schamane unverwandt schaut. Er hält in seiner linken Hand einen Stock, an dessen Ende geheimnisvolle Zeichen und Figuren angebracht sind. In der rechten Hand hält er zwei Pfeile mit den Spitzen nach oben; jeder Pfeil hat an der Spitze ein Glöckchen. Die Sitzung beginnt mit einem Lied, das der Schamane allein anstimmt; dabei begleitet er sich mit den zwei Glöckchenpfeilen, die er im Takt gegen den Stock schlägt. Das ist die Beschwörung der Geister. Sobald sie kommen, erhebt sich der Schamane und beginnt zu tanzen; dabei sind seine Bewegungen ebenso schwierig wie einfallreich. Dann setzt er seinen Gesang und das Schlagen gegen den Stock fort. Dieser Gesang ist die Wiedergabe des Gesprächs mit den Geistern und seine Intensität folgt der dramatischen Kurve dieser Unterredung. Wenn der Gesang seinen Höhepunkt erreicht, beginnen die Anwesenden im Chor zu singen. Sobald die Geister dem Schamanen alle seine Fragen beantwortet haben, hält er inne und teilt den Anwesenden den Willen der Götter mit[18].

Es gibt allerdings große Schamanen, die in Trance die ekstatische Reise nach der Seele des Kranken unternehmen: Ein Beispiel ist der jurak-samojedische Schamane Ganjkka, von dem Lehtisalo (*Entwurf*, S. 153 ff.) berichtet. Doch neben solchen Meistern gibt es eine bedeutende Anzahl von «Visionären», welche im Traum die Anweisungen der Götter und Geister erhalten (*ebd.*, S. 145) oder die Pilzvergiftung anwenden, um die richtige Heilmethode zu erfahren (*ebd.*, S. 164 ff.). Auf jeden Fall hat man den deutlichen Eindruck, daß die echten schamanischen Trancen selten sind und daß die Mehrzahl der Sitzungen

---

[18] A. Castrén, *Reiseberichte*, S. 172 ff.

nur ekstatische Reisen von Geistern oder märchenhafte Abenteuerberichte bringt, deren mythologischer Prototyp bekannt ist [19].

Die Samojedenschamanen üben außerdem die Wahrsagung mittels eines mit bestimmten Zeichen versehenen Stockes, den man in die Luft wirft und aus dessen Lage beim Niederfallen man die Zukunft liest. Ferner gibt es hier spezifisch schamanische Heldentaten: Sie lassen sich fesseln, rufen die Geister an (deren tierische Stimmen man bald darauf in der Jurte hört) und sind am Schluß der Sitzung von ihren Fesseln befreit. Sie schneiden sich mit Messern und schlagen sich wild auf den Kopf usw. (vgl. z. B. Mikhailowski, S. 66). Auch bei den Schamanen anderer sibirischer und sogar nichtasiatischer Völker wird man immer wieder diese Dinge finden, die in gewisser Hinsicht schon zum Fakirismus gehören. All das ist beim Schamanen nicht einfach Prahlsucht oder Effekthascherei. Die «Wunder» stehen in einer organischen Affinität zu der schamanischen Sitzung, handelt es sich doch darum, einen zweiten Zustand zu erreichen, der in der Beendigung des profanen Standes besteht. Der Schamane beweist die Echtheit seines Erlebnisses mit den «Wundern», die es ermöglicht.

Schamanismus bei den Jakuten und Dolganen

Bei den Jakuten und Dolganen hat die schamanische Sitzung im allgemeinen vier Teile: 1. Beschwörung der Hilfsgeister, 2. Entdeckung der Krankheitsursache – meistens ein böser Geist, der die Seele des Kranken gestohlen hat oder in seinen Körper eingedrungen ist, 3. Austreibung des bösen Geistes durch Drohungen, Lärm usw., und schließlich 4. Himmelfahrt des Schamanen [20]. «Das größte Problem ist dabei die Entdeckung der Krankheitsursachen, das Erkennen des Geistes, der den Patienten quält, und die Feststellung seiner Herkunft, hierarchischen Position und Macht. Die Zeremonie hat daher immer zwei Teile: Zuerst ruft man die Schutzgeister vom Himmel herab und erbittet ihre

---

[19] Über den samojedischen Kulturkomplex vgl. Kai Donner, *Zu den ältesten Berührungen zwischen Samojeden und Türken* (Journal de la Société Finno-Ougrienne, 40. Bd., Nr. 1, 1924, S. 1–24); Al. Gahs, *Kopf-, Schädel- und Langknochenopfer bei Rentiervölkern*, S. 238 ff.; W. Schmidt, *Ursprung der Gottesidee*, III, S. 334 ff.

[20] Harva, *Die religiösen Vorstellungen*, S. 545, nach Vitashevskij; Jochelson, *The Yakut*, S. 120 ff.

Hilfe zur Feststellung der Krankheitsursachen, dann kommt der Kampf gegen den feindlichen Geist oder *üör.*» Darauf folgt obligatorisch die Reise zum Himmel [21].

Der Kampf mit den bösen Geistern ist gefährlich und für den Schamanen mit der Zeit erschöpfend. «Wir sind alle zur Beute der Geister ausersehen», sagte der Schamane Tüspüt zu Sieroszewski; «die Geister hassen uns, weil wir die Menschen verteidigen...» (*a.a.O.*, S. 325). Tatsächlich sieht sich der Schamane oftmals gezwungen, die bösen Geister, die er aus dem Kranken austreiben will, in sich selbst aufzunehmen; dabei ringt und leidet er mehr als der Patient (Harva, *a.a.O.*, S. 545 f.).

Bei Sieroszewski findet sich folgende klassische Beschreibung einer jakutischen Séance: Die Sitzung findet am Abend in der Jurte statt; die Nachbarn sind dazu eingeladen. «Manchmal macht der Hausherr zwei bewegliche Knoten mit festen Riemen, welche sich der Schamane an die Schultern bindet, während die anderen sie an den Enden ergreifen, um den Schamanen festzuhalten, falls ihn die Geister entführen wollen [22].» Der Schamane blickt unverwandt auf das Feuer im Herd; er gähnt, bekommt einen krampfhaften Schluckauf und wird immer wieder von nervösem Zittern geschüttelt. Er legt seine Schamanentracht an und beginnt zu rauchen. Er schlägt ganz leis die Trommel. Noch kurze Zeit, und sein Gesicht wird bleich, der Kopf fällt ihm auf die Brust herab und seine Augen sind halb geschlossen. Nun breitet man in der Mitte der Jurte das Fell einer Schimmelstute aus. Der Schamane trinkt frisches Wasser und macht Kniebeugen nach den vier Himmelsrichtungen, wobei er nach rechts und links Wasser spuckt. In der Jurte herrscht Schweigen. Der Gehilfe des Schamanen wirft ein paar Pferdehaare ins Feuer, das er danach ganz mit Asche bedeckt. Nun ist es ganz dunkel. Der Schamane setzt sich auf das Stutenfell, wendet sich gegen Süden und träumt. Alle halten den Atem an.

---

[21] Sieroszewski, *Du chamanisme chez les Yakoutes*, S. 324. Der Widerspruch zwischen den Angaben Vitashevskijs (Sitzung in vier Etappen) und Sieroszewskis («zwei Teile», dann Himmelsreise) ist nur scheinbar; in Wirklichkeit sagen beide Beobachter dasselbe.

[22] Sieroszewski, S. 326. Dieser Brauch begegnet bei mehreren sibirischen und arktischen Völkern, wenn auch mit verschiedenem Sinn: teilweise bindet man den Schamanen fest, damit er nicht fortfliegt; bei den Samojeden und den Eskimo dagegen läßt der Schamane sich fesseln, um seine magische Kraft zu zeigen, und macht sich während der Sitzung «mit Hilfe der Geister» frei.

«Plötzlich ertönt, man weiß nicht woher, ein heller Schrei, umkippend, durchdringend wie das Knirschen von Stahl – und wieder Schweigen. Ein neuer Schrei: oben und unten, vor dem Schamanen und hinter ihm mysteriöse Geräusche: Gähnen, krankhaft, schrecklich; hysterischer Schluckauf, kläglicher Kiebitzschrei und Falkengekrächz, dazwischen der pfeifende Ton der Schnepfe – das alles macht der Schamane selbst, indem er seine Stimme wandelt.»

Auf einmal hält er ein; wieder herrscht Schweigen bis auf ein leises Surren wie von einem Moskito. Der Schamane beginnt die Trommel zu schlagen. Er summt ein Lied. Lied und Trommeln werden lauter; nicht mehr lange und der Schamane brüllt. «Man hört Vogelgekrächz, das Klagen von Kiebitzen, durchdringenden Schnepfenschrei und den Ruf des Kuckucks.» Die Musik steigert sich bis zur Raserei, bricht jäh ab und man hört nur noch das Surren der Moskitos. Noch mehrmals wechselt Vogelgeschrei und Schweigen, bis schließlich der Schamane einen andern Takt anschlägt und seinen Hymnus anstimmt:

> «Der mächtige Stier der Erde, das Pferd der Steppe,
> Der mächtige Stier hat gebrüllt!
> Das Pferd der Steppe gewiehert!
> Ich bin über euch allen, bin Mensch!
> Bin der Mensch, der mit allem begabt ist!
> Der Mensch, geschaffen vom Herrn des Unendlichen!
> Komm doch, o Pferd der Steppe, und lehre mich!
> Komm heraus, wunderbarer Stier des Alls, und antworte!
> Mächtiger Herr, befiehl!...
> Herrin, meine Mutter, zeig mir meine Irrtümer und die Wege,
> Die ich gehen muß! Flieg vor mir auf einer breiten Straße,
> Bereite mir den Weg!

Geist der Sonne, der du im Süden auf den neun waldigen Hügeln wohnst, Mutter des Lichts, eifersüchtige, euch flehe ich an: bleibt mit euren drei Schatten ganz in der Höhe! Und du im Westen, auf deinem Berg, o mein Herr Ahne mit der furchtbaren Kraft, mit dem mächtigen Hals, sei mit mir!...»

Die Musik beginnt nun noch schöner und erreicht ihren Höhepunkt.

Jetzt ruft der Schamane die Hilfe des *ämägät* und seiner Hausgeister herbei. Sie gehorchen nicht ohne weiteres; der Schamane bittet, sie machen Ausflüchte. Nun machen die Anwesenden über dem Schamanen mit Eisenzeug Lärm und murmeln: «Das starke Eisen tönt – die launischen Wolken wirbeln, viele Wetterwolken sind da!»

Wenn der *ämägät* kommt, beginnt der Schamane mit Sprüngen und blitzschnellen heftigen Bewegungen. Schließlich bleibt er in der Mitte der Jurte, man zündet das Feuer wieder an und der Schamane beginnt wieder mit Trommeln und Tanzen. Er springt in die Luft, manchmal bis zu vier Fuß hoch [23]. Er schreit wie im Delirium. «Wieder hält er ein und stimmt mit ernster, tiefer Stimme einen feierlichen Hymnus an.» Es folgt ein leichter Tanz, zu dem er Ironisches singt oder aber Verwünschungen ausstößt, je nachdem, welche Wesen er mit der Stimme nachahmt. Schließlich nähert er sich dem Kranken und fordert die Ursache der Krankheit offiziell zum Auszug auf, «oder er nimmt den Kranken, trägt ihn in die Mitte des Raumes und jagt ihn, ohne seine Anrufungen zu unterbrechen, herum, spuckt ihn an, versetzt ihm Fußtritte, treibt ihn mit der Hand herum und bläst dabei» [24].

Jetzt beginnt die ekstatische Reise des Schamanen, die er unternimmt, um die Seele des Opfertieres zum Himmel zu bringen. Vor der Jurte setzt man drei entästete Bäume ein; der mittlere davon ist eine Birke, an ihrem Wipfel hat man einen toten Eisvogel befestigt. Östlich von der Birke errichtet man einen Pfahl mit einem Pferdekopf an der Spitze. Die drei Bäume sind durch einen Faden aus Pferdehaar miteinander verbunden. Zwischen Bäumen und Jurte stellt man ein Tischchen auf mit einem Krug voll Branntwein. Der Schamane macht Bewegungen wie wenn ein Vogel fliegt. Stück für Stück steigt er zum Himmel auf. Der Weg hat neun Stationen, auf jeder bringt der Schamane dem Lokalgeist Opfer dar. Wenn er von seiner ekstatischen Reise

---

[23] Offensichtlich ein ekstatischer «Aufstieg» zum Himmel. Auch bei den Habakuk-Eskimo versuchen die Schamanen durch rituelle Luftsprünge den Himmel zu erreichen. (Rasmussen, zitiert bei Ohlmarks, *Studien*, S. 131). Bei den Menri auf Kelantan springen die Medizinmänner in die Luft, singen und werfen einen Spiegel oder ein Halsband hinauf zu Karei, dem höchsten Gott (Ivor Evans, *Schebesta on the sacerdo-therapy of the Semang*, S. 120).

[24] Sieroszewski, *Du chamanisme chez les Yakoutes*, S. 326–330. Gewisse Forscher haben Zweifel an der Echtheit der von Sieroszewski verzeichneten liturgischen Texte geäußert, vgl. Jochelson, *The Yakut*, S. 122.

zurückkommt, verlangt er «Reinigung» eines Körperteils (Fuß, Schenkel usw.) durch Feuer (glühende Kohlen)[25].

Natürlich weist die jakutische Schamanensitzung viele Abwandlungen auf. So beschreibt Sieroszewski die Himmelsreise: «Nun stellt man in genauer Reihe kleine Tannen auf, die man vorher ausgesucht hat, und bindet daran Girlanden aus Schimmelhaar (die Schamanen verwenden nur Schimmel); dann richtet man drei Pfosten auf, ebenfalls in einer Reihe, die an der Spitze Vogeldarstellungen tragen: der erste den *öksökju* mit zwei Köpfen, der zweite den *grana nur* (*kugos*) oder auch einen Raben, der dritte einen Kuckuck (*kögö*). An dem letzten Pfahl befestigt man das Opfertier. Ein oben angebundenes Seil stellt den Weg zum Himmel dar, «auf dem die Vögel fortfliegen und den das Tier einschlagen wird» (Sieroszewski, S. 332).

Auf jedem Ruheplatz (*oloh*) setzt sich der Schamane nieder und ruht aus; wenn er sich wieder erhebt, bedeutet das, daß er seine Reise wieder aufnimmt. Diese Reise stellt er durch Tanzschritte und Gesten dar, die den Vogelflug nachahmen: «Der Tanz stellt immer eine Reise durch die Luft in Geisterbegleitung dar; wenn man das Sühnetier geleitet, muß ebenfalls getanzt werden. Nach der Legende gab es vor noch nicht langer Zeit Schamanen, die wirklich zum Himmel aufflogen; dabei sahen die Anwesenden ein Tier in den Wolken schweben, dem eine Schamanentrommel folgte, und der Schamane, ganz in Eisen, beschloß den Zug.» «Die Trommel ist unser Pferd, sagen die Schamanen» (Sieroszewski, S. 331).

Haut, Hörner und Hufe des Opfertiers werden auf einem dürren Baum ausgestellt. Sieroszewski hat oft in Wüstengegenden die Spuren solcher Opfer gefunden. Ganz in der Nähe, manchmal auf demselben Baum, «kann man einen *kotchai*, einen langen hölzernen Pfeil in dem dürren Stamm stecken sehen. Er spielt dieselbe Rolle wie das Seil mit Haarbüscheln in der vorhergehenden Zeremonie: er zeigt die Himmelsgegend an, in die sich das Opfer zu begeben hat» (Sieroszewski,

---

[25] Harva, *Religiöse Vorstellungen*, S. 547. Der Sinn dieses Ritus ist unklar. Kai Donner gibt an, daß auch die Samojeden ihre Schamanen am Schluß der Sitzung mit glühenden Kohlen reinigen (Harva, *ebd.*). Wahrscheinlich reinigt man den Körperteil, in dem die bösen Geister, die den Kranken mißhandelten, «absorbiert» worden sind; aber warum dann Reinigung des Schamanen bei der Rückkehr von seiner Himmelsreise?!... Handelt es sich nicht vielleicht in Wirklichkeit um den alten schamanischen Ritus des «Spielens mit dem Feuer»? (s. u. S. 437 ff.)

S. 332 f.). Nach demselben Autor riß der Schamane früher mit eigener Hand das Herz des Opfertiers aus und hob es zum Himmel auf. Dann beschmierte er sich Gesicht und Tracht mit dem Blut, ebenso das Bild seines *ämägät* und die kleinen hölzernen Geisterfigürchen (*ebd.*, S. 333) [26].

Anderswo setzt man neun Bäume ein und steckt in ihrer Nähe einen Pfahl in den Boden, der oben einen Vogel trägt. Bäume und Pfahl sind durch ein ansteigendes Seil miteinander verbunden – das Zeichen für den Aufstieg zum Himmel (Harva, *a.a.O.*, S. 548). Auch bei den Dolganen findet man die neun Bäume, doch jeder mit einem Vogel an der Spitze. Die Bedeutung ist immer dieselbe: der Weg des Schamanen und der Seele des Opfertiers zum Himmel. Tatsächlich ersteigen auch bei den Dolganen die Schamanen bei der Heilung die neun Himmel, und wie sie sagen, befinden sich vor jedem neuen Himmel wachende Geister, welche die Reise des Schamanen zu überwachen und gleichzeitig den Aufstieg der bösen Geister zu verhindern haben [27].

Bei dieser langen und bewegten Schamanensitzung bleibt nur ein Punkt dunkel: Wenn die Seele des Kranken von den bösen Geistern entführt ist, warum muß dann der jakutische Schamane die Himmelsreise unternehmen? Wasiljev schlägt folgende Erklärung vor: Der Schamane trägt die Seele des Kranken zum Himmel, damit sie von der Beschmutzung durch die bösen Geister gereinigt wird (vgl. Harva, *a.a.O.*, S. 550). Trotschshanskij dagegen behauptet, daß keiner von den ihm bekannten Schamanen die Reise in die Unterwelt gemacht habe, sie hätten alle zu ihren Heilungen nur die Himmelfahrt gebraucht (Harva,

---

[26] Wir haben es hier mit einem stark bastardisierten Opfer zu tun: symbolische Darbringung des Herzens an das himmlische Wesen und Blutlibation an die «unterweltlichen» Mächte (*sjadaai* usw.) Dasselbe grausige Ritual bei den araukanischen Schamanen, s. u. S. 317.

[27] Harva, *Rel. Vorstell.*, S. 549. Dazu s. weitere Beschreibungen der jakutischen Schamanensitzung bei J. G. Gmelin, *Reise durch Sibirien von dem Jahr 1723 bis 1733*, 2. Bd. (Göttingen 1752), S. 349 ff.; V. L. Priklowskij, *Das Schamanenthum der Jakuten* (Mitt. der Wiener Anthropol. Gesellschaft, 18. Bd., Wien 1888, S. 165–182 – die deutsche Übersetzung der Studie *O shamanstve u jakutov*, ersch. 1886 in Izvestija Vostotchno-Sibirskago Otdela Russgago Geografitcheskago Obshtchestva 17. Bd., 1–2, Irkutsk 1886). Es gibt auch einen langen englischen Auszug aus dem umfangreichen Buch von Sieroszewski, *Yakuty* (St. Petersburg 1896): William G. Sumner, *The Yakuts. Abridged from the russian of Sieroszewski* (Journal of the Anthropological Institute of Great Britain, 31. Bd., 1901, S. 65–110; S. 102–108 Schamanismus nach *Yakuty*, S. 621 ff.). Vgl. W. Jochelson, *The Yakut*, S. 120 ff. nach Vitashevskij).

S. 551). Das spricht für die Vielfalt der schamanischen Techniken und die Unsicherheit unserer Informationen; wahrscheinlich waren die Unterweltsreisen, weil gefährlicher und geheimer, europäischen Beobachtern schwerer zugänglich. Doch ohne Zweifel waren die Unterweltsreisen auch den jakutischen Schamanen bekannt, zumindest manchen von ihnen, enthält ihre Tracht doch ein Symbol des «Loches der Erde», das sogar «Loch der Geister» (*abasy-oibono*) heißt und durch welches die Schamanen in die unterweltlichen Gegenden hinabsteigen konnten. Ferner wird der jakutische Schamane auf seinen ekstatischen Reisen von einem Wasservogel (Möwe, Taucher) begleitet, der gerade das Untertauchen in das Meer, also einen Abstieg zur Unterwelt symbolisiert (Harva, *ebd.*, S. 551). Schließlich enthält das technische Lexikon der Jakutenschamanen zwei verschiedene Termini für die Richtungen der mystischen Reise: *allara kyrar* (gegen die «unteren Geister») und *üsär kirar* (gegen die «oberen Geister»; Harva, S. 552). Übrigens hat auch Wasiljev beobachtet, daß bei den Jakuten und den Dolganen der Schamane bei seiner Suche nach der von den Dämonen versteckten Seele des Kranken sich benimmt, wie wenn er untertauchen wollte, und die Tungusen, Tschuktschen und Lappen sprechen von der schamanischen Trance als von einem «Eintauchen» (Harva, S. 552). Dasselbe wird uns bei den Eskimoschamanen begegnen, denn zahlreiche Völker, naheliegenderweise die am Meer wohnenden, verlegen das Jenseits in die Tiefen des Meeres [28].

Wenn man die Notwendigkeit der Himmelsreise bei den jakutischen Schamanen verstehen will, gilt es zweierlei zu bedenken: 1. einerseits die Kompliziertheit, man kann schon sagen Konfusion ihrer religiösen und mythologischen Vorstellungen, und 2. andererseits das große Ansehen der schamanischen Himmelfahrten in ganz Sibirien und Zentralasien. Dieses Prestige ist, wie wir gesehen haben, die Erklärung dafür, daß der altaische Schamane schließlich für seine ekstatische Unterweltsfahrt (immer zur Befreiung der Seele des Kranken aus der Haft Erlik Khans) gewisse charakteristische Züge der Auffahrtstechnik entlehnt hat.

Was die Jakuten betrifft, so könnte man sich die Entwicklung etwa in der folgenden Form vorstellen: Ausgehend von der Tatsache, daß

---

[28] Jedoch wie sich im Folgenden zeigen wird niemals ausschließlich; gewisse «Auserwählte» und «Privilegierte» steigen nach ihrem Tod zum Himmel auf.

man den himmlischen Wesen Tiere opferte und durch sichtbare Symbole (Pfeile, Holzvögel, ansteigendes Seil usw.) den Weg der Seele des Opfers bezeichnete, hat man schließlich den Schamanen als Führer dieser Seele auf ihrer Himmelsreise verwendet; und weil er die Seele des anläßlich einer Heilung geopferten Tieres begleitete, konnte es zu dem Glauben kommen, daß der Hauptzweck dieser Auffahrt die «Reinigung» der Seele des Kranken sei. Auf jeden Fall ist das Ritual der schamanischen Heilung in seiner gegenwärtigen Form hybrid; man bemerkt den Einfluß zweier verschiedener Techniken: 1. Suche nach der verirrten Seele des Kranken oder Austreibung der bösen Geister, und 2. Auffahrt zum Himmel.

Doch noch etwas ist zu bedenken: Abgesehen von seltenen Fällen von «Unterweltsspezialisierung» (ausschließlich Abstiege zur Unterwelt) sind die sibirischen Schamanen ebensowohl zu Himmelfahrten fähig als zu Abstiegen in die Unterwelt. Wie wir gesehen haben, rührt diese Doppeltechnik in gewisser Hinsicht von ihrer Initiation her: Die Initiationsträume der künftigen Schamanen enthalten ja sowohl Abstiege (= rituelle Leiden und Tod) als Aufstiege (= Auferstehung). In diesem Zusammenhang begreift man leicht, daß der jakutische Schamane nach seinem Kampf mit den bösen Geistern und nach seiner Unterweltsfahrt um die Seele des Kranken sein eigenes geistiges Gleichgewicht durch eine Wiederholung der Himmelfahrt wiederherstellen muß.

Beachten wir, daß Macht und Prestige des Schamanen ausschließlich von seiner Fähigkeit zur Ekstase kommen. Bei den Opfern an das Himmelswesen hat er sich an die Stelle des Priesters gesetzt, doch diese Substitution äußert sich wie im Fall des altaischen Schamanen durch einen Wandel in der Struktur des Ritus selbst: Aus der Opferung ist eine Psychophorie geworden, also eine dramatische Zeremonie auf der Grundlage der Ekstase. Einzig seinen mystischen Fähigkeiten verdankt der Schamane seine Macht, die bösen Geister, die sich der Seele des Kranken bemächtigt haben, zu entdecken und zu bekämpfen. Es genügt ihm nicht, sie zu exorzisieren; er nimmt sie in seinen eigenen Körper auf, ergreift von ihnen Besitz, quält sie und treibt sie aus – und dies ist möglich, weil er an ihrer Natur teilhat, das heißt imstande ist seinen Körper zu verlassen, sich in beträchtliche Entfernungen zu versetzen, zur Unterwelt hinab- und zum Himmel hinaufzusteigen. Diese «spirituelle» Beweglichkeit und Freiheit, aus welcher sich die ekstatischen

Erlebnisse des Schamanen nähren, macht ihn jedoch zugleich verwundbar, und oft geschieht es bei seinem Ringen mit den bösen Geistern, daß schließlich er in ihre Gewalt fällt, das heißt wirklich «besessen» wird.

Schamanensitzungen bei den Tungusen und den Orotschen

Der Schamanismus nimmt im religiösen Leben der Tungusen einen wichtigen Platz ein [29]. Wie schon erwähnt, ist das Wort «Schamane» selbst tungusisch (*shaman*), wie es sich auch mit seinem Ursprung verhalten mag. Sehr wahrscheinlich ist, wie Shirokogorov gezeigt hat (wir werden noch darauf zurückkommen), der tungusische Schamanismus zumindest in seiner jetzigen Gestalt stark durch sino-lamaistische Ideen und Techniken beeinflußt. Die Nachweisbarkeit südlicher Einflüsse im gesamten zentralasiatischen und sibirischen Schamanismus haben wir schon mehrmals hervorgehoben. Wie man sich die Ausbreitung der südlichen Kulturkomplexe nach Norden und Nordosten zu denken hat, soll an anderer Stelle behandelt werden. Auf jeden Fall zeigt der tungusische Schamanismus heute eine komplexe Physiognomie; aus seinem Bild läßt sich eine erhebliche Zahl verschiedener Überlieferungen ablösen, durch deren Zusammenwachsen manchmal durchaus hybride Formen zustandegekommen sind. Auch hier konstatieren wir eine gewisse «Dekadenz» des Schamanismus, wie sie fast überall im nördlichen Asien bezeugt ist; so stellen die Tungusen Kraft und Mut der «alten Schamanen» der Kleinmütigkeit der heutigen entgegen, die in manchen Gegenden die gefährliche Unterweltsfahrt gar nicht mehr zu unternehmen wagen.

Der Tungusenschamane hat seine Macht bei vielerlei Gelegenheiten zu üben. Unentbehrlich für die Heilung – ob er die Seele des Kranken sucht oder die Dämonen exorzisiert –, ist er andererseits auch Seelen-

---

[29] Vgl. J. G. Gmelin, *Reise durch Sibirien von dem Jahr 1733 bis 1743*, 2. Bd., (Göttingen 1752), S. 44–46, 193–195 usw.; Mikhailowski, S. 64 f., 97 usw.; S. Shirokogorov, *General Theory of Shamanism among the Tungus* (Journal of the North-China Branch of the Royal Asiatic Society, 54. Bd., Shanghai 1923, S. 246–249); ders., *Northern Tungus Migrations in the Far East* (ebd., 57. Bd., 1926, S. 123–183); ders., *Versuch einer Erforschung der Grundlagen des Schamanentums bei den Tungusen* (Baeßler-Archiv, 18. Bd., 2. Teil, 1935, S. 41–96, Übersetzung eines russischen Artikels Wladiwostock 1919); und besonders die große Zusammenstellung von Shirokogorov, *Psychomental Complex of the Tungus* (Shanghai-London 1935).

geleiter; er trägt die Opfer zum Himmel und in die Unterwelt, und im besonderen ist es seine Aufgabe, das geistige Gleichgewicht der ganzen Gemeinschaft zu gewährleisten. Drohen dem Clan Krankheiten, Unfälle oder Unfruchtbarkeit, ist Diagnose und Abhilfe seine Sache. Mehr als ihre Nachbarn neigen die Tungusen dazu, den Geistern eine ziemlich große Bedeutung beizumessen, und zwar nicht nur den Geistern der Unterwelt, sondern auch denen dieser Welt, die man für die Urheber aller Art von Verwirrung hält. Deshalb haben die Tungusenschamanen außer den klassischen Motiven – Krankheit, Tod, Opfer an die Götter – für ihre Sitzungen, speziell für «kleine Vor-Sitzungen», noch eine Menge weiterer Gründe, wobei jedoch immer die Kenntnis und Bemeisterung der Geister vorausgesetzt ist.

Ebenso nehmen die Schamanen an bestimmten Opfern teil. Das jährliche Opfer an die Geister eines Schamanen bildet sogar ein großes religiöses Ereignis für den ganzen Stamm (Shirokogorov, *Psychomental Complex*, S. 322 ff.). Unentbehrlich sind die Schamanen natürlich auch bei den Jagd- und Fischriten (*ebd.*).

Sitzungen mit Unterweltsfahrten können aus folgenden Motiven unternommen werden: 1. Opfer für die Ahnen und die Toten in der Unterwelt; 2. Suche nach der Seele des Kranken und ihre Wiederherstellung; 3. Begleitung der Abgeschiedenen, welche diese Welt verlassen wollen, und ihre Eingliederung in das Reich der Schatten (Shirokogorov, *Psychomental Complex*, S. 307). Trotz der vielen Gelegenheiten ist die Zeremonie ziemlich selten, denn sie gilt für gefährlich und wenige Schamanen wagen sich daran (*ebd.*, S. 306). Der terminus technicus dafür ist *örgiski*, wörtlich «in der Richtung von *örgi*» (unterweltliche, «westliche» Gegend). Zum *örgiski* entschließt man sich erst nach einer vorhergehenden Sitzung des «kleinen Schamanismus». Man konstatiert z. B. eine Reihe von Mißhelligkeiten, Krankheiten oder Unfällen im Stamm. Der Schamane, gebeten die Ursache zu finden, inkorporiert sich einen Geist und erfährt den Grund, warum die Geister der Unterwelt oder die Toten und die Seelen der Ahnen das Gleichgewicht stören; gleichzeitig erfährt er, welches Opfer sie beruhigen kann. Daraufhin beschließt man zu dem Opfer und der Unterweltsfahrt des Schamanen zu schreiten.

Am Tage vor dem *örgiski* bringt man die Gegenstände herbei, deren sich der Schamane auf seiner ekstatischen Reise bedient, darunter ein kleines Floß, auf dem der Schamane über das Meer (den Baikalsee) setzen wird, eine Art Lanze zum Durchbrechen der Felsen, kleine Darstellungen von zwei Bären und zwei Ebern, welche im Falle des Schiffbruchs das Boot halten und einen Pfad durch den dichten Jenseitswald schlagen sollen, vier kleine Fische, die vor dem Boote schwimmen, ein «Idol», das den Hilfsgeist des Schamanen darstellt und ihm das Opfer tragen hilft, verschiedene Geräte zur Reinigung usw. Am Sitzungsabend legt der Schamane seine Tracht an, schlägt die Trommel, singt und ruft das «Feuer» an, die «Mutter Erde», und die «Ahnen», denen man das Opfer darbringt. Nachdem geräuchert ist, geht man zur Wahrsagung über. Mit geschlossenen Augen wirft der Schamane seinen Trommelschlegel in die Luft; wenn er verkehrt zurückfällt, ist es ein gutes Zeichen.

Der zweite Teil der Zeremonie beginnt mit der Opferung des Tieres, im allgemeinen eines Renntiers. Mit seinem Blut bestreicht man die ausgestellten Gegenstände; das Fleisch wird später zubereitet. Es werden Pfähle in den *wigwan* gebracht, ihre Spitze steht zum Rauchloch heraus. Ein langer Faden verbindet die Pfähle mit den draußen auf der Plattform ausgestellten Gegenständen; das ist der «Weg» für die Geister[30]. Nach diesen Vorkehrungen versammeln sich die Anwesenden im *wigwan*. Der Schamane beginnt zu trommeln, zu singen und zu tanzen. Er springt immer höher in die Luft[31]. Seine Helfer singen mit den Zuschauern den Kehrreim des Liedes. Er hält einen Augenblick inne, trinkt ein Glas Wodka, raucht ein paar Pfeifen und beginnt wieder mit dem Tanz. Er erhitzt sich mehr und mehr, bis er zu Boden fällt – leblos, in Ekstase. Wenn er nicht zu sich kommt, besprengt man ihn dreimal mit Wasser. Nun erhebt er sich und beginnt mit gellender Stimme zu sprechen – Antworten auf gesungene Fragen, die zwei, drei Personen an ihn richten. Der Körper des Schamanen ist jetzt von einem Geist bewohnt und dieser antwortet an seiner Stelle. Der Schamane befindet sich ja in der Unterwelt. Wenn er zurückkommt, begrüßen alle mit Freudenschreien seine Rückkehr aus dem Totenland.

[30] Es handelt sich hier um eine Kontamination mit der schamanischen Himmelsreise, wofür wir weiter unten Beispiele geben werden. Die zum Rauchloch herausstehenden Pfähle symbolisieren bekanntlich die *axis mundi,* an der entlang man die Opfer bis zum höchsten Himmel hinaufbringt.

[31] Wieder ein Anzeichen für die Vermischung mit der Himmelfahrt: die Luftsprünge bedeuten den «magischen Flug».

Dieser zweite Teil der Zeremonie dauert ungefähr zwei Stunden. Nach einer Unterbrechung von zwei oder drei Stunden, also beim Morgengrauen, schreitet man zur letzten Phase, welche der ersten gleicht und wobei der Schamane den Geistern dankt (Shirokogorov, S. 304 ff.).

Bei den mandschurischen Tungusen kann man ohne die Teilnahme der Schamanen opfern. Doch nur der Schamane kann in die Unterwelt hinabsteigen und die Seele des Kranken von dort zurückbringen. Auch diese Zeremonie hat drei Teile. Wenn man in einer Vor-Sitzung des «kleinen Schamanismus» festgestellt hat, daß die Seele des Kranken wirklich in der Unterwelt gefangen liegt, opfert man den Geistern (*séven*), damit sie dem Schamanen beim Abstieg in die Unterwelt helfen. Der Schamane trinkt von dem Blut und ißt von dem Fleisch des Opfertieres, und wenn er sich so den Geist inkorporiert hat, fällt er in Ekstase. Nach dieser ersten Phase beginnt die zweite, die mystische Reise des Schamanen. Er kommt zu einem Berg im Nordwesten und steigt an ihm hinab zur andern Welt. Die Gefahren werden mehr, je näher er an die Unterwelt kommt. Er begegnet Geistern und anderen Schamanen und verteidigt sich mit seiner Trommel gegen ihre Pfeile. Da der Schamane alle Wechselfälle seiner Reise singt, können ihm die Anwesenden Schritt für Schritt folgen. Er steigt durch ein kleines Loch hinab und überquert drei Bäche, bevor er zu den Geistern der Unterwelt gelangt. Schließlich erreicht er die Welt der Finsternis und die Anwesenden schlagen mit Gewehrfeuersteinen Funken; das sind die «Blitze», welche dem Schamanen den Weg zeigen. Er findet die Seele und nach weitläufigen Kämpfen und Verhandlungen mit den Geistern bringt er sie mit tausend Schwierigkeiten auf die Erde zurück und fügt sie wieder in den Körper des Kranken ein. Den letzten Teil der Zeremonie bildet am nächsten Tag oder ein paar Tage später eine Danksagung an die Geister des Schamanen (Shirokogorov, S. 307).

Bei den Renntier-Tungusen in der Mandschurei lebt die Erinnerung an eine «frühere Zeit», wo man «gegen die Erde schamanisierte», aber heutzutage wagt das kein Schamane mehr (*ebd.*). Bei den nomadischen Mankova-Tungusen ist die Zeremonie anders: Man opfert zur Nachtzeit einen schwarzen Bock, dessen Fleisch man nicht ißt. Wenn der Schamane die Unterwelt erreicht, fällt er zu Boden und bleibt eine halbe Stunde bewegungslos. Inzwischen springen die Anwesenden dreimal über das Feuer (*ebd.*, S. 308). Bei den Mandschu ist die Zeremonie des «Abstiegs in die Totenwelt» ebenfalls ziemlich selten. Während seines ganzen langen Aufenthalts konnte Shirokogorov nur an drei Sitzungen teilnehmen. Der Schamane ruft alle Geister an, chinesische, mandschurische und tungusische, erklärt ihnen den Grund der Sitzung (in dem von Shirokogorov studierten Fall die Krankheit eines achtjährigen Kindes) und bittet um ihre Hilfe. Dann beginnt er die Trommel zu schlagen und sobald sein besonderer Geist in ihn eingegangen ist, fällt er auf den Teppich nieder. Die Anwesenden stellen ihm Fragen; an seinen Antworten merkt man, daß er sich schon in der Unterwelt befindet. Da der Geist, der ihn besessen hält, ein Wolf ist, beträgt sich der Schamane demgemäß. Seine Sprache ist schwer zu verstehen. Immerhin versteht man soviel, daß die Krankheit nicht, wie man vor der Sitzung gedacht hat, von der Seele eines Toten rührt, sondern von einem bestimmten Geist, der als Preis für die Heilung den Bau eines kleinen Tempels (*m'ao*) verlangt oder die Darbringung regelmäßiger Opfer (*ebd.*, S. 309).

Ein ähnlicher Abstieg in die «Totenwelt» wird in dem mandschurischen Gedicht *Nishan saman* erzählt, welches nach Shirokogorov das einzige schriftliche Zeugnis über den Mandschu-Schamanismus darstellt. Es handelt sich um folgendes: Zur Zeit der Mingdynastie ging ein junger Mann, Sohn reicher Eltern, im Gebirge auf die Jagd und fand durch einen Unglücksfall den Tod. Eine Schamanin namens Nishan beschließt seine Seele zurückzubringen und steigt in die «Totenwelt» hinab. Sie trifft dort viele Geister, darunter den Geist ihres verstorbenen Gatten, und gelangt nach verschiedenen Wechselfällen wieder auf die Erde mit der Seele des jungen Mannes, der wieder aufersteht. Leider gibt das Gedicht, das allen Mandschu-Schamanen bekannt ist, für die rituelle Seite der Sitzung nur sehr spärliche Einzelheiten an (Shirokogorov, S. 308). Es wurde schließlich zum «literarischen Text», welcher nur im Unterschied zu den entsprechenden tatarischen Gedichten schon vor langer Zeit aufgezeichnet und in schriftlicher Gestalt verbreitet wurde. Seine Bedeutung ist trotzdem erheblich, zeigt er doch, wie nahe das Thema von Orpheus' Unterweltsfahrt den schamanischen Unterweltsabstiegen steht [32].

---

[32] Vgl. auch Owen Lattimore, *Wulakai Tales from Manchuria* (Journal of American Folklore, 46. Bd., 1933, S. 272–286), S. 273 ff.

Zu dem nämlichen Zweck der Heilung unternimmt man aber auch ekstatische Reisen im Gegensinn, also Himmelfahrten. In diesem Fall stellt der Schamane 27 (9 × 3) junge Bäume auf und dazu eine symbolische Leiter, auf der er seinen Aufstieg beginnt. Unter den rituellen Gegenständen sind zahlreiche Vogelfiguren, die, wie wir wissen, Symbole der Auffahrt darstellen. Die Himmelsreise wird aus vielerlei Gründen unternommen; die von Shirokogorov beschriebene Sitzung hatte die Heilung eines Kindes zum Zweck. Der erste Teil der Sitzung gleicht der Vorbereitung einer Unterweltsfahrt. Durch «kleinen Schamanismus» ermittelt man den genauen Moment, wo *dayatchan,* von dem man die Wiederherstellung der Seele des kranken Kindes verlangt, zur Entgegennahme des Opfers geneigt ist. Das Tier, im vorliegenden Fall ein Lamm, wird auf rituelle Weise geschlachtet: Man reißt ihm das Herz aus und sammelt das Blut in besonderen Gefäßen, wobei man darauf achtet, daß kein Tropfen zur Erde fällt. Die Haut wird nachher ausgestellt. Der zweite Teil der Sitzung ist ganz der Herbeiführung der Ekstase gewidmet. Der Schamane singt, schlägt die Trommel, tanzt und springt in die Luft, wobei er sich von Zeit zu Zeit dem kranken Kind nähert. Dann gibt er die Trommel seinem Helfer, trinkt Wodka, raucht und tanzt wieder, bis er erschöpft zu Boden fällt. Nun hat er den Körper verlassen und fliegt zum Himmel. Alle drängen sich um ihn und sein Assistent erzeugt mit einem Feuerstein Funken ganz wie zu einer Unterweltsfahrt. Diese Art von Sitzung kann ebensowohl bei Tag wie bei Nacht stattfinden. Der Schamane trägt dabei ein ziemlich vereinfachtes Kostüm. Shirokogorov glaubt, daß die Tungusen diese Art Sitzung mit Himmelfahrt von den Buriäten entlehnt haben (S. 310–311).

Offensichtlich ist der hybride Charakter dieser Art Sitzung: Bäume, Leiter und Vogelfiguren ergeben einen Himmelssymbolismus, während die ekstatische Reise des Schamanen die gegenteilige Richtung anzeigt (die «Finsternis», welche durch die Funken erhellt werden muß) Übrigens bringt der Schamane das Opfertier nicht zu Buga, dem Höchsten Wesen, sondern zu den Geistern der oberen Gegenden. Diese Art Sitzungen begegnen bei den Renntier-Tungusen in Transbaikalien und der Mandschurei, fehlt aber den tungusischen Stämmen der Nordmandschurei (*ebd.,* S. 325), was ebenfalls für die Hypothese vom buriätischen Einfluß spricht.

Neben diesen beiden Haupttypen der schamanischen Sitzung kennen die Tungusen noch andere Arten, die sich nicht auf die untere oder obere Welt, sondern auf die Geister dieser Welt beziehen. Sie dienen dazu, diese Geister zu bemeistern, die bösen fern zu halten, den Geistern, die feindselig werden könnten, zu opfern usw. Viele Sitzungen sind offensichtlich durch Krankheiten veranlaßt, von denen man annimmt, daß bestimmte Geister sie hervorrufen. Um den Urheber der Störung zu ermitteln, muß der Schamane sich seinen Hausgeist einkörpern und sich schlafend stellen (schwache Nachahmung der schamanischen Trance) oder er bemüht sich den Urheber der Krankheit aufzurufen und im Körper des Kranken einzukörpern (Shirokogorov, S. 313), denn die Vielheit der Seelen (es gibt drei, *ebd.*, S. 134 ff.) und ihre geringe Stabilität macht die Aufgabe des Schamanen zuweilen schwer. Es gilt herauszubringen, welche Seele den Körper verlassen hat, und sie aufzusuchen; in diesem Fall ruft der Schamane die Seele mit stehenden Sprüchen oder Gesängen zurück und bemüht sich, sie durch rhythmische Bewegungen in den Körper zurückzubringen. Manchmal sind auch Geister in den Kranken eingezogen; dann treibt der Schamane sie mit Hilfe seiner Hausgeister aus (*ebd.*, S. 318)[33].

Im eigentlichen tungusischen Schamanismus spielt die Ekstase eine große Rolle. Tanz und Gesang[34] sind die wichtigsten Mittel. Die Phänomenologie der tungusischen Sitzung erinnert in allem an die Sitzungen der anderen sibirischen Völker: Man hört die Stimmen der Geister; der Schamane wird sehr «leicht» und bringt es fertig, mit seinem Kostüm, das manchmal 30 kg wiegt, in die Luft zu springen; der Patient spürt kaum, wie der Schamane über seinen Körper geht (*ebd.*, S. 364) – Folgen der magischen Levitations- und «Flug»kraft (*ebd.*, S. 332); weiter verspürt der Schamane während der Trance eine große Wärme und kann deshalb mit Kohlenglut und glutrotem Eisen spielen,

---

[33] Die tungusischen Schamanen üben auch das Aussaugen, vgl. Mikhailowski, S. 97; Shirokogorov, *a. a. O.*, S. 313.

[34] Nach J. Yasser, *Musical moments in the shamanistic rites of the Siberian pagan tribes* (Pro-Musica Quarterly, Neuyork, March-June 1926, S. 4–15, zit. bei Shirokogorov, S. 327), deuten die tungusischen Melodien auf chinesische Herkunft, was Shirokogorovs Hypothesen von dem starken sino-lamaistischen Einfluß im tungusischen Schamanismus bestärkt. Vgl. auch H. H. Christensen, K. Grönbech, E. Emsheimer, *The Music of the Mongols. Part. I.: Eastern Mongolia* (Stockholm 1943), S. 13–68, 69–100. Über gewisse «südliche» Komplexe bei den Tungusen s. auch W. Koppers, *Tungusen und Miao* (Mitt. der Anthropol. Gesellschaft in Wien, 60. Bd., 1930, S. 306–319).

ja er wird vollkommen unempfindlich (er bringt sich z. B. tiefe Verwundungen bei, ohne daß Blut fließt) usw. (*ebd.*, S. 365). Das alles bildet, wie sich später noch besser zeigen wird, einen Bestandteil alten magischen Erbes, das heute noch in den verschiedensten Teilen der Welt überlebt und folglich älter ist als die für die heutige Gestalt des tungusischen Schamanismus so wichtigen südlichen Einflüsse. Für den Augenblick genüge dieser kurze Hinweis auf die beiden magischen Traditionen im tungusischen Schamanismus, den «archaischen» Untergrund und den südlichen, sino-buddhistischen Zuwachs. Sie sollen später in ihrer Bedeutung sichtbar werden, wenn wir die Geschichte des zentral- und nordasiatischen Schamanismus in ihren großen Zügen nachzuzeichnen versuchen.

Eine ähnliche Form von Schamanismus findet sich bei den Stämmen der Orotschen und Udehe. Lopatin gibt eine ausführliche Beschreibung der Heilungssitzung bei den Ulka-Orotschen (am Tumninfluß)[35]. Der Schamane beginnt mit einem Gebet an seinen Schutzgeist; er selbst, der Schamane, ist schwach, aber sein Geist ist allmächtig und nichts kann ihm widerstehen. Er tanzt neunmal rund um das Feuer, dann stimmt er einen Gesang an seinen Geist an. «Du wirst kommen!» sagt er zu ihm, «oh, du wirst hierher kommen! Du wirst Mitleid haben mit diesen Armen» usw. Er verspricht seinem Geist frisches Blut; nach den Anspielungen, die der Schamane macht, scheint es sich um den großen Donnervogel zu handeln. «Deine eisernen Flügel!... Deine eisernen Federn tönen, wenn du fliegst!... Dein mächtiger Schnabel ist bereit, deine Feinde zu packen!...» Diese Anrufung setzt sich etwa dreißig Minuten fort und der Schamane ist zuletzt erschöpft.

Auf einmal ruft er mit ganz veränderter Stimme: «Ich bin da!... Ich bin gekommen, um diesen Armen zu helfen!...» Der Schamane nähert sich der Ekstase; er tanzt um das Feuer, er breitet die Arme aus – wobei er Trommel und Schlegel behält – und ruft: «Ich fliege!... Ich fliege!... Gleich werde ich dich haben!... Gleich werde ich dich packen. Du kannst mir nicht entwischen!...» Nach den Erläuterungen, die Lopatin anschließend erhielt, stellt dieser Tanz den Flug des Scha-

---

[35] Ivan A. Lopatin, *A shamanistic performance for a sick boy* (Anthropos Bd. 41–44, 1946–1949, S. 365–368); vgl. ders., *A shamanistic performance to regain the favour of the spirit* (*ebd.*, Bd. 35–36, 1940–1941, S. 352–355). Vgl. auch Bronislav Pilsudski, *Der Schamanismus bei den Ainu-Stämmen von Sachalin* (Globus 1909, 95. Bd. S. 72–78).

manen im Geisterreich dar, wo er den bösen Geist erjagt, der die Seele des kranken Knaben entführt hat. Es folgt ein Dialog in mehreren Stimmen, der mit unverständlichen Worten geschmückt ist. Zum Schluß ruft der Schamane: «Ich habe sie! Ich habe sie!», und indem er die Hände zusammendrückt, wie wenn er etwas festhielte, nähert er sich dem Bett des kranken Kindes und gibt ihm seine Seele zurück; wie der Schamane Lopatin am nächsten Tag erklärte, hat er die Seele des Kindes in Gestalt eines Spatzen gefangen.

Die Bedeutung dieser Sitzung liegt darin, daß die Ekstase des Schamanen sich nicht in einer Trance zeigt, sondern durch den Tanz, welcher den magischen Flug symbolisiert, herbei- und fortgeführt wird. Der Schutzgeist scheint der Donnervogel oder der Adler zu sein, der in den Mythologien und Religionen Nordasiens eine so große Rolle spielt. Obwohl also die Seele des Kranken durch einen bösen Geist entführt worden ist, wird dieser nicht, wie man meinen möchte, in der Unterwelt erjagt, sondern hoch oben im Himmel.

Der Schamanismus bei den Jukagiren

Die Jukagiren kennen zwei Wörter zur Bezeichnung des Schamanen: *álma* (vom Verbum «machen») und *i'rkeye,* wörtlich «der Zitternde» [36]. *Alma* behandelt die Kranken, bringt Opfer dar, betet zu den Göttern um glückliche Jagd und unterhält Beziehungen sowohl zur übernatürlichen Welt als zum Reich der Schatten. In der alten Zeit war seine Rolle sicherlich viel wichtiger, führen doch alle Jukagirenstämme ihren Ursprung auf einen Schamanen zurück. Noch bis ins letzte Jahrhundert verehrte man die Schädel der toten Schamanen; man faßte sie in einer Holzfigur, die man in einem Kästchen aufbewahrte. Man unternahm nichts ohne Wahrsagung durch die Schädel; dabei verwendete man die im arktischen Asien häufigste Methode: die Schwere oder Leichtigkeit der Schädel bedeutete ein Nein oder Ja. Die Antwort dieses Orakels wurde buchstäblich befolgt. Die übrigen Gebeine wurden unter die Angehörigen verteilt und man trocknete das Fleisch, um es besser er-

---

[36] Waldemar Jochelson, *The Yukaghir and Yukaghirized Tungus* (The Jesup North Pacific Expedition, 9. Bd.; Memoirs of the American Museum of Natural History, 13. Bd., I. Teil, 1910, II. Teil, 1924, Leiden-Neuyork), S. 162 ff.

halten zu können. Man errichtete auch «Holzmänner» zum Andenken an die schamanischen Ahnen (Jochelson, S. 165).

Wenn ein Mensch stirbt, trennen sich seine drei Seelen: eine bleibt bei der Leiche, die zweite schlägt den Weg zum Reich der Schatten ein, die dritte steigt zum Himmel (Jochelson, S. 157). Wie es scheint, begibt sich diese dritte Seele zum höchsten Gott, der den Namen Pon hat, wörtlich «Etwas» (ebd., S. 140). Die wichtigste Seele scheint ebenfalls die zu sein, welche zum Schatten wird. Sie trifft unterwegs eine alte Frau, die Hüterin der Schwelle des Jenseits; dann kommt sie an einen Fluß, den sie in einem Boot überquert. Im Schattenreich führt der Abgeschiedene dieselbe Existenz weiter, die er auf Erden bei den Seinen führte, nur daß er jetzt die «Schattentiere» jagt. In dieses Schattenreich steigt der Schamane hinab, um die Seele des Kranken zu suchen.

Aber noch bei einer anderen Gelegenheit dringt er dort ein, nämlich um eine Seele zu «stehlen» und ihr hier auf Erden zur Geburt zu verhelfen, indem er sie in den Bauch einer Frau bringt. Denn die Toten kommen auf die Erde zurück und beginnen hier eine neue Existenz. Doch manchmal, wenn die Lebenden ihrer Pflichten gegen die Abgeschiedenen vergessen, weigern sich diese ihnen Seelen zu schicken und die Frauen bekommen keine Kinder mehr. Dann steigt der Schamane ins Reich der Schatten hinab und wenn er die Toten nicht zu überreden vermag, stiehlt er eine Seele und bringt sie mit Gewalt in den Leib einer Frau. Doch leben solche Kinder nicht lange; ihre Seelen haben es eilig ins Reich der Schatten zurückzukehren [37].

Es finden sich noch vage Spuren einer alten Teilung in «gute» und «böse» Schamanen, ebenso von der Existenz von Schamaninnen, die heute verschwunden sind. Bei den Jukagiren gibt es keine Spur der Teilnahme der Frauen an dem sogenannten «Familien- oder Hausschamanismus», der bei den Korjaken und Tschuktschen heute noch überlebt und ihnen das Halten von Familientrommeln ermöglicht (s. u. S. 242). Doch in alten Zeiten besaß die Jukagirenfamilie ihre eigene Trommel (Jochelson, S. 192 ff.), woraus hervorgeht, daß zumindest

[37] Jochelson, ebd., S. 160. (Dieselbe Vorstellung einer «ewigen Wiederkehr» der Seelen der Toten in Indonesien und anderweitig.) Um zu entdecken, welcher Ahne sich reinkarniert hat, übten die Jukagiren früher die Wahrsagung durch Schamanenknochen: Man sprach die Namen der Toten aus und der Knochen wurde leicht, wenn man auf den kam, der sich reinkarniert hatte. Noch heutzutage spricht man vor dem Neugeborenen Namen aus und es lächelt, wenn es den richtigen hört: Jochelson, S. 161.

bestimmte «schamanische» Zeremonien periodisch von den Mitgliedern des Haushaltes geübt wurden.

Von verschiedenen bei Jochelson beschriebenen Sitzungen, die nicht alle interessant sind (s. z. B. 200 ff.), wollen wir nur die wichtigste erwähnen, die der Heilung dient. Der Schamane setzt sich auf den Boden und nachdem er lange getrommelt hat, ruft er seine Schutzgeister an, indem er Tierstimmen nachahmt: «Meine Ahnen», ruft er, «Kommt zu mir. Kommt mir zu Hilfe, meine jungen Geistermädchen! kommt her!...» Er beginnt wieder zu trommeln, richtet sich, unterstützt von seinem Gehilfen, auf, begibt sich zur Türe und atmet tief ein, um die Seelen der Ahnen und die anderen Geister, die er beschworen hat, sich einzuverleiben. «Die Seele des Kranken hat sich, scheint es, zum Reich der Schatten gewandt!» verkünden durch seinen Mund die Geister der Ahnen. Die Angehörigen des Patienten ermuntern ihn: «Sei stark! sei stark!» Der Schamane legt seine Trommel nieder und streckt sich bäuchlings auf der Renntierhaut aus; er bleibt unbeweglich, das Zeichen dafür, daß er seinen Körper verlassen hat und im Jenseits herumreist. Er ist zum Schattenreich hinabgestiegen «durch seine Trommel, wie wenn er in einen See untergetaucht wäre» (Jochelson). Er blieb lange Zeit ohne sich zu rühren und alle Anwesenden warteten geduldig auf sein Erwachen.

Später erzählte der Schamane Jochelson den Verlauf seiner ekstatischen Reise. Begleitet von seinen Hilfsgeistern war er den Weg gegangen, der zum Reich der Schatten führt. Er kam vor ein kleines Haus und traf auf einen Hund, der zu bellen anfing. Eine alte Frau, die Hüterin des Wegs, kam aus dem Haus und fragte ihn, ob er für immer gekommen sei oder nur für einige Zeit. Der Schamane gab ihr keine Antwort und sagte zu seinen Geistern: «Hört nicht auf die Worte der Alten! Geht weiter auf eurem Weg!» Bald darnach kamen sie an einen Fluß, an dem ein Boot lag; auf dem anderen Ufer bemerkte der Schamane Zelte und Menschen. Der Schamane bestieg das Boot und überquerte den Fluß, immer in Begleitung seiner Geister. Er traf die Seelen der toten Verwandten des Kranken und als er ihr Zelt betrat, endeckte er dort auch die Seele des Kranken selbst. Da die Verwandten sie ihm nicht herausgeben wollten, sah sich der Schamane gezwungen sie mit Gewalt mitzunehmen. Um sie ungefährdet auf die Erde zurückzubringen, atmete der Schamane die Seele des Kranken ein und verstopfte sich die Ohren, so daß sie nicht entkommen konnte. Die Rückkehr des Schamanen zeigte sich daran, daß er Bewegungen machte. Zwei junge Mädchen massierten ihm die Beine, und nachdem er ganz zurückgekommen war, fügte er die Seele wieder in den Körper des Kranken ein. Dann wandte er sich zur Türe und schickte seine Hilfsgeister wieder fort [38].

Es muß nicht sein, daß der Jukagiren-Schamane die Seele in der Unterwelt zu entwenden versucht. Er kann die Sitzung auch halten ohne die Seelen der toten Schamanen zu nennen; dann wendet er sich, unter Anrufung seiner Hilfsgeister und mit Nachahmung ihrer Stimmen, an den Schöpfer und andere himmlische Mächte (Jochelson, S. 205 ff.). Diese Besonderheit zeigt die Mehrwertigkeit seiner ekstatischen Fähigkeiten. Der Schamane dient auch als Mittler zwischen Mensch und Göttern und deshalb spielt er eine Hauptrolle bei der Jagd. Auf jeden Fall vermag er einzugreifen bei den Gottheiten, die jede auf ihre Art Herr sind über die Welt der Tiere. Wenn Hunger den Stamm bedroht, schreitet der Schamane zu einer Sitzung, welche der Heilungssitzung Stück für Stück gleicht. Nur wendet er sich diesmal nicht an den Schöpfer des Lichtes oder steigt auf der Suche nach der Seele des Kranken in die Unterwelt, sondern fliegt davon zum Meister der Tiere. Vor ihm angekommen bittet er: «Deine Kinder haben mich entsandt, damit du ihnen Nahrung gibst!...» Der Meister der Tiere gibt ihm die «Seele» eines Renntiers und am nächsten Tag begibt der Schamane sich an einen bestimmten Ort an einem Fluß und wartet. Ein Renntier kommt vorbei und der Schamane tötet es mit einem Pfeilschuß. Das ist das Zeichen dafür, daß es nicht mehr an Wildpret fehlen wird (Jochelson, S. 210 ff.).

Außerdem ist der Schamane Meister im Wahrsagen. Dies geht entweder mit Wahrsageknochen vor sich oder durch eine schamanische Sitzung (Jochelson, S. 208 ff.). Diese Fähigkeit erwächst aus seinen Beziehungen zu den Geistern. Doch geht die Bedeutung der Geister im Glauben der Jukagiren vermutlich auf jakutische und tungusische Einflüsse zurück. Zwei Tatsachen sind dafür von Wichtigkeit, einer-

---

[38] Jochelson, S. 196–199. Man erkennt unschwer das klassische Szenario einer Unterweltsfahrt: die Hüterin der Schwelle, der Hund, die Überquerung des Flusses. Es erübrigt sich alle – schamanischen oder nichtschamanischen – Parallelen aufzuführen; auf gewisse Motive kommen wir später noch zurück.

seits das Wissen der Jukagiren von einem Niedergang ihres Schamanentums gegenüber der alten Zeit und andererseits die starken jakutischen und tungusischen Einflüsse in den gegenwärtigen Praktiken der Jukagiren-Schamanen (Jochelson, S. 162).

Religion und Schamanismus bei den Korjaken

Die Korjaken kennen ein Höchstes Wesen, «Den Oberen», welchem sie Hunde opfern. Doch ist dieses Höchste Wesen hier wie überall mehr passiv: Die Menschen sind den Angriffen des bösen Geistes, *Kalau,* preisgegeben und «Der Obere» kommt ihnen nur selten zu Hilfe. Während aber bei den Jakuten und Buriäten die Bedeutung der bösen Geister schon beträchtlich ist, hat die korjakische Religion dem Höchsten Wesen und den wohlwollenden Geistern noch ziemlich viel Raum bewahrt [39]. *Kalau* sucht unaufhörlich die «dem Oberen» dargebrachten Opfer wegzunehmen und es gelingt ihm auch vielfach. So kann bei dem Hundeopfer des Schamanen an das Höchste Wesen *Kalau* die Gabe wegnehmen und der Kranke erliegt. Wenn dagegen das Opfer den Himmel erreicht, ist die Heilung gesichert [40]. *Kalau* ist der böse Zauberer, der Tod und wahrscheinlich der Erste der Toten. Auf jeden Fall ist er es, der den Tod der Menschen verursacht, indem er ihr Fleisch und speziell die Leber verschlingt (Jochelson, S. 102), wie in Australien und andernorts die Zauberer ihre Opfer töten, indem sie während des Schlafs ihre Leber und die inneren Organe verzehren.

Der Schamanismus spielt in der Religion der Korjaken noch eine ziemlich große Rolle. Aber auch hier begegnet das Motiv vom «Niedergang des Schamanen». Und was uns noch wichtiger scheint, dieser Nie-

---

[39] W. I. Jochelson, *The Koryak* (The Jesup North Pacific Expedition, 6. Bd., 1. und 2. Teil: Memoirs of the American Museum of Natural History, 10. Bd., Leiden-Neuyork 1905–1908), S. 92, 117.

[40] Vgl. bei Jochelson, S. 93, Fig. 40 und 41 die naiven Zeichnungen eines Korjaken mit den Darstellungen zweier schamanischer Opfer: Beim ersten nimmt *kalau* die Opfergabe weg mit der bekannten Konsequenz, beim zweiten steigt der geopferte Hund bis zu «Dem oben» und der Kranke ist gerettet. Gott opfert man, indem man sich nach Osten wendet; nach Westen wendet man sich, wenn man *kalau* opfert. (Dieselben Richtungen gelten bei Jakuten, Samojeden und Altaiern. Nur bei den Buriäten sind sie umgekehrt: der Osten gehört den bösen Tengri, der Westen den guten, vgl. Agapitov und Changalov, *Shamanstvo u burjat,* S. 4; Jochelson, S. 93.

dergang des Schamanen gehört zu einem Niedergang der Menschheit im allgemeinen, einer geistigen Tragödie, welche sich vor sehr langer Zeit zugetragen hat. In der mythischen Zeit des Helden Großer Rabe konnten die Menschen mühelos zum Himmel steigen und ebensoleicht stiegen sie auch hinab zur Unterwelt; heutzutage sind nur noch die Schamanen dazu imstande (Jochelson, S. 103, 121). In den Mythen erstieg man den Himmel durch die Mittelöffnung des Gewölbes, durch welche der Schöpfer der Erde herniederschaute (*ebd.*, S. 301 ff.); man kam auch hinauf, wenn man dem Weg eines Pfeiles folgte, der zum Himmel hinaufgeschossen worden war (*ebd.*, S. 293, 304; über dieses Mythenmotiv s. u. S. 453). Doch wie wir schon aus anderen religiösen Überlieferungen wissen, wurden diese guten Verbindungen zu Himmel und Unterwelt jäh unterbrochen (die Korjaken geben kein besonderes Ereignis als Ursache an) und seither sind nur mehr die Schamanen im Stand, sie wieder herzustellen.

Aber heutzutage haben sogar die Schamanen ihre wunderbaren Kräfte verloren. Vor noch nicht so langer Zeit hatten sehr mächtige Schamanen die Kraft, sogar einer eben verstorbenen Person ihre Seele zurückzugeben und sie wieder zum Leben zu bringen; Jochelson hörte noch solche Heldentaten «alter Schamanen» erzählen, aber all diese Schamanen waren schon sehr lange tot (S. 48). Mehr noch: der Schamanenberuf selbst befand sich im Rückgang. Jochelson traf nur zwei junge Schamanen, noch dazu ziemlich arm und ohne Ansehen. Die Sitzungen, denen er beiwohnte, waren ohne große Bedeutung. Man hörte Töne und seltsame Stimmen von allen Seiten (die Hilfsgeister), die plötzlich aufhörten; wenn man wieder Licht machte, fand man den Schamanen erschöpft auf der Erde liegen. Er verkündete ungeschickt, die Geister hätten ihm versichert, die «Krankheit» werde das Dorf verlassen (Jochelson, S. 49). Bei einer anderen Sitzung, die wie üblich mit Gesang, Trommeln und Geisteranrufung begonnen hatte, verlangte der Schamane von Jochelson sein Messer; die Geister hätten ihm befohlen, sich aufzuschlitzen. Aber er tat nichts dergleichen. Doch erzählte man von anderen Schamanen, daß sie den Körper des Patienten öffneten, nach der Ursache der Krankheit suchten und das betreffende Stück Fleisch aufaßen – und die Wunde habe sich sofort geschlossen (*ebd.*, S. 51).

Der Name des korjakischen Schamanen ist *eñeñalan,* das heißt «Mensch, der von den Geistern inspiriert ist» (S. 47). Und wirklich bestimmen die Geister einen Menschen zur Schamanenlaufbahn; niemand würde aus freien Stücken *eñeñalan*. Die Geister zeigen sich in der Gestalt von Vögeln und anderen Tieren. Sehr wahrscheinlich benützten die «alten Schamanen» diese Geister, um ungestraft in die Unterwelt zu kommen, wie wir es bei den jukagirischen Schamanen und anderen gesehen haben. Vermutlich hatten sie das Wohlwollen *Kalaus* und anderer Unterweltsgestalten zu gewinnen, denn beim Tod steigt die Seele zum Himmel, zum Höchsten Wesen, doch der Schatten und der Abgeschiedene selbst steigen in die Unterweltsgegenden hinab. Der Eingang zur Unterwelt wird von Hunden bewacht. Die eigentliche Unterwelt besteht aus Dörfern wie die irdischen, wo eine jede Familie ihr Haus hat. Der Weg zur Unterwelt beginnt direkt unter dem Scheiterhaufen und bleibt nur solange offen, als für die Reise des Toten nötig ist [41].

Der Niedergang des korjakischen Schamanismus zeigt sich auch darin, daß der Schamane kein spezielles Kostüm mehr verwendet (Jochelson, S. 48). Er hat auch keine eigene Trommel. Jede Familie besitzt eine Trommel und übt damit das, was Jochelson und Bogoras und andere nach ihnen als «Hausschamanismus» bezeichnet haben. In der Tat kennt jede Familie eine Art Schamanismus bei ihren häuslichen Riten, den periodischen oder nichtperiodischen Opfern und Zeremonien, aus welchen die religiösen Pflichten der Gemeinschaft bestehen. Nach Jochelson und Bogoras (*a. a. O.*, S. 48) wäre der «Familienschamanismus» dem berufsmäßigen Schamanismus vorausgegangen. Viele Umstände stehen, wie wir bald sehen werden, dieser Auffassung entgegen. Wie überall in der Religionsgeschichte bestätigt sich auch im sibirischen Schamanismus die Beobachtung, daß die Profanen die ekstatischen Erlebnisse gewisser privilegierter Individuen nachzuahmen versuchen, und nicht umgekehrt.

---

[41] Jochelson, *a. a. O.*, S. 103. Der «Öffnung» des Himmels entspricht die Öffnung der Erde, die Zugang zur Unterwelt gewährt; dies ist ein für Nordasien charakteristisches kosmologisches Schema (s. u. S. 250 ff.). Der Weg, der sich öffnet und sogleich wieder schließt, ist ein sehr häufiges Symbol für das «Durchbrechen der Ebenen»; so kommt er auch in einer Fülle von Initiationsberichten vor. Vgl. Jochelson S. 302 ff. ein korjakisches Märchen (Nr. 112), in dem ein junges Mädchen sich von einem kannibalischen Ungeheuer verschlingen läßt, um schnell in die Unterwelt hinab zu kommen und mit allen anderen Opfern des Menschenfressers zur Erde zurückzukehren, bevor der «Weg der Toten» sich wieder schließt. Dieses Märchen bewahrt mit erstaunlicher Kohäsion mehrere Initiationsmotive: Reise in die Unterwelt durch den Magen eines Ungeheuers; Suche und Rettung unschuldiger Opfer; der Weg ins Jenseits, der sich innerhalb weniger Augenblicke öffnet und schließt.

Der Schamanismus bei den Tschuktschen

Der «Hausschamanismus» begegnet auch bei den Tschuktschen und zwar insofern, als während der vom Familienoberhaupt ausgeführten Zeremonie sich jedermann bis hinunter zu den Kindern auf der Trommel versucht. Gelegentlich der «Herbstschlachtung», zum Beispiel wo zur Sicherung des Wildbestandes im nächsten Jahr Tiere geopfert werden, schlägt man die Trommel – jede Familie hat ihre eigene – und versucht sich Geister einzukörpern und zu schamanisieren[42]. Aber nach der Meinung auch von Bogoras handelt es sich dabei um eine schlechte Imitation schamanischer Sitzungen: Die Zeremonie findet im äußeren Zelt und bei Tage statt, während die schamanischen Sitzungen im Schlafgemach, bei Nacht und in völliger Finsternis vor sich gehen; die Familienmitglieder ahmen eines nach dem anderen schamanische «Geisterbesessenheit» nach, indem sie sich verrenken, Luftsprünge machen und unartikulierte Laute versuchen, angeblich Stimmen und Sprache der Geister. Zuweilen wagt man sich sogar an schamanische Heilungen oder fängt zu prophezeien an, ohne daß jemand dem Aufmerksamkeit schenkt (Bogoras, S. 413). All diese Züge beweisen, daß die Profanen, erhoben von vorübergehender religiöser Begeisterung, den schamanischen Zustand zu erreichen suchen, indem sie den Schamanen alles nachmachen. Modell ist wohl die Trance des wirklichen Schamanen, doch die Nachahmung beschränkt sich auf ihr Äußeres: «Geisterstimmen» und «Geheimsprache», Pseudo-Prophetie usw. Der «Hausschamanismus» ist, wenigstens in seiner heutigen Gestalt, nichts als äffische Nachahmung der ekstatischen Technik des Berufsschamanen.

Übrigens gibt es daneben auch eigentliche schamanische Sitzungen. Sie finden am Abend statt, nach den religiösen Zeremonien, die wir eben aufgeführt haben, und werden von berufsmäßigen Schamanen ausgeführt. Der «Hausschamanismus» scheint eine hybride Erscheinung zu sein, wahrscheinlich aus zwei Momenten entstanden: Einerseits geben sich sehr viele Tschuktschen als Schamanen aus (fast ein Drittel der Bevölkerung nach Bogoras, S. 413), und da jedes Haus seine Trommel

---

[42] Waldemar G. Bogoras, *The Chukchee* (The Jesup North Pacific Expedition, 7. Bd., 1907; Memoirs of the American Museum of Natural History, 11. Bd.), S. 374, 413.

hat, sind es sehr viele, die an den Winterabenden zu singen und zu trommeln anfangen und manchmal sogar zu einer präschamanischen Ekstase gelangen; andererseits hat die religiöse Spannung der periodischen Feste befördernd auf die latente Begeisterung gewirkt und eine Art Ansteckung begünstigt. Doch, um es noch einmal zu sagen, im einen wie im andern Fall bemüht man sich um die Nachahmung eines Modells, nämlich der ekstatischen Technik des Berufsschamanen.

Bei den Tschuktschen wie in ganz Asien bekundet sich die schamanische Berufung im allgemeinen durch eine geistige Krise, die entweder durch eine «Initiationskrankheit» hervorgerufen ist oder durch eine übernatürliche Erscheinung (Wolf, Robbe usw. erscheinen in einem Augenblick großer Gefahr und retten den künftigen Schamanen). Auf jeden Fall wird die durch das «Zeichen» (Krankheit, Erscheinung usw.) veranlaßte Krise ganz in dem schamanischen Erlebnis aufgelöst. Die Vorbereitungszeit haben die Tschuktschen einer schweren Krankheit angeglichen und die «Inspiration» (das heißt die Vollendung der Initiation) der Heilung (Bogoras, S. 421). Die meisten von Bogoras befragten Schamanen gaben an, sie hätten keinen Meister gehabt (*ebd.*, S. 425), doch damit ist nicht gesagt, daß sie nicht übermenschliche Lehrer gehabt haben. Das Vorkommen «schamanischer Tiere» gibt schon einen Hinweis über die Art von Unterweisung, die ein Lehrling erfahren kann. Ein Schamane erzählte Bogoras (S. 426), er habe schon als Halbwüchsiger eine Stimme gehört, die ihm befahl: «Geh in die Einsamkeit! Du wirst eine Trommel finden. Schlage die Trommel, und du wirst die ganze Welt sehen!» Er hörte die Stimme und es gelang ihm wirklich zum Himmel aufzusteigen, ja sein Zelt auf den Wolken zu errichten [43]. Denn wie auch die allgemeine Tendenz des tschuktschischen Schamanismus in seiner gegenwärtigen (d. h. von den Ethnographen zu Beginn unseres Jahrhunderts beobachteten) Phase verlaufen mag, auch der tschuktschische Schamane ist imstande durch die Lüfte zu fliegen und die Himmel einen nach dem andern zu durchqueren, indem er durch die Öffnung des Polarsterns hinaufsteigt (Bogoras, S. 331).

[43] Die Überlieferung von Himmelfahrten ist jedoch besonders lebendig in der Mythologie, siehe z. B. die Geschichte von dem jungen Mann, der eine Himmelsfee («sky-girl») heiratet und zum Himmel steigt, indem er einen senkrechten Berg erklettert; W. Bogoras, *Chukchee Mythlogy* (The Jesup North Pacific Expedition, 8. Bd., I, S. 3–197, Leiden-Neuyork 1913), S. 107 ff.

Doch wie wir schon bei anderen sibirischen Völkern gesehen haben, wissen auch die Tschuktschen von einem Niedergang ihrer Schamanen. So halten sich die Schamanen zum Beispiel an den Tabak als Stimulans, eine Sitte, die sie von den Tungusen übernommen haben (Bogoras, S. 434). Und während die Folklore viel von den Trancen und den ekstatischen Reisen der alten Schamanen zur Suche der Seelen der Kranken zu sagen weiß, begnügt sich heute der tschuktschische Schamane mit einer Pseudotrance (*ebd.*, S. 441). Man hat den Eindruck, die ekstatische Technik ist im Niedergang, denn die schamanischen Sitzungen bestehen hauptsächlich nur aus Geisteranrufung und Fakirstücken.

Doch der schamanische Wortschatz selbst zeigt die wirkliche Bedeutung der Trance. Die Trommel heißt «Boot», und von einem Schamanen in Trance sagt man, daß er «untertaucht» (Bogoras, S. 438). Das beweist, daß man die Sitzung als Reise in einem Untersee-Jenseits betrachtete (wie z. B. bei den Eskimos), was aber nicht hinderte, daß der Schamane auch zum höchsten Himmel stieg, wenn er wollte. Aber die Suche nach der verlorengegangenen Seele des Kranken bedeutete einen Abstieg in die Unterwelt; das bestätigt auch die Folklore. Heutzutage geht die Heilungssitzung auf folgende Weise vor sich: Der Schamane zieht sein Hemd aus, raucht mit nacktem Oberkörper die Pfeife und beginnt zu trommeln und zu einer einfachen Melodie ohne Worte zu tanzen. Jeder Schamane hat seine eigenen Gesänge und oft improvisiert er. Auf einmal hört man in allen Ecken die Stimmen der «Geister»; sie scheinen unter der Erde hervor oder von weither zu kommen. Der *ké'let* geht in den Körper des Schamanen ein und dieser beginnt unter heftigem Kopfschütteln zu schreien und mit Kopfstimme, der Stimme des Geistes, zu sprechen [44]. Inzwischen geschehen in der Dunkelheit des Zeltes seltsame Dinge aller Art: Gegenstände schweben herum, das Zelt wird erschüttert und es regnet Steine und Holzstücke usw. (Bogoras, S. 438 ff.). Durch die Stimme des Schamanen unterhalten sich die Geister mit den Anwesenden (vgl. *ebd.*, S. 440 die Enthüllungen der Seele einer alten Jungfer).

So sind die Sitzungen an metapsychischen Phänomenen reich, aber die

---

[44] Bogoras (S. 435) glaubt die «getrennten Stimmen» der Tschuktschen-Schamanen als Bauchreden erklären zu können. Doch sein Phonograph hat alle diese «Stimmen» genau so verzeichnet, wie sie von der Zuhörerschaft gehört wurden, also wie wenn sie zur Türe herein und aus den Ecken des Zimmers kämen und nicht wie vom Schama-

eigentliche schamanische Trance ist selten geworden. Manchmal fällt der Schamane bewußtlos zu Boden – seine Seele hat den Körper verlassen, um die Geister um Rat zu fragen. Doch diese Ekstase findet nur statt, wenn der Patient reich genug ist um sie gut zu belohnen. Und auch dann handelt es sich, nach den Beobachtungen von Bogoras, um ein Simulieren: Der Schamane unterbricht jäh sein Getrommel und liegt unbeweglich auf der Erde; seine Frau bedeckt ihm das Gesicht mit einem Stück Stoff, macht Licht und beginnt zu trommeln. Nach Verlauf einer Viertelstunde wacht der Schamane wieder auf und gibt dem Kranken «Ratschläge» (S. 441). Die wirkliche Suche nach der Seele des Kranken vollzog sich einst in der Trance; heute ist sie durch Pseudotrance oder Schlaf ersetzt. Die Tschuktschen sehen in den Träumen einen Weg, mit den Geistern in Berührung zu kommen, und nach einer Nacht tiefen Schlafes erwacht der Schamane mit der Seele des Kranken in der Faust und schreitet sofort zu ihrer Wiedereinfügung in den Körper (Bogoras, S. 463)⁴⁵.

An diesen Beispielen läßt sich der gegenwärtige Niedergang des tschuktschischen Schamanismus ermessen. Wiewohl die Schemata des klassischen Schamanismus noch in den Überlieferungen der Folklore und sogar in den Heilungstechniken überleben (Aufstieg; Abstieg zur Unterwelt; Suche nach der Seele usw.), das eigentliche schamanische Erlebnis beschränkt sich auf eine Art «spiritistische» Einkörperung und auf Darbietungen fakirischer Art. Die tschuktschischen Schamanen

nen selber hervorgebracht. Die Aufnahmen «zeigten einen sehr deutlichen Unterschied zwischen der Stimme des Schamanen, die in einem Abstand ertönte, und den Stimmen der ‚Geister', die direkt in den Trichter des Apparates hineinzusprechen schienen» (Bogoras, S. 436). Weiter unten siehe noch andere Proben von den magischen Fähigkeiten der Tschuktschen-Schamanen. Doch wie schon gesagt, übersteigt das Problem der «Echtheit» all dieser schamanischen Phänomene den Rahmen dieses Buches. Eine Analyse samt kühner Interpretation dieser Phänomene s. bei E. de Martino, *Il mondo magico*, passim (Tschuktschen s. 46 ff.). Über die «Schamanentricks» s. Mikhailowski, a. a. O., S. 137 ff.

⁴⁶ Man glaubt, daß der Schamane den Schädel des Kranken öffnet und dort seine Seele wieder einfügt, die er in Gestalt einer Fliege gefangen hat, doch kann man die Seele auch durch den Mund, die Finger oder die große Zehe einführen, vgl. Bogoras, S. 333. Die menschliche Seele zeigt sich im allgemeinen in Gestalt einer Fliege oder Biene. Doch kennen die Tschuktschen wie die anderen sibirischen Völker mehrere Seelen. Nach dem Tode fliegt die eine Seele mit dem Rauch des Scheiterhaufens zum Himmel auf, die andere steigt zur Unterwelt hinab, wo sie ihre Existenz ganz wie auf Erden fortsetzt (Bogoras, S. 334 ff.).

kennen auch die andere klassische Heilmethode, das Saugen. Sie zeigen am Schluß die Ursache der Krankheit, ein Insekt, einen kleinen Stein, einen Dorn usw. (Bogoras, S. 465). Oft schreiten sie sogar zu einer «Operation», die noch ganz ihren schamanischen Charakter bewahrt hat: Mit einem rituellen Messer, das durch gewisse magische Übungen gut «erhitzt» ist, öffnet der Schamane angeblich den Körper des Kranken, um die inneren Organe zu untersuchen und die Ursache des Übels herauszuziehen (*ebd.*, S. 475 ff.). Bogoras hat selbst einer solchen «Operation» beigewohnt. Ein 14jähriger Junge streckte sich ganz nackt auf dem Boden aus, und seine Mutter, eine berühmte Schamanin, öffnete ihm den Bauch; man sah das Blut und das klaffende Fleisch; die Schamanin tauchte ihre Hand tief in die Wunde ein. Sie fühlte sich diese ganze Zeit wie in Flammen und trank unaufhörlich Wasser. Einige Augenblicke später war die Wunde verschwunden und Bogoras konnte nicht die geringste Spur mehr feststellen (S. 445).

Ein anderer Schamane öffnete sich den Bauch, nachdem er lang getrommelt hatte um seinen Körper und sein Messer so stark zu «heizen», bis, wie er sagte, der Schnitt des Messers nicht mehr zu spüren war (*ebd.*, S. 445). Solche Stücke sind in ganz Nordasien häufig und stehen mit der «Meisterschaft über das Feuer» in Verbindung, denn die Schamanen, welche sich den Körper aufschneiden, können auch glühende Kohlen verschlucken und bis zur Weißglut erhitztes Eisen berühren. Die meisten von diesen «Tricks» werden bei hellichtem Tag ausgeführt. Bogaras hat unter anderem folgendes gesehen: eine Schamanin rieb einen kleinen Stein, darauf fielen eine Menge Kieselsteine aus ihren Händen und wanderten alle zusammen in die Trommel. Zum Schluß bildeten diese Kiesel einen ziemlich großen Haufen, während der Stein, den die die Frau zwischen ihren Fingern gerieben hatte, nach wie vor intakt war (S. 444). Das alles bildet einen Bestandteil des magischen Wettkampfes, den die Schamanen anläßlich der periodischen religiösen Zeremonien mit großer gegenseitiger Rivalität abhalten. In der Folklore wird ständig auf solche Heldentaten angespielt (ebd., S. 443), was auf noch erstaunlichere magische Fähigkeiten der «alten Schamanen» zu deuten scheint [46].

---

[46] Wahrsagung wird hier von Schamanen und Laien geübt. Die häufigste Methode ist das Aufhängen eines Gegenstandes an einem Faden wie bei den Eskimos. Daneben wird auch mittels des Kopfes oder Fußes eines Menschen gewahrsagt, und zwar, wie bei

Der tschuktschische Schamanismus ist noch durch ein anderes Moment interessant: Es gibt hier eine besondere Klasse von «in Frauen verwandelten» Schamanen. Das sind die «weichen» oder «frauenähnlichen» Männer, die auf einen Befehl des *ké'let* ihre männliche Kleidung und Art gegen weibliche vertauscht und schließlich sogar andere Männer geheiratet haben. Im allgemeinen wird der Befehl des *ké'let* nur zur Hälfte befolgt; der Schamane verkleidet sich, fährt aber fort seiner Frau beizuwohnen und Kinder zu haben. Gewisse Schamanen haben, statt den Befehl auszuführen, lieber Selbstmord begangen, obwohl Päderastie bei den Tschuktschen nichts Unbekanntes ist (Bogoras, S. 448 ff.). Rituelle Verwandlung in eine Frau findet sich auch bei den Kamtschadalen, den asiatischen Eskimos und den Korjaken, doch bei den letztgenannten fand Jochelson nur noch die Erinnerung daran (vgl. *The Koryak*, S. 52). Dieses Phänomen ist nicht häufig, aber keineswegs auf Nordostasien beschränkt; so trifft man rituelles Verkleiden und Geschlechtswechsel zum Beispiel in Indonesien (die *manang bali* der Meer-Dajaks), Südamerika (Patagonier und Araukaner) und bei bestimmten nordamerikanischen Stämmen (Arapaho, Cheynee, Ute usw.). Die symbolisch-rituelle Verwandlung zur Frau erklärt sich wahrscheinlich aus einer vom archaischen Matriarchat stammenden Ideologie, doch scheint daraus, wie wir noch zu zeigen haben, keine Priorität der Frau im frühesten Schamanismus hervorzugehen. Keinesfalls aber ist das Vorhandensein dieser besonderen Klasse von «frauenähnlichen Männern» – die übrigens im tschuktschischen Schamanismus nur eine untergeordnete Rolle spielt – mit dem «Niedergang des Schamanen» in Verbindung zu bringen, denn dieses Phänomen geht über den Bereich Nordasiens hinaus.

---

den Kamtschadalen und den amerikanischen Eskimos, vor allem von den Frauen; vgl. Bogoras, S. 484 ff.; F. Boas, *Baffin-Land Eskimo* (Bulletin of the American Museum of Natural History, 15. Bd., I. Teil, 1901), S. 135, 363. Über Wahrsagung durch das Schulterbein eines Renntiers vgl. Bogoras, S. 487 ff. Wie man sich erinnern wird, ist diese Art Wahrsagung ganz Zentralasien gemeinsam und ebenso auch aus der Frühgeschichte Chinas bekannt. Es ist wohl nicht notwendig, für jeden Volksstamm, dessen schamanische Traditionen und Techniken wir untersuchen, auch die jeweiligen Wahrsagemethoden aufzuführen, denn sie sind sich im großen und ganzen durchaus ähnlich. Die ideologischen Grundlagen der Wahrsagung – dieser Hinweis möge genügen – sind für ganz Nordasien in dem Glauben an eine «Einkörperung» von Geistern zu suchen, wie es auch in einem großen Teil von Ozeanien der Fall ist.

VIII

SCHAMANISMUS UND KOSMOLOGIE

Die drei kosmischen Zonen und die Weltsäule

Die schamanische Technik par excellence besteht im Übergang von einer kosmischen Region zur anderen: von der Erde zum Himmel oder von der Erde zur Unterwelt. Der Schamane kennt das Geheimnis des Durchbrechens der Ebenen. Dieser Verkehr zwischen den kosmischen Zonen ist durch die Struktur des Universums möglich gemacht. Dieses wird, wie wir sogleich sehen werden, im Großen aus drei Stockwerken – Himmel, Erde und Unterwelt – bestehend gedacht, die untereinander durch eine Mittelachse verbunden sind. Die Symbolik, in der sich Zusammenhang und Verbindung zwischen den drei kosmischen Zonen ausdrückt, ist ziemlich komplex und nicht immer frei von Widersprüchen. Der Grund dafür ist, daß diese Symbolik eine Geschichte hat und im Lauf der Zeit oftmals mit anderen jüngeren kosmologischen Symbolismen kontaminiert und dadurch modifiziert worden ist. Doch das Schema, auf das es ankommt, scheint durch alle Einflüsse hindurch: Es gibt drei große kosmische Regionen, welche man der Reihe nach durchmessen kann, weil sie durch eine Mittelachse miteinander in Verbindung stehen. Und diese Achse gilt als «Öffnung», als «Loch»; durch dieses Loch steigen die Götter auf die Erde herab und die Toten in die unterirdischen Gefilde, durch dieses Loch vermag die Seele des in Ekstase befindlichen Schamanen aufzufliegen oder abzusteigen, wie er es bei seinen Himmels- oder Unterweltsreisen bedarf.

Bevor wir einige Beispiele für diese kosmische Topographie geben, noch eine Vorbemerkung. Die Symbolik des «Zentrums» ist nicht unbedingt eine kosmologische Idee. Ursprünglich ist «Zentrum», möglicher Ort eines Durchbruches durch die Ebenen, jeder heilige Raum, das heißt jeder Raum, der eine Hierophanie erlebt, der Realitäten (oder Kräfte, Gestalten usw.) manifestiert, die nicht von dieser Welt sind, sondern von anderswoher kommen und zwar in erster Linie vom Himmel. Zu dem Gedanken eines «Zentrums» kam man durch die Erfahrung von einem heiligen Raum, einem Raum, der von der Gegenwart eines Übermenschlichen gesättigt ist; gerade an diesem Punkt hat sich etwas von oben (oder von unten) Stammendes manifestiert. Später kommt die Vorstellung, daß die Manifestation des Heiligen in sich selbst ein Durchbrechen von Ebenen bedeute[1].

Gleich vielen anderen Völkern denken sich die Turk-Tataren den Himmel als ein Zelt; die Milchstraße ist die «Naht», die Sterne sind die «Lichtlöcher»[2]. Bei den Jakuten sind die Sterne die «Fenster der Welt», Öffnungen zur Lüftung der verschiedenen Himmelssphären (im allgemeinen neun, doch manchmal auch zwölf, fünf oder sieben)[3]. Von Zeit zu Zeit öffnen die Götter das Zelt um auf die Erde herabzuschauen, das gibt die Meteore[4]. Der Himmel ist als Deckel gedacht; manchmal sitzt er nicht richtig auf den Rändern der Erde, dann kommen die großen Winde durch den Zwischenraum herein. Durch denselben engen Zwischenraum schlüpfen auch die Helden und andere privilegierte Wesen und dringen in den Himmel ein[5].

In der Mitte des Himmels strahlt der Polarstern, der wie ein Pflock das Himmelszelt festhält. Die Samojeden nennen ihn «Nagel des Himmels», die Tschuktschen und die Korjaken «Nagelstern» Dasselbe Bild und Wort begegnet bei den Lappen, Finnen und Esten. Die Turk-Altaier stellen sich den Polarstern als Säule vor; er ist die «goldene Säule» der Mongolen, Kalmücken und Buriäten, der «eiserne Pfeiler» der Kirgisen, Baschkiren und sibirischen Tataren, die «Sonnensäule» der Teleuten usw.[6]. Dazu tritt ergänzend das mythische Bild von

---

[1] Über das Problem des heiligen Raums und des Zentrums s. Eliade, *Die Religionen und das Heilige*, S. 415 ff.; *Le Symbolisme du Centre*, Eranos-Jahrbuch 1950.

[2] Uno Harva, *Religiöse Vorstellungen*, S. 178 ff., 189 ff.

[3] Sieroszewski, *Du chamanisme d'après les croyances des Yakoutes*, S. 215.

[4] Harva, *Relig. Vorstell.*, S. 34 ff. Ähnliche Vorstellungen bei den Hebräern (Isaias, Kap. 40) usw.; vgl. Robert Eisler, *Weltenmantel und Himmelszelt* (München 1910), 2. Bd., S. 601 ff., 619 ff.

[5] Uno Holmberg, *Der Baum des Lebens*, S. 11; ders., *Relig. Vorstell. der altaischen Völker*, S. 35. P. Ehrenreich in *Die allgemeine Mythologie und ihre ethnologischen Grundlagen* (Mythologische Bibliothek IV, I, Leipzig 1910), S. 205 bemerkt, daß diese mytisch-religiöse Idee die ganze nördliche Halbkugel beherrscht. Auch das ist eine Ausdrucksform des sehr verbreiteten Symbolismus vom Zugang zum Himmel durch eine «enge Pforte»: Der Zwischenraum zwischen den beiden kosmischen Ebenen erweitert sich nur einen Augenblick und der Held (oder der Initrand, der Schamane usw.) muß diesen paradoxen Augenblick wahrnehmen, um ins «Jenseits» einzudringen.

[6] Vgl. Holmberg-Harva, *Der Baum des Lebens*, S. 12 ff.; *Relig. Vorstell.*, S. 38 ff. Die *irminsûl* der Sachsen nennt Rudolf von Fulda *universalis columna, quasi sustinens*

den Sternen, die unsichtbar mit dem Polarstern verbunden sind. Die Burjäten stellen sich die Sterne als eine Pferdeherde vor und der Polarstern, «die Weltsäule», ist der Pflock, an dem man sie festbindet [7].

Diese Kosmologie erfuhr, wie zu erwarten, eine genaue Wiederholung in dem Mikrokosmos der Menschen. Die Weltachse fand ihre konkrete Darstellung in den Pfeilern, welche die Wohnung tragen, oder in einzeln stehenden Pfählen, den «Pfeilern der Welt». Für die Eskimos zum Beispiel ist der Himmelspfeiler völlig identisch mit dem Pfosten in der Mitte ihres Hauses [8]. Für die Altai-Tataren, die Burjäten und Sojoten ist der Zeltpflock gleich dem Himmelspfeiler. Bei den Sojoten überragt er die Spitze der Jurte und ist oben mit blauen, weißen und gelben Lappen geschmückt, die die Farben der Himmelsgegenden darstellen. Dieser Pflock ist heilig; er wird fast als Gott angesehen. An seinem Fuß befindet sich ein kleiner steinerner Altar, auf dem man Opfergaben niederlegt [9].

Der Mittelpfahl ist bei den primitiven Völkern («Urkultur der Graebner-Schmidtschen Schule») der Arktis und Nordamerikas ein charakteristisches Element der Wohnung; er findet sich bei den Samojeden und den Ainu, bei den Stämmen von Nord- und Mittelkalifornien und bei den Algonkin. Zu Füßen des Pfahls finden Opfer und Gebete statt, denn er öffnet den Weg zum höchsten Himmelswesen [10]. Der nämliche mikrokosmische Symbolismus hat sich auch bei den Hirten und Züchtern Zentralasiens erhalten, doch mit

omnia. Die Lappen in Skandinavien haben diese Vorstellung von den alten Germanen übernommen; sie nennen den Polarstern «Himmelspfeiler» und «Weltpfeiler». Man hat die *irminsûl* mit den Säulen Jupiters verglichen. Ähnliche Vorstellungen überleben heute noch in der südosteuropäischen Folklore, vgl. z. B. die *Coloana Cerului* (Himmelssäule) der Rumänen (s. Al. Rosetti, *Colindele Românilor*, Bukarest 1920, S. 70 ff.).

[7] Dieser Gedanke ist den ugrischen und turko-mongolischen Völkern gemeinsam, vgl. Holmberg-Harva, *Baum des Lebens*, S. 23 ff.; *Relig. Vorstell.*, S. 40 ff. Vgl. auch Job 38, 31 und den indischen *skambha* (*Atharva Veda* X, 7, 35, usw.).

[8] Thalbitzer, *Cultic Games and Festivals in Greenland* (21. Kongreß der Amerikanisten, Göteborg 1924, S. 236–255), S. 239 ff.

[9] Harva, *Relig. Vorstell.*, S. 46. Vgl. die verschiedenfarbigen Lappen bei den schamanischen Zeremonien und den Opfern, welche immer die symbolische Durchquerung der Himmelsteile anzeigen.

[10] Vgl. das von Schmidt, *Ursprung der Gottesidee*, 6. Bd. (Münster 1935), S. 67 ff. geordnete Material und die Bemerkungen desselben Verfassers in *Der heilige Mittelpfahl des Hauses* (Anthropos 1940–41, 35.–36. Bd., S. 966–969), S. 966.

der Abänderung der Behausungsform vom «Haus» mit konischem Dach und Mittelpfeiler zur Jurte ist die mythisch-religiöse Funktion des Pfeilers auf die obere Öffnung übergegangen, durch welche der Rauch abzieht. Bei den Ostjaken entspricht diese Öffnung der gleichartigen Öffnung des «Himmelshauses» und die Tschuktschen setzen sie dem «Loch» gleich, das der Polarstern in das Himmelsgewölbe macht. Die Ostjaken sprechen auch von den «Goldkaminen des Himmelshauses» oder den «Sieben Kaminen des Himmelsgottes»[11]. Auch die Altaier glauben, daß durch diese «Kamine» der Schamane von einer kosmischen Zone in die andere gelangt. Deshalb wird das Zelt, das für die Aufstiegszeremonie des altaischen Schamanen errichtet wird, dem Himmelsgewölbe gleichgesetzt und hat wie dieses ein Loch für den Rauch (Harva, *Religiöse Vorstellungen*, S. 53). Die Tschuktschen wissen, daß das «Himmelsloch» der Polarstern ist, daß die drei Welten durch ähnliche Löcher mit einander in Verbindung stehen und daß durch diese Löcher der Schamane und die mythischen Heroen in den Himmel kommen[12]. Und bei den Altaiern geht wie bei den Tschuktschen der Weg zum Himmel über den Polarstern[13]. Die *udeshiburkhan* der Buriäten öffnen dem Schamanen den Weg, so wie man Türen aufmacht (Harva, *Religiöse Vorstellungen*, S. 54).

Dieser Symbolismus ist freilich nicht auf die arktischen und nordasiatischen Gebiete beschränkt. Der heilige Pfeiler in der Mitte des Hauses findet sich auch bei den hamitischen Hirten der Galla und Hadiya, den Nandi-Hamitoiden und den Khasi[14]. Überall bringt man Opfergaben an den Fuß dieses Pfeilers; manchmal sind es Milchopfer für den Himmelsgott (so bei den oben erwähnten afrikanischen Stäm-

---

[11] Vgl. z. B. K. F. Karjalainen, *Die Religion der Jugra-Völker* II, S. 48 ff. Erinnern wir uns, daß der Eingang zur unterirdischen Welt sich genau unter dem «Zentrum der Welt» befindet (vgl. Harva, *Baum des Lebens*, S. 30–31, und Fig. 13, die jakutische Scheibe mit Mittelloch). Derselbe Symbolismus findet sich auch im alten Orient, in Indien und der griechisch-lateinischen Welt usw.; vgl. Eliade, *Cosmologie si alchimie babiloniana*, S. 35 ff.; A. K. Coomoraswamy, *Svayamâtrnnâ: Janua Coeli* (Zalmoxis II, 1939, S. 3–51).

[12] Bogoras, *The Chukchee*, S. 331; Jochelson, *The Koryak*, S. 301. Derselbe Gedanke begegnet auch bei den Schwarzfuß-Indianern; vgl. Alexander, *North American Mythology*, S. 95 ff. Siehe auch die Vergleichstafel Nordasien-Nordamerika bei Jochelson, *The Koryak*, S. 371.

[13] A. V. Anochin, *Materialy po shamanstvu*, S. 9.

[14] W. Schmidt, *Der heilige Mittelpfahl*, S. 967, dort zitiert *Der Ursprung der Gottesidee*, 7. Bd., S. 53, 85, 165, 449, 590 ff.

men), in gewissen Fällen sogar blutige Opfer (z. B. bei den Galla)[15]. Der «Pfeiler der Welt» wird manchmal unabhängig vom Haus dargestellt, so bei den alten Germanen (*irminsûl,* von der Karl der Große 772 ein Abbild zerstörte), den Lappen und ugrischen Völkern. Die Ostjaken nennen diese rituellen Pfähle «Die mächtigen Pfosten des Zentrums der Stadt»; die Tsingala-Ostjaken kennen sie unter dem Namen «Eiserner Pfeilermann», rufen sie in ihren Gebeten als «Mann» und «Vater» an und bringen ihr blutige Opfer dar[16].

Die Symbolik der Weltsäule ist auch entwickelteren Kulturen vertraut (Ägypten, Indien, z. B. Rig Veda X, 89,4 usw.), China, Griechenland, Mesopotamien). Bei den Babyloniern zum Beispiel wurde

[15] Die Frage nach dem empirischen «Ursprung» solcher Vorstellungen (z. B. von der Struktur des Kosmos nach gewissen greifbaren Elementen der Wohnung, welche ihrerseits sich wieder als Anpassung an die Umwelt erklären usw.) ist falsch gestellt und deshalb unfruchtbar. Für die Primitiven ganz allgemein gibt es keinen deutlichen Unterschied zwischen «natürlich» und «übernatürlich», zwischen empirischem und symbolischem Gegenstand. Ein Gegenstand wird «er selbst» (das heißt Träger eines Wertes) in dem Maß, als er an einem «Symbol» teil hat; eine Handlung gewinnt Bedeutung in dem Maß, als sie einen Archetypus wiederholt usw. Auf jeden Fall gehört das Problem der «Ursprünge» der Werte mehr in die Philosophie als in die Geschichte. Denn es ist, um nur ein Beispiel zu nennen, nicht gut einzusehen, inwiefern etwa der Anlaß der Entdeckung der ersten geometrischen Gesetze – die empirischen Erfordernisse der Bewässerung des Nildeltas – die geringste Bedeutung gewinnen könnte für die Geltung oder Nichtgeltung dieser Gesetze.

[16] Karjalainen, *Die Religion der Jugra-Völker,* 2. Bd., S. 42 ff. meint zu Unrecht, die Aufgabe dieser Pfeiler bestehe darin, das Opfertier daran befestigen zu lassen. Wie Holmberg-Harva gezeigt hat, heißt dieser Pfeiler «Siebenfach geteilter Vater-Mann», ganz wie Sänke, der Himmelsgott, als «Siebenfach geteilter Großer Mann, Sänke, mein Vater, mein Vater-Mann, der in drei Richtungen blickt» usw., angerufen wird (Holmberg, *Finno-Ugric Mythology,* S. 338). Der Pfeiler war manchmal mit sieben Einschnitten versehen; die Saly-Ostjaken machen, wenn sie blutige Opfer darbringen, sieben Einschnitte in einen Pfahl (*ebd.,* S. 339). Dieser rituelle Pfahl entspricht dem «In sieben Teile geteilten heiligen Pfahl aus reinem Silber» in den wogulischen Märchen, an dem die Söhne des Gottes ihre Pferde anbinden, wenn sie ihren Vater besuchen (*ebd.,* S. 339–340). Auch die Juraken bringen hölzernen Idolen *(sjaadai)* mit sieben Gesichtern oder sieben Einschnitten blutige Opfer dar; diese Idole stehen nach Lehtisalo (*Entwurf einer Mythologie der Yurak-Samojeden,* Helsinki 1927, S. 67, 102 usw.) mit den «heiligen Bäumen» (d. h. einer Verfallsform des siebenästigen Kosmischen Baumes) in Beziehung. Wir erleben hier den in der Religionsgeschichte wohlbekannten Prozeß der Substitution, wie er sich im religiösen Komplex Sibirien auch in anderen Fällen zeigt. So wird zum Beispiel der Pfeiler, der ursprünglich Opferstätte für den Himmelsgott Num war, selbst zu einem heiligen Gegenstand, dem man blutige Opfer darbringt; vgl. A. Gahs, *Kopf-, Schädel- und Langknochenopfer bei Rentiervölkern,* S. 240. Über die kosmologische Bedeutung der Siebenzahl und ihre Rolle in den schamanischen Ritualen s. u. S. 263 ff.

das Band zwischen Himmel und Erde, das sonst durch einen Kosmischen Berg oder seine Wiederholungen, *ziqqurat,* Tempel, Königsstadt, Palast symbolisiert war, zuweilen auch als himmlische Säule gedacht. Derselbe Gedanke wird, wie wir sogleich sehen werden, auch durch andere Bilder ausgedrückt: Baum, Brücke, Treppe usw. Dieses Ganze bildet einen Teil von dem, was wir Symbolik des «Zentrums» genannt haben – eine sehr archaische Symbolik, der man auch in den «primitivsten» Kulturen begegnet.

Eines sei schon hier betont: Obwohl das schamanische Erlebnis im eigentlichen Sinn dank der kosmologischen Vorstellung von den drei kommunizierenden Zonen zum mystischen Erlebnis werden konnte, gehört diese kosmologische Vorstellung nicht ausschließlich der Ideologie des sibirischen und zentralasiatischen oder eines beliebigen anderen Schamanismus an. Es handelt sich hier um einen allgemein verbreiteten Gedanken, der aus dem Glauben an die Möglichkeit einer direkten Verbindung mit dem Himmel erwachsen ist. Auf makrokosmischer Ebene ist diese Verbindung durch eine Achse (Baum, Berg, Pfeiler usw.) verbildlicht, auf der mikrokosmischen durch den Mittelpfahl der Behausung oder das Loch oben im Zelt. Das bedeutet, daß *jede menschliche Behausung ins Zentrum der «Welt» projiziert ist*[17], daß jeder Altar, jedes Zelt, jedes Haus das Durchbrechen einer Ebene und damit die Auffahrt zum Himmel ermöglicht.

In den archaischen Kulturen wird die Verbindung zwischen Himmel und Erde zur Absendung von Opfergaben an die Himmelsgötter, nicht aber zur konkreten persönlichen Auffahrt benützt, diese bleibt das Vorrecht der Schamanen. Nur sie wissen die Auffahrt durch die «Mittelöffnung» zu vollziehen, nur sie verwandeln einen kosmo-theologischen Gedanken in ein *konkretes mystisches Erlebnis*. Dieser Punkt ist von Wichtigkeit; er verdeutlicht den Unterschied zum Beispiel zwischen dem religiösen Leben eines nordasiatischen Volkes und dem religiösen Erlebnis seiner Schamanen – nur dieses ist ein persönliches und ekstatisches. Mit anderen Worten: Was für den Rest der Gemeinschaft kosmologisches Ideogramm bleibt, wird für die Schamanen (und die Heroen usw.) zum mystischen Weg. Den einen ermöglicht das «Zentrum der Welt» Gebete und Opfer an die Himmelsgötter abzuschicken, für die an-

---

[17] S. Eliade, *Die Religionen und das Heilige,* S. 429 ff.; *Der Mythos der ewigen Wiederkehr,* 1953 (*Le Mythe de l'Eternel Retour,* Paris 1949), S. 24 ff.

deren ist es die Stätte eines Aufflugs im wörtlichen Sinn. Der *wirkliche Verkehr* zwischen den drei kosmischen Zonen ist nur ihnen möglich.

Das erinnert an den schon mehrmals erwähnten Mythus von einer paradiesischen Zeit, wo die Menschen mit Leichtigkeit zum Himmel steigen konnten und mit den Göttern familiäre Beziehungen unterhielten. Die kosmologische Symbolik der Wohnung und das Erlebnis der schamanischen Auffahrt bestätigen, wenn auch unter einem anderen Aspekt, diesen archaischen Mythus: Nach dem Abbruch der *leichten Verbindungen,* welche am Morgen der Zeiten zwischen Himmel und Erde, Menschen und Göttern bestanden hatten, blieb einigen privilegierten Wesen (an erster Stelle den Schamanen) die Möglichkeit, noch weiterhin für ihre eigene Person die Verbindung mit den oberen Bereichen aufrecht zu erhalten. Sie – die Schamanen – besitzen die Kraft aufzufliegen und zum Himmel zu gelangen, und zwar durch die «Mittelöffnung», die der übrigen Menschheit nur dazu dient, ihre Opfergaben hindurchzuschicken. Im einen wie im andern Fall gründet der privilegierte Zustand des Schamanen in seiner Fähigkeit zum ekstatischen Erlebnis.

Es war notwendig, immer wieder auf diesen, unseres Erachtens kapitalen Punkt zurückzukommen, um die im Schamanismus beschlossene Ideologie in ihrem universellen Charakter offenbar zu machen. Nicht etwa die Schamanen haben, ganz für sich allein, die Kosmologie, Mythologie, und Theologie ihres jeweiligen Stammes geschaffen, sie haben sie nur verinnerlicht, neu belebt und als Reiseplan für ihre ekstatischen Reisen benützt.

Der Kosmische Berg

Ein anderes mythisches Bild dieses «Zentrums der Welt», welches die Verbindung zwischen Erde und Himmel ermöglicht, ist das Bild vom Kosmischen Berg. Die Altai-Tataren denken sich Bai Ülgän in der Mitte des Himmels, auf einem goldenen Berg sitzend (Radlov, *Aus Sibirien* II, S. 6). Die Abakan-Tataren nennen ihn «Eiserner Berg»; die Mongolen, Buriäten, Kalmücken kennen ihn unter den Namen Sumbur, Sumur und Sumer, welche deutlich indischen Einfluß verraten (= Meru). Die Mongolen und Kalmücken stellen ihn sich mit drei oder vier Stockwerken vor; für die sibirischen Tataren hat der Kosmische

Berg sieben Stockwerke; auch der jakutische Schamane ersteigt auf seiner mythischen Reise einen Berg mit sieben Stockwerken. Sein Gipfel liegt auf dem Polarstern, am «Nabel des Himmels». Die Buriäten sagen, daß der Polarstern an seinem Gipfel angeheftet ist [18].

Die Vorstellung von einem Kosmischen Berg = Mitte der Welt muß nicht unbedingt orientalischen Ursprungs sein, denn wie wir gesehen haben scheint die Symbolik des «Zentrums» älter zu sein als der Aufschwung der altorientalischen Kulturen. Doch wurden die alten Traditionen der Völker Zentral- und Nordasiens, welche ohne Zweifel das Bild einer «Mitte der Welt» und kosmischen Achse kannten, durch den dauernden Zufluß orientalischer religiöser Ideen verändert, ob diese nun (durch persische Vermittlung) mesopotamischen oder (über den Lamaismus) indischen Ursprungs sind. In der indischen Kosmologie erhebt sich der Berg Meru in der Mitte der Welt und über ihm funkelt der Polarstern [19]. Und wie die indischen Götter diesen Kosmischen Berg (= Achse der Welt) gepackt und mit ihm den Urozean aufgerührt haben, worauf das Universum entstand, so benützten nach einem kalmückischen Mythus die Götter Sumer als Stock, um den Ozean in Bewegung zu setzen und schufen so Sonne, Mond und Sterne (Harva, *Religiöse Vorstellungen*, S. 63). Ein anderer zentralasiatischer Mythus zeigt das Eindringen indischer Elemente: Der Gott Otchirvani (= Indra) ergriff in Gestalt des Adlers Garida (= Garuda) die Schlange Losun im Urozean, wickelte sie dreimal um den Berg Sumeru und zerschmetterte ihr zum Schluß den Kopf [20].

Es ist nicht nötig, an alle die anderen Kosmischen Berge der orientalischen und europäischen Mythologien zu erinnern, Haraberezaiti bei den Iraniern z. B., Himingbjörg bei den alten Germanen usw. Im mesopotamischen Glauben verband ein zentraler Berg Himmel und Erde, der «Berg der Länder», welcher die Gebiete miteinander verbindet [21].

---

[18] Uno Holmberg-Harva, *Der Baum des Lebens*, S. 41, 57; ders., *Finno-Ugric and Siberian Mythology* (Mythology of all Races, 4. Bd., Boston 1927), S. 341; ders., *Rel. Vorstell.*, S. 58 ff.

[19] W. Kirfel, *Die Kosmographie der Inder* (Bonn-Leipzig 1920), S. 15.

[20] Potanin, *Otcherki* IV, S. 228; Harva, *Rel. Vorstell.*, S. 62. Auf griechischen Münzen ist eine Schlange dreimal um den ὀμφαλός gerollt: *ebd.*, S. 63.

[21] A. Jeremias, *Handbuch der altorientalischen Geisteskultur* (2. Aufl., Berlin-Leipzig 1929), S. 130; vgl. Eliade, *Der Mythus der ewigen Wiederkehr*, S. 26 ff. Zum iranischen Bestand A. Christensen, *Le premier homme et le premier roi dans l'histoire légendaire des Iraniens*, 2. Bd., (Uppsala-Leyden 1934), S. 42.

Schon der Name der babylonischen Tempel und heiligen Türme zeugt von ihrer Gleichsetzung mit dem Kosmischen Berg: «Berg des Hauses», «Haus des Bergs aller Länder», «Berg der Stürme», «Band zwischen Himmel und Erde» usw. [22]. Die *ziqqurat* war genau genommen ein Kosmischer Berg, ein symbolisches Bild des Kosmos; ihre sieben Stockwerke stellten die sieben Planetenhimmel vor (wie in Borsippa) oder hatten die Farben der Welt (wie in Ur) [23]. Der Tempel Barabudur, eine echte *imago mundi*, war in der Form eines Berges erbaut [24]. Künstliche Berge sind in Indien bezeugt und finden sich auch bei den Mongolen und in Südostasien [25]. Wahrscheinlich reichten die mesopotamischen Einflüsse bis nach Indien und dem Indischen Ozean, obwohl die Symbolik des «Zentrums» organisch zu der frühesten indischen Geistigkeit gehört [26].

Der Berg Tabor in Palästina könnte *tabbûr* bedeuten – «Nabel», *omphalos*. Der Berg Gerizim in der Mitte von Palästina hatte ohne Zweifel das Ansehen eines Zentrums, denn er heißt «Nabel der Erde» (*tabbûr eres;* vgl. Richter IX, 37: «...Das ist das Heer, das vom Nabel der Erde herabsteigt»). Eine von Petrus Comestor aufgenommene Überlieferung besagt, daß bei der Sommersonnenwende die Sonne auf die «Quelle Jakobs» (beim Gerizim) keinen Schatten wirft, und Comestor führt dazu näher aus: *«sunt qui dicunt locum illum esse umbilicum terrae nostrae habitabilis»* [26a]. Palästina als das höchste Land, weil dem Gipfel des Kosmischen Berges benachbart, wurde von der Sintflut nicht überschwemmt. Ein rabbinischer Text sagt: «Das Land Israel wurde

---

[22] Th. Dombart, *Der Sakralturm I: Ziqquart* (München 1920), S. 34.

[23] Th. Dombart, *Der babylonische Turm* (Leipzig 1930), S. 5 ff.; M. Eliade, *Cosmologie si alchimie babiloniana* (Bukarest 1937), S. 31 ff. Über den Symbolismus der *ziqqurat* vgl. A. Parrot, *Ziggurats et Tour de Babel* (Paris 1949).

[24] P. Mus, *Barabudur. Esquisse d'une histoire du Bouddhisme fondée sur la critique archéologique des textes*, 1. Bd. (Hanoi 1935), S. 356.

[25] Vgl. W. Foy, *Indische Kultbauten als Symbole des Götterberges* (Festschrift Ernst Windisch, Leipzig 1914), S. 213–216; Harva, *Relig. Vorstell.*, S. 68; von Heine-Geldern, *Weltbild und Bauform in Südostasien* (Wiener Beitr. zur Kunst- und Kulturgeschichte Asiens, 4. Bd., 1930), S. 48 ff.

[26] Vgl. P. Mus, *Barabudur* I, S. 117 ff., 292 ff., 351 ff., 385 ff. usw.; J. Przyluski, *Les sept terrasses de Barabudur* (Harvard Journal of Asiatic Studies, Juli 1936, S. 251–256); A. Coomaraswamy, *Elements of Buddhist Iconography* (Oxford 1935), passim; M. Eliade, *Cosmologie si alchimie babiloniana*, S. 43 ff.

[26a] Eric Burrows, *Some cosmological patterns in babylonian religion* (The Labyrinth, hg. von S. H. Hooke, London 1935, S. 47–70), S. 51, 62 Anm 1.

nicht von der Sintflut ertränkt[27].» Für die Christen befand Golgatha sich im Mittelpunkt der Welt, denn es war der Gipfel des Kosmischen Berges und zugleich der Ort, wo Adam erschaffen und begraben worden war. So fließt das Blut des Erlösers auf den Schädel Adams, der zu Füßen des Kreuzes begraben ist, und kauft ihn los[28].

Wir haben an anderer Stelle gezeigt, wie häufig und wie wesentlich dieser Symbolismus der «Mitte» sowohl in den archaischen («primitiven») Kulturen als in allen großen Kulturen des Orients ist[29]. Um uns kurz zu fassen: Paläste, Königsstädte[30] und selbst gewöhnliche Behausungen galten als im Zentrum der Welt, auf dem Gipfel des Kosmischen Berges befindlich. Den tiefen Sinn dieses Symbolismus haben wir bereits gesehen: Im «Zentrum» ist die Durchbrechung der Ebenen möglich und damit die Verbindung zum Himmel.

Einen solchen Kosmischen Berg ersteigt der künftige Schamane während seiner Initiationskrankheit im Traum, ihn besucht er später auf seinen ekstatischen Reisen. Die Besteigung eines Berges bedeutet immer eine Reise zum «Zentrum der Welt». Dieses «Zentrum» ist, wie wir gesehen haben, auf vielfache Weise vergegenwärtigt, sogar im Bau der menschlichen Wohnung – doch nur die Schamanen und die Heroen *ersteigen wirklich* den Kosmischen Berg, wie auch in erster Linie der Schamane beim Erklettern seines rituellen Baums in Wirklichkeit den Weltenbaum erklettert und dadurch zum Gipfel des Universums und in den höchsten Himmel gelangt.

---

[27] Zitiert bei A. J. Wensinck, *The Ideas of the Western Semites concerning the Navel of the Earth* (Amsterdam 1916), S. 15; Burrows, *a. a. O.*, S. 54 führt andere Texte an.

[28] Wensinck, *a. a. O.*, S. 22; Eliade, *Cosmologie*, S. 34 ff. Der Glaube, daß Golgotha sich im Zentrum der Welt befindet, hat sich in der Folklore der Ostkirche erhalten (so z. B. bei den Kleinrussen, vgl. Holmberg. *Der Baum des Lebens*, S. 72).

[29] Eliade, *Cosmologie*, S. 31 ff.; *Die Religionen*, S. 415 ff.; *Der Mythos der Ewigen Wiederkehr*, S. 24 ff.

[30] Vgl. P. Mus, *Barabudur* I, S. 354 ff. und passim; A. Jeremias, *Handbuch*, S. 113, 142 usw. M. Granet, *La pensée chinoise* (Paris 1934), S. 323 ff.; A. J. Wensinck, *Tree and Bird as cosmological symbols in Western Asia* (Amsterdam 1921), S. 25 ff.; Birger Pering, *Die geflügelte Scheibe* (Archiv für Orientforschung, 8. Bd., 1935, S. 281–296); Eric Burrows, *Some cosmological patterns*, S. 48 ff.

Der Weltenbaum

Der Symbolismus des Weltenbaums ist dem des Zentralberges komplementär. Zuweilen überdecken sich die beiden Symbolismen; im allgemeinen ergänzen sie sich. Doch beide sind nichts anderes als besser ausgearbeitete mythische Formeln der Kosmischen Achse (Weltsäule usw.).

Wir wollen hier nicht das umfangreiche Dossier des Weltenbaumes noch einmal aufgreifen[31], sondern nur die in Mittel- und Nordasien am häufigsten vorkommenden Themen und ihre Rolle in der schamanischen Ideologie und Praxis behandeln. Der kosmische Baum ist für den Schamanen wesentlich. Aus seinem Holz fertigt er seine Trommel (s. o. S. 168 ff.); die rituelle Birke erkletternd, steigt er in Wirklichkeit zum Wipfel des Kosmischen Baums; vor seiner Jurte und in ihr sind Wiederholungen dieses Baumes, den er auch auf seine Trommel zeichnet[32]. Kosmologisch betrachtet erhebt sich der Weltenbaum im Zentrum der Erde, in der Gegend ihres «Nabels», und seine obersten Zweige rühren an den Palast Bai Ülgäns (Radlov, *Aus Sibirien* II, S. 7). In den Legenden der Abakan-Tataren wächst eine weiße Birke mit sieben Ästen auf dem Gipfel eines eisernen Berges. Die Mongolen verbildlichen sich den Kosmischen Berg als Pyramide mit vier Seiten und einem Baum in der Mitte; die Götter benützen ihn als Pflock, an dem sie ihre Pferde anbinden – wie die Weltsäule[33].

---

[31] Grundbegriffe und wichtigste Bibliographie s. in Eliade, *Die Religionen und das Heilige*, S. 310 ff., 377 ff. (*Traité d'Histoire des Religions*, 1949)

[32] S. z. B. die Zeichnung auf der Trommel eines altaischen Schamanen bei Harva, *Rel. Vorstell.*, Fig. 15. Die Schamanen benützen manchmal einen «umgekehrten Baum», den sie bei ihrer Wohnung aufstellen, damit er sie beschützt, vgl. E. Kagarov, *Der umgekehrte Schamanenbaum* (Archiv für Religionswissenschaft, 27. Bd., 1929, S. 183–195). Der «umgekehrte Baum» ist natürlich ein mythisches Abbild des Kosmos, vgl. A. Coomaraswamy, *The Inverted Tree* (The Quarterly Journal of the Mythic Society, Bangalore, 29. Bd., Nr. 2, 1938, S. 1–38) mit reichen indischen Zeugnissen; *Die Religionen und das Heilige*, S. 312 f., 377 ff. Der nämliche Symbolismus hat sich in der christlichen und islamischen Überlieferung erhalten, vgl. *Religionen*, S. 312; A. Jacoby, *Der Baum mit den Wurzeln nach oben und den Zweigen nach unten* (Zs. für Missionskunde und Religionswissenschaft, 43. Bd., 1928, S. 78–85); Carl-Martin Edsman, *Arbor inversa* (Religion och Bibel III, 1944, S. 5–33).

[33] Vgl. Holmberg-Harva, *Baum des Lebens*, S. 52; ders., *Rel. Vorstell.*, S. 70. Auch Odin bindet sein Pferd an Yggdrasil fest, s. Eliade, *Religionen*, S. 313. Über die mythische Konstellation Pferd-Baum (Pfosten) in China s. Hentze, *Frühchinesische Bronzen*, S. 123–130.

Der Baum verbindet die drei kosmischen Regionen [34]. Die Waßjugan-Ostjaken glauben, daß er mit den Zweigen den Himmel berührt und mit den Wurzeln in die Unterwelt hinabtaucht. Nach den sibirischen Tataren befindet sich ein Gegenstück des Himmelsbaumes in der Unterwelt: eine Tanne mit neun Wurzeln (in anderen Varianten neun Tannen) erhebt sich vor dem Palast Irle Khans; der König der Toten und seine Söhne binden ihre Pferde an ihrem Stamm fest. Die Golden zählen drei Kosmische Bäume: der erste im Himmel (die Seelen der Menschen sitzen auf seinen Ästen wie Vögel und warten, bis sie auf die Erde gebracht werden, um die Geburt von Kindern zu bewirken), ein zweiter auf der Erde und der dritte in der Unterwelt [35]. Die Mongolen kennen den Baum *zambu,* dessen Wurzeln am Fuß des Berges Sumer in die Tiefe wachsen und dessen Krone sich zu seinem Gipfel emporstreckt; die Götter (*tengeri*) nähren sich von den Früchten des Baumes und die in den Klüften des Berges verborgenen Dämonen (*asuras*) blicken voll Neid darauf. Ein analoger Mythus begegnet auch bei Kalmücken und Buriäten [36].

Die Symbolik des Weltenbaums enthält verschiedene religiöse Ideen. Einerseits repräsentiert er das Universum in ständiger Regeneration (vgl. *Religionen,* S. 310 ff.), die unversiegliche Quelle des kosmischen Lebens und des Heiligen (weil «Aufnahmezentrum» für das Heilige des Himmels usw.), andererseits symbolisiert der Baum den Himmel oder die Planetenhimmel [37]. Auf den Baum als Symbol der Planetenhimmel werden wir sogleich zurückkommen, da diese Symbolik im zentralasiatischen und sibirischen Schamanismus eine wesentliche Rolle

---

[34] Vgl. H. Bergema, *De Boom des Levens in Schrift en Historie* (Hilversum 1938), S. 539 ff.

[35] Harva, *Rel. Vorstell.,* S. 71.

[36] Holmberg-Harva, *Finno-Ugric and Siberian Mythology,* S. 356 ff.; *Rel. Vorstell.,* S. 72 ff. Ein eventuelles iranisches Vorbild haben wir schon erwähnt, den Baum Gaokêrêna auf einer Insel im See Vourukasha, bei dem sich die von Ahriman erschaffene Rieseneidechse befindet. Der mongolische Mythus ist indischen Ursprungs; Zambu = Jambû. Vgl. auch den Lebensbaum (= Kosmischer Baum) der chinesischen Überlieferung, der auf einem Berg wächst und mit den Wurzeln in die Unterwelt taucht: C. Hentze, *Le culte de l'ours et du tigre et le t'ao-t'ié* (Zalmoxis I, 1938, S. 50–68), S. 57; ders., *Die Sakralbronzen und ihre Bedeutung in den frühchinesischen Kulturen* (Antwerpen 1941), S. 24 ff.

[37] Oder zuweilen auch die Milchstraße; vgl. z. B. Y. H. Toivonen, *Le gros chêne des chants populaires finnois* (Journal de la Société Finno-Ougrienne, 53. Bd., 1946–1947, S. 37–77).

spielt. Doch ist schon hier zu erwähnen, daß in vielen archaischen Traditionen vom Kosmischen Baum als dem Ausdruck der Heiligkeit, der Fruchtbarkeit und Ewigkeit der Welt eine Verbindung führt zur Idee der Schöpfung, der Fruchtbarkeit, der Initiation und letzten Endes zu der Idee der absoluten Realität und der Unsterblichkeit. Der Baum der Welt wird so zum Baum des Lebens und der Unsterblichkeit. Umgeben von zahllosen mythischen Dubletten und Komplementärsymbolen (Frau, Quelle, Milch, Tiere, Früchte usw.) zeigt sich der Kosmische Baum allezeit als Reservoir des Lebens und Herr des Schicksals.

Diese Ideen sind ziemlich alt, denn man findet sie bei zahlreichen «primitiven» Völkern in einen Mond- und Initiationssymbolismus eingefügt (vgl. *Religionen*, S. 313). Doch die Symbolik des Kosmischen Baumes ist nahezu unerschöpflich, und so wurden sie viele Male abgewandelt und weiterentwickelt. Ohne Zweifel haben südorientalische Einflüsse stark zur Ausbildung der zentral- und nordasiatischen Mythologien beigetragen. Vor allem der Gedanke vom Kosmischen Baum als Seelenspeicher und «Buch des Schicksals» scheint von weiter entwickelten Kulturen übernommen worden zu sein. Der Weltenbaum wird in der Tat als *lebendiger und lebendig machender* Baum vorgestellt. Für die Jakuten erhebt sich «am goldenen Nabel der Erde» ein Baum mit neun Ästen – eine Art Urparadies, denn hier ist der erste Mensch geboren und wird von der Milch einer Frau, die zur Hälfte aus dem Stamm des Baumes ragt, ernährt [38]. Wie Harva (*Religiöse Vorstellungen*, S. 77) bemerkt, fällt es schwer zu glauben, daß ein solches Bild von den Jakuten im rauhen Klima Nordsibiriens erdacht worden ist. Die Prototypen finden sich im alten Orient, in Indien (wo Yama, der erste Mensch, neben einem Wunderbaum mit den Göttern trinkt, *Rig Veda* X, 135,1) und Iran (Yima teilt auf dem Kosmischen Berg Menschen und Tieren die Unsterblichkeit mit, *Yasna* 9, 4 ff.; *Vidêvdat*, 2,5).

Die Golden, Dolganen und Tungusen sagen, daß die Seelen der Kinder vor der Geburt wie kleine Vögel auf den Zweigen des Kosmi-

---

[38] Harva, *Rel. Vorstell.*, S. 75 ff.; *Baum des Lebens*, S. 57 ff. Über die altorientalischen Prototypen dieses mythischen Motivs s. Eliade, *Die Religionen*, S. 323 ff. Vgl. auch G. R. Levy, *The Gate of Horn* (London 1948), S. 156, Anm. 3. Zum Thema Baum – Göttin (= Erste Frau) in der amerikanischen, chinesischen und japanischen Mythologie vgl. C. Hentze, *Frühchinesische Bronzen und Kultdarstellungen* (Antwerpen 1937), S. 129.

schen Baumes sitzen und die Schamanen sie dort holen (Harva, *Religiöse Vorstellungen*, S. 84, 166 ff.). Dieses bereits aus den Initiationsträumen der künftigen Schamanen bekannte mythische Motiv (s. S. 49) ist nicht auf Zentral- und Nordasien beschränkt; es ist z. B. auch in Afrika und Indonesien belegt [39]. Das kosmologische Schema Baum – Vogel (= Adler), oder Baum mit Vogel im Wipfel und Schlange an der Wurzel ist, wiewohl spezifisch für die Völker Zentralasiens und die Germanen, wahrscheinlich orientalischen Ursprungs [40], doch ist derselbe Symbolismus schon auf prähistorischen Denkmälern formuliert [41].

Ein anderes Thema, diesmal deutlich ausländischen Ursprungs, ist das vom Baum als Buch des Schicksals. Bei den osmanischen Türken hat der Lebensbaum eine Million Blätter und auf jedem Blatt ist das Schicksal eines Menschen aufgeschrieben; jedesmal, wenn ein Mensch stirbt, fällt ein Blatt (Harva, *Religiöse Vorstellungen*, S. 72). Die Ostjaken glauben, daß eine Göttin, die auf einem himmlischen Berg mit sieben Sprossen sitzt, das Schicksal des Menschen unmittelbar nach seiner Geburt auf einen Baum mit sieben Ästen schreibt (*ebd.*, S. 172). Denselben Glauben findet man bei den Batak [42], doch da Türken wie Batak die Schrift erst ziemlich spät übernahmen, ist der orientalische Ursprung des Mythus evident. Die Ostjaken glauben auch, daß die Götter die Zukunft des Kindes in einem Schicksalsbuch suchen; nach den Legenden der Tataren schreiben sieben Götter das Los der Neu-

---

[39] Im Himmel ist ein Baum, auf dem sich die Kinder befinden; Gott nimmt sie ab und wirft sie auf die Erde (H. Baumann, *Lunda. Bei Bauern und Jägern in Inner-Angola* (Berlin 1935), S. 95. Über den afrikanischen Mythus von der Herkunft des Menschen von Bäumen vgl. Baumann, *Schöpfung und Urzeit des Menschen im Mythus der afrikanischen Völker* (Berlin 1936), S. 224; Vergleichsmaterial in Eliade, *Die Religionen*, S. 343 ff. Nach dem Glauben der Dajak ist das Stammelternpaar aus dem Lebensbaum geboren; H. Scharer, *Die Gottesidee der Ngadju Dajak in Süd-Borneo* (Leiden 1946), S. 57, dazu s. u. S. 335. Doch ist das Bild: Seele (Kind) – Vogel – Weltenbaum spezifisch zentral- und nordasiatisch.

[40] Harva, *Rel. Vorstell.*, S. 85. Über den Sinn dieses Symbolismus s. Eliade, *Die Religionen*, S. 331 ff. Material bei A. J. Wensinck, *Tree and Bird as cosmological symbols in Western Asia* (Amsterdam, 1921). Vgl. auch Hentze, *Frühchinesische Bronzen*, S. 129.

[41] G. Wilke, *Der Weltenbaum und die beiden Kosmischen Vögel in der vorgeschichtlichen Kunst* (Mannus, 14. Bd., 1922, S. 73–99).

[42] J. Warneck, *Die Religion der Batak* (Göttingen 1909), S. 49 ff. Über den Symbolismus des Baumes in Indonesien s. u. S. 272, 342.

geborenen in ein «Buch des Lebens» (Harva, *a. a. O.*, S. 160 ff.). Doch alle diese Bilder stammen von der mesopotamischen Vorstellung der sieben Planetenhimmel als Schicksalsbuch. Wir haben sie hier erwähnt, weil auch der Schamane, wenn er den Wipfel des Kosmischen Baumes, den letzten Himmel erreicht, auf seine Weise nach der «Zukunft» der Gemeinschaft und dem «Schicksal» der Seele fragt.

Die mystischen Zahlen 7 und 9

Die Identifizierung des Kosmischen Baums von sieben Ästen mit den sieben Planetenhimmeln geht sicher auf mesopotamische Einflüsse zurück. Doch, um es noch einmal zu sagen, das bedeutet nicht, daß der Begriff des Kosmischen Baums = Weltachse den Turk-Tataren und den anderen sibirischen Völkerschaften durch orientalischen Einfluß zugekommen ist. Der Aufstieg zum Himmel an der Weltachse entlang ist eine allgemeine archaische Vorstellung und früher als der Gedanke von der Durchquerung der sieben Himmelsteile (= sieben Planetenhimmel), welcher sich in Zentralasien erst lange Zeit nach den mesopotamischen Spekulationen über die sieben Planeten ausgebreitet haben kann. Bekanntlich ist die Dreizahl, das Symbol der drei kosmischen Regionen [43], in ihrer religiösen Geltung der Siebenzahl vorausgegangen. Man spricht auch von neun Himmeln (und von neun Göttern, neun Ästen des Kosmischen Baums usw.), welche mystische Zahl wahrscheinlich als 3 × 3 zu erklären ist und deshalb einem altertümlicheren Symbolismus angehören dürfte als die Siebenzahl mit ihrer mesopotamischen Herkunft [44].

Der Schamane ersteigt einen Baum oder Pfosten mit sieben oder neun hineingeschnittenen *tapty*, welche die sieben oder neun Himmelsebenen repräsentieren. Die «Hindernisse» (*pudak*), die er zu überwinden hat,

---

[43] Über die Altertümlichkeit, Kohärenz und Bedeutung der auf ein dreigeteiltes Schema gegründeten kosmologischen Vorstellungen s. A. K. Coomaraswamy, *Svayamātṛṇṇā: Janua Coeli, passim* (Zalmoxis II, S. 3–51).

[44] Über die religiösen und kosmologischen Inhalte der Zahlen 7 und 9 vgl. W. Schmidt, *Ursprung der Gottesidee*. 9. Bd., S. 91 ff., 423, usw. Harva, *Rel. Vorstell.*, S. 51 ff. dagegen hält die Neunzahl für jünger. Er sieht auch in den neun Himmeln eine späte, aus den neun Planeten zu erklärende Idee, die auch in Indien belegt, aber iranischen Ursprunges ist (S. 56). Auf jeden Fall handelt es sich um zwei verschiedene religiöse Komplexe und die Neunzahl ist dort, wo sie deutlich ein Vielfaches von drei bedeutet, zweifellos für älter zu halten als die Zahl sieben.

sind, wie Anochin (*Materialy*, S. 9) bemerkt, in Wirklichkeit die Himmel, in die der Schamane eindringen muß. Wenn bei den Jakuten blutige Opfer dargebracht werden, errichten die Schamanen im Freien einen Baum mit neun Sprossen (*tapty*) und ersteigen ihn, um das Opfer bis zu Ai-tojon zu bringen. Bei der Initiation der Sibo-Schamanen (die Sibo sind mit den Tungusen verwandt) ist, wie wir gesehen haben, ein Baum mit Sprossen beteiligt; einen zweiten kleineren mit neun *tapty* bewahrt der Schamane in seiner Jurte (Harva, *Religiöse Vorstellungen*, S. 50) – auch dies ein Zeichen für seine Fähigkeit zu der ekstatischen Himmelsreise.

Die Kosmischen Säulen der Ostjaken tragen, wie wir gesehen haben, sieben Einschnitte. Die Wogulen stellen sich vor, daß man den Himmel erreicht, wenn man eine Stiege mit sieben Stufen hinaufsteigt. In ganz Südostsibirien ist die Vorstellung von den sieben Himmeln allgemein, aber nicht die einzige: Das Bild der neun, der 16, 17, ja sogar 33 Himmel ist nicht weniger verbreitet. Wie wir in Kürze sehen werden, steht die Anzahl der Himmel in keiner Beziehung zu der Anzahl der Götter; die Entsprechungen zwischen dem Pantheon und der Anzahl der Himmel erscheinen manchmal ziemlich künstlich.

So sprechen die Altaier von sieben, aber auch von 12, 16 oder 17 Himmeln (Radlov, *Aus Sibirien* II, S. 6 ff.); bei den Teleuten hat der Schamanenbaum 16 Einschnitte, die ebensoviel himmlische Ebenen darstellen (Harva, *Religiöse Vorstellungen*, S. 52). Im obersten Himmel wohnt Tengere Kaira Khan, «Der barmherzige Kaiser Himmel»; in den drei darunter liegenden Stockwerken die drei in einer Art Emanation von Tengere Kaira Khan hervorgebrachten Hauptgötter. Bai Ülgän thront im sechzehnten auf einem goldenen Thron auf dem Gipfel eines goldenen Berges; Kysûgan Tengere, «Der sehr Starke», im neunten (über die Bewohner des fünfzehnten bis zehnten Himmels verlautet nichts); Mergen Tengere, «Der Allwissende», im siebten, wo sich auch die Sonne befindet. In den anderen unteren Stockwerken wohnen die übrigen Götter und viele andere halbgöttliche Gestalten (Radlov, *a. a. O.*, S. 7 ff.).

Anochin hat ebenfalls bei den Altai-Tataren eine ganz abweichende Überlieferung gefunden (*Materialy*, S. 9 ff.): Bai Ülgän, der oberste Gott, bewohnt den siebten und obersten Himmel; Tengere Kaira Khan spielt überhaupt keine Rolle mehr (daß er im Begriff ist seine religiöse

Aktualität zu verlieren, haben wir schon festgestellt); die sieben Söhne und neun Töchter Ülgäns wohnen in den Himmeln, ohne daß diese näher angegeben wären [45].

Die sieben oder neun Söhne (oder «Diener») des Himmelsgottes begegnen in Zentral- und Nordasien häufig, ebenso auch bei den Ugriern und den Turk-Tataren. Die Wogulen kennen sieben Söhne des Gottes, die Waßjugan-Ostjaken sprechen von sieben Göttern, die auf sieben Himmel verteilt sind. Im obersten hält sich Num-tôrem auf, die anderen sieben Götter werden «Die Wächter des Himmels» (Tôremkarevel) oder «Die Himmelsdolmetscher» genannt [46]. Eine Schar von sieben höchsten Göttern findet sich auch bei den Jakuten [47]. In der mongolischen Mythologie spricht man dagegen von «Neun Söhnen des Gottes» oder «Dienern des Gottes», sie sind zugleich beschützende und kriegerische Gottheiten. Die Burjäten kennen sogar die Namen dieser neun Söhne des höchsten Gottes, doch sind sie von Gegend zu Gegend verschieden. Die Zahl neun kehrt auch in den Ritualen der Wolga-Tschuwaschen und der Tscheremissen wieder (Harva, S. 162 ff.).

Außer diesen Gruppen von sieben oder neun Göttern und den entsprechenden sieben oder neun Himmeln trifft man in Zentralasien auf noch zahlreichere Gruppen, so die 33 Götter (*tengeri*), die Sumeru bewohnen und deren Zahl indischen Ursprungs sein könnte (Harva, S. 164 ff.). Verbitzki fand die Vorstellung von den 33 Himmeln bei den Altaiern, Karanov bei den Sojoten (Harva, S. 52), doch ist das Vorkommen dieser Zahl äußerst selten. Man darf annehmen, daß es sich dabei um neuen Import, wahrscheinlich aus Indien handelt. Bei den Burjäten ist die Anzahl der Götter dreimal so groß; hier gibt es 99 Götter, die in gute und böse eingeteilt und auf verschiedene Gebiete verteilt sind: 55 gute Götter im Südwesten und 44 böse im Nordosten. Diese beiden Göttergruppen kämpfen seit sehr langer Zeit mit-

---

[45] Siehe die Analyse dieser beiden kosmologischen Konzeptionen bei Schmidt, *Ursprung*, 9. Bd., S. 84 ff., 135 ff., 172 ff., 449 ff., 480 ff. usw.

[46] Wahrscheinlich sind diese Namen zusammen mit der Vorstellung von den sieben Himmeln von den Tataren entlehnt (s. Karjalainen, *Religion der Jugravölker*, II, S. 305 ff.).

[47] Harva, *Rel. Vorstell.*, S. 162 nach Priklonskij und Pripuzov. Nach Sieroszewski hat der jakutische Jagdgott Bai Bainai sieben Gefährten, von denen drei den Jägern günstig und zwei ungünstig gesinnt sind (*Du chamanisme*, S. 303).

einander[48]. Auch die Mongolen kannten früher 99 *tengri* (Harva, S. 165). Doch weder Buriäten noch Mongolen wissen über diese Götter mit ihren dunklen und künstlichen Namen etwas Genaueres zu sagen.

In Zentralasien und den arktischen Gebieten ist der Glaube an einen höchsten Himmelsgott ursprünglich und sehr alt, das ist immer wieder festzuhalten (*Religionen*, S. 85 ff.); ebenso alt ist der Glaube an die «Söhne Gottes», wenn auch die Zahl sieben orientalischen, also neuen Einfluß bedeutet. Wahrscheinlich hat bei der Verbreitung der Siebenzahl die schamanische Ideologie eine Rolle gespielt. Nach A. Gahs führen von dem mythisch-kulturellen Komplex des Mond-Ahnen Verbindungen zu den Idolen mit sieben Einschnitten und dem Menschheitsbaum mit sieben Ästen und ebenso auch zu den «schamanistischen» periodischen blutigen Opfern südlichen Ursprungs, welche an Stelle der unblutigen Opfer getreten sind (Opferung von Haupt und Knochen an die obersten Himmelsgötter)[49]. Wie dem auch sei, bei den Jurak-Samojeden hat der Erdgeist sieben Söhne und haben die Idole (*sjaadai*) sieben Gesichter, oder ein Gesicht mit sieben Einschnitten oder überhaupt nur sieben Einschnitte; diese *sjaadai* aber stehen mit den heiligen Bäumen in Beziehung[50]. Wie wir gesehen haben, trägt der Schamane an seiner Tracht sieben Glöckchen, welche die Stimmen der Sieben Himmelsmädchen darstellen (vgl. Mikhailowski, *Shamanism*, S. 84). Bei den Jenissei-Ostjaken zieht sich der künftige Schamane in die Einsamkeit zurück, kocht ein fliegendes Eichhörnchen, macht acht Teile daraus, ißt sieben und wirft den achten weg. Nach sieben Tagen kommt er an den Ort zurück und erhält ein Zeichen, das über seine Berufung entscheidet[51]. Die mystische Zahl sieben spielt wahrscheinlich in Technik und Ekstase des Schamanen eine wichtige Rolle. Bei den Jurak-Samojeden liegt der künftige Schamane sieben Tage und sieben Nächte ohne Bewußtsein, während die Geister ihn zerstückeln und zur Initiation schreiten (Lehtisalo, S. 147); die Ostjaken- und Lappen-Scha-

[48] G. Sandschejew, *Weltanschauung und Schamanismus*, S. 939 ff.
[49] Al. Gahs, *Kopf-, Schädel- und Langknochenopfer*, S. 237; ders., *Blutige und unblutige Opfer bei den altaischen Hirtenvölkern* (Semaine d'Ethnologie Religieuse 1926, S. 127 ff.) S. 220 ff.
[50] Lehtisalo, *Entwurf einer Mythologie der Yurak-Samojeden*, S. 67, 77 ff., 102. Über diese Idole mit sieben Gesichtern s. auch Kai Donner, *La Sibérie*, S. 222 ff.
[51] Kai Donner, *La Sibérie*, S. 223.

manen essen Pilze mit sieben Flecken, um in Trance zu kommen [52]; der Lappen-Schamane bekommt von seinem Meister einen Pilz mit sieben Flecken (Itkonen, S. 159); der jurak-samojedische Schamane besitzt einen Handschuh mit sieben Fingern (Lehtisalo, S. 147); der ugrische Schamane hat sieben Hilfsgeister (Karjalainen III, S. 311) usw. Man hat nachgewiesen, daß bei den Ostjaken und Wogulen die Bedeutung der Siebenzahl deutlich auf Einflüsse aus dem alten Orient zurückgeht [53] und zweifellos gilt für das übrige Zentral- und Nordasien dasselbe.

Für unsere Untersuchung ist dabei Folgendes von Wichtigkeit: Der Schamane scheint von all diesen Himmeln, und damit auch von den Göttern und Halbgöttern in ihnen, eine unmittelbarere Kenntnis zu besitzen. Daß er die Bereiche des Himmels der Reihe nach besuchen kann, verdankt er der Hilfe ihrer Bewohner; bevor er zu Bai Ülgän sprechen darf, unterhält er sich mit den anderen himmlischen Gestalten und erbittet von ihnen Unterstützung und Schutz. Ebensolche Kenntnis aus eigener Erfahrung zeigt der Schamane von den Bereichen der unterirdischen Welt. Den Eingang in die Unterwelt denken sich die Altaier als «Rauchloch» der Erde und zwar befindet er sich im «Zentrum» (nach den zentralasiatischen Mythen im Norden, was dem Mittelpunkt des Himmels entspricht, s. Harva, *Religiöse Vorstellungen*, S. 54; bekanntlich ist im ganzen asiatischen Bereich von Indien bis Sibirien der «Norden» dem «Zentrum» gleichgesetzt). In einer Art Symmetrie hat man sich für die Unterwelt die gleiche Anzahl von Stockwerken ausgedacht wie für den Himmel: drei bei den Karagassen und den Sojoten, die drei Himmel haben, sieben oder neun bei den meisten anderen zentral- und nordasiatischen Völkern [54]. Wie wir gesehen haben, überwindet der altaische Schamane in der Unterwelt der Reihe nach sieben «Hindernisse» (*pudak*). Er und nur er verfügt über eine selbsterworbene Kenntnis der Unterwelt, denn er dringt zu Lebzeiten dort ein, wie er auch die sieben oder neun Himmel hinauf- und hinabsteigt.

---

[52] Karjalainen, *Religion der Jugra-Völker*, 2. Bd., S. 278, 3. Bd., S. 306; Itkonen, *Heidnische Religion und späterer Aberglaube bei den finnischen Lappen*, S. 149. Bei den Tsingala-Ostjaken legt der Kranke ein Brot mit sieben Einschnitten auf einen Tisch und opfert Sänke; Karjalainen III, S. 307.

[53] Josef Haeckel, *Idolkult und Dualsystem bei den Uiguren. Zum Problem des eurasiatischen Totemismus* (Archiv für Völkerkunde I, Wien 1947, S. 95–163), S. 136.

[54] Bei den Ugriern hat die Unterwelt immer sieben Stockwerke, doch scheint die Vorstellung nicht ursprünglich zu sein, vgl. Karjalainen, *Religion der Jugra-Völker II*, S. 318.

Schamanismus und Kosmologie im ozeanischen Bereich

Ohne einen Vergleich zweier so komplexer Phänomene wie des zentral- und nordasiatischen und des indonesischen und ozeanischen Schamanismus unternehmen zu wollen, werden wir rasch verschiedene Erscheinungen aus dem südostasiatischen Raum an uns vorbeiziehen lassen, um zwei Punkte zu beleuchten: 1. das Vorkommen der archaischen Symbolik dreier kosmischer Zonen und einer Weltachse in diesen Gebieten, 2. die (vor allem aus der kosmologischen und religiösen Rolle der Siebenzahl zu erschließenden) indischen Einflüsse, welche den Untergrund der autochthonen Religion überlagert haben. Tatsächlich scheinen diese beiden Kulturblöcke, Zentral- und Nordasien einerseits, Indonesien und Ozeanien andererseits, in der genannten Hinsicht manche Gemeinsamkeiten aufzuweisen, die aus gemeinsamem Schicksal – einschneidende Veränderung der archaischen religiösen Traditionen durch die Ausstrahlung höherer Kulturen – zu erklären sind. Wir haben nicht im Sinn, hier eine kulturgeschichtliche Analyse des indonesischen und ozeanischen Bereichs zu geben – das ginge doch zu weit über unseren Gegenstand hinaus [55]; wir wollen nur ein paar Pfähle einschlagen um zu zeigen, aus welchen Ideologien und durch welche Techniken sich der Schamanismus entwickeln konnte.

Bei den archaischsten Völkern der Halbinsel Malakka, den Semang-Pygmäen, finden wir das Symbol der Weltachse: Ein riesiger Felsen Batu-Ribn erhebt sich in der Mitte der Welt, darunter befindet sich die Unterwelt. Früher erhob sich auf dem Batu-Ribn ein Baumstamm zum Himmel (Schebesta, *Les Pygmées*, S. 156 ff.). Nach den von Evans gesammelten Informationen trägt eine steinerne Säule, Batu Herem, den Himmel. Mit ihrem obersten Teil durchbricht sie das Gewölbe und ragt über den Himmel Taperns hinaus in eine Gegend mit Namen Ligoi, wo die Chinoi wohnen und sich vergnügen [56]. Unterwelt, Mitte

---

[55] Das Wesentliche hierüber hat Pia Laviosa-Zambotti in einer raschen und kühnen Zusammenfassung gesagt: *Ursprung und Ausbreitung der Kultur*, Baden-Baden 1950 (Origini e Diffusione della Civiltà, Milano), S. 339 ff. Über die früheste Geschichte Indonesiens s. G. Goedes, *Les Etats hindouisés d'Indochine et d'Indonésie* (Paris 1948), S. 67 ff.
[56] Ivor H. N. Evans, *Studies in Religion, Folk-Lore and Custom in British North-Borneo and the Malay Peninsula* (Cambridge 1923), S. 156. Die Chinoi (Schebesta:

der Erde und «Pforte» des Himmels liegen in derselben Achse, und über diese Achse geschah einst der Übergang von einer kosmischen Region zur anderen. Es fiele schwer an die Echtheit eines solchen kosmologischen Schemas bei den Semang-Pygmäen zu glauben, wenn nicht gute Gründe dafür sprächen, daß eine derartige Theorie schon in vorgeschichtlicher Zeit skizzenhaft bestand[57].

Die Glaubensvorstellungen der Semang über die Heilkundigen und ihre Zaubertechniken zeigen gewisse malaiische Einflüsse (z. B. was die Fähigkeit sich in einen Tiger zu verwandeln betrifft). Einige Züge derselben Art tragen ihre Vorstellungen vom Schicksal der Seele im Jenseits. Beim Tod verläßt die Seele den Körper bei der Ferse und macht sich auf nach Osten, bis ans Meer. Sieben Tage lang können die Abgeschiedenen in ihr Dorf zurückkommen; nach Ablauf dieser Frist werden diejenigen unter ihnen, die ein anständiges Leben geführt haben, von Mampes zu einer wunderbaren Insel Belet geleitet; dabei überschreiten sie eine Brücke, die in Gestalt einer Rutschbahn über das Meer führt. Die Brücke heißt Balan Bacham; Bacham ist eine Art Farnkraut, das am anderen Ende der Brücke wächst. Dort ist eine Chinoi-Frau, Chinoi-Sagar, die ihren Kopf mit Bacham-Farnen schmückt, und die Toten müssen dasselbe tun, bevor sie ihren Fuß auf die Insel Belet setzen dürfen. Mampes ist der Hüter der Brücke; er wird als Riesennegrito vorgestellt und verzehrt die Opfer, die man für die Toten darbringt. Wenn die Toten auf der Insel ankommen, wenden sie sich zum Baume Mapic (wahrscheinlich erhebt er sich in der Mitte der Insel), wo sich alle anderen Abgeschiedenen befinden. Doch die Neugekommenen können die Blüten des Baumes nicht tragen und von seinen

---

cenoi) sind zugleich Seelen und Naturgeister, welche als Vermittler zwischen Gott, Tata Ta Pedn, und den Menschen auftreten (Schebesta, *a. a. O.*, S. 152 ff.; Evans, *Studies*, S. 148 ff.). Über ihre Rolle bei den Heilungen s. u. S. 323 ff.

[57] Vgl. z. B. W. Gaerte, *Kosmische Vorstellungen im Bilde prähistorischer Zeit: Erdberg, Himmelsberg, Erdnabel und Weltenströme* (Anthropos IX, 1914, S. 956–979). Die Frage der von W. Schmidt und O. Menghin mit Nachdruck aufrechterhaltenen Echtheit und Altertümlichkeit der Pygmäenkultur ist bekanntlich noch nicht geklärt; für die gegenteilige Ansicht vgl. Laviosa-Zambotti, *a. a. O.*, S. 132 ff. Wie dem auch sei – außer Zweifel steht, daß die heutigen Pygmäen bei allen Spuren der höheren Kultur ihrer Nachbarn immer noch viele archaische Züge bewahren; diese Beharrsamkeit bestätigt sich vor allem in ihren religiösen Glaubensvorstellungen, die von denen ihrer höher entwickelten Nachbarn so verschieden sind. Wir glauben uns deshalb berechtigt das kosmologische Schema und den Mythus von der Weltachse unter die authentischen Reste der religiösen Überlieferung der Pygmäen einzureihen.

Früchten nicht kosten, bevor die früher gekommenen Toten ihnen nicht alle Gebeine gebrochen und die Augen in den Höhlen umgedreht haben, so daß sie jetzt nach innen schauen. Wenn diese Bedingungen richtig erfüllt sind, werden sie wirkliche Geister (*kemoit*) und können die Früchte des Baumes essen[58]. Dieser ist natürlich ein Wunderbaum und die Quelle des Lebens, denn an seiner Wurzel wachsen Brüste, die prall sind von Milch; dort sind auch die Geister der kleinen Kinder[59] – vermutlich die Seelen der Ungeborenen. Wahrscheinlich werden die Abgeschiedenen wieder zu kleinen Kindern und bereiten sich so auf eine neue irdische Existenz vor, wenn auch der von Evans aufgezeichnete Mythus über diesen Punkt schweigt.

Wir haben hier wieder die Idee des Lebensbaums mit den Seelen der kleinen Kinder in seinen Zweigen, anscheinend ein sehr alter Mythus, wenn auch einem anderen religiösen Komplex zugehörig als der Mythus mit dem Gott Ta Pedn und der Weltachse im Mittelpunkt. In diesem Mythus findet man einerseits die mystische Verbundenheit zwischen Mensch und Pflanze, andererseits die Spuren matriarchalischer Ideologie, welche dem archaischen Komplex – Höchster Himmelsgott, Symbolismus der drei kosmischen Zonen, Mythus von einer Urzeit mit unmittelbaren und leichten Verbindungen zwischen Erde und Himmel (das «verlorene Paradies») – fremd sind. Darüber hinaus verrät das Detail von der Sieben-Tage-Frist, in welcher die Abgeschiedenen in ihr Dorf zurückkommen können, noch jüngeren und zwar indo-malaischen Einfluß.

Bei den Sakai werden diese Einflüsse noch deutlicher. Nach ihrem Glauben verläßt die Seele den Körper durch den Hinterkopf und wendet sich nach Westen. Der Tote versucht durch dieselbe Pforte wie die Malaien in den Himmel einzudringen, doch es gelingt ihm nicht und er wagt sich auf eine Brücke namens Menteg, welche über einen Kessel mit kochendem Wasser führt (eine Vorstellung malaischen Ursprungs, Evans, S. 209, Anm. i). Die Brücke ist in Wirklichkeit ein entrindeter

---

[58] Das Brechen der Knochen und Zurückdrehen der Augen erinnert uns an die Initiationsriten, durch die der Kandidat zum «Geist» werden soll. Über die paradiesische «Fruchtinsel» der Semang, Sakai und Jakun vgl. W. W. Skeat und C. O. Blagden, *Pagan Races of the Malay Peninsula* (London 1906), 2. Bd., S. 207, 209, 321. S. auch u. S. 271, Anm. 61.

[59] Evans, *Studies*, S. 157; Schebesta, *Les Pygmées*, S. 157 ff.; ders., *Jenseitsglaube der Semang auf Malakka* (Festschrift W. Schmidt, S. 635–644).

Baumstamm. Die Seelen der Bösen fallen in den Kessel und Yenang packt sie und brennt sie zu Staub; dann wiegt er sie, und wenn die Seelen leicht geworden sind, schickt er sie zum Himmel, wenn nicht, brennt er sie weiter, um sie durch das Feuer zu reinigen [60].

Die Besisi im Bezirk Kuala Langat in Selangan, wie auch die in Bebrang, sprechen von einer Fruchtinsel, zu der sich die Seelen der Toten aufmachen. Sie ist mit dem Baum Mapik der Semang zu vergleichen. Wenn die Menschen alt werden, können sie wieder Kinder werden und zu wachsen anfangen [61]. Für die Besisi ist das Universum in sechs obere Regionen, die Erde und sechs unterirdische Regionen eingeteilt (Evans, S. 209 f.), eine Mischung also zwischen alter Dreiteilung und indo-malaiischen kosmologischen Ideen.

Bei den Jakun [62] stellt man auf das Grab einen fünf Fuß langen Pfosten, der vierzehn Einschnitte hat, auf der einen Seite sieben aufsteigende, auf der andern sieben absteigende; dieser Pfosten trägt den Namen «Seelentreppe» (Evans, S. 266 f.). Auf die Symbolik der Stiege werden wir noch zurückzukommen haben; für den Augenblick sei auf das Vorkommen der sieben Einschnitte hingewiesen, welche – mit oder ohne Wissen der Jakun – die sieben von der Seele zu durchmessenden Himmelsebenen bedeuten, ein Beweis für das Eindringen orientalischer Ideen selbst bei so «primitiven» Völkern wie den Jakun.

Die Dusun [63] auf Nordborneo stellen sich den Weg der Toten einen Berg hinaufsteigend und einen Fluß überschreitend vor (Evans, S. 33 ff.). Die Rolle des Berges in den Todesmythologien erklärt sich

---

[60] Evans, *Studies*, S. 208. Das Wiegen der Seele und ihre Reinigung durch Feuer sind orientalische Vorstellungen. Die Unterwelt der Sakai weist starke, wahrscheinlich neuere Einflüsse auf, die an die Stelle der bodenständigen Jenseitsvorstellungen traten.

[61] Also der sehr verbreitete Mythus von dem «Paradies», in dem das Leben unendlich weitergeht in einem ewigen Neubeginn. Vgl. Tuma, die Geister-(=Toten-)insel der Melanesier auf Trobriand: «Wenn sie (die Geister) sich gealtert fühlen, werfen sie ihre schlaffe, runzlige Haut ab und tauchen mit einem Körper mit zarter Haut, schwarzen Locken, gesunden Zähnen und voll Kraft daraus hervor. So bildet ihr Leben einen dauernden Neubeginn und eine dauernde Verjüngung mit allem, was die Jugend an Liebesabenteuern und Vergnügungen hat.» (B. Malinowski, *La vie sexuelle des sauvages du Nord-Ouest de la Mélanésie* (franz. Übers. Paris 1930), S. 409; ders., *Myth in Primitive Psychology* (London 1926), S. 80 ff. *(Myth of Death and the recurrent cycle of Life)*.

[62] Nach Evans, *Studies*, S. 264 wäre dieser Stamm von malaiischer Rasse aber von einer früheren (von Sumatra gekommenen) Welle als die Malaien im eigentlichen Sinn.

[63] Von urmalaiischer Rasse, die Ureinwohner der Insel, s. Evans, *a. a. O.*, S. 3.

immer aus dem Symbolismus der Auffahrt und schließt den Glauben an einen himmlischen Aufenthaltsort der Toten ein. An anderer Stelle werden wir sehen, daß die Toten «sich an den Bergen hinaufziehen», ganz wie die Schamanen und Heroen bei ihren Initiationsaufstiegen. Doch ist schon hier zu betonen, daß bei allen hier behandelten Völkern der Schamanismus in enger Abhängigkeit zu den Vorstellungen des Totenglaubens (Berg, Paradiesesinsel, Lebensbaum) und der Kosmologie (Achse der Welt = Kosmischer Baum, drei Regionen des Kosmos, sieben Himmel usw.) steht. Bei der Ausübung seines Handwerks als Heilkundiger oder Seelengeleiter bedient sich der Schamane des traditionellen Wissens der Unterweltstopographie (ob diese nun dem Himmel, dem Meer oder den unterirdischen Bereichen angehört), eines Wissens, das sich letzten Endes auf eine archaische, wenn auch oft durch exotische Einflüsse bereicherte Kosmologie gründet.

Die Ngadju-Dajak auf Südborneo haben eine noch eigenartigere Vorstellung vom Universum. Es gibt zwar eine obere und eine untere Welt, doch unsere Welt ist nicht als drittes Glied zu betrachten, sondern als die Totalität der beiden anderen, denn sie reflektiert und repräsentiert beide zugleich [64]. Dies bildet übrigens einen Bestandteil der archaischen Ideologie, nach welcher die irdischen Dinge nichts anderes sind als eine Wiederholung der exemplarischen Muster im Himmel oder «Jenseits». Dazu kommt, daß die Vorstellung von drei kosmischen Zonen dem Gedanken von der Einheit der Welt nicht zuwiderläuft. Die zahlreichen Symbolismen der Ähnlichkeit der drei Welten und der Verbindungen zwischen ihnen drücken zugleich ihre *Einheit,* ihre Integration in einem einzigen Kosmos aus. Die Dreiteilung der kosmischen Zonen, die wir hier aus schon erörterten Gründen hervorzuheben haben, schließt in keiner Weise weder die tiefe Einheit des Universums noch seinen augenscheinlichen «Dualismus» aus.

Die Mythologie der Ngadju-Dajak ist ziemlich kompliziert, doch läßt sich ein Zug als Dominante herauslösen, und zwar gerade ein «kosmologischer Dualismus». Der Weltenbaum geht diesem Dualismus

---

[64] Vgl. H. Schärer, *Die Vorstellungen der Ober- und Unterwelt bei den Ngadju Dajak von Süd-Borneo* (Cultureel Indie IV, 1942. S. 73–81), bes. S. 78; ders. *Die Gottesidee der Ngadju Dajak in Süd-Borneo* (Leiden 1946), S. 31 ff. Vgl. auch W. Munsterberger, *Ethnologische Studien an indonesischen Schöpfungsmythen. Ein Beitrag zur Kultur-Analyse Südostasiens* (Haag 1939), bes. S. 143 ff. (Borneo).

voraus, denn er repräsentiert den Kosmos in seiner Ganzheit (Schärer, *Die Gottesidee,* S. 35 ff.); er symbolisiert sogar die Einswerdung der beiden obersten Gottheiten (*ebd.,* S. 37 ff.). Die Schöpfung ist das Ergebnis des Konflikts zwischen den Gottheiten, welche die beiden polaren Prinzipien repräsentieren: das (kosmologisch niedrigere) weibliche, durch Wasser und Schlange repräsentiert, und das höhere männliche, den Vogel. Während des Kampfes zwischen den gegnerischen Göttern wird der Weltenbaum (= die uranfängliche Totalität) zerstört (Schärer, S. 34), doch diese Zerstörung ist nur vorübergehend; der Weltenbaum, Archetyp jeder menschlichen Schöpfungstätigkeit, wird nur zerstört um wieder entstehen zu können. Wir möchten aus diesen Mythen ebensowohl das alte kosmogonische Schema der Hierogamie Himmel-Erde, das auf anderer Ebene auch durch den Symbolismus der entgegengesetzten Komplementärgestalten Vogel und Schlange ausgedrückt ist, herauslesen als die «dualistische» Struktur der alten Mondmythologien (Opposition des Entgegengesetzten, Abwechslung zwischen Zerstörung und Schöpfung, ewige Wiederkehr). Unbestreitbar sind später indische Einflüsse zu dem alten autochthonen Untergrund hinzugekommen, wenn sich diese Einflüsse auch oft auf die Nomenklatur der Götter beschränkt haben.

Besonders sei jedoch darauf hingewiesen, daß der Weltenbaum in jedem Dajak-Dorf, ja fast in jedem Haus vorhanden ist (vgl. Schärer, S. 76 ff. und Taf. I–II), und zwar ist dieser Baum mit sieben Ästen gebildet. Daß er die Weltachse und damit den Weg zum Himmel symbolisiert, geht aus der Tatsache hervor, daß sich ein solcher Baum in jedem von den indonesischen «Totenschiffen» befindet, welche die Abgeschiedenen in das himmlische Jenseits bringen sollen[65]. Dieser Baum, der mit sechs Ästen gezeichnet wird (sieben mit dem Wipfelbusch) und Sonne und Mond zur Seite hat, zeigt sich zuweilen in der Form einer Lanze, die mit denselben Symbolen geschmückt ist wie die «Schamanenleiter», auf der der Schamane in die Himmel klettert, wenn er die flüchtige Seele des Kranken zurückbringen soll[66]. Dieses Baum-Lanzen-Lei-

---

[65] Alfred Steinmann. *Das kultische Schiff in Indonesien* (Jahresbericht für prähistorische und ethnographische Kunst, 1938–1940, S. 149–205), S. 163; ders., *Eine Geisterschiffmalerei aus Süd-Borneo* (Auszug in Jahrbuch des Bernischen historischen Museums in Bern XXII, 1942), S. 6 (des Auszuges).

[66] A. Steinmann, *Das kultische Schiff,* S. 163.

tergebilde in den «Totenschiffen» ist nichts anderes als die Wiederholung des Wunderbaumes im Jenseits, den die Seelen auf ihrer Reise zu dem Gott Devata Sangiang antreffen. Die indonesischen Schamanen, z. B. die der Sakai, Kubu und Dajak, besitzen ebenfalls einen Baum, den sie als Leiter gebrauchen um in die Geisterwelt zu gelangen und die Seelen der Kranken zu suchen [67]. Über die Rolle des Lanzenbaumes werden wir noch bei der Untersuchung der indonesischen Schamanentechniken sprechen. Hier sei nur darauf hingewiesen, daß der Schamanenbaum der Dusun-Dajak, der bei den Heilungszeremonien benützt wird, sieben Äste hat (Steinmann, S. 189).

Die Batak, deren religiöse Ideen zum größten Teil aus Indien stammen, stellen sich das Universum in drei Regionen geteilt vor: einen Himmel mit sieben Stockwerken, in dem die Götter wohnen, die Erde, von den Menschen besetzt, und die Unterwelt als Aufenthaltsort der Dämonen und Abgeschiedenen [68]. Man trifft auch hier den Mythus von einer paradiesischen Zeit, wo der Himmel der Erde näher war und wo es einen dauernden Verkehr zwischen Göttern und Menschen gab, doch wegen dem Stolz des Menschen wurde der Weg zur himmlischen Welt abgeschnitten. Der oberste Gott, Mula djadi na bolon («Der seinen Anfang in sich selbst hat»), der Schöpfer des Universums und der übrigen Götter, bewohnt den letzten Himmel und scheint wie alle höchsten Götter der «Primitiven» ein *deus otiosus* geworden zu sein; man bringt ihm keine Opfer dar. In den unterirdischen Regionen lebt eine kosmische Schlange, die zuletzt die Welt vernichten wird [69].

Die Minangkabau auf Sumatra haben eine hybride Religion auf animistischer Grundlage, doch stark beeinflußt von Hinduismus und Islam [70]. Das Universum hat sieben Stockwerke. Nach dem Tod muß

---

[67] A. Steinmann, *ebd.* Auch bei den Japanern gelten Pfosten und Baum noch heute als der «Weg der Götter», vgl. Alex. Slavik, *Kultische Geheimbünde der Japaner und Germanen* (Wiener Beitr. zur Kulturgeschichte und Linguistik, 4. Bd., Salzburg-Leipzig 1936, S. 675–763), S. 727 f., Anm.

[68] Doch wie zu erwarten gelangen viele Tote in den Himmel, s. L. Loeb, *Sumatra*, S. 75. Über die Vielzahl der Reisewege der Toten s. u. S. 340.

[69] J. Loeb, *Sumatra*, S. 74–78.

[70] Wie wir schon mehrmals gesagt haben und später noch deutlicher darlegen werden, gilt diese Erscheinung in der ganzen malaiischen Welt. Vgl. z. B. die mohammedanischen Einflüsse in Toradja, s. Loeb, *Shaman and Seer*, S. 61; komplexe indische Einflüsse auf die Malaien, s. J. Cuisinier, *Danses magiques de Kelantan*, S. 16, 90, 108 usw.; R. O. Winstedt, *Shaman, Saiva and Sufi. A study of the evolution of Malai Magic*

die Seele über die Schneide eines Rasiermessers gehen, das über einer brennenden Unterwelt liegt. Die Sünder fallen ins Feuer, die Guten steigen zum Himmel, wo sich ein großer Baum befindet. Dort bleiben die Seelen bis zur endlichen Auferstehung [71]. Man erkennt leicht die Mischung von archaischen Themen (Brücke, Lebensbaum als Aufnahmeort und Nährer der Seelen) mit auswärtigen Einflüssen (das Feuer der Unterwelt, die Idee der endlichen Auferstehung).

Die Nias kennen den Kosmischen Baum, der alles hervorgebracht hat. Die Toten benützen, um zum Himmel aufzusteigen, eine Brücke; unter dieser Brücke liegt der Abgrund der Unterwelt. Ein Wächter mit Schild und Lanze ist am Eingang zum Himmel aufgestellt; eine Katze hilft ihm die Seelen der Schuldigen in die Gewässer der Unterwelt werfen [72].

Damit genug der indonesischen Beispiele. Auf alle diese mythischen Motive (Totenbrücke, Aufstieg usw.) wie auf die damit irgendwie verbundenen schamanischen Techniken werden wir noch zurückkommen. Hier wollten wir nur, wenigstens für einen Teil des ozeanischen Gebietes, die Existenz eines kosmologischen und religiösen Komplexes von höchster Altertümlichkeit zeigen, welcher durch die im Lauf der Zeit erfahrenen Einflüsse indischer und asiatischer Vorstellungen auf verschiedene Weise abgewandelt worden ist.

(London 1925), bes. S. 8 ff., 55 ff. und passim (islamische Einflüsse S. 28 ff. und passim); ders., *Indian influences in the Malay world* (Journal of the Royal Asiatic Society 1944, S. 186–196); Munsterberger, *Ethnologische Studien*, S. 83 ff., indische Einflüsse in Indonesien; hinduistische Einflüsse in Polynesien s. E. S. C. Handy, *Polynesian Religion* (Honolulu, Hawai, 1927), passim; Chadwick, *Growth of Literature* III, S. 303 ff. Doch darf man nicht vergessen, daß diese Einflüsse im allgemeinen nur den *Ausdruck* des magisch-religiösen Lebens verändert haben und daß sie auf keinen Fall die großen mythologischen Schemata geschaffen haben, welche uns in der vorliegenden Arbeit beschäftigen.

[71] J. Loeb, *Sumatra*, S. 124.

[72] J. Loeb, *Sumatra*, S. 150 ff. Der Verfasser erwähnt (S. 154) die Ähnlichkeit zwischen diesem Komplex unterweltlicher Mythologie bei den Nias und den Ideen der indischen Nagas-Völker; man könnte den Vergleich auch auf andere indische Ureinwohner ausdehnen. Es sind Reste der sogenannten austroasiatischen Zivilisation, an welcher die präarischen und prädravidischen Völker Indiens sowie die meisten Ureinwohnervölker Indochinas und der Insulinde teilhaben. Über einige ihrer Kennzeichen vgl. unser *Yoga. Essai sur les origines de la mystique indienne* (Paris 1936), S. 292 ff., sowie Coèdes, *Les Etats Hindouisés*, S. 23 ff.

IX

DER SCHAMANISMUS IN NORD- UND SÜDAMERIKA

Der Schamanismus bei den Eskimo

Wie es sich auch mit den historischen Beziehungen zwischen Nordasien und Nordamerika verhalten mag, der Kulturzusammenhang zwischen Eskimo und modernen arktischen Völkern Asiens und sogar Europas (Tschuktschen, Jakuten, Samojeden und Lappen) leidet nicht den Schatten eines Zweifels[1]. Eines der Hauptelemente dieses Kulturzusammenhangs bildet der Schamanismus; die Schamanen spielen im religiösen und sozialen Leben der Eskimo dieselbe Hauptrolle wie bei ihren asiatischen Nachbarn. Wie wir gesehen haben, trägt die schamanische Initiation hier und dort dieselben Grundzüge der mystischen Initiationen: Berufen werden, sich in die Einsamkeit zurückziehen, Lehrzeit bei einem Meister, Gewinnung eines oder mehrerer Hausgeister, symbolisches Ritual mit Tod und Auferstehung, Geheimsprache. Wie wir sogleich sehen werden, gehören zu den ekstatischen Erlebnissen der Eskimo-*angakok* der mystische Flug und die Reise in die Tiefe des Meeres, was beides für den nordasiatischen Schamanismus kennzeichnend ist. Man bemerkt auch engere Beziehungen zwischen dem Eskimoschamanen und der Himmelsgottheit bzw. dem Kosmokraten, der später an deren Stelle getreten ist[2]. Freilich gibt es auch

---

[1] Vgl. W. Thalbitzer, *Parallels within the culture of the arctic peoples* (Annaes do XX Congresso Internacional de Americanistas, 1. Bd.; Rio de Janeiro 1924, S. 283–287); Fr. Birket-Smith, *Über die Herkunft der Eskimo und ihre Stellung in der zirkumpolaren Kulturentwicklung* (Anthropos, 25. Bd., 1930, S. 1–23); Paul Rivet, *Los origines del hombre americano* (Mexiko 1943), S. 105 ff. Man hat sogar versucht, eine sprachliche Verwandtschaft zwischen der Eskimosprache und den zentralasiatischen Mundarten zu finden, vgl. z. B. Aurélien Sauvageot, *Eskimo et Ouralien*, Journal de la Société des Américanistes de Paris, neue Serie, 16. Bd., 1924, S. 279–316. Doch hat diese Hypothese noch nicht die Zustimmung der Spezialisten gefunden.

[2] Vgl. K. Rasmussen, *Die Thulefahrt* (Frankfurt a. Main, 1926), S. 145 ff.; als Vermittler zwischen den Menschen und Sila (dem Kosmokrator, dem Herrn des Universums) widmen die Schamanen diesem Großen Gott eine ganz besondere Verehrung und bemühen sich, durch Konzentration und Meditation mit ihm in Berührung zu treten.

gewisse weniger wichtige Unterschiede gegenüber Nordostasien, so fehlt dem Eskimoschamanen eine Ritualtracht im eigentlichen Sinn und die Trommel.

Die Hauptvorrechte des Eskimoschamanen sind Heilung, Unterseereise zur Mutter der Tiere zwecks Sicherung des Wildreichtums, Beeinflussung des Wetters (durch seine Beziehung zu Sila) und Abhilfe für die Unfruchtbarkeit der Frauen[3]. Die Krankheit wird durch Verletzung der Tabus hervorgerufen, also durch eine Unordnung im Sakralen, oder sie kommt daher, daß ein Toter die Seele geraubt hat. Im ersteren Fall bemüht sich der Schamane den Flecken durch kollektive Schuldbekenntnisse auszulöschen[4], im zweiten unternimmt er die ekstatische Reise zum Himmel oder in die Tiefen des Meeres, um dort die Seele des Kranken zu finden und sie in seinen Körper zurückzubringen[5]. Nur durch ekstatische Reisen vermag der Schamane sich Takánakapsâluk auf dem Grund des Ozeans oder Sila in den Himmeln zu nähern. Er ist übrigens Spezialist im magischen Flug. Gewisse Schamanen haben den Mond besucht, andere sind rund um die Erde geflogen[6]. Nach den Überlieferungen fliegen die Schamanen wie die Vögel; sie breiten ihre Arme aus wie der Vogel seine Flügel. Die *angâkut* kennen außerdem die Zukunft, machen Prophezeiungen, kündigen das Umschlagen des Wetters an und tun sich in magischen Wundertaten hervor.

Trotzdem erinnern sich die Eskimo einer Zeit, wo die *angâkut* viel mächtiger waren als heute (Rasmussen, *Iglulik Eskimos*, S. 131 ff.,

[3] W. Thalbitzer, *The Heathen Priests of East Greenland* (XVI. Internationaler Amerikanistenkongreß, 1908, Wien und Leipzig 1910, 2. Bd., S. 447–464), S. 457; Knud Rasmussen, *Intellectual Culture of the Iglulik Eskimos* (Report of the fifth Thule Expedition 1921–1924, 6. Bd., Nr. 1, Kopenhagen 1929), S. 109; E. M. Weyer, *Eskimos. Their environment and folkways* (New Haven 1932), S. 422, 437 ff.; K. Rasmussen, *Intellectual Culture of the Copper Eskimos* (Report, 9. Bd., Kopenhagen 1932), S. 28 ff.

[4] Vgl. z. B. Rasmussen, *The Iglulik Eskimos*, S. 133 ff., 144 ff.

[5] Man glaubt, daß sich die Seele des Kranken nach Gegenden wendet, die reich an Sakralem jeder Art sind, nach den großen kosmischen Regionen («Mond», «Himmel»), den von Toten besuchten Orten, den Quellen des Lebens (das «Bärenland» wie bei den grönländischen Eskimo; vgl. Thalbitzer, *Les magiciens esquimaux*, S. 80 ff.).

[6] K. Rasmussen, *The Netsilik Eskimos. Social Life and Spiritual Culture* (Report, 8. Bd., 1–2, Kopenhagen 1931), S. 299 ff.; G. Holm in *The Ammasalik Eskimo*, hrsg. von William Thalbitzer, 1. Teil (Kopenhagen 1914), S. 96 ff. Über die Reise der Zentraleskimo in den Mond s. unten. Ein überraschender Zug: diese Traditionen von den ekstatischen Reisen der Schamanen fehlen vollständig bei den Copper-Eskimo, vgl. Rasmussen, *The Copper Eskimos*, S. 33.

ders., *Netsilik Eskimos*, S. 295). «Ich bin selber Schamane», sagte jemand zu Rasmussen, «aber ich bin nichts im Vergleich mit meinem Großvater Titqatsaq. Der lebte noch in einer Zeit, wo ein Schamane bis zur Mutter der Meertiere hinabsteigen, bis zum Mond auffliegen und Reisen durch die Lüfte machen konnte...» (Rasmussen, *The Netsilik Eskimos*, S. 299). Bemerkenswert, daß auch hier die Vorstellung von der gegenwärtigen Dekadenz der Schamanen auftaucht, der wir bereits in anderen Kulturen begegnet sind.

Der Eskimoschamane weiß nicht nur um gutes Wetter zu Sila zu beten (vgl. Rasmussen, *The Thulefahrt*, S. 168 ff.), er kann auch selbst den Sturm aufhalten durch ein ziemlich kompliziertes Ritual, welches den Beistand von Hilfsgeistern, eine Totenbeschwörung und ein Duell mit einem anderen Schamanen enthält, in dessen Verlauf dieser mehrmals «getötet» und «wieder auferweckt» wird [7]. Gleich welchen Gegenstand sie haben, finden die Sitzungen immer am Abend und in Anwesenheit des ganzen Dorfes statt. Von Zeit zu Zeit ermuntern die Zuschauer den *angakok* durch gellende Lieder und Schreie. Der Schamane hält lange Gesänge in «Geheimsprache», um die Geister zu beschwören. Wenn er in Trance gefallen ist, spricht er mit hoher, fremder Stimme, die nicht ihm selbst zu gehören scheint [8]. Die improvisierten Gesänge während der Trance lassen zuweilen etwas von den mystischen Erlebnissen des Schamanen erkennen.

> «Mein ganzer Körper ist nichts als Augen.
> Schaut ihn an! Habt keine Angst!
> Ich schaue nach allen Seiten!»

singt ein Schamane (Thalbitzer, *Les magiciens esquimaux*, S. 102) und meint damit ohne Zweifel das mystische Erlebnis des inneren Lichts, das er erfährt, bevor er in Trance gerät.

Doch neben diesen Sitzungen, die durch kollektive Probleme (Stürme, Wildmangel, Wettervorhersage usw.) oder Krankheit (die ebenfalls auf die eine oder andre Art das Gleichgewicht der Gesell-

---

[7] S. die lange Beschreibung einer Sitzung dieser Art bei Rasmussen, *The Copper Eskimos*, S. 34 ff.; vgl. auch den scharfsichtigen Kommentar von Ernesto de Martino, *Il Mondo Magico* (Turin 1948), S. 148 f.

[8] Vgl. z. B. Rasmussen, *The Netsilik Eskimos*, S. 294; Weyer, *a. a. O.*, S. 437 f.

schaft bedroht) geboten sind, unternimmt der Schamane ekstatische Reisen zum Himmel oder ins Totenland auch nur zum Vergnügen («for joy alone»). Er läßt sich anbinden, wie es bei der Vorbereitung zu einer Auffahrt üblich ist, und entfliegt in die Lüfte; dort unterhält er sich lange mit den Toten usw., und wenn er wieder auf der Erde ist, erzählt er vom Leben der Abgeschiedenen im Himmel (Rasmussen, *Iglulik*, S. 129–131). Dieser Zug ist ein Beweis für das Bedürfnis des Schamanen nach dem ekstatischen Erlebnis um seiner selbst willen und erklärt zugleich seinen Hang zur Einsamkeit und Meditation, seine langen Unterhaltungen mit seinen Hilfsgeistern und sein Ruhebedürfnis.

Für den Aufenthalt der Toten gibt es im allgemeinen drei Regionen (vgl. z. B. Rasmussen, *Netsilik*, S. 315 ff.), den Himmel, eine Unterwelt unmittelbar unter der Erdrinde und eine zweite Unterwelt sehr tief in der Erde. In den Himmeln wie in der wirklichen, tiefen Unterwelt führen die Toten ein glückliches Dasein und erfreuen sich eines Lebens der Freude und des Glücks. Der einzige große Unterschied zum irdischen Leben liegt darin, daß dort unten immer die entgegengesetzten Jahreszeiten sind wie auf der Erde: Wenn bei uns Winter ist, ist im Himmel und in der Unterwelt Sommer, und umgekehrt. Nur in der Unterwelt direkt unter der Erdrinde, die verschiedenen Arten von Tabuverletzern und den mittelmäßigen Jägern vorbehalten ist, herrschen Hunger und Verzweiflung (Rasmussen, *ebd.*). Die Schamanen kennen jede von diesen Gegenden ganz genau, und wenn ein Toter Angst hat den Weg ins Jenseits allein anzutreten und sich der Seele eines Lebenden bemächtigt, weiß der *angakok*, wo er ihn zu suchen hat.

Manchmal geschieht die Jenseitsreise des Schamanen während einer kataleptischen Trance, die alle Anzeichen eines Scheintodes zeigt. So bei einem Schamanen in Alaska, der angibt drei Tage tot gewesen und zwei Tage lang den Weg der Abgeschiedenen gegangen zu sein, und zwar sei dieser Weg recht gut gebahnt gewesen von allen denen, die ihm vorausgegangen waren. Im Gehen hörte er fortwährend Weinen und Wehklagen und er erfuhr, daß das die Lebenden waren, die ihre Toten beweinten. Er kam zu einem großen Dorf, ganz wie die Dörfer der Lebenden; dort führten ihn zwei Schatten in ein Haus. Ein Feuer brannte in der Mitte des Hauses und ein paar Fleischstücke schmorten auf der Kohlenglut, aber sie hatten lebendige Augen, die den Bewegungen des Schamanen folgten. Die Begleiter schärften ihm ein, das Fleisch nicht anzurühren (wenn der Schamane einmal von den Gerichten des Totenlandes gekostet hätte, hätte er Schwierigkeiten mit der Rückkehr auf die Erde gehabt). Als er einige Zeit in dem Dorf zugebracht hatte, setzte er seinen Weg fort, kam an die Milchstraße, lief lange auf ihr und stieg schließlich auf sein Grab herab. Sobald er wieder im Grab war, kam sein Körper zum Leben zurück, und der Schamane verließ den Friedhof, kam in das Dorf und erzählte seine Abenteuer [9].

Wir haben hier mit einem ekstatischen Erlebnis zu tun, dessen Gehalt über die Sphäre des Schamanismus im eigentlichen Sinn hinausreicht, das aber, wiewohl auch anderen privilegierten Menschen zugänglich, doch im schamanischen Milieu sehr häufig ist. Die Unterwelts- und Paradiesfahrten aus den Heldentaten der polynesischen, turktatarischen, nordamerikanischen und anderer Heroen fügen sich in diese Klasse ekstatischer Reisen in die verbotenen Zonen, und die betreffenden Totenmythologien sind von Heldentaten dieser Art gespeist.

Seine ekstatischen Fähigkeiten erlauben dem Eskimoschamanen jede beliebige Reise «im Geiste» in jede kosmische Region. Er trifft immer die Vorsichtsmaßnahme sich mit Seilen binden zu lassen, damit er nur «im Geist» reisen kann; andernfalls würde er durch die Lüfte davongetragen und verschwände für immer. Gehörig festgebunden und manchmal von den anderen Anwesenden durch einen Vorhang getrennt beginnen sie mit der Beschwörung ihrer Hausgeister; mit ihrer Hilfe verlassen sie die Erde und erreichen den Mond oder dringen in die Eingeweide des Ozeans oder der Erde hinab. So wurde ein Schamane bei den Baffin-Eskimo von seinem Hilfsgeist (in diesem Fall einem Bären) auf den Mond getragen; dort traf er auf ein Haus, dessen Tür, der Schlund einer Robbe, den Eindringling zu zerreißen drohte (das wohlbekannte Motiv vom «schwierigen Eingang», auf das wir später noch zurückkommen werden). Er dringt aber in das Haus ein und trifft dort den Mondmann und seine Frau, die Sonne. Nach manchem Abenteuer kommt er auf die Erde zurück und sein Körper, der während der Ekstase leblos gelegen hat, gibt Zeichen des Lebens. Zum Schluß entledigt sich der Schamane aller Stricke, die ihn ge-

---

[9] E. W. Nelson, *The Eskimo about Bering Strait* (18 Annual Report of the Bureau of American Ethnology, 1896–1897, 1. Teil, Washington 1899, S. 19–518), S. 433 ff.

fangen hielten, und erzählt den Anwesenden die Wechselfälle seiner Reise[10].

Diese ohne ersichtliches Motiv unternommenen Taten wiederholen in gewissem Maß die mit Gefahren übersäte Initiationsreise und speziell den Durchgang durch eine «enge Pforte», die nur für einen Augenblick offen bleibt. Der Eskimoschamane fühlt ein Bedürfnis nach diesen ekstatischen Reisen, denn in der Trance wird er am meisten er selbst; das mystische Element ist ihm unentbehrlich, denn es bildet ein Konstitutivum seiner eigenen Persönlichkeit.

Doch nicht nur die «Reisen im Geiste» verlangen solche Initiationsproben von ihm. Die Eskimo werden periodisch von den bösen Geistern terrorisiert und die Schamanen haben die Aufgabe sie zu entfernen. Die hiezu nötige Sitzung enthält einen scharfen Kampf zwischen den Hausgeistern des Schamanen und den bösen Geistern (die entweder durch Verletzung von Tabus gereizte Naturgeister oder aber die Seelen bestimmter Toter sind). Zuweilen verläßt der Schamane die Hütte und kommt mit blutigen Händen zurück (Rasmussen, *Iglulik Eskimos*, S. 144 ff.).

Wenn der Schamane daran ist in Trance zu fallen, macht er Bewegungen, wie wenn er untertauchen würde. Auch wenn er in die Gegenden unter der Erde hinabdringt, macht er den Eindruck, als ob er tauchte und wieder an die Oberfläche des Ozeans zurückkäme. Man erzählte Thalbitzer, daß ein Schamane «zum drittenmal zurückkam, bevor er für ganz untertauchte» (*The Heathen Priests*, S. 459). Der am häufigsten benützte Ausdruck, wenn man von einem Schamanen spricht, ist «der auf den Meeresgrund hinabsteigt» (Rasmussen, *Iglulik*, S. 124). Die Unterseefahrten sind, wie wir gesehen haben, symbolisch auf der Tracht vieler sibirischer Schamanen verbildlicht (Entenfüße, Zeichnungen von Tauchervögeln usw.). Auf dem Meeresgrund befindet sich ja die Mutter der Meertiere, eine mythische Formel für die Große Göttin der wilden Tiere, Quelle und Mutterschoß allen Lebens,

---

[10] Franz Boas, *The Central Eskimo* (VI Annual Report of the Bureau of Ethnology, 1884–1885, Washington 1888, S. 399–670), S. 598 ff. Wie sich der Schamane von den Stricken befreit, die ihn fest gebunden halten, bildet eines von vielen parapsychologischen Problemen, welche wir hier nicht anschneiden können. Von unserem Standpunkt aus, welcher der Standpunkt der Religionsgeschichte ist, kennzeichnet die Selbstbefreiung von den Stricken ebenso wie viele andere schamanische «Wunder» die «geistermäßige» Verfassung, die man dem Schamanen kraft seiner Initiation zuschreibt.

von deren Wohlwollen die Existenz des Stammes abhängt. Aus diesem Grund muß der Schamane periodisch dort hinabsteigen, um den geistigen Kontakt mit der Mutter der Tiere wiederherzustellen. Doch wie schon bemerkt schließt die große Bedeutung dieser Göttin für das religiöse Leben der Gesamtheit und das mystische Erlebnis des Schamanen keineswegs die Verehrung Silas, des Höchsten Wesens himmlischer Struktur aus, das seinerseits über das Wetter herrscht und Orkane und Schneestürme schickt. Deshalb scheinen die Eskimoschamanen weder auf Unterseefahrten noch auf Himmelfahrten spezialisiert zu sein; ihr Handwerk verlangt das eine wie das andere.

Der Abstieg zu Takánakapsâluk, der Mutter der Robbe, wird auf Verlangen einer einzelnen Person wegen Krankheit oder schlechtem Jagdglück unternommen, und in diesem Fall empfängt der Schamane ein Entgelt. Doch manchmal kommt es auch vor, daß das Wild ganz und gar ausbleibt und das ganze Dorf von der Hungersnot bedroht ist; dann vereinigen sich alle Einwohner in dem Haus, wo die Sitzung stattfindet, und die ekstatische Reise des Schamanen geschieht im Namen der ganzen Gemeinschaft. Die Anwesenden müssen ihre Gürtel und Schnürbänder lösen und schweigend und mit geschlossenen Augen verharren. Der Schamane schweigt einige Zeit und atmet tief, dann beschwört er die Hilfsgeister. Wenn sie kommen, beginnt der Schamane zu murmeln: «Der Weg ist offen vor mir! Der Weg ist offen!» und die Anwesenden wiederholen im Chor: «Amen!» Und wirklich öffnet sich die Erde, aber im nächsten Augenblick schließt sie sich wieder, und der Schamane hat noch lang mit unbekannten Kräften zu ringen, bevor er endlich ausruft: «Jetzt ist der Weg ganz offen!» Und die Zuschauer rufen im Chor: «Daß der Weg vor ihm offen bleibt, daß er einen Weg vor sich hat!» Man hört, zuerst unter dem Bett, dann weiter entfernt auf dem Weg den Schrei «halala-he-he-he, halala-hehe-he!» – das Zeichen, daß der Schamane schon abgereist ist. Der Schrei klingt immer ferner, bis er ganz aufhört.

Inzwischen singen die Geladenen mit geschlossenen Augen im Chor, und es kommt vor, daß die Kleider des Schamanen, die er vor der Sitzung abgeworfen hat, sich beleben und über die Köpfe weg durchs Haus zu fliegen anfangen. Man hört auch Seufzer und tiefes Atmen von Personen, die schon lange gestorben sind; das sind die abgeschiedenen Schamanen, die gekommen sind, um ihrem Mitbruder auf seiner gefährlichen Reise zu helfen. Und die Seufzer und das Atmen scheinen von sehr weit unter dem Wasser zu kommen, als ob es Meertiere wären.

Auf dem Meeresgrund angekommen findet sich der Schamane vor drei großen Steinen in ständiger Bewegung, die ihm den Weg versperren; er muß zwischen ihnen hindurch auf die Gefahr, zermalmt zu werden. (Wieder ein Bild des «engen Durchgangs», der den Zugang zur höheren Seinsebene jedem «Nichteingeweihten» verwehrt, also jedem, der nicht fähig ist sich als «Geist» zu gebaren.) Nach Überwindung dieses Hindernisses folgt der Schamane einem Pfad und gelangt an eine Art Bucht; auf einem Hügel erhebt sich in Stein gebaut und mit einem engen Eingang versehen das Haus Takánakapsâluks. Er hört die Seetiere schnaufen und keuchen, sieht sie aber nicht. Ein zähnebleckender Hund verwehrt den Eintritt; er ist gefährlich für alle, die vor ihm Angst haben, doch der Schamane schreitet über ihn weg und der Hund merkt, daß er es mit einem sehr mächtigen Zauberer zu tun hat. (Alle diese Hindernisse erwarten nur den gewöhnlichen Schamanen; die wirklich starken kommen direkt auf den Meeresgrund und zu Takánakapsâluk, indem sie unter ihr Zelt oder ihre Schneehütte tauchen, wie wenn sie in ein Rohr glitten...)

Wenn die Göttin den Menschen zürnt, erhebt sich eine große Mauer vor ihrem Haus. Der Schamane muß sie mit einem Schulterstoß einschlagen. Andere sagen, das Haus Takánakapsâluks habe kein Dach, damit die Göttin von ihrem Feuerplatz die Taten der Menschen sehen kann. In einem Teich rechts von der Feuerstelle sind Seetiere aller Art beisammen, man hört sie schreien und schnaufen. Das Gesicht der Göttin ist von ihren Haaren verhangen und sie ist schmutzig und ungepflegt; die Sünden der Menschen machen sie beinahe krank. Der Schamane muß sich ihr nähern, sie bei der Schulter fassen und ihr die Haare kämmen (denn die Göttin hat keine Finger und kann sich nicht selber kämmen). Bevor er soweit kommt, gibt es noch ein Hindernis zu überwinden: Der Vater Takánakapsâluks hält ihn für einen Toten auf dem Weg zum Schattenreich und will seine Hand auf ihn legen, aber der Schamane ruft: «Ich bin von Fleisch und Blut!» und darf weitergehen.

Während er Takánakapsâluk kämmt, sagt der Schamane zu ihr: «Die Menschen haben keine Robben mehr...!» Und die Göttin antwortet ihm in der Geistersprache: «Die heimlichen Fehlgeburten der

Frauen und die Verletzungen des *tabu* durch Essen von gekochtem Fleisch haben den Tieren den Weg versperrt!» Der Schamane muß nun alles in Bewegung setzen um die Göttin zu besänftigen, und schließlich öffnet sie den Teich und läßt die Tiere frei. Man gewahrt ihre Bewegungen am Meeresgrund und bald darauf hört man das stoßweise Atmen des Schamanen, wie wenn er an die Wasseroberfläche auftauchte. Ein langes Schweigen folgt. Schließlich kündigt der Schamane an: «Ich habe etwas zu sagen!» Alle antworten: «Sagt es! sagt es!» Und der Schamane verlangt in der Geistersprache das Bekenntnis der Sünden. Eine nach der andern gestehen die Frauen ihre Fehlgeburten und die Tabuverletzungen und erwecken Reue[11].

Dieser ekstatische Abstieg auf den Meeresgrund bringt also eine ununterbrochene Reihe von Hindernissen, die zum Verwechseln den Proben bei einer Initiation gleichsehen. Motive wie der Durchgang durch einen Zwischenraum, der sich jeden Augenblick schließen kann, der Übergang über eine Brücke, die so breit ist wie ein Haar, der Höllenhund, das Besänftigen der erzürnten Göttin durchziehen wie Leitmotive sowohl die Initiationsberichte wie diese mystischen Reisen ins «Jenseits». Im einen wie im andern Fall geschieht die nämliche Durchbrechung der ontologischen Ebene. Diese Proben sollen erhärten, daß der Held einer solchen Tat die menschliche Verfassung überstiegen, daß er sich den «Geistern» angeglichen hat (also ein Bild für eine Veränderung ontologischer Art: er hat zur Welt der «Geister» Zugang). Wenn er kein «Geist» wäre, könnte der Schamane niemals durch einen so engen Zwischenraum hindurchkommen...

Außer den Schamanen kann auch jeder andere Eskimo die Geister befragen; diese Methode heißt *qilaneq*. Man braucht dazu nur den Kranken auf die Erde zu setzen und ihm den Kopf mit dem Gürtel hochzuhalten. Man ruft die Geister an, und wenn der Kopf schwer wird, ist das das Zeichen, daß die Geister anwesend sind. Nun stellt man ihnen Fragen; wird der Kopf noch schwerer, so ist die Antwort ja, scheint er dagegen leicht, so ist die Antwort nein. Die Frauen benützen häufig dieses bequeme Mittel des Wahrsagens durch die Geister. Auch die Schamanen greifen manchmal dazu; sie bedienen sich ihres eigenen Fußes (Rasmussen, *Iglulik Eskimos*, S. 141 ff.).

---

[11] Rasmussen, *Intellectual Culture of the Iglulik Eskimos*, S. 124 ff. Vgl. auch Erland Ehnmark, *Anthropomorphism and miracle* (Uppsala-Leipzig, 1939), S. 151 ff.

Möglich wird dies alles durch den allgemeinen Glauben an Geister und besonders durch den lebhaft empfundenen Verkehr mit den Seelen der Toten. In den mystischen Erlebnissen der Eskimo ist etwas wie ein elementarer Spiritismus enthalten. Man fürchtet nur die Toten, die infolge verschiedener Tabuverletzungen grausam und boshaft geworden sind. Mit den übrigen treten die Eskimo gern in Beziehung. Zu den Toten kommt eine Unzahl von Naturgeistern, die, jeder auf seine Art, den Eskimo Dienste erweisen. Jeder Eskimo kann die Hilfe oder den Schutz eines Geistes oder eines Toten erlangen, doch ist damit keine Schamanenkraft verbunden. Hier wie in sovielen anderen Kulturen ist nur *der* ein Schamane, der sich infolge mystischer Berufung oder eigener Entscheidung der Unterweisung eines Meisters unterzieht, mit Erfolg die Initiationsproben ablegt und ekstatischer Erlebnisse fähig wird, die den übrigen Sterblichen unzugänglich sind.

Nordamerikanischer Schamanismus

Bei vielen nordamerikanischen Stämmen beherrscht der Schamanismus das religiöse Leben oder liefert wenigstens seinen wichtigsten Aspekt. Nirgends aber hat der Schamane das Monopol für alle religiösen Erlebnisse. Es gibt außer ihm noch andere Techniker des Sakralen: den Priester, den Zauberer (Schwarzmagier); auf der anderen Seite bemüht sich, wie wir gesehen haben, ein jedes Individuum zu seinem persönlichen Vorteil um gewisse religiös-magische Kräfte, die meistens mit bestimmten Schutz- oder Hilfs«geistern» identifiziert werden. Nichtsdestoweniger unterscheidet sich der Schamane von den einen und den andern – von seinen Kollegen und den Profanen – durch die Intensität seiner religiös-magischen Erlebnisse. Jeder Indianer kann einen «Schutzgeist» oder eine «Macht» erlangen, die ihn zu «Visionen» fähig macht und seine Reserven an Sakralem vermehrt, aber nur der Schamane vermag dank seiner Beziehungen zu den Geistern tiefer in die übernatürliche Welt einzudringen; mit anderen Worten, nur er bringt es zu einer Technik, die ihm ekstatische Reisen nach Belieben erlaubt.

Weniger deutlich sind die Unterschiede zwischen dem Schamanen und den anderen Spezialisten des Sakralen (Priestern und Schwarzmagiern). Swanton hat die folgende Zweiteilung vorgeschlagen: Die Priester arbeiten für den ganzen Stamm oder die ganze Nation, auf jeden Fall für irgendeine Gesellschaft, während die Autorität der Schamanen einzig von ihrer persönlichen Fähigkeit abhinge[12]. Doch Park bemerkt richtig, daß in bestimmten Kulturen (z. B. an der Nordwestküste) die Schamanen gewisse priesterliche Funktionen erfüllen[13]. Wissler optiert für die herkömmliche Unterscheidung zwischen Kenntnis und Praxis der Rituale als Kennzeichen der Priester und dem direkten Erlebnis übernatürlicher Kräfte als Kennzeichen des Schamanen[14]. Im Ganzen drängt sich dieser Unterschied auch wirklich auf, aber man darf nicht vergessen, daß auch der Schamane, um es noch einmal zu sagen, sich ein *corpus* von Doktrinen und Traditionen anzueignen hat und sich manchmal einer Lehrzeit bei einem alten Meister unterzieht oder eine Initiation durch einen «Geist» erfährt, wobei ihm die schamanische Überlieferung des Stammes zuteil wird.

Park seinerseits (*a. a. O.*, S. 10) definiert den nordamerikanischen Schamanismus mit der übernatürlichen Kraft, welche der Schamane durch ein unmittelbares, persönliches Erlebnis erwirbt. «Diese Kraft wird im allgemeinen so angewendet, daß sie sich auf die ganze Gemeinschaft auswirkt. Deshalb kann die Ausübung der Zauberei ein ebenso wichtiger Bestandteil des Schamanismus sein wie die Behandlung der Krankheiten oder der Jagdzauber für die gemeinsame Jagd. Wir wollen mit dem Terminus Schamanismus alle Praktiken bezeichnen, durch welche die Menschen übernatürliche Kraft erlangen, ferner die Anwendung dieser Kraft zum Guten oder zum Bösen sowie auch alle auf diese Kräfte bezüglichen Ideen und Glaubensvorstellungen.» Diese Definition ist bequem und vermag viele ziemlich disparate Phänomene einzubegreifen. Wir möchten demgegenüber noch mehr die *Ekstasefähigkeit* des Schamanen im Vergleich zum Priester und seine *positive* Funktion im Vergleich zu der antisozialen Tätigkeit des Zauberers, des schwarzen Magiers, hervorheben (wenn auch in vielen Fällen der nordamerikanische Schamane wie seine Genossen in aller Welt diese beiden Haltungen vereinigt).

---

[12] John Swanton, *Shamans and Priests* (in *Handbook of American Indians*, 2. Bd.), S. 522 ff.
[13] Willard Z. Park, *Shamanism in Western North America*, S. 9.
[14] Clark Wissler, *The American Indians* (Neuyork 1922), S. 200 ff.

Die Hauptfunktion des Schamanen ist die Heilung, doch spielt er auch bei anderen religiös-magischen Riten eine wichtige Rolle, z. B. bei der gemeinsamen Jagd [15], und dort, wo sie bestehen, in den Geheimgesellschaften (Typ Midewiwin) und mystischen Sekten (Typ «Ghostdance religion»). Wie alle ihresgleichen rühmen sich auch die nordamerikanischen Schamanen der Gewalt über das Wetter (Regen und Trockenheit), kennen sie die Zukunft, entdecken Diebe usw. Sie schützen die Menschen vor dem Zauber der Zauberer; in der ältesten Zeit genügte es, daß ein Paviotso-Schamane einen Zauberer eines Verbrechens anklagte und er wurde hingerichtet und sein Haus angezündet (Park, *a. a. O.*, S. 44). Anscheinend war früher, wenigstens bei gewissen Stämmen, die magische Kraft der Schamanen größer und theatralischer. Die Paviotso sprechen noch von den alten Schamanen, die sich brennende Kohlen in den Mund steckten und ungestraft rotglühendes Eisen anfaßten (Park, *ebd.*, 57; doch siehe auch unten S. 303, Anm. 32). Heute sind die Schamanen mehr Heiler geworden, obgleich ihre Ritualgesänge und auch ihre eigenen Erklärungen von einer fast göttlichen Allmacht wissen. «Mein weißer Bruder», sagte ein Apachenschamane zu Reagan, «Sie werden mir wahrscheinlich nicht glauben, aber ich bin allmächtig. Ich werde niemals sterben. Wenn Sie mit einem Gewehr auf mich zielen, wird die Kugel nicht in mein Fleisch eindringen, oder wenn sie eindringt, wird sie mir nichts tun... Wenn Sie mir ein Messer nach oben in den Hals stoßen, wird es oben zu meinem Schädel herauskommen und mir nichts tun... Ich bin allmächtig. Wenn ich jemand töten will, brauche ich nur die Hand ausstrecken und ihn berühren, und er stirbt. Meine Macht ist wie die eines Gottes [16].»

Vielleicht steht dieses euphorische Allmachtsbewußtsein mit Initiationstod und -auferstehung in Zusammenhang. Auf jeden Fall sind mit den medizinisch-magischen Kräften der nordamerikanischen Schamanen weder ihre ekstatischen noch ihre magischen Fähigkeiten ausgeschöpft. Man hat allen Grund zu der Annahme, daß die Geheimgesellschaften und die modernen mystischen Sekten zum großen Teil die ekstatische Aktivität an sich gezogen haben, welche früher den Schamanismus kennzeichnete. Man erinnere sich z. B. an die bereits

---

[15] Über diesen Ritus s. W. Z. Park, *a. a. O.*, S. 62 ff., 139 ff.
[16] Albert B. Reagan, *Notes on the Indians of the Fort Apache region*, S. 319, zitiert und übers. v. Marcelle Bouteiller, *Chamanisme et guérison magique* (Paris 1950), S. 160.

erwähnten ekstatischen Himmelsreisen der Gründer und Propheten der neuen mystischen Bewegungen, die morphologisch der Sphäre des Schamanismus angehören. Die schamanische Ideologie hingegen ist stark in gewisse Sektoren der nordamerikanischen Mythologie[17] und Folklore eingedrungen, besonders soweit sie auf das Leben jenseits des Grabes und auf Unterweltsreisen Bezug haben.

Die schamanische Sitzung

Wenn der Schamane zu einem Kranken gerufen wird, bemüht er sich zuerst die Ursache der Krankheit zu entdecken. Man unterscheidet zwei Haupttypen von Krankheiten: solche, die vom Eindringen eines pathogenen Gegenstandes, und solche, die vom «Verlust der Seele»[18] herrühren. In ihrer Behandlung unterscheiden sich die beiden wesentlich. Im ersten Fall handelt es sich darum, das Agens, welches das Übel bewirkt, auszutreiben, im zweiten, die flüchtige Seele des Kranken zu finden und wieder in ihn einzufügen. Im letzteren Fall kommt nur der Schamane in Betracht, denn nur er kann die Seelen sehen und fangen. In Gemeinschaften, wo es außer dem Schamanen noch *medicine-men* und Heilkundige gibt, können diese wohl gewisse Krankheiten behandeln, aber der «Verlust der Seele» bleibt immer den Schamanen reserviert. Handelt es sich um eine Krankheit, die durch die Einführung eines störenden magischen Objektes hervorgerufen ist, so gelangt der Schamane nur durch seine ekstatischen Fähigkeiten und nicht etwa durch eine Überlegung auf Grund seines profanen Wissens zur Diagnose; verfügt er doch über zahlreiche Hilfsgeister, welche für ihn die Ursache der Krankheit suchen. Die Sitzung enthält daher auf jeden Fall die Beschwörung dieser Geister.

Der Ursachen für das Fortfliegen der Seele sind viele: Träume, welche die Flucht der Seele verursachen; Tote, die sich nicht zum Fortgehen in das Reich der Schatten entschließen und um die Lager herum-

---

[17] Vgl. z. B. M. E. Opler, *The creative role of shamanism in Mescalero Apache Mythology* (Journal of American Folklore, 59. Bd., 1946, S. 268–281).

[18] Vgl. F. E. Clements, *Primitive concepts of disease* (University of California, Publications in American archaeology and anthropology, 32. Bd., 1932, Nr. 2, S. 185–252), S. 193 ff.

streifen, um eine andere Seele mit sich zu nehmen. Oder die Seele des Kranken verirrt sich selber weit weg von seinem Körper. Ein Paviotso-Gewährsmann sagte zu Park: «Wenn jemand plötzlich stirbt, muß man den Schamanen rufen. Wenn er sich nicht zu weit entfernt hat, kann der Schamane ihn zurückbringen. Er fällt in Trance, um die Seele zurückzubringen. Wenn die Seele schon weit gegen die andere Welt vorgedrungen ist, kann der Schamane nichts tun; es ist ein zu großer Abstand zwischen ihm und der Seele» (Park, S. 41). Die Seele verläßt den Körper auch im Schlaf; wenn man jemand jäh aufweckt, kann man ihn töten. Nie darf man einen Schamanen plötzlich aufwecken.

Die unheilstiftenden Gegenstände stammen im allgemeinen von den Zauberern. Es sind kleine Steine, winzige Tiere, Insekten; sie werden nicht *in concreto* von dem Zauberer hineingebracht, sondern durch die Macht seines Gedankens geschaffen (Park, S. 43). Sie können auch von den Geistern geschickt sein, die sich manchmal selbst in den Körper des Kranken begeben (Bouteiller, S. 106). Wenn die Schamanen die Ursache der Krankheit entdeckt haben, ziehen sie die magischen Objekte durch Saugen heraus.

Die Sitzungen sind nachts und fast immer im Hause des Kranken. Der rituelle Charakter der Kur wird deutlich betont: Schamane und Kranker sind an bestimmte Verbote gebunden (sie meiden schwangere und menstruierende Frauen und ganz allgemein jede Quelle von Unreinheit, enthalten sich von Fleisch und gesalzenen Speisen, der Schamane gebraucht Brechmittel zu radikaler Reinigung, usw.). Zuweilen beobachtet auch die Familie des Patienten Fasten und Enthaltsamkeit. Der Schamane nimmt am Morgen ein Bad; sobald es dämmert, übt er sich in Betrachtungen und Gebeten. Da die Sitzungen öffentlich sind, rufen sie in der ganzen Gemeinschaft eine gewisse religiöse Spannung hervor und bei dem Fehlen anderer religiöser Zeremonien bilden die schamanischen Heilungen das Ritual par excellence. Schon die Einladung des Schamanen durch ein Mitglied der Familie sowie die Festsetzung des Honorars haben einen ritualen Charakter (Park, S. 46; Bouteiller, S. 111 ff.). Verlangt der Schamane einen zu hohen Preis oder gar nichts, so wird er krank. Übrigens wird das Honorar der Kur nicht durch ihn selber, sondern durch seine «Macht» festgesetzt (Park, S. 48 ff.). Nur seine Familie hat ein Recht auf kostenlose Behandlung.

In der ethnologischen Literatur über Nordamerika ist eine große Anzahl von Sitzungen beschrieben [19], die sich in den großen Zügen alle gleichen. Wir wollen deshalb eine oder zwei Sitzungen von den am besten beobachteten mehr im Detail vorführen.

Schamanische Kur bei den Paviotso [20]

Nachdem der Schamane die Kur übernommen hat, erkundigt er sich, was der Patient vor seiner Erkrankung getan hat, um ihre Ursache zu finden. Dann gibt er Anweisungen für die Anfertigung des Stockes, den man zu Häupten des Kranken aufstellt; das ist ein drei bis vier Fuß langer Stock aus Weidenholz mit einer Adlerfeder an der Spitze, die der Schamane liefert. Diese Feder bleibt während der ersten Nacht bei dem Kranken und der Stock wird sorgsam vor der Berührung mit Unreinem gehütet. (Es braucht ihn nur ein Hund oder ein Coyote zu berühren und der Schamane wird krank oder verliert seine Kraft.) Halten wir dabei die große Bedeutung der Adlerfeder bei der nordamerikanischen Schamanenheilung fest. Sehr wahrscheinlich steht dieses Symbol des magischen Flugs mit den ekstatischen Erlebnissen des Schamanen in Beziehung.

Der Schamane kommt gegen neun Uhr abends am Hause an, begleitet von seinem Dolmetsch, dem «Sprecher», der alle Worte, die der Schamane murmelt, mit lauter Stimme zu wiederholen hat. (Der Dolmetsch empfängt ebenfalls Honorare, die sich im allgemeinen auf die Hälfte des Honorars des Schamanen belaufen.) Manchmal spricht der Dolmetsch vor der Sitzung ein Gebet und wendet sich direkt an die Krankheit mit der Mitteilung, daß der Schamane angekommen sei. Ein anderes Mal greift er in der Mitte der Sitzung ein, um den Scha-

---

[19] Vgl. z.B. die von Marcelle Bouteiller zusammengestellten Angaben, a.a.O., S.134, Anm. 1. S. auch *ebd.*, S. 128 ff. Vgl. Roland Dixon, *Some aspects of the American Shaman* (Journal of American Folklore 1908, 21. Bd., S. 1–12); Frederick Johnson, *Notes on Micmac shamanism* (Primitive Man, 16. Bd., 1943, S. 53–80); M. E. Opler, *Notes on Chiricahua Apache Culture: 1. Supernatural power and the Shaman* (Primitive Man, XX, 1947, S. 1–14).

[20] Nach Willard Z. Park, *Paviotso Shamanism* (American Anthropologist 1934, 36. Bd., S. 98–113); ders., *Shamanism in Western North America. A study in cultural relationship*, S. 50 ff.

manen auf rituelle Weise anzuflehen, daß er den Kranken heilt. Gewisse Schamanen verwenden außerdem noch eine Tänzerin, die schön und tugendhaft sein muß. Diese tanzt mit dem Schamanen oder allein, wenn dieser mit dem Saugen beginnt. Doch scheint die Teilnahme von Tänzerinnen an den magischen Heilungen eine ziemlich junge Neuerung zu sein, zum mindesten bei den Paviotso (Park, S. 50).

Der Schamane nähert sich dem Kranken mit nacktem Oberkörper und barfuß und beginnt gedämpft zu singen. Die Anwesenden, welche sich an den Wänden halten, wiederholen die Gesänge einen nach dem andern zusammen mit dem Dolmetsch. Diese Gesänge werden von dem Schamanen improvisiert und er vergißt sie, wenn die Sitzung zu Ende ist. Sie haben die Aufgabe, die Hilfsgeister zu rufen. Doch ist die Inspiration, die zum Singen führt, rein ekstatisch: Manche Schamanen behaupten, daß ihre «Kraft» sie während der Konzentration vor der Sitzung inspiriert, andere sagen, daß ihnen die Gesänge von dem Stock mit der Adlerfeder kommen (Park, S. 52).

Nach einiger Zeit steht der Schamane auf und schreitet im Kreis um das Feuer, das mitten im Haus brennt. Wenn eine Tänzerin dabei ist, folgt sie ihm. Dann kehrt er auf seinen Platz zurück, zündet seine Pfeife an, tut einige Züge daraus und reicht sie den Anwesenden, die auf seine Ermahnung in der Runde einen oder zwei Züge rauchen. Inzwischen gehen die Gesänge immer weiter. Die folgende Etappe hängt von der Natur der Krankheit ab. Ist der Patient bewußtlos, so leidet er offenbar an «Seelenverlust»; dann muß sich der Schamane jetzt gleich in Trance (*yáika*) begeben. Hat die Krankheit eine andere Ursache, so kann der Schamane sich in Trance begeben, um die Diagnose zu stellen oder um mit seinen «Kräften» über die Behandlung zu verhandeln. Doch wird in diesem letzteren Fall der Diagnosestellung nur dann von der Trance Gebrauch gemacht, wenn der Schamane ein sehr starker ist.

Seine siegreiche Rückkehr von der ekstatischen Reise um die Seele des Kranken teilt der Schamane den Anwesenden in einer langen Erzählung mit. Dient die Trance dem Zweck, die Ursache der Krankheit zu finden, so entdecken die in der Ekstase erscheinenden Bilder dem Schamanen das Geheimnis. Sieht er das Bild eines Wirbelwinds, dann war die Krankheit durch einen Wirbelwind verursacht; sieht er den Patienten unter Blumen spazierengehen, so ist die Heilung sicher; wenn dagegen die Blumen verwelkt sind, ist der Tod unentrinnbar usw. Die Schamanen kommen singend aus der Trance zurück, bis sie das volle Bewußtsein erlangt haben. Sie beeilen sich, ihr ekstatisches Erlebnis kundzutun, und wenn die Krankheitsursache in einem Gegenstand liegt, der in den Körper des Patienten eingedrungen ist, schreiten sie nun zur Extraktion. Sie saugen an dem Körperteil, den sie in der Trance als Sitz der Krankheit erblickt haben. Im allgemeinen saugen die Schamanen direkt an der Haut; manche saugen durch einen Knochen oder ein Rohr aus Weidenholz. Während der ganzen Operation singen Dolmetscher und Anwesende im Chor, bis der Schamane ihnen durch heftiges Schütteln der Glocke Einhalt gebietet. Das herausgesaugte Blut spuckt der Schamane in ein kleines Loch, dann wiederholt er die Zeremonie, das heißt er nimmt einige Züge aus seiner Pfeife, tanzt um das Feuer und beginnt wieder zu saugen, bis er den magischen Gegenstand herausgezogen hat. Diesen Gegenstand, ein Steinchen, eine Eidechse, ein Insekt, einen Wurm, zeigt er rundherum, wirft ihn in das kleine Loch und deckt ihn mit Staub zu. Die Gesänge und das rituelle «Rauchen» der Pfeife gehen weiter bis Mitternacht; dann macht man eine Pause von einer halben Stunde, während der den Anwesenden Essen angeboten wird nach den Weisungen des Schamanen, der aber selber nichts nimmt. Dabei wird darauf geachtet, daß kein Brösel auf die Erde fällt; das Übriggebliebene wird sorgfältig eingegraben.

Erst kurz vor der Morgendämmerung geht die Zeremonie zu Ende. Unmittelbar vor dem Schluß fordert der Schamane die Anwesenden auf mit ihm fünf bis fünfzehn Minuten rund um das Feuer zu tanzen. Er selber führt den Tanz unter Gesang an. Darauf gibt er der Familie Anweisungen über die Ernährung des Kranken und bestimmt die Zeichnungen, die ihm auf den Körper gemalt werden müssen (Park, S. 55 ff.).

Auf dieselbe Weise zieht der Paviotsoschamane Kugeln und Pfeilspitzen heraus (*ebd.*, S. 59). Viel seltener als die Heilungssitzungen sind schamanische Hellseh- und Wetterzeremonien. Aber man weiß, daß der Schamane Regen bringen, Wolken aufhalten, das Eis der Flüsse schmelzen kann einfach indem er singt oder eine Feder schwenkt (Park, S. 60 ff.). Wie schon gesagt, scheinen seine magischen Kräfte früher einmal viel größer gewesen zu sein und damals gefiel er sich darin, sie zur Schau zu stellen. Gewisse Paviotso-Schamanen machen Prophezeiungen und deuten Träume. Sie spielen jedoch keine Rolle im Krieg, sondern sind dann den militärischen Anführern untergeordnet (Park, S. 61 ff.).

Schamanische Sitzung bei den Achumawi

Von Jaime de Angulo besitzen wir eine sehr vollständige Beschreibund der schamanischen Kur bei den Achumawi [21]. Wie wir sogleich sehen werden, hat diese Sitzung nichts Mysteriöses oder Düsteres an sich. Manchmal verliert der Schamane sich in Meditationen und spricht *sotto voce;* er redet mit seinen *damagomi*, seinen «Kräften» («Hilfsgeistern»), um die Krankheitsursache zu entdecken. Denn in Wirklichkeit stellen die *damagomi* die Diagnose (S. 570). Im allgemeinen unterscheidet man sechs Kategorien von Krankheiten: 1. sichtbare Unfälle, 2. Überschreitung eines *tabu*, 3. Erschrecken durch die Erscheinung eines Untiers, 4. das «böse Blut», 5. Vergiftung durch einen anderen Schamanen, 6. den Verlust der Seele.

Die Sitzung findet am Abend im Haus des Patienten statt. Der Schamane kniet sich neben dem Patienten nieder, der mit dem Kopf nach Osten auf dem Boden liegt. «Er wiegt sich unter halblautem Singen, mit halbgeschlossenen Augen. Zuerst ist es ein Summen in einem klagenden Ton, wie wenn der Schamane trotz einem inneren Schmerz singen wollte. Das Summen wird stärker und nimmt eine richtige Melodie an, aber immer noch gedämpft. Man beginnt zu schweigen, man hört zu und paßt auf. Der Schamane hat sein *damagomi* noch nicht. Es ist irgendwo, vielleicht sehr weit weg in den Bergen, vielleicht ganz nahe in der Nachtluft. Das Singen soll es herzaubern, es auffordern, es zwingen (...). Diese Lieder, wie alle Lieder der Achumawi, bestehen aus ein oder zwei Versen mit zwei, drei oder höchstens vier musikalischen Phrasen. Man wiederholt sie zehn-, zwanzig-, dreißigmal hintereinander ohne jede Unterbrechung, wobei auf die letzte Note unmittelbar wieder die erste Note des Anfangs folgt ohne jede musikalische Pause. Man singt unisono. Den Takt schlägt man mit den Händen; er hat mit dem Rhythmus der Melodie nichts zu tun. Er hat einen anderen, ganz beliebigen Rhythmus, einförmig und ohne Ak-

---

[21] Jaime de Angulo, *La psychologie religieuse des Achumawi: IV. Le chamanisme* (Anthropos, 23. Bd., 1928, S. 561–582).

zente. Im allgemeinen schlägt zu Beginn eines Gesangs jeder einen etwas anderen Takt. Doch nach einigen Wiederholungen wird der Takt gleich. Der Schamane selber singt kaum mehr als einige Takte. Zuerst singt er allein, dann einige Stimmen, dann alle. Dann ist er still und überläßt es den Anwesenden, das *damagomi* herzubringen. Je lauter man singt und je besser unisono, desto besser geht das natürlich, desto mehr Aussicht hat man das *damagomi* zu wecken, wenn es irgendwo in der Ferne schläft. Nicht nur der physische Lärm weckt es auf, sondern ebenso und noch mehr die emotionelle Glut. (Das ist nicht meine Interpretation; ich wiederhole, was mir viele Indianer gesagt haben.) Der Schamane dagegen sammelt sich. Er schließt die Augen und horcht. Bald spürt er, wie sein *damagomi* kommt, wie es sich nähert, in der Nachtluft herumflattert, im Busch, unter der Erde, überall, sogar in seinem eigenen Bauch (...). Plötzlich klatscht der Schamane in die Hände, an einer beliebigen Stelle des Gesangs, und alle sind still. Tiefes Schweigen (dies ist sehr eindrucksvoll, mitten im Busch, unter den Sternen, beim flackernden Licht des Feuers, dieses plötzliche Schweigen nach dem jagenden und beinahe hypnotisierenden Rhythmus des Liedes). Nun wendet sich der Schamane an sein *damagomi*. Seine Stimme ist laut, als ob er zu einem Tauben spräche. Er spricht schnell, stoßweise, monoton, aber in gewöhnlicher Sprache, die jedermann versteht. Die Sätze sind kurz. Und alles, was er sagt, wiederholt der ‚Dolmetsch' Wort für Wort (...). Der Schamane ist so überreizt, daß er sich beim Reden verwirrt. Sein Dolmetsch, wenn es sein gewöhnlicher ist, kennt diese versprochenen Stellen seit langem, da sie schon eine Gewohnheit sind (...).

Der Schamane ist mehr und mehr im Zustand der Ekstase, er spricht mit seinem *damagomi* und sein *damagomi* antwortet auf seine Fragen. Er wird so eins mit seinem *damagomi*, er projiziert sich so sehr in dasselbe hinein, daß er selbst genau alle Worte des *damagomi* wiederholt (...).» (Jaime de Angulo, *Le chamanisme*, S. 567 f.).

Der Dialog zwischen dem Schamanen und seinen «Mächten» ist zuweilen erstaunlich monoton. Der Meister beklagt sich bei dem *damagomi*, daß es auf sich warten ließ, und dieses rechtfertigt sich: es sei an einem Fluß eingeschlafen gewesen usw. Der Meister schickt es fort und ruft ein anderes. «Der Schamane hält inne. Er öffnet die Augen wie einer, der aus tiefer Meditation erwacht. Er schaut ein wenig stumpfsinnig. Er verlangt seine Pfeife. Sein Dolmetsch stopft sie, zündet sie an und reicht sie ihm. Die anderen strecken sich, man zündet Zigaretten an, raucht plaudert, macht Spässe, setzt sich um den Herd. Der Schamane nimmt an den Spässen teil, aber immer weniger im Lauf der halben Stunde, der Stunde oder der zwei Stunden. Er wird immer zerstreuter und wilder. Er fängt wieder an, und noch einmal (...). Das dauert manchmal Stunden und Stunden. Manchmal dauert es auch kaum länger als eine Stunde. Manchmal gibt der Schamane die Heilung entmutigt auf. Seine *damagomi* finden nichts – oder sie haben Angst. Das ‚Gift' ist ein sehr mächtiges *damagomi*, stärker als sie (...). Es hat keinen Sinn es anzugreifen» (*ebd.*, S. 569).

Nachdem der Schamane die Krankheitsursache gefunden hat, schreitet er zur Heilung. Außer bei Seelenverlust besteht die Behandlung im Herausziehen des «Übels» oder im Blutsaugen. Beim Saugen zieht der Schamane mit den Zähnen einen kleinen Gegenstand «wie ein kleines Stück weißer oder schwarzer Faden, manchmal wie ein Stück abgeschnittener Nagel» heraus (*ebd.*, S. 563). Eine Achumawi sagte zu dem Verfasser: «Ich glaube nicht, daß diese Sachen aus dem Körper des Kranken kommen. Der Schamane hat sie immer im Mund, bevor er mit der Kur anfängt. Er zieht damit nur die Krankheit an; er braucht das, um das Gift zu fangen. Wie sollte er es sonst fangen?» (*ebd.*).

Gewisse Schamanen saugen das Blut direkt heraus. Ein Schamane erklärte das Vorgehen auf folgende Weise: «Das ist schwarzes Blut, böses Blut. Zuerst spucke ich es in meine Hände um zu sehen, ob die Krankheit darinnen ist. Dann höre ich meine *damagomi* miteinander streiten. Sie wollen alle, daß ich ihnen zu trinken gebe. Sie haben viel für mich gearbeitet. Sie haben mir geholfen. Jetzt sind sie ganz erhitzt. Sie haben Durst. Sie wollen trinken. Sie wollen Blut trinken...» (S. 563). Wenn er ihnen kein Blut gibt, führen sich die *damagomi* wie die Verrückten auf und protestieren laut. «Nun trinke ich Blut. Ich schlürfe es. Ich gebe ihnen davon, und das befriedigt sie. Das beruhigt sie. Das erfrischt sie...» (*ebd.*).

Nach den Beobachtungen von Jaime de Ángulo ist das «böse Blut» nicht aus dem Körper des Kranken gesaugt; es wäre «das Produkt einer hysterisch bedingten hämorrhagischen Absonderung im Magen des Schamanen» (S. 574). Und wirklich ist der Schamane am Ende der

Sitzung sehr müde und fällt, nachdem er zwei bis drei Liter Wasser getrunken hat, «in einen schweren Schlaf» (*ebd.*).

Handelt es sich um eine Vergiftung durch einen anderen Schamanen, so ergreift der Heiler, nachdem er lange an der Haut gesaugt hat, das magische Objekt mit den Zähnen und zeigt es vor. Manchmal befindet sich der Vergifter unter den Anwesenden und der Schamane gibt ihm das «Objekt» zurück: «Schau, da ist dein *damagomi*, ich will es nicht behalten!» (S. 574). Handelt es sich um Verlust der Seele, so macht sich der Schamane, immer von seinen *damagomi* informiert, auf die Suche und findet die Seele verirrt in der Wildnis, auf einem Felsen usw. (*ebd.*, S. 575–577).

Abstieg in die Unterwelt

Die Sitzung der Achumawi-Schamanen zeichnet sich durch ihre Mäßigung aus. Doch ist diese nicht immer die Regel. Die Trance, die bei den Achumawi eher schwach erscheint, ist anderswo von recht deutlichen ekstatischen Bewegungen begleitet. Der Shushwap-Schamane (Stamm im Inneren von Britisch-Columbia) «gebärdet sich wie ein Verrückter», sobald er seine rituelle Kopfbedeckung aufgesetzt hat (sie ist aus einer Matte gemacht, die zwei Meter lang und einen Meter breit ist). Er beginnt die Lieder zu singen, die ihn sein Schutzgeist im Augenblick der Initiation gelehrt hat. Er tanzt, bis er stark schwitzt und der Geist kommt und zu ihm spricht. Dann streckt er sich zur Seite des Kranken nieder und saugt ihm den schmerzenden Körperteil. Schließlich zieht er einen Riemen oder eine Feder, die Ursache der Krankheit, heraus und läßt sie verschwinden, indem er daraufbläst [22].

Die Suche nach der verirrten oder von den Geistern geraubten Seele nimmt manchmal dramatischen Charakter an. Bei den Thompson-Indianern setzt der Schamane seine Maske auf und macht sich zuerst auf den alten Pfad, den früher die Ahnen ins Totenland einschlugen; trifft er die Seele des Kranken nicht, so durchwühlt er die Friedhöfe, wo die christianisierten Indianer begraben sind. Auf jeden Fall muß er mit

---

[22] Franz Boas, *The Shushwap* (in Sixth Report of the Commettee on the North-Western Tribes of Canada, Report of the British Association Leeds 1890), Sonderdruck, S. 95 ff.

den Gespenstern kämpfen, bevor er ihnen die Seele des Kranken entreißen kann, und wenn er auf die Erde zurückkehrt, zeigt er den Anwesenden seine blutige Keule. Bei den Tuana-Indianern im Staate Washington ist die Unterweltsfahrt noch realistischer. Vielfach öffnet man die Erdoberfläche; man ahmt das Überqueren eines Wasserlaufs nach, man spielt einen heftigen Kampf mit den Geistern usw. [23].

Wie überall zieht auch hier die schamanische Unterweltsfahrt zur Rückführung der Seele den unterirdischen Reiseweg der Abgeschiedenen heran und fügt sich damit in die Totenmythologie des betreffenden Stammes ein. In selteneren Fällen wird der nordamerikanische Schamane gerufen um den Schutzgeist eines Menschen zurückzubringen, der von Verstorbenen in die Totenregion mitgenommen worden ist [24].

Meistens aber setzt der Schamane seine Kenntnis der unterweltlichen Topographie und seine Fähigkeit zu ekstatischem Hellsehen für die Suche der Seele des Kranken ein. Es hätte keinen Sinn, hier alle Befunde über Seelenverlust und Seelensuche im nordamerikanischen Schamanismus zusammenzustellen [25]. Es genügt uns die Feststellung, daß dieser Glaube in Nordamerika, besonders seiner westlichen Zone, ziemlich häufig ist und daß sein Vorkommen auch in Südamerika die Hypothese einer neueren Entlehnung aus Sibirien ausschließt [26]. Wie noch im folgenden zu zeigen sein wird, scheint die Theorie vom Seelen-

---

[23] James Teit, *The Thompson Indians of British Columbia* (Memoirs of the American Museum of Natural History, II: The Jesup North Pacific Expedition, 1. Bd., 1898–1900, S. 163–442), S. 363 ff.; Rev. Myron Eels, *The Twana, Chemakun and Klallam Indians of Washington Territory*, S. 677 ff., zitiert bei Frazer, *Taboo and the Perils of the Soul*, 1914.

Auf der Insel Vea im Pazifik begibt sich der Medizinmann ebenfalls in Prozession zum Friedhof. Dasselbe Ritual in Madagaskar; vgl. Frazer, *a. a. O.*

[24] Vgl. z. B. Hermann Haeberlin, *Sbetedàq. A shamanistic performance of the Coast Salish* (American Anthropologist, 1918, 20. Bd., S. 249–257). Mindestens acht Schamanen zugleich führen diese Zeremonie aus, die in einer ekstatischen Unterweltsreise auf einer imaginären Barke besteht.

[25] Vgl. Robert H. Lowie, *Notes on Shoshonean ethnography* (American Museum of Natural History, Anthropological Papers, 20. Bd., 3. Teil, 1924, S. 183–314), S. 294 ff.; Park, *a. a. O.*, S. 137; Clements, *Primitive concepts of disease*, S. 195 ff.

[26] So die Hypothese von R. L. Lowie (*Primitive Religion*, Neuyork 1924, S. 176 ff.), die er später aufgegeben hat, vgl. *On the historical connection between certain Old World and New World beliefs* (Congrès International des Américanistes, XXIe Session, 2. Teil abgehalten in Göteborg 1924, Göteborg 1925, S. 546–549). Vgl. auch Clements, *Primitive concepts of disease*, S. 196 ff.; Park, S. 137.

verlust zwar wahrscheinlich jünger als die Erklärung durch ein störendes Agens, aber nichtsdestoweniger ziemlich archaisch zu sein; ihr Vorkommen auf dem amerikanischen Kontinent läßt sich nicht als später Einfluß des sibirischen Schamanismus erklären.

Hier wie überall begegnet die schamanistische Ideologie (oder genauer der Teil der traditionellen Ideologie, den die Schamanen sich assimiliert und weiterentwickelt haben) auch in solchen Mythen und Legenden, wo keine Schamanen im eigentlichen Sinn vorkommen. So zum Beispiel in dem sogenannten «nordamerikanischen Orpheusmythus», der bei der Mehrzahl der Stämme, speziell im Westen und Osten des Kontinents, bezeugt ist [27]. Bei den Telumni Yokuts hat er folgende Version: Ein Mann verliert seine Frau: Er beschließt ihr zu folgen und wacht am Grab. In der zweiten Nacht erhebt sich die Frau und beginnt wie im Schlaf nach Tipikinits, dem Totenland, zu gehen, das gegen Westen (oder Nordwesten) liegt. Der Gatte folgt ihr, bis sie an einen Fluß kommt, über den eine Brücke führt, die beständig zittert und schwankt. Die Frau dreht sich um und sagt zu ihm: «Was tust du hier? Du bist lebendig und kannst nicht über die Brücke gehen. Du wirst ins Wasser fallen und ein Fisch werden.» In der Mitte der Brücke wachte ein Vogel; durch seine Schreie erschreckte er die Passanten und manche fielen in den Abgrund. Aber der Mann hatte einen Talisman, eine Zauberschnur; mit ihrer Hilfe gelang es ihm den Fluß zu überschreiten. Am anderen Ufer trifft er seine Frau inmitten einer Menge von Abgeschiedenen, welche rund herum tanzen (die klassische Form des «Ghost-dance»). Der Mann nähert sich ihnen und alle beklagen sich über seinen schlechten Geruch. Der Bote Tipikinits', des Herrn der Unterwelt, lädet ihn zu Tisch ein. Die Frau des Boten selbst reicht ihm unzählige Gerichte, von denen er ißt, ohne daß sie weniger werden. Der Herr der Unterwelt fragt ihn nach dem Grund seines Besuches. Wie er ihn erfahren hat, verspricht er ihm, daß er seine Frau mit auf

---

[27] Vgl. A. H. Gayton, *The Orpheus Myth in North America* (Journal of the American Folklore, 48. Bd., 1935, S. 263–293). S. auf S. 265 die geographische Verteilung des Mythus: er scheint unbekannt bei den Shoshon und Yuman, im Südwesten wurde er nur bei den Navaho und Zuñi verzeichnet. Er ist auch bei den Eskimo unbekannt, was uns die Hypothese von einem sibirisch-asiatischen Einfluß auszuschließen scheint. Vgl. auch A. L. Kroeber, *A Karok Orpheus Myth* (ebd., 59. Bd., 1946, S. 13–19); die Heldinnen sind zwei Frauen, die einem jungen Mann in die Unterwelt folgen, aber in ihrer Aufgabe vollkommen scheitern.

die Erde nehmen kann, wenn er es fertig bringt die ganze Nacht zu wachen. Der Rundtanz beginnt wieder, aber der Mann bleibt abseits und schaut zu, um nicht müde zu werden. Tipikinits befiehlt ihm zu baden. Dann ruft er seine Frau, um zu prüfen, ob sie wirklich seine Gattin ist. Das Paar verbringt die ganze Nacht redend in einem Bett. Vor der Morgenröte schläft der Mann ein und beim Aufwachen findet er ein vermodertes Holzscheit in seinen Armen. Tipikinits schickt seinen Boten, um ihn zum Frühstück einzuladen. Er gibt ihm noch einmal eine Chance, und der Mann schläft den ganzen Tag, um in der folgenden Nacht nicht müde zu sein. Am Abend beginnt alles wieder wie am Vortag. Das Paar lacht und amüsiert sich bis zum Morgengrauen, wo der Mann wieder einschläft, um dann mit dem vermoderten Holzscheit in den Armen aufzuwachen. Tipikinits bestellt ihn wieder zu sich, gibt ihm ein paar Körner, mit denen er den Fluß überschreiten kann, und befiehlt ihm die Unterwelt zu verlassen. Zurückgekehrt erzählt er sein Abenteuer, bittet aber seine Verwandten darüber zu schweigen, denn wenn es ihm nicht gelingt, sechs Tage verborgen zu bleiben, wird er sterben. Nichtsdestoweniger erfahren seine Nachbarn von seiner Abwesenheit und Rückkehr, und der Mann beschließt, alles zu gestehen, damit er wieder zu seiner Frau kommt. Er ladet das Dorf zu einem großen Festmahl und erzählt, was er im Totenreich gesehen und gehört hat. Am nächsten Tag stirbt er an einem Schlangenbiß.

Die Varianten dieses Mythus zeigen alle eine erstaunliche Einförmigkeit. Die Brücke, das Seil, auf dem der Held den Unterweltsfluß überschreitet, die wohlwollende Person (eine alte Frau oder ein alter Mann, der Herr der Unterwelt), das Tier, das die Brücke bewacht usw., alle diese klassischen Motive der Unterweltsfahrt kommen fast in allen Varianten vor. In mehreren Versionen (Gabriellino usw.) ist die Probe, der sich der Held unterziehen muß, eine Keuschheitsprobe; er muß drei Nächte neben seiner Gattin keusch bleiben (Gayton, S. 270, 272). In einer Alibamu-Version handelt es sich um zwei Brüder, die ihrer toten Schwester folgen. Sie gehen gegen Westen, bis sie den Horizont erreicht haben; dort bleibt der Himmel nicht stehen, sondern verläßt andauernd seinen Platz. Die beiden Brüder verwandeln sich in Tiere, dringen ins Jenseits ein und gehen mit Hilfe eines alten Mannes oder einer alten Frau aus vier Proben siegreich hervor. Wie sie oben angekommen sind, zeigt man ihnen ihr Haus auf der Erde, das sich genau unter ihren Füßen befindet (Motiv «Zentrum der Welt»). Sie wohnen dem Tanz der Toten bei; ihre Schwester ist darunter, sie berühren sie mit einem magischen Gegenstand, so daß sie hinfällt und sie sie in einem Flaschenkürbis forttragen können. Doch auf die Erde zurückgekehrt hören sie ihre Schwester im Innern des Kürbisses weinen, öffnen ihn unklugerweise und die Seele des jungen Mädchens entflieht (*ebd.*, S. 273).

Einen ähnlichen Mythus werden wir in Polynesien antreffen, doch bewahrt der nordamerikanische besser die Erinnerung an die Initiationsprobe, welche die Unterweltsfahrt enthielt. Die vier Proben der Alibamu-Variante, die Keuschheitsprobe und besonders die Probe des «Wachens» haben deutlichen Initiationscharakter[28]. Das «Schamanische» an allen diesen Mythen ist der Abstieg in die Unterwelt, um die Seele der geliebten Frau zurückzubringen. Den Schamanen wird ja die Fähigkeit zugeschrieben, nicht nur die schweifenden Seelen der Kranken zurückzubringen, sondern auch die Toten wieder zum Leben bringen zu können[29], und diese erzählen bei der Rückkehr aus der Unterwelt den Lebenden, was sie gesehen haben, ganz wie die anderen, die «im Geist» ins Totenland hinabgestiegen sind, die in der Ekstase Unterwelt und Paradies besucht und die vieltausendjährige Visionsliteratur der ganzen Welt gespeist haben. Es wäre Übertreibung, diese Mythen als ausschließliche Schöpfungen schamanischer Erlebnisse anzusehen; sicher aber ist, daß sie solche Erlebnisse benützen und interpretieren. In der Alibamu-Variante fangen die Helden die Seele ihrer Schwester auf dieselbe Art, wie sich der Schamane der ins Totenland entführten Seele des Kranken bemächtigt, um sie auf die Erde zurückzuführen.

---

[28] Auch Gilgamesch muß auf der Insel des mythischen Ahnen Ut-Napishtim sechs Tage und sechs Nächte hintereinander wachen, um die Unsterblichkeit zu erlangen, und wie der nordamerikanische Orpheus scheitert er; vgl. unser Buch *Die Religionen und das Heilige*, S. 329 ff.

[29] S. z. B. die Auferweckung eines Knaben durch die *midêwiwin*, die noch in der Überlieferung dieser Geheimbruderschaft lebt, W. J. Hoffman, *The midewiwin or Grand Medicine Society of Ojibwa* (Annual Report, Bureau of American Ethnology, Washington, 7. Bd., 1891, S. 149–300) S. 241 ff.

Die Geheimbruderschaften und der Schamanismus

Die Frage der Beziehungen zwischen dem Schamanismus im eigentlichen Sinn und den verschiedenen nordamerikanischen Geheimgesellschaften und mystischen Bewegungen ist ziemlich komplex und noch weit von ihrer Lösung entfernt [30]. Man kann jedoch sagen, daß alle diese Bruderschaften auf Mysteriengrundlage eine schamanische Struktur haben in dem Sinn, daß ihre Lehre und ihre Techniken an der großen schamanischen Tradition teilhaben. Wir werden dafür sogleich einige Beispiele aus den Geheimgesellschaften (Typ *midêwiwin*) und Ekstasebewegungen (Typ «Ghost-dance religion») geben. Man erkennt daran mit Leichtigkeit die großen Linien der schamanischen Tradition: Initiation mit Tod und Auferstehung des Kandidaten, ekstatische Besuche im Land der Toten und im Himmel, Einfügung magischer Substanzen in den Körper des Kandidaten, Offenbarung der Geheimlehre, Unterweisung in der schamanischen Heilung usw. Der Hauptunterschied zwischen dem traditionellen Schamanismus und den Geheimgesellschaften besteht darin, daß diese jedermann offenstehen, der eine gewisse ekstatische Disposition zeigt, bereit ist den verlangten Beitrag zu zahlen und vor allem sich der Lehrzeit und den Initiationsproben unterziehen will. Man beobachtet nicht selten eine gewisse Opposition, ja sogar einen Antagonismus zwischen den Geheimbruderschaften und ekstatischen Bewegungen einerseits und den Schamanen andererseits. Bruderschaften wie Ekstasebewegungen opponieren gegen den Schamanismus, insoweit er sich der Zauberei und der schwarzen Magie genähert hat. Eine andere Opposition hat ihren Grund in dem exklusiven Geist gewisser schamanischer Kreise; die Geheimgesellschaften und ekstatischen Bewegungen legen dagegen eine deutliche Tendenz zum Proselytenmachen an den Tag, die letzten Endes darauf ausgeht, das Privileg der Schamanen überhaupt abzuschaffen. Alle diese Bruderschaften und mystischen Sekten haben die geistige Regeneration

---

[30] Vgl. einige zusammenfassende Angaben bei Marcelle Bouteiller, *Chamanisme*, S. 51 ff. Clark Wissler, *General discussion of Shaman and Dancing Societies* (Anthropological Papers, American Museum of Natural History XI, 1916, S. 853–876) erforscht die Ausbreitung eines bestimmten schamanistischen Komplexes von den Pawnee zu anderen Stämmen und zeigt (besonders S. 857–862) den Prozeß der Assimilierung mystischer Techniken.

der ganzen Gemeinschaft, ja aller nordamerikanischen Stämme und damit eigentlich eine religiöse Revolution zum Ziel (vgl. die «Ghostdance religion»). Damit stehen sie in bewußtem Gegensatz zu den Schamanen, welche in diesem Punkt am meisten für die Erhaltung der religiösen Tradition und am wenigsten für die Ausweitung der Spiritualität des Stammes zu tun geneigt sind.

In Wirklichkeit liegen die Dinge jedoch noch ungleich verwickelter. Denn unbeschadet des bisher Gesagten sind in Nordamerika die Unterschiede zwischen «profanen» und «sakralen» Personen mehr quantitativer als qualitativer Art; es handelt sich um die *Menge* des Sakralen, das ein Individuum sich angeeignet hat. Wie wir schon zeigten, strebt jeder Indianer nach religiösen Kräften, verfügt jeder über einen Schutzgeist, den er durch dieselben Techniken erwirbt wie ein Schamane die seinen. Der Unterschied zwischen einem profanen Menschen und einem Schamanen ist rein quantitativ: Der Schamane verfügt über eine größere Anzahl von Schutzgeistern und eine größere religiösmagische «Macht»[31]. Man könnte fast sagen, ein jeder Indianer «schamanisiert», auch wenn er nicht ausdrücklich Schamane werden will.

Ebenso undeutlich wie der Unterschied zwischen Profanen und Schamanen ist der zwischen Schamanentum und Geheimbruderschaften bzw. mystischen Sekten. Einmal trifft man bei diesen Bruderschaften «schamanische» Techniken und Ideologien und außerdem nehmen die Schamanen im allgemeinen an den bedeutendsten Mysterien-Geheimgesellschaften teil, ja setzen sich sogar zuweilen an deren Stelle. Sehr deutlich sind diese Beziehungen bei der *midêwiwin* oder wie man (irrtümlich) sagt der «Großmedizin-Gesellschaft» der Ojibwa. Die Ojibwa kennen zwei Arten von Schamanen, die *wâbêno* («Mann der Morgenröte», «Mann des Ostens») und die *jessakîd*, Propheten und Seher, auch «Gaukler» und «Enthüller verborgener Wahrheiten» genannt. Beide Kategorien legen schamanische Fähigkeiten an den Tag: Die *wâbêno* heißen auch «die mit dem Feuer Umgehenden», sie manipulieren ungestraft mit glühenden Kohlen, die *jessakkîd* wirken Heilun-

---

[31] Zu den schon erwähnten Beispielen (s. o. S. 106 ff.) kommt die schöne Analyse von Leslie Spier, *Klamath ethnography* (University of California, Publications in American archaeology and ethnography, 30. Bd., Berkeley 1930), S. 93 ff. («the power quest»), S. 107 ff. (quantitative Verschiedenheit der Macht), S. 249 ff. (Allgemeinheit des Strebens nach Macht) usw.

gen, Götter und Geister sprechen durch ihren Mund und sie sind berühmte «Gaukler», die sich im Augenblick der Stricke und Ketten entledigen, mit denen sie geknebelt sind [32]. Die einen wie die anderen schließen sich jedoch gerne der *midêwiwin* an und zwar tut der *wâbêno* das, wenn er sich in magischer Heilkunde und Beschwörungen spezialisiert hat, der *jessakkîd,* wenn er sein Ansehen im Stamme heben will. Sie sind natürlich in der Minderheit, da die «Großmedizin» allen offen steht, die sich für Spirituelles interessieren und die Aufnahmegebühr bezahlen können. Bei den Menomini, zu Hoffmans Zeit 1500 an der Zahl, hatte die *midêwiwin* hundert Mitglieder, darunter zwei *wâbêno* und fünf *jessakkîd* (Hoffman, S. 158). Doch die Schamanen, die nicht zur *midêwiwin* gehörten, können nicht mehr viele gewesen sein.

Das Entscheidende aber ist, daß die «Großmedizinbruderschaft» selbst schamanische Struktur aufweist. Ihre Mitglieder, die *midê*, nennt Hoffman übrigens «Schamanen», während andere Autoren sie zugleich Schamanen und *medicine-men,* Propheten, Seher und sogar Priester nennen. Alle diese Bezeichnungen sind zum Teil richtig, denn die *midê* tun den Dienst von heilenden Schamanen wie von Sehern und in gewissem Grad sogar von Priestern. Die historischen Anfänge der *midêwiwin* sind unbekannt, doch ihre mythologischen Traditionen sind

---

[32] W. J. Hoffman, *The midewiwin or «Grand Medicine Society» of the Ojibwa,* S. 157 ff. Vgl. einige Beispiele für magische Kräfte der *jessakkid, ebd.,* S. 275 ff. Doch ist noch zu sagen, daß damit die Zauberstücke der nordamerikanischen Schamanen noch lange nicht zu Ende sind. Man schreibt ihnen die Kraft zu, ein Getreidekorn unter den Augen des Zuschauers keimen und wachsen zu lassen, in einem Augenblick von weitentfernten Bergen Tannenzweige herzuzaubern, Hasen und Rehe kommen zu lassen, Federn und andere Gegenstände zum Fliegen zu bringen usw. Außerdem können sie sich in kleinen Körben von der Höhe stürzen, aus einem Hasenskelett einen lebendigen Hasen machen, verschiedene Gegenstände in Tiere verwandeln. Vor allem aber sind die Schamanen «Feuermeister» und führen alle Arten von «fire tricks», von Feuerkunststücken aus. Sie verbrennen einen Menschen auf der Kohlenglut, machen ihn zu Asche – und gleich darauf nimmt dieser Mensch an einem Tanz teil, der weit entfernt stattfindet, vgl. Elsie Clews Parsons, *Pueblo Indian Religion* (Chicago 1939), 1. Bd., S. 440 ff. Bei den Zuñi und den Keresan gibt es Geheimbruderschaften, die in «fire tricks» spezialisiert sind; ihre Mitglieder können glühende Kohlen schlucken, über das Feuer gehen, rotglühendes Eisen anfassen usw., vgl. Matilda Coxe Stevenson, *The Zuñi Indians, their mythology, esoteric fraternities and ceremonies* (23 Annual Report of the Bureau of American Ethnology, 1901–1902, Washington 1904, S. 1–634), S. 503, 506 usw., wo auch persönliche Beobachtungen berichtet werden (ein Schamane behält Kohlenglut 30 bis 60 Sekunden im Mund usw.). Dazu jetzt Werner Müller, *Die blaue Hütte* (Wiesbaden 1954).

von den sibirischen Mythen vom «ersten Schamanen» nicht allzu weit entfernt. Sie erzählen, daß Minabôzho, der Bote Dzhe Manidos (des Großen Geistes) und Mittler zwischen diesem und den Menschen, als er das Elend der kranken und schwachen Menschheit sah, der Fischotter die höchsten Geheimnisse entdeckte und in ihren Körper *mîgis* (Symbol der *midê*) einführte, damit sie unsterblich würde und die Menschen in die Geheimnisse einführen und zugleich weihen könnte [33]. Deshalb spielt die Satteltasche aus Fischotterhaut bei der Initiation der *midê* eine Hauptrolle; dort deponiert man die *mîgi,* kleine Muscheln, welche als Sitz der religiös-magischen Kraft gelten (Hoffman, S. 217, 220 ff.).

Die Initiation der Kandidaten folgt den großen Zügen jeder schamanischen Initiation. Sie enthält die Offenbarung der Mysterien (also an erster Stellen den Mythus von Minabôzho und der Unsterblichkeit der Fischotter), Tod und Auferstehung des Kandidaten und die Einführung vieler *mîgis* in seinen Körper (was seltsam an die «magischen Steine» erinnert, mit denen man in Australien und anderen Ländern den Körper des Zauberlehrlings füllt). Es gibt vier Initiationsgrade, aber die drei letzten Initiationen sind nur Wiederholungen der ersten Zeremonie. Man errichtet die *midêwigan,* die «Große Medizinloge», eine Art Einfriedung von 25 zu 8 Metern; zwischen den Pfählen wird Laub angebracht zum Schutz gegen Neugierige. Etwa 30 Meter davon entfernt errichtet man eine *wigiwan,* das Dampfbad für den Kandidaten. Das Oberhaupt bestimmt einen Lehrer, der ihm Herkunft und Eigenschaften von Trommel und Glocken offenbart und ihn beides zur Anrufung des Großen Gottes (Manidou) und Austreibung der Dämonen anwenden lehrt. Er lernt auch Zauberlieder, Heilkräuterkunde, Therapie und vor allem die Elemente der Geheimlehre. Vom sechsten oder fünften Tag vor der Initiationszeremonie an reinigt sich der Kandidat täglich in dem Dampfbad, um dann den Vorführungen der magischen Kräfte durch die *midê* beizuwohnen; dabei lassen diese in der *midêwigan* verschiedene Holzfigürchen und vor allem ihre Satteltaschen sich auf Entfernung bewegen. Die letzte Nacht bleibt er im

---

[33] Hoffman, *The midewiwin,* S. 166 ff., ders., *Pictography and chamanistic rites of the Ojibwa* (American Anthropologist 1, 1888, S. 209–229), S. 213 ff. Vgl. auch Sister Bernard Coleman, *The Religion of the Ojibwa of Northern Minnesoto* (Primitive Man 10, 1937, S. 33–57), S. 44 ff. (über die *midêwiwin*).

Dampfbad mit seinem Lehrmeister allein und am nächsten Tag schreitet man nach einer neuen Reinigung und wenn der Himmel klar ist zur Initiationszeremonie. Alle *midê* sind in der großen Medizinloge versammelt. Nachdem sie lange schweigend geraucht haben, stimmen sie rituelle Gesänge über geheime (und meist unverständliche) Themen der Urtradition an. In einem bestimmten Moment erheben sich alle *midê*, nähern sich dem Kandidaten und «töten» ihn, indem sie ihn mit *mîgi* berühren. Der Kandidat zittert, fällt auf die Knie nieder und streckt sich, sobald man ihm eine *mîgi* in den Mund steckt, leblos auf dem Boden aus. Nun berührt man ihn mit der Satteltasche und er «steht wieder auf». Man gibt ihm ein Zauberlied und der Häuptling überreicht ihm eine Satteltasche aus Fischotterhaut, in der der Kandidat seine eigenen *mîgi* deponiert. Um die Kraft dieser Muscheln zu erweisen, berührt er seine Mitbrüder der Reihe nach damit und sie fallen wie vom Blitz getroffen zu Boden, um dann auf dieselbe Berührung wiederaufzuerstehen. Damit hat er den Beweis, daß die Muscheln in gleicher Weise Tod und Leben geben. Bei dem anschließenden Festmahl erzählt der älteste *midê* die Überlieferung der *Midêwiwin* und zum Schluß singt das neue Mitglied sein Lied und schlägt die Trommel.

Die zweite Initiation findet frühestens ein Jahr nach der ersten statt. Dabei wird durch Einführung einer großen Menge von *mîgi* in den Körper des Initianten, besonders an den Gelenken und in der Herzgegend, die magische Kraft vermehrt. Durch die dritte Initiation gewinnt der *midê* die Kraft eines *jessakkîd,* das heißt er ist nun zu allen schamanischen Gauklerstücken fähig und speziell Meister in der Heilkunde geworden. Die vierte Initiation führt neue *mîgi* in seinen Körper ein (Hoffman, S. 204–276).

Dieses Beispiel zeigt, was für enge Beziehungen zwischen dem Schamanismus im eigentlichen Sinn und den nordamerikanischen Geheimgesellschaften bestehen; der eine wie die anderen haben an derselben archaischen Tradition religiöser Magie teil. Doch zeigt sich bei diesen Geheimbruderschaften und besonders bei der *midêwiwin* auch der Versuch einer «Rückkehr zu den Ursprüngen» im Sinn einer Bemühung um neuen Kontakt mit der Urtradition und um Beseitigung der Zauberer. Die Rolle der Schutz- und Hilfsgeister ist nur mäßig, während man dem Großen Geist und den Himmelreisen viel Gewicht beilegt. Man bemüht sich um Wiederherstellung der Verbindungen zwischen

Erde und Himmel, wie sie am Morgen der Zeiten bestanden. Doch trotz ihres «reformatorischen» Charakters greift die *midêwiwin* die altertümlichsten Techniken der religiös-magischen Initiation wieder auf (Tod und Auferstehung, Füllung des Körpers mit «magischen Steinen» usw.). Außerdem werden die *midê* Medizinmänner, da ihnen die Initiation auch die verschiedenen Techniken magischen Heilens vermittelt (Exorzismus, magische Pharmazie, Saugbehandlung usw.).

Etwas anders verhält es sich mit dem «Medizinritus» der Winnebago, dessen vollständiges Initiationszeremonial kürzlich von Paul Radin veröffentlicht wurde [34]. Auch hier handelt es sich um eine Geheimbruderschaft mit einem sehr komplexen Initiationsritual («Tod» und Auferstehung des Kandidaten durch Berührung mit magischen Muscheln, die in einer Satteltasche aus Otterfell aufbewahrt werden, Radin, S. 5 ff., 283 ff. usw.). Doch damit ist die Ähnlichkeit zwischen den *midêwiwin* der Ojibwa und der Menomini schon zu Ende. Wahrscheinlich wurde der Ritus der Einführung von Muscheln in den Körper des Kandidaten erst ziemlich spät (gegen Ende des 17. Jahrhunderts) einer viel älteren Winnebago-Zeremonie mit vielen schamanischen Elementen eingefügt (Radin, S. 75). Mehrere Ähnlichkeiten des «Medizinritus» der Winnebago mit der «Medizinmänner-Zeremonie» der Pawnee und die für eine direkte Entlehnung zu große Entfernung zwischen den beiden Stämmen lassen den Schluß zu, daß jede von diesen Zeremonien Reste eines ziemlich archaischen Rituals aus einem ursprünglich mexikanischen Kulturkomplex bewahrt (*Radin,* ebd.). Die *midêwiwin* der Ojibwa ist wohl nur eine Weiterentwicklung eines solchen Rituals.

Auf jeden Fall hatte der «Medizinritus» der Winnebago die dauernde Regeneration des Initiierten zum Ziel. Der mythische Demiurg, der Hase, den der Schöpfer den Menschen zur Hilfe auf die Erde geschickt hatte, war sehr beeindruckt davon, daß die Menschen starben. Um dem Übel abzuhelfen, errichtet er die Initiationshütte und verwandelt sich selbst in ein kleines Kind. «Wenn jemand wiederholt, was ich getan habe», erklärt er, «wird er so aussehen» (Radin, *ebd.,* S. 28). Doch der Schöpfer legt die Regeneration, die er den Menschen gewährt hat, auf andere Weise aus: Die Menschen können sich reinkarnieren, so oft sie wollen (*ebd.,* S. 25). Im Grund teilt der «Medizinritus» das Geheimnis

---

[34] Paul Radin, *The Road of Life and Death. A ritual drama of the American Indians* (Neuyork 1945).

einer unendlichen Wiederkehr auf die Erde mit, und zwar offenbart er zu diesem Zweck den wahren Reiseweg nach dem Tode samt den Worten, welche der Abgeschiedene an die Wächterin des Jenseits und an den Schöpfer selbst zu richten hat. Offenbar werden auch Kosmogonie und Ursprung des «Medizinritus» enthüllt, denn es handelt sich immer um die Rückkehr zu den mythischen Ursprüngen, die Aufhebung der Zeit und damit um den Anschluß an den wunderbaren Augenblick der Schöpfung.

Zahlreiche schamanische Elemente überleben auch in den großen mystischen Bewegungen der «Ghost-dance religion», welche zwar schon zu Beginn des 19. Jahrhunderts endemisch waren, ihre umstürzende Wirkung in den nordamerikanischen Stämmen jedoch erst gegen Ende des Jahrhunderts ausübten[35]. Ein Einfluß des Christentums wenigstens auf einige ihrer «Propheten» ist sehr wahrscheinlich (vgl. Mooney, S. 748 ff., 780 usw.). Messianische Spannung und Erwartung des bevorstehenden «Endes der Zeit», das von den Propheten und Meistern der «Ghost-dance religion» verkündet wurde, waren einem verwischten, elementaren Christentumserlebnis leicht einzufügen. Doch ist deswegen die Struktur dieser bedeutenden mystischen Volksbewegung nicht weniger autochthon. Die Propheten hatten ihre Visionen im reinsten archaischen Stil; sie waren «tot» und sind zum Himmel aufgestiegen, wo eine Himmelsfrau sie anwies, sich dem «Meister des Lebens» vorzustellen (Mooney, S. 663 ff., 746 ff., 772 ff.); sie hatten ihre großen Offenbarungen in Trancen, in denen sie die Regionen des Jenseits bereisten, und nach ihrer Rückkehr erzählten sie, was sie gesehen hatten (*ebd.*, S. 672); während ihren freiwilligen Trancen konnte man sie mit Messern schneiden und brennen, ohne daß sie etwas spürten (S. 719 ff.) usw.

Die «Ghost-dance religion» prophezeite das Nahen einer allgemeinen Regeneration. Dann würden alle Indianer, tote und lebendige, auf einer «regenerierten Erde» leben dürfen; zu dieser paradiesischen Erde würden sie mit Zauberfedern fliegen (*ebd.*, S. 777 ff., 781, 786).

---

[35] Vgl. James Mooney, *The Ghost-dance religion and the Sioux Outbreak 1890* (Annual report of the Bureau of American Ethnology, 14. Bd., 2. Teil, Washington 1896, S. 641–1136); Leslie Spier, *The Prophet Dance of the Northwest and its derivatives: The Source of the Ghost Dance* (General Series in Anthropology, Nr. 1, New Haven 1935).

Gewisse Propheten, wie John Slocum, der Gründer der «Zitterer»-Bewegung, erhoben sich gegen die alte indianische Religion, besonders gegen die Medizinmänner. Das hat jedoch nicht verhindert, daß die Schamanen der Bewegung anhingen, fanden sie hier doch die alte Tradition der Himmelfahrten und mystischen Lichterlebnisse wieder, und wie die Schamanen vermochten auch die «shakers» Tote zu erwecken (s. z. B. den Fall der vier Auferweckten, S. 748). Das Hauptritual dieser Sekte bestand in langdauernder Betrachtung des Himmels und in fortwährendem Zittern der Arme – einfache Techniken, die man, auch in noch abwegigeren Formen, im antiken und modernen Nahen Orient findet und zwar immer in «schamanischem» Umkreis. Andere Propheten griffen die Zauberpraktiken und die Medizinmänner des Stammes an, doch mehr um sie zu reformieren und regenerieren, siehe das Beispiel des Shawano-Propheten, der etwa dreißig Jahre alt zum Himmel entrückt wurde und dort vom Meister des Lebens eine neue Offenbarung empfing, die ihm Vergangenheit und Zukunft enthüllte; obwohl er den Schamanismus angriff, wollte er die Kraft empfangen haben alle Krankheiten zu heilen und sogar den Tod in der Schlacht abzuhalten (*ebd.*, S. 672). Dieser Prophet hielt sich übrigens für die Inkarnation Manabozhos, des ersten «Großen Demiurgen» der Algonkin, und wollte die *midêwiwin* reformieren (*ebd.*, S. 675 f.).

Der erstaunliche Erfolg der «Ghost-dance religion» beim Volk ist jedoch der Einfachheit ihrer mystischen Technik zuzuschreiben. Um die Ankunft des Erlösers der Rasse vorzubereiten, tanzten die Mitglieder der Bruderschaft vier bis fünf Tage nacheinander und fielen so in Trancen, in denen sie die Toten sahen und mit ihnen sprachen. Man tanzte am Feuer rund herum, man sang, jedoch ohne Trommelbegleitung. Der Apostel bestätigte die Neupriester, indem er ihnen beim Tanz eine Adlerfeder gab; er brauchte einen Tänzer nur mit einer solchen Feder anzurühren und dieser fiel leblos nieder und blieb lange in diesem Zustand, während seine Seele den Toten begegnete und sich mit ihnen unterhielt (*ebd.*, S. 915 ff.). Auch von den übrigen wesentlichen Elementen des Schamanismus fehlte keines; die Tänzer wurden Heiler (S. 786), sie zogen «Gespensterhemden» («ghost shirts») an, Ritualtrachten mit Darstellungen von Gestirnen, mythologischen Wesen und sogar Trancevisionen (S. 789 ff., Taf. 103, S. 895), schmückten sich mit Adlerfedern (S. 791), gebrauchten das Dampfbad (S. 823 ff.)

usw. Betont sei, daß sie tanzten – eine mystische Technik, die zwar nicht ausschließlich schamanisch ist, doch, wie wir gesehen haben, bei der Vorbereitung des Schamanen zu seiner Ekstase eine entscheidende Rolle spielt.

Natürlich geht die «Ghost-dance religion» über den Schamanismus im strengen Sinn in jeder Beziehung hinaus. Das Fehlen der Initiation und einer traditionellen Geheimunterweisung genügt, um sie vom Schamanismus zu trennen. Doch haben wir es hier mit einem religiösen Kollektiverlebnis zu tun, das sich um das Bevorstehen eines «Weltendes» kristallisiert hat; die Quelle dieses Erlebnisses, die Verbindung mit den Toten, schließt für den, der seiner teilhaftig wird, die Abschaffung der gegenwärtigen Welt und die (wenn auch nur provisorische) Herbeiführung eines «Durcheinanders» ein, das sowohl den Beschluß des jetzigen kosmischen Zyklus wie die Keime der glorreichen Wiederherstellung eines neuen, paradiesischen Zyklus mit sich bringt. Da die mythischen Visionen von «Anfang» und «Ende» der Zeit gleichbedeutend sind, insofern die Eschatologie, zumindest unter bestimmten Gesichtspunkten, sich mit der Kosmogonie begegnet, konnte das *eschaton* der «Ghost-dance religion» das mythische *illud tempus* wiederbringen, wo die Verbindungen mit dem Himmel, dem Großen Gott und den Toten allen menschlichen Wesen offen standen. Vom traditionellen Schamanismus trennte diese mystischen Bewegungen der Umstand, daß sie, wiewohl unter Bewahrung der wesentlichen Elemente schamanischer Ideologie und Technik, für das ganze Indianervolk die Zeit gekommen glaubten, wo ihm der privilegierte Zustand des Schamanen erreichbar war, wo die «leichten Verbindungen» mit dem Himmel wiederhergestellt waren ganz wie am Morgen der Zeit.

Der südamerikanische Schamanismus: verschiedene Rituale

Der Schamane scheint bei den Stämmen Südamerikas eine ziemlich wichtige Rolle zu spielen [36]. Er ist nicht nur der Heiler par excellence

---

[36] A. Métraux, *Le shamanisme chez les Indiens de l'Amérique du Sud tropicale*, S. 329 ff.; vgl. auch A. Métraux, *Shamanism* (*Handbook of South American Indians*, 5. Bd.: *The comparative ethnology of South American Indians*, Washington 1949, S. 588–599); Schamanismus bei den Randstämmen, *ebd.*, S. 650 ff. (Steward); A. Mé-

und in bestimmten Gegenden der Geleiter der Seele des Abgeschiedenen zu seiner neuen Wohnstatt, er ist auch der Mittler zwischen Menschen und Göttern oder Geistern, wobei er sich zuweilen an die Stelle der Priester setzt (z. B. bei den Taino auf den Großen Antillen, den Mojo und den Manasi in Ostbolivien usw.) [37], er verschafft den rituellen Verboten Achtung, schützt den Stamm vor den bösen Geistern, zeigt den günstigen Ort für Jagd und Fischfang, vermehrt das Wild [38], regiert über die atmosphärischen Erscheinungen [39], erleichtert die Geburten [40], enthüllt die Zukunft [41] usw. Deshalb genießt er bei den südamerikanischen Gesellschaften viel Ansehen und Autorität. Nur die Schamanen können reich werden, d. h. Messer, Kämme, Äxte anhäufen. Sie gelten als Wundertäter (die Wunder haben dann streng schamanischen Charakter: magischer Flug, Schlucken von glühenden Kohlen usw.; Métraux, *Le shamanisme*..., S. 334). Die Guarani trieben die Verehrung ihrer

---

traux, *The social organization of the Mojo and Manasi* (Primitve Man 16, 1943, S. 1–30), S. 9–16. (Mojo-Schamanismus), S. 22–28 (Manasi-Schamanismus). Über das Problem der südamerikanischen Kulturkreise s. P. Wilhelm Schmidt, *Kulturkreise und Kulturschichten in Südamerika* (Zs. für Ethnologie, 45. Bd., 1913, S. 1014 bis 1124); dazu Kritik von Roland Dixon, *The building of cultures* (Neuyork 1928, S. 182 ff.) und Antwort von W. Schmidt, Anthropos 24, 1929, S. 695–699 und *Handbuch der kulturhistorischen Methode der Ethnologie* (Münster 1937; italienische Übersetzung: *Manuale di Methodologia etnologica*, Mailand 1949, S. 58 ff.); vgl. auch Rafael Karsten, *The Civilization of the South American Indians* (London 1926); John M. Cooper, *Areal and temporal aspects of aboriginal South-American Culture* (Primitive Man 15, 1942, S. 1–38). Über Ursprung und Geschichte der südamerikanischen Kulturen s. Erland Nordenskiöld, *Origin of the Indian Civilization in South America* (Comparative ethnographical studies, 9. Bd., Göteborg 1931, bes. S. 1–76); Paul Rivet, *Los origines del hombre americano* (Mexico 1943), passim.

[37] A. Métraux, *Le shamanisme chez les Indiens*..., S. 337 ff.

[38] *Ebd.*, S. 330 ff.

[39] Die Schamanen gebieten den Regengüssen Einhalt, *ebd.*, S. 331 ff. «Die Ipurina-Schamanen schicken ihren Doppelgänger zum Himmel, damit er die Meteore auslöscht, die das Universum in Brand zu setzen drohen» (*ebd.*, S. 332).

[40] Nach den Tapirapé und anderen Stämmen können die Frauen kein Kind zur Welt bringen, wenn nicht der Schamane ein Geisterkind in ihren Leib herabsteigen läßt. Bei gewissen Stämmen wird der Schamane gerufen um den Geist zu identifizieren, der sich in dem Kind inkarniert hat, Métraux, *a. a. O.*, S. 332.

[41] Um die Zukunft zu erfahren, zogen sich die Tupinamba-Schamanen «in kleine Hütten zurück, nachdem sie verschiedene Tabus, darunter neuntägige Enthaltsamkeit beobachtet hatten» (*ebd.*, S. 331). Die Geister stiegen herab und offenbarten die Zukunft in Geistersprache. Vgl. auch A. Métraux, *La religion des Tupinamba*, S. 86 ff. Am Vorabend von Kriegszügen zeigen sich die Träume des Schamanen von besonderer Wichtigkeit, (Métraux, *Le shamanisme*..., S. 331).

Schamanen so weit, daß sie einen Kult für ihre Gebeine hatten; man bewahrte die Überreste besonders mächtiger Zauberer in Hütten und ging sie um Rat fragen, wobei man ihnen Opfergaben brachte [42].

Der südamerikanische Schamane kann natürlich wie alle seine Kollegen auch die Rolle des Zauberers spielen; er kann sich z. B. in ein Tier verwandeln und das Blut seiner Feinde trinken. Der Werwolfglaube ist in Südamerika sehr verbreitet (Métraux, *Le shamanisme*..., S. 335–336). Doch seine religiös-magische Stellung und soziale Autorität verdankt der südamerikanische Schamane mehr den ekstatischen Fähigkeiten als seinem Ansehen als Zauberer, denn diese ekstatischen Fähigkeiten ermöglichen ihm neben seinem Vorrecht zu heilen die mystischen Himmelsreisen, bei denen er unmittelbar mit den Göttern zusammenkommt und ihnen die Gebete der Menschen überbringt. (Manchmal steigt auch der Gott in die Zeremonialhütte des Schamanen herab, so bei den Manasi, wo der Gott auf die Erde niedersteigt, sich mit dem Schamanen unterredet und ihn zum Schluß mit sich in den Himmel entführt, um ihn kurz darauf wieder herabfallen zu lassen, Métraux, *ebd.*, S. 338.)

Als Beispiel für die Übernahme priesterlicher Funktionen durch den Schamanen sei die periodische Gemeinschaftszeremonie der Araukaner, das *ngillatun*, erwähnt, das die Beziehungen zwischen dem Stamm und Gott neu verstärken soll [43]. Dabei spielt die *machi* die Hauptrolle. Sie fällt in Trance und entsendet ihre Seele zum «Himmlischen Vater», um ihm die Wünsche der Gemeinschaft vorzutragen. Die Zeremonie findet öffentlich statt; in früherer Zeit bestieg die *machi* die Plattform, die auf Sträuchern errichtet war (die *rewe*), und hatte dort durch fortgesetztes Betrachten des Himmels ihre Visionen. Zwei von den Anwesenden erfüllten dabei eine Funktion von deutlich schamanischem Charakter: «Den Kopf mit einem weißen Taschentuch bedeckt, das Gesicht

---

[42] A. Métraux, *La religion des Tupinamba*, S. 81 ff.; ders., *Les hommes-dieux chez les Chiriguano et dans l'Amérique du Sud* (Revista de Etnologia de la Universidad nacional de Tucumán 2, 1942, S. 61–91), S. 66 usw.; ders., *Le shamanisme*..., S. 334.

[43] A. Métraux, *Le shamanisme araucan* (Revista de l'Instituto de Antropologia de la Universidad nacional de Tucumán, 2. Bd., Nr. 10, Tucumán 1942, S. 309–362), S. 351 ff. Vgl. dazu den Yaruro-Schamanen, der Mittler zwischen Mensch und Göttern ist, s. Vicenco Petrullo, *The Yaruros of the Capanaparo River, Venezuela* (Smithsonian Institution, Bureau of American Ethnology, Bulletin 123, Anthropological Papers. Nr. 11, Washington 1939, S. 167–289), S. 249 ff.

schwarz beschmiert, rittlings auf einem Holzpferd sitzend, ein hölzernes Schwert und ihre Pritsche in der Hand treiben sie (diese beiden Pagen) ihr Holzpferd hin und her und schütteln wie wahnsinnig ihre Glocken» (P. House), sobald die *machi* in Trance fällt. (Man erinnert sich dabei an das «Pferd» des buriätischen Schamanen und die Tänze der Muria auf einem hölzernen Pferd.) Während der Trance der Machi kämpfen andere Reiter gegen die Dämonen und werden böse Geister ausgetrieben[44]. Wenn die *machi* wieder zu sich gekommen ist, erzählt sie ihre Himmelsreise und verkündet, daß der Himmlische Vater alle Wünsche der Gemeinde erhört hat. Diesen Worten folgen lange Ovationen und eine allgemeine Begeisterung. Wenn der Tumult sich ein wenig gelegt hat, erzählt man der *machi* alles, was sich während ihrer Himmelsreise ereignet hat, den Kampf mit den Dämonen, ihre Austreibung usw.

Die Ähnlichkeit dieses araukanischen Rituals mit dem altaischen Pferdeopfer und der Himmelsreise des Schamanen zum Palast Bai Ülgäns ist frappant: beide Male ein periodisches Gemeinschaftsritual, das dem Himmelsgott die Wünsche des Stammes überbringen soll, beide Male der Schamane in der Hauptrolle und zwar einzig dank seiner Ekstasekraft, die ihm Himmelsreise und direkte Unterredung mit Gott ermöglicht. Selten tritt die religiöse Funktion des Schamanen, die Mittlerschaft zwischen den Menschen und Gott, so klar zu Tage wie bei den Araukaniern und den Altaiern.

Andere Ähnlichkeiten zwischen südamerikanischem und altaischem Schamanismus haben wir bereits erwähnt: das Besteigen einer Plattform, die aus Pflanzen gebildet ist (bei den Araukaniern) oder an mehreren geflochtenen Stricken von der Decke der Zeremonialhütte hängt (bei den Kariben in Holländisch Guayana), die Rolle des Himmelsgottes, das Holzpferd, der rasende Galopp der Mitwirkenden. Ganz wie bei den Altaiern und Sibiriern sind auch gewisse südamerikanische Schamanen Seelengeleiter. Bei den Bakairi ist die Reise ins Jenseits so schwierig, daß ein Toter sie nicht allein machen kann; er braucht dazu jemanden, der den Weg kennt, weil er ihn schon mehrmals gemacht hat, und der Schamane erreicht ja den Himmel in einem Augenblick;

---

[44] Es ist übrigens wahrscheinlich, daß das *ngillatun*-Fest einen Teil des Komplexes periodischer Zeremonien bildet, welche der Regenerierung der Zeit dienen, vgl. unser Buch *Der Mythos der ewigen Wiederkehr*, S. 77 ff.

für ihn ist, wie die Bakairi sagen, der Himmel nicht höher als ein Haus[45]. Bei den Manacica führt der Schamane die Seele des Abgeschiedenen zum Himmel, sobald das Leichenbegängnis zu Ende ist. Der Weg ist außerordentlich lang und schwierig: Es gilt einen jungfräulichen Wald zu durchqueren, einen Berg zu ersteigen, über Meere, Flüsse und Sümpfe zu setzen, bis man an das Ufer eines großen Flusses kommt, den man auf einer Brücke überschreiten muß, die von einer Gottheit bewacht wird[46]. Ohne die Hilfe des Schamanen wäre das alles der Seele niemals möglich.

Die schamanische Heilung

Wie überall ist auch in Südamerika die wesentliche und nur ihm eigene Funktion des Schamanen die Heilung[47]. Nicht immer hat sie ausschließlich magischen Charakter. Auch der südamerikanische Schamane kennt die medizinischen Kräfte der Pflanzen, verwendet die Massage usw. Aber da nach seiner Meinung die überwiegende Mehrheit der Krankheiten eine Ursache geistiger Art hat – entweder Flucht der Seele oder Einführung eines magischen Gegenstandes in den Körper durch Geister oder Zauberer –, muß er in diesen Fällen zur schamanischen Heilung greifen.

Die Vorstellung von der Krankheit als Verlust der Seele, die sich verirrt hat oder von einem Geist oder Wiedergänger entführt wurde, ist in der Amazonas- und Andengegend sehr verbreitet[48], im tropischen Südamerika dagegen seltener. Trotzdem ist sie auch bei gewissen Stämmen dieses letzteren Gebietes[49] und sogar bei den Yaghan des Feuerlandes[50] bezeugt. Im allgemeinen tritt diese Vorstellung zusam-

---

[45] Karl von den Steinen, *Unter den Naturvölkern Central-Brasiliens* (Berlin 1894), S. 357.

[46] Theodor Koch, *Zum Animismus der südamerikanischen Indianer* (Supplement zu Bd. 13 des Internat. Archivs für Ethnographie, Leyden 1900), S. 129 ff., nach den Quellen des 18. Jh.

[47] Vgl. auch Ida Lublinski, *Der Medizinmann bei den Naturvölkern Südamerikas*, S. 247 ff.

[48] Vgl. F. E. Clements, *Primitive concepts of disease*, S. 196 f. (Tafel); Métraux, *Le shamanisme...*, S. 325.

[49] Bei den Caingang, Apinayé, Cocama, Tucuna, Coto, Coheno, Taulipáng, Itonama und Uitoto, s. Métraux, S. 325.

[50] Vgl. z. B. W. Koppers, *Unter Feuerland-Indianern* (Stuttgart 1924), S. 72, 172.

men mit der Theorie von der Einführung eines magischen Gegenstandes in den Körper des Kranken auf [51], die noch weiter verbreitet scheint.

Wenn es die von Geistern oder Toten entführte Seele wiederzufinden gilt, verläßt der Schamane seinen Körper und begibt sich in die Unterwelt oder in die Gegend, wo der Entführer wohnt. So geht er bei den Apinayé ins Land der Toten, die voll Schrecken entfliehen, so daß der Schamane die Seele des Kranken fangen und wieder zum Körper zurückbringen kann. Ein Mythus der Taulipang berichtet von der Suche nach der Seele eines Kindes, die der Mond entführt und unter einem Topf versteckt hat. Der Schamane steigt zum Mond auf, entdeckt nach vielen Wechselfällen den Topf und befreit die Seele des Kindes [52]. In den Liedern der araukanischen *machi* ist manchmal von den Mißgeschicken der Seele die Rede; ein böser Geist hat den Kranken über eine Brücke gehen lassen oder ein Toter hat ihn erschreckt [53]. In bestimmten Fällen begibt sich die *machi* nicht auf die Suche nach der Seele, sondern fleht sie nur an zurückzukommen und ihre Eltern wieder zu kennen (Métraux, *Le shamanisme araucan*, S. 331), wie das auch aus anderen Ländern bekannt ist (vgl. z. B. das vedische Indien). Die ekstatische Reise des Schamanen zum Zweck der Heilung zeigt manchmal den Charakter einer verderbten Himmelfahrt, deren Sinn man nicht mehr versteht; so heißt es, daß «für die Taulipang das Ergebnis einer Kur zuweilen von dem Kampf zwischen dem Doppelgänger des Schamanen und dem Zauberer abhängt. Um in das Land der Geister zu gelangen, trinkt der Schamane den Aufguß einer Liane, deren Form an eine Leiter erinnert» (Métraux, *Le shamanisme...*, S. 327). Die Leitersymbolik zeigt den Auffahrtscharakter der Trance an. Doch im allgemeinen wohnen die seelenentführenden Geister oder Zauberer nicht in himmlischen Gegenden. Wie so oft zeigt sich auch beim Taulipang-Schamanen ein Durcheinander von religiösen Ideen, deren Sinn im Begriff ist verloren zu gehen.

Meistens ist die ekstatische Reise des Schamanen unentbehrlich, auch wenn die Krankheit auf Seelenraub durch Dämonen oder Tote zurückgeht. Die schamanische Trance bildet einen Teil der Kur; welche Inter-

---

[51] So z. B. bei den Araukaniern, vgl. Métraux, *Le shamanisme araucan*, S. 331.

[52] A. Métraux, *Le shamanisme chez les Indiens de l'Amérique du Sud tropicale*, S. 328.

[53] A. Métraux, *Le shamanisme araucan*, S. 331.

pretation der Schamane ihr auch gibt, immer ist seine Ekstase für ihn das Mittel, die genaue Ursache der Krankheit zu finden und die wirksamste Behandlung zu erfahren. Zuweilen führt die Trance zur «Besessenheit» des Schamanen von seinen Hausgeistern (so z. B. bei den Taulipang und den Yekuaná, s. Métraux, *Le shamanisme*..., S. 322). Doch wie wir bereits gesehen haben, besteht die «Besessenheit» für den Schamanen vielfach darin, daß er in den Besitz all seiner «mystischen Organe» tritt, die in gewissem Grad erst seine wahre und vollständige geistige Persönlichkeit ausmachen. In den meisten Fällen geht die «Besessenheit» nur so weit, daß der Schamane zur Verfügung über seine Hilfsgeister gelangt und daß ihre *tatsächliche Anwesenheit* eintritt und sich auf jede sinnlich wahrnehmbare Weise manifestiert. Diese vom Schamanen beschworene Anwesenheit führt nicht zur «Trance», sondern zu einem Dialog zwischen dem Schamanen und seinen Hilfsgeistern. Die Wirklichkeit ist indessen noch komplexer, kann sich der Schamane doch selbst in Tiere verwandeln, und manchmal fragt man sich, ob die im Lauf der Sitzung ertönenden Tierschreie den Hausgeistern angehören [54] oder nicht vielmehr der Ausdruck für die Etappen der Tierverwandlung des Schamanen selber sind und damit die Offenbarung seiner wahren mystischen Persönlichkeit.

Die Morphologie der südamerikanischen Schamanenkur ist fast überall dieselbe. Sie enthält Räucherungen mit Tabak, Gesänge, Massagen des kranken Körperteils, Feststellung der Krankheitsursache mit Hilfe der Hilfsgeister (hier tritt die «Trance» des Schamanen auf, in der ihm von den Anwesenden manchmal auch andere Fragen gestellt werden) und schließlich das Herausziehen des pathogenen Gegenstands mittels Saugen [55]. Bei den Araukaniern z. B. wendet sich die *machi* gleich zuerst an «Gott den Vater», der unbeschadet etwaiger christlicher Einflüsse noch ganz seine archaische Struktur bewahrt hat (so z. B. den Androgynismus; er wird angerufen als «Gott Vater, Alte, die du im Himmel bist...», Métraux *Le shamanisme araucan,* S. 333). Dann wendet sich

---

[54] Über die südamerikanische Vorstellung von Tiergeistern S. R. Karsten, *The Civilization of the South American Indians*, S. 265 ff. Vgl. ebd., S. 86 ff. die Rolle der Federn als Ritualschmuck der Medizinmänner, und S. 365 ff. die magische Kraft der Kristalle und Felssteine.

[55] S. z. B. die Beschreibung der Sitzung bei den Karibenstämmen in Guayana (über die es reiches Material gibt) bei Métraux, *Le shamanisme chez les Indiens de l'Amérique du Sud tropicale.* S. 325 ff. (und Anm. 90).

die *machi* an Anchimalen, die Frau oder «Freundin» der Sonne, und an die Seelen der verstorbenen *machi*, «die, von denen gesagt wird, daß sie in den Himmeln sind, und die ihren Blick niedersenken auf ihre Kollegin hienieden» (Métraux, *ebd.*); sie werden um ihre Fürbitte bei Gott gebeten.

Bei dieser Gelegenheit ist noch auf die Bedeutung der Himmelfahrts- und Luftrittmotive in der Technik der *machi* hinzuweisen. Kurz nach der Anrufung Gottes und der toten *machi* verkündet die Schamanin, «daß sie mit ihren Helferinnen, den unsichtbaren *machi*, zu Pferd steigen wird» (Métraux, S. 334). Während der Trance verläßt ihre Seele den Körper und fliegt durch die Luft (*ebd.*, S. 336). Um die Ekstase zu erreichen, gebraucht die *machi* einfache Mittel: Tanz, Armbewegungen, Glockenbegleitung. Während sie tanzt, wendet sie sich an die himmlischen *machi* um Hilfe bei der Ekstase. «Wenn die Schamanin im Begriff ist, bewußtlos zu Boden zu stürzen, erhebt sie die Arme und beginnt sich um sich selbst zu drehen. Nun tritt ein Mann herzu, der sie stützt und vor dem Fallen bewahrt. Ein anderer Indianer führt einen Tanz namens lañkañ aus, der sie wieder zum Leben bringen soll» (*ebd.*, S. 337). Man erreicht die Trance durch Schaukeln zuoberst auf der heiligen Leiter (*rewe*).

Während der ganzen Zeremonie macht man starken Gebrauch vom Tabak. Die *machi* tut einen Zug und schickt den Rauch zum Himmel, zu Gott. «Ich bringe dir diesen Rauch dar!» sagt sie dabei. Doch «bei keiner Gelegenheit ließ sich feststellen, daß der Tabak ihr zu einem ekstatischen Zustand verhilft» (*ebd.* S. 339).

Nach den europäischen Reisenden des 18. Jahrhunderts schloß die schamanische Heilung auch die Opferung eines Widders ein; der Schamane riß ihm das zuckende Herz heraus. Heutzutage beschränkt man sich darauf, dem Opfertier einen Schnitt beizubringen. Doch die Mehrzahl der alten und neueren Beobachter stimmt darin überein, daß die *machi* durch ein Illusionskunststück die Anwesenden glauben macht, daß sie dem Kranken die Brust und den Bauch öffnet und Eingeweide und Leber bloßlegt[56]. Nach dem Pater Housse «scheint die *machi* den Körper des Unglücklichen zu öffnen, darin zu wühlen und etwas her-

---

[56] Vgl. Métraux, *Le shamanisme araucan*, S. 339 ff. (nach einem Autor des 18. Jahrhunderts, Nuñes de Pineda y Bascuñan), 341 ff. (nach Manuel Manequilef und R. P. Housse).

auszuziehen». Darauf zeigt sie die Ursache des Übels, ein Steinchen, einen Wurm, ein Insekt usw. Die «Wunde» schließt sich nach dem Glauben der Leute ganz von selbst. Doch da die übliche Kur die scheinbare Öffnung des Körpers nicht enthält, sondern nur das Saugen des vom Geist angegebenen Körperteils (übrigens manchmal solange, bis Blut austritt) (vgl. *ebd.*, S. 341), wird es sehr wahrscheinlich, daß wir es hier mit einer abirrenden Anwendung der wohlbekannten Initiationstechnik zu tun haben, bei der man auf magische Weise den Körper des Neophyten öffnet, um ihm andere innere Organe zu geben und zur «Wiedergeburt» zu verhelfen. Im Fall der araukanischen Heilung sind die beiden Techniken, Austausch der inneren Organe des Kandidaten und Herausziehen des pathogenen Gegenstands, miteinander vermischt, was sicher dadurch veranlaßt war, daß das Initiationsschema (Tod und Auferstehung mit Erneuerung der inneren Organe) im Untergang begriffen ist.

Wie dem auch sei, auf jeden Fall war diese magische Operation im 18. Jahrhundert von einer kataleptischen Trance begleitet, bei der der Schamane (denn damals war der Schamanismus das Vorrecht der Männer und Homosexuellen und nicht der Frauen) «wie tot» niederfiel (*ebd.*, S. 340). Während seiner Trance stellte man ihm Fragen über den Namen des Zauberers, der die Krankheit hervorgerufen hatte usw. Heutzutage fällt die *machi* ebenfalls in Trance und man erfährt auf dieselbe Weise Ursache und Heilmittel der Krankheit, doch diese Trance findet nicht unmittelbar nach der «Öffnung» des Körpers des Patienten statt. In gewissen Fällen ist von der erwähnten magischen Operation nichts zu bemerken, nur das Saugen findet nach der Trance gemäß den Anweisungen der Geister statt.

Saugen und Extraktion des pathogenen Gegenstands bleiben immer religiös-magische Operationen. Meistens ist dieser «Gegenstand» übernatürlicher Art und auf unsichtbare Weise durch einen Zauberer, einen Dämon oder einen Toten in den Körper gebracht. Der «Gegenstand» stellt nur die wahrnehmbare Manifestation des «Übels» dar, das nicht von dieser Welt ist. Wie wir bei den Araukaniern gesehen haben, wird dem Schamanen bei seiner Arbeit geholfen und zwar ohne Zweifel von seinen Hausgeistern, aber auch von seinen verstorbenen Mitbrüdern und von Gott selbst. Die Zauberformeln der *machi* sind sogar von Gott diktiert (Métraux, S. 338). Der Yamana-Schamane, der zum Herausziehen des *yekush* (des «Übels», das auf magische Weise in den Körper des Patienten gebracht wurde) ebenfalls das Saugen anwendet, kennt trotzdem auch Gebete[57]. Auch er verfügt über einen *yefatchel*, einen Hilfsgeist, und ist gefühllos, solange er von diesem besessen ist[58]. Doch diese Gefühllosigkeit gehört eigentlich mehr zu seinem schamanischen Zustand, denn er kann barfuß auf dem Feuer spielen und glühende Kohlen verschlucken (Gusinde II, S. 1426) wie seine Mitbrüder in Ozeanien, Nordamerika und Sibirien.

So weist der südamerikanische Schamanismus noch viele außerordentlich archaische Züge auf, nämlich Initiation durch rituelles Sterben und Auferstehen des Kandidaten, Einfügung magischer Substanzen in seinen Körper, Himmelfahrt mit dem Zweck, die Wünsche der ganzen Gesellschaft vor den höchsten Gott zu bringen, schamanische Heilung durch Saugen oder Suche nach der Seele des Kranken, ekstatische Reise des Schamanen zum Geleit der Seele, «geheime Lieder», die von Gott oder von Tieren, vor allem Vögeln, geoffenbart sind. Wir wollen hier kein vergleichendes Gesamtbild aller Fälle geben, in denen der nämliche Komplex wiederkehrt; es sei nur an die Ähnlichkeiten mit den australischen Medizinmännern erinnert (Einfügung magischer Substanzen in den Körper des Kandidaten, Himmelsreise bei der Initiation, Heilung durch Saugen), um die ausnehmende Altertümlichkeit gewisser südamerikanischer Schamanentechniken und -glaubensvorstellungen zu zeigen. Wir haben nicht zu entscheiden, ob diese frappanten Ähnlichkeiten darauf zurückgehen, daß die ältesten Schichten Südamerikas wie Australiens die an die äußersten Punkte der bewohnten Erde verschlagenen Reste einer archaischen Menschheit sind, oder ob über die Antarktis direkte Berührungen zwischen Australien und Südamerika stattfanden. Diese letztere Hypothese wird von Forschern wie Mendes Correa, W. Koppers und Paul Rivet[59] vertreten. Man denkt

---

[57] M. Gusinde, *Die Feuerland-Indianer:* Bd. II, *Die Yamana* (Mödling bei Wien 1937), S. 1417 ff., 1421. Vgl. die Sitzung bei den Selk'nam, ders., Bd. I, *Die Selk'nam*, S. 757 ff.

[58] M. Gusinde, *Die Yamana*, S. 1429 ff.

[59] Vgl. W. Koppers, *Die Frage der eventuellen alten Kulturbeziehungen zwischen südlichstem Südamerika und Südostaustralien* (23e Congrès International des Américanistes, Neuyork 1930, S. 678–686); über die linguistischen Ähnlichkeiten s. Paul Rivet, *Les Australiens en Amérique* (Bulletin de la Société de Linquistique de Paris, Paris 1925, 26. Bd., S. 23–65); ders., *Los Origenes del hombre americano*, S. 116 ff. S. auch W. Schmidt, *Der Ursprung der Gottesidee*, 6. Bd. (Münster 1935), S. 361 ff.

jedoch auch an spätere Wanderungen aus dem malaio-polynesischen Raum nach Südamerika [60].

Altertümlichkeit des Schamanismus auf dem amerikanischen Kontinent

Die Frage des «Ursprungs» des Schamanismus in den beiden Amerika ist noch weit von ihrer Lösung entfernt. Wahrscheinlich haben sich im Lauf der Zeit eine Reihe religiös-magischer Praktiken an die Glaubensvorstellungen und Praktiken der nord- und südamerikanischen Ureinwohner angebaut. Betrachtet man die Feuerländer als die Abkömmlinge einer der ersten Einwandererwellen in Amerika, so darf man in ihrer Religion die Survivance einer archaischen Ideologie erblicken, die – von unserem Gesichtspunkt betrachtet – vor allem den Glauben an einen Himmelsgott, schamanische Initiation durch Berufung oder eigenes Streben, Beziehungen zu den Seelen der toten Schamanen und den Hausgeistern (manchmal bis zur «Besessenheit») und die Vorstellung von der Krankheit als Eindringen eines magischen Objekts oder als Seelenverlust sowie die Widerstandsfähigkeit des Schamanen gegen das Feuer enthält. Nun begegnen die meisten von diesen Zügen anscheinend in allen Ländern, ob nun der Schamanismus das religiöse Leben der Gemeinschaft beherrscht (Nordamerika, Eskimo, Sibirien) oder nur ein Element des religiös-magischen Lebens bildet (Australien, Ozeanien, Südostasien). Das legt die Vermutung nahe, daß sich in den

---

[60] Vgl. Paul Rivet, *Les Malayo-Polynésiens en Amérique* (Journal de la Société des Américanistes, Neue Serie, Paris 1926, 18. Bd., S. 141–278); Georg Friederici, *Zu den vorkolumbischen Verbindungen der Südsee-Völker mit Amerika* (Anthropos, 24. Bd., 1929, S. 441–487); Walter Lehmann, *Die Frage völkerkundlicher Beziehungen zwischen der Südsee und Amerika* (Orientalistische Literaturzeitung, 33. Bd., 1930, S. 322–339); Rivet, *Los Origines del hombre americano*, S. 133 ff.; D. S. Davidson, *The question of relationship between the culture of Australia and Tierra del Fuego* (American Anthropologist 39, 1937, S. 229–243); James Hornell, *Was there pre-Columbian contact between the peoples of Oceania and South America?* (The Journal of the Polynesian Society, 54. Bd., 1945, S. 167–191).

Paul Rivet glaubt vom chronologischen Standpunkt drei Einwanderungen in Amerika unterscheiden zu können, eine asiatische, eine australische und eine melanesisch-polynesische. Diese letztere sei weit bedeutender gewesen als die australische. Obwohl sich in Südamerika bis heute noch keine Spuren des paläolithischen Menschen gefunden haben, ist es doch wahrscheinlich, daß die Wanderungen und kulturellen Berührungen zwischen hier und Ozeanien (wenn überhaupt) schon sehr früh stattfanden.

beiden Amerika schon mit den ersten Einwanderungswellen eine bestimmte Form des Schamanismus verbreitet hat, welches auch ihre «Urheimat» gewesen sein mag.

Zweifellos hat der lang dauernde Kontakt zwischen Nordasien und Nordamerika noch lange nach dem Eindringen der ersten Besiedler asiatische Einflüsse ermöglicht [61]. Nach Tylor, Thalbitzer, Hallowell und anderen hat auch Robert Lowie [62] zahlreiche Ähnlichkeiten zwi-

---

[61] Zu dieser Frage gibt es eine umfangreiche Bibliographie; s. Berthold Laufer, *Columbus and Cathay, and the meaning of America to the orientalist* (Journal of the American Oriental Society, 51. Bd., 1931, S. 87–103); B. Frhr. v. Richthofen, *Zur Frage der archäologischen Beziehungen zwischen Nordamerika und Nordasien* (Anthropos, 27. Bd., 1932, S. 123–151); Diamond Jenness, *Prehistoric culture waves from Asia to America* (Annual Report of the Smithsonian Institution, 1940, Washington 1941, S. 383–396); G. Hatt, *Asiatic influences in American Folklore* (Det Kgl. Danske Videnskabernes Selskab, Hist.-Filol. Medd., 31, Nr. 6. Kopenhagen 1949); Carl Schuster, *Joint Marks. A possible index of culture contact between America, Oceania and the Far East* (Amsterdam 1951); R. v. Heine-Geldern, *Cultural connections between Asia and pre-Columbian America* (Anthropos, 45. Bd., 1950, S. 350–352) anläßlich des letzten Internationalen Kongresses der Amerikanisten, der 1949 in Neuyork stattfand und dessen Akten beim Abschluß des vorliegenden Bandes noch nicht veröffentlicht waren. Von Helge Larsen liegt eine Mitteilung vor über sibirische und chinesische Einflüsse in der prähistorischen Kultur von Ipiutak (Westalaska), die vorderhand ins 1. Jh. n. Chr. datiert wird, von Marius Barbeau eine Studie über die «chants mongols et tatars dans l'Amérique préhistorique», von Carl Schuster, Gordon Ekholm, Hélène Martin-Delfour und Heine-Geldern Untersuchungen über die Parallelen zwischen amerikanischen und asiatischen Zeichnungen, Ornamenten und kosmologischen Vorstellungen. Heine-Geldern hat den asiatischen Ursprung der Kunst der amerikanischen Nordwestküste ins Licht gesetzt; er findet das nämliche Stilprinzip bei den Küstenstämmen von Britisch Columbia und Südalaska, im Nonrden von Neu-Irland, in Melanesien und auf bestimmten Denkmälern und Ritualgegenständen in Borneo, Sumatra und Neu-Guinea und schließlich in der chinesischen Kunst der Chang-Epoche. Nach Ansicht dieses Autors hätte sich dieser Kunststil von China aus einerseits nach Indonesien und Melanesien, andererseits nach Amerika ausgebreitet, und zwar letzteres schon in der ersten Hälfte des ersten vorchristlichen Jahrtausends. Ein Parallelismus zwischen China und Altamerika, besonders auf Grund der künstlerischen Zeugnisse, wurde schon durch C. Hentze, *Objets rituels, croyances et dieux de la Chine antique et de l'Amérique* (Antwerpen 1936), ins Licht gerückt.

[62] Robert H. Lowie, *Religious ideas and practices of the Eurasiatic and North American areas* (Essays presented to C. G. Seligman, London 1934, S. 183–188); vgl. vom selben Verf. *On the historical connection between the Old World and the New World beliefs*, bes. S. 547 ff. Ein Reisender vom Ende des 17. Jh. beschreibt folgenden finnischen Brauch: Die Bauern erhitzten Steine in einer Schwitzstube, gossen Wasser darauf, blieben einige Zeit darin, damit sich ihre Poren weit öffneten, gingen dann hinaus und warfen sich in einen sehr kalten Fluß. Derselbe Brauch ist im 16. Jh. für Skandinavien bezeugt. Wie Lowie erwähnt, werfen sich auch die Tlingit und die Crow nach einem langen Dampfbad in einen zugefrorenen Fluß, *a. a. O.*, S. 188. Wie wir unten sehen

schen Lappen und amerikanischen Stämmen, besonders denen im Nordosten festgestellt. Speziell die Zeichnungen auf der lappischen Trommel erinnern geradezu erstaunlich an den Bilderschriftstil der Eskimo und der östlichen Algonkin (Lowie, *a. a. O.*, S. 186). Derselbe Forscher hat auf die Ähnlichkeit zwischen dem Gesang des Lappenschamanen und dem der nordamerikanischen Schamanen hingewiesen, die beide von einem Tier, in erster Linie von einem Vogel angeregt sind (*ebd.*, S. 187). Doch gibt es dasselbe Phänomen auch in Südamerika, was u. E. neueren eurasiatischen Einfluß ausschließt. Weiter erwähnt Lowie die Ähnlichkeiten zwischen nordamerikanischem und sibirischem Seelenverlust, das schamanische Spiel mit dem Feuer (in Nordasien wie bei vielen nordamerikanischen Stämmen, z. B. den Fox und den Menomini), die Erschütterung der Zeremonialhütte [63] und das Bauchreden bei Tschuktschen und Crec, Saulteau und Cheynne, und schließlich bestimmte gemeinsame Züge des nordamerikanischen und nordeuropäischen Initiationsdampfbades. Das alles legt nicht nur einen Kulturzusammenhang zwischen Sibirien und westlichem Amerika, sondern darüber hinaus Beziehungen zwischen Amerika und Skandinavien nahe.

Alle diese Elemente begegnen freilich nicht nur in Südamerika (Seelensuche, die heftige Bewegung der Schamanenhütte, Bauchreden, Dampfbad, Unempfindlichkeit gegen das Feuer), sondern gerade die bezeichnendsten (Spiel mit dem Feuer, Dampfbad, das Erschüttern der Zeremonialhütte) sind ebenso in vielen anderen Gegenden (Afrika, Australien, Ozeanien, Asien) bezeugt und zwar gerade in Verbindung mit den altertümlichsten Formen der Magie im allgemeinen und besonders mit dem Schamanismus. Ganz besonders wichtig erscheint uns die Rolle des «Feuers» und der «Hitze» im südamerikanischen Schamanismus. «Feuer» und «mystische Hitze» stehen immer in Zusammenhang mit dem Erreichen eines ekstatischen Zustands, und dieselbe Beziehung findet sich in den archaischsten Schichten der allgemeinen Magie und Religion. Meisterschaft über das Feuer, Unempfindlichkeit

---

werden, bildet das Dampfbad einen Bestandteil der elementaren Techniken zur Vermehrung der «mystischen Hitze». Das Schwitzen hatte zuweilen eine besondere schöpferische Kraft; in zahlreichen mythologischen Traditionen wurde der Mensch von Gott durch starkes Schwitzen erschaffen, vgl. dazu K. Meuli, *Scythica* (Hermes, 70. Bd. 1935, S. 121–176), S. 133 ff. und 370.

[63] Über diesen Komplex s. Regina Flannery, *The Gros Ventre Shaking Tent* (Primitive Man 17, 1944, S. 54–84), S. 82 ff. (vergleichende Studie).

gegen Hitze und damit die «mystische Hitze», welche äußerste Kälte und Gluttemperatur ertragen läßt, ist eine mystisch-magische Kraft, die in Verbindung mit anderen ebenso wunderbaren Eigenschaften (Auffahrt, magischer Flug usw.) das äußere Zeichen dafür darstellt, daß der Schamane den menschlichen Stand überstiegen und schon am Zustand der «Geister» teilhat.

Das mag genügen, um die Hypothese vom neuen Ursprung des amerikanischen Schamanismus in Zweifel zu ziehen. Von Alaska bis zum Feuerland finden wir in großen Zügen immer denselben schamanischen Komplex. Die Wirkung der nordasiatischen und vielleicht ozeanisch-asiatischen Einströme bestand sehr wahrscheinlich nur in einer Verstärkung und zuweilen teilweisen Abänderung einer schamanischen Ideologie und Technik, die in den beiden Amerika schon weit ausgebreitet und gewissermaßen eingebürgert war.

X

SCHAMANISMUS IN SÜDOSTASIEN UND OZEANIEN

*Schamanische Glaubensvorstellungen und Techniken
bei den Semang, Sakai und Jakun*

In den Negrito sieht man allgemein die ältesten Einwohner der malaischen Halbinsel. Kari, Karei oder Ta Pedn, das Höchste Wesen der Semang, zeigt alle Kennzeichen eines Himmelsgottes (Kari bedeutet übrigens «Blitz», «Sturm»), doch er ist nicht Gegenstand eines Kults im eigentlichen Sinn; nur im Fall eines Sturmes wendet man sich mit Sühne-Blutopfern an ihn (s. *Die Religionen und das Heilige*, S. 71 ff.). Der Medizinmann der Semang heißt *hala* oder *halak*, ein Wort, das auch die Sakai gebrauchen [1]. Sobald jemand krank wird, ziehen sich der *hala* und sein Gehilfe in eine Laubhütte zurück und beginnen zu singen und die *cenoi*, die «Neffen der Götter» anzurufen [2]. Nach einiger Zeit steigen aus der Hütte die Stimmen der *cenoi* selbst empor; der *hala* und sein Helfer singen und sprechen in unbekannter Sprache, die sie beim Verlassen der Hütte angeblich vergessen haben [3]. In Wirklich-

---

[1] W. W. Skeat und C. O. Blagden, *Pagan Races of the Malay Peninsula* (London 1906), II, S. 229 ff., 252 ff.; Ivor H. N. Evans, *Studies in Religion, Folk-lore and Custom in British North Borneo and the Malay Peninsula* (Cambridge 1923, S. 158). Es gibt zwei Klassen von *hala*: Der *snahud*, vom Verbum *sahud*, «beschwören», kann nur die Diagnose stellen, der *puteu* jedoch außerdem auch heilen; Ivor Evans, *Schebesta on the sacerdo-therapy of the Semang* (Journal of the Royal Anthropological Institute 1930, 60. Bd., S. 115–125), S. 119. Über den *halak* vgl. auch Fay-Cooper Cole, *The Peoples of Malaysia* (Neuyork 1945), S. 67, 73, 108; Maurice Vanoverbergh, *Religion and Magie among the Isneg: The Shaman* (Anthropos 48, 1953, S. 557–568).

[2] «Kleine Himmelswesen, freundlich und leuchtend; kleine Kinder und Diener der Gottheit», so beschreibt sie Schebesta, *Les pygmées*, S. 152 ff., *Bei den Urwaldzwergen von Malaya*, Leipzig 1927, S. 216 ff. Diese *cenoi* dienen als Mittler zwischen dem Menschen und Ta Pedn. Doch sie gelten auch als die Ahnen der Negritos, s. Evans, *On the sacerdo-therapy*, S. 118; dies., *Studies*, S. 148. Vgl. auch Ivor Evans, *Papers on the Ethnology and Archaeology of the Malay Peninsula* (Cambridge 1927), S. 18, 25; Cole, a.a. O., S. 73.

[3] Schebesta, S. 153 ff. Das ist natürlich die «Geistersprache», die spezielle Geheimsprache der Schamanen. Evans, *Studies*, S. 159, gibt einige Beschwörungen wieder und transkribiert Gesangstexte (S. 161 ff.) von erstaunlicher Einfachheit. Nach diesem Verfasser wird der *hala* während der Sitzung von den *cinoi* beaufsichtigt (S. 160), doch

keit haben die *cenoi* durch ihren Mund gesungen. Das Niedersteigen dieser Lichtgeister bekundet sich in der Erschütterung der Hütte (vgl. die Sitzungen der südamerikanischen Schamanen). Sie entdecken die Ursache der Krankheit und geben die Behandlung an, und bei dieser Gelegenheit fällt der *hala,* wie man glaubt, in Trance (Evans, *On the sacerdo-therapy,* S. 115).

In Wirklichkeit ist diese Technik nicht so einfach wie es den Anschein hat. Die konkrete Anwesenheit der *cenoi* setzt eine Verbindung zwischen dem *hala* und dem Himmel oder gar dem Himmelsgott voraus. «Wenn es Karei dem Hala nicht eingegeben und wenn er ihm die Worte nicht gelehrt hätte, wie sollte er heilen können?» fragte ein Semang-Pygmäe (Schebesta, *a. a. O.,* S. 152). Die Krankheiten sind ja von Ta Pedn selbst geschickt zur Bestrafung der Sünden der Menschen (Evans, *On the sacerdo-therapy,* S. 119). Daß zwischen *hala* und Himmelsgott nähere Beziehungen bestehen als zwischen diesem und den anderen Negrito, geht außerdem daraus hervor, daß die Menri von Kelantan den *hala* göttliche Kräfte zuschreiben; sie bringen deshalb keine Blutopfer während des Sturmes dar (Evans, *On the sacerdo-therapy,* S. 121). Der Menri-*hala* springt während der Zeremonie in die Luft, singt und wirft einen Spiegel und ein Halsband zu Karei hinauf *(ebd.),* wobei bekanntlich der zeremonielle Sprung die Himmelfahrt symbolisiert.

Doch es gibt noch sicherere Zeichen für die Beziehungen des Pygmäenschamanen zum Himmel: Der *halak* der Pahang-Negrito hält während der Sitzung Fäden aus Palmblättern oder nach anderen Informationen ganz feine Seile in der Hand. Diese Fäden und Seile reichen bis zu Bonsu, dem Himmelsgott, der über den sieben Stockwerken des Himmels wohnt. (Er lebt dort mit seinem Bruder Teng; in den anderen Stockwerken des Himmels ist niemand.) Der *halak* ist für die Dauer der Sitzung unmittelbar mit dem Himmelsgott verbunden durch die Fäden oder Seile, die dieser herabläßt und nach der Zeremonie wieder hinaufzieht (Ivor Evans, *Papers,* S. 20). Und schließlich besteht ein Hauptelement der Heilung in den Quarzkristallen *(chebuch),* deren Beziehungen zum Himmelsgewölbe und den Himmelsgöttern wir schon erwähnt haben (o. S. 141 ff.). Solche Kristalle kann man direkt von den *cenoi* bekommen oder auch machen; in diesen magischen

die Beschreibung Schebestas erweckt mehr den Eindruck eines Dialogs zwischen dem *hala* und seinen Hilfsgeistern.

Steinen wohnen *cenoi*, welche den Befehlen des *hala* gehorchen. Man sagt, daß der Heilende in diesen Kristallen die Krankheit sieht, d. h. daß die *cenoi*, die darin sind, ihm die Ursache und die Behandlung der Krankheit sagen. Aber der *hala* sieht in den Kristallen auch einen Tiger, der sich dem Lager nähert (Evans, On the sacerdo-therapy, S. 119). Der *hala* selbst kann sich in einen Tiger verwandeln (Evans, *ebd.*, S. 120; Schebesta, S. 154) ganz wie die *bomor* auf Kelantan und die Schamanen und Schamaninnen in Malakka⁴. Diese Vorstellung verrät malaische Einflüsse. Doch ist nicht zu vergessen, daß der Tiger – der mythische Ahne – in ganz Südostasien als der «Initiant» gilt; er führt die Neophyten in den Dschungel um sie einzuweihen (das heißt um sie zu «töten» und wieder «aufzuerwecken»). Er gehört also zu einem höchst archaischen religiösen Komplex.

In einer Negrito-Legende scheint ein altes schamanisches Initiationsszenario erhalten zu sein. Eine große Schlange, Mat Chinoi, wohnt an dem Weg, der zum Palast Taperns (Ta Pedn's) führt. Sie macht die Teppiche für Tapern; es sind schöne Teppiche mit reichen Verzierungen, auf einem Querbalken aufgehängt, und unter diesen Teppichen wohnt die Schlange. In ihrem Bauch befinden sich zwanzig bis dreißig Chinoi-Frauen, die ungemein schön sind, und außerdem eine Menge Kämme und Kopfschmuck usw. Ein Chinoi namens Halak Gihmal («die Schamanenwaffe») lebt auf dem Rücken der Schlange als Wächter ihrer Schätze. Wenn ein Chinoi in den Bauch der Schlange will, unterwirft ihn Halak Gihmal zwei Proben von deutlicher Initiationsstruktur. Die Schlange liegt ausgestreckt unter einem Balken, der sieben Teppiche trägt, und diese Teppiche bewegen sich und gehen fortwährend zusammen und auseinander. Der Chinoi muß schnell hindurch-

---

[4] Jeanne Cuisinier, *Danses magiques de Kelantan*, S. 38 ff., 74 ff.; über die Rolle des Tigers im malaischen Schamanismus s. u. S. 329. Die Sungkai Sakai glauben auch, daß der Schamane sich in einen Tiger verwandeln kann, s. Evans, *Studies*, S. 210. Auf jeden Fall wird der Schamane am 14. Tag nach seinem Tod zum Tiger, *ebd.*, S. 211.

[5] Ein *bomor belian* (das heißt ein Spezialist in der Anrufung des Tigergeistes) aus der Gegend von Kelantan hatte von der Wahnsinnsperiode seiner Initiation nichts behalten als die Erinnerung, daß er im Dschungel herumgeirrt war und einen Tiger getroffen hatte. Er war auf seinen Rücken gestiegen und der Tiger hatte ihn nach *Kadang baluk*, dem mythischen Ort gebracht, wo die Tigermenschen leben. Er kam nach dreijähriger Abwesenheit zurück und hatte keine epileptischen Anfälle mehr (J. Cuisinier, *Danses magiques*, S. 5 ff.). *Kadang baluk* ist natürlich die Buschunterwelt, wo sich die (nicht notwendig schamanische) Initiation vollzieht.

kommen, um nicht auf den Rücken der Schlange zu fallen. Bei der zweiten Probe muß er sich in eine Tabakbüchse begeben, deren Deckel sich sehr schnell öffnet und schließt. Geht der Kandidat siegreich aus den beiden Proben hervor, so kann er in die Schlange eindringen und darf sich unter den Chinoi-Frauen eine Gattin suchen (Evans, *Studies*, S. 151).

Man findet hier wieder das Initiationsmotiv von der Zauberpforte, die sich in einem Augenblick öffnet und schließt, ein Motiv, das wir schon in Australien, Nordamerika und Asien getroffen haben. Denken wir auch daran, daß das Eindringen in ein Schlangenmonstrum einer Initiation gleichkommt.

Bei den Batak auf Palawan, einem anderen Zweig der Pygmäen von Malakka, erreicht der Schamane, *balian*, die Trance, indem er tanzt, schon das ein Zeichen für indomalaiischen Einfluß. Dieser Einfluß ist noch deutlicher im Totenglauben. Die Seele des Toten bleibt vier Tage bei den Seinen, dann durchmißt sie eine Ebene, in deren Mitte sich ein Baum erhebt. Sie steigt daran hinauf und kommt an den Punkt, wo die Erde den Himmel berührt. Dort befindet sich ein Riesengeist, der nach ihren Taten im Leben die Entscheidung fällt, ob sie weitergehen darf oder ins Feuer geworfen wird. Das Totenreich hat sieben Stockwerke, ist also der Himmel. Der Geist durchsteigt sie eines nach dem andern. Im letzten verwandelt er sich in ein Glühwürmchen[6]. Siebenzahl und Feuerstrafe sind, wie wir gesehen haben (S. 270 ff.), indischen Ursprungs.

Die beiden anderen prämalaiischen Ureinwohnervölker von Malakka, die Sakai und Jakun, stellen dem Ethnologen viele Probleme[7]. Was die Religionsgeschichte betrifft, so steht fest, daß der Schamanismus hier eine viel größere Rolle spielt als bei den Semang-Pygmäen, obwohl die Technik im Wesentlichen dieselbe bleibt. Auch hier wieder die runde Laubhütte, in die sich der *hala* (Sakai) oder der *poyang* (Jakun, Variante des malaiischen Wortes Pawang) mit seinen Gehilfen begibt, auch hier Gesänge und Beschwörung der Hilfsgeister. Die größere Wichtigkeit dieser letzteren, die man erbt und durch einen Traum gewinnt, deutet auf malaiischen Einfluß. Zuweilen ruft man die Hilfsgeister auf malaiisch an. Im Inneren der Hütte befinden sich zwei kleine

---

[6] F. C. Cole, *The Peoples of Malaysia*, S. 70 ff.
[7] Vgl. Cole, S. 92 ff., 111 ff.; Evans, *Studies*, S. 208 ff. (Sakai), 264 ff. (Jakun). Versuch einer Definition der religiösen Glaubensvorstellungen der prämalaiischen Völker auf der Halbinsel Malakka, der Pygmäen, Sakai und Jakun, bei Skeat und Blagden, *Pagan Races of the Malay Peninsula*, 2. Bd., S. 174 ff.

Pyramiden mit Sprossen (Evans, *Studies*, S. 211 ff.), das Zeichen für eine symbolische Himmelfahrt. Der Schamane legt für die Sitzung eine besondere Kopfbedeckung an, die mit vielen Bändern geschmückt ist (*ebd.*, S. 214) – ein weiteres Zeichen für malaiischen Einfluß.

Die Leichen der Sakai-Schamanen läßt man in dem Haus, wo sie gestorben sind, ohne sie zu bestatten (vgl. Evans, *Studies*, S. 217). Die *puteu* der Kenta-Semang werden so beerdigt, daß der Kopf aus dem Grab herausschaut; man glaubt, daß ihre Seele sich nach Osten wendet und nicht nach Westen wie die Seelen der übrigen Sterblichen (Evans, *On the sacerdo-therapy*, S. 120). Diese Besonderheiten zeigen, daß es sich hier um eine Klasse von privilegierten Wesen handelt, die deshalb auch nach dem Tod ein besonderes Los genießen. Die *poyang* der Jakun werden nach dem Tod auf Plattformen gelegt, denn «ihre Seelen steigen zum Himmel auf, während die der gewöhnlichen Sterblichen, deren Leiche man beerdigt, in die Unterwelt hinabsteigen» [8].

Schamanismus auf den Andamanen und Nikobaren

Nach den Auskünften Radcliffe-Browns erlangt auf den nördlichen Andamanen der *medicine-man* (*oko-juma*, wörtlich Träumer oder «der von den Träumen spricht») seine Macht durch den Kontakt mit den Geistern. Er begegnet den Geistern direkt, im Dschungel oder im Traum. Doch der gewöhnliche Weg zum Kontakt mit den Geistern ist der Tod. Wenn jemand stirbt und wieder ins Leben zurückkehrt, wird er *oko-juma*. So sah R. Brown einen Mann, der schwer krank war und zwölf Stunden bewußtlos lag. Von einem anderen hieß es, daß er dreimal gestorben und wieder auferstanden sei. Man erkennt in dieser Tradition unschwer das Initiationsschema von Tod und Auferstehung des Kandidaten. Weitere Einzelheiten über Theorie und Technik der Initiation weiß man nicht; die letzten *oko-juma* waren schon gestorben, als man sie zu Beginn dieses Jahrhunderts objektiv studieren wollte [9].

Die *oko-juma* verdanken ihren Ruf der Wirksamkeit ihrer Heilungen

---

[8] Evans, *Studies*, S. 265. Über den religiös-kosmologischen Gehalt dieses Totenbrauchtums und -glaubens s. u. S. 339 ff. Über den *poyang* der Benua-Jakun von Johor s. Skeat und Blagden, *Pagan Races of the Malay Peninsula*, II, S. 350 ff.
[9] A. R. Radcliffe-Brown, *The Andaman Islanders* (Cambridge 1922), S. 175 ff.

und ihres Wetterzaubers (denn sie sind es, die die Stürme abwenden). Doch die Behandlung im eigentlichen Sinn besteht in der Empfehlung von Heilmitteln, die ohnehin schon jedermann kennt und benützt. Manchmal schreiten sie auch zur Austreibung der Dämonen, die die Krankheit hervorrufen, oder sie versprechen die Kur auf direkte Weise im Traum vorzunehmen. Die Geister enthüllen ihnen die magischen Eigenschaften verschiedener Dinge (mineralischer Substanzen und Pflanzen). Den Gebrauch von Quarzkristallen kennen sie nicht.

Die Medizinmänner auf den Nikobaren kennen sowohl die Heilung durch «Extraktion» des magischen Gegenstandes, der die Krankheit hervorgerufen hat (ein Stückchen Kohle, ein Steinchen, eine Eidechse), als die Suche nach der von den bösen Geistern entführten Seele. Auf der Insel Car im Nikobaren-Archipel gibt es eine sehr interessante Initiationszeremonie für die künftigen Medizinmänner. Im allgemeinen wird der zum Schamanen bestimmt, der eine kränkliche Natur zeigt. Die Geister der Eltern oder jüngst verstorbener Freunde offenbaren ihre Wahl, indem sie in der Nacht bestimmte Zeichen (Blätter, Hühner mit gebundenen Füßen) usw. im Haus lassen. Wenn der Kranke sich weigert Schamane zu werden, stirbt er. Nach dieser Erwählung bezeichnet eine öffentliche Zeremonie den Beginn des Noviziates. Die Verwandten und Freunde versammeln sich vor dem Haus, in dem die Schamanen den Novizen auf die Erde legen und mit Blättern und Zweigen bedecken; auf den Kopf legen sie ihm Flügelfedern von einem Huhn. (Dieses Einhüllen in Pflanzen ließe sich als symbolisches Begräbnis, die Federn als magisches Zeichen der mystischen Flugkraft deuten.) Wenn der Novize sich wieder erhebt, geben die Anwesenden ihm Halsketten und verschiedenartige Schmuckstücke, die er während seines ganzen Noviziats um den Hals tragen soll; am Ende der Lehrzeit gibt er sie den Eigentümern zurück.

Nun macht man einen Thron, auf dem der Novize von Dorf zu Dorf getragen wird, und gibt ihm eine Art Szepter und eine Lanze, mit der er gegen die bösen Geister kämpfen soll. Einige Tage später wird er von den Schamanenmeistern in den tiefsten Dschungel in der Mitte der Insel gebracht. Einige Freunde begleiten die Schar bis zu einem bestimmten Punkt; in das «Geisterland» dringen sie nicht mit ein, weil die Seelen der Toten erschrecken könnten. Die Geheimunterweisung besteht hauptsächlich in der Erlernung verschiedener Tänze und der

Fähigkeit, die Geister zu sehen. Wenn sie einige Zeit im Dschungel (im Totenland) zugebracht haben, kehrt der Novize mit seinen Meistern in das Dorf zurück. Der Lehrling tanzt weiterhin die ganze Noviziatszeit jede Nacht mindestens eine Stunde vor seinem Haus. Wenn seine Initiation beendet ist, geben die Meister ihm einen Stock. Sicher gibt es noch eine weitere Zeremonie, bei der er zum Schamanen geweiht wird, doch war darüber keinerlei genaue Angabe zu erhalten[10].

Diese hochinteressante Schamaneninitiation findet sich nur auf der Insel Car, während sie auf dem übrigen Archipel unbekannt ist. Bestimmte Elemente sind sicher archaisch (das Begraben unter Blättern, das sich Zurückziehen ins «Geisterland»), doch viele andere verraten indischen Einfluß (Thron, Lanze, Szepter, Stock) – ein typisches Beispiel von Hybridisierung einer schamanischen Tradition durch die Berührung mit einer hochentwickelten Kultur, in der schon eine sehr komplexe magische Technik vorhanden ist.

Der malaiische Schamanismus

Die Besonderheit des malaiischen Schamanismus liegt in der Beschwörung des Tigergeistes und im Erreichen des *lupa*-Zustandes, der Bewußtlosigkeit, in der sich die Geister des Schamanen bemächtigen, ihn «besessen» halten und die von den Anwesenden gestellten Fragen beantworten. Ob es sich dabei um eine einzelne Heilung handelt oder um eine Zeremonie zum Schutz der Gemeinschaft vor Epidemien (wie z. B. bei den *belian*-Tänzen in Kelantan), in beiden Fällen pflegt die malaiische Sitzung die Beschwörung des Tigers zu enthalten, dem in diesem ganzen Raum die Rolle des mythischen Ahnen und damit des Initiationsmeisters zufällt.

Nach dem Glauben der Benua, eines urmalaiischen Stammes, verwandelt sich der *poyang* am siebten Tag nach seinem Tode in einen Tiger. Will der Sohn seine Kraft erben, so muß er allein bei der Leiche wachen und Wohlgerüche verbrennen. Am siebten Tag erscheint der Abgeschiedene in der Gestalt eines Tigers, der sich auf den Aspiranten werfen will, doch dieser muß ohne das mindeste Zeichen von Angst

---

[10] George Whitehead, *In the Nicobar Islands* (London 1924), S. 128 ff., 147 ff.

mit der Räucherung fortfahren. Darauf verschwindet der Tiger und es erscheinen dafür zwei schöne Geisterfrauen; der Aspirant verliert das Bewußtsein und während der Trance findet die Initiation statt. Die Frauen werden nun seine Hausgeister. Wenn der Sohn des *poyang* diesen Ritus nicht beobachtete, bliebe der Geist des Toten für immer in dem Körper des Tigers und seine schamanische «Energie» ginge der Gemeinschaft unwiederbringlich verloren [11]. Man erkennt das Szenario einer typischen Initiation mit Einsamkeit im Busch, Wache bei einer Leiche, Mutprobe, schrecklicher Erscheinung des Initiationsmeisters (= mythischen Ahnen), Protektion durch eine schöne Geisterfrau.

Die Sitzung im eigentlichen Sinn findet in einer Rundhütte oder einem magischen Kreis statt; Zweck ist meistens eine Heilung, das Finden verlorener oder gestohlener Sachen oder die Enthüllung der Zukunft. Gewöhnlich bleibt der Schamane während der Sitzung unter einer Decke. Räucherung, Tanz, Musik und Trommelschlagen sind die unentbehrliche Vorbereitung bei jeder malaiischen Sitzung. Die Ankunft des Geistes bekundet sich durch das Zittern einer Kerzenflamme. Man glaubt, daß der Geist sich zuerst in die Kerze begibt, deshalb hat der Schamane die Augen lange auf die Flamme gerichtet und versucht so die Ursache der Krankheit zu entdecken. Die Heilung besteht im allgemeinen im Saugen der kranken Körperteile, doch kann der *poyang*, wenn er in Trance fällt, auch die Dämonen vertreiben und alle Fragen beantworten, die man ihm stellt [12].

Die Beschwörung des Tigers dient zur Anrufung und Inkarnation des mythischen Ahnen, des ersten Großen Schamanen. Der von Skeat beobachtete *pawang* verwandelte sich wirklich in einen Tiger; er lief auf allen Vieren, brüllte und leckte lange den Körper des Patienten wie eine Tigerin ihre Jungen [13]. Die magischen Tänze des *belian bomor* von Kelantan enthalten unabdingbar die Beschwörung des Tigers, was auch der Grund der Sitzung sein mag [14]. Der Tanz führt zum *lupa*-Zustand,

---

[11] T. J. Newbold, *Political and Statistical Account of the British Settlements of Malacca* (2 Bde., London 1839), II, 387–389; R. O. Winstedt, *Shaman, Saiva and Sufi. A study of the evolution of Malay Magic* (London 1925), S. 44 f.; ders., *Kingship and enthronement in Malaya* (Journal of the Royal Asiatic Society 1945, S. 134–145), S. 135 ff. («The Malay King as shaman»).

[12] Winstedt, *Shaman, Saiva and Sufi*, S. 96–101.

[13] W. W. Skeat, *Malay Magic* (London 1900), S. 436 ff.; Winstedt, *Shaman*, S. 97 ff.

[14] Jeanne Cuisinier, *Danses magiques de Kelantan*, S. 38 ff., 74 ff. usw.

zur «Vergessenheit» oder «Trance» (von skr. *lopa* Verlust, Verschwinden), in der der Tänzer das Bewußtsein seiner Persönlichkeit verliert und irgendeinen Geist verkörpert (Cuisinier, *a. a. O.*, S. 34 ff., 80 ff., 102 ff.). Darauf folgen endlose Dialoge zwischen dem Tänzer in Trance und den Anwesenden. Ist die Sitzung wegen einer Heilung einberufen, so benützt der Heiler die Trance um Fragen zu stellen und Ursache und Behandlung der Krankheit zu finden (*ebd.*, S. 69).

Diese magischen Tänze und Heilungen sind anscheinend keine schamanischen Phänomene im eigentlichen Sinn. Tigerbeschwörung und Besessenheitstrance sind nicht auf die Sphäre der *bomor* und *pawang* beschränkt. Auch viele andere Individuen können den Tiger sehen, beschwören oder sich in ihn verwandeln. Was den *lupa*-Zustand betrifft, so ist dieser im malaiischen Gebiet (z. B. bei den Besissi) einem jeden erreichbar; während der Geisterbeschwörung kann ein jeder in Trance fallen (also «besessen» sein) und auf Fragen antworten[15]. Dieses mediale Phänomen ist auch für die Batak auf Sumatra sehr bezeichnend. Doch die Ausführungen dieses Buches haben wohl hinreichend gezeigt, daß «Besessenheit» und Schamanismus zwei verschiedene Dinge sind.

Schamanen und Priester auf Sumatra

Die Religion der Batak auf Sumatra, die stark von indischen Ideen beeinflußt ist (s. o. S. 274 ff.), wird von dem Begriff der Seele (*tondi*) beherrscht. Die Seele betritt und verläßt den Körper durch die Fontanelle. Der Tod ist in Wirklichkeit der Raub der Seele durch einen Geist (*begu*); ist der Abgeschiedene jung, so hat ihn eine *begu*-Frau zum Mann genommen und umgekehrt. Tote und Geister sprechen durch Medien. Schamanen (*sibaso*, «das Wort») und Priester (*datu*), wiewohl nach Struktur und religiösem Beruf verschieden, verfolgen dasselbe Ziel, nämlich Verteidigung der Seele (*tondi*) gegen Raub durch die Dämonen und Sicherung der Unverletztheit der menschlichen Person. Bei den nördlichen Batak ist immer eine Frau *sibaso* und der Schamanismus im allgemeinen erblich. Hier gibt es keine Unterweisung durch einen Meister; der von den Geistern «Erwählte» empfängt

[15] W. W. Skeat und C. O. Blagden, *Pagan Races of the Malay Peninsula*, II. Bd., S. 307.

unmittelbar von ihnen die Initiation und wird damit fähig zu «sehen» und zu prophezeien oder von einem Geist «besessen» zu sein[16], mit anderen Worten sich mit ihm zu identifizieren. Die *sibaso*-Sitzung findet nachts statt; der Schamane schlägt seine Trommel und tanzt rund um das Feuer, um damit die Geister zu beschwören. Jeder Geist hat seine eigene Melodie und sogar seine eigene Farbe, und wenn der *sibaso* mehrere Geister anrufen will, legt er ein Gewand mit mehreren Farben an. Ihre Anwesenheit bekundet sich durch Worte in Geheimsprache, «Geistersprache», die der *sibaso* spricht und die erklärt werden müssen. Das Gespräch geht über Ursache und Behandlung der Krankheit; der *begu* versichert, daß er die Heilung wirken wird, wenn der Patient bestimmte Opfer darbringt[17].

Der Batak-Priester, *datu,* ist immer ein Mann und nimmt die höchste soziale Stellung nach dem Häuptling ein. Aber auch er ist Heiler und ruft die Geister in einer Geheimsprache an. Der *datu* schützt vor Krankheiten und Zauberei; die Heilungssitzung besteht in der Suche nach der Seele des Kranken. Außerdem kann er die in den Kranken eingedrungenen Geister austreiben; er kann auch vergiften, obwohl er nur für einen «weißen Zauberer» gilt. Im Unterschied zum *sibaso* wird der *datu* von einem Meister eingeweiht; dabei werden ihm vor allem die Geheimnisse der Zauberei geoffenbart, die in «Büchern» aus Baumrinde aufgeschrieben sind. Der Meister trägt den indischen Namen *guru;* er legt großen Wert auf seinen Zauberstab, der mit Ahnenfiguren eingelegt ist und ein Loch hat, in dem die Zaubersubstanzen

---

[16] «Besessenheit», ob spontan oder irgendwie verursacht, ist bei den Batak eine häufige Erscheinung. Jeder Beliebige kann Wohnsitz eines *begu,* d. h. des Geists eines Toten werden, der durch den Mund des Mediums spricht und Geheimnisse offenbart. Die Besessenheit nimmt oft schamanische Formen an: Das Medium nimmt glühende Kohlen und steckt sie in den Mund, tanzt und springt bis zur Raserei usw., vgl. J. Warneck, *Die Religion der Batak* (Göttingen 1909), S. 68 ff.; T. K. Österreich, *Die Besessenheit,* S. 261 ff. Doch vermag im Unterschied zum Schamanen das Batak-Medium seinen *begu* nicht zu beherrschen, sondern hängt von ihm oder einem anderen Toten ab, der es «besessen» halten will. Diese spontane Medialität, welche die religiöse Sensibilität der Batak kennzeichnet, kann man als äffische Nachahmung bestimmter Schamanentechniken betrachten. Über den indonesischen Schamanismus im Allgemeinen s. auch G. A. Wilken, *Het Shamanisme bij de volken van den Indischen Archipel* ('s Gravenhage 1887, Sonderdruck aus Bijdragen tot de Taal, Land en Volkenkunde von Nederlandsch Indie, 1887, S. 427–497); A. C. Kruyt, *Het animisme in den Indischen Archipel* ('s Gravenhage 1906), S. 443 ff.

[17] E. M. Loeb, *Sumatra* (Wien 1935), S. 80 f.

befestigt sind. Mit diesem Stab beschützt der *guru* das Dorf und kann er Regen hervorrufen. Die Herstellung eines solchen Zauberstabes ist jedoch außerordentlich kompliziert und es wird dabei sogar ein Kind geopfert; man tötet es mit geschmolzenem Blei, um ihm die Seele herauszureißen und es in einen Geist zu verwandeln, der dem Zauberer gehorcht (Loeb, *Sumatra*, S. 80–88).

Das alles deutet auf Einflüsse der indischen Magie. Vermutlich stellt dabei der *datu* den Zauberpriester dar, der *sibaso* dagegen nur den Ekstatiker, den «Geistermann». Der *datu* kennt keine mystische Ekstase; er wirkt als Zauberer und «Ritualist», er treibt die Dämonen aus. Auch er geht auf die Suche nach der Seele des Kranken, doch ist diese mystische Reise nicht ekstatisch; seine Beziehungen zur Geisterwelt sind solche der Feindschaft und Überlegenheit, Beziehungen des Meisters zum Knecht. Der *sibaso* dagegen ist der Ekstatiker par excellence; er lebt im vertrauten Umgang mit den Geistern, er läßt sich «besessen» halten, wird Hellseher und Prophet. Er ist «auserwählt» worden und gegen die göttliche oder halbgöttliche Erwählung kann man nichts tun.

Der *dukun* bei den Minangkabau auf Sumatra ist Heiler und Medium zugleich. Dieses meist erbliche Amt ist Frauen wie Männern zugänglich. Man wird *dukun* nach einer Initiation, d. h. nachdem man gelernt hat, sich unsichtbar zu machen und in der Nacht die Geister zu sehen. Die Sitzung findet unter einer Decke statt; nach fünfzehn Minuten beginnt der *dukun* zu zittern, das Zeichen, daß seine Seele den Körper verlassen hat und sich auf dem Weg zum «Geisterdorf» befindet. Man hört Stimmen unter der Decke. Der *dukun* verlangt von seinen Geistern, daß sie die flüchtige Seele des Kranken suchen. Die Trance ist nicht echt; der *dukun* hat nicht den Mut, die Sitzung sichtbar abzuhalten wie sein Batak-Kollege (Loeb, *Sumatra*, S. 125 f.). Auch in Nias begegnet der *dukun* neben anderen Klassen von Priestern und Heilern. Für die Heilung legt er eine besondere Tracht an; er schmückt sich die Haare und wirft ein Stück Stoff über seine Schultern. Auch hier geht die Krankheit im allgemeinen auf den Raub der Seele durch die Götter, Dämonen oder Geister zurück und die Sitzung besteht in ihrer Suche, meistens mit dem Ergebnis, daß die Seele von den «Meerschlangen» geraubt worden ist (Meer als Symbol des Jenseits). Um sie zurückzubringen, wendet sich der Medizinmann an die drei Götter Ninwa, Falahi und

Upi und beschwört sie durch Pfeifen solange, bis er Verbindung mit ihnen hat und in Trance fällt. In derselben Gegend gibt es parallel dazu noch ein anderes Mittel, die Verbindung mit den Seelen der Toten. So behauptet ein *taula atua*, daß er mit seinen toten Brüdern verkehrt; er gibt an, sie deutlich sehen zu können, und wenn die Erscheinung eintritt, verliert er das Bewußtsein (Loeb, *The Shaman of Niue*, S. 399 ff.). In diesem Fall offenbaren ihm die Geister seiner Brüder Ursachen und Heilmittel der Krankheit oder daß der Patient zum Tode verurteilt ist. Aber es lebt noch die Erinnerung an eine Zeit, wo der Schamane ausschließlich «von den Göttern besessen» war und nicht wie heute «von den Geistern besessen» (Loeb, *ebd.*, S. 394). Doch wendet der *dukun* auch das Saugen an, und wenn er die Ursache des Übels gefunden hat, zeigt er den Anwesenden rote und weiße Steinchen [18].

Der Mentawei-Schamane führt seine Kur ebenfalls mit Massagen, Reinigungen und Kräutern durch. Doch die wirkliche Sitzung hält sich an das gewöhnliche indonesische Schema: Der Schamane tanzt lange Zeit, dann fällt er bewußtlos zu Boden und seine Seele wird in einem von Adlern gezogenen Boot zum Himmel getragen. Dort bespricht er mit den Geistern die Ursachen der Krankheit (Seelenflucht, Vergiftung durch andere Zauberer) und erhält Heilmittel. Der Mentawei-Schamane gibt niemals Zeichen von «Besessenheit» und kennt keine Austreibung von bösen Geistern aus dem Körper des Kranken [19]. Er ist mehr ein Apotheker, der seine Heilkräuter nach einer Himmelsreise findet. Die Trance ist nicht dramatisch; es gibt keinen Dialog mit den Himmelsgeistern zu hören. Der Schamane scheint keine Beziehungen zu den Dämonen, keine «Macht» über sie zu haben.

Eine ähnliche Technik verwendet der Kubu-Schamane (Südsumatra): Er tanzt, bis er in Trance fällt, und sieht dann die Seele des Kranken als Gefangene eines Geistes oder wie einen Vogel auf einem Baum sitzen (Loeb, *Sumatra*, S. 286).

---

[18] Loeb, *Sumatra*, S. 155 ff.; ders., *The shaman of Niue* (American Anthropologist, 26. Bd., 1924, S. 393–402); ders., *Shaman and Seer* (ebd., 31. Bd., 1929, S. 60–84).
[19] Loeb, *Sumatra*, S. 198 ff.; *Shaman and Seer*, S. 66 ff.

Schamanismus auf Borneo und Celebes

Bei den Dusun im Norden von Borneo, die von urmalaischer Rasse sind und die Ureinwohner der Insel darstellen, spielen die Priesterinnen eine Hauptrolle. Ihre Initiation dauert drei Monate. Während der Zeremonie sprechen sie in einer Geheimsprache. Sie legen dabei eine besondere Tracht an: Ein Stück blaue Leinwand bedeckt ihr Gesicht, dazu tragen sie einen kegelförmigen Hut, der mit Hahnenfedern und Muscheln geschmückt ist. Die Sitzung besteht in Tänzen und Gesängen, wobei die Männer sich auf die musikalische Begleitung beschränken. Doch ihre spezielle Technik besteht im Wahrsagen und gehört mehr zur kleinen Magie als zum Schamanismus im eigentlichen Sinn. Die Priesterin hält ein Bambusrohr auf ihrem Finger im Gleichgewicht und sagt: Wenn der und der ein Dieb ist, soll das Rohr diese Bewegung machen usw. [20].

Bei den Dajak im Inneren von Borneo gibt es zwei Arten von heilkundigen Zauberern, die *daya beruri*, im allgemeinen Männer, die sich mit Kuren befassen, und die *barich,* gewöhnlich Frauen, die Spezialisten in der «Behandlung» der Paddy-Ernten sind. Die Krankheit erklärt man entweder aus der Anwesenheit eines bösen Geistes im Körper oder als Seelenauszug. Die Schamanen beider Klassen haben die ekstatische Fähigkeit, die Seele des Menschen oder die Seele der Ernte zu sehen, auch wenn sie sehr weit geflohen ist. Sie verfolgen die flüchtigen Seelen, fangen sie (in Gestalt eines Haares) und fügen sie wieder in den Körper (oder die Ernte) ein. Ist die Krankheit von einem bösen Geist hervorgerufen, so beschränkt sich die Sitzung auf eine Austreibungszeremonie [21].

Bei den Meer-Dajak trägt der Schamane den Namen *manang*. Seine soziale Stellung ist hoch; er kommt gleich nach dem Häuptling. Im allgemeinen ist der *manang*-Beruf erblich, aber man unterscheidet zwei Klassen: solche, die ihre Offenbarung im Traum erhielten und unter den Schutz eines oder mehrerer Geister traten, und solche, die aus

---

[20] Ivor Evans, *Studies in Religion, Folk-lore and Custom in British North Borneo*, S. 4 ff., 21 ff., 26 ff.
[21] H. Ling Roth, *Natives of Sarawak and British North Borneo*, 2 Bde. (London 1896), I, S. 259–263.

eigenem Willen *manang* wurden und daher keine Hausgeister haben. Die Qualifikation als *manang* erhält man aber immer erst nach der Einweihung durch anerkannte Meister (s. o. S. 66). Unter den *manang* gibt es Männer und Frauen, außerdem geschlechtslose (impotente) Männer, deren rituelle Bedeutung sich sogleich zeigen wird.

Der *manang* besitzt eine Schachtel mit vielen magischen Gegenständen, vor allem den Quarzkristallen, *bata ilau* («Lichtstein»), mit denen der Schamane die Seele des Kranken entdeckt. Denn auch hier ist die Krankheit eine Flucht der Seele und das Ziel der Sitzung ihre Entdeckung und Wiedereinfügung in den Körper des Patienten. Die Sitzung findet in der Nacht statt. Man reibt den Körper des Patienten mit Steinen, darauf stimmen die Anwesenden eintönige Gesänge an, während der Ober*manang* bis zur Erschöpfung tanzt, um die Seele des Kranken zu suchen und anzurufen. Ist die Krankheit schwer, so entkommt die Seele mehrmals den Händen des *manang*. Sobald der Oberschamane zu Boden gestürzt ist, werfen die Helfer eine Decke über ihn und warten auf das Ergebnis seiner ekstatischen Reise, denn der *manang* steigt in seiner Ekstase in die Unterwelt hinab, um die Seele des Kranken zu suchen. Schließlich fängt er sie, erhebt sich plötzlich mit der Seele des Patienten in der Hand und fügt sie ihm durch den Kopf wieder ein. Die Sitzung heißt *belian,* und Perham unterscheidet dabei je nach den technischen Schwierigkeiten bis zu vierzehn Abarten. Die Heilung schließt mit einem Hühneropfer [22].

In seiner gegenwärtigen Form erscheint der *belian* der Meer-Dajak als ein recht komplexes und zusammengesetztes religiös-magisches Phänomen. Initiation des *manang* (das Reiben mit magischen Steinen, das Auffahrtsritual usw.) und bestimmte Elemente der Kur (die Wichtigkeit der Quarzkristalle, das Reiben mit Steinen) deuten auf eine ziemlich altertümliche schamanische Technik, wogegen die Pseudotrance (die man unter der Decke verbirgt) jüngere Einflüsse indomalaischen Ursprungs verrät. Früher legten alle *manang* nach ihrer Initiation Frauenkleider an und behielten sie für den Rest ihres Lebens. Heute ist dieser Brauch sehr selten geworden [23]. Doch trägt eine be-

[22] Vgl. Ling Roth, *a.a.O.,* I, S. 265 ff.; Arch. J. Perham, *Manangism* (Journal of the Straits Branch of the Royal Asiatic Society, Nr. 19, 1887), abgedruckt bei Ling Roth I, S. 271 ff.

[23] Ling Roth I, S. 282. Vgl. das Verschwinden der Travestiten und sexuell Invertierten bei den araukanischen Schamanen, A. Métraux, *Le chamanisme araucan,* S. 315 ff.

sondere *manang*-Klasse, die *manang bali* bestimmter Meerstämme (bei den Hügel-Dajak sind sie unbekannt), Frauenkleider und widmet sich denselben Arbeiten wie die Frauen. Manchmal nehmen diese *manang* sogar einen «Gatten», wenn auch das Dorf lacht. Die Verkleidung und alles, was sie an Veränderungen mit sich bringt, erfolgt auf dreimaligen übernatürlichen Befehl, den man im Traum erhält; sich widersetzen wäre lebensgefährlich [24]. Diese Zusammenstellung von Elementen trägt deutliche Züge einer weiblichen Magie und matriarchalischen Mythologie, die einst im Schamanismus der Meer-Dajak geherrscht haben müssen; fast alle Geister werden von den *manang* unter dem Namen *Ini*, «Große Mutter» angerufen (Ling Roth I, S. 282). Aus dem Fehlen der *manang bali* im Inneren der Insel geht jedoch hervor, daß dieser ganze Komplex (Verkleidung, sexuelle Impotenz, Matriarchat) von außen gekommen ist, wenn auch in weit zurückliegender Zeit.

Bei den Ngadju-Dajak in Südborneo besorgen die Vermittlung zwischen Menschen und Göttern (besonders den Sangiang) die *balian* und die *basir*, Schamanenpriesterinnen und geschlechtslose Schamanenpriester (*basir* bedeutet «zeugungsunfähig, impotent»). Diese Priester sind echte Hermaphroditen mit weiblicher Kleidung und Gebarung. *balian* wie *basir* werden von Sangiang auserwählt; ohne diesen Ruf kann man nicht sein Diener werden, auch wenn man zu den üblichen Ekstasetechniken, Tanz und Trommel, greift. Die Ngadju-Dajak sind hierin sehr genau: Ohne Berufung durch die Gottheit gibt es keine Ekstase. Die Zweigeschlechtigkeit und Impotenz der *basir* hängt damit zusammen, daß sie als Vermittler zwischen den beiden kosmologischen Ebenen, Erde und Himmel, gelten und daß sie in ihrer Person das weibliche Element (Erde) mit dem männlichen (Himmel) verbinden [25]. Es handelt sich hier um rituelle Androgynie, die bekannte archaische

---

[24] Ling Roth I, S. 270 ff. Selten wird ein junger Mann *manang bali*. Meistens sind es Greise oder kinderlose Männer, angezogen durch die äußerst verlockenden materiellen Verhältnisse. Über Travestiten und Geschlechtswechsel bei den Tschuktschen vgl. Bogoraz, *The Chukchee*, S. 448 ff. Auf der Insel Rambree an der Küste von Burma nehmen bestimmte Zauberer Frauenkleidung, werden die «Gattin» eines Kollegen und führen diesem eine Frau als zweite Gattin zu, der dann beide Männer beiwohnen, s. Webster, *Magic*, S. 192. Hier handelt es sich deutlich um rituelle Verkleidung, vollzogen entweder auf göttlichen Befehl oder wegen der magischen Fähigkeiten der Frau.

[25] H. Scharer, *Die Vorstellungen der Ober- und Unterwelt bei den Ngadju-Dajak von Süd-Borneo* (Cultureel Indie IV, Januar – April 1942, S. 73–81), S. 78 ff.; ders., *Die Gottesidee der Ngadju-Dajak*, S. 59 ff.

Formel für die göttliche Zweieinheit und die *coincidentia oppositorum* [26]. Wie der Hermaphrodismus der *basir* gründet auch die Prostitution der *balian* in der Heiligkeit des «Mittlers» und in dem Bedürfnis nach Abschaffung der Polarität.

Die Götter (Sangiang) verkörpern sich in den *balian* und *basir* und sprechen unmittelbar durch sie. Doch ist diese Einkörperung keine «Besessenheit». Niemals ergreifen die Seelen der Ahnen oder die Toten von den *balian* und *basir* Besitz; sie sind ausschließlich der Gottheit zum Ausdruck vorbehalten. Die Toten bedienen sich einer anderen Klasse von Zauberern, der *tukang tawur*. Die Ekstase der *balian* und *basir* ist durch Sangiang hervorgerufen oder findet nach den mystischen Himmelsreisen statt, auf denen seine Diener das «Götterdorf» besuchen.

Mehrere Züge sind bemerkenswert: die religiöse Berufung, die einzig von den oberen Göttern abhängt; der sakrale Charakter des Geschlechtlichen (Impotenz, Prostitution); die bescheidene Rolle der Ekstasetechnik (Tanz, Musik usw.); die Trance, die durch Einkörperung Sangiangs oder mystische Himmelsreisen hervorgerufen wird; das Fehlen von Beziehungen zu den Seelen der Ahnen und damit der «Besessenheit». All das kommt zusammen, um den archaischen Charakter dieses religiösen Phänomens zu zeigen. Mögen Kosmologie und Religion der Ngadju-Dajak auch östliche Einflüsse erfahren haben, so handelt es sich bei den *balian* und *basir* vermutlich doch um eine altertümliche und bodenständige Form des Schamanismus.

Ein Gegenstück zu den *basir* der Ngadju-Dajak sind die *bajasa* («Betrüger») der Toradja. Sie sind im allgemeinen Frauen und ihre spezielle Technik besteht in ekstatischen Himmels- und Unterweltsreisen, die sie im Geist oder *in concreto* unternehmen können. Eine wichtige Zeremonie ist die *momparilangka* («sich auf den ehrwürdigen Platz setzen»). Sie dauert drei Nächte hintereinander; die *bajasa* führt dabei die Seelen der Frauen und Mädchen zum Himmel, um sie zu reinigen; in der dritten Nacht bringt sie sie wieder auf die Erde und fügt sie in ihre Körper ein. Sache der *bajasa* ist auch die Suche der herumschweifenden Seelen der Kranken; mit Hilfe eines Geistes *wuraka* (aus der Klasse der Luftgeister) steigt die *bajasa* auf dem Regenbogen bis zum Haus Pue di Songes und bringt die Seele des Patienten zurück. Sie sucht

---

[26] Vgl. unser Buch *Die Religionen und das Heilige*, S. 476 ff.

auch die «Seele des Reis» und führt sie wieder zurück, wenn die Ernte welkt und zugrundezugehen droht, weil ihre Seele sie verlassen hat. Doch die ekstatischen Fähigkeiten der *bajasa* sind nicht auf Reisen in den Himmel und in horizontaler Richtung beschränkt; bei dem großen Fest *mompemate* führen sie die Seelen der Toten ins Jenseits.

Schon diese wenigen Angaben zeigen, daß die *bajasa* auf Celebes Spezialistinnen in dem großen Drama der Seele sind. Reinigend, heilend oder seelengeleitend greifen sie nur dort ein, wo es sich um die Verfassung der menschlichen Seele selbst handelt. Bemerkenswert ist, daß ihre Hauptbeziehungen zum Himmel und den Himmelsgeistern gehen. Die Symbolik des magischen Flugs und des Aufstiegs auf dem Regenbogen, der den australischen Schamanismus beherrscht, ist archaisch. Übrigens kennen auch die Toradja den Mythus von der Liane, die einstmals die Erde mit dem Himmel verband und erinnern sich an eine paradiesische Zeit, wo die Menschen ohne Schwierigkeit mit den Göttern verkehrten [27].

«Totenboot» und Schamanenboot

Das «Totenboot» spielt im malaiischen und indonesischen Gebiet eine große Rolle und zwar sowohl in den eigentlich schamanischen Praktiken wie bei den Totenbräuchen und Totenklagen. Alle diese Glaubensvorstellungen hängen natürlich einerseits mit der Sitte der Boot- oder Meerbestattung und andererseits mit der Totenmythologie zusammen. Die Sitte, die Toten in Booten auszusetzen, könnte sich aus dunklen Erinnerungen an Wanderungen der Ahnen erklären [28]; das Boot brächte dann die Seele des Toten in die Urheimat, von der die Ahnen ausgegangen sind. Doch diese allenfallsigen Erinnerungen haben

---

[27] Adriani und Kruyt, *De Baree-sprekende Toradja's van Midden-Celebes* I–II (Batavia 1912), bes. I, S. 361 ff., II, S. 109–146, und die lange Zusammenfassung von H. H. Juynboll, *Religionen der Naturvölker Indonesiens* (Archiv für Religionswissenschaft, 17. Bd., 1914, S. 582–606), S. 583–588.

[28] Vgl. Rosalind Moss, *The Life after Death in Oceania and the Malay Archipelago* (Oxford 1925), S. 4 ff., 23 ff. usw. Über die Beziehungen zwischen Bestattungsformen und Vorstellungen von dem Leben nach dem Tode in Ozeanien s. auch Frazer, *The fear of the dead in primitive religion*, 1. Bd., London 1933, S. 182 ff; Erich Doerr, *Bestattungsformen in Ozeanien* (Anthropos, 30. Bd., 1935, S. 369–420; 727–765); Carla van Wylick, *Bestattungsbrauch und Jenseitsglaube auf Celebes* (Diss. Basel 1940), 's Gravenhage 1941.

(vielleicht außer bei den Polynesiern) ihren «historischen» Sinn verloren; die «Urheimat» wird zum mythischen Land und der Ozean zwischen ihm und der jetzigen Heimat wird zum Wasser des Todes – eine häufige Erscheinung in der archaischen Mentalität, wo die «Geschichte» dauernd zur mythischen Kategorie umgestaltet wird.

Entsprechende Totenvorstellungen und -praktiken finden sich auch bei den Germanen [29] und den Japanern [30]. Doch bei den einen wie den anderen und auch im ozeanischen Raum gibt es neben einem im Meer oder unter dem Meer gelegenen Jenseits («horizontaler» Komplex) noch einen vertikalen Komplex, nämlich den Berg als Totenreich [31] oder auch den Himmel. (Der Berg ist ja, wie wir uns erinnern, mit einer Himmelssymbolik «beladen».) Im allgemeinen wenden sich nur die Privilegierten (Häuptlinge, Priester und Schamanen, Initiierte usw.) zum Himmel [32], die übrigen Sterblichen reisen «horizontal» oder steigen in das unterirdische Infernum hinab. Das Problem des Jenseits und seiner Richtungen ist außerordentlich komplex und nicht einfach mit «Urheimaten» oder Begräbnisformen zu lösen. Letzten Endes haben wir es dabei mit Mythologien und religiösen Vorstellungen zu tun, die zwar nicht immer unabhängig von «materiellen» Sitten und Praktiken sind, aber dennoch die Autonomie geistiger Strukturen besitzen.

Außer dieser Aussetzung der Verstorbenen in Booten gibt es in Indonesien und teilweise auch in Melanesien noch drei wichtige Kategorien religiös-magischer Erscheinungen, die mit dem (wirklichen oder symbolischen) Gebrauch eines Bootes verbunden sind: 1. das Boot zur Austreibung von Dämonen und Krankheiten; 2. das Boot, das dem indonesischen Schamanen zur «Reise durch die Luft» dient, 3. das «Geisterboot», das die Seelen der Toten ins Jenseits bringt. Bei den ersten beiden Ritenkategorien spielen die Schamanen die wichtigste Rolle, wenn nicht die alleinige; die dritte besteht zwar in einer Unter-

---

[29] Vgl. W. Golther, *Handbuch der germanischen Mythologie* (Leipzig 1895), S. 90 ff., 290, 315 ff.; O. Almgren, *Nordische Felszeichnungen als religiöse Urkunden* (Frankfurt a. M. 1934), S. 191, 321 usw.; O. Höfler, *Kultische Geheimbünde der Germanen* I (Frankfurt a. M. 1934), S. 196 usw.

[30] Alexander Slawik, *Kultische Geheimbünde der Japaner und Germanen*, S. 704 ff.

[31] Höfler, S. 221 ff.; Slawik, S. 687 ff.

[32] Mit Beschränkung auf unser Gebiet vgl. W. J. Perry, *Megalithic Culture of Indonesia* (Manchester 1918), S. 113 ff. (die Häuptlinge wenden sich nach dem Tod zum Himmel); R. Moss, S. 78 ff., 84 ff. (der Himmel als Ruheort für bestimmte privilegierte Klassen); A. Riesenfeld, *The Megalithic Culture of Melanesia* (Leyden 1950), S. 654 ff.

weltsfahrt schamanischen Typs, überschreitet jedoch die Funktion des Schamanen. Wie sich sogleich zeigen wird, werden diese «Boote der Abgeschiedenen» mehr beschworen als wirklich benützt und zwar findet ihre Beschwörung bei den Totenklagen statt, die von «Klageweibern» und nicht von Schamanen gehalten werden.

Einmal im Jahr oder gelegentlich einer Epidemie treibt man die Krankheitsdämonen auf folgende Weise aus: Man fängt sie und schließt sie in einer Schachtel oder gleich in dem Boot ein und stößt das Boot ins Meer hinaus, oder man macht viele Holzfiguren, die die Kranken darstellen, und legt sie in ein Boot, das man dem Meer überläßt. Diese im malaiischen Gebiet [33] und in Indonesien [34] weit verbreitete Praktik wird oft von den Schamanen und Zauberern ausgeführt. Die Austreibung der Krankheitsdämonen bei Epidemien ist wahrscheinlich eine Nachahmung des älteren und allgemeineren Rituals der Austreibung der «Sünden» zu Neujahr, wo man zur Wiederherstellung der gesamten Kraft und Gesundheit der Gemeinschaft schreitet [35].

Auch bei der magischen Heilung macht der indonesische Schamane von einem Boot Gebrauch. Im ganzen indonesischen Raum herrscht die Vorstellung von der Krankheit als Seelenflucht. Meistens gilt die Seele als von Dämonen oder Geistern geraubt und zu ihrer Suche benützt der Schamane ein Boot. So z. B. der *balian* bei den Dusun; wenn er glaubt, daß die Seele des Kranken von einem Luftgeist gefangen ist, macht er sich ein Miniaturboot, das am einen Ende einen hölzernen Vogel trägt. In diesem Boot macht der Schamane eine ekstatische Reise durch die Luft und schaut dabei nach rechts und links, bis er die Seele des Kranken findet. Diese Technik ist sowohl den Dusun im Norden als denen im Süden und Osten von Borneo bekannt. Der Maangan-Schamane verfügt außerdem über ein ein bis zwei Meter langes Boot, das er in seinem Haus aufbewahrt und das er besteigt, wenn er zu dem Gott Sahor kommen und ihn um seine Hilfe bitten will [36].

[33] Vgl. z. B. Skeat, *Malay Magic* (London 1900), 427 ff. usw.; Jeanne Cuisinier, *Danses magiques de Kelantan*, S. 108 ff. Derselbe Brauch auf den Nikobaren, vgl. G. Whitehead, a. a. O., Fotografie S. 152.

[34] A. Steinmann, *Das kultische Schiff in Indonesien*, S. 184 ff. (Nordborneo, Sumatra, Java, Molukken usw.)

[35] Vgl. Mircea Eliade, *Der Mythos der ewigen Wiederkehr*, S. 77 ff.

[36] A. Steinmann, S. 190 ff. Das Schamanenboot begegnet auch anderwärts, z. B. in Amerika (der Schamane steigt in einem Boot in die Unterwelt hinab, vgl. G. Buschan, *Illustrierte Völkerkunde*, 1. Bd., 1922, S. 134; Steinmann, S. 192).

Der Gedanke einer Bootsreise durch die Luft ist nur eine indonesische Anwendung der schamanischen Technik der Himmelfahrt. Durch die wichtige Rolle des Bootes bei den ekstatischen Jenseitsreisen zum Geleit der Abgeschiedenen in die Unterwelt oder zur Suche der von Dämonen und Geistern geraubten Seele kam der Schamane dazu, das Boot auch dann zu benützen, wenn es galt sich selbst in der Trance zum Himmel zu erheben. Die Fusion oder Koexistenz dieser beiden schamanischen Symbolismen, der horizontalen Jenseitsreise und der vertikalen Himmelfahrt, zeigt sich in dem Vorkommen eines Kosmischen Baums im Schamanenboot. Dieser Baum ist manchmal in der Mitte des Bootes in Gestalt einer Lanze oder einer Leiter dargestellt, die Erde und Himmel verbindet [37] – wieder die Symbolik des «Zentrums», die dem Schamanen den Zugang zum Himmel ermöglicht.

In Indonesien geleitet der Schamane den Abgeschiedenen ins Jenseits und zwar benützt er zu dieser ekstatischen Reise oft ein Boot [38]. Die Dajak-Klageweiber auf Borneo erfüllen, wie wir gleich sehen werden, dieselbe Aufgabe, wenn sie in ihren rituellen Gesängen von der Reise des Toten in einem Boot handeln. In Melanesien besteht außerdem die Sitte, bei der Leiche zu schlafen; im Traum begleitet und führt man die Seele des Abgeschiedenen ins Jenseits und erzählt beim Erwachen die Abenteuer der Reise [39]. Dieser Brauch läßt sich einerseits mit der rituellen Begleitung des Toten durch den Schamanen oder das Klageweib (Indonesien), andererseits mit den polynesischen Leichenreden vor dem Grab zusammenbringen. Alle diese Bestattungsriten und -bräuche verfolgen auf verschiedenen Ebenen den gleichen Zweck,

---

[37] A. Steinmann, S. 193 ff. Nach W. Schmidt (*Grundlinien einer Vergleichung der Religionen und Mythologien der austronesischen Völker*, Denkschrift der K. Akademie der Wissenschaften 53, S. 1–142, Wien 1910) wäre der indonesische Kosmische Baum lunaren Ursprungs und stünde deshalb in den Mythologien des westlichen Indonesien im Vordergrund (in Borneo, Südsumatra und auf Malakka), während er im Osten fehlt, wo eine Mondmythologie durch Sonnenmythen ersetzt worden wäre; vgl. Steinmann, S. 192, 199. Doch ist diese astral-mythologische Konstruktion auf starke Kritik gestoßen, vgl. z. B. F. Speiser, *Melanesien und Indonesien* (Zeitschrift für Ethnologie 1939, H. 6), S. 464 ff. Außerdem haftet dem Kosmischen Baum eine viel reichere Symbolik an, von der nur bestimmte Aspekte im Sinne einer Mondmythologie interpretiert werden dürfen, vgl. unser Buch *Die Religionen und das Heilige*, S. 305 ff.

[38] Vgl. z. B. Kruijt, in *Encyclopaedia of Religions and Ethics*, 7. Bd., S. 244; R. Moss, S. 106.

[39] R. Moss, *a. a. O.*, S. 104 ff.

nämlich die Seele des Toten ins Jenseits zu geleiten. Doch nur der Schamane ist Psychopomp im eigentlichen Sinn, denn er allein begleitet und führt den Toten *in concreto*.

Jenseitsreisen bei den Dajak

Eine gewisse Beziehung zum Schamanismus haben die Bestattungszeremonien der Meerdajak, obgleich sie nicht von Schamanen ausgeführt werden. Ein berufsmäßiges Klageweib, welches seine Berufung jedoch der Erscheinung eines Gottes im Traum verdankt, rezitiert stundenlang (manchmal zwölf Stunden) die Wechselfälle der Jenseitsreise des Abgeschiedenen. Die Zeremonie findet unmittelbar nach dem Tode statt. Das Klageweib setzt sich neben die Leiche und rezitiert mit eintöniger Stimme ohne die Hilfe eines Musikinstrumentes. Der Zweck dieses Vortrags ist, zu verhindern, daß der Tote sich auf seiner Reise in die Unterwelt verirrt. Das Klageweib spielt die Rolle des Seelengeleiters, obwohl es den Toten nicht selbst begleitet; der rituelle Text gibt nämlich einen sehr genauen Reiseweg an. Zu allererst sucht die Klagefrau einen Boten, der die Nachricht von der baldigen Ankunft eines neuen Toten in die Unterwelt bringt. Umsonst wendet sie sich an die Vögel, die wilden Tiere und die Fische; sie haben nicht den Mut die Grenze zu überschreiten, welche die Lebenden von den Toten trennt. Schließlich übernimmt der Geist des Windes die Botschaft. Er begibt sich auf eine endlose Ebene; er steigt auf einen Baum, um seinen Weg zu suchen, denn es ist dunkel und überall gehen Wege, die zur Unterwelt führen – es gibt 77×7 Wege ins Totenreich. Vom Wipfel des Baumes entdeckt der Windgeist den besten Weg und er gibt seine Menschengestalt auf und stürmt wie ein Orkan in die Unterwelt. Die Toten erschrecken über diesen plötzlichen Sturm und fragen ihn nach der Ursache. Der und der ist soeben gestorben, antwortet der Windgeist, und man muß schnell seine Seele abholen. Erfreut springen die Geister in ein Boot und rudern so gewaltig, daß sie unterwegs alle Fische töten. Sie halten mit dem Boot vor der Wohnung des Toten, stürzen sich hinein und ergreifen die Seele, die sich erschrocken wehrt und schreit. Doch bevor sie noch die Ufer der Unterwelt erreicht hat, scheint sie sich schon beruhigt zu haben.

Die Klagefrau beendet ihren Gesang. Ihre Rolle ist erfüllt; indem sie alle Ereignisse dieser beiden ekstatischen Reisen erzählte, hat sie in Wirklichkeit den Toten in seine neue Wohnstatt geführt. Dieselbe Jenseitsreise erzählt die Klagefrau bei der *pana*-Zeremonie, wenn sie die Speiseopfer für die Toten in die Unterwelt schickt; erst nach dieser *pana*-Zeremonie werden sich die Abgeschiedenen ihres neuen Zustandes bewußt. Und schließlich ladet die Klagefrau die Seelen der Toten zu dem großen Totenfest *Gawei antu*, das ein bis vier Jahre nach dem Hinschied gefeiert wird; eine große Menge von Geladenen versammelt sich, und man glaubt, daß die Toten anwesend sind. Der Gesang der Klagefrau beschreibt, wie sie freudig die Unterwelt verlassen, das Boot besteigen und zum Gelage herbeistürzen [40].

Offensichtlich haben all diese Bestattungszeremonien keinen schamanischen Charakter; es gibt – zum mindesten im *pana* und *Gawei antu* – keine unmittelbare, mystische Beziehung zwischen dem Toten und der Klagefrau, welche die Reisen ins Jenseits beschreibt. Kurz, wir haben es hier mit einer rituellen *Literatur* zu tun, die das Schema der Unterweltsfahrten bewahrt, mag es nun schamanisch sein oder nicht. Der Schamane aber, ob im Altai oder anderwärts, führt ebenfalls die Seelen der Toten in die Unterwelt, und, wie wir gesehen haben, ist im ganzen indonesischen Raum das Totenboot, das in den eben erwähnten Totenberichten dauernd vorkommt, ein hervorragendes Mittel zur ekstatischen Schamanenreise. Auch die Klagefrau ist, obwohl sie keine religiös-magische Funktion hat, deswegen nicht etwa eine «profane» Person. Sie ist von einem Gott auserwählt worden und hat Traumoffenbarungen gehabt. Sie ist auf die eine oder andere Weise eine «Seherin», eine «Inspirierte», die in der Vision den Unterweltsreisen beiwohnt und infolgedessen die andere Welt mit ihrer Topographie und

---

[40] Die meisten von diesen Texten und Berichten der Dajak-Klageweiber sind von Archdeacon Perham im Journal of the Straits Branch of the Royal Asiatic Society, 1878 ff. veröffentlicht (später gekürzt bei H. Ling Roth, *The Natives of Sarawak and British North Borneo*, London 1896, 1. Bd., S. 203 ff.) und Rev. W. Howell, *A Sea-Dyak Dirge* (Sarawak Museum Journal I, 1911; wir kennen diesen Artikel nur aus den langen Auszügen von H. Munro Chadwick und N. Kershaw Chadwick in *The Growth of Literature*, 3. Bd., Cambridge 1940, S. 488 ff.). Über Totenglauben und -brauch bei den Ngadju Dajak in Südborneo s. H. Scharer, *Die Gottesidee der Ngadju Dayak*, S. 159 ff.

ihren Reiserouten kennt. Morphologisch betrachtet steht die Dajak-Klagefrau auf derselben Ebene wie die Seherinnen und Dichterinnen der archaischen indogermanischen Welt. Eine bestimmte Klasse traditioneller Literaturschöpfungen rührt von den «Visionen» und der «Inspiration» dieser von den Göttern auserwählten Frauen, deren Träume und Wachträume mystische Offenbarungen sind.

Schamanismus in Melanesien

Wir wollen hier nicht alle Glaubensvorstellungen und Mythologien zusammenfassen, die in Melanesien den Medizinmännern die ideologische Grundlage für ihre Praktiken geben. Nur soviel sei gesagt, daß sich in Melanesien im Großen dreierlei Kulturen unterscheiden lassen nach den drei ethnischen Gruppen, welche diesen Raum kolonisiert (oder auch nur durchzogen) zu haben scheinen, den eingeborenen Papua, den weißhäutigen Eroberern, welche die Megalithen und andere Kulturformen brachten und nach Polynesien weiterzogen, und den zuletzt gekommenen schwarzhäutigen Melanesiern [41]. Die weißhäutigen Einwanderer verbreiteten eine reiche Mythologie mit einem kulturbringenden Heros (Qat, Ambat usw.) im Mittelpunkt, der in direkter Beziehung mit dem Himmel steht, sei es daß er eine Himmelsfee zur Gattin nimmt, aus Vorsicht ihre Flügel stiehlt und versteckt und sie dann bis in den Himmel verfolgt, indem er einen Baum, eine Liane oder eine «Pfeilkette» hinaufklettert, sei es daß er selbst himmlischen

---

[41] A. Riesenfeld, *The Megalithic Culture of Melanesia* (Leiden 1950), S. 665 ff., 680 usw. In diesem Werk sehr umfangreiche Bibliographie und Kritik der früheren Arbeiten, besonders von Rivers, Deacon, Layard, Speiser. Über die kulturellen Beziehungen zwischen Melanesien und Indonesien s. F. Speiser, *Melanesien und Indonesien* (Zeitschrift für Ethnologie 1939, Heft 6). Über die Beziehungen zu Polynesien (und zwar in «antihistoristischem» Sinn) s. Piddington in R. W. Williamson und Ralph Piddington, *Essays in Polynesian ethnology* (Cambridge 1939), S. 302 ff. Über Vorgeschichte und erste Wanderungen der Austronesier, die ihre Megalithkultur und eine spezifische Ideologie (Kopfjagd usw.) von Südchina bis Neu-Guinea ausgebreitet haben, s. umfassend R. v. Heine-Geldern, *Urheimat und früheste Wanderungen der Austronesier* (Anthropos, 27. Bd., 1932, S. 543–619). Nach den Untersuchungen von Riesenfeld scheinen die Schöpfer der Megalithkultur in Melanesien aus einem Raum zu kommen, der mit Formosa, den Philippinen und Neu-Celebes umschrieben ist (*a. a. O.*, S. 668).

Ursprungs ist[42]. Die Mythen von Qat entsprechen den polynesischen Mythen von Tagarao und Maui, deren Beziehungen zum Himmel und den Himmelswesen bekannt sind. Möglicherweise wurde das mythische Thema der «Himmelsreise» von der Papua-Urbevölkerung an die weißhäutigen Einwanderer weitergegeben, doch wäre es müßig, den «Ursprung» dieses (übrigens allgemein verbreiteten) Mythus aus dem historischen Ereignis der Ankunft oder des Abziehens von Einwanderern erklären zu wollen[43]. Um es noch einmal zu sagen: Anstatt Mythen zu «schaffen» werden die historischen Ereignisse selber mythischen Kategorien eingefügt.

Wie dem auch sei, auf jeden Fall ist in Melanesien neben dem Vorkommen magischer Heiltechniken von unbestreitbarer Altertümlichkeit das Fehlen einer eigentlichen schamanischen Tradition und Initiation festzustellen. Vielleicht geht das Verschwinden schamanischer Initiationen darauf zurück, daß hier die Geheimgesellschaften auf Initiationsgrundlage eine beträchtliche Rolle spielen[44]. Jedenfalls beschränkt sich die Funktion der Medizinmänner im Wesentlichen auf Heilung und Wahrsagung. Bestimmte andere spezifisch schamanische Fähigkeiten (z. B. der magische Flug) sind das fast ausschließliche Vorrecht der Schwarzmagier. (Übrigens ist nirgends so wie in Ozeanien und besonders Melanesien das, was man im allgemeinen «Schamanismus» nennt, unter eine Vielzahl religiös-magischer Gruppen verteilt, gibt es hier doch Priester, Medizinmänner, Zauberer, Wahrsager, «Besessene» usw.) Und schließlich – ein wichtiges Moment – leben viele Motive der schamanischen Ideologie einzig in Totenmythen und -vorstellungen weiter. Das Motiv des kulturbringenden Heros, der mittels einer «Pfeilkette» oder Liane mit dem Himmel verkehrt, haben wir bereits erwähnt und werden noch darauf zurückkommen. Bemerkenswert ist auch der Glaube, daß dem Toten bei seiner Ankunft im Toten-

---

[42] Vgl. Riesenfeld, S. 78, 80 ff., 97, 102 und passim

[43] Was Riesenfeld in seinem – im übrigen bewundernswerten – Werk anscheinend zu beweisen versucht.

[44] Das Problem ist zu komplex, um es hier in Angriff zu nehmen. Unbestreitbar besteht eine frappante morphologische Ähnlichkeit zwischen allen Arten von Initiation (Jugendinitiation, Initiation zu Geheimgesellschaften, schamanische Initiation). Nur ein Beispiel: Der Kandidat einer Geheimgesellschaft auf Malekula steigt auf eine Plattform und opfert ein Schwein (A. B. Deacon, *Malekula*, London 1934, S. 379 ff.); das Ersteigen einer Plattform oder eines Baumes ist aber, wie wir gesehen haben, ein ganz besonderes Charakteristikum schamanistischer Initiationen.

land vom Wächter die Ohren durchstochen werden[45]. Diese Operation ist aber, wie wir gesehen haben, charakteristisch für die schamanische Initiation.

Auf Dobu, einer Insel im östlichen Neu-Guinea, gilt der Zauberer als «brennend» und ist die Magie mit Hitze und Feuer verbunden, eine Vorstellung, die dem archaischen Schamanismus angehört und noch in hochentwickelten Ideologien und Techniken bewahrt ist (s. u. S. 438 ff.). Deshalb muß der Zauberer seinen Körper «trocken» und «brennend» halten; zu diesem Zweck trinkt er Salzwasser und ißt gewürzte Speisen[46]. Die Zauberer und Zauberinnen von Dobu fliegen durch die Luft; in der Nacht kann man die Feuerspuren hinter ihnen sehen[47]. Doch fliegen besonders die Frauen, denn in Dobu sind die magischen Techniken unter die beiden Geschlechter folgendermaßen verteilt: Die Frauen sind die wirklichen Zauberinnen, sie wirken unmittelbar durch die Seele, während ihr Körper im Schlaf liegt, und greifen die Seele des Opfers an (die sie aus dem Körper herausziehen und vernichten können); die Zauberer wirken nur durch Zaubermittel (Fortune, *a.a.O.*, S. 150). Der Strukturunterschied zwischen rituell tätigen Zauberern und Ekstatikern nimmt hier die Gestalt einer Einteilung nach Geschlechtern an.

Auf Dobu wie auch in anderen Gegenden von Melanesien ist die Krankheit durch Zauberei oder durch die Geister der Toten verursacht. Im einen wie im andern Fall ist die Seele des Kranken angegriffen, auch wenn sie nicht aus dem Körper entführt, sondern einfach beeinträchtigt ist. Bei beiden Hypothesen wendet man sich an den Medizinmann, der die Ursache der Krankheit entdeckt, indem er lange in Kristalle oder ins Wasser schaut. Auf Seelenraub schließt man aus bestimmten pathologischen Verhaltensweisen des Kranken; wenn er deliriert oder von Booten auf dem Meer usw. spricht, so hat seine Seele den Körper verlassen. Im Kristall erblickt der Heiler die Person, die die

---

[45] C. G. Seligman, *The Melanesians of British New Guinea* (Cambridge 1910), S. 158, S. 273 ff. (Roro), S. 189 (Koita). S. auch Kira Weinberger-Goebel, *Melanesische Jenseitsgedanken* (Wiener Beiträge zur Kulturgeschichte und Linguistik, 5. Bd., S. 95–124), S. 114.

[46] R. F. Fortune, *Sorcerers of Dobu* (London 1932), S. 295 ff.

[47] Fortune, *a.a.O.*, S. 150 ff., 296 usw. Der mythische Ursprung des Feuers aus der Vagina einer alten Frau (*ebd.*, S. 296 ff.) scheint für ein höheres Alter der weiblichen Zauberei gegenüber der männlichen zu sprechen.

Krankheit verursacht hat, ob sie lebendig oder tot ist. Man kauft den Urheber des Zaubers, um seine Feindseligkeit zu brechen, oder man bringt dem Toten Opfer dar, wenn er die Ursache des Leidens ist[48]. Wahrsagung wird auf Dobu von jedermann geübt, doch ohne Magie (Fortune, S. 155); ebenso besitzt jedermann vulkanische Kristalle, von denen es heißt, daß sie aus eigener Kraft fliegen, wenn man sie sehen läßt, und die den Zauberern zum «Geistersehen» dienen (*ebd.*, S. 298 ff.). Daß es keinen esoterischen Unterricht über diese Kristalle mehr gibt (*ebd.*), zeigt den Niedergang des männlichen Schamanismus auf Dobu, denn es gibt andererseits einen Unterricht von Meister zu Novize über alles, was bösen Zauber betrifft (*ebd.*, S. 147 ff.).

In ganz Melanesien eröffnet man die Behandlung einer Krankheit mit Opfern und Gebeten an den Geist des Todes, damit er «die Krankheit zurücknimmt». Haben die Familienmitglieder damit keinen Erfolg, so wendet man sich nunmehr an einen *mane kisu*, einen «Doktor». Dieser entdeckt durch magische Mittel den Toten, der die Krankheit hervorgerufen hat, und bittet ihn die Ursache des Übels zurückzuziehen. Gelingt das nicht, so wendet man sich an einen anderen Doktor. Neben der eigentlichen magischen Kur reibt der *mane kisu* den Körper des Kranken und nimmt alle Arten von Massagen vor. Auf Ysabel und Florida hängt der Doktor einen schweren Gegenstand an einem Faden auf und sagt die Namen jüngst verstorbener Personen; wenn er an den Urheber der Krankheit kommt, beginnt der Gegenstand sich zu bewegen. Der *mane kisu* fragt, was für ein Opfer er wolle, einen Fisch, ein Schwein, einen Menschen, und der Abgeschiedene gibt seine Antwort auf die nämliche Weise[49]. Auf Santa Cruz verursachen die Geister die Krankheiten, indem sie Zauberpfeile werfen, die der Heiler durch Massieren herauszieht (Codrington, S. 197). Auf den Bank-Inseln treibt man die Krankheit durch Massieren oder Saugen aus; der Schamane zeigt darauf dem Patienten ein Stückchen Knochen oder Holz oder ein Blatt und gibt ihm Wasser zu trinken, in das man magische Steine gelegt hat[50]. Dieselbe Wahrsagemethode wendet der *mane kisu*

---

[48] Fortune, *a. a. O.*, S. 154 ff. Über die *vada*-Methode (Mord durch Zauberei) vgl. *ebd.*, S. 284 ff.; Seligman, *The Melanesians of British New Guinea*, S. 170 ff.

[49] R. H. Codrington, *The Melanesians* (Oxford 1891), S. 194 ff.

[50] Codrington, S. 198; dieselbe Technik auf den Fidschi-Inseln, *ebd.*, S. 1. Über die magischen Steine und Quarzkristalle der melanesischen Zauberer s. Seligman, S. 284 f.

noch bei anderen Gelegenheiten an; so fragt man vor der Abfahrt der Fischer einen *tindalo* (Geist), ob der Fischfang glücklich sein wird, und das Boot antwortet durch Bewegungen *(ebd.,* S. 210). Auf Motlav und anderen Inseln des Bank-Archipels verwendet man zur Entdeckung eines Diebes einen Bambusstab, in dem ein Geist nistet; der Stock richtet sich von selbst gegen den Dieb *(ebd.)* [51].

Außer dieser Klasse von Wahrsagern und Heilern kann auch jeder andere Mensch von einem Geist oder einem Toten besessen sein; er spricht dann mit fremder Stimme und prophezeit. Meistens ist die Besessenheit unfreiwillig; ein Mensch ist mit seinen Nachbarn zusammen und man behandelt diese oder jene Angelegenheit; auf einmal beginnt er zu niesen und zu zittern. «Seine Augen werfen wilde Blicke, seine Glieder verrenken sich, sein ganzer Körper wird von Krämpfen ergriffen, Schaum tritt auf seine Lippen. Und nun hört man aus seinem Mund eine Stimme, die nicht die seine ist, das geplante Unternehmen billigen oder verwerfen. Eine solche Person gebraucht keinerlei Mittel um den Geist zu beschwören; dieser kommt nach ihrem Glauben von selbst über sie; ihr *mana* beherrscht sie und wenn es wieder fortgeht, bleibt sie völlig erschöpft zurück [52].»

In anderen Gegenden von Melanesien, z. B. in Neu-Guinea, macht man gerne und in allen Situationen von der Besessenheit durch einen toten Verwandten Gebrauch. Wenn jemand krank ist oder wenn man etwas an den Tag bringen will, nimmt ein Familienmitglied das Bild des Abgeschiedenen, den man um Rat fragen will, auf die Knie oder auf die Schulter und wird von seiner Seele «besessen» [53]. Doch stehen diese in Indonesien und Polynesien sehr häufigen Phänomene spontaner Medialität nur in oberflächlicher Verbindung mit dem Schamanis-

---

[51] Der Medizinmann auf Koita, Seligman, S. 167 ff., auf Roro, *ebd.,* S. 278 ff., auf Bartle Bay, S. 591, auf Massim, S. 638 ff., auf Trobriands, S. 682.

[52] Codrington, *The Melanesians,* S. 209 ff. Auf der Insel Lepers glaubt man, daß der Geist Tagaro seine geistige Kraft einem Menschen eingießt, damit dieser Verborgenes entdecken und offenbaren kann, *ebd.,* S. 210. Die Melanesier trennen die Verrücktheit – die ebenfalls Besessenheit durch einen *tindalo* ist – von der Besessenheit im eigentlichen Sinn, die einen Zweck hat, nämlich etwas Bestimmtes zu enthüllen, *ebd.,* S. 219. In der Besessenheit verschlingt der Mensch eine große Menge Speisen und beweist seine magischen Kräfte: er ißt brennende Kohlen, hebt riesige Lasten auf und prophezeit, *ebd.,* S. 219.

[53] J. G. Frazer, *The belief in immortality and the worship of the dead,* 1. Bd. (London 1913), S. 309.

mus im eigentlichen Sinn. Wir haben sie trotzdem erwähnt, um das geistige Klima zu kennzeichnen, in welchem sich schamanische Technik und Ideologie gebildet haben.

Schamanismus in Polynesien

In Polynesien werden die Dinge noch dadurch kompliziert, daß es hier mehrere Klassen von Spezialisten des Sakralen gibt, alle in mehr oder weniger unmittelbarer Beziehung zu Göttern und Geistern. Im großen gibt es drei Kategorien religiöser Amtsträger, die göttlichen Häuptlinge (*ariki*), die Propheten (*taula*) und die Priester (*tohunga*), doch kommen dazu noch die Heiler, Zauberer, Nekromanten und die plötzlich Besessenen, die alle im Grund so ziemlich dieselbe Technik anwenden, nämlich Kontaktaufnahme mit den Göttern oder Geistern, Inspiration oder Besessenheit durch sie. Wahrscheinlich sind wenigstens einige von diesen religiösen Ideologien und Techniken durch asiatische Ideen beeinflußt, doch die Frage der kulturellen Beziehungen zwischen Polynesien und Südasien ist bei weitem nicht gelöst und kann auf jeden Fall hier außer Betracht bleiben [54].

Vor allem ist zu bemerken, daß der Hauptinhalt der schamanischen Technik und Ideologie, nämlich der Verkehr zwischen den drei kosmischen Zonen entlang einer Achse, die sich im «Zentrum» befindet, sowie die Fähigkeit zu Himmelfahrt und magischem Flug in der polynesischen Mythologie reichlich bezeugt ist und heute noch im Volks-

---

[54] E. S. Handy versuchte in seinem Buch *Polynesian Religion* (Bernice P. Bishop Museum Bulletin Nr. 34, Honolulu, Hawai 1927) zwei Schichten polynesischer Religion abzugrenzen, die eine indischen, die andere chinesischen Ursprungs. Doch seine Vergleiche waren auf zu vage Analogien gebaut, s. die Kritik Piddingtons in *Essays in Polynesian Ethnology* von R. W. Williamson, S. 257 ff. (Über die Analogien zwischen Asien und Polynesien s. *ebd.*, S. 268 ff.) Unbestreitbar lassen sich aber für die polynesische Kultur bestimmte Abfolgen aufstellen und damit die Kulturkomplexe in ihrer Geschichte und sogar in ihren Ursprüngen aufweisen, vgl. z. B. Edwin G. Burrows, *Culture-Areas in Polynesia* (The Journal of the Polynesian Society, 49. Bd., 1940, S. 349–363), mit Erörterung von Piddingtons Kritik. Wir glauben indessen nicht, daß solche Untersuchungen, unbeschadet ihrer Bedeutung, imstande sind, das Problem der schamanischen Ideologien und der Ekstasetechniken zu lösen. Bezüglich der eventuellen Berührungen zwischen Polynesien und Amerika s. die klare Überschau von James Hornell, *Was there pre-Columbian Contact between the peoples of Oceania and South America?* (The Journal of the Polynesian Society, 54. Bd., 1945, S. 167–191).

glauben über die Zauberer weiterlebt. Dafür hier nur einige Beispiele; auf das mythische Thema der Auffahrt haben wir sowieso noch zurückzukommen. Der Heros Maui, dessen Mythen im ganzen polynesischen Gebiet und sogar darüberhinaus begegnen, ist durch seine Himmel- und Unterweltsfahrten bekannt [55]. Er fliegt auf in Gestalt einer Taube und wenn er in die Unterwelt hinabsteigen will, hebt er den Mittelpfeiler seines Hauses auf und spürt durch die Öffnung den Wind der Unterwelt [56]. Zahlreiche andere Mythen und Legenden sprechen von der Himmelfahrt mittels Lianen, Bäumen oder Papierdrachen, und die rituelle Bedeutung dieses Spiels zeigt überall in Polynesien den Glauben an die Möglichkeit einer Himmelfahrt und den dazugehörigen Wunsch [57]. Schließlich glaubt man von den polynesischen Zauberern und Propheten wie von allen anderen, daß sie durch die Luft fliegen und in einem Augenblick riesige Entfernungen zurücklegen können [58].

Hier ist auch eine Kategorie von Mythen zu erwähnen, die zwar nicht der eigentlichen schamanistischen Ideologie angehört, aber doch ein wesentliches schamanisches Thema behandelt, nämlich der Abstieg eines Helden in die Unterwelt zur Zurückführung der Seele der geliebten Frau. So steigt der Maori-Held Hutu in die Unterwelt, um die Prinzessin Pare zu suchen, die sich um seinetwillen umgebracht hat. Hutu trifft die Große Herrin der Nacht, die über das Reich der Schatten herrscht, und erlangt ihre Hilfe; sie sagt ihm den Weg, den er einschlagen muß, und gibt ihm einen Korb mit Lebensmitteln, damit er die Unterweltsspeisen nicht anrührt. Hutu findet Pare unter den Schatten wieder und es gelingt ihm, sie mit auf die Erde zu bringen. Der Heros fügt die Seele in Pares Körper und die Prinzessin steht wieder auf. Auf den Marquesas erzählt man die Geschichte von der Geliebten des Helden Kena, die sich ebenfalls umgebracht hatte, weil ihr Liebhaber ihr grollte. Kena steigt in die Unterwelt hinab, fängt die Seele

[55] Alle diese Mythen mit reichem Belegmaterial bei Katharina Luomala, *Maui-of-a-thousand-tricks: his oceanic and european biographers* (Bernice P. Bishop Museum Bulletin Nr. 198, Honolulu, Hawai, 1949). Über das Thema der Auffahrt siehe N. K. Chadwick, *Notes on Polynesian Mythology* (Journal of the Royal Anthropological Institute, 60. Bd., 1930, S. 425—446).
[56] Handy, *Polynesian Religion*, S. 83. Abstieg in die Unterwelt in Gestalt einer Taube s. bei Chadwick, *The Kite: A study in Polynesian tradition* (Journal of the Royal Anthropological Institute, 61. Bd., S. 455—491), S. 478.
[57] S. Chadwick, *The Kite*, passim.
[58] Handy, *Polynesian Religion*, S. 164.

in einem Korb und kehrt auf die Erde zurück. In der Version von Mangaiana geht Kura durch ein Unglück zugrunde und wird durch ihren Gatten aus dem Totenland zurückgebracht. Auf Hawai spricht man von Hiku und Kawelu, deren Geschichte der von Hutu und Pare auf Neuseeland gleicht. Von ihrem Liebhaber verlassen, stirbt Kawelu vor Gram. Hiku steigt an einem Weinstock in die Unterwelt hinab, bemächtigt sich der Seele Kawelus, schließt sie in eine Kokosnuß ein und kommt auf die Erde zurück. Die Wiedereinfügung der Seele in den leblosen Körper geschieht folgendermaßen: Hiku zwingt die Seele in die große Zehe des linken Fußes und erreicht schließlich durch Massieren von Fußsohle und Wade, daß sie sich in das Herz begibt. Vor seinem Abstieg in die Unterwelt hatte Hiku sich vorsichtigerweise den Körper mit ranzigem Öl gesalbt, um wie eine Leiche zu riechen; Kena hatte das nicht getan und war sofort von der Herrin der Unterwelt entdeckt worden (Handy, *Polynesian Religion*, S. 81 ff.).

Wie man sieht, nähern sich diese polynesischen Unterweltsmythen mehr dem Mythus von Orpheus als dem eigentlichen Schamanismus. Übrigens begegnet das nämliche Motiv auch in der nordamerikanischen Folklore. Immerhin spielt sich die Wiedereinführung der Seele Kawelus nach schamanischer Methode ab und das Einfangen der in die Unterwelt hinabgestiegenen Seele erinnert an das Vorgehen der Schamanen beim Suchen und Fangen der Seelen der Kranken, ob sie nun schon im Totenreich sind oder nur in fernen Gegenden verirrt. Der «Lebendigengeruch» jedoch ist ein weit verbreitetes Folkloremotiv sowohl orpheischer Mythen als schamanischer Unterweltsfahrten.

Doch die Mehrzahl der schamanischen Phänomene in Polynesien sind von speziellerer Art; meistens beschränken sie sich auf Besessenheit durch Götter oder Geister, die im allgemeinen auf Veranlassung des Priesters oder Propheten, doch manchmal auch von selber eintritt. Besessenheit und Inspiration durch die Götter ist die Spezialität der *taula*, der Propheten, kommt aber auch bei den Priestern vor und ist z. B. auf Samoa und Tahiti allen Familienoberhäuptern erreichbar; der Schutzgott der Familie spricht gewöhnlich durch den Mund ihres lebenden Oberhauptes (Handy, S. 136). Auch die Priester (*tohunga*), die zwar mehr die rituelle Tradition der Religion repräsentieren, sind von ekstatischen Erlebnissen keineswegs ausgenommen; sie müssen sogar die magischen Künste erlernen. Fornander spricht von zehn «Priesterkollegien» auf Hawai; drei davon sind auf Zauberei spezialisiert, zwei auf Nekromantik, drei auf Wahrsagung, eines auf Medizin und Chirurgie und eines auf Erbauung von Tempeln (Handy, S. 150). Fornanders «Kollegien» waren eher verschiedene Klassen von Experten, doch zeigt diese Information, daß die Priester auch eine Lehre in Magie und Medizin empfingen, was anderwärts das Vorrecht der Schamanen war.

Magische Heilungen werden übrigens ebenso von den *taula* wie von den *tohunga* vorgenommen. Wenn der Maori-Priester bei einer Erkrankung gerufen wird, bemüht er sich zuerst den Weg zu entdecken, auf dem der böse Geist der Unterwelt gekommen ist; zu diesem Zweck taucht er den Kopf ins Wasser. Meistens ist der Stengel einer Pflanze der Weg und der *tohunga* nimmt ihn und legt ihn dem Kranken auf den Kopf; dann sagt er Zaubersprüche, damit der Geist sein Opfer verläßt und in die Unterwelt zurückkehrt (Handy, S. 244). Auch auf Mangareva befassen sich die Priester mit Heilungen. Da die Krankheit meistens durch Besessenheit von einem Gott aus der Familie Viriga hervorgerufen ist, konsultieren die Angehörigen des Kranken unverzüglich einen Priester. Dieser macht ein kleines Boot aus Holz, bringt es in das Haus des Patienten und bittet den göttlichen Geist den Körper zu verlassen und das Boot zu besteigen [59].

Wie schon gesagt ist die Besessenheit durch Götter oder Geister eine Eigenheit der ekstatischen Religion Polynesiens. Solange sie besessen

---

[59] Te Rangi Hiroa (Peter H. Buck), *Ethnology of Mangareva* (Bernice P. Bishop Museum Bulletin Nr. 157, Honolulu, Hawai, 1938), S. 475 ff. Doch ist zu bemerken, daß der Name der Priester auf Mangareva *taura* ist, was dem Wort *taula* auf Samoa und Tonga, *kaula* (Hawai) und *taua* (Marquesas) entspricht, das wie wir gesehen haben die «Propheten» bezeichnet (vgl. Handy, S. 159 ff.). Auf Mangareva wird aber die religiöse Zweiteilung nicht durch das Wortpaar *tohunga* (Priester) – *taula* (Prophet), sondern durch das Paar *taura* (Priester) und *akarata* (Wahrsager) ausgedrückt, vgl. Honoré Laval, *Mangareva. L'histoire ancienne d'un peuple* (Braine-le-Comte, Belgique-Paris 1938), S. 309 ff. Die einen wie die andern sind von den Göttern besessen, doch erhalten die *akarata* ihren Titel auf eine plötzliche Inspiration hin, welcher eine kurze Weihezeremonie folgt (vgl. Hiroa, *Ethnology of Mangareva*, S. 446 ff.), während die *taura* eine lange Initiation in einer *marae* erfahren (ebd., S. 443). Honoré Laval (a. a. O., S. 309) und noch andere Autoritäten behaupten, daß es für die *akarata* keine Initiation gibt, doch hat Hiroa (= Buck) bewiesen, daß die Einsetzungszeremonie (die fünf Tage dauert und bei der den Priester die Götter auffordert im Körper des Neophyten zu wohnen) die Struktur einer Initiation hat, a. a. O., S. 446 ff. Der große Unterschied zwischen den «Priestern» und «Wahrsagern» besteht in der so stark betonten ekstatischen Berufung der letzteren.

sind, gelten Propheten, Priester und einfache Medien als göttliche Inkarnationen und werden entsprechend behandelt. Die Inspirierten sind gleichsam «Gefäße» der Götter und Geister. Das Maori-Wort *waka* gibt deutlich zu verstehen, daß der Inspirierte den Gott in sich trägt wie ein Boot seinen Eigentümer (Handy, *a. a. O.*, S. 160). Und zwar äußert sich die Einkörperung des Gottes oder Geistes auf ähnliche Weise wie überall; auf eine Vorstufe mit ruhiger Konzentration folgt ein Zustand der Raserei, in dem das Medium mit Kopfstimme spricht, wobei es jedoch von Krämpfen unterbrochen wird. Seine Worte sind Orakel und entscheiden über die Unternehmungen. Denn mit Hilfe der Medien wird nicht nur das von dem betreffenden Gott gewünschte Opfer erfragt, man hält solche Sitzungen auch bevor man einen Krieg beginnt oder auf eine lange Reise geht usw. Auch Ursache und Behandlung einer Krankheit oder den Schuldigen bei einem Diebstahl entdeckt man auf dieselbe Weise.

Es hat keinen Sinn hier die Beschreibungen zu wiederholen, mit denen die ersten Reisenden und die Ethnologen zur Phänomenologie der polynesischen Inspiration und Besessenheit beigetragen haben. Die klassischen Beschreibungen findet man bei W. Mariner, Ellis, C. S. Stewart usw. [60]. Nur soviel sei festgehalten, daß die Mediensitzungen zu privatem Zweck in der Nacht stattfinden [61] und sich weniger wild gebärden als die großen öffentlichen Sitzungen, die bei Tag gehalten werden und zur Erkundung des Willens der Götter dienen. Der Unterschied zwischen einem spontan und zeitweilig «Besessenen» und einem Propheten beruht darin, daß der Prophet immer von dem nämlichen Gott oder Geist «inspiriert» ist und ihn sich freiwillig einkörpern kann. Zur Weihe eines neuen Propheten schreitet man nur nach einer offiziellen Echtheitserklärung des Gottes oder Geistes, der ihn beherrscht; man stellt

---

[60] Séancen auf Tahiti: William Ellis, *Polynesian Researches* (London 1831) I, S. 373 f., Zuckungen, Schreie, unverständliche Worte, welche die Priester interpretieren müssen usw.; Gesellschaftsinseln: Ellis, *ebd.*, I, S. 370 ff., J. A. Moerenhout, *Voyages aux îles du Grand Océan* (Paris 1837), I, S. 482; Marquesas: C. S. Stewart, *A visit to the South Seas* (Neuyork 1831) I, S. 70; Tonga: W. Mariner, *An account of the natives of Tonga Islands* (Boston 1820) I, S. 86 ff., 101 ff. usw.; Samoa, Hervey-Islands: Robert W. Williamson, *Religion and Social Organization in Central Polynesia* (hrsg. v. R. Piddington, Cambridge 1937), S. 112 ff.; Mangareva: Te Rangi Hiroa, *a. a. O.*, S. 444 ff.

[61] S. die Beschreibung einer dieser Sitzungen bei Handy, *The native culture in the Marquesas* (Bernice P. Bishop Museum Bulletin Nr. 9, Honolulu 1923), S. 265 ff.

ihm Fragen und er muß Orakel geben[62]. Er wird erst dann als *taula* oder *akarata* anerkannt, wenn er die Echtheit seiner ekstatischen Erlebnisse unter Beweis gestellt hat. Ist er der Repräsentant (oder besser die Verkörperung) eines großen Gottes, so werden sein Haus und er selbst *tapu* und erfreut er sich eines hohen sozialen Rangs, der den des politischen Oberhauptes an Ansehen erreicht oder sogar übertrifft. Zuweilen zeigt sich die Einkörperung eines großen Gottes durch übernatürliche Zauberkraft; so kann z. B. der Prophet auf den Marquesas einen Monat lang fasten, unter dem Wasser schlafen und Dinge sehen, die sich in weiter Entfernung abspielen usw. (Ralph Linton, *a.a.O.*, S. 188).

Zu diesen Hauptklassen von religiös-magischen Personen kommen noch die Zauberer oder Nekromanten (*tahu, kahu* usw.), deren Spezialität ein Hilfsgeist («Hausgeist») ist, den sie sich aus der Leiche eines verstorbenen Freundes oder Verwandten herausziehen[63]. Sie sind heilkundig wie die Propheten und Priester; man konsultiert sie auch, um Diebe zu entdecken (z. B. auf den Gesellschaftsinseln), obwohl sie sich oft für Schwarze Künste hergeben. (Auf Hawai kann der *kahu* die Seele seines Opfers vernichten, indem er sie zwischen seinen Fingern zerdrückt, Handy, S. 236; auf Pukapuka sieht der *tangata wotu* die Seelen, die während des Schlafs herumschweifen, und tötet sie, weil sie vielleicht dabei sind Krankheiten zu verursachen (s. Beaglehole, S. 326). Der wesentliche Unterschied zwischen Zauberern und Inspirierten besteht darin, daß die Zauberer nicht von den Göttern oder Geistern «besessen» sind, sondern im Gegenteil einen Geist zur Verfügung haben, der für sie die eigentliche magische Arbeit tut. Auf den Marquesas z. B. macht man einen deutlichen Unterschied zwischen 1. Ritualpriestern, 2. inspirierten Priestern, 3. von Geistern Besessenen – und 4. Zauberern. Auch die «Besessenen» haben fortgesetzte Beziehungen zu bestimmten Geistern, doch diese Beziehungen übertragen ihnen keine magischen Kräfte. Diese sind das ausschließliche Monopol der Zauberer, die von den Geistern auserwählt sein oder ihre Macht durch

---

[62] Für Mangareva s. Te Rangi Hiroa, *a.a.O.*, S. 444; für die Marquesas Ralph Linton in Abraham Kardiner, *The Individual and his Society* (Neuyork 1939), S. 187 ff.
[63] Über die Zauberer und ihre Kunst s. Handy, *Polynesian Religion* (Hawai, Marquesas), S. 235 ff.; Williamson, *a.a.O.*, S. 238 ff. (Gesellschaftsinseln); Te Rangi Hiroa, S. 473 ff. (Mangareva); Beaglehole, S. 326 (Pukapuka) usw.

Studium erreichen können oder durch die Ermordung eines nahen Verwandten, dessen Seele ihr Diener wird. (R. Lincoln, S. 192).

Schließlich werden bestimmte schamanische Kräfte auch durch Erbschaft innerhalb bestimmter Familien weitergegeben. Das berühmteste Beispiel ist die Fähigkeit, auf glühenden Kohlen oder zur Weißglut erhitzten Steinen zu gehen, die bestimmten Fidschi-Familien vorbehalten ist [64]. Die Echtheit dieser Unternehmungen steht außer Zweifel; viele gute Beobachter haben dieses «Wunder» beschrieben und zwar mit allen erdenklichen Garantien für Objektivität. Mehr noch, die Fidschi-Schamanen können den ganzen Stamm und sogar Fremde gegen Feuer unempfindlich machen. Dasselbe Phänomen wurde auch anderwärts verzeichnet, so z. B. im südlichen Indien [65]. Wenn man bedenkt, daß die sibirischen Schamanen glühende Kohlen verschlucken sollen, daß «Hitze» und «Feuer» magische Attribute aus den altertümlichsten Schichten der primitiven Gesellschaften sind und daß analoge Erscheinungen in den höheren magischen Systemen und den asiatischen Kontemplationstechniken (Yoga, Tantrismus usw.) auftreten, so ist der Schluß erlaubt, daß die «Macht über das Feuer» gewisser Fidschi-Familien von Rechts wegen dem echten Schamanismus zugehört. Diese Macht ist übrigens nicht auf die Fidschi-Inseln beschränkt. In geringerer Intensität und bescheideneren Ausmaßen war die Unempfindlichkeit gegen das Feuer bei zahlreichen Propheten und Inspirierten in Polynesien zu belegen.

Diese Feststellungen führen uns insgesamt zu dem Schluß, daß in Polynesien die eigentlichen schamanischen Techniken mehr sporadisch auftreten («fire-walking ceremony» auf den Fidschi-Inseln, magischer Flug von Zauberern und Propheten usw.), während die schamanische Ideologie einzig in der Mythologie vorhanden ist (Himmelfahrt, Abstieg in die Unterwelt) und noch halb vergessen in gewissen Zeremonien überlebt, die jedoch im Begriff sind, zum bloßen Spiel zu werden (Papierdrachenspiel). Die Konzeption der Krankheit ist nicht die eigentlich schamanische (Seelenflucht); die Polynesier schreiben die

---

[64] Vgl. z. B. W. E. Gudgeon, *The Umu-ti, or Fire-walking Ceremony* (The Journal of the Polynesian Society 8, 1899) und andere Abhandlungen, ausgezeichnet analysiert bei E. de Martino, *Il mondo magico* (Turin 1948), S. 29 ff. Über den Schamanismus auf den Fidschi-Inseln s. B. Thompson, *The Fijians* (London 1908), S. 158 ff.

[65] Vgl. Olivier Leroy, *Les Hommes Salamandres. Sur l'incombustibilité du corps humain* (Paris 1931), passim.

Krankheit der Einführung eines Gegenstandes durch einen Gott oder Geist oder der Besessenheit zu und die Behandlung besteht im Herausziehen des magischen Gegenstandes oder in der Austreibung des Geistes. Einführung wie Extraktion eines magischen Gegenstandes sind Bestandteil eines anscheinend archaischen Komplexes. Doch ist in Polynesien die Heilung nicht ausschließliches Vorrecht des Medizinmanns wie in Australien und anderwärts; die außerordentliche Häufigkeit der Besessenheit durch Götter und Geister hat die Heilkundigen sehr vermehrt. Priester, Inspirierte, Medizinmänner, Zauberer, sie alle können, wie wir gesehen haben, die magische Kur vornehmen. Durch die Leichtigkeit und Häufigkeit der quasi medienhaften Besessenheit wurden in der Tat Rahmen und Funktion der «Spezialisten des Sakralen» nach allen Seiten gesprengt; vor dieser kollektiven Medientätigkeit mußte die traditionalistische und ritualistische Institution des Priesters von sich aus ihr Verhalten ändern. Einzig die Zauberer leisteten der Besessenheit Widerstand und wahrscheinlich haben wir die Reste archaischer schamanischer Ideologie in den Geheimüberlieferungen dieser Klasse zu suchen [66].

[66] Den afrikanischen Schamanismus haben wir beiseite gelassen; die Darstellung der schamanischen Elemente in den verschiedenen Religionen und religiös-magischen Techniken Afrikas hätte uns zu weit geführt. Auch wollten wir lieber die gesamte Veröffentlichung der Expeditionsergebnisse Marcel Griaules und seiner Equipe in Französisch Westafrika abwarten, nachdem die bisher veröffentlichten Bände, besonders *Dieu d'Eau* von Marcel Griaule (Paris 1949), ein geistiges Universum von erstaunlichem Reichtum enthüllten (vgl. auch G. Dieterlen, *Les Ames des Dogon,* 1941; S. de Ganay, *Les Devises des Dogon,* 1941). Über den afrikanischen Schamanismus s. Adolf Friedrich, *Afrikanische Priestertümer* (Stuttgart 1939), S. 292–325; S. F. Nadel, *A study of shamanisme in the Nuba Mountains* (Journal of the Royal Anthropological Institute, 76. Bd., 1946, S. 25–37); über die verschiedenen magischen Ideologien und Techniken vgl. E. E. Evans-Pritchard, *Witchcraft, Oracles and Magic among the Azande* (Oxford 1937); H. Baumann, *Likundu. Die Sektion der Zauberkraft* (Zeitschrift für Ethnologie, 60. Bd., 1928, S. 73–85); C. M. N. White, *Witchcraft, Divination and Magic among the Balovale Tribes* (Africa, 18. Bd., S. 81–104) usw.

XI

SCHAMANISCHE LEHREN UND TECHNIKEN BEI DEN INDOGERMANEN

Vorbemerkungen

Wie alle anderen Völker hatten auch die Indogermanen ihre Magier und Ekstatiker, und wie überall erfüllten diese Magier und Ekstatiker im Rahmen des religiösen Lebens eine wohldefinierte Funktion. Darüberhinaus hatte sowohl der Magier wie der Ekstatiker mitunter sein mythisches Vorbild; so sah man in Varuna einen «Großen Zauberer» und in Odin (unter vielem anderen!) einen Ekstatiker besonderer Art. *Wodan, id est furor,* schrieb Adam von Bremen – eine lapidare Definition, in der man schamanisches Pathos erkennen zu können glaubt.

Berechtigt uns das, von einem indogermanischen Schamanismus zu sprechen, wie man von einem altaischen oder sibirischen Schamanismus spricht? Die Antwort hängt zum Teil davon ab, welche Bedeutung man dem Terminus «Schamanismus» zuteilt. Begreift man unter diesem Wort ein jedes ekstatisches Phänomen, eine jede magische Technik, dann wird man natürlich viele «schamanische» Züge bei den Indogermanen finden, wie übrigens, um es noch einmal zu sagen, auch bei jeder anderen Volks- und Kulturgruppe. Wenn wir die gewaltige Fülle der Zeugnisse magisch-ekstatischer Techniken und Ideologien bei den Indogermanen auch nur summarisch behandeln wollten, bedürfte das eines eigenen Bandes und vielseitiger Kompetenz. Zum Glück haben wir aber mit diesem Problem nichts zu tun, da es den Gegenstand dieses Buches in jeder Hinsicht überschreitet. Unsere Aufgabe besteht in der Untersuchung der folgenden Frage: In welchem Maß bewahren die verschiedenen indogermanischen Völker die Spuren einer schamanischen Ideologie und Technik im strengen Sinn, d. h. mit einigen ihrer wesentlichen Kennzeichen: Himmelfahrt; Unterweltsfahrt zur Zurückführung der Seele des Kranken oder zum Geleit der Abgeschiedenen; Anrufung und Einkörperung der «Geister» zum Zweck der ekstatischen Reise, «Meisterschaft über das Feuer» usw.?

Derartige Spuren bestehen bei fast allen indogermanischen Völkern und wir werden sie sogleich untersuchen. Ihre Zahl ist wahrscheinlich noch größer, denn wir wollen keineswegs behaupten, das Material ausgeschöpft zu haben. Doch zuvor noch zwei Bemerkungen: Wie wir schon anläßlich anderer Völker und Religionen sagten, ist das Vorkommen eines oder mehrerer schamanischer Elemente in einer indogermanischen Religion noch nicht genug, um diese Religion als vom Schamanismus beherrscht und schamanisch strukturiert zu betrachten. Zweitens gilt es festzuhalten, daß bei hinreichender Unterscheidung zwischen dem Schamanismus und anderen Magien und «primitiven» Ekstasetechniken die schamanischen Überlebsel, die sich in einer «entwickelten» Religion da und dort aufspüren lassen, keineswegs negativ gewertet werden müssen, weder für sich selbst noch in Hinblick auf das religiöse Ganze, dem sie sich einfügen. Man muß diesen Punkt besonders betonen, da die moderne ethnographische Literatur den Schamanismus gern als eine Verirrung behandelt, sei es daß man ihn mit «Besessenheit» verwechselt oder daß man sich darin gefällt ihn in seinen Degenerationserscheinungen vorzuführen. Wie das vorliegende Werk mehr als einmal gezeigt hat, erscheint der Schamanismus in vielen Fällen in einem Zustand der Auflösung, doch nichts gibt einem das Recht, in dieser Spätphase *das* Phänomen des Schamanismus repräsentiert zu sehen.

Noch auf eine andere Gefahr ist hinzuweisen, der man sich aussetzt, wenn man statt einer «primitiven» Religion die Religion eines Volkes zu studieren beginnt, dessen Geschichte ungleich reicher an kulturellem Austausch, an Neuerungen und Neuschöpfungen ist. Man läuft Gefahr zu verkennen, was die «Geschichte» aus einem archaischen religiös-magischen Schema gemacht, in welchem Maß sie dessen geistigen Gehalt verwandelt und umgewertet hat und will daraus immer noch dieselbe «primitive» Bedeutung ablesen. Ein Beispiel mag zur Illustrierung genügen. Bekanntlich gehören zu vielen schamanischen Initiationen «Träume», in denen der künftige Schamane sich durch Dämonen und Seelen von Toten gefoltert und in Stücke geschnitten sieht. Nun begegnen ähnliche Szenarios in der christlichen Hagiographie und zwar besonders in der Legende von den Versuchen des heiligen Antonius: Dämonen foltern und schlagen den Heiligen und zerschneiden ihn in Stücke, heben ihn hoch in die Luft usw. Im Endeffekt kommen solche Versuchungen einer «Initiation» gleich, denn durch sie überschreiten die Heiligen den menschlichen Stand und sondern sich von der Masse der Profanen. Doch mit ein wenig Scharfblick wird man den Unterschied des geistigen Gehaltes bemerken, welcher die beiden «Initiationsschemata» trennt, so benachbart sie auch auf typologischer Ebene erscheinen mögen. Die dämonischen Folterungen eines christlichen Heiligen durch die Teufel lassen sich ziemlich leicht von denen eines Schamanen unterscheiden, doch leider wird die Unterscheidung schon schwieriger, wenn das Gegenstück zu dem Schamanen ein Heiliger einer nichtchristlichen Religion ist. Nun ist nicht zu vergessen, daß ein archaisches Schema seinen geistigen Gehalt immer wieder zu erneuern vermag. Wir sind bisher schon einer erheblichen Zahl schamanischer Himmelfahrten begegnet und werden noch weitere anführen; wir haben gesehen, daß es sich dabei um ein ekstatisches Erlebnis handelt, dem an sich nichts von «Verirrung» anhaftet, daß im Gegenteil dieses hochaltertümliche, bei allen Primitiven belegte religiösmagische Schema vollendet folgerichtig, «edel», «rein» und also «schön» ist. Es wäre also bei der Ebene, auf die wir die schamanische Himmelfahrt gestellt haben, durchaus kein Pejorativ, wenn wir zum Beispiel von der Auffahrt Mohammeds sagten, sie zeige schamanischen Gehalt. Nichtsdestoweniger und trotz allen typologischen Ähnlichkeiten ist es unmöglich, die ekstatische Auffahrt Mohammeds mit der Auffahrt eines altaischen oder buriätischen Schamanen in eine Linie zu stellen. Gehalt, Bedeutung und geistige Orientierung des ekstatischen Erlebnisses des Propheten setzen gewisse Veränderungen der religiösen Werte voraus, welche es unmöglich machen, sie noch auf den allgemeinen Auffahrtstyp zurückzuführen.

Diese Überlegungen stellen sich am Anfang des vorliegenden Kapitels ein, in dem von ungleich komplexeren Völkern und Kulturen die Rede sein wird als die bisher behandelten waren. Wir wissen nur sehr wenig Sicheres über die religiöse Vor- und Frühgeschichte der Indogermanen, über die Epochen also, in denen der geistige Horizont dieser Völkergruppe wahrscheinlich dem der vielen bisher besprochenen Völker vergleichbar war. Die vorhandenen Urkunden zeugen schon von ausgearbeiteten, systematisierten, zuweilen sogar versteinerten Religionen. In dieser ungeheuren Masse gilt es, die Mythen, Riten und Ekstasetechniken herauszufinden, die vielleicht eine schamanische Struktur haben. Wie wir sogleich sehen werden, sind solche Mythen, Riten und Ekstasetechniken in mehr oder weniger «reiner» Form bei allen indogermanischen Völkern belegt. Aber wir glauben nicht, daß man den Schamanismus zur Dominante des religiös-magischen Lebens der Indogermanen erklären kann. Das ist eine umso erstaunlichere Feststellung, als die indogermanische Religion in ihren großen Zügen der der Turk-Tataren gleicht: Suprematie des Himmelsgottes, Fehlen oder geringere Bedeutung der Göttinnen, Feuerkult usw.

Summarisch ließe sich der Unterschied zwischen den Religionen dieser beiden Gruppen gerade in bezug auf die Vorherrschaft oder geringere Bedeutung des Schamanismus durch zwei folgenschwere Tatsachen erklären: erstens durch die von Georges Dumézil glänzend ins Licht gesetzte große Neuerung der Indogermanen, die Dreiteilung des Göttlichen, welche sowohl einer eigentümlichen Gesellschaftsordnung als einer systematischen Konzeption des religiös-magischen Lebens entspricht, insofern jeder Typ von Gottheit eine eigentümliche Funktion hat und eine Mythologie, die ihr Gegenstück bildet. Zu einer solchen systematischen Reorganisation des ganzen religiös-magischen Lebens, die in ihren großen Zügen schon vor der Trennung der Urindogermanen vollendet war, gehörte sicherlich auch die Einfügung der schamanischen Ideologie und Erfahrung; doch diese Integration führte zu einer Spezialisierung und letzten Endes Beschränkung der schamanischen Kräfte. Die Schamanen fanden ihren Platz neben anderen religiös-magischen Mächten und Würden, sie waren nicht mehr allein in der Anwendung der Ekstasetechniken und in der ideologischen Herrschaft über die ganze Geisteswelt eines Stammes. Etwa in diesem Sinn könnte den schamanischen Traditionen durch die Organisation der religiös-magischen Glaubensvorstellungen, die sich noch zur Zeit der indogermanischen Einheit vollzog, ihr Platz zugewiesen worden sein. Die schamanischen Traditionen werden sich, um die Schemata Georges Dumézils zu verwenden, in ihrer großen Mehrheit um die mythische Gestalt des schrecklichen Herrschers («Souverain terrible») gruppiert haben, dessen Archetyp Varu*n*a, der Meister der Magie, der große «Binder» zu sein scheint. Das besagt natürlich weder, daß alle schamanischen Elemente sich ausschließlich um die Gestalt des Schrecklichen Herrschers kristallisiert hätten, noch daß diese schamanischen Elemente innerhalb der indogermanischen Religion alle magischen oder ekstatischen Ideologien und Techniken in sich befaßten. Im Gegenteil, es gab Magien wie Ekstasetechniken von anderer als «schamanischer» Struktur, so zum Beispiel die Magie der Krieger oder die Ekstasetechniken aus dem Bereich der Großen Göttinnen oder die Ackerbaumystik, die in keiner Weise schamanisch waren.

Das zweite Moment, das unserer Ansicht nach zu dieser Verschiedenheit der Indogermanen von den Turk-Tataren beigetragen hat, wäre der Einfluß orientalischer und mediterraner Kulturen von agrarischem und städtischem Typ. Dieser Einfluß hat sich, direkt oder indirekt, auf die indogermanischen Völker in dem Maße ausgewirkt, als sie sich gegen den Nahen Orient vorschoben. Die Wandlungen des religiösen Erbes der vom Balkan nach Süden gewanderten Griechen geben eine Vorstellung von dem höchst komplexen Angleichungs- und Umwertungsvorgang, zu dem die Berührung mit einer Kultur von agrarischem und städtischem Typ geführt hat.

Ekstasetechniken bei den Germanen

Gewisse Einzelheiten innerhalb der Religion und Mythologie der Germanen lassen sich mit Vorstellungen und Techniken des nordasiatischen Schamanismus vergleichen. Nennen wir die schlagendsten. Gestalt und Mythus Odins – des Schrecklichen Herrschers und Großen Zauberers[1] – zeigen mehrere Züge, die seltsam «schamanisch» sind. Um sich die Geheimweisheit der Runen anzueignen, bleibt Odin neun Tage und neun Nächte an einem Baum aufgehängt (*Hávamál*, 138 ff.). Einige Germanisten sehen in diesem Ritus einen Initiationsritus; Höfler[2] vergleicht ihn sogar mit der Ersteigung der Bäume durch die sibirischen Schamanen bei der Initiation. Der Baum, an dem Odin sich selbst «aufgehängt» hat, kann nur der Kosmische Baum – Yggdrasil – sein; sein Name bedeutet übrigens «der Renner des Ygg (Odin)». In der nordischen Tradition heißt der Galgen «das Pferd des Gehängten» (Höfler, S. 224) und bestimmte germanische Initiationsriten enthielten

---

[1] Hierüber s. G. Dumézil, *Mythes et dieux des Germains* (Paris 1939), S. 19 ff., dort auch die wichtigste Bibliographie.
[2] Otto Höfler, *Kultische Geheimbünde der Germanen* I (Frankfurt a. M. 1934), S. 234 ff.

die symbolische «Hängung» des Kandidaten, denn dieser Brauch ist auch andernorts sehr reichlich belegt (vgl. die bibliographischen Angaben bei Höfler, S. 225, Anm. 228). Doch bindet Odin auch sein Pferd an Yggdrasil an – wir wissen von der Verbreitung dieses mythischen Themas in Zentral- und Nordasien (s. o. S. 251).

Odins Renner Sleipnir hat acht Beine und trägt seinen Herrn und auch andere Götter (z. B. Hermod) in die Unterwelt. Nun ist das achtbeinige Pferd das Schamanenpferd par excellence; man findet es in Sibirien und auch sonst (z. B. bei den Muria) und zwar immer in Beziehung zum ekstatischen Erlebnis (s. u. S. 430). Wahrscheinlich hat Höfler (S. 46 ff.) recht mit der Annahme, Sleipnir sei der mythische Archetyp des vielbeinigen «cheval-jupon», das im Geheimkult des Männerbundes eine wichtige Rolle spielt[3]. Aber das ist ein religiösmagisches Phänomen, das über den Schamanismus hinausgeht.

Von der Fähigkeit Odins, nach Belieben seine Gestalt zu wechseln, schreibt Snorri: «Sein Körper lag wie schlafend oder tot da, er selbst aber war ein Vogel oder ein wildes Tier, ein Fisch oder eine Schlange. Er konnte in einem Augenblick in ferne Länder fahren...[4].» Diese ekstatische Reise Odins in Tiergestalt läßt sich gut zu der Verwandlung der Schamanen in Tiere stellen. Die Schamanen kämpfen in Stier- oder Adlergestalt miteinander; ebenso erwähnt die nordische Überlieferung mehrfach Kämpfe von Zauberern in Robben- und anderer Tiergestalt, deren Körper während des Kampfs leblos blieben wie der Körper Odins während seiner Ekstase[5]. Freilich begegnen solche Glau-

---

[3] Über die Beziehungen Schmied – «Pferd» – Geheimbund vgl. Höfler, S. 52 ff. Derselbe religiöse Komplex begegnet in Japan, vgl. den Aufsatz von A. Slawik, *Kultische Geheimbünde der Japaner und Germanen* (Wiener Beiträge zur Kulturgeschichte und Linguistik IV, Salzburg-Leipzig 1936, S. 675–764), S. 695.

[4] *Ynglingasaga* 7, übers. von F. Niedner; vgl. den Kommentar von Hilda R. Ellis, *The road to Hel. A study of the conception of the dead in Old Norse literature* (Cambridge 1942), S. 122 ff.

[5] *Saga Hjalmthérs ok Olvérs* XX, zit. bei Hilda Ellis, *The road to Hel*, S. 123. Vgl. ebd., S. 124 die Geschichte von den zwei Zauberern, die leblos auf der Zauberplattform (*seiðhjallr*, s. unten) lagen und zur gleichen Zeit weit entfernt auf dem Meer gesehen wurden, wie sie auf einem Wal ritten; sie verfolgten das Schiff eines Helden und wollten es zum Schiffbruch bringen, aber der Held brachte es fertig, ihnen das Rückgrat zu brechen, und in diesem Augenblick fielen die Zauberer von ihrer Plattform und hatten das Rückgrat gebrochen. Die *Saga Sturlungs Starfsama* (XII) erzählt, wie zwei Zauberer zuerst in Hunde- und dann in Adlergestalt miteinander kämpften, Ellis, S. 126.

bensvorstellungen auch außerhalb des eigentlichen Schamanismus, doch drängt sich der Vergleich mit den Praktiken der sibirischen Schamanen umso mehr auf, als andere skandinavische Überlieferungen von Hilfsgeistern in Tiergestalt sprechen, die nur für die Schamanen bemerkbar sind (Ellis, S. 128), was nun besonders an schamanische Ideen erinnert. Man könnte sogar fragen, ob die beiden Raben Odins, Hugin («Gedanke») und Munin («Gedächtnis») nicht, wenn auch in stark mythisierter Form, zwei «Hilfsgeister» in Vogelgestalt sind, welche der Große Zauberer auf schamanische Art zu den vier Enden der Welt entsandte [6].

Der Begründer der Nekromantik ist immer Odin. Auf seinem Pferd Sleipnir dringt er in die Hel ein und befiehlt einer schon lange toten Prophetin sich aus ihrem Grab zu erheben und auf seine Fragen zu antworten (*Baldrs draumar*; Ellis, S. 152). Seither haben auch andere diese Art Nekromantik ausgeübt (*ebd.*, S. 154 ff.), die offensichtlich nicht Schamanismus im strengen Sinn ist, aber in einen sehr nah benachbarten geistigen Komplex gehört. Es wäre auch die Wahrsagung mit Hilfe des mumifizierten Hauptes Mimirs zu erwähnen (*Vǫlospá* Vers 46; *Ynglingasaga* IV; Ellis, S. 156 ff.), welche an die Wahrsagung der Jukagiren durch Schädel schamanischer Vorfahren denken läßt.

Man wird Prophet, indem man sich auf Gräber setzt, und man wird «Dichter», das heißt ein Inspirierter, wenn man auf dem Grab eines Dichters schläft [7]. Derselbe Brauch bei den Kelten: Der *fili* aß vom rohen Fleisch eines Stieres, trank von seinem Blut und schlief danach in seine Haut eingewickelt; im Schlaf teilten ihm «unsichtbare Freunde» die Antwort auf die Frage mit, die ihn beschäftigte [8]. Oder man schlief

---

[6] Ellis, *a. a. O.*, S. 127. Zu Odins schamanischen Attributen zählt Alois Kloß unter anderem die beiden Wölfe, den Namen «Vater», den man Odin gab (*galdrs faðir* = Vater der Zauberei, *Baldrs draumar*, 3, 3), das «Trunkenheitsmotiv» und die Valkyren; vgl. *Die Religionen des Semnonenstammes* (Wiener Beiträge IV, 1936, S. 549 bis 673), S. 665 ff., Anm. 62. Chadwick sah schon seit langem in den Valkyren mythische Wesen, die näher an «Werwölfen» als an himmlischen Feen sind; vgl. Ellis, S. 77. Aber alle diese Motive sind nicht unbedingt schamanisch. Die Valkyren sind Seelengeleiter und spielen manchmal dieselbe Rolle wie die «Himmelsgattinnen» und «Geisterfrauen» der sibirischen Schamanen, doch wie wir gesehen haben geht dieser Komplex über die Sphäre des Schamanismus hinaus und hat sowohl an der Mythologie der Frau als an der Mythologie des Todes teil.

[7] Ellis, *a. a. O.*, S. 105 ff., 108.

[8] Thomas F. O'Rahilly, *Early Irish History and Mythology* (Dublin 1946), S. 323 ff.

direkt auf dem Grab eines Verwandten oder Ahnen und wurde Prophet[9]. Typologisch nähern sich diese Bräuche der Initiation oder Inspiration der künftigen Schamanen und Zauberer, welche die Nacht bei Leichen oder auf Friedhöfen verbringen. Die zugrundeliegende Idee ist beide Male dieselbe: Die Toten kennen die Zukunft, sie können das Verborgene enthüllen, usw. Der Traum spielt zuweilen eine ähnliche Rolle: In der *Gisla Saga* XXII ff. zeigt der Dichter das Los gewisser Privilegierter nach dem Tod (Ellis. S. 74).

Es liegt uns natürlich fern, hier alle keltischen und germanischen Mythen zu untersuchen, welche sich mit ekstatischen Jenseitsreisen und speziell Unterweltsfahrten beschäftigen. Rufen wir uns nur soviel ins Gedächtnis, daß die Vorstellungen über die Existenz nach dem Tode weder bei Kelten noch bei Germanen frei von Widersprüchen waren. Die Überlieferungen erwähnen mehrere Bestimmungsorte für die Abgeschiedenen und folgen in diesem Punkt dem Glauben anderer Völker an verschiedenartige Schicksale nach dem Tod. Doch Hel, die eigentliche Unterwelt, befindet sich nach dem *Grimnismál* unter einer Wurzel Yggdrasils und damit im «Zentrum der Welt». Man spricht sogar von neun unterirdischen Stockwerken; ein Riese sagt, daß er seine Weisheit beim Abstieg in «die neun unteren Welten» erworben habe (Ellis, S. 83). Wir begegnen hier dem zentralasiatischen kosmologischen Schema von sieben oder neun Unterwelten in Entsprechung zu den sieben oder neun Himmeln. Doch noch bezeichnender erscheint uns die Erklärung des Riesen, daß er «weise» – also hellsehend – wurde durch den Abstieg in die Unterwelt, den man somit als Initiation betrachten darf.

In der *Gylfaginning* 48 berichtet Snorri, wie Hermod auf dem Renner Odins, Sleipnir, in die Hel hinabreitet, um die Seele Balders zurückzubringen[10]. Dieser Typ des Abstiegs in die Unterwelt ist deutlich schamanisch. Wie in den verschiedenen außereuropäischen Varianten des Orpheus-Mythus bleibt der Abstieg zur Unterwelt auch im Falle Balders ohne das gehoffte Ergebnis. Daß eine solche Tat für möglich galt, bestätigt das *Chronicon Norwegiae:* Ein Schamane wollte

---

[9] Vgl. die Texte bei Ellis, S. 109.

[10] Hermod reitet neun Nächte lang durch die «finsteren und tiefen Täler» und überschreitet die Brücke Gjallar, die mit Gold gepflastert ist; Ellis, S. 85, 171; Dumézil, *Loki*, S. 53.

die Seele einer plötzlich verstorbenen Frau zurückbringen, starb dabei aber selber an einer schrecklichen Wunde am Bauch. Ein zweiter Schamane griff ein und ihm gelang es die Frau wieder ins Leben zu rufen. Die Frau erzählte nun, sie habe den Geist des ersten Schamanen in Gestalt einer Robbe einen See überqueren sehen, doch habe ihm jemand mit einer Waffe den Schlag versetzt, dessen Spur man an der Leiche sah (Ellis, S. 126).

Odin selbst steigt auf seinem Pferd Sleipnir in die Unterwelt hinab, um die *vǫlva* aufzuerwecken und das Schicksal Balders zu erfahren. Ein drittes Beispiel eines Abstiegs findet sich bei Saxo Grammaticus (*Hist. Dan.* I, 31), sein Held ist Haddingus. Während Haddingus speist, erscheint plötzlich eine Frau und fordert ihn auf ihr zu folgen. Sie steigen unter die Erde hinab in eine feuchte und finstere Gegend, finden einen Weg gebahnt, auf dem gut gekleidete Leute gehen, kommen dann in eine sonnige Gegend mit Bäumen aller Art und an einen Fluß, den sie auf einer Brücke überschreiten. Sie begegnen zwei Heeren im Kampf, der, wie die Frau erklärt, ewig dauert; es sind die auf dem Schlachtfeld gefallenen Krieger, die ihren Kampf fortsetzen[11]. Schließlich kommen sie an eine Mauer, welche die Frau umsonst zu übersteigen versucht; sie tötet einen Hahn, den sie dabei hat, und wirft ihn über die Mauer; der Hahn wird wieder lebendig, denn sogleich hört man seinen Schrei auf der anderen Seite der Mauer. Leider bricht hier Saxo seine Erzählung ab (Ellis, S. 172). Aber wir finden schon nach dem Gesagten in dem Abstieg des Haddingus unter der Führung der geheimnisvollen Frau das wohlbekannte mythische Motiv: Totenweg, Fluß, Brücke, Initiationshindernis (Mauer). Der Hahn, der auf der anderen Seite der Mauer sogleich wieder lebendig wird, scheint den Glauben auszudrücken, daß zum mindesten gewisse Privilegierte (und zwar «Initiierte») auf die Möglichkeit einer «Rückkehr ins Leben» rechnen dürfen[12]

---

[11] Das ist das «Wütende Heer», s. Karl Meisen, *Die Sagen vom Wütenden Heer und Wilden Jäger* (Münster 1935); G. Dumézil, *Mythes et Dieux*, S. 79 ff.; Höfler, S. 154 ff.

[12] Dieses von Saxo verzeichnete Detail ließe sich mit dem Totenritual eines skandinavischen Häuptlings («Ruriker») zusammenstellen, dem der arabische Reisende Ahmed ibn Fozlan im Jahr 921 an der Wolga beigewohnt hat: Eine von den Sklavinnen vollzog, bevor sie geopfert wurde um ihrem Herrn folgen zu können, noch folgenden Ritus: Dreimal zogen die Männer sie in die Höhe, sodaß sie über den Rahmen einer Türe schauen konnte, und sie sagte, was sie dabei sah: das erste Mal ihren Vater und ihre Mutter, das zweite Mal alle ihre Verwandten und das dritte Mal ihren Herrn «im

Germanische Mythologie und Folklore bewahren noch weitere Berichte von Unterweltsfahrten, in denen sich gleichermaßen «Initiationsproben» erkennen lassen (z. B. das Durchqueren einer «Flammenmauer»), doch nicht unbedingt der Typ der schamanischen Unterweltsfahrt. Wie das *Chronicon Norwegiae* bezeugt, war auch dieser Typ den nordischen Zauberern bekannt und auch ihre sonstigen Taten lassen auf eine ziemlich deutliche Ähnlichkeit mit den sibirischen Schamanen schließen.

Nur kurz erwähnt seien hier die «wilden Krieger», die *berserkir*, welche sich auf magische Weise die tierische «Wut» zu eigen machten und sich in wilde Tiere verwandelten [13]. Diese kriegerische Ekstasetechnik, die auch bei den anderen indogermanischen Völkern bezeugt ist und auch in außereuropäischen Kulturen Parallelen findet [14], hat mit dem Schamanismus *stricto sensu* nur oberflächliche Berührung. Der militärische (heroische) Typ der Initiation scheidet sich schon durch seine Struktur von den schamanischen Initiationen. Die magische Verwandlung in wilde Tiere gehört einer Gedankenwelt an, welche die Sphäre des Schamanismus übersteigt. Wir werden ihre Wurzeln in den Jagdriten der paläosibirischen Völker finden und dabei sehen (u. S. 428), welche Ekstasetechniken aus einer mystischen Nachahmung der Tierheit entstehen können.

Odin kannte und übte nach Snorri die *seiðr* genannte Magie. Mit ihrer Hilfe konnte er die Zukunft voraussehen und Tod, Unglück und Krankheit verursachen. Doch dieser Hexerei haftete, wie Snorri hinzufügt, solche «Schändlichkeit» an, daß Männer sie nicht «ohne Schande» ausüben konnten; der *seiðr* blieb das Anrecht der *gydjur* («Priesterinnen» oder «Göttinnen»). In der *Lokasenna* wird Odin vorgeworfen, daß er den *seiðr* übt, was «eines Mannes unwürdig» ist [15]. Die Quellen

---

Paradies sitzend». Darauf gab man ihr ein Huhn und die Sklavin schnitt ihm den Kopf ab und warf ihn in das Totenschiff (das bald darauf zu ihrem Scheiterhaufen werden sollte). Vgl. Texte und Bibliographie bei Ellis, S. 45 ff.

[13] S. G. Dumézil, *Mythes et dieux des Germains*, S. 79 ff.; ders., *Horace et les Curiaces*, S. 11 ff.

[14] Vgl. Dumézil, *Horace et les Curiaces*, passim; Stig Wikander, *Der arische Männerbund* (Lund 1938), *passim*; G. Widengren, *Hochgottglaube im alten Iran* (Uppsala-Leipzig 1938), S. 324 ff.

[15] Vgl. Dag Strömback, *Sejd. Textstudier i nordisk regionshistoria* (Stockholm-Kopenhagen 1935), S. 33, 21 ff.; Arne Runeberg, *Witches, demons and fertility magic* (Helsingfors 1947), S. 7.

sprechen von Zauberern (*seiðmenn*) und Zauberinnen (*seiðkonur*), und man weiß, daß Odin den *seiðr* von der Göttin Freyja gelernt hat [16]. Man darf also vermuten, daß diese Art Magie eine Spezialität der Frauen war; aus diesem Grund wurde sie als «eines Mannes unwürdig» betrachtet.

Auf jeden Fall führen uns die in den Texten beschriebenen *seiðr*-Sitzungen immer eine *seiðkona*, eine *spákona* («Hellseherin», Prophetin) vor. Die beste Beschreibung findet sich in der *Eiitkssaga rauða*. Die *spákona* verfügt über eine sehr hochentwickelte Zeremonialtracht: blauer Mantel, Edelsteine, eine Mütze aus schwarzem Lammfell mit weißen Katzenfellen; sie hat auch einen Stab und während der Sitzung sitzt sie auf einer ziemlich hohen Plattform auf einem Kissen aus Hühnerfedern [17]. Die *seiðkona* (oder *vǫlva, spákona*) zieht von Hof zu Hof, um die Zukunft der Menschen zu enthüllen und das Wetter und die Ernte vorauszusagen. Sie reist mit fünfzehn jungen Mädchen und ebensoviel jungen Männern, die im Chor singen. Die Musik spielt bei der Vorbereitung der Ekstase eine wesentliche Rolle. Während der Trance verläßt die Seele der *seiðkona* den Körper und wandert im Raum herum; sie nimmt meistens Tiergestalt an, wie die oben erwähnte Episode zeigt (S. 363, Anm. 5).

Viele Züge nähern den *seiðr* der klassischen Schamanensitzung [18]: die rituelle Tracht, die Wichtigkeit von Chor und Musik, die Ekstase.

---

[16] Jan de Vries, *Altgermanische Religionsgeschichte*, Bd. 2: Religion der Nordgermanen (Berlin und Leipzig 1937), S. 71.

[17] Strömback, *a. a. O.*, S. 50 ff.; Runeberg, *a. a. O.*, S. 9 ff.

[18] Strömback sieht im *seiðr* einen Schamanismus im strengen Sinn, vgl. die Kritik von Ohlmarks, *Studien zum Problem des Schamanismus*, S. 310 ff.; ders., *Arktischer Schamanismus und altnordischer seiðr* (Archiv für Religionswissenschaft 36, 1939, S. 171–180). Über die Spuren von nordischem Schamanismus vgl. auch Carl-Martin Edsman, *Aterspeglar Voluspá 2: 5–8 ett shamanistik ritual eller en keltisk aldersvers?* (Arckiv för Nordisk Filologi, 63. Bd., 1948, S. 1–54). Über alles die Zauberei bei den Skandinaviern Betreffende s. Magnus Olsen, *Le prêtre-magicien et le dieu-magicien dans la Norvège ancienne* (Revue de l'Histoire des Religions, 111. Bd., 1935, S. 177–221; 112. Bd., S. 5–49). Einige «schamanische» Züge im weiteren Sinn brechen an der sehr komplexen Figur Lokis durch, s. die ausgezeichnete Arbeit von Georges Dumézil, *Loki* (Paris 1948). In eine Stute verwandelt brachte Loki mit dem Hengst Skaðilfari das achtbeinige Pferd Sleipnir hervor (s. die Texte bei Dumézil, *a. a. O.*, S. 28 ff.). Loki kann verschiedene Tiergestalten annehmen, so die Gestalt eines Seehundes, eines Lachses usw. Er bringt den Wolf und die Weltschlange hervor. Er fliegt auch durch die Lüfte, nachdem er die Tracht aus Falkenfedern angelegt hat; aber dieses Zaubergewand gehört nicht ihm, sondern Freyja (Dumézil, S. 35; s. auch S. 25, 31). Bekanntlich hat

Doch scheint es uns nicht unbedingt notwendig, den *seiðr* als Schamanismus im strengen Sinn zu betrachten; der «mystische Flug» ist ein «Leitmotiv» der allgemeinen Magie und speziell der europäischen Hexenkunst. Die spezifisch schamanischen Themen – Abstieg in die Unterwelt zur Rückführung der Seele des Kranken oder zum Geleit des Abgeschiedenen – sind, wie wir gesehen haben, in den Überlieferungen nordischer Magie bezeugt, ohne aber in der *seiðr*-Sitzung ein Hauptelement darzustellen. Diese scheint sich im Gegenteil auf die Wahrsagung zu konzentrieren, untersteht also letzten Endes mehr der «kleinen Magie».

Antikes Griechenland

Wir wollen hier nicht mit einer Untersuchung der verschiedenen im alten Griechenland bezeugten Ekstase-Traditionen beginnen [19], sondern nur solche Überlieferungen erwähnen, die sich in ihrer Morphologie allenfalls dem Schamanismus im strengen Sinn nähern könnten. Es hat keinen Sinn, die dionysischen Bacchanale zu erwähnen, nur weil die klassischen Autoren von der Unempfindlichkeit der βάκχαι [20] sprechen, oder den ἐνϑουσιασμός, die verschiedenen Orakeltechniken [21], die Nekromantik, die Vorstellung von der Unterwelt. Hier gibt es natürlich

---

Freyja Odin den *seiðr* gelehrt; man kann diese Überlieferung, daß die Kunst des magischen Fluges von einer Göttin (oder Zauberin) einem Gott (oder Herrscher) gelehrt wird, mit ähnlichen chinesischen Legenden vergleichen (s. u. S. 418). Freyja, die *seiðr*-Meisterin, besitzt ein magisches Federkostüm, mit dem sie fliegen kann, genau wie die Schamanen; dem Loki dagegen scheint eine dunklere Magie zu eignen, deren Sinn mit seinen Tierverwandlungen deutlich genug angezeigt ist.

[19] Vgl. Erwin Rohde, *Psyche. Seelenkult und Unsterblichkeitsglaube der Griechen*, 1. Aufl. 1893, S. 295 ff. Martin P. Nilsson, *Geschichte der griechischen Religion* I (München 1941), bes. S. 578 ff.

[20] Vgl. die von Rohde zusammengestellten Texte, *Psyche*. S. 310, Anm.

[21] Das Delphische Orakel und die apollinische Mantik haben nichts «Schamanisches», s. neuestens Material und Kommentare von Pierre Amandry, *La mantique apollinienne à Delphes. Essai sur le fonctionnement de l'Oracle* (Paris 1950; Bibl. des Ecoles Françaises d'Athènes et de Rome, fasc. 170); die Texte S. 241-260. Läßt sich der berühmte delphische Dreifuß mit der Plattform der germanischen *seiðkona* zusammenstellen? «Doch normalerweise sitzt Apollon auf seinem Dreifuß. Die Pythia nimmt nur ausnahmsweise seinen Platz ein als Ersatzperson ihres Gottes» (Amandry, *a. a. O.*, S. 140).

Motive und Techniken, die denen des Schamanismus analog sind, doch diese Koinzidenzen erklären sich aus dem Überleben fast allgemein verbreiteter magischer Vorstellungen und archaischer Ekstasetechniken im alten Griechenland. Auch über die Kentaurenmythen [22] und über die Sagen von den ersten, göttlichen Heilern und Ärzten [23] wollen wir nicht sprechen, obwohl diese Traditionen gelegentlich schwache Züge eines Ur«schamanismus» durchblicken lassen. Alle diese Überlieferungen sind schon interpretiert, ausgearbeitet, umgewertet; sie bilden einen integrierenden Teil komplexer Mythologien und Theologien und setzen Berührungen, Mischungen und Synthesen mit der ägäischen und sogar orientalischen Geisteswelt voraus. Ihr Studium beanspruchte also mehr als die wenigen Seiten dieser Skizze.

Betont sei, daß die Heilkundigen, Wahrsager und Ekstatiker, die man mit den Schamanen zusammenbringen könnte, keine Beziehung zu Dionysos aufweisen. Der Strom der dionysischen Mystik scheint eine ganz andere Struktur zu haben; der bacchische ἐνθουσιασμός gleicht der schamanischen Ekstase in keiner Weise. Im Gegenteil, auf Apollon berufen sich die griechischen Sagengestalten, die einen Vergleich mit den Schamanen zulassen. Aus dem Norden, dem Land der Hyperboräer, der Urheimat Apollons sollen sie nach Griechenland gekommen sein. So zum Beispiel Abaris. «Den goldenen Pfeil, das Wahrzeichen seiner apollinischen Art und Sendung in der Hand, zog er durch die Länder, Krankheiten abwendend durch Zauberopfer, Erdbeben und andere Not voraussagend» (Rohde, *Psyche,* S. 381). Eine spätere Sage schildert ihn auf seinem Pfeil durch die Luft fliegend wie Musäos (*ebd.,* S. 381, Anm. 1). Der Pfeil, der in Mythologie und Religion der Skythen eine gewisse Rolle spielt [24], ist ein Symbol des «magischen Fluges» [25]. Man denkt dabei an das Vorkommen des Pfeiles in vielen schamanischen Zeremonien Sibiriens (vgl. z. B. o. S. 210).

In Beziehung zu Apollon steht auch Aristeas von Prokonnesos; er fiel in Ekstase und der Gott «ergriff» seine Seele. Er erschien gleich-

---

[22] S. das schöne Buch von Georges Dumézil, *Le problème des Centaures* (Paris 1929), wo von gewissen «schamanischen» Initiationen im weiteren Sinn die Rede ist.
[23] Vgl. z. B. Charles Kerényi, *Le médecin divin* (Basel 1948).
[24] Vgl. Karl Meuli, *Scythica* (Hermes, 70. Bd., 1935, S. 121–176), S. 161 ff.
[25] Über die anderen derartigen Sagen bei den Griechen s. P. Wolters, *Der geflügelte Seher* (in Sitzungsberichte der Bayer. Akademie der Wissenschaften München 1928, I, S. 10–25). Über den «magischen Flug» s. auch unten S. 441 ff.

zeitig an verschiedenen voneinander entfernten Orten [26]; er begleitete Apollon in Gestalt eines Raben (Herodot IV, 15), was an schamanische Verwandlungen denken läßt. Hermotimus von Klazomene hatte die Fähigkeit seinen Körper «viele Jahre lang» zu verlassen; während dieser langen Ekstase reiste er in die Ferne und «brachte mantische Kunde des Zukünftigen mit. Zuletzt verbrannten Feinde den seelenlos daliegenden Leib des Hermotimus, und seine Seele kehrte niemals wieder». (Rhode, S. 385 f. mit den Quellen, besonders Plinius, *Nat. hist.*, 174). Diese Ekstase bietet alle Aspekte der schamanischen Trance.

Denken wir auch an die Sage von Epimenides von Kreta. Er hatte lange in der Höhle des Zeus auf dem Berg Ida «geschlafen»; dort hatte er gefastet und die lange Ekstase erlernt. Er hatte die Höhle als Meister in der «enthusiastischen Weisheit», das heißt in der Ekstasetechnik, verlassen. «Nun zog er durch die Länder mit seiner heilbringenden Kunst, als ekstatischer Seher Zukünftiges verkündend, verborgenen Sinn des Vergangenen aufhellend, und als Reinigungspriester aus besonders dunklen Freveltaten erwachsenes dämonisches Unheil bannend» (Rhode, *a. a. O.*, S. 387 f.). Das sich Zurückziehen in eine Höhle (= Abstieg in die Unterwelt) ist eine klassische Initiationsprüfung, aber sie ist nicht notwendig «schamanisch». Doch seine Ekstasen, magischen Heilungen, Wahrsage- und Prophezeihungskräfte nähern Epimenides dem Schamanen.

Bevor wir von Orpheus sprechen, werfen wir einen Blick auf die Thraker und die Geten, «die tapfersten und gerechtesten von den Thrakern», wie Herodot sagt (IV, 93). Mehrere Autoren haben in Zalmoxis einen «Schamanen» sehen wollen [27], doch wir sehen keinen Grund für diese Interpretation. Weder die «Abordnung eines Boten» an Zalmoxis, die alle vier Jahre stattfand (Herodot IV, 94), noch seine «unterir-

---

[26] Vgl. Rohde, S. 381 ff.; Nilsson, S. 584. Über die *Arimáspeia*, ein dem Aristeas zugeschriebenes Gedicht, s. Meuli, S. 154 ff.

[27] Vgl. z. B. Meuli, *Scythica*, S. 163; Alois Cloß, *Die Religion des Semnonenstammes*, S. 669 ff. Über das Problem dieses Gottes s. Carl Clemen, *Zalmoxis* (in der Revue Zalmoxis II, 1939, S. 53–62); Jean Coman, *Zalmoxis*, ebd. S. 79–110; Ion I. Russu, *Religia Geto-Dacilor* (Anuarul Institutului de Studii Clasice. Cluj, 5. Bd., S. 61–137). Man hat neuestens die von Porphyrius begründete Etymologie von Zalmoxis «der Bärengott» oder «der Gott im Bärenfell» zu rehabilitieren versucht, vgl. z. B. Rhys Carpenter, *Folk Tale, Fiction and Saga in the Homeric Epics* (Berkeley und Los Angeles 1946), S. 112 ff.: «The cult of the sleeping bear». Doch s. Alfons Nehring, *Studien zur indogermanischen Kultur und Urheimat* (Wiener Beiträge IV, S. 7–229), S. 212 ff.

dische Wohnstatt», in der er verschwand und drei Jahre lebte, um beim
Wiedererscheinen den Geten die Unsterblichkeit des Menschen zu
beweisen (*ebd.*, 95), hat etwas Schamanisches an sich. Ein einziges
Element scheint die Existenz eines getischen Schamanismus anzuzeigen,
nämlich die Nachricht Strabos (VII, 3, 3; C, 296) über die mystischen
καπνοβάται, was man in Analogie zu dem aristophanischen ἀεροβάται,
«den in den Wolken Gehenden» (*Die Wolken*, Vers 225, 1503), übersetzt hat – einige Autoren schlugen vor «die im Rauch Gehenden»[28].
Wahrscheinlich handelt es sich dabei um Hanfrauch, ein einfaches
Ekstasemittel, das den Thrakern[29] und Skythen bekannt war. Die
καπνοβάται wären dann getische Tänzer und Zauberer, die zu ihren
ekstatischen Trancen Hanfrauch verwendeten.

Sicher waren in der thrakischen Religion noch andere «schamanische»
Elemente bestehen geblieben, aber ihre Identifizierung ist nicht immer
leicht. Führen wir wenigstens ein Beispiel an, welches die Existenz
von Ideologie und Ritual der Himmelfahrt auf einer Treppe beweist.
Nach Polyän (*Stratagematon* VII, 22) drohte Kosingas, Priester-König
der Kebrenoi und Sykaiboai (thrakische Volksstämme) seinen Untertanen, auf einer hölzernen Leiter zu der Göttin Hera hinaufzusteigen,
um über ihre Aufführung Klage zu führen. Nun ist, wie wir schon
mehrmals gesehen haben, die symbolische Auffahrt auf einer Treppe
typisch schamanisch. Der Symbolismus der Stiege ist, wie wir später
noch zeigen werden, auch in anderen Religionen des antiken Nahen
Orients und mediterranen Bereiches bezeugt.

Was Orpheus betrifft, so zeigt sein Mythus mehrere Elemente, die
sich mit der schamanischen Ideologie und Technik vergleichen lassen.
Das wichtigste ist natürlich sein Abstieg in die Unterwelt um die Seele
seiner Gattin Eurydike. Mindestens eine Version des Mythus weiß
nichts von dem schließlichen Scheitern[31]. Übrigens ist die Möglichkeit,
einen Menschen der Unterwelt zu entreißen, durch die Sage von Al-
kestis bestätigt. Doch Orpheus zeigt noch andere Züge eines «Großen
Schamanen»: seine Heilkunst, seine Liebe zur Musik und zu den Tieren,

---

[28] Vasile Parvan, *Getica. O protoistorie a Daciei* (Bukarest 1926), S. 162.
[29] J. Coman, *Zalmoxis*, S. 106.
[30] Wenn man eine Stelle bei Pomponius Mela (2, 21, übersetzt von Rohde, *a. a. O.*, S. 309, Anm.) in diesem Sinn übersetzen will. Über die Skythen s. weiter unten.
[31] Vgl. W. K. Guthrie, *Orpheus and Greek religion* (London 1935), S. 31.

seine «Zaubermittel», seine Wahrsagekraft. Und selbst sein Charakter als «kulturbringender Heros» [32] steht nicht im Widerspruch zur besten schamanischen Tradition: War nicht der «erste Schamane» von Gott als Bote gesandt, um die Menschheit vor den Krankheiten zu schützen und zu zivilisieren? Noch eine Einzelheit aus dem Orpheusmythus ist deutlich schamanisch: Von den Bacchantinnen abgeschnitten und in den Hebron geworfen, schwimmt das Haupt des Orpheus singend bis nach Lesbos. Es diente dann als Orakel [33] wie das Haupt Mimirs. Ebenso haben die Schädel der sibirischen Schamanen ihre Rolle bei der Weissagung.

Die Orphik im eigentlichen Sinn jedoch verbindet nichts mit dem Schamanismus [34], es seien denn die Goldplättchen aus Gräbern, die man lange für orphisch hielt. Sie scheinen jedoch orphisch-pythagoreisch zu sein [35]. Auf jeden Fall enthalten diese Plättchen Texte, die dem Toten seinen Weg im Jenseits anzeigen [36]; sie stellen gewissermaßen ein kondensiertes «Totenbuch» dar und können mit den gleichartigen in Tibet und bei den Mo-So (s. u. S. 416) verwendeten Texten zusammengestellt werden. Die Rezitation von Toten-Reisewegen am Bett des Toten bedeutete dasselbe wie das mystische Geleit des seelenbegleitenden Schamanen. Ohne den Vergleich pressen zu wollen, könnte man in der Totengeographie der orphisch-pythagoreischen Plättchen das Surrogat eines schamanischen Seelengeleits sehen.

Hermes als Psychopomp sei hier nur erwähnt, denn die Gestalt des Gottes erweist sich als viel zu komplex, um auf einen «schamanischen» Führer in die Unterwelt reduziert zu werden [37]. Was die «Flügel» des

---

[32] Siehe die gut zusammengestellten Texte bei Jean Coman, *Orphée, civilisateur de l'humanité* (Zalmoxis I, 1938, S. 130–176): Musik S. 146 ff., Poesie S. 153 ff., Magie und Medizin S. 157 ff.

[33] Guthrie, *Orpheus*, S. 35 ff.; M. P. Nilsson, *Opuscula selecta* II (Lund 1952), S. 643.

[34] Vittorio Macchioro, *Zagreus, Studi intorno all'orfismo* (Florenz 1930), S. 291 ff., vergleicht die religiöse Atmosphäre, in der die Orphik entstand, mit der «Ghost-dance religion» und anderen ekstatischen Volksbewegungen, doch bestehen nur zufällige Beziehungen zum Schamanismus im eigentlichen Sinn.

[35] S. Franz Cumont, *Lux perpetua* (Paris 1949), S. 249 ff., 406. Über das Problem im allgemeinen vgl. Karl Kerényi, *Pythagoras und Orpheus* (3. Aufl. Zürich 1950: Albae Vigiliae IX).

[36] Vgl. Texte und Kommentar bei Guthrie, S. 171 ff.

[37] P. Raingeard, *Hermés Psychagogue. Essai sur les origines du culte d'Hermés* (Paris 1935); über die Federn des Hermes S. 389 ff.

Hermes, Symbol des magischen Fluges, betrifft, so scheinen vage Anzeichen dafür vorhanden zu sein, daß bestimmte Zauberer angeblich die Seelen der Abgeschiedenen mit Flügeln versahen, auf denen sie zum Himmel fliegen konnten [38], doch liegt hier die alte symbolische Gleichung Seele – Vogel zugrunde und zwar kompliziert und kontaminiert mit vielen jüngeren Interpretationen orientalischen Ursprungs und in Beziehung mit den Sonnenkulten und der Idee der Himmelfahrt als Apotheose [39].

Ebenso haben auch die in griechischen Traditionen bezeugten Unterweltsfahrten [40] von der berühmtesten, der Initiationsprobe des Herakles, bis zu den legendären Abstiegen des Pythagoras [41] und «Zoroaster» [42] nicht im geringsten schamanische Struktur. Eher möchte man das ekstatische Erlebnis Ers des Pamphiliers, des Sohnes des Armenios, das bei Platon verzeichnet steht (*Staat*, 614 B ff.), heranziehen. Auf dem Schlachtfeld «getötet», kehrt Er am zwölften Tag, während sein Körper schon auf dem Scheiterhaufen liegt, ins Leben zurück und erzählt, was ihm in der andern Welt gezeigt wurde. Man hat in diesem Bericht den Einfluß orientalischer Ideen und Glaubensvorstellungen gesehen [43]. Wie dem auch sei, die kataleptische Trance des Er gleicht der des Schamanen und seine ekstatische Jenseitsreise erinnert nicht nur an das *Ardâ Vîrâf*, sondern auch an viele «schamanische» Erlebnisse. Er sieht unter anderem die Farben des Himmel und die Mittelachse, er sieht auch die

---

[38] Arnobius II, 33; F. Cumont, *Lux perpetua*, S. 294.

[39] Vgl. E. Bickermann, *Die römische Kaiserapotheose* (Archiv für Religionswissenschaft, 27. Bd., 1929, S. 1–24); J. Kroll, *Die Himmelfahrt der Seele in der Antike* (Köln 1931); D. M. Pippidi, *Recherches sur le culte Impérial* (Bukarest 1939), S. 159 ff.; ders., *Apothéoses impériales et apothéose de Pérégrinos* (Studi e Materiali di Storia delle Religioni 20, 1947–1948, S. 77–103). Dieses Problem geht über unseren Gegenstand hinaus, doch haben wir es oberflächlich berührt, um zu zeigen, in welchem Maß ein archaischer Symbolismus (hier der «Flug der Seele») wiederentdeckt und adaptiert werden kann von Doktrinen, die nur Neuerungen einzuführen scheinen.

[40] Über all dies s. Josef Kroll, *Gott und Hölle* (Leipzig 1932), S. 363 ff. Dieselbe Arbeit von Kroll untersucht die orientalischen und jüdisch-christlichen Traditionen von Unterweltsfahrten, die aber nur sehr vage Ähnlichkeiten mit dem Schamanismus *stricto sensu* aufweisen.

[41] Vgl. Isidore Lévy, *La Légende de Pythagore: de Grèce en Palestine* (Paris 1927), S. 79 ff.

[42] Vgl. Joseph Bidez und Franz Cumont, *Les mages hellénisés* (Paris 1938), I, S. 113, II, S. 158 (Texte).

[43] S. den Stand der Frage und die Diskussion des Problems bei Joseph Bidez, *Eos ou Platon et l'Orient* (Brüssel 1945), S. 43 ff.

Geschicke der Menschen durch die Sterne bestimmt (*Staat*, 617 D bis 618 C). Man könnte diese ekstatische Vision des astrologischen Schicksals mit den ursprünglich orientalischen Mythen vom Lebensbaum oder «Himmelsbuch» zusammenstellen, auf dessen Blättern oder Seiten das Geschick der Menschen geschrieben stand. Der Symbolismus eines «Himmelsbuches», welches das Schicksal enthält und von dem Gott den Herrschern und den Propheten bei ihrer Himmelfahrt mitgeteilt wird, ist sehr alt und im Orient weit verbreitet [44].

Man ermißt hieran, bis zu welchem Punkt ein archaischer Mythus oder Symbolismus uminterpretiert werden kann: In der Vision des Er wird die Kosmische Achse zur Spindel der Notwendigkeit und das astrologische Schicksal nimmt den Platz des «Himmelsbuches» ein. Aber die Situation des Menschen bleibt dieselbe. Immer noch durch eine ekstatische Reise, genau wie die Schamanen und Mystiker archaischer Kulturen, erlebt Er der Pamphilier die Offenbarung der Gesetze, die über Kosmos und Leben regieren; in einer ekstatischen Vision lernt er das Geheimnis des Schicksals und des Lebens nach dem Tode begreifen. Der riesige Abstand, welcher die Ekstase eines Schamanen von Platons Kontemplation trennt, die ganze von Geschichte und Kultur geschaffene Verschiedenheit ändert nichts an der Struktur dieses Ergreifens der letzten Realität: Nur durch die Ekstase gelangt der Mensch zur vollen Realisierung seiner Situation in der Welt und seines endlichen Schicksals. Man könnte fast von einem Archetyp «existentiellen Bewußtwerdens» sprechen, der in der Ekstase eines primitiven Schamanen oder Mystikers ebenso vorhanden ist wie in dem Erlebnis Ers des Pamphiliers und aller anderen Visionäre der alten Welt, die schon hienieden das Los des Menschen jenseits des Grabes erfahren haben [45].

---

[44] Vgl. Geo Widengren, *The Ascension of the Apostle and the heavenly Book* (Uppsala 1950), passim. In Mesopotamien erhielt der König (in seiner Eigenschaft als Gesalbter) bei einer Himmelfahrt von dem Gott die Täfelchen oder das Himmlische Buch, *ebd.*, S. 7 ff.; in Israel erhielt Moses von Jahwe die Gesetzestafeln, *ebd.*, S. 22 ff.

[45] Wilhelm Muster, *Der Schamanismus bei den Etruskern* (Frühgeschichte und Sprachwissenschaft I, Wien 1948, S. 60–77), versucht die etruskischen Jenseitsvorstellungen und Unterweltsreisen mit dem Schamanismus zu vergleichen, doch ist nicht einzusehen warum man Ideen und Tatbestände «schamanisch» nennen soll, welche der allgemeinen Magie und den verschiedenen Todesmythologien angehören.

Skythen, Kaukasier, Iranier

Herodot (IV, 71 ff.) hat uns eine gute Beschreibung der skythischen Bestattungsbräuche hinterlassen. Am Schluß des Leichenbegängnisses schritt man zu Reinigungen. Man warf Hanf auf erhitzte Steine und atmete den Rauch ein; «entzückt, daß sie so schwitzen, stoßen die Skythen ein Geheul aus» (IX, 75). Karl Meuli [46] hat den schamanischen Charakter dieser Bestattungs-Reinigung sehr gut ins Licht gesetzt; Totenkult, Gebrauch des Hanfes, Schwitzstube und «Geheul» bilden in der Tat ein charakteristisches religiöses Ganzes, dessen Ziel nichts anderes sein konnte als die Ekstase. Meuli (*a. a. O.*, S. 124) erwähnt in diesem Zusammenhang die von Radlov beschriebene altaische Sitzung (s. o. S. 203), in der der Schamane die Seele einer vor vierzig Jahren verstorbenen Frau in die Unterwelt brachte. In der herodotischen Beschreibung erscheint der seelengeleitende Schamane nicht; es heißt nur von Reinigungen, die auf das Leichenbegängnis folgten. Doch solche Reinigungszeremonien fallen bei vielen turk-tatarischen Völkern mit der Begleitung des Abgeschiedenen in die Unterwelt, die der Schamane vornimmt, zusammen.

Meuli hat die Aufmerksamkeit auch auf die «schamanische» Struktur des skythischen Jenseitsglaubens gelenkt sowie auf die geheimnisvolle «Frauenkrankheit», die nach einer von Herodot überlieferten Legende (I, 105) einige Skythen in «Enarees» verwandelt hat und die der Schweizer Gelehrte mit der Verweiblichung der sibirischen und nordamerikanischen Schamanen vergleicht [47], ebenso auch auf den «schamanischen» Ursprung der *Arimáspeia* und sogar der epischen Poesie im allgemeinen. Wir möchten die Diskussion dieser Thesen Berufeneren überlassen. Eines aber ist sicher: Schamanismus und vom Hanfrauch hervorgerufene ekstatische Trunkenheit waren den Skythen bekannt. Wie wir sogleich sehen werden, ist der Gebrauch des Hanfs zu eksta-

---

[46] Karl Meuli, *Scythica*, S. 122 ff. Schon E. Rohde hatte die Ekstase erzeugende Wirkung des Hanfes bei den Skythen und Massageten bemerkt, s. *Psyche*, S. 309, Anm.
[47] *Scythica*, S. 127 ff. Wie Meuli (*ebd.*, S. 131, Anm. 3) bemerkt, schlug W. R. Halliday schon 1910 vor, die Enarees aus der magischen Verwandlung der sibirischen Schamanen in Frauen zu erklären. Eine andere Interpretation siehe bei Georges Dumézil, *Les «énarées» scythiques et la grossesse du Narte Hamyc* (Latomus V, 1946, S. 249–255).

tischen Zwecken auch bei den Iraniern bezeugt, und das iranische Wort für Hanf dient in Zentral- und Nordasien zur Bezeichnung der mystischen Trunkenheit.

Bekanntlich haben die kaukasischen Völker, besonders die Ossen, viele mythologische und religiöse Traditionen der Skythen bewahrt[48]. Nun nähern sich die Jenseitsvorstellungen bestimmter kaukasischer Völker denen der Iranier, besonders die Vorstellung von der haarbreiten Brücke, auf der der Abgeschiedene geht, der Mythus vom Kosmischen Baum, dessen Wipfel den Himmel berührt und an dessen Wurzel eine wunderbare Quelle entspringt usw.[49]. Andererseits spielen Wahrsager, Seher und seelengeleitende Nekromanten eine gewisse Rolle bei den georgischen Bergstämmen. Die wichtigsten unter diesen Zauberern und Ekstatikern sind die *messulethe;* sie rekrutieren sich meistens aus den Frauen und jungen Mädchen. Ihre Hauptfunktion ist die Begleitung der Abgeschiedenen in die andere Welt, doch sie können sie sich auch einkörpern und dann sprechen die Toten durch ihren Mund. Ob Seelengeleiterin oder Nekromantin, immer entledigt sich die *messulethe* ihrer Aufgabe, indem sie in Trance fällt[50]. Dieser Komplex erinnert seltsam an den altaischen Schamanismus. Inwieweit dieser Stand der Dinge Glaubensvorstellungen und Techniken der «Europäischen Iranier», d. h. der Sarmato-Skythen widerspiegelt, ist nicht zu entscheiden.

Wir haben die erstaunliche Ähnlichkeit zwischen den Jenseitsvor-

---

[48] Vgl. Georges Dumézil, *Légendes sur les Nartes* (Paris 1930), passim, und – allgemein – die vier Bände *Jupiter, Mars, Quirinus*, 1940–1948.

[49] Robert Bleichsteiner, *Roßweihe und Pferderennen im Totenkult der kaukasischen Völker* (Wiener Beiträge zur Kulturgeschichte und Linguistik IV, Salzburg–Leipzig 1936, S. 413–495), S. 467 ff. Bei den Ossen «steigt der Tote, nachdem er von den Seinen Abschied genommen hat, aufs Pferd. Auf seinem Weg begegnet er schon bald einer Art Patrouillen, denen er einige Kuchen geben muß – die Kuchen, die man ihm ins Grab gelegt hat. Dann kommt er an einen Fluß, über den statt einer Brücke ein gewöhnlicher Balken gelegt ist... Unter den Füßen des Gerechten, oder vielmehr des Wahrhaftigen, wird der Balken breiter und stärker, bis er eine prächtige Brücke ist...» (G. Dumézil, *Légendes sur les Nartes*, S. 220–221). Zweifellos kommt die «Jenseitsbrücke» aus dem Mazdaismus wie die «enge Brücke» der Armenier und die «Haarbrücke» der Georgier. Alle diese Balken, Haare usw. haben die Eigenheit, sich vor der Seele des Gerechten großartig auszudehnen, vor der schuldigen Seele jedoch sich zur Dicke einer Schwertschneide zusammenzuziehen.» (Dumézil, *a. a. O.*, S. 202. S. auch unten S. 445 ff.

[50] Bleichsteiner, *a. a. O.*, S. 470 ff. Damit läßt sich die Funktion der indonesischen Klagefrauen («pleureuses») zusammenstellen.

stellungen der Kaukasier und der Iranier erwähnt. So spielt die Brücke Cinvat eine wesentliche Rolle in der iranischen Bestattungsmythologie[51]; ihre Überschreitung entscheidet gewissermaßen über das Schicksal der Seele. Diese Überschreitung ist eine schwierige Prüfung, die in ihrer Struktur den Initiationsprüfungen gleichkommt: Die Brücke Cinvat ist «wie ein Balken mit mehreren Seiten» (Da-distân-i-Dinik, 213 ff.) und in mehrere Bahnen geteilt. Für die Gerechten ist sie neun Lanzenlängen breit, für die Gottlosen ist sie schmal wie «das Blatt eines Rasiermessers» (Dînkart IX, 20,3). Die Brücke Cinvat befindet sich im «Zentrum der Welt». In der «Mitte der Erde» und «800 Menschenmaße hoch» (Bundahishn 12,7) erhebt sich Cakât-i-Dâitîk, der «Berg des Gerichtes», und die Brücke Cinvat führt von Cakât-i-Dâitîk bis zu Albûrz, verbindet also im «Zentrum» die Erde mit dem Himmel. Unter der Brücke Cinvat öffnet sich das Loch zur Unterwelt (Vidêvdat 3,7); die Überlieferung stellt es als eine «Fortsetzung von Albûrz» dar (Bundahishn 12, 8 ff.).

Wir haben hier das «klassische» kosmologische Schema mit den drei durch eine Mittelachse verbundenen kosmischen Regionen vor uns (Pfeiler, Baum, Brücke usw.). Die Schamanen bewegen sich frei zwischen den drei Zonen; die Abgeschiedenen müssen auf ihrer Reise ins Jenseits eine Brücke passieren. Schon viele Male sind wir diesem Motiv des Totenglaubens begegnet und werden ihm noch öfter begegnen. Das Wichtige ist dabei in der iranischen Tradition (wenigstens in der Form, in welcher sie nach der Reform Zarathustras weiterlebte) der Streit zwischen den Dämonen, welche die Seele von der Brücke in die Unterwelt stürzen wollen, und den (zu diesem Zweck von den Verwandten des Toten angerufen) Schutzgeistern, die ihnen Widerstand leisten, Aristât, «der Führer der irdischen und himmlischen Wesen» und der gute Vayu[52]. Auf der Brücke hält Vayu die Seelen der From-

---

[51] Vgl. N. Söderblom, *La vie future d'après le mazdéisme* (Paris 1901), S. 92 ff.; N. S. Nyberg, *Questions de cosmogonie et cosmologie mazdéennes II* (Journal Asiatique, 219. Bd., Juli–Sept. 1931, S. 1–134), S. 119 ff.; ders., *Die Religionen des Alten Iran* (deutsch von H. H. Schaeder, Leipzig 1938), S. 180 ff.

[52] Über Vayu s. G. Widengren, *Hochgottglaube im Alten Iran* (Uppsala 1938), S. 188 ff.; Stig Wikander, *Vayu* I (Uppsala 1941); Georges Dumézil, *Tarpeia* (Paris 1947), S. 69 ff. Der Hinweis auf diese drei wichtigen Werke hat den Zweck, den Leser auf den summarischen Charakter unserer Darstellung aufmerksam zu machen, denn in Wirklichkeit ist die Funktion Vayus reicher an Nuancen und sein Charakter bedeutend komplexer.

men fest; auch die Seelen der Toten kommen ihnen zu Hilfe (Soederblom, *a. a. O.*, S. 94 ff.). Diese Funktion des Seelengeleiters, die hier der gute Vayu annimmt, könnte eine «schamanistische» Ideologie widerspiegeln.

Diese Überschreitung der Brücke Cinvat ist in den Gâtâ dreimal erwähnt (45, 10–11; 51, 13). An den ersten beiden Stellen spricht Zarathustra nach der Interpretation von H. S. Nyberg [53] von sich selbst als Seelengeleiter; die sich mit ihm in Ekstase vereinigt haben, werden mit Leichtigkeit die Brücke überschreiten; die Gottlosen, seine Gegner, werden «für immer Gäste im Hause des Übels sein» (nach der Übersetzung von Duchesne-Guillemin). Die Brücke bildet ja nicht nur den Übergang für die Toten, sie ist darüber hinaus, wie wir schon oft gesehen haben, der Weg der Ekstatiker. In Ekstase überschreitet Ardâ Vîrâf die Brücke Cinvat auf seiner mystischen Reise. Nach Nybergs Interpretation wäre Zarathustra ein Ekstatiker gewesen, den sein religiöses Erlebnis dem «Schamanen» sehr nahe gerückt hat. Der schwedische Forscher glaubt in dem Gâthâ-Wort *maga* den Beweis dafür zu haben, daß Zarathustra und seine Schüler ein ekstatisches Erlebnis hervorzurufen wußten, und zwar durch rituelle Gesänge, die in einem abgeschlossenen Raum im Chor gesungen wurden (*a. a. O.*, S. 157, 161, 176 usw.). In diesem heiligen Raum (*maga*) war die Verbindung zwischen Himmel und Erde ermöglicht (*ebd.*, S. 157) und damit wurde – gemäß einer allgemein verbreiteten Dialektik – (vgl. Eliade, *Religionen*, S. 424 ff.) der heilige Raum zu einem «Zentrum». Nyberg stützt sich dabei auf die ekstatische Natur dieser Verbindung und vergleicht namentlich das mystische Erlebnis der «Sänger» mit dem Schamanismus im eigentlichen Sinn. Diese Interpretation hat den größten Teil der Iranisten gegen sich [54]. Bemerken wir trotzdem dazu, daß die Ähnlichkeiten zwischen den ekstatischen und mythologischen Elemen-

---

[53] *Die Religionen des Alten Iran*, S. 182 ff. Der Abgeschiedene begegnet bei der Brücke einem schönen Mädchen mit zwei Hunden (Vidêvdât 19, 30), ein auch sonst belegter indo-iranischer Unterweltskomplex.

[54] Vgl. die nicht überall gleich überzeugenden Bemerkungen von Otto Paul, *Zur Geschichte der iranischen Religionen* (Archiv für Religionswissenschaft 36, 1940, S. 215–234), S. 227 ff.; Walther Wüst, *Bestand die zoroastrische Urgemeinde wirklich aus berufsmäßigen Ekstatikern und schamanisierenden Rinderhirten der Steppe?* (*ebd.*, S. 234–249; vgl. auch P. de Menasce, *Les Mystères et la religion de l'Iran* (Eranos-Jahrbuch XI, Zürich 1944, S. 167–186), bes. S. 182 ff.; Jacques Duchesne-Guillemin, *Zoroastre. Etude critique avec une traduction commentée des Gâthâ* (Paris 1948),

ten der zarathustrischen Religion und der Ideologie und Technik des Schamanismus sich aus einem größeren Ganzen erklären, das in keiner Weise eine «schamanische» Struktur des religiösen Erlebnisses Zarathustras erfordert. Der heilige Raum, die Bedeutung des Gesanges, die mystische oder symbolische Verbindung zwischen Himmel und Erde, die Initiations- oder Todesbrücke – all diese Elemente sind wohl integrierende Teile des asiatischen Schamanismus, gehen ihm jedoch voraus und reichen weiter als er.

Auf jeden Fall war die durch Hanfrauch hervorgerufene schamanische Ekstase im alten Iran bekannt. *Bangha* wird zwar in den Gâthâ nicht erwähnt, doch im *Fravashi-yasht* kommt ein *Pouru-bangha*, «der viel Hanf besitzt» vor (Nyberg, S. 177). Im *Yasht* 19, 20 heißt es von Ahura-Mazdah, daß er «ohne Trance und ohne Hanf» ist (Nyberg, S. 178), und im *Vidêvdât* wird der Hanf als dämonisch erklärt (*ebd.*, S. 177). Das scheint uns Beweis genug für eine totale Feindschaft gegen die schamanische Trunkenheit, die wahrscheinlich auch von den Iraniern herbeigeführt wurde, vielleicht im selben Maß wie von den Skythen. Soviel ist sicher, daß Ardâ Vîrâf seine Vision nach dem Einnehmen eines Getränks von Wein und «dem Narkotikum des Vichtaspe» bekam, das ihn für sieben Tage und sieben Nächte in Schlaf versenkte [55]. Sein Schlaf gleicht mehr einer schamanischen Trance, denn wie das *Ardâ Vîrâf* sagt, «verließ seine Seele den Körper und ging zur Brücke Cinvat, auf die Cakât-î-Dâitîk. Nach Verlauf von sieben Tagen kam sie zurück und ging wieder in seinen Körper ein» (Kap. III, Übers. von Barthélemy, S. 10). Wie Dante besuchte Vîrâf alle Orte des mazdäischen Paradieses und Infernums, wohnte den Folterungen der Gottlosen bei und sah die Belohnungen der Gerechten. Seine Reise jenseits des Grabes ist von diesem Gesichtspunkt aus den Berichten von schamanischen Abstiegen vergleichbar, von denen einige, wie wir gesehen haben, auch auf die Bestrafungen der Sünder Bezug nehmen. Die Unterweltsvorstellung der zentralasiatischen Schamanen wird wahrscheinlich den Einfluß orientalischer und zwar in erster Linie iranischer Ideen

---

S. 140 ff. Erwähnt sei, daß Stig Wikander, *Der arische Männerbund* (Lund 1938), S. 64 ff. und G. Widengren, *Hochgottglaube*, S. 328 ff., 342 ff. usw. das Bestehen iranischer «Männerbünde» initiatischer und ekstatischer Struktur – Gegenstücke der germanischen *berserkir* und der vedischen *marya* – sehr gut ins Licht gerückt haben.

[55] Wir folgen der Übersetzung von M. A. Barthélemy, *Artâ Vîrâf-Nâmak ou Livre d'Ardâ Vîrâf* (Paris 1887). S. Stig Wikander, *Vayu*, S. 43 ff.

erfahren haben, doch ist damit nicht gesagt, daß die schamanische Unterweltsfahrt auf exotischen Einfluß zurückgeht. Der orientalische Zustrom hat die dramatischen Szenarios der Bestrafungen nur reicher und farbiger gemacht; nur die *Berichte* von ekstatischen Unterweltsreisen haben sich durch die orientalischen Einflüsse bereichert – die *Ekstase* selbst war um vieles früher als diese Einflüsse (haben wir doch die Technik der Ekstase schon in archaischen Kulturen angetroffen, wo ein Einfluß aus dem alten Orient unmöglich ist).

So steht es – ohne daß man daraus über ein eventuelles «schamanisches» Erlebnis bei Zarathustra selbst befinden könnte – außer Zweifel, daß die elementarste Ekstasetechnik, der Hanfrausch, den alten Iraniern bekannt war. Nichts verbietet die Annahme, daß die Iranier auch andre Konstitutiva des Schamanismus gekannt haben, zum Beispiel den (bei den Skythen belegten?!) magischen Flug oder die Himmelfahrt. Ardâ Vîrâf tat «einen ersten Schritt» und erreichte die Sphäre des Mondes; der «dritte Schritt» brachte ihn zu dem Licht, das man «das höchste der höchsten» nennt, der «vierte Schritt» zum Licht des Garotman (Kap. 7–10, Übers. S. 19 ff.). Welches auch die Kosmologie dieser Himmelfahrt sei, sicher ist, daß der Symbolismus der «Schritte», dem wir auch im Mythus von der Geburt des Buddha begegneten, sich sehr genau mit dem Symbolismus der «Stufen» oder der Kerben im Schamanenbaum deckt. Diese Konstellation von Symbolismen steht in enger Beziehung zu der rituellen Himmelfahrt, und diese Himmelfahrten sind, wir haben es schon oftmals festgestellt, konstitutiv für den Schamanismus.

Die Bedeutung des Hanfrauschs wird andererseits durch die riesige Verbreitung unterstrichen, welche das iranische Wort durch ganz Zentralasien erfahren hat. Die iranische Bezeichnung für Hanf, *bangha*, wurde in vielen ugrischen Sprachen zur Bezeichnung sowohl des Schamanenpilzes par excellence, *agaricus muscarius* (welcher als Vergiftungsmittel vor oder während der Sitzung dient) als des Rauchs [56]; vgl. z. B. wogulisch *pânkh* «Pilz» (agaricus muscarius), mordwinisch *panga*, *pango*, tscheremissisch *pongo* «Pilz». Im Nordwogulischen bezeichnet *pânkh* auch «Rausch, Trunksucht». Die Hymnen an die Gottheiten erwähnen gleichfalls die durch Pilzvergiftung hervorgerufene Ekstase

---

[56] Bernhard Munkácsi, *«Pilz» und «Rausch»* (Keleti Szemle 8, 1907, S. 343–344). Ich verdanke diesen Hinweis der Freundlichkeit Stig Wikanders.

(Munkácsi, S. 344). Das beweist, daß der religiös-magische Glauben an die ekstatische Wirkung der Vergiftung iranischen Ursprungs ist. Im Verein mit den übrigen iranischen Einflüssen in Zentralasien, auf die wir noch zurückkommen werden, zeigt der *bangha*, wie groß das religiöse Ansehen des Iran damals war. Möglicherweise ist die Technik der schamanischen Vergiftung bei den Ugriern iranischen Ursprungs. Doch was beweist das für das ursprüngliche schamanische Erlebnis? Die Narkotika sind nur ein vulgärer Ersatz für die «reine» Trance. Wir konnten schon bei mehreren sibirischen Völkern diese Feststellung machen: Die Anwendung von Vergiftungen (Alkohol, Tabak) ist eine Neuerung aus jüngerer Zeit und verrät einen gewissen Niedergang der schamanischen Technik. Durch narkotischen Rausch sucht man einen geistigen Zustand *nachzuahmen*, den man nicht mehr anders zu erreichen im Stande ist. Dekadenz, oder auch Vulgarisierung einer mystischen Technik – im alten und im modernen Indien und im ganzen Orient begegnet man immer diesem seltsamen Nebeneinander von «schwierigen Wegen» und «leichten Wegen» zur mystischen Ekstase oder zu anderen entscheidenden Erfahrungen.

Es ist schwierig, in den mystischen Überlieferungen des islamisierten Iran nationales Erbe von islamischen oder orientalischen Einflüssen zu sondern. Aber kein Zweifel besteht darüber, daß viele Legenden und Wunder der persischen Hagiographie dem allgemeinen Vorrat der Magie und speziell des Schamanismus angehören. Wer nur in den beiden Bänden der *Saints des derviches tourneurs* von Cl. Huart blättert, der findet auf Schritt und Tritt Wunder der reinsten schamanischen Tradition: Auffahrten, magischer Flug, Unsichtbarwerden, auf dem Wasser Gehen, Heilungen usw. [57] Andererseits denkt man an die Rolle

---

[57] Vgl. Huart, *Les saints des derviches tourneurs. Récits traduits du persan* I (Paris 1918), II (1922): Erkennen entfernter Ereignisse (I, S. 45), Licht, das von Körpern der Heiligen ausgeht (I, 37 ff., 80), Levitation (I, 209), Unbrennbarkeit: «Während der Seyyd die Unterweisung des Scheikhs hörte und ihre Geheimnisse entdeckte, wurde er dermaßen entflammt, daß er seine beiden Füße auf die Platte des Kohlenbeckens setzte und mit der Hand die glühenden Kohlenstücke herauszog...» (I, 56; man erkennt in dieser Anekdote die schamanische «Meisterschaft über das Feuer»); Zauberer werfen einen Burschen in die Luft und der Scheikh hält ihn dort fest (I, 65); plötzliches Verschwinden (I, 80), Unsichtbarkeit (II, 131), Allgegenwart (II, 173), Gehen auf dem Wasser, die Beine an der Wasseroberfläche gekreuzt (II, 336), Auffahrt und Flug (II, 345). Professor Fritz Meier, Basel, teilt mir mit, daß nach dem noch unveröffentlichten biographischen Werk von Amin Ahmad Rhâzî (verfaßt 1594) der heilige Qutb

des Haschisch und anderer Narkotika in der islamischen Mystik, obwohl die reinsten unter den Heiligen nicht zu solchem Ersatz griffen [58].

Mit der Verkündigung des Islams unter den zentralasiatischen Türken schließlich wurden gewisse schamanische Elemente von den muselmanischen Mystikern angenommen [59]. Professor Köprülüzade erwähnt, daß «nach der Legende Ahmed Yesevî und einige von seinen Derwischen sich in Vögel verwandelten und die Fähigkeit hatten zu fliegen» (*Influence*, S. 9). Entsprechende Legenden waren über die heiligen Bektâchî in Umlauf (*ebd.*). Im 13. Jahrhundert zeigte sich Barak Baba – Gründer eines Ordens, dessen rituelles Merkmal «die Kopfbedeckung mit zwei Hörnern» war – in der Öffentlichkeit auf einem Strauß reitend, und die Legende sagt, daß «der Strauß unter dem Einfluß seines Reiters ein wenig flog» (*ebd.*, S. 16–17). Möglicherweise gehen diese Einzelheiten wirklich auf den Einfluß des turko-mongolischen Schamanismus zurück, wie der erwähnte Turkologe behauptet. Doch die Fähigkeit, sich in einen Vogel zu verwandeln, gehört allen Arten von Schamanismus an, dem turko-mongolischen nicht anders als dem arktischen, amerikanischen, indischen und ozeanischen. Was das Vorkommen des Straußes in der Legende von Barak Baba betrifft, so fragt man sich, ob das nicht eher südlichen Ursprung anzeigt.

---

ud-dîn Haydar (12. Jh.) in dem Ruf der Unempfindlichkeit gegen Feuer und größte Kälte stand; außerdem wurde er häufig auf den Dächern und auf den Wipfeln der Bäume gesehen.

[58] Seit dem 12. Jh. machte sich der Einfluß der Betäubungsmittel (Haschisch, Opium) in bestimmten persischen mystischen Orden geltend, vgl. L. Massignon, *Essai sur les origines du lexique technique de la mystique musulmane* (Paris 1922), S. 86 ff. Der *raqs*, ekstatischer Jubel-«Tanz», der *tamziq*, «Zerreißen der Kleider» in der Trance, der *nazar ila'l mord*, der «platonische Blick», eine Form, die der Ekstase durch erotische Inhibition sehr verdächtig ist, sind einige Anzeichen der Trance durch Betäubungsmittel; diese elementaren Ekstase-Rezepte ließen sich ebensowohl mit präislamischen mystischen Techniken wie mit gewissen abwegigen indischen Techniken in Beziehung bringen, welche dann den Sufismus beeinflußt hätten (Massignon, *a. a. O.*, S. 87).

[59] Vgl. Köprülüzade Mehmed Fuad, *Influence du chamanisme turco-mongol sur les ordres mystiques musulmanes* (Mémoires de l'Institut de Turcologie de l'Université de Stamboul, N. S. I, 1929); s. auch den Auszug aus seinem türkisch geschriebenen Buch über «Die ersten Mystiker in der türkischen Literatur» (Konstantinopel 1919) von L. Bouvat, Revue du Monde Musulman, 43. Bd., Febr. 1921, S. 236–266.

Das alte Indien: Auffahrtsriten

Wir erinnern uns an die rituelle Bedeutung der Birke in der turkomongolischen Religion und besonders im Schamanismus: Die Birke oder der Pfosten mit sieben oder neun Kerben symbolisiert den Kosmischen Baum und gilt deshalb als im «Zentrum der Welt» befindlich. Indem er sie erklettert, erreicht der Schamane den obersten Himmel und dringt bis zu Bai Ülgän vor.

Wir begegnen dem nämlichen Symbolismus im brahmanischen Ritual; auch dieses enthält eine zeremonielle Auffahrt bis in die Welt der Götter. Denn «das Opfer hat nur einen festen Ruhepunkt, eine einzige Wohnstatt: die himmlische Welt» (*Çatapatha Brâhmana* VIII, 7,4,6). «Das Opfer ist eine sichere Fähre» (*Aitareya Br.*, III, 2,29); «das Opfer in seiner Ganzheit ist das Schiff, das zum Himmel führt» (*Çatapatha Br.*, IV, 2, 5, 10)[60]. Der Mechanismus des Rituals ist eine *dûrohana*[61], eine «schwierige Auffahrt», denn dazu gehört auch die Besteigung des Weltenbaums.

Tatsächlich ist der Opferpfosten (*yûpa*) aus einem Baum gemacht, der dem Kosmischen Baum gleichgesetzt wird. Der Priester selbst in Begleitung des Holzhauers sucht ihn im Wald aus (*Çatapatha Br.*, III, 4, 6, 1; usw.). Während er gefällt wird, redet der Opferpriester ihn auf folgende Weise an: «Mit deinem Wipfel zerreiß nicht den Himmel, mit deiner Mitte verletz nicht die Luft!...» (*Çatapatha Br.*, III, 6, 4, 13; *Taittirîya Samhitâ*, I, 3, 5; usw.). Der Opferpfosten wird zu einer Art Weltsäule: «Erhebe dich, o *vanaspâti* (Herr des Waldes), bis zum Gipfel der Erde!» ruft ihn der *Rig Veda* (III, 8, 3) an. «Mit deinem Wipfel trägst du den Himmel, mit deiner Mitte erfüllst du die Luft, mit deinem Fuß festigst du die Erde», verkündet der *Çatapatha Brâhmana*, III, 7, 1, 14.

An diesem kosmischen Pfeiler entlang steigt der Opfernde zum Himmel auf, allein oder mit seiner Gattin. Indem er eine Leiter an den Pfosten lehnt, spricht er zu seiner Frau: «Komm, steigen wir zum Himmel!» und die Frau antwortet «Steigen wir!». Dreimal wechseln sie diese rituellen Worte (*Çatapatha Br.*, V, 2, 1, 9, usw.). Zuoberst an-

---

[60] Vgl. die zahlreichen Texte bei Sylvain Lévi, *La doctrine du sacrifice dans les Brâhmanas* (Paris 1898), S. 87 ff.

[61] Über den Symbolismus der *dûrohana* s. unsern Artikel *Dûrohana and the «waking dream»* (Art and Thought, Coomaraswamy Volume, London 1947, S. 209–213).

gelangt, berührt der Opfernde das Kapitäl, breitet die Hände aus (wie ein Vogel seine Flügel!) und ruft: «Ich habe den Himmel erreicht, ich bin unsterblich geworden!» (*Taittirîya-Samhitâ*, I, 7, 9, 2; usw.). «Wahrlich, der Opferer macht sich eine Leiter und eine Brücke, um die himmlische Welt zu erreichen» (*ebd.*, VI, 6, 4, 2, usw.).

Der Opferpfosten ist eine *Axis Mundi*, und ganz wie die archaischen Völker die Opfergaben durch das Rauchloch oder den Mittelpfeiler ihres Hauses zum Himmel schicken, so war der vedische *yûpa* ein «Gefährt des Opfers» (*Rig Veda*, III, 8, 3). Man richtet Gebete an ihn wie die folgenden: «O Baum, laß das Opfer zu den Göttern gehen!» (*RV* I, 13, 11); «O Baum, möge das Opfer sich zu den Göttern aufmachen!» (*ebd.*).

Wir erinnern uns an den Vogelsymbolismus der Schamanentracht und die vielen Beispiele magischen Fluges bei den sibirischen Schamanen. Ähnliche Ideen trifft man im alten Indien: «Der Opferer wird ein Vogel und erhebt sich zur himmlischen Welt», sagt die *Pañcavimça Brâhmana*, V, 3, 5[62]. Viele Texte sprechen von Flügeln, die man haben muß, um den Wipfel des Baumes zu erreichen (*Jaiminîya Upanisad Brâhmana*, III, 13, 9), von dem «Gänserich, dessen Thron im Licht ist» (*Kausitaki Up.*, V, 2), von dem Opferpferd, das in Gestalt eines Vogels den Opferer bis in den Himmel bringt (Mahîdhara zu *Çatapatha Br.* XIII, 2, 6, 15) usw.[63]. Und die Überlieferung vom magischen Flug ist, wie wir sogleich sehen werden, im alten und mittelalterlichen Indien im Überfluß bezeugt, und zwar immer im Zusammenhang mit Heiligen, Yogis und Zauberern.

«Auf einen Baum klettern» wird in den brâhmanischen Texten zu einem ziemlich häufigen Bild für die geistige Auffahrt[64]. Derselbe Symbolismus hat sich in den Volksüberlieferungen erhalten, ohne daß seine Bedeutung jedoch überall klar ersichtlich ist[65].

---

[62] Zitiert bei A. Coomoraswamy, *Svayamâtrnnâ: Janua Coeli* (Zalmoxis II, 1939, S. 1–51), S. 47.

[63] Vgl. die übrigen von Coomoraswamy (*a.a.O.*, S. 8, 46, 47 usw.) gesammelten Texte, dazu auch S. Lévi, *a.a.O.*, S. 93 Derselbe Reiseweg gilt natürlich auch nach dem Tod: S. Lévi, S. 93 ff.; H. Güntert, *Der arische Weltkönig und Heiland* (Halle 1923), S. 401 ff.

[64] Vgl. z. B. die Texte bei Coomoraswamy, *Svayamâtrnnâ*, S. 7, 42 usw.; s. auch Paul Mus, *Barabudur* I, S. 318.

[65] Vgl. Tawney-Penzer, *The Ocean of Story (Somadeva's Kathâsaritsâgara*, London 1923 ff.), Bd. I, S. 153, II, S. 387, VIII, S. 68 ff. usw.

Die Himmelfahrt schamanischen Typs begegnet auch in den Legenden von der Geburt des Buddha. «Sobald er geboren ist», sagt die *Majjimanikaya,* III, 123, «setzt der Boddhisattva seine Füße auf den bloßen Boden und macht, nach Norden gewandt, sieben Sätze, durch einen weißen Sonnenschirm geschützt. Er betrachtet alle Gegenden rund herum und sagt mit seiner Stierstimme: ‚Ich bin der Höchste auf der Welt, ich bin der Beste auf der Welt, ich bin der Älteste auf der Welt; das ist meine letzte Geburt; in Zukunft wird es keine neue Existenz mehr für mich geben'.» Die *sieben Schritte* bringen den Buddha zum Gipfel der Welt; ebenso wie der altaische Schamane, der die sieben oder neun Kerben der Zeremonialbirke hinaufsteigt, um schließlich zum letzten Himmel zu gelangen, durchmißt der Buddha auf symbolische Weise die sieben kosmischen Stockwerke, denen die sieben Planetenhimmel entsprechen. Also – unnötig zu sagen – das alte kosmologische Schema der schamanischen (und vedischen) Himmelfahrt, nur um den tausendjährigen Zustrom der indischen metaphysischen Spekulation bereichert. Nicht mehr der vedischen «Welt der Götter» und der «Unsterblichkeit» gelten die *sieben Schritte* des Buddha, sondern dem Überschreiten des menschlichen Standes. Die Wendung «ich bin der Höchste auf der Welt» (*aggo'ham asmi lokassa*) bedeutet nichts anderes als die Transzendenz des Buddha über den Raum, während die Wendung «ich bin der Älteste auf der Welt» (*jettho'ham asmi lokassa*) seine Überzeitlichkeit bezeichnet. Denn mit dem kosmischen Gipfel erreicht der Buddha das «Zentrum der Welt», und da die Schöpfung von einem «Zentrum» (Gipfel) ausgegangen ist, wird der Buddha *gleichzeitig mit dem Beginn der Welt* [66].

Die Vorstellung von den sieben Himmeln, auf welche die *Majjimanikaya* anspielt, geht auf den Brâhmanismus zurück – wahrscheinlich ein Einfluß der babylonischen Kosmologie, welche, wiewohl indirekt, sich

[66] Es ist hier nicht der Ort, die Dikussion über dieses Detail der Geburt des Buddha weiterzutreiben, doch mußten wir es im Vorbeigehen berühren, um einerseits die Mehrwertigkeit des archaischen Symbolismus zu zeigen, die ihn für neue Interpretationen unbegrenzt offen läßt, und andererseits zu betonen, daß das Überleben eines «schamanischen» Schemas in einer entwickelten Religion keineswegs die Bewahrung des ursprünglichen Gehaltes bedeutet. Dasselbe gilt natürlich auch für die verschiedenen Auffahrtsschemata der christlichen und der islamischen Mystik. Vgl. auch unsere Artikel *Sapta padani gacchati*... (Munshi Memorial Volume, Bombay 1948, S. 180–188) und *Les Sept pas du Bouddha* (Pro regno pro Sanctuario, Hommage Van der Leeuw, Nijkerk 1950, S. 169–175).

auch in den kosmologischen Vorstellungen der Altaier und Sibirier abgezeichnet hat. Doch der Buddhismus kennt auch ein kosmologisches Schema mit neun Himmeln, das jedoch stark «verinnerlicht» ist; die vier ersten Himmel entsprechen den vier *jhânas,* die nächsten vier den vier *sattâvâsa* und der neunte und letzte Himmel symbolisiert das Nirvâna [67]. In jeden von diesen Himmeln ist eine Gottheit des buddhistischen Pantheons versetzt, welche zugleich einen bestimmten Grad der yogischen Meditation repräsentiert. Nun wissen wir, daß bei den Altaiern die sieben oder neun Himmel von verschiedenen göttlichen oder halbgöttlichen Figuren bewohnt werden, die der Schamane bei seiner Auffahrt trifft und mit denen er sich unterhält; im neunten Himmel findet er sich vor Bai Ülgän. Offensichtlich handelt es sich im Buddhismus nicht mehr um eine symbolische Auffahrt in die Himmel, sondern um die Grade der Meditation und zugleich um «Schritte» zur endlichen Befreiung. (Es scheint, daß der buddhistische Mönch nach seinem Tod die himmlische Ebene erreicht, zu welcher er im Leben durch seine yogischen Erlebnisse gelangt ist, und nur der Buddha erreicht das Nirvâna; vgl. auch W. Ruben, S. 170.)

Das alte Indien: «magischer Flug»

Der brâhmanische Opferer steigt zum Himmel durch die rituelle Ersteigung einer Leiter; der Buddha transzendiert den Kosmos, indem er auf symbolische Weise die sieben Himmel durchmißt; in der Meditation vollzieht der buddhistische Yogi eine Auffahrt rein geistiger Ordnung. Typologisch haben all diese Akte an der nämlichen Struktur teil; jeder ist auf der ihm eigenen Ebene eine besondere Weise, die profane Welt zu transzendieren und die Welt der Götter, das Wesen, das Absolute zu erreichen. Wir haben bereits gezeigt, inwieweit man solche Handlungen in die schamanische Tradition der Himmelfahrt einordnen kann; der einzige große Unterschied liegt in der Intensität des schamanischen Erlebnisses, das, wie wir wissen, Ekstase und Trance

[67] Vgl. W. Kirfel. *Die Kosmographie der Inder* (Bonn–Leipzig 1920), S. 190 ff. Die neun Himmel kennt auch die *Brhadâranyaka Up.* III. 6, 1, vgl. W. Ruben, *Schamanismus im alten Indien* (Acta Orientalia, 17. Bd., 1939, S. 164–205), S. 169. Über die Beziehungen zwischen den kosmologischen Schemata und den Graden der Meditation vgl. P. Mus, *Barabudur,* passim.

einschließt. Aber auch das alte Indien kennt die Ekstase, welche die Auffahrt und den magischen Flug möglich macht. Der «Ekstatiker» (*muni*) mit langen Haaren (*keçin* im *Rig Veda* X, 136) erklärt ein für alle Mal: «In der Trunkenheit der Ekstase haben wir den Wagen der Winde bestiegen. Ihr Sterblichen könnt nur unsere Körper wahrnehmen... Der Ekstatische ist das Pferd des Windes, der Freund des Sturmgottes, gespornt von den Göttern... [68].» Erinnern wir uns, daß die Trommel der altaischen Schamanen «Pferd» genannt wird und daß bei den Buriäten zum Beispiel der Stock mit Pferdekopf, der übrigens den Namen «Pferd» hat, eine wichtige Rolle spielt. Die durch den Klang der Trommel oder durch einen Reittanz auf einem Stock mit Pferdekopf (einer Art *hobby-horse*) hervorgerufene Ekstase wird einem phantastischen Ritt durch die Himmel gleichgesetzt. Wie wir sehen werden, benützt bei bestimmten nichtarischen indischen Völkern der Zauberer heute noch ein Holzpferd oder einen Stock mit Pferdekopf zu seinem ekstatischen Tanz.

Im selben Hymnus des *Rig Veda* (X, 136) heißt es, daß «die Götter in sie eingegangen sind...»; es handelt sich um eine Art mystischer Besessenheit, die auch im nichtekstatischen Milieu hohen geistigen Wert behält (Zeuge dessen die *Brihadâranyaka Upanisad*, III, 3-7). Der *muni* «bewohnt die beiden Meere, das im Aufgang und das im Untergang... Er geht auf den Wegen der Apsaras, der Gandharvas, der wilden Tiere...» (*RV* X, 136). Der Atharva Veda, XI, 5, 6 singt das Lob des Schülers, der von der magischen Kraft der Askese (*tapas*) erfüllt ist: «In einem Augenblick geht er vom Ostmeer zum Nordmeer.» Dieses makranthropische Erlebnis, das seine Wurzeln in der schamanischen Ekstase hat [69], bleibt im Buddhismus bestehen und erfreut sich in den yogisch-tantrischen Techniken erheblicher Bedeutung [70].

---

[68] Über diesen *muni* s. E. Arbman, *Rudra* (Uppsala–Leipzig 1922), S. 298 ff. Über die religiös-magische Bedeutung der langen Haare s. *ebd.*, S. 302. (Wir erinnern uns an die «Schlangen» der sibirischen Schamanentracht, s. o. S. 151 ff.) Über die frühesten vedischen Ekstasen vgl. J. W. Hauer, *Die Anfänge der Yogapraxis* (Stuttgart 1922), S. 116 ff., 120; und Eliade, *Le Yoga, Immortalité et Liberté*, (Paris 1954) S. 112.

[69] Vgl. z. B. den sehr dunklen Hymnus des *Vrâtya* (*Atharva Veda* XV, 3 und die folgenden). Die Homologien zwischen menschlichem Körper und Kosmos übersteigen natürlich das schamanische Erlebnis im eigentlichen Sinn, wobei man sieht, daß *vrâtya* wie *muni* ihre Makranthropie in einer ekstatischen Trance erlangen.

[70] Der Buddha sieht sich im Traum als einen Riesen, der seine Arme in den beiden Ozeanen hat: *Anguttâra Nikâya* III, 240; vgl. auch W. Rubén, S. 167. Unmöglich, hier

Auffahrt und magischer Flug haben eine Vorzugsstellung in den volkstümlichen Glaubensvorstellungen und mystischen Techniken Indiens. Sich in die Lüfte erheben, wie ein Vogel fliegen, enorme Entfernungen blitzschnell zurücklegen, unsichtbar werden – das sind einige von den magischen Kräften, welche Buddhismus und Hinduismus den Arhats, Königen und Zauberern zuschreiben. Es gibt eine beträchtliche Anzahl von Legenden über fliegende Könige und Magier [71]. Der wunderbare See Anavatapta war nur für die zu erreichen, welche die übernatürliche Fähigkeit hatten durch die Luft zu fliegen; Buddha und die buddhistischen Heiligen gelangten zum Anavatapta in einem Augenblick, wie in den Hindu-Legenden die Rishis sich in die Luft werfen zu einem göttlichen geheimnisvollen Nordland Çvetadvîpa hin [72]. Es handelt sich dabei natürlich um «reine Länder», um einen mystischen Raum, welcher zugleich die Natur eines «Paradieses» hat und die eines «inneren Raums», der nur Eingeweihten zugänglich ist. Der See Anavatapta wie das Land Çvetadvîpa und die anderen buddhistischen «Paradiese» sind ebensoviel Seinsweisen, welche man dank Yoga, Askese oder Kontemplation erlangt. Doch ist es wichtig, die *Identität des Ausdrucks* zu unterstreichen, die zwischen solchen über-menschlichen Erlebnissen und dem archaischen Auffahrts- und Flugsymbolismus besteht, von dem der Schamanismus so häufig Gebrauch macht.

Die buddhistischen Texte sprechen von vier Arten magischer Versetzungskraft (*gamana*); die erste ist die Kraft des vogelartigen Flugs [73]. Patañjali zitiert unter den *siddhi* die Fähigkeit durch die Lüfte zu flie-

---

alle in den frühesten buddhistischen Texten enthaltenen «schamanischen» Spuren zu erwähnen. Viele *iddhi* haben eine deutlich schamanische Struktur, z. B. die magische Fähigkeit «in die Erde einzutauchen und wieder daraus hervorzutauchen, als ob es Wasser wäre» (*Anguttara* I, 254 ff. usw.). S. auch u. S. 391 ff.

[71] Vgl. z. B. Tawney-Penzer, *The Ocean of Story* II, S. 62 ff.; III, 27, 35; V, 33, 35, 169 ff.; VIII, 26 ff., 50 ff.; usw.

[72] Vgl. W. E. Clark, *Sakadvîpa and Svetadvîpa* (Journal of the American Oriental Society, 30. Bd., 1919, S. 209–242), passim; Eliade, *Le Yoga*, S. 397 ff. Anm. 1. Über den Anavatapta vgl. De Visser, *The Arhats in China and Japan* (Berlin 1923, 4. Sonderveröffentlichung der Ostasiatischen Zeitschrift), S. 24 ff.

[73] Vgl. *Visuddhimagga*, S. 396. Über den *gamana* s. Sigurd Lindqvist, *Siddhi und Abhiññâ* (Uppsala 1935), S. 58 ff. Gute Bibliographie der Quellen über die *abhijñâ* bei Etienne Lamotte, *Le Traité de la Grande Vertu de Sagesse de Nâgârjuna* (*Mahâprajñâpâramitâsâstra*, 1. Bd., Löwen 1944), S. 329, Anm. 1.

gen (*laghiman*), welche die Yogi.erlangen können[74]. Nur durch die «Kraft des Yoga» warf sich im Mahâbhârata der weise Nârada jedesmal in die Himmel und erreichte den Gipfel des Berges Meru (des «Zentrums der Welt»); von dort oben sah er sehr weit entfernt im Milchozean Cvetadvîpa (*Mahâbhârata* XIII, 335, 2 ff.). Denn «mit einem solchen (yogischen) Körper wandelt der Yogi wohin er will» (*ebd.*, XII, 317, 6). Doch eine andere im Mahâbhârata aufgezeichnete Tradition macht bereits die Unterscheidung zwischen der wirklichen mystischen Auffahrt, von der man nicht sagen kann, daß sie immer «konkret» ist, und dem «magischen Flug», der nichts ist als eine Illusion: «Auch wir können in die Himmel fliegen und uns in verschiedenen Gestalten zeigen, aber durch Illusion» (*mâyayâ;* Mbh. V, 160, 55 ff.).

Man sieht, in welchem Sinn Yoga und andere indische meditative Techniken die ekstatischen Erlebnisse und magischen Fähigkeiten eines unvordenklich alten geistigen Erbes ausgearbeitet haben. Wie dem auch sei, das Geheimnis des magischen Fluges ist auch der indischen Alchimie bekannt[75]. Und für die buddhistischen Arhats ist dieses Wunder so gewöhnlich[76], daß *arahant* das singhalesische Verbum *rahatve*, «verschwinden, augenblicklich von einem Punkt zum anderen wechseln» ergeben hat[77]. Die *dakînis*, Feen und Zauberinnen, die in bestimmten tantrischen Schulen eine wichtige Rolle spielen (vgl. Eliade, *Le Yoga*, S. 205 ff.), heißen auf mongolisch «die, welche in den Lüf-

---

[74] *Yoga-Sûtra* III, 45; vgl. *Gheranda Samhitâ* III, 78; Eliade, *Le Yoga*, S. 323 ff. Über die ähnlichen Überlieferungen in den beiden indischen Epen s. E. W. Hopkins, *Yoga-technique in the Great Epic* (Journal of the American Oriental Society 1901, 22. Bd., S. 333–379), S. 337, 361.

[75] S. Eliade, *Le Yoga*, S. 276 ff., 397, Anm. 1. Ein persischer Autor versichert, die Yogi «könnten in der Luft fliegen wie Hühner, so unwahrscheinlich dies klinge» (*ebd.*).

[76] Über den Flug der Arhats s. De Visser, *a. a. O.*, S. 172 ff.; Sylvain Lévi und Ed. Chavannes, *Les seize arhats protecteurs de la loi* (Journal Asiatique 1916, 8. Bd., S. 1–50, 189–304), S. 23: Der Arhat Nadimitra «erhob sich in den Raum bis zur Höhe von sieben *tâla*-Bäumen» usw.; S. 262 ff.: Der Arhat Pindola, der im Anavatapta wohnt, wurde vom Buddha bestraft, weil er durch die Luft geflogen war mit einem Berg in den Händen und so auf unangemessene Weise seine magischen Kräfte den Profanen zeigte; der Buddhismus verbot bekanntlich das Zurschaustellen der *siddhi*.

[77] A. M. Hocart, *Flying through the air* (Indian Antiquary 1923, S. 80–82), S. 80. Hocart erklärt alle diese Legenden in Übereinstimmung mit seinen Theorien über das Königtum: Die Könige, die Götter sind, können den Boden nicht berühren und deshalb nimmt man an, daß sie durch die Luft gehen. Aber der Symbolismus des Fluges ist komplexer und man kann ihn keinesfalls aus der Vorstellung von Gottkönigen ableiten.

ten gehen» und auf tibetanisch «die, welche in den Himmel gehen»[78]. Der magische Flug und die Himmelfahrt mit Hilfe einer Leiter oder eines Seils sind auch in Tibet häufige Motive, wo sie nicht notwendig Entlehnungen aus Indien darstellen, zumal sie in den Bon-po-Überlieferungen, oder in von diesen abgeleiteten, bezeugt sind. Übrigens spielen dieselben Motive, wie wir sogleich sehen werden, eine beträchtliche Rolle im Zauberglauben und der Folklore der Chinesen, ja begegnen fast überall in der archaischen Welt.

Alle diese Belegstücke, die wir hier – für unseren Geschmack ein wenig zu flüchtig – zusammengestellt haben, sind nicht notwendig «schamanisch»: ein jedes ist in seinem Zusammenhang, aus dem wir es möglichst bequem für unsere Darlegung ausgezogen haben, Träger einer nur ihm eigenen Bedeutung. Doch es handelt sich darum, die strukturelle Gleichwertigkeit dieser Erscheinungen der indischen religiösen Magie zu zeigen. Der Ekstatiker wie auch der Magiker erscheint im Rahmen der indischen Religion nicht als einzigartiges Phänomen, es sei denn durch die Intensität seines mystischen Erlebnisses oder die Überlegenheit seiner Magie, findet sich doch die zugrundeliegende Theorie, die Himmelfahrt, wie wir gesehen haben, sogar im Symbolismus des brâhmanischen Opfers.

Was die Auffahrt des *muni* von der Auffahrt im brâhmanischen Ritual unterscheidet, ist gerade ihr Erlebnischarakter. Sie ist eine «Trance», die sich mit der «großen Sitzung» des sibirischen Schamanen vergleichen läßt. Aber das Wichtige daran ist, daß dieses *ekstatische Erlebnis* der allgemeinen *Theorie* des brâhmanischen Opfers nicht widerspricht, wie sich ja auch die Trance des Schamanen erstaunlich gut dem Rahmen des kosmo-theologischen Systems der sibirischen und altaischen Religionen einfügt. Der Hauptunterschied zwischen beiden Auffahrtstypen liegt in der Intensität des Erlebnisses, ist also letzten Endes psychologischer Ordnung. Aber wie groß diese Intensität auch sein mag, mitteilbar wird das ekstatische Erlebnis durch eine Symbolik von universeller Reichweite und es wird gültig in dem Maß, als es ihm gelingt sich in das bestehende religiös-magische System einzufügen. Die Fähigkeit zu fliegen kann, wie wir gesehen haben, auf mehrfache Weise erreicht werden: durch schamanische Trance, mystische Ekstase,

[78] Vgl. J. van Durme, *Notes sur le lamaisme* (Mélanges chinoises et bouddhiques I, Brüssel 1932, S. 263–319), S. 374, Anm. 2.

magische Techniken, aber auch durch harte geistig-seelische Disziplin wie im Yoga des Patañjali, durch kräftige Askese wie im Buddhismus oder durch alchimistische Praktiken. Diese Mehrzahl von Techniken entspricht ohne Zweifel einer Vielfalt von Erlebnissen und, wenngleich in geringerem Grad, auch verschiedenen Ideologien (Raub durch Geister, «magische» und «mystische» Auffahrt usw.). Aber alle diese Techniken und alle diese Mythologien haben eines gemeinsam, die Bedeutung, die man der Fähigkeit des Fliegens beimißt. Diese «magische Kraft» ist nicht ein isoliertes, in sich selbst gültiges, ausschließlich auf das persönliche Erlebnis des Magiers gegründetes Element – im Gegenteil, sie fügt sich vielmehr einem theologisch-kosmologischen Ganzen ein, das viel weiter reicht als die verschiedenen schamanischen Ideologien.

Der tapas *und die* dîksâ

Dieselbe Kontinuität zwischen Ritual und Ekstase erweist sich auch an einem anderen Begriff, welcher in der panindischen Ideologie eine bedeutende Rolle spielt, dem Begriff des *tapas*. Die Bedeutung des Wortes geht aus von «äußerste Hitze»; schließlich bezeichnete es aber die asketische Anstrengung im allgemeinen. Der *tapas* ist im *Rig Veda* deutlich belegt (vgl. z.B. VIII, 59, 6; X, 136, 2; 154, 2, 4; 167, 1; 109, 4 usw.) und seine Kräfte sind schöpferisch sowohl auf kosmischer als auf geistiger Ebene: Durch den *tapas* wird der Asket hellsehend und vermag sich sogar die Götter einzukörpern. Prajâpati erschafft die Welt, indem er sich durch die Askese bis zum äußersten «erhitzt» (*Aitareya Brâhmana* V, 32, 1); er erschafft sie nämlich durch eine Art magisches Schwitzen, wozu wir schon anderen Orts die kosmogonischen Parallelen getroffen haben. Die «innere Hitze» oder «mystische Wärme» ist schöpferisch; sie wird zu einer Art magischer Kraft, die, auch wenn sie sich nicht unmittelbar in einer Kosmogonie erweist (vgl. den Prajâpati-Mythus), doch auf einer bescheideneren kosmischen Ebene «erschafft»: Sie schafft z.B. die zahllosen Wunder der Asketen und Yogi (magischer Flug, Aufhebung der physikalischen Gesetze, Verschwinden usw.). Nun erinnern wir uns, daß die «innere Hitze» einen integrierenden Teil der Technik der «primitiven» Zauberer und Schamanen bildet; sie äußert sich allenthalben in der «Herrschaft über das Feuer» und letzten Endes in der Aufhebung der physikalischen Gesetze. Das heißt also: der richtig «erhitzte» Magier kann «Wunder» tun, kann neue Existenzbedingungen im Kosmos schaffen – er wiederholt gewissermaßen die Kosmogonie. Von diesem Gesichtspunkt betrachtet wird Prajâpati zu einem Archetyp des «Zauberers».

Diese außerordentliche Hitze erzielte man entweder durch Meditieren am Feuer – diese asketische Methode hat in Indien großes Glück gemacht – oder indem man den Atem zurückhielt (vgl. z. B. *Baudhâyana Dharma Sûtra* IV, 1, 24; usw.). Man braucht kaum zu erwähnen, daß die Atemtechnik und das Anhalten des Atems innerhalb des Komplexes asketischer Praktiken und magisch-mystisch-metaphysischer Theorien, den man unter dem allgemeinen Terminus Yoga begreift [79], eine beträchtliche Rolle einnimmt. Der *tapas* im Sinne asketischer Anstrengung bildet einen integrierenden Teil jeder Art von Yoga, und es erscheint uns wichtig, im Vorbeigehen auf seinen «schamanischen» Gehalt hinzuweisen. Wie wir sogleich sehen werden, hat die «mystische Hitze» im eigentlichen Sinn des Wortes im tantrischen Yoga des Himalajagebietes und Tibets große Bedeutung. Die klassische Yoga-Tradition, soviel sei schon hier gesagt, benützt die durch das *prânayâma* verliehene «Kraft» zu einer «Kosmogonie nach rückwärts», und zwar in dem Sinn, daß diese Kraft, statt zur Erschaffung neuer Welten (und damit neuer «Wunder») zu führen, dem Yogi vielmehr die Ablösung von der Welt, ja in gewissem Sinn ihre Zerstörung ermöglicht, kommt doch die yogische Befreiung einer vollkommenen Lösung des Verbandes mit dem Kosmos gleich. Für einen *jîvanmukta* existiert das Universum nicht mehr, und wenn man den Prozeß in seinem eigenen Innern auf die Ebene des Kosmischen projizierte, so hätte man eine völlige Resorption der kosmischen Formen in der ersten Substanz (*prakriti*), mit anderen Worten eine Rückkehr zu dem undifferenzierten Zustand von vor der Schöpfung. Das alles übersteigt bei weitem den Horizont der «schamanischen» Ideologie, doch das Bemerkenswerte ist die Tatsache, daß die indische Geistigkeit als Mittel zur metaphysischen Befreiung eine archaische magische Technik eingesetzt hat, der die Fähigkeit zugesprochen wurde die physikalischen Gesetze aufzuheben und sogar in die Konstitution des Universums einzugreifen.

---

[79] S. unsere Arbeiten *Yoga* (Paris 1936) und *Techniques du Yoga* (Paris 1948)); *Le Yoga. Immortalité et Liberté* (Paris 1954).

Doch der *tapas* ist nicht eine ausschließlich den «Ekstatikern» vorbehaltene Askese, er bildet einen Teil der religiösen Erfahrung der Laien. Denn das Soma-Opfer verlangt unbedingt, daß der Opferer und seine Frau die *dîkṣâ* vollziehen, also einen Weiheritus, welcher den *tapas* einschließt [80]. Zur *dîkṣâ* gehören asketische Nachtwache, schweigende Meditation, Fasten und eben auch *«Hitze»*, der *tapas,* und diese «Weihe»zeit kann von ein, zwei Tagen bis zu einem Jahr dauern. Nun ist das Soma-Opfer eines der bedeutendsten im vedischen und brâhmanischen Indien, und somit bildet die Askese zum Zweck der Ekstase notwendig einen Bestandteil des religiösen Lebens des ganzen indischen Volkes. Die Kontinuität zwischen Ritual und Ekstase, welche wir schon anläßlich der Auffahrtsriten (der Profanen) und des mystischen Flugs (der Ekstatiker) festgestellt haben, bestätigt sich auch auf der Ebene des *tapas.* Es bleibt zu fragen, ob das indische religiöse Leben in seiner Gesamtheit und mit allen seinen Symbolismen aus einer Reihe von ekstatischen Erlebnissen einiger Privilegierter hervorgegangen ist, welche bei der Anpassung an die profane Welt dann eine gewisse «Degradierung» erfuhren, oder ob im Gegenteil das ekstatische Erlebnis dieser Privilegierten nur das Ergebnis einer «Verinnerlichung» bestimmter kosmo-theologischer Schemata ist, die ihm vorausgingen. Eine folgenschwere Frage, doch übersteigt sie die Ebene der indischen Religionsgeschichte und auch den Gegenstand der vorliegenden Arbeit [81].

«Schamanische» Symbolismen und Techniken in Indien

Für die schamanische Heilung durch Zurückrufung oder Aufsuchen der flüchtigen Seele des Kranken gibt der *Rig Veda* einige Beispiele. Der Priester redet den Sterbenden auf folgende Weise an: «Deinen Geist, der sich aufgemacht hat in den Himmel, deinen Geist, der sich aufgemacht hat zu den Enden der Erde... wir lassen ihn zurück-

---

[80] Über *dîkṣâ* und *tapas* s. H. Oldenberg, *Die Religion des Veda* (2. Aufl., 1917), S. 397; A. Hillebrandt, *Vedische Mythologie* (2. Aufl., Breslau 1927–1928) I, S. 482 ff.; J. W. Hauer, *Die Anfänge der Yogapraxis,* S. 55 ff.; A. B. Keith, *The Religion and the Philosophy of the Veda and Upanishads* (Cambridge, Mass., 1925) I, S. 300 ff. Vgl. auch Meuli, *Scythica,* S. 134 ff.

[81] Wir wagen zu hoffen, daß die vorliegende Arbeit zeigt, in welchem Sinn das Problem zu stellen ist.

kommen zu dir, damit du hier wohnest, damit du hier lebest!» (*RV*, X, 58). Ebenfalls im *Rig Veda* (X, 57, 4 ff.) beschwört der Brâhmane die Seele des Patienten so: «Möge der Geist zu dir zurückkehren, um zu wollen, zu handeln, zu leben und lange die Sonne zu sehen. O Väter, möge das Volk der Götter uns den Geist zurückgeben; wir wollen bei der Herde der Lebenden bleiben!...» Und in den medizinisch-magischen Texten des *Atharva Veda* ruft der Magier, um den Sterbenden zum Leben zurückzubringen, vom Wind seinen Atem und von der Sonne seine Augen zurück, fügt die Seele wieder in den Körper ein und befreit den Kranken von den Banden Nirrtis (*AV* VIII, 2, 3; VIII, 1, 3, 1; usw.).

Es handelt sich hier natürlich nur um Spuren von schamanischer Heilung, und wenn die indische Medizin später bestimmte traditionelle magische Ideen verwendet hat, so gehörten sie nicht der eigentlichen schamanischen Ideologie an [82]. Schon das Zurückrufen der verschiedenen «Organe» aus den kosmischen Gegenden, auf das der Zauberer in *Atharva Veda* anspielt (siehe auch *RV* X, 16, 3) impliziert eine andere Auffassung, nämlich die vom Menschen als Mikrokosmos; und obwohl diese Auffasung ziemlich altertümlich zu sein scheint (vielleicht indogermanisch), ist sie doch nicht «schamanisch». Nichtsdestoweniger ist in einem Buch des *Rig Veda* (dem jüngsten) die Zurückrufung der flüchtigen Seele des Kranken bezeugt, und da ebendiese schamanische Ideologie und Technik bei den übrigen nichtarischen Völkern Indiens herrscht, wäre zu fragen, ob man nicht einen Einfluß des Substrates anzunehmen hat. So sucht auch der Zauberer der bengalischen Oraon die verirrte Seele des Kranken über Berge und Flüsse bis ins Land der Toten [83] ganz wie der altaische und sibirische Schamane.

Mehr noch: das alte Indien kennt die Lehre von der Instabilität der Seele, die in den verschiedenen vom Schamanismus beherrschten Kulturen so deutlich sichtbar ist. Im Traum begibt sich die Seele sehr weit vom Körper weg und der Çatapatha Brâhmana (XIV, 7, 1, 12) empfiehlt, den Schläfer nicht plötzlich aufzuwecken, weil die Seele sich sonst auf dem Rückweg verirren könnte. Auch beim Gähnen läuft man

---

[82] Vgl. z. B. Jean Filliozat, *La doctrine classique de la médicine indienne. Ses origines et ses parallèles grecques* (Paris 1949).

[83] Vgl. F. E. Clements, *Primitive concepts of disease*, S. 197 (der «Seelenverlust» bei den Garos und den hinduisierten Völkerschaften im Norden).

Gefahr seine Seele zu verlieren (*Taittirîya Samhitâ* II, 5, 2, 4). Die Legende von Subandhu berichtet, wie man seine Seele verlieren und wiederfinden kann (*Jaiminîya Brâhmana* III, 168–170; *Pañcaviṃça Br.* XIII, 12, 5).

In Zusammenhang mit der Vorstellung, daß der Zauberer seinen Körper nach Belieben verlassen kann – einer ausgesprochen schamanischen Idee, deren ekstatische Grundlagen wir wiederholt feststellten –, findet man sowohl in den technischen Texten als in der Volksüberlieferung eine andere magische Fähigkeit, nämlich das «Eingehen in einen anderen Körper» (*parakâyapraveça*, vgl. Eliade, *Le Yoga*, S. 380 ff.). Doch trägt dieses magische Motiv bereits den Stempel indischer Weiterentwicklung; es erscheint übrigens unter den yogischen *siddhi* und wird von Patañjali (*Yoga Sûtra* III, 37) neben anderen wunderbaren Kräften angeführt.

Wir können hier natürlich nicht alle Aspekte der Yoga-Techniken untersuchen, die eines engen Zusammenhangs mit dem Schamanismus verdächtig sind. Die große Synthese des – von uns so benannten – «barocken Yoga» (im Gegensatz zum klassischen Patañjali-Yoga) schließt zahlreiche Elemente aus den magischen und mystischen Überlieferungen sowohl des arischen Indien als der Ureinwohnerschaft in sich; so ist es nicht erstaunlich, daß sich in dieser weitreichenden Synthese zuweilen auch schamanische Elemente identifizieren lassen. Doch ist dabei jedesmal zu untersuchen, ob das betreffende Element ein im strengen Sinn schamanisches ist oder eine magische Tradition, die über die Sphäre des Schamanismus hinausreicht. Es ist uns hier nicht möglich, diese Vergleichsarbeit ganz durchzuführen [84]. Nur noch eine Bemerkung: Sogar der klassische Text von Patañjali führt einige «Kräfte» auf, die dem Schamanismus geläufig sind: durch die Luft fliegen, verschwinden, riesig groß und winzig klein werden usw. Außerdem bezeugt eine Stelle des *Yoga Sûtra* (IV, 1), wo «Wunderkräfte» verleihende Medizinal-

---

[84] Vgl. Eliade, *Le Yoga*, S. 308 ff., und *Techniques du Yoga*, S. 175 ff. Hier nur noch die Feststellung, daß wir uns bei der Diskussion der «Ursprünge» des Yoga nicht notwendig auf den Schamanismus zu beziehen haben; eine ganze populärmystische Tradition, die *bhakti*, die zu einem bestimmten Zeitpunkt in das Yoga eindringt, ist nicht schamanisch. Dasselbe gilt für die Praktiken mystischer Erotik und andere zuweilen abwegige (Kannibalismus und Mord einschließende) magische Praktiken, die ebenfalls nichtschamanisch sind. Alle diese Irrtümer sind nur durch die falsche Gleichsetzung von «Schamanismus» und «primitiver Mystik» möglich geworden.

pflanzen (*ausadhi*) für den Yogi genannt sind, den Gebrauch von Narkotika im yogischen Umkreis und zwar ausgerechnet zur Erzielung ekstatischer Erlebnisse. Doch spielen diese «Kräfte» im klassischen und buddhistischen Yoga nur eine sekundäre Rolle, und viele Texte warnen vor der Versuchung des magischen Machtgefühls, das sie hervorrufen und das das wirkliche Ziel der Bemühungen des Yogi, die endliche Befreiung, vergessen machen könnte. Deshalb kann sich die durch Narkotika oder andere materielle Mittel erreichte Ekstase nicht mit der Ekstase des wirklichen *samâdhi* vergleichen. Doch, wie wir gesehen haben, bedeuten auch im Schamanismus die Narkotika schon eine gewisse Dekadenz, und nur wenn die eigentlichen Ekstasemittel nachlassen, greift man zu ihnen, um die Trance herbeizuführen. Im Vorbeigehen sei noch bemerkt, daß ganz wie das «barocke» (volkstümliche) Yoga auch der Schamanismus abirrende Varianten kennt. Doch sei hier noch einmal der strukturelle Unterschied zwischen klassischem Yoga und Schamanismus hervorgehoben: Der Schamanismus kennt zwar Konzentrationstechniken (z. B. Initiation bei den Eskimo usw.), doch liegt sein Endziel immer in der Ekstase und der ekstatischen Reise der Seele in die verschiedenen kosmischen Regionen, während das Yoga die Ekstase, die höchste Konzentration des Geistes und den «Ausweg» aus dem Kosmos verfolgt. Doch sind bei den frühgeschichtlichen Ursprüngen des klassischen Yoga keineswegs Zwischenformen von schamanischen Yogas ausgeschlossen, deren Ziel die Herbeiführung bestimmter ekstatischer Erlebnisse gewesen wäre [85].

Gewisse «schamanische» Elemente ließen sich noch in den indischen Glaubensvorstellungen über den Tod und das Schicksal der Abgeschiedenen finden [86]. Wie bei sovielen andern asiatischen Völkern enthalten sie Spuren eines Glaubens an eine Mehrheit von Seelen (z. B. *Taittirîya Upanisad* II, 4). Doch im allgemeinen glaubte das alte Indien,

---

[85] Die gegenteilige Ansicht s. bei Jean Filliozat, *Les origines d'une technique mystique indienne* (Revue Philosophique 71, 1946, S. 208–220), dort Diskussion unserer Hypothese von einem präarischen Ursprung der yogischen Techniken. Vgl. auch *Le Yoga*, S. 334.

[86] Eine klare Zusammenfassung s. bei A. B. Keith, *The Religion and Philosphy of the Veda and Upanishads* (Cambridge, Mass. 1925), II. Bd., S. 403 ff. Die Welt der Toten ist eine «verkehrte», «umgedrehte» Welt wie unter anderen Völkern auch bei den Sibiriern, vgl. Herman Lommel, *Bhrigu im Jenseits* (Paideuma IV, 1950, S. 93–109), S. 101 ff.

daß die Seele nach dem Tod zum Himmel, zu Yama (*Rig Veda* X, 58) und den Ahnen (*pitaras*) aufsteigt. Man gab dem Toten den Rat, sich nicht durch die vieräugigen Hunde Yamas beeindrucken zu lassen, sondern seinen Weg fortzusetzen, der ihn zu den Ahnen und dem Gott Yama führt (*RV* X, 14, 10–12; *Atharva Veda* XVIII, 2, 12; VIII, 1, 9; usw.). Der *Rig Veda* enthält keine ausdrückliche Beziehung auf eine Brücke, die der Tote zu überschreiten hätte (Keith, *a. a. O.*, II, S. 406, Anm. 9). Doch ist von einem Fluß die Rede (*AV* XVIII, 4, 7) und von einem Boot (*RV* X, 63, 10), was mehr nach einem unterweltlichen als nach einem himmlischen Reiseweg klingt. Auf jeden Fall erkennt man die Spuren eines altertümlichen Rituals, in welchem man den Toten an den Weg erinnerte, auf dem er das Reich Yamas erreichte (z. B. *RV* X, 14, 7–12; über die Sûtras vgl. Keith II, S. 418, Anm. 6). Und man wußte auch, daß die Seele des Abgeschiedenen nicht sofort die Erde verließ; sie strich noch eine bestimmte Zeit, ja bis zu einem Jahr um das Haus herum. Das war übrigens auch der Grund dafür, daß man sie zu den für sie veranstalteten Opfern und Darbringungen herbeirief (Keith, *a. a. O.* II, S. 412).

Aber der genaue Begriff eines seelengeleitenden Gottes ist der vedischen und brâhmanischen Religion unbekannt[87]. Rudra-Çiva erfüllt zuweilen eine solche Rolle, doch ist diese Vorstellung spät und wahrscheinlich von dem Glauben präarischer Ureinwohner beeinflußt. Auf jeden Fall gibt es im vedischen Indien nichts, was an die altaischen und nordsibirischen Totenführer erinnert; man sagt lediglich dem Toten seinen Reiseweg an, ungefähr nach Art der indonesischen und polynesischen Totenklagen und des tibetanischen *Totenbuchs*. Die Anwesenheit eines Seelengeleiters war wahrscheinlich zur vedischen und brâhmanischen Zeit überflüssig geworden, weil trotz allen Ausnahmen und Widersprüchen der Texte der Weg des Toten zum Himmel gerichtet und somit weniger gefährlich war als ein Weg in die Unterwelt.

Auf jeden Fall kennt das alte Indien sehr wenig «Abstiege in die Unterwelt». Wiewohl der Gedanke einer unterirdischen Unterwelt schon im *Rig Veda* bezeugt ist (vgl. Keith II, S. 409), sind ekstatische Jenseitsreisen sehr selten. Naciketas wird von seinem Vater dem «Tod»

[87] Dies gegen die These von E. Arbman, *Rudra. Untersuchungen zum altindischen Glauben und Kultus* (Uppsala-Leipzig 1922), passim.

übergeben und wirklich begibt sich der junge Mann in die Wohnstatt Yamas (*Taittirîya Br.* III, 11, 8), doch diese Reise über das Grab hinaus macht nicht den Eindruck eines «schamanischen» Erlebnisses, denn es schließt die Ekstase nicht ein. Der einzige klar bezeugte Fall einer ekstatischen Jenseitsreise ist die Geschichte von Bh*r*gu, dem «Sohn» Varu*n*as (*Çatapatha Br.* XI, 6, I; *Jaiminîya Br.* I, 42–44). Nachdem der Gott ihn bewußtlos gemacht hat, entsendet er seine Seele in die verschiedenen kosmischen Regionen und in die Unterwelt. Bh*r*gu wohnt sogar den Strafen derer bei, die sich bestimmter ritueller Vergehen schuldig gemacht haben. Die Bewußtlosigkeit Bh*r*gus, seine ekstatische Reise quer durch den Kosmos, die Bestrafungen, denen er beiwohnt und die ihm dann von Varu*n*a selbst erklärt werden – das alles erinnert an *Ardâ Vîrâf*, natürlich mit dem Unterschied, der zwischen einer Jenseitsreise mit vollständiger Schau der jenseitigen Vergeltungen wie bei *Ardâ Vîrâf* und einer ekstatischen Reise mit nur wenigen Szenen besteht. Doch im einen wie im andern Fall läßt sich noch das Schema einer Initiations-Jenseitsreise entziffern, wie es von ritualistischen Zirkeln wieder aufgegriffen und neu interpretiert wurde.

Hier wären auch die «schamanischen» Motive zu erwähnen, welche in den so komplexen Gestalten Varu*n*as, Yamas und Ni*rr*tis überleben. Jeder von ihnen ist auf seiner Ebene ein «bindender» Gott[88]. Zahlreich sind die vedischen Hymnen, in denen von den «Nesteln Varu*n*as» die Rede ist. Die Bande Yamas (*yamasya padbîçâ, AV* VI, 96, 2; usw.) heißen im allgemeinen «die Bande des Todes» (*mrtyupâçah, AV* VII, 112, 2, usw.). Und Ni*rr*ti legt die, die er verderben will, in Ketten (*AV* VI, 63, 1–2, usw.); man bittet die Götter, «die Bande Ni*rr*tis» zu entfernen (*AV* I, 31, 2). Denn die Krankheiten sind «Nesteln» und der Tod ist nichts anderes als das höchste «Band». Wir haben an anderem Ort den sehr komplexen Symbolismus studiert, in den sich die Magie der «Bande» einfügt. Hier sei nur gesagt, daß gewisse Aspekte dieser Magie schamanisch sind. Wenn es richtig ist, daß «Nesteln» und «Knoten» unter den bezeichnendsten Attributen der Todesgötter fungieren und das nicht nur in Indien und dem Iran, sondern auch in anderen Gegenden (China, Ozeanien usw.), so besitzen auch die Schamanen Nesteln und Lassos zu demselben Zweck, nämlich die schwei-

---

[88] Vgl. unseren Artikel *Le «dieu lieur» et le symbolisme des noeuds* (Revue de l'Histoire des Religions, 134. Bd., 1947–1948, S. 5–36), bes. S. 8 ff., 12 ff.

fenden Seelen einzufangen, die ihre Körper verlassen haben. Die Todesgötter und -dämonen fangen die Seelen der Abgeschiedenen mit einem Netz; der tungusische Schamane z. B. benützt ein Lasso, um die flüchtige Seele des Kranken wiederzubekommen (Shirokogorov, *Psychomental complex of the Tungus*, S. 290). Aber der Symbolismus der «Bindung» reicht über den eigentlichen Schamanismus in jeder Hinsicht hinaus; einzig in den Hexenkünsten der «Knoten» und «Bande» begegnet man gewissen Ähnlichkeiten mit der schamanischen Magie.

Zum Schluß wäre noch der ekstatische Aufstieg Arjunas auf den Berg Çivas mit all seinen Licht-Epiphanien zu erwähnen (*Mahâbhârata* VII, 80 ff.); ohne «schamanisch» zu sein, fügt er sich in die Kategorie mystischer Auffahrten, welcher auch die schamanische Auffahrt angehört. Was die Lichterlebnisse angeht, so erinnern wir uns an das *qaumanek* des Eskimoschamanen, den «Blitz» oder die «Erleuchtung», die plötzlich seinen ganzen Körper erzittern macht. Offensichtlich ist das «innere Licht», das nach langen Konzentrations- und Meditationsanstrengungen aufstrahlt, allen religiösen Traditionen wohlbekannt und auch in Indien von den Upanishaden bis zum Tantrismus reichlich belegt. Wir haben diese wenigen Beispiele angeführt, um den Rahmen abzustecken, in welchen bestimmte schamanische Erlebnisse zu stellen sind, denn wie wir schon oft im Lauf dieses Werkes wiederholt haben, der Schamanismus ist nicht in seiner Gesamtheit immer und überall eine abwegige, dunkle Mystik.

Erwähnen wir noch im Vorbeigehen die Zaubertrommel und ihre Rolle in der indischen Magie [89]. Die Legende erwähnt mehrfach die göttliche Herkunft der Trommel; so erwähnt eine Überlieferung, daß ein *nâga* (Schlangengeist) dem König Kanishka die Wirksamkeit des *ghanta* bei den Regenriten offenbart [90]. Man vermutet hier den Einfluß des nichtarischen Substrates, und zwar umso mehr, als in der Magie der indischen Urbevölkerungen (die, ohne immer von schamanischer Struktur zu sein, doch an den Schamanismus hinrührt) die Trommeln einen

---

[89] E. Crawley, *Dress, drinks and drums* (hrsg. von Th. Besterman, London 1931), S. 236 ff., Claudie Marcel-Dubois, *Les instruments de musique de l'Inde ancienne* (Paris 1941), S. 33 ff. (Glocken), 41 ff. (Rahmentrommel), 46 ff. (Trommel mit zwei Fellen und gewölbtem Kasten), 63 ff. (Sanduhrtrommel). Über die rituelle Rolle der Trommel beim *açvamedha* vgl. P. Dumont, *L'Asvamedha* (Paris 1927), S. 150 ff.

[90] S. Beal, *Si-yu-ki* (London 1884), 1. Bd., S. 66.

bedeutenden Raum einnehmen [91]. Deshalb befassen wir uns hier auch nicht mit der Trommel im nichtarischen Indien noch mit dem im Lamaismus und vielen tantrisch orientierten indischen Sekten so wichtigen Schädelkult [92]. Einige Einzelheiten sollen weiter unten behandelt werden, doch ohne Anspruch auf Vollständigkeit.

[91] Einige diesbezügliche Angaben über die Santali, Bhil und Baiga s. bei W. Koppers, *Probleme der indischen Religionsgeschichte* (Anthropos, 25.–26. Bd., 1940–1941, S. 761–814), S. 805 und Anm. 176. Vgl. auch W. Koppers, *Die Bhil in Zentralindien* (Horn Wien 1948), S. 178 ff.

[92] Über den Schädelkult im nichtarischen Indien s. W. Ruben, *Eisenschmiede und Dämonen in Indien* (Suppl. bd. 37 des Intern. Arch. f. Ethnographie, Leiden 1939), S. 168, 204–208, 244 usw.

XII

SCHAMANISCHE SYMBOLISMEN UND TECHNIKEN IN TIBET UND CHINA

Buddhismus, Tantrismus, Lamaismus

Als der Buddha nach der Erleuchtung zum ersten Mal seine Geburtsstadt Kapilavastu besuchte, ließ er verschiedene «Wunderkräfte» sehen. Um die Seinen von seinen geistigen Kräften zu überzeugen und ihre Bekehrung vorzubereiten, erhob er sich in die Lüfte, schnitt seinen Körper in Stücke und ließ Kopf und Glieder auf den Boden fallen, worauf er sie unter den erstaunten Augen der Zuschauer wieder zusammenfügte. Dieses Wunder wird sogar von Açvagosha angezogen (*Buddha-carita-kavya,* Vers 1551 ff.), doch es gehört so tief in die magische Tradition Indiens hinein, daß es zum typischen Wunder des Fakirismus geworden ist. Der berühmte *rope-trick* der Fakire erweckt die Illusion eines Seils, das sich sehr hoch in den Himmel erhebt und auf dem der Meister einen jungen Schüler emporsteigen läßt, bis er den Augen entschwindet. Darauf wirft der Fakir sein Messer in die Luft und die Glieder des jungen Mannes fallen eines nach dem anderen auf den Boden herunter [1].

Dieser *rope-trick* hat in Indien eine lange Geschichte und ist mit zwei schamanischen Riten zusammenzustellen, nämlich mit der Initiations-Zerstückelung des künftigen Schamanen durch die «Dämonen» und mit der Himmelfahrt. Wir erinnern uns an die «Initiationsträume» der sibirischen Schamanen, in denen der Kandidat der Zerstückelung seines eigenen Körpers durch die Seelen der Ahnen oder durch böse Geister beiwohnt. Darnach werden seine Gebeine gesammelt und mit Eisen gelötet, das Fleisch wird neu gemacht und der künftige Schamane hat, wenn er aufersteht, einen «neuen Körper», der ihm erlaubt, sich

---

[1] Dazu einige bibliographische Angaben in *Le Yoga,* S. 318 ff. S. auch A. Jacoby, *Zum Zerstückelungs- und Wiederbelebungswunder der indischen Fakire* (Arch. f. Religionswissenschaft, 17. Bd., 1914, S. 455–475). Überflüssig zu wiederholen, daß wir uns hier nicht mit der «Realität» dieses Zauberstückes zu befassen brauchen. Uns interessiert einzig die Frage, inwieweit solche magische Phänomene schamanische Ideologie und Technik voraussetzen.

mit Messern zu stechen, mit Säbeln zu durchbohren, weißglühendes Eisen zu berühren usw., ohne daß es ihm etwas anhat. Bemerkenswerter Weise schreibt man den indischen Fakiren die Ausführung derselben Wundertaten zu. Beim *rope-trick* vollziehen sie an ihren Helfern gewissermaßen die «Initiationszerstückelung», die ihre sibirischen Kollegen im Traum über sich ergehen lassen. Übrigens begegnet der *rope-trick*, obwohl er eine Spezialität des indischen Fakirismus geworden ist, auch in so weit entfernten Gebieten wie China, Java, dem alten Mexiko und dem mittelalterlichen Europa. Der marokkanische Reisende Ibn Battûta [2] hat ihn im 14. Jahrhundert in China beobachtet, Melton [3] im 17. Jahrhundert in Batavia, und Sahagun [4] bezeugt ihn mit fast denselben Ausdrücken in Mexiko. Und in Europa erwähnen genug Texte, spätestens vom 13. Jahrhundert an, genau die gleichen Wunder bei Hexern und Zauberern, die auch die Fähigkeit des Fliegens und sich Unsichtbarmachens besaßen – ganz wie die Schamanen und Yogi [5].

[2] *Voyages d'Ibn Batoutah*, arabischer Text mit Übersetzung von C. Defrémery und Dr. B. R. Sanguinetti, 4. Bd. (Paris, Société Asiatique 1822), S. 291–292: «...Nun nahm er eine hölzerne Kugel mit mehreren Löchern, durch die lange Riemen liefen. Er warf sie in die Luft und sie stieg so hoch, daß wir sie nicht mehr sahen... Als der Gaukler nur mehr ein kleines Stück des Riemens in der Hand hatte, befahl er einem seiner Lehrlinge sich daran zu hängen und in die Luft aufzusteigen, was er auch tat, bis wir ihn nicht mehr sahen. Der Gaukler rief ihn dreimal, ohne eine Antwort zu erhalten, darauf nahm er ein Messer in seine Hand, wie wenn er zornig wäre, band es an das Seil und verschwand ebenfalls. Dann warf er eine Kinderhand auf die Erde herunter, dann einen Fuß und dann die andere Hand, den andern Fuß, den Rumpf und den Kopf. Dann stieg er schnaufend und keuchend herunter und seine Kleider waren mit Blut befleckt... Nachdem ihm der Emir etwas befohlen hatte, nahm unser Mann die Glieder des Knaben, fügte sie eines ans andere und wirklich erhob sich das Kind und hielt sich ganz gerade. All das setzte mich sehr in Erstaunen und ich bekam ein Herzklopfen wie jenes, an dem ich beim König von Indien litt, als ich dort Zeuge einer ähnlichen Sache war...» Vgl. auch Yule-H. Cordier, *The Book of Ser Marco Polo* (London 1921), 1. Bd., S. 318 ff. Über den *rope-trick* in den muselmanischen hagiographischen Legenden s. L. Massignon, *Al Hallaj, Martyr mystique de l'Islam* (Paris 1922), 1. Bd., S. 80 ff.

[3] Die Stelle ist abgedruckt bei A. Jacoby, *Zum Zerstückelungs- und Wiederbelebungswunder*, S. 460 ff.

[4] E. Seler, *Zauberei im alten Mexiko* (Gesammelte Abh. zur amerikanischen Sprachen- und Alterthumskunde, 2. Bd., Berlin 1904: Globus, 78. Bd., Nr. 6, August 1900, S. 89–91), S. 84–85 (nach Sahagun).

[5] Viele Beispiele bei Jacoby, *a. a. O.*, S. 466 ff. Es ist noch schwer zu entscheiden, ob der *rope-trick* der europäischen Hexenkünstler auf einen Einfluß der orientalischen Magie zurückgeht oder ob er sich von alten lokalen Schamanentechniken herleitet. Das Vorkommen des *rope-trick* in Mexiko einerseits und der Initiationszerstückelung des Zauberers in Australien, Indonesien und Südamerika andererseits spricht dafür, daß es sich in Europa um ein Überleben lokaler, vorindogermanischer magischer Techniken

Der fakirische *rope-trick* ist nichts anderes als eine theatralische Variante der Himmelfahrt des Schamanen, die immer symbolisch bleibt, da der Körper des Schamanen nicht verschwindet und die Himmelsreise «im Geiste» statthat. Doch schließt der Symbolismus des Seiles wie der der Leiter notwendig die Verbindung zwischen Himmel und Erde ein. Vermittels eines Seils oder einer Leiter (wie übrigens auch über eine Liane, eine Brücke, eine Pfeilkette usw.) steigen die Götter auf die Erde herab und die Menschen zum Himmel hinauf, eine archaische und weit verbreitete Tradition, der wir in Indien wie in Tibet begegnen. Der Buddha steigt auf einer Stiege vom Himmel Trayastrimça herab, um «den Menschen den Weg zu bahnen»: Von der Stiege aus sieht man über sich alle Brahmalokas und unten die Tiefen der Unterwelt[6], denn sie ist eine wirkliche *Axis mundi,* die sich im Mittelpunkt des Universums erhebt. Diese wunderbare Stiege ist auf den Reliefs von Bharhut und Sañcî abgebildet, und in der buddhistischen Malerei Tibets können auch die Menschen auf ihr zum Himmel aufsteigen[7].

In Tibet ist die mythologische und rituelle Funktion des Seils noch besser bezeugt, besonders in den präbuddhistischen Traditionen. Der erste König von Tibet, Gña-k'ri-bstan-po, soll mittels eines Seils namens *rmu-t'ag* vom Himmel herabgestiegen sein[8]. Dieses mythische Seil war auch auf den Königsgräbern abgebildet, ein Zeichen dafür, daß die Herrscher nach ihrem Tod zum Himmel aufstiegen. Für die Könige war übrigens die Verbindung zwischen Himmel und Erde nie unterbrochen und die Tibetaner glaubten, daß in der alten Zeit die Herrscher nicht starben, sondern zum Himmel aufstiegen[9] – eine Vorstellung, die die Erinnerung an eine Art «verlorenes Paradies» durchblicken läßt.

---

handeln kann. Vgl. *Le Yoga,* S. 373 ff. Über den Symbolismus der Levitation und des «magischen Flugs» s. Ananda Coomaraswamy, *Hinduism and Buddhism* (Neuyork ohne Jahr), S. 83, Anm. 269.

[6] Vgl. A. Coomaraswamy, *Svayamâtrrnâ: Janua Coeli,* S. 27, Anm. 8 (die Bezugnahmen auf die *Dîghanikâya* sind leider ungenau).

[7] Giuseppe Tucci, *Tibetan painted scrolls* (Rom 1949), 2. Bd., S. 348 und *Tanka* Nr. 12, Taf. 14–22. Über die Symbolik der Treppe s. auch weiter unten S. 449 ff.

[8] R. Stein, *Leao-Tche* (T'oung-Pao, 35. Bd., 1940, S. 1–154), S. 68, Anm. 1. Der Verf. erwähnt, daß Jäschke in seinem Lexikon unter diesem Wort den *rhyal-rabs* nennt; er scheine bestimmte übernatürliche Verkehrsmittel zwischen den alten tibetanischen Königen und ihren unter die Götter versetzten Ahnen zu bezeichnen.

[9] G. Tucci, *Tibetan painted scrolls* II, S. 733–734. Der Verf. erwähnt den chinesischen und Tai-Mythus von einer Verbindung zwischen Himmel und Erde, auf den wir noch zurückkommen werden. In Gilgit, wie die Bon-Religion sehr stark war, trifft man

Ebenfalls in den Bon-Traditionen ist die Rede von einem Clan dMu, welcher Name zugleich eine Klasse von Göttern bezeichnet, die im Himmel wohnen und zu denen die Toten kommen, indem sie eine Leiter hinaufsteigen oder ein Seil hinaufklettern. Auf Erden gab es früher eine Art Priester, welche als Meister des Seils und der Leiter angeblich die Macht besaßen die Abgeschiedenen zum Himmel zu führen, das waren die dMu (Tucci, *a. a. O.*, S. 714). Dieses Seil, das in jener Zeit die Erde mit dem Himmel verband und den Toten zum Aufstieg zur himmlischen Wohnstatt der dMu-Götter diente, wurde von anderen Bon-Priestern durch das Wahrsageseil ersetzt (*ebd.*, S. 716). Dieses Symbol überlebt vielleicht in dem Stoffende der Nakhi, das die «Seelenbrücke zum Reich der Götter» darstellt (Tucci, *a. a. O.*, S. 716, dort zitiert Rock; s. u. S. 414). Alle diese Züge bilden einen integrierenden Teil des schamanischen Komplexes von Himmelfahrt und Seelengeleit.

Es wäre ein sinnloses Unterfangen, auf ein paar Seiten auch alle anderen schamanischen Motive mustern zu wollen, die in den Bon-Po-Mythen und -Ritualen vorkommen [10] und im indo-tibetanischen Lamaismus und Tantrismus fortbestehen. Die Bon-po-Priester unterscheiden sich in nichts von echten Schamanen; sie teilten sich sogar in «weiße» und «schwarze» Bon-po, obwohl beide die Trommel zu ihren Riten benützten. Manche von ihnen behaupteten «von den Göttern besessen» zu sein; die meisten übten den Exorzismus (Tucci, *a. a. O.*, S. 715 ff.). Eine Art von Bon-po nannten sich «die Besitzer des himm-

---

noch heutzutage die Tradition von einer goldenen Kette, die Himmel und Erde verbindet: Tucci, S. 734, dort zitiert Folk-lore, 25. Bd., 1914, S. 397.

[10] Seit der *Description de Tibet* von Klaproth (S. 97, 148 usw.) haben die westlichen Forscher, den chinesischen Gelehrten folgend, den Taoismus mit der Bon-po-Religion identifiziert, siehe die Geschichte dieser Verwechslung (die wahrscheinlich auf einen Irrtum Abel Rémusats zurückgeht, der in dem Wort *tao-chih* den «Taoisten» gesehen hatte) bei W. W. Rockhill, *The Land of the Lamas* (London 1891), S. 217 ff.; vgl. auch Yule-Cordier, *The Book of Ser Marco Polo* I, S. 323 ff. Über das lamaistische Pantheon und die Krankheits- und Heilgottheiten s. Eugen Pander, *Das lamaistische Pantheon* (Zeitschrift für Ethnologie, 21. Bd., 1889. S. 44–78); F. G. Reinhold-Müller, *Die Krankheits- und Heilgottheiten des Lamaismus* (Anthropos, 22. Bd., 1927, S. 956 bis 991); über die magisch-medizinischen Techniken der Bon-Priester vgl. René von Nebetsky-Wojkowitz, *Die tibetische Bön-Religion* (Archiv für Völkerkunde, 3. Bd., Wien 1947, S. 26–68), S. 60 ff.; über das Bon vgl. auch Dr. Siegbert Hummel, *Lamaistische Studien II* (Leipzig 1950), S. 30 ff., G. Tucci, *Tibetan painted scrolls*, S. 711–738; H. Hoffmann, *Quellen zur Geschichte der tibetischen Bon-Religion*, Mainz 1951; W. Heissig, *A Mongolian Source to the Lamaist Suppression of Shamanism in the 17th Century*, in Anthropos 48, 1953, S. 1–29, 493–536.

lischen Seils» (*ebd.*, S. 717). Der Lamaismus hat die schamanische Tradition der Bon fast ganz bewahrt. Sogar die berühmtesten Meister des tibetanischen Buddhismus haben, wie es heißt, Heilungen und Wunder reinster schamanischer Tradition ausgeführt. Bestimmte an der Entwicklung des Lamaismus beteiligte Elemente sind wahrscheinlich tantrischen und vielleicht indischen Ursprungs. Doch läßt sich das nicht immer entscheiden; wenn nach einer tibetanischen Legende Vairochana, der Schüler und Mitarbeiter Padmasambhavas, den Geist der Krankheit in Gestalt einer schwarzen Nadel aus dem Körper der Königin Ts'epongts'a austreibt [11], das ist eine indische oder eine tibetanische Tradition? Padmasambhava gibt nicht nur Proben der wohlbekannten magischen Flugkunst der Boddhisattvas und Arhats, denn auch er durchmißt die Lüfte, erhebt sich zum Himmel und wird Boddhisattva. Seine Legende weist auch rein schamanische Züge auf: Auf dem Dach seines Hauses tanzt er einen mystischen Tanz, nur mit «sieben beinernen Zieraten» bekleidet (Bleichsteiner, S. 61), was an die sibirische Schamanentracht erinnert.

Die Rolle der menschlichen Schädel und der Frauen in den tantrischen [12] und lamaistischen [13] Zeremonien ist bekannt. Der sogenannte Skeletttanz hat eine ganz besondere Bedeutung in den dramatischen Szenarios namens *tcham*, welche – unter anderen – die Zuschauer an den schrecklichen Anblick der Schutzgottheiten des *bardo*-Zustands, also des Zwischenzustandes zwischen Tod und neuer Reinkarnation, gewöhnen sollen. Von diesem Gesichtspunkt aus kann das *tcham* als Initiationszeremonie gelten, denn es enthält bestimmte Enthüllungen über die Erlebnisse nach dem Tode. Nun ist es geradezu frappant, wie sehr diese tibetanischen Skelett-Trachten und -Masken an die Trachten der zentral- und nordasiatischen Schamanen erinnern. In bestimmten

---

[11] R. Bleichsteiner, *Die Gelbe Kirche,* Wien 1936, S. 65.

[12] S. *Le Yoga,* S. 294 ff., über die Aghorî und Kâpâlika («Schädelträger»). Wahrscheinlich haben diese zugleich asketischen und orgiastischen Sekten, die noch zu Ende des 19. Jh. den Kannibalismus betrieben (vgl. *Le Yoga,* S. 295 ff., 248, Anm. 1), bestimmte abwegige Schädelkult-Traditionen aufgegriffen (der Schädelkult schließt übrigens oft das rituelle Verzehren der Eltern ein; vgl. z. B. den Brauch der Issedonen bei Herodot IV, 26). Über die prähistorische Vorgeschichte des Schädelkultes vgl. H. Bréuil und H. Obermaier, *Crânes paléolithiques façonnés en coupe* (L'Anthropologie, 20. Bd., 1909, S. 523–530).

[13] Vgl. W. W. Rockhill, *On the use of skulls in Lamaist ceremonies* (Proceedings of the American Oriental Society, 1888, S. XXIV–XXXI); B. Laufer, *Use of human*

Fällen handelt es sich unbestreitbar um lamaistische Einflüsse, die übrigens auch durch andere Verzierungen am sibirischen Schamanenkostüm und sogar durch bestimmte Trommelformen bestätigt werden. Doch braucht daraus nicht gleich geschlossen zu werden, daß die Rolle des Skeletts im Symbolismus der nordasiatischen Schamanentracht einzig auf lamaistischen Einfluß zurückgeht. Wenn ein solcher Einfluß wirklich stattfand, so hat er nur hochaltertümliche bodenständige Vorstellungen von der Heiligkeit der Tier- und deshalb auch der Menschenknochen (s. o. S. 159 ff.) verstärkt. Und was die in den Meditationstechniken des mongolischen Buddhismus so große Rolle des Bildes des eignen Skeletts betrifft, so enthält auch die Initiation des Eskimo-Schamanen die Betrachtung des eigenen Skeletts. Der künftige *angakok* entkleidet, wie wir oben sahen, durch das Denken seinen Körper des Fleischs, so daß er nur die Knochen behält. Bis zu besserer Information neigen wir zu der Annahme, daß dieser Typ der Meditation einer archaischen, präbuddhistischen geistigen Schicht angehört, die sich irgendwie auf die Ideologie der Jägervölker gründete (Heiligkeit der Knochen) und das «Herausziehen» der Seele aus dem eigenen Körper zum Zweck der mystischen Reise, also der Ekstase, zum Gegenstand hatte.

Es gibt in Tibet einen tantrischen Ritus namens *tschöd* (*gtchod*) von deutlich schamanistischer Struktur, der darin besteht, daß man sein eigenes Fleisch den Dämonen zum Fressen darbietet, was seltsam an die Initiationszerstückelung des künftigen Schamanen durch «Dämonen» und Ahnenseelen erinnert. Siehe darüber die Zusammenfassung von R. Bleichsteiner: «Man führt dabei unter dem Schalle der Trommeln aus Menschenschädeln und der Schenkeltrompete Tänze auf und lädt die Geister zum Festmahle ein. Durch die Macht der Meditation entspringt sodann eine Göttin mit blankem Säbel dem Haupt des Opfern-

---

skulls and bones in Tibet (Field Museum of Natural History, Department of Anthropology, Leaflet Nr. 10, Chicago 1923). Die Tibetaner benützten die Schädel ihrer Väter ganz wie die Issedonen (Laufer, S. 2), doch ist heute der Familienkult nicht mehr zu finden, und nach Laufer (S. 5) scheint die religiös-magische Rolle der Schädel eine tantrische (schiwaistische) Neuerung zu sein. Doch kann es sein, daß die indischen Einflüsse einen alten Untergrund lokalen Glaubens überlagert haben, vgl. die religiöse und prophetische Rolle der Schamanenschädel bei den Jukagiren (Jochelson, S. 165). Über die frühgeschichtlichen Beziehungen zwischen Schädelkult und Vorstellung von der Erneuerung des kosmischen Lebens in China und Indonesien vgl. Carl Hentze, *Zur ursprünglichen Bedeutung des chinesischen Zeichens t'ôu = Kopf* (Anthropos, 45. Bd., 1950, S. 801–820).

den, haut ihm den Kopf ab und zerstückelt ihn, worauf die Dämonen und wilden Tiere über ihn herfallen, sein Fleisch fressen und sein Blut trinken. Die dabei gesprochenen Worte spielen auf gewisse Dschatakas an, die erzählen, wie Buddha in früheren Wiedergeburten den hungrigen Tieren und menschenfressenden Dämonen sein Fleisch hingab. Aber dieser Ritus ist, wie wir noch sehen werden, trotz dem buddhistischen Aufputz das schauerliche Mysterium einer primitiven Epoche [14].»
Ein ähnlicher Initiationsritus findet sich, wie wir uns erinnern, bei bestimmten nordamerikanischen Stämmen. Im *tschöd* haben wir eine mystische Umwertung eines schamanischen Initiationsschemas vor uns. Die «unheilvolle» Seite ist hier augenfälliger; es handelt sich um ein Erlebnis von Tod und Wiedergeburt, das wie alle Erlebnisse dieser Art «schrecklich» ist. Der indo-tibetanische Tantrismus hat das Initiationsschema der «Tötung» durch die Dämonen noch radikaler spiritualisiert, siehe die folgenden tantrischen Meditationen zur Entkleidung des Körpers vom Fleisch und Betrachtung des eigenen Skeletts. Der Yogin wird aufgefordert, sich seinen Körper als Leichnam vorzustellen und seinen eigenen Verstand als erzürnte Göttin, mit einem Gesicht und zwei Händen und Messer und Schädel in der Hand. «Denke, daß sie dem Leichnam den Kopf abschneidet und den Körper in Stücke schneidet und sie in den Schädel wirft als Opfer für die Götter...» Eine andere Übung besteht darin, daß man sich als «weißes, leuchtendes, riesengroßes Skelett sieht, von dem Flammen ausgehen, so groß, daß sie die Leere des Universums erfüllen». Eine dritte Meditation schreibt dem Yogin vor, sich als verwandelt in eine erzürnte *dâkinî* zu beschauen, die sich die Haut vom Körper abreißt. Der Text fährt fort: «Strecke diese Haut aus, bis sie das Universum bedeckt... Und auf ihr häufe alle deine Gebeine auf und den Fleisch. Wenn dann die bösen Geister mitten im Genuß des Kopfes sind, stelle dir vor, daß die erzürnte *dâkinî* die Haut nimmt und aufrollt... und sie mit aller Kraft auf die Erde wirft und so mit ihrem ganzen Inhalt zu einer weichen Masse von Fleisch und Knochen macht, welche von – im Geist hervorgebrachten – Herden wilder Tiere verschlungen wird... [15].»

[14] R. Bleichsteiner, *Die Gelbe Kirche*, S. 178. Über das *gtchod* s. auch Alexandra David-Neel, *Mystiques et magiciens du Thibet* (Paris 1929), S. 126 ff.
[15] Lâma kasi Dawa Samdup und W. Y. Evans-Wentz, *Le Yoga tibétain et les doctrines secrètes* (franz. Übers. Paris 1938), S. 315 ff. Derartigen Meditationen widmen sich wahrscheinlich bestimmte indische Yogins auf den Friedhöfen.

Nach diesen wenigen Auszügen macht man sich einen Begriff von der Umwandlung, die ein schamanisches Schema erfahren kann, wenn es einem komplexen philosophischen System wie dem Tantrismus eingefügt wird. Das für uns Wichtige daran ist das Überleben bestimmter schamanischer Symbole und Methoden bis in sehr ausgearbeitete Meditationstechniken hinein, die auf andere Ziele als die Ekstase gerichtet sind. Das alles illustriert wohl überzeugend genug die Echtheit und geistige Initiationskraft vieler schamanischer Erlebnisse.

Heben wir noch kurz einige weitere schamanische Elemente des indo-tibetanischen Yoga und Tantrismus hervor. Die schon in den vedischen Texten bezeugte «mystische Hitze» nimmt in den yogisch-tantrischen Techniken einen bedeutenden Platz ein. Diese Hitze wird durch das Anhalten des Atems (vgl. *Majjhimanikâya* I, 244, usw.) und besonders durch die «Umwandlung» der geschlechtlichen Energie (vgl. *Yoga tibétain*, S. 201 ff.) hervorgerufen, eine ziemlich dunkle yogisch-tantrische Praktik, die sich jedoch auf das *prânayâma* und verschiedene «Visualisationen» gründet. Bestimmte indo-tibetanische Initiationsproben bestehen gerade darin, daß man den Vorbereitungsgrad eines Schülers an seiner Fähigkeit feststellt, unmittelbar auf seinem nackten Körper und mitten im Schnee während einer Winternacht eine große Menge nasser Tücher zu trocknen [16]. Eine ähnliche Probe kennzeichnet die Initiation des Mandschu-Schamanen (s. o. S. 118) und es ist wahrscheinlich, daß dort lamaistischer Einfluß vorliegt. Doch muß die «mystische Hitze» nicht unbedingt eine Schöpfung der indo-tibetanischen Magie sein; wir erwähnten das Beispiel des jungen Labrador-Eskimo, der fünf Tage und fünf Nächte im Eismeer blieb und auf den Nachweis, daß er nicht einmal naß geworden war, sofort den Titel eines *angakok* erhielt. Die im eigenen Körper hervorgerufene starke Hitze steht in unmittelbarer Beziehung zur «Feuermeisterschaft» und diese

---

[16] Diese «psychische Hitze» (nach der Übersetzung von Evans-Wentz, *a. a. O.*, S. 181 ff.) führt im Tibetanischen den Namen *gtûm-mö* (ausgesprochen *tumo*). «Tücher werden in eiskaltes Wasser getaucht, sie gefrieren dort und kommen steif wieder heraus. Jeder Schüler wickelt eines davon um sich herum und muß es auf seinem Körper auftauen und trocknen. Wenn das Tuch trocken ist, taucht man es wieder ins Wasser und der Kandidat wickelt sich von neuem darein. Das wird bis Tagesanbruch fortgesetzt. Wer die meisten Tücher getrocknet hat, wird zum Sieger in dem Wettkampf erklärt...» (A. David-Neel, *Mystique et magiciens du Thibet*, S. 228 ff.). Vgl. auch S. Hummel, *Lamaistische Studien* II, S. 21 ff.

letztere Technik darf mit gutem Grund als außerordentlich archaisch gelten.

Ebenfalls von schamanischer Struktur ist das sogenannte *Tibetanische Totenbuch*[17]. Obwohl es sich hier nicht genau um einen Seelenführer handelt, kann man die Rolle des Priesters, der zum Gebrauch des Abgeschiedenen rituelle Texte über die Reisewege nach dem Tode rezitiert, mit der Funktion des altaischen oder goldischen Schamanen vergleichen, welcher den Toten auf symbolische Weise ins Jenseits begleitet. Dieses *bar-do thos'grol* stellt eine Zwischenstufe zwischen dem Bericht des seelengeleitenden Schamanen und den orphischen Täfelchen dar, welche dem Abgeschiedenen nur summarisch die guten Richtungen für seine Reise ins Jenseits anzeigten; es weist auch viel Gemeinsames mit den indonesischen und polynesischen Bestattungsgesängen auf. Ein tibetanisches Manuskript aus Tuen-huang mit dem Titel *Darstellung des Weges des Toten* (neuerdings übersetzt von Marcelle Lalou[18]) beschreibt die Richtungen, die zu meiden sind, an erster Stelle die «Große Hölle» 8000 *yojana* unter der Erde, deren Mitte aus flammendem Eisen besteht. «Drinnen im Eisenhaus, in den Höllen quälen und plagen unzählige Dämonen (*râksasa*) durch Brennen, Braten und in Stücke schneiden...[19].» Unterwelt (*pretaloka*), Welt (*Jambudvîpa*) und Berg Meru liegen auf derselben Achse und der Abgeschiedene wird aufgefordert, sich direkt zum Meru zu wenden, auf dessen Gipfel Indra und 32 Diener die «Hinübergehenden» (M. Lalou, S. 45) auslesen. Unter dem Firnis buddhistischer Vorstellungen erkennt man hier unschwer das alte Schema der Axis Mundi, die Verbindungen zwischen den drei kosmischen Zonen und den Wächter, der die Seelen aussondert.

Noch viele andere schamanische Ideen und Techniken leben in Tibet im Lamaismus weiter. So veranstalten die Lama-Zauberer z. B. Zauberkämpfe untereinander ganz wie die sibirischen Schamanen (Bleichsteiner, *a. a. O.*, S. 180 ff.). Die Lamas gebieten dem Wetter genau wie

---

[17] Evans-Wentz (und Lama Kasi Dawa Samdup), *The Tibetan Book of the dead* (Oxford 1927), S. 87 ff. Ein Lama, ein Bruder im Glauben oder ein guter Freund muß den Text dem Toten ins Ohr lesen, doch ohne es zu berühren.

[18] Marcelle Lalou, *Le chemin des morts dans les croyances de Haute Asie* (Revue de l'Histoire des Religions, 135. Bd., 1949, S. 42–48).

[19] *Ebd.*, S. 44. Vgl. den eisernen Berg, den der altaische Schamane auf seinem Abstieg zur Unterwelt antrifft. Die von den *râksasa* ausgeübten Folterungen erinnern in allem an die Initiationsträume der sibirischen Schamanen.

die Schamanen (*ebd.*, S. 181 ff.), sie fliegen durch die Luft (*ebd.*, S. 182), vollführen ekstatische Tänze (*ebd.*, S. 206 ff.) usw. Der tibetanische Tantrismus kennt eine Geheimsprache mit Namen «Sprache der *dâkinî*», ganz wie die verschiedenen tantrischen Schulen Indiens mit ihrer «Dämmersprache», in der dasselbe Wort bis zu drei oder vier verschiedene Bedeutungen haben kann [20]. Das alles nähert sich bis zu einem gewissen Punkt der «Geistersprache» oder «Geheimsprache» der Schamanen in Nordasien, Malaia und Indonesien. Es wäre sehr lehrreich zu untersuchen, inwieweit die Ekstasetechniken zu Sprachschöpfungen führen und was dabei für ein Mechanismus wirkt. Bekanntlich besteht die «Geistersprache» der Schamanen nicht nur aus dem Versuch Tierschreie nachzuahmen, sondern enthält auch eine gewisse Anzahl spontaner Schöpfungen, wahrscheinlich aus der präekstatischen Euphorie und der Ekstase selbst.

Diese rasche Überschau über das tibetanische Material erlaubt uns einerseits eine gewisse strukturelle Ähnlichkeit zwischen Bon-po-Mythen und Schamanismus und andererseits das Überleben schamanischer Themen und Techniken im Buddhismus und Lamaismus festzustellen. «Überleben» drückt zwar vielleicht den wirklichen Sachverhalt nicht deutlich genug aus; man spräche besser von einer Umwertung alter schamanischer Motive und ihrer Integration in ein System aszetischer Theologie, wo auch ihr Gehalt radikal verändert wurde. Das ist übrigens nur natürlich, wenn man bedenkt, daß selbst der Begriff der «Seele» – ein Fundamentalbegriff der schamanischen Ideologie – durch die buddhistische Kritik seinen Sinn vollständig ändert. Wie groß auch der Rückschritt sein mag, den der Lamaismus gegenüber der großen metaphysischen Tradition des Buddhismus vollzogen hat, man kam nie mehr bis zur realistischen Konzeption der «Seele» zurück, und dieser eine Punkt genügt schon, um die Inhalte einer lamaistischen von denen einer schamanischen Technik zu scheiden.

Auf der anderen Seite sind, wie wir sehen werden, lamaistische Ideologie und Praktiken tief in Zentral- und Nordasien eingedrungen und haben an der heutigen Physiognomie vieler Formen des sibirischen Schamanismus mitgewirkt.

---

[20] Vgl. *Le Yoga*, S. 251 ff. S. auch unsere Studie *Langue des Esprits et Langage secret* (in Vorbereitung).

Schamanistische Praktiken bei den Lolo

Wie die Tai und die Chinesen [21] wissen auch die Lolo, daß die ersten Menschen frei zwischen Erde und Himmel verkehrten; auf eine «Sünde» hin wurde der Weg abgeschnitten [22]. Doch im Sterben findet der Mensch den Weg zum Himmel wieder. Das ergibt sich wenigstens aus bestimmten Bestattungsbräuchen, wo der *pimo,* ein schamanischer Priester, vor dem Toten Gebete liest, in denen die Seligkeit vorkommt, die ihm im Himmel zuteil wird (Vannicelli, *a. a. O.*, S. 184). Um diesen zu erreichen, muß der Abgeschiedene über eine Brücke gehen; zu den Klängen von Trommel und Horn werden andere Gebete gesprochen, welche den Toten zu der Himmelsbrücke führen. Bei dieser Gelegenheit nimmt der Schamanenpriester vom Dach des Hauses drei Balken weg, damit man den Himmel sehen kann; das nennt man «die Himmelsbrücke öffnen» (Vannicelli, S. 179–180). Bei den Lolo des südlichen Yün-nan ist das Bestattungsritual etwas anders. Der Schamane begleitet den Sarg und rezitiert dabei das sogenannte «Ritual des Wegs»; der Text beschreibt zuerst die Orte, die der Tote zwischen seinem Haus und dem Grab passieren muß, und nennt dann die Städte, Berge und Flüsse bis zu den Taliangbergen, der Urheimat der Lolorasse. Von dort wendet sich der Tote zum Baum des Gedankens und zum Baum des Wortes und dringt in die Unterwelt ein [23]. Wir lassen den Unterschied im Ziel des Toten außer acht und weisen nur auf die seelengeleitende Rolle des Schamanen hin; das Ritual ist mit dem tibetanischen *Bardo thödöl* und den indonesischen und polynesischen Totenklagen zusammenzustellen.

Da die Krankheit als Flucht der Seele interpretiert wird, gehört zur Heilung das Herbeirufen der Seele; der Schamane liest eine lange Litanei, in der die Seele des Kranken gebeten wird, zurückzukommen von den Bergen, aus den Tälern, den Flüssen, den Wäldern und fernen Feldern, von jedem Ort wo sie herumirrt (Henry, *a. a. O.*, S. 101; Van-

---

[21] H. Maspéro, *Légendes mythologiques dans le Chou king* (Journal Asiatique, 204. Bd., 1924, S. 1–100), S. 94 ff.; F. Kiichi Numazawa, *Die Weltanfänge in der japanischen Mythologie* (Luzern 1946), S. 314 ff.

[22] Luigi Vannicelli O. F. M., *La religione dei Lolo* (Mailand 1944), S. 44.

[23] A. Henry, *The Lolos and other tribes of Western China* (Journal of the Anthropological Institute, 23. Bd., 1903, S. 96–107), S. 103.

nicelli, S. 174). Dasselbe Zurückrufen der Seele begegnet bei den Karen in Birma, die übrigens auch die Krankheiten des Reises auf ähnliche Art behandeln; sie bitten seine «Seele» zu den Feldern zurückzukommen [24]. Wie wir bald sehen werden, findet sich diese Zeremonie auch bei den Chinesen.

Der Lolo-Schamanismus scheint von der chinesischen Zauberei beeinflußt worden zu sein. Messer und Trommel des Lolo-Schamanen, wie übrigens auch die «Geister», tragen chinesische Namen (Vannicelli, S. 169 ff.). Auch gewahrsagt wird auf chinesische Art (*ebd.*, S. 170) und einer der wichtigsten schamanischen Riten der Lolo, die «Messerleiter», begegnet ebenso in China. Dieser Ritus wird bei Epidemien vollzogen. Man errichtet eine Doppelleiter aus 36 Messern und der Schamane steigt bloßfüßig bis zuoberst hinauf und auf der anderen Seite herunter. Bei derselben Gelegenheit erhitzt man einige Pflugscharen bis zur Weißglut und der Schamane muß darübergehen. Pater Lietard bemerkt, daß dies ein ausgesprochener Lolo-Ritus ist, weil die Chinesen sich darum immer an die Lolo-Schamanen wenden. Die bei dieser Zeremonie gesprochenen Formeln sind auch tatsächlich in Lolosprache gehalten, nur die Namen der Geister sind chinesisch.

Dieser Ritus erscheint uns sehr wichtig, denn er enthält die symbolische Auffahrt des Schamanen auf einer Treppe, eine Variante der Auffahrt mittels Baum, Pfosten oder Seil. Er wird im Fall von Epidemien, also im Fall höchster Gefahr für die Gemeinschaft ausgeführt, und was auch seine heutige Bedeutung sein mag, in dem ursprünglichen Sinn war enthalten, daß der Schamane zum Himmel auffuhr, den Himmelsgott traf und ihn bat, der Krankheit ein Ende zu machen. Die Auffahrtsfunktion der Leiter ist auch sonst noch in Asien bezeugt und wir werden noch darauf zurückzukommen haben. Hier sei nur noch angeführt, daß der Schamane der Chingpo in Oberburma den Aufstieg auf einer Messerleiter gelegentlich seiner Initiation ausführt [25].

---

[24] Vgl. Marshall, *The Karen, people of Burma* (Colombo 1922), S. 245; Vannicelli, *a. a. O.*, S. 175; Eliade, *Die Religionen und das Heilige*, S. 386. Über die metallenen Trommeln im Totenkult der Garo, Karen und anderer verwandter Völker vgl. R. Heine-Geldern, *Bedeutung und Herkunft der ältesten hinterindischen Metalltrommeln (Kesselgongs)* (Asia Major, 8. Bd., 1933, S. 519–537).

[25] Dr. Hans J. Wehrli, *Beitrag zur Ethnologie der Chingpaw (Kachin) von Oberburma* (Suppl. zu Bd. XVI des Internationalen Archivs für Ethnologie, Leiden, 1904),

Derselbe Initiationsritus findet sich auch in China, doch haben wir hier wohl ein all diesen Völkern (Lolo, Chinesen, Chingpo usw.) gemeinsames frühgeschichtliches Erbe vor uns, denn der Symbolismus der schamanischen Auffahrt findet sich in zu vielen und von einander zu weit entfernten Gegenden, als daß man ihm einen bestimmten historischen «Ursprung» zuweisen könnte.

Schamanismus bei den Mo-so

Dem *Tibetanischen Totenbuch* sehr ähnliche Vorstellungen begegnen bei den Mo-so oder Na-khi, welche der tibeto-burmanischen Völkerfamilie angehören und seit Beginn der christlichen Ära im südwestlichen China, besonders in der Provinz Yün-nan leben [26]. Nach Rock, der jüngsten und hierüber am besten informierten Autorität, wäre die Religion der Na-khi reiner Bon-Schamanismus [27]. Das schließt in keiner Weise den Kult eines höchsten himmlischen Wesens Me aus, das in seiner Struktur dem chinesischen Himmelsgott Ti'en sehr nahe steht (Bacot, *Les Mo-so*, S. 15 ff.). Das periodische Himmelsopfer ist sogar die älteste Zeremonie der Na-khi; manches spricht dafür, daß es schon zu der Zeit geübt wurde, als die Na-khi noch auf den grasreichen Ebenen des nordöstlichen Tibet nomadisierten [28]. Den Gebeten an den Himmel folgen dabei Gebete an die Erde und an den Wacholder, den Kosmischen Baum, der das Universum trägt und sich im «Zentrum der Welt» erhebt (Rock, *The Muan bpö ceremony*, S. 20 ff.). Wie man

---

S. 54 (nach Sladen). Der Chingpo-Schamane *(tumsa)* bedient sich ebenfalls einer «Geheimsprache» *(ebd.*, S. 56). Die Krankheit wird als Raub oder Herumschweifen der Seele erklärt *(ebd.)*. Vgl. auch Yule-Cordier, *The Book of Ser Marco Polo* II, S. 97 ff.

[26] Vgl. Jacques Bacot, *Les Mo-so* (Leyden 1913); Joseph F. Rock, *The ancient Na-khi kingdom of Southwest China*, 2 Bde. (Harvard-Yenchin Institute Monograph Series, 9. Bd., Cambridge Mass. 1947).

[27] Joseph F. Rock, *Studies in Na-khi literature: I. The birth and origin of Dto-mba Shi-lo, the founder of the Mo-so shamanism, according to Mo-so manuscripts* (Artibus Asiae, 7. Bd., S. 5–87; derselbe Text in Bulletin de l'Ecole Française d'Extrême-Orient, 37. Bd., 1937, S. 1–39); *II. The Na-khi ha zhi pi or the road the gods decide* (Bulletin, *ebd.*, S. 40–119).

[28] J. F. Rock, *The Muan bpö ceremony or the sacrifice to heaven as practiced by Na-khi* (Monumenta Serica XIII, Peiping 1948, S. 1–160), S. 3 ff.

sieht, haben die Na-khi den Glauben der zentralasiatischen Hirten in seiner Substanz bewahrt: den Himmelskult, die Vorstellung von den drei kosmischen Zonen und den Mythus vom Weltbaum, der im Mittelpunkt des Universums gepflanzt ist und es mit seinen tausend Ästen hält.

Nach dem Tod sollte die Seele zum Himmel aufsteigen. Doch ist mit den Dämonen zu rechnen, welche sie zwingen in die Unterwelt hinabzusteigen. Zahl, Macht und Bedeutung dieser Dämonen geben der Religion der Mo-so ihre große Ähnlichkeit mit dem Bon-Schamanismus. Dto-mba Shi-lo, der Begründer des Na-khi-Schamanismus, ist als Sieger über die Dämonen in den Mythus und Kult eingegangen. Wie es sich auch mit seiner «historischen» Persönlichkeit verhalten mag, seine Biographie ist ganz und gar mythisch; er wird aus der linken Seite seiner Mutter geboren wie alle Heroen und Heiligen, erhebt sich unmittelbar darauf zum Himmel (wie der Buddha) und setzt die Dämonen in Schrecken. Die Götter haben ihm die Macht gegeben, die Dämonen auszutreiben und «die Seelen der Toten ins Reich der Götter zu führen» (Rock, *Studies...*, S. 18). Er ist Seelengeleiter und Heiland zugleich. Wie in anderen zentralasiatischen Überlieferungen haben die Götter auch hier den Ersten Schamanen gesandt, damit er die Menschen gegen die Dämonen verteidige. Das Wort *dto-mba*, «Meister, Begründer oder Verkünder einer besonderen Doktrin», zeigt deutlich, daß es sich um eine Neuerung handelt; der «Schamanismus» ist jünger als die Bildung der Na-khi-Religion. Er wurde nötig durch das erschreckende Anwachsen der «Dämonen», und verschiedene Gründe sprechen dafür, daß sich diese Dämonologie unter dem Einfluß chinesischer religiöser Ideen entwickelt hat.

Die mythische Biographie Dto-mba Shi-los enthält, wenn auch abgeändert, das Schema der schamanischen Initiation. Überrascht von der außerordentlichen Intelligenz des Neugeborenen entführen es die 360 Dämonen und bringen es an «den Ort, wo sich tausend Wege kreuzen» (also zum «Mittelpunkt der Welt»); dort kochen sie es in einem Kessel drei Tage und drei Nächte lang. Doch wie die Dämonen den Deckel aufheben, erscheint das Kind Dto-mba Shi-lo unversehrt (Rock, *Studies*, S. 37). Man denkt dabei an die «Initiationsträume» der sibirischen Schamanen und an die Dämonen, die den Körper des zukünftigen Schamanen drei Tage lang kochen. Doch da es sich in diesem Fall um einen

Meisterexorzisten handelt, der vor allem ein Dämonentöter ist, ist die Initiationsrolle der Dämonen getarnt: aus der Initiationsprobe wird ein Mordversuch.

Dto-mba Shi-lo «bahnt der Seele des Abgeschiedenen den Weg». Die Bestattungszeremonie heißt sogar *zhi mä,* «der Wunschweg», und die zahlreichen Texte, die man vor der Leiche aufsagt, bilden ein Gegenstück zum *Tibetanischen Totenbuch*[29]. Am Bestattungstag rollen die Priester ein langes Band oder einen Stoff auseinander, auf dem die verschiedenen Unterweltsgegenden gemalt sind, die der Abgeschiedene bis zum Reich der Götter zu passieren hat (Rock, Studies..., S. 41). Das ist die Karte des komplizierten und gefährlichen Reisewegs, auf dem der Tote von dem Schamanen (*dto-mba*) geführt wird. Die Unterwelt besteht aus neun Ringmauern, zu denen man kommt, wenn man eine Brücke passiert hat (*ebd.,* S. 49). Der Abstieg ist gefährlich, denn die Dämonen blockieren die Brücke; der *dto-mba* hat dabei die Aufgabe «den Weg zu bahnen». Indem er unaufhörlich den Ersten Schamanen[30], Dto-mba Shi-lo anruft, bringt er den Toten von Mauer zu Mauer bis zur neunten und letzten. Nach diesem Abstieg unter die Dämonen ersteigt der Abgeschiedene die sieben goldenen Berge, kommt an den Fuß eines Baums, dessen Wipfel die «Medizin der Unsterblichkeit» trägt und dringt schließlich ins Reich der Götter ein (*ebd.,* S. 91 ff., 101 ff.).

In seiner Eigenschaft als Repräsentant des Ersten Schamanen, Dto-mba Shi-lo, vermag der *dto-mba* dem Toten «den Weg zu bahnen» und ihn durch die Mauern der Unterwelt zu führen, wo er sonst Gefahr liefe von den Dämonen verschlungen zu werden. Der *dto-mba* geleitet den Abgeschiedenen auf symbolische Weise, indem er ihm die rituellen Texte vorliest, doch er ist «im Geist» immer bei ihm. Er macht ihn auf

---

[29] Siehe Übersetzung und Kommentar in Rock, *Studies,* S. 46 ff., 55 ff. Die Anzahl der Texte ist beträchtlich, s. *ebd.,* S. 40.

[30] Alle diese Bestattungsrituale wiederholen ja in gewisser Weise die Schöpfung der Welt und die Biographie Dto-mba Shi-lo's. Jeder Text beginnt mit der Berufung der Kosmogonie und erzählt dann die wunderbare Geburt und die Heldentaten Shi-lo's in seinem Kampf gegen die Dämonen. Diese Wiedervergegenwärtigung eines *illud tempus* und des uranfänglichen Ereignisses, in dem die Taten des Ersten Schamanen in ihrer Wirkungskraft offenbar geworden sind(seine Taten, die dann beispielhaft und *ad infinitum* wiederholbar wurden), ist das normale Verhalten des archaischen Menschen, vgl. unseren *Mythos der ewigen Wiederkehr,* S . 36 ff. und passim.

alle Gefahren aufmerksam: «O Toter, wenn du die Brücke und den Weg passierst, wirst du sie durch Lä-ch'ou verschlossen finden. Deine Seele wird nicht im Stande sein ins Reich der Götter zu gelangen...» (Rock, *Studies,* S. 50). Und er teilt ihm sofort die Gegenmittel mit: Die Familie muß den Dämonen opfern, denn die Sünden des Toten bilden die Hindernisse auf dem Weg und die Familie muß ihn durch Opfer von seinen Sünden loskaufen.

Diese wenigen Angaben geben schon einen Begriff von der Funktion des Schamanismus in der Na-khi-Religion. Der Schamane ist von den Göttern geschickt, um die Menschen vor den Dämonen zu verteidigen; diese Verteidigung ist nach dem Tod noch notwendiger, weil die Menschen große Sünder sind und deshalb mit Recht eine Beute der Dämonen. Doch die Götter haben, von Mitleid für die Menschen ergriffen, den Ersten Schamanen geschickt, um ihnen den Weg zu der göttlichen Wohnstatt zu zeigen. Wie bei den Tibetanern geschieht die Verbindung zwischen Erde, Unterwelt und Himmel durch eine senkrechte Achse, die *axis mundi.* Der nach dem Tode erfolgende Abstieg zur Unterwelt mit dem Überschreiten der Brücke und dem Durchgang durch das Labyrinth der neun Mauern bewahrt noch das Initiationsschema: Niemand kann in den Himmel gelangen, ohne zuvor in die Unterwelt abgestiegen zu sein. Die Rolle des Schamanen ist sowohl die Rolle eines Seelengeleiters als eines Initiationsmeisters *post mortem.* Allem Anschein nach repräsentiert die Stellung des Schamanen innerhalb der Na-khi-Religion ein altertümliches Stadium, durch das auch die übrigen zentralasiatischen Religionen hindurchgegangen sein müssen. In den sibirischen Mythen vom Ersten Schamanen gibt es Stellen, die nicht ohne Beziehung zu der mythischen Biographie Dto-mba Shi-los sind.

Schamanische Symbolismen und Techniken in China

Es gibt in China den folgenden Brauch: Wenn jemand verstorben ist, steigt man auf das Dach des Hauses und bittet die Seele, in ihren Körper zurückzukehren, indem man ihr zum Beispiel ein schönes neues Kleid zeigt. Dieses Ritual ist in den klassischen Texten reichlich belegt [31] und hat sich bis in unsere Tage fortgesetzt [32]; es hat sogar Sung Yüh den Gegenstand für ein langes Gedicht geliefert, das «Das Zurückrufen der Seele» heißt [33]. Auch zur Krankheit gehört oft die Flucht der Seele, dann verfolgt sie der Zauberer in Ekstase, fängt sie und läßt sie wieder in den Körper des Patienten zurückkehren [34].

Schon das alte China kannte mehrere Arten von Zauberern und Zauberinnen, Medien, Exorzisten, Regenmachern usw. Unsere Aufmerksamkeit fesselt besonders ein Typ des Zauberers, der Ekstatiker, dessen Kunst vor allem darin bestand, seine Seele zu «exteriorisieren», mit anderen Worten «im Geist zu reisen». Legendäre Geschichte und Folklore Chinas sind überreich an Beispielen für «magischen Flug» und wir werden sogleich sehen, daß schon in der alten Zeit den unterrichteten Chinesen der «Flug» als plastische Formel für die Ekstase galt. Auf jeden Fall, wenn man den Vogelsymbolismus des frühgeschichtlichen China, auf den wir später zurückkommen wollen, beiseite läßt, war der erste, der nach der Überlieferung fliegen konnte, Kaiser Chuen (2258–2208 nach chinesischer Zeitrechnung). Die Töchter Kaiser Yaos, Nü Ying und O Huang, offenbarten Chuen die Kunst «wie ein Vogel zu fliegen» [35]. (Hier ist zu beobachten, daß die Quelle der magischen Kraft bis zu einer bestimmten Zeit in den Frauen lag – vielleicht ein Anzeichen unter mehreren anderen für ein altes chinesisches Matriarchat [36].) Bedenken wir, daß der vollkommene Herr-

---

[31] Vgl. S. Couvreur, *Li-Ki ou mémoires sur les bienséances et les cérémonies* (2. Aufl., Ho-kien-fu 1927) I, S. 85, 181, 199 ff.; II, 11, 125, 204 usw.; J. J. M. Groot, *The Religious System of the Chinese* (Leiden 1892 ff.), I, S. 245 ff. Über die chinesischen Vorstellungen vom Leben nach dem Tode vgl. E. Erkes, *Die altchinesischen Jenseitsvorstellungen* (Mitteilungen der Gesellschaft für Völkerkunde II, 1933, S. 1–5); ders., *The God of Death in Ancient China* (T'oung Pao, 35. Bd., 1940, S. 185–210).

[32] E. Erkes, *Das «Zurückrufen der Seele» (Chao Hun) des Sung Yüh* (Inaugural-Diss., Leipzig 1914).

[33] Vgl. z. B. Theo Körner, *Das Zurückrufen der Seele in Kuei-chou* (Ethnos, 3. Bd., 1938, S. 108–112).

[34] Diese Art der Heilung wird noch heute geübt, vgl. De Groot, *Religious System*, 6. Bd. (Leiden 1910), S. 1284, 1319 usw. Der Zauberer hat die Macht, auch die Seele eines toten Tieres zurückzurufen und wiedereinzufügen, vgl. *ebd.*, S. 1214 die Auferstehung eines Pferdes.

[35] Ed. Chavannes, *Les Mémoires historiques de Sse-Ma-Tsien* (Paris 1897 ff.), I. Bd., S. 74. Vgl. weitere Texte bei B. Laufer, *The prehistory of aviation* (Field Museum, Anthropological Series, XVIII, Nr. 1, Chicago 1928), S. 14 ff.

[36] Über dieses Problem s. E. Erkes, *Der Primat des Weibes im alten China* (Sinica, 4. Bd., 1935, S. 166–176). Über die Töchter Yao's und die Thronfolgeproben vgl. Mar-

scher die Fähigkeiten eines «Zauberers» haben muß. Die «Ekstase» war für einen Staatsgründer nicht weniger notwendig als seine politischen Eigenschaften, denn diese magische Fähigkeit bedeutete Autorität und Jurisdiktion über die Natur. Marcel Granet hat bemerkt, daß der Schritt Yus des Großen, des Nachfolgers Chuens, «sich nicht von den Tänzen unterscheidet, welche den Eintritt der Trance bei den Zauberern (*t'iao-chen*) hervorrufen... Der ekstatische Tanz bildet einen Teil der Vorkehrungen, durch die man Befehlsgewalt über Menschen wie Natur erwirbt. Bekanntlich führt diese Ordnungsmacht in den sog. taoistischen wie den sog. konfuzianischen Texten den Namen Tao [37].»

Viele Kaiser, Weise, Alchimisten und Zauberer «stiegen zum Himmel». Huang-ti, der Gelbe Herrscher, wurde samt seinen Frauen und Räten, insgesamt 70 Personen, durch einen bärtigen Drachen zum Himmel entführt (Sse-Ma-Tsien, *Mémoires historiques*, 3. Bd., 2. Teil, 1899, S. 488–489). Doch das ist schon eine Apotheose und nicht mehr der «magische Flug», für den die chinesische Überlieferung viele Beispiele kennt (Laufer, *a.a.O.*, S. 19 ff.). Die Besessenheit vom Fliegen zeigt sich in einer Menge von Legenden über fliegende Wagen oder andere Maschinerien (Laufer, *a.a.O.*). Wir haben es in solchen Fällen mit dem bekannten Phänomen der Symboldegradierung zu tun, kurz gesagt mit dem Versuch im Bereich des Konkreten, von der unmittelbaren Realität «Resultate» zu erreichen, welche einer inneren Realität vorbehalten sind.

Wie dem auch sei, der schamanische Ursprung des magischen Fluges ist auch in China deutlich bezeugt. «Fliegend zum Himmel aufsteigen» heißt auf chinesisch: «Durch Vogelfedern wurde er verwandelt und ist wie ein Unsterblicher zum Himmel aufgestiegen»; und die Termini «Gefiederter Weiser» oder «gefiederter Wirt» bezeichnen den taoistischen Priester (Laufer, *a.a.O.*, S. 16). Wie wir wissen, ist aber das Vogelgefieder eines der häufigsten Symbole für den «schamanischen Flug», und sein Vorkommen in der Ikonographie des urgeschichtlichen China läßt Verbreitung und Altertümlichkeit dieses Symbols und da-

cel Granet, *Danses et légendes de la Chine ancienne* (Paris 1926) I, S. 276 ff. und *passim*.

[37] Marcel Granet, *Remarques sur le taoisme ancien* (Asia Major, 2. Bd., 1925, S. 145–151), S. 149. S. auch *Danses et légendes* I, S. 239 ff. und *passim*. Über die archaischen Elemente im Mythus Yu's des Großen vgl. Carl Hentze, *Mythes et symboles lunaires* (Antwerpen 1932), S. 9 ff. und *passim*.

mit auch der zugrundeliegenden Ideologie ermessen. Die Taoisten, deren Legenden von Himmelfahrten und Wundern aller Art wimmeln, haben wie es scheint die schamanischen Techniken und Ideologien des frühgeschichtlichen China ausgearbeitet und systematisiert und können deshalb als Nachfolger des Schamanismus gelten, und das mit weit größerem Recht als die Exorzisten, Medien und Besessenen, von denen wir im folgenden zu sprechen haben und die in China wie auch sonst eher die entartete Linie des Schamanismus repräsentieren. Wenn man die «Geister» nicht mehr zu meistern vermag, wird man zum Schluß von ihnen besessen und aus der magischen Ekstasetechnik wird der simple Automatismus des Mediums.

Man wundert sich, in der chinesischen Tradition des «magischen Flugs» und des schamanischen Tanzes keinerlei Anspielungen auf Besessenheit zu finden. Weiter unten folgen einige Beispiele, wo die schamanische Technik zur Besessenheit durch die Götter und Geister führt, doch in den Legenden der Souveräne, der unsterblichen Taoisten, Alchimisten und sogar der «Zauberer» ist zwar immer von Himmelfahrt und anderen Wundern, nie aber von Besessenheit die Rede. Anscheinend gehören alle diese Züge zur «klassischen» Tradition der chinesischen Geistigkeit, welcher sowohl spontan gewachsene Meisterschaft über sich selbst als eine vollkommene Einfügung in alle kosmischen Rhythmen eigen sind. Auf jeden Fall hatten Taoisten und Alchimisten die Fähigkeit sich in die Lüfte zu erheben; Liu An, auch unter dem Namen Huainan Tse bekannt (2. Jahrhundert v. Chr.), stieg bei hellichtem Tag zum Himmel auf, und Li Chao-Kün (140–87 v. Chr.) rühmte sich über den neunten Himmel emporsteigen zu können [38]. «Wir steigen zum Himmel hinauf und vertreiben die Kometen!» sagte eine Schamanin in ihrem Gesang [39]. Ein langes Gedicht K'üh Yüans erwähnt zahlreiche Auffahrten zu den «Toren des Himmels» phantastische Ritte und Aufstiege auf dem Regenbogen – alles Motive, die der schamanischen Folklore vertraut sind [40]. Die Märchen spielen häufig auf die Heldentaten chinesischer Zauberer an, welche zum Verwech-

---

[38] B. Laufer, *The prehistory of aviation*, S. 26 ff., dort noch andere Beispiele. *Ebd.* S. 31 ff. und 90 über den Papierdrachen in China, und S. 52 ff. über die Zauberfluglegenden in Indien.

[39] E. Erkes, *The God of Death in ancient China*, S. 203.

[40] P. Franz Biallas, *K'üh Yüan's «Fahrt in die Ferne»* (Yüan-yu) (Asia Major, 7. Bd., 1932, S. 179–241), S. 210, 215, 217 usw.

seln den Fakirlegenden gleichen; sie fliegen im Mondlicht, dringen durch Mauern, lassen im Augenblick eine Pflanze keimen und wachsen usw.[41].

Alle diese Traditionen der Mythologie und Volksüberlieferung haben ihren Ausgangspunkt in einer Ekstasetechnik und -ideologie, zu welcher auch die «Reise im Geiste» gehört. Das klassische Mittel zur Herbeiführung der Ekstase war seit den ältesten Zeiten der Tanz. Wie überall, so ermöglicht auch hier die Ekstase sowohl den «magischen Flug» des Schamanen als die Herabkunft eines «Geistes», was aber nicht unbedingt «Besessenheit» bedeutet; der Geist konnte den Schamanen auch inspirieren. Daß für die Chinesen magischer Flug und phantastische Reisen durch das Universum nur plastische Formeln für Ekstaseerlebnisse waren, beweist unter anderen das folgende Zeugnis. Das *Kwoh yü* erzählt, daß König Chao (515–488 v. Chr.) eines Tages zu seinem Minister sprach: «Die Schriften der Dynastie Tscheu behaupten, daß Tschung-li als Bote in die unzugänglichen Bereiche des Himmels und der Erde entsandt wurde. Wie war so etwas möglich?... Gibt es für den Menschen Möglichkeiten zum Himmel aufzusteigen?...» Der Minister erklärt ihm, daß die wahre Bedeutung dieser Tradition geistiger Art ist; die gerecht sind und sich konzentrieren können, sind imstande in der Form der Erkenntnis «zu den hohen Sphären zu gelangen und zu den unteren Sphären hinabzusteigen und dort zu erkennen, welche Haltung sie beobachten, welche Dinge sie tun sollen... Wenn sie so tun, steigen intelligente *chen* in sie herab; wenn der *chen* sich so in einem Mann installiert, wird dieser *hih* genannt, wenn in einer Frau, so heißt sie *wu*. Sie haben die Aufgabe, als Funktionäre über die Vorrangsordnung unter den Göttern (bei den Opfern) zu wachen sowie über ihre Tische und Opfertiere, über die Instrumente und die Zeremonialkostüme in den verschiedenen Jahreszeiten[42].»

[41] Vgl. Märchen des 17. Jh., im Auszug bei L. Vannicelli, *La religione dei Lolo*, S. 164–166, nach J. Brand, *Introduction to the literary chinese*, 2. Aufl., Peking 1936, S. 161–175.

[42] J. J. de Groot, *Religious system*, 6. Bd., S. 1190–1191. Beachten wir, daß die von den *chen* besessene Frau den Namen *wu* trug, was dann das allgemeine Wort für Schamane geworden ist. Doch gibt es Gründe dafür, daß der *wu*, der von den *chen* besessenen Frau, der Schamane mit Maske und Bärenfell vorausgegangen ist, der «tanzende Schamane», den Hopkins in einer Inschrift der Chang-Epoche und einer anderen vom Anfang der Tscheu-Dynastie identifiziert zu haben glaubt; vgl. L. C. Hopkins, *Another pictographic reconnaissance from primitive prophylactic to present day*

Das scheint zu zeigen, daß die Ekstase, welche die mit «magischer Flug», «Himmelfahrt», «mystische Reise» usw. ausgedrückten Erlebnisse hervorrief, die *Ursache* der Einkörperung eines *chen* war und nicht ihre Folge. Wenn jemand schon im Stande war «zu den hohen Sphären zu gelangen und in die unteren Sphären hinabzusteigen» (d. h. zum Himmel hinauf- und zur Unterwelt hinabzusteigen), dann «stiegen die intelligenten *chen* in ihn herab». Ein solches Phänomen scheint ziemlich verschieden von den «Besessenheiten», denen wir später begegnen werden. Natürlich hat sehr bald das «Herabsteigen der *chen*» einer großen Zahl paralleler Erlebnisse Raum gegeben, welche sich schließlich in der Masse von «Besessenheitsfällen» verloren. Es ist nicht immer einfach, an der verwendeten Terminologie die Natur der Ekstase zu erkennen. Der taoistische Terminus für Ekstase, *kuei-ju,* der «Eintritt eines Geistes», ist nach H. Maspéro nur zu verstehen, wenn man das taoistische Erlebnis auf die «Besessenheit der Zauberer» zurückführt. In der Tat sagte man von einer Zauberin in Trance, die im Namen eines *chen* sprach: «Dieser Körper ist der der Zauberin, aber der Geist ist der des Gottes.» Um ihn sich einzukörpern, reinigte sich die Zauberin mit parfümiertem Wasser, legte das Ritualkostüm an und brachte Opfergaben dar: «Eine Blume in der Hand, spielte sie die Reise durch einen Tanz zu Musik und Gesang, zum Klang der Trommeln und Flöten, bis sie erschöpft niederfiel. Das war der Augenblick der Gegenwart des Gottes und er antwortete durch ihren Mund [43].»

Mehr als Yoga und Buddhismus hat sich der Taoismus viele archaische Ekstasetechniken assimiliert, zumal der späte Taoismus, der

---

panache; a Chinese epigraphic puzzle (Journal of the Royal Asiatic Society 1943, S. 110–117); ders., *The Shaman or Chinese Wu: his inspired dancing and versatile charakter* (ebd., 1945, S. 3–16). Der «tanzende Schamane» in der Bärenmaske gehört einer vom Jagdzauber beherrschten Ideologie an, in welcher der Mann die Hauptrolle spielt. Er spielt auch weiterhin, in der historischen Zeit, eine wichtige Rolle: Der Oberexorzist war in ein Bärenfell mit vier goldenen Augen gekleidet (E. Biot, *Le Tche-ou-li ou les Rites de Tcheou,* Paris 1851, 2. Bd., S. 225). Wenn dies alles auch das Bestehen eines «maskulinen» Schamanismus in der frühgeschichtlichen Zeit zu bestätigen scheint, so ist nicht gesagt, daß der Schamanismus vom Wu-Typus, welcher in hohem Grade zur Besessenheit tendiert, nicht ein religiös-magisches Phänomen ist, in dem die Frau herrscht. Über den chinesischen Schamanismus s. auch Carl Hentze, *Eine Schamanendarstellung auf einem Han-Relief* (Asia Major, 1. Bd., 1944); E. Erkes, *Der schamanistische Ursprung des chinesischen Ahnenkultes* (Sinologica II, 1950).

[43] H. Maspéro, *Les religions chinoises* (Paris 1950), 1. Bd., S. 34, 53–54; ders., *La Chine antique* (Paris 1927), S. 195 ff.

so stark durch magische Elemente geprägt war[44]. Nichtsdestoweniger unterscheiden ihn die große Bedeutung des Auffahrtssymbolismus und ganz allgemein seine ausgewogene und gesunde Struktur von der Besessenheitsekstase, die so charakteristisch für die Zauberer ist. Der chinesische «Schamanismus» («Wu-ismus», wie de Groot ihn nennt) scheint vor dem Heraufkommen des Konfuzianismus und der Staatsreligion das religiöse Leben Chinas beherrscht zu haben. In den letzten Jahrhunderten vor unserer Zeitrechnung waren die *wu*-Priester wirklich die Priester Chinas (de Groot, 6. Bd., S. 1205). Natürlich war der *wu* nicht durchaus mit einem Schamanen identisch, doch körperte er sich Geister ein und diente so als Mittler zwischen Mensch und Gottheit; außerdem war er Heiler, auch das durch die Hilfe der Geister (*ebd.,* S. 1209 ff.). Der Anteil an *wu*-Frauen war erdrückend (*ebd.,* S. 1209). Und die Mehrzahl der den *wu* eingekörperten *chen* und *kuei* waren Seelen von Toten (*ebd.,* S. 1211). Mit der Einkörperung von Seelen von Toten aber beginnt die «Besessenheit» im eigentlichen Sinn.

Wang-Ch'ung schreibt: «Unter den Menschen sprechen die Toten durch Lebende, welche sie in Trance fallen lassen, und die *wu* rufen die Seelen der Toten an, indem sie in ihre schwarzen Stricke kneifen, und diese sprechen durch die Stimme der *wu*. Aber alles, was diese Leute zu sagen wissen, ist erlogen...» (De Groot, S. 1211). Offensichtlich die Meinung eines Autors, welchem die Medienphänomene widerstanden. Doch die Wundertaten der *wu*-Frauen waren damit noch nicht zu Ende; sie konnten sich unsichtbar machen, brachten sich mit Messern und Säbeln Schnitte bei, schnitten sich die Zunge ab, verschluckten Säbel und spuckten Feuer, ließen sich von einer Wolke davontragen, die glänzte wie vom Blitz entzündet... Die *wu*-Frauen tanzten rund herum, sprachen die Sprache der Geister und lachten wie Gespenster, und um sie herum flogen die Gegenstände in die Luft und

---

[44] Man wollte sogar den Taoismus mit dem schamanisierenden Bon-po identifizieren, s. o. S. 405, Anm. 10. Doch darf man den Einfluß der indischen Magie nicht vergessen, welcher für die Epoche nach dem Eindringen buddhistischer Mönche in China außer Zweifel steht. So kommt Fo-T'u-Teng, ein buddhistischer Mönch aus Kutscha, nach dem Besuch von Kaschmir und anderen Gegenden Indiens im Jahre 310 nach China und läßt viele magische Taten sehen, z. B. prophezeite er aus dem Klang von Glocken; vgl. A. F. Wright, *Fo-T'u-Teng. A Biography* (Harvard Journal of Asiatic Studies XI, 1948, S. 321–370), S. 337 ff., 346, 362. Nun spielen bekanntlich «mystische Töne» eine wichtige Rolle in bestimmten Yogatechniken und die Stimmen der Devas und Yakshas glichen dem Klang goldener Glocken (*Le Yoga,* S. 377 ff.).

einer stieß an den andern (De Groot, S. 1212). Alle diese Fakirphänomene kommen heute noch im Bereich chinesischer Magie und Medientätigkeit häufig vor. Man muß nicht einmal ein *wu* sein um die Geister zu sehen und wahrsagen zu können, es genügt auch von einem *chen* besessen zu sein (*ebd.*, S. 1166 ff., 1214 usw.). Hier wie auch sonst führten Medialität und Besessenheit manchmal zu einem spontanen, abwegigen Schamanismus.

Leicht könnte man die Beispiele von chinesischen Zauberern, *wu* und «Besessenen» noch vermehren und daran zeigen, wie sehr dieses Phänomen als Ganzes betrachtet sich dem allgemein mandschurischen, tungusischen und sibirischen Schamanismus nähert [45], doch hat das wenig Sinn. Wir wollen nur hervorheben, wie im Lauf der Zeit der chinesische Ekstatiker mehr und mehr mit Zauberern und «Besessenen» rudimentärer Art durcheinandergebracht wurde. Zu einem bestimmten Zeitpunkt, und zwar für lange Zeit, hatte sich der *wu* so weit dem Exorzisten (*tschuh*) genähert, daß er gemeinsam mit ihm *wu-tschuh* genannt wurde (De Groot, S. 1192). Heutzutage heißt er *sai-kong* und das Amt geht vom Vater auf den Sohn über. Das Übergewicht der Frauen scheint aufgehört zu haben. Nach einem ersten Unterricht, der dem Vater zukommt, macht der Lehrling einen Kurs in einem «Kolleg» und erhält nach einer Initiation von deutlich schamanischem Typ den Titel Oberpriester. Die Zeremonie ist öffentlich und besteht in der Besteigung des *to t'ui,* der «Säbelleiter»: Barfuß steigt der Lehrling die Säbel hinauf bis zu einer Plattform; im allgemeinen besteht die Leiter aus zwölf Säbeln, und manchmal gibt es eine zweite, über welche der Lehrling heruntersteigt. Ein entsprechender Initiationsritus begegnet bei den Karen in Birma, wo eine Klasse von Priestern sogar den Namen *wu* trägt, was eine andere Form des chinesischen Terminus *wu* sein könnte [46]. (Sehr wahrscheinlich haben wir es dabei mit chinesischem Einfluß zu tun, der mit alten magischen Lokaltraditionen kontaminiert wurde, doch muß die Initiationsleiter selbst nicht unbedingt aus China übernommen sein, hat man doch ähnliche schamanische Auffahrtsriten auch in Indonesien und sonst noch angetroffen.)

---

[45] Über die sexuellen und ausgelassenen Elemente der *wu*-Zeremonien s. De Groot VI, S. 1235, 1239.
[46] De Groot, S. 1248 ff. Ebd. S. 1250, Anm. 3, erwähnt der Verf. (nach McMahon, *The Karens*, S. 158) einen ähnlichen Ritus bei den birmanischen Kakhyen.

Die religiös-magische Tätigkeit des *sai-kong* fällt in den Bereich des taoistischen Rituals: Der *sai-kong* betitelt sich selbst als *tao chi*, «taoistischer Doktor» (De Groot, S. 1254). Er ist schließlich ganz mit dem *wu* zusammengefallen und zwar vor allem auf Grund seines Ansehens als Exorzist (*ebd.*, S. 1256 ff.). Sein Ritualkostüm ist reich an kosmologischer Symbolik; man sieht darauf den Weltozean und in der Mitte den Berg T'ai usw. (*ebd.*, S. 1261 ff.). Im allgemeinen benützt der *sai-kong* ein Medium, einen «Besessenen», der ebenfalls Proben von Fakirkünsten zeigt, sich mit Messern sticht usw. (*ebd.*, S. 983 ff., 1270 ff. usw.). Hier wiederholt sich also das schon in Indonesien und Polynesien beobachtete Phänomen einer wilden Nachahmung des Schamanismus als Folge von Besessenheit. Wie der Fidschi-Schamane, so leitet auch der *sai-kong* den Gang über das Feuer. Die Zeremonie heißt «auf einem Feuerweg spazierengehen» und findet vor dem Tempel statt. Der *sai-kong* begibt sich als erster auf die Kohlenglut, ihm folgen die jüngeren Kollegen und sogar das Publikum. Ein ähnlicher Ritus besteht darin, daß man über eine «Säbelbrücke» geht. Man glaubt, daß es nur einer geistigen Vorbereitung vor der Zeremonie bedarf, um ungestraft über Säbel und Feuer zu gehen (De Groot, S. 1292 ff.). Bei dieser Erscheinung wie bei vielen Beispielen von Medientätigkeit, Spiritismus und anderen Orakeltechniken haben wir es mit endemischen und schwer klassifizierbaren Phänomenen eines wildwachsenden Pseudo-Schamanismus zu tun, dessen wichtigstes Charakteristikum die «Leichtigkeit» ist[47].

Wir wollen gewiß nicht behaupten, damit die Geschichte der schamanischen Ideen und Praktiken in China dargestellt zu haben. Wir wissen nicht einmal sicher, ob eine solche Geschichte überhaupt möglich ist angesichts der Ausgestaltungs-, Interpretations- und «Abklärungs»-arbeit, welche die chinesischen Gelehrten zweitausend Jahre lang an den archaischen Traditionen vollbracht haben. Uns genügt das Auftreten einer Menge von schamanischen Techniken die ganze chinesische Geschichte hindurch. Natürlich darf man sie nicht alle ein und derselben Ideologie und Kulturschicht zuteilen, siehe etwa die Unterschiede zwischen der Ekstase der Herrscher, der Alchimisten und

---

[47] Über den Schamanismus im modernen China vgl. P. H. Doré, *Manuel des superstitions chinoises* (Shanghai 1936), S. 20, 39 ff., 82, 98, 103 ff.; Shirokogorov, *Psychomental Complex of the Tungus*, S. 388 ff. Die Arbeit von Tcheng-Tsu Shang, *Der Schamanismus in China* (Hamburger Diss. 1934), war uns leider nicht zugänglich.

Taoisten und der Besessenheitsekstase der Zauberer oder der bei den *sai-kong*-Zeremonien Anwesenden. Dieselben Unterschiede in Gehalt und geistiger Orientierung können ebenso bei jeder anderen schamanischen Technik oder Symbolik beobachtet werden. Man hat immer den Eindruck, daß ein schamanisches Schema sich auf verschiedenen, wenn auch gleichbedeutenden Ebenen ausüben läßt. Das ist ein Phänomen, das die Sphäre des Schamanismus weit übersteigt und bei jeder religiösen Symbolik oder Idee wiederkehrt.

In China begegnen, summarisch gesprochen, fast alle Konstitutiva des Schamanismus: Himmelfahrt, Zurückrufen und Aufsuchen der Seele, Einkörperung von «Geistern», Meisterschaft über das Feuer und anderer Fakirzauber. Seltener scheinen dafür Unterweltsfahrten, besonders zur Rückführung der Seele eines Kranken oder Toten zu sein, wenngleich alle diese Motive in der Folklore belegt sind. So gibt es die Geschichte des Königs Mu von Tschu, der bis zu den Grenzen der Erde, zum Berg Kunlun und noch weiter reiste und auf einer aus Fischen und Schildkröten zusammengestellten Brücke zur Königin-Mutter des Westens (= Tod) gelangte, die ihm ein Lied und einen Talisman für langes Leben gab [48]. Dazu kommt die Geschichte von dem Gelehrten Hu Di, welcher durch den Berg der Toten in die Unterwelt hinabstieg und einen Fluß sah, den die Seelen der Gerechten auf einer goldenen Brücke überquerten, während die Schuldigen von Dämonen gequält hindurchschwammen [49]. Schließlich gibt es eine entartete Variante des Orpheusmythos: Der heilige Muliän erfährt durch mystisches Hellsehen, daß seine Mutter, die im Leben keine Almosen gegeben hat, in der Unterwelt Hunger leidet, und steigt hinab um sie zu retten; er lädt sie auf den Rücken und steigt zum Himmel auf [50]. Doch alle diese Märchen gehören der magischen Volksüberlieferung Asiens an und manche von ihnen sind stark buddhistisch beeinflußt; es wäre daher unrichtig, daraus auf die Existenz eines genauen Unterweltreise-Rituals zu schlie-

---

[48] *Chinesische Volksmärchen,* übers. von Richard Wilhelm, Jena 1927 (in Die Märchen der Weltliteratur), S. 90 ff.

[49] R. Wilhelm, *a. a. O.,* S. 116 ff. S. *ebd.* S. 184 ff. den Bericht über eine andere Unterweltsreise.

[50] R. Wilhelm, *a. a. O.,* S. 126 f. Doch ist in der Sammlung R. Wilhelms die Zahl der Märchen mit Himmelfahrten und anderen magischen Wundern beträchtlich größer als die der Abstiegsmärchen. Vgl. auch W. Eberhard, *Typen chinesischer Volksmärchen* (FFC Nr. 120, Helsinki 1937), bes. «Aufsteigen in den Himmel».

ßen. (So fehlt in der Geschichte vom heiligen Muliän jede Andeutung eines schamanischen Fangs der Seele.) Wahrscheinlich ist das schamanische Abstiegsritual, das allenfalls auch hier in der zentral- und nordasiatischen Form bestanden hat, außer Gebrauch gekommen durch die Herauskristallisierung des Ahnenkults, welcher der «Unterwelt» eine andere religiöse Geltung verschaffte.

Noch ein Punkt wäre zu behandeln, der zwar das Problem des Schamanismus im strengen Sinn übersteigt, aber doch wichtig ist: die Beziehungen zwischen Schamanen und Tieren und der Anteil von Tiermythologien bei der Entwicklung des chinesischen Schamanismus. Der «Schritt» Yus des Großen unterschied sich in nichts vom Tanz der Zauberer, aber Yu der Große kleidete sich dazu noch als Bär und verkörperte gewissermaßen den Geist des Bären[51]. Auch der von *Tschu-li* beschriebene Schamane trug ein Bärenfell und es gäbe noch viele Beispiele für den sogenannten «bear ceremonialism», der in Nordasien wie Nordamerika belegt ist[52]. Eine Beziehung zwischen dem Schamanentanz und einem Tier als Träger eines sehr komplexen kosmologischen und Initiationssymbolismus ist für das alte China gesichert. Die Spezialisten lehnen es ab, in diesem Mensch und Tier verbindenden Ritus und Mythus Spuren eines chinesischen Totemismus zu sehen[53]; die Beziehungen liegen vielmehr im Bereich der Kosmologie (das Tier repräsentiert im allgemeinen die Nacht, den Mond, die Erde) und der Initiation (Tier – mythischer Ahne – Initiant)[54].

---

[51] Vgl. C. Hentze, *Mythes et symboles lunaires*, S. 6 ff.; ders., *Le culte de l'ours ou du tigre et le t'ao-t'ie* (Zalmoxis I, 1938, S. 50–68), S. 54; ders., *Die Sakralbronzen und ihre Bedeutung in den frühchinesischen Kulturen* (Antwerpen 1941), S. 19; M. Granet, *Danses et légendes* II, S. 563 ff.

[52] A. Irving Hallowell, *Bear ceremonialism in the northern hemisphere* (American Anthropologist, 28. Bd., 1926, S. 1–175); N. P. Dyrenkova, *Bear worship among turkish tribes of Siberia* (Proceedings of the 23 International Congress of Americanists, Sept. 1928, Neuyork 1930), S. 411–440; Hans Findeisen, *Zur Geschichte der Bärenzeremonie* (Archiv für Religionswissenschaft, 37. Bd., 1941, S. 196–200); A. Alföldi, *Le culte de l'ours et le matriarcat en Eurasie* (ungarisch in Közlemények, 50. Bd., 1936, S. 1 ff.; der Liebenswürdigkeit Professor Alföldis verdanken wir die Mitteilung einer englischen Übersetzung dieses bedeutenden Artikels). Vgl. auch Marius Barbeau, *Bear Mother* (Journal of American Folklore 59. Bd., 1946, S. 1–12).

[53] Vgl. Dyrenkova, a. a. O., S. 453; C. Hentze, *Le culte de l'ours et du tigre*, S. 68; ders., *Die Sakralbronzen*, S. 45, 161.

[54] Über das alles s. die Arbeiten von Hentze, bes. *Mythes et symboles lunaires; Objets rituels, croyances et dieux de la Chine antique et de l'Amérique* (Antwerpen 1936); *Frühchinesische Bronzen und Kultdarstellungen* (ebd. 1937).

Wie interpretieren sich nun diese Dinge im Lichte unserer Feststellungen über den chinesischen Schamanismus? Hüten wir uns vor zuviel Vereinfachung und vor Anwendung eines einzigen Schemas. Ohne Zweifel steht der «bear ceremonialism» in Beziehung zur Jagdmagie und -mythologie. Wie wir wissen, hat der Schamane entscheidenden Anteil an Wildreichtum und Jagdglück (metereologische Vorausschau, Beeinflussung des Wetters, mystische Reisen zur Großen Mutter der wilden Tiere usw.). Aber man darf nicht vergessen, daß die Beziehungen des Schamanen (wie überhaupt des primitiven Menschen) zu den Tieren geistiger Ordnung sind und von einer mystischen Intensität, die wir in unserer modernen, säkularisierten Mentalität uns schwer vorstellen können. Das Fell eines erlegten Tieres anziehen bedeutete für den primitiven Menschen dieses Tier werden, sich in ein Tier verwandelt fühlen. Wie wir gesehen haben, glauben die Schamanen noch heute sich in Tiere verwandeln zu können. Daß die Schamanen die Felle wilder Tiere anlegten, das festzustellen hilft nicht viel. Es kommt darauf an, was sie fühlten, wenn sie sich als Tier verkleideten. Manches spricht dafür, daß diese magische Verwandlung zu einem «Heraustreten aus sich selber» führte, das sich sehr oft in einem ekstatischen Erlebnis kundtat.

Wer den Gang eines Tieres nachahmte oder sein Fell anzog, erreichte eine übermenschliche Seinsweise. Es handelte sich nicht um ein Zurückfallen in reines «animalisches Leben»; das Tier, mit dem man sich identifizierte, war schon Träger einer Mythologie[55], es war ein mythisches Tier, der Ahne oder Demiurg (Schöpfer). Indem der Mensch zu diesem mythischen Tier wurde, wurde er etwas viel Großartigeres und viel Mächtigeres als er selbst. Wir dürfen glauben, daß diese Projektion in ein mythisches Wesen, ein Zentrum des allgemeinen Lebens und seiner Erneuerung, das euphorische Erlebnis vermittelte, das den Menschen vor dem Einmünden in die Ekstase seine Stärke fühlen ließ und eine Vereinigung zwischen ihm und dem kosmischen Leben vollzog. Wir brauchen nur an die Modellfunktion bestimmter Tiere in den

---

[55] Viele Tier- und vor allem Vogelmotive begegnen in der ältesten chinesischen Ikonographie; Hentze, *Sakralbronzen*, S. 115 ff. Mehrere solche ikonographische Motive erinnern an die Zeichnungen auf Schamanenkostümen (z. B. die Schlangen, Fig. 146 bis 148). Die Tracht des sibirischen Schamanen ist wahrscheinlich von gewissen religiös-magischen Ideeen aus China beeinflußt, *ebd.* S. 156.

mystischen Techniken des Taoismus zu denken, um den geistigen Reichtum des «schamanischen» Erlebnisses zu ermessen, das noch im Gedächtnis der alten Chinesen umging. Die menschlichen Grenzen und falschen Maßstäbe vergessend fand man durch die rechte Nachahmung tierischen Benehmens in Schritt, Atmen und Schrei eine neue Lebensdimension; man fand wieder die Spontaneität, die Freiheit, die «Sympathie» mit allen kosmischen Rhythmen und damit Seligkeit und Unsterblichkeit.

Es will uns scheinen, daß unter diesem Gesichtswinkel betrachtet die dem «bear ceremonialism» so ähnlichen altchinesischen Riten etwas von ihren mystischen Werten durchblicken lassen, und wir verstehen, daß man die Ekstase ebenso auch durch choreographische Nachahmung eines Tiers [56] erreichen konnte wie durch einen Tanz, der eine Himmelfahrt darstellt. Im einen wie im andern Fall ging die Seele «aus sich selbst hinaus» und flog davon. Ob man diesen mystischen Aufflug durch die «Herabkunft» eines Gottes oder eines Geistes ausdrückte, war zuweilen nur eine Sache des Wortgebrauchs.

---

[56] Es wäre hier auch die Rolle der Metallurgie und ihrer Symbolik bei der Bildung der vorgeschichtlichen chinesischen Magie und Mythologie zu erwähnen: s. M. Granet, *Danses et légendes* II, S. 496 ff., 505 ff. Nun gab es bekanntlich Beziehungen zwischen den Metallgießern und Schmieden und dem Schamanismus, s. u. S. 434 ff.

XIII

ANALOGE MYTHEN, SYMBOLE UND RITEN

Die verschiedenen schamanischen Ideologien haben eine gewisse Anzahl mythischer Themen und religiös-magischer Symbolismen in sich aufgenommen. Ohne an eine vollständige Inventarisation oder gar eine erschöpfende Studie zu denken, möchten wir doch einige von diesen Mythen nennen und ihre Angleichung und Umwertung durch den Schamanismus vor Augen führen.

Hund und Pferd

Für alles, was Hundemythen betrifft, wird man sich an die Arbeit von Freda Kretschmar[1] zu halten haben. Der Schamanismus im eigentlichen Sinn hat in diesem Punkt nichts Neues gebracht. Der Schamane begegnet dem Totenhund im Lauf seiner Unterweltsreise, wie Verstorbene oder Heroen ihm auf dem Weg zur Initiationsprobe begegnen. Vor allem die Geheimgesellschaften mit kriegerischer Initiation haben, soweit man ihre Ekstasen und ihre rasenden Zeremonien «schamanisch» nennen kann, Mythologie und Magie des Hundes und des Wolfs entwickelt und neu interpretiert. Bestimmte kannibalische Geheimbünde und die Lykanthropie ganz allgemein kennen die magische Verwandlung des Aufgenommenen in einen Hund oder Wolf. Auch die Schamanen können sich in Wölfe verwandeln, doch in einem anderen Sinn

[1] Freda Kretschmar, *Hundestammvater und Kerberos*, 2 Bde., (Stuttgart 1938), bes. II, S. 222 ff., 258 ff. S. auch W. Koppers, *Der Hund in der Mythologie der zirkumpazifischen Völker* (Wiener Beiträge zur Kulturgeschichte und Linguistik, 1. Bd., 1930. S. 359 ff.) und die Bemerkungen von P. Pelliot in T'oung Pao, 28. Bd., 1931, S. 463–470. Über den Hundeahnen bei den Turko-Mongolen vgl. Pelliot, *ebd.* und Rolf Stein, *Leao-Tche* (T'oung Pao, 35. Bd., 1940, S. 1–154), S. 24 ff. Über die mythologische Rolle des Hundes im alten China s. E. Erkes, *Der Hund im alten China* (T'oung Pao, 37. Bd., 1944, S. 186–225), S. 221 ff. Über den Unterweltshund in den indischen Vorstellungen vgl. E. Arbman, *Rudra*, S. 257 ff.; für die germanische Mythologie s. H. Güntert, *Kalypso* (Halle 1919), S. 40 ff., 55 ff.; für Japan – wo er kein Totentier ist – Alexander Slawik, *Kultische Geheimbünde der Japaner und Germanen*, S. 700 ff.

als bei der Lykanthropie; sie können ja, wie wir gesehen haben, noch viele andere Tiergestalten annehmen.

Einen ganz anderen Platz nimmt das Pferd in Mythologie und Ritual der Schamanen ein. Als Toten- und seelengeleitendes Tier par excellence[2] dient das Pferd dem Schamanen in ganz verschiedenen Zusammenhängen als Mittel zur Herbeiführung der Ekstase, also des «Heraustretens aus sich selber», das die mystische Reise ermöglicht. Diese mystische Reise hat, um es noch einmal zu sagen, nicht unbedingt die Richtung in die Unterwelt: Das «Pferd» macht es dem Schamanen möglich in die Luft aufzufliegen und den Himmel zu erreichen. Nicht der Charakter als Unterwelts-, sondern als Totentier beherrscht die Mythologie des Pferdes; es ist ein mythisches Abbild des Todes und gehört deshalb in die Ekstase-Ideologien und -Techniken. Das Pferd trägt den Abgeschiedenen in das Jenseits, es vollzieht das «Durchbrechen einer Ebene», den Übertritt von dieser Welt in die anderen Welten. Und deshalb spielt es auch bei bestimmten Typen männlicher Initiation eine Hauptrolle («Männerbünde»)[3].

Das «Pferd» – das heißt der Stock mit Pferdekopf – wird von den buriätischen Schamanen zu ihren ekstatischen Tänzen benützt. Einen ähnlichen Tanz fanden wir bei der Sitzung der araukanischen *machi*, doch ist der ekstatische Tanz auf dem Steckenpferd noch viel weiter verbreitet. Bei dem Pferdeopfer der Batak zu Ehren der Ahnen tanzen vier Tänzer auf pferdeförmig geschnitzten Stöcken[4]. Auch auf Java und Bali ist das Pferd mit dem ekstatischen Tanz verbunden[5]. Bei den Garo gehört das Pferd zum Ernteritual. Für den Körper des Pferdes nimmt man Bananenbaumstämme, für Kopf und Beine Bambus. Der Kopf wird auf einen Stock gesteckt, ein Mann hält ihn sich in Brusthöhe und vollführt mit schleppendem Schritt einen wilden Tanz, während der Priester ihm zugewendet tanzt, als ob er sich damit an das «Pferd» richtete[6].

---

[2] Siehe L. Malten, *Das Pferd im Totenglauben* (Jahrbuch des Kaiserlich deutschen archäologischen Instituts, 29. Bd., Berlin 1914, S. 179–256); vgl. auch V. Ia. Propp, *Le radice storiche dei racconti di fate* (ital. Übers. Turin 1949), S. 274 ff.

[3] Vgl. O. Höfler, *Kultische Geheimbünde der Germanen*, S. 46 ff.; Alexander Slawik, *Kultische Geheimbünde der Japaner und Germanen*, S. 692 ff.

[4] Vgl. J. Warneck, *Die Religion der Batak* (Göttingen 1909), S. 88.

[5] Vgl. Spies und Zoete, *Dance and Drama in Bali* (London 1938), S. 78.

[6] Biren Bonnerjea, *Materials for the study of Garo Ethnology* (Indian Antiquary, 58. Bd., 1929, S. 125–126); Verrier Elwin, *The Hobby Horse and the ecstatic dance*

V. Elwin hat ein ähnliches Ritual bei den Muria in Bastar beobachtet. Der große gondische Gott Lingo Pen hat in seinem Heiligtum in Semurgaon mehrere hölzerne «Pferde». Am Fest des Gottes werden diese «Pferde» von Medien herumgetragen und zur Herbeiführung der ekstatischen Trance wie zur Wahrsagung benützt. «Ich beobachtete in Metawand einige Stunden lang die grotesken Luftsprünge eines Mediums, welches auf den Schultern ein hölzernes Pferd als Darstellung des Gottes seines Clans trug, und als wir uns in Bandapal einen Weg durch den Dschungel bahnten, um das Manka Padum (rituelles Verzehren von Mangofrüchten) zu sehen, war da ein anderes Medium mit einem Fantasiepferd auf den Schultern, das drei Kilometer weit vor meinem langsam vordringenden Wagen im Paßgang ging, rechts und links wendete, piaffierte und ausschlug. ‚Er trägt Gott auf dem Rücken', sagte man mir, ‚und er kann mehrere Tage lang das Tanzen nicht aufhören.' Bei einer Hochzeit in Malakot sah ich ein Medium ein seltsames Holzpferd besteigen; im Süden in der Gegend von Dhurwa sah ich ein Medium auf einem ähnlichen Holzpferd tanzen. Wenn die Abwicklung der Zeremonie durch irgendetwas gestört wurde, fiel in beiden Fällen der Reiter in Trance und konnte nun die übernatürliche Ursache der Störung entdecken [7].»

Bei einer anderen Zeremonie, dem Laru Kaj der Gond-Pardhan, führen die «Pferde des Gottes» einen ekstatischen Tanz auf [8]. Denken wir auch daran, daß mehrere Stämme indischer Ureinwohner ihre Toten zu Pferde darstellen, so die Bhil oder die Korku, die Reiter auf Holztäfelchen ritzen und an den Gräbern niederlegen [9]. Bei den Muria wird das Leichenbegängnis mit rituellen Gesängen begleitet, in denen man den Toten auf einem Pferd im Jenseits ankommen läßt. Es ist von einem Palast die Rede mit einer goldenen Schaukel und einem diamantenen Thron in der Mitte; bis dorthin wird der Tote von einem Pferd

(Folk-Lore, 53.–54. Bd., 1942–1943, S. 209–213), S. 211; ders., *The Muria and their Gotul* (London 1948), S. 205–209.

[7] Elwin, *The Hobby Horse*, S. 212; *The Muria*, S. 208.

[8] Shamrao Hivale, *The Laru Kaj* (Man in India, 24. Bd., 1944, S. 122), zitiert bei Elwin, *The Muria*, S. 209 Vgl. auch W. Archer, *The vertical man. A Study in primitive indian sculpture* (London 1947), S. 41 ff. über den ekstatischen Tanz mit Pferdefiguren (Bihar).

[9] Vgl. W. Koppers, *Monuments to the dead of the Bhils and other primitive tribes in Central India* (Annali Lateranensi, 6. Bd., 1942, S. 117–206); Elwin, *The Muria*, S. 210 ff. (Fig. 27, 29, 30).

mit acht Beinen getragen[10]. Nun ist das achtbeinige Pferd, wie wir wissen, typisch schamanisch. In einer buriätischen Legende nimmt eine junge Frau den Ahnengeist eines Schamanen zum zweiten Mann, und infolge dieser mystischen Heirat bringt eine von den Stuten in ihrem Gestüt ein Füllen mit acht Beinen zur Welt. Der irdische Gatte schneidet ihm vier Beine ab. Die Frau ruft: «Weh! das war mein kleines Pferd, auf dem ich geritten bin wie eine Schamanin!» und verschwindet durch die Luft, um sich in einem anderen Dorf niederzulassen. Sie wurde später ein Schutzgeist der Buriäten[11].

Die Pferde mit acht Füßen oder ohne Kopf sind in den Riten und Mythen der «Männerbünde» bezeugt und zwar im germanischen wie im japanischen Bereich[12]. In allen diesen Kulturzusammenhängen haben die mehrfüßigen und Gespensterpferde zugleich die Funktion eines Toten- und eines Ekstasetieres. Auch das Holzpferd («Hobby Horse») steht in Zusammenhang mit dem ekstatischen – wenn auch nicht unbedingt «schamanischen» – Tanz[13].

Aber selbst wenn das «Pferd» bei der schamanischen Sitzung nicht formell bezeugt ist, so ist es doch in symbolischer Weise anwesend durch die Schimmelhaare, die man verbrennt, oder durch das Fell einer Schimmelstute, auf das sich der Schamane setzt. Das Verbrennen der Pferdehaare bedeutet ein Herbeirufen des Zaubertiers, das den Schamanen ins Jenseits tragen soll. Die Legenden der Buriäten berichten von Pferden, die die toten Schamanen zu ihrem neuen Wohnort tragen. In einem jakutischen Mythus kehrt der «Teufel» seine Trommel um, setzt sich darauf, durchbohrt sie dreimal mit seinem Stock und die Trommel verwandelt sich in eine Stute mit drei Beinen, die ihn nach Osten davonträgt[14].

Diese wenigen Beispiele zeigen, in welchem Sinn der Schamanismus Pferdemythologien und -riten verwendet hat. Als seelengeleitendes und

---

[10] Elwin, *The Muria*, S. 150.

[11] Sandschejew, *Weltanschauung und Schamanismus der Alaren-Burjaten*, S. 608. Nach dem Glauben der Tungusen-Schamanen bringt die «Mutter der Tiere» ein Reh mit acht Beinen zur Welt; vgl. W. Ksenofontow, *Legendy y rasskazy*, 2. Aufl., S. 64 ff.

[12] Höfler, *a. a. O.*, S. 51 ff.; Slawik, S. 694 ff.

[13] Vgl. R. Wolfram, *Robin Hood und Hobby Horse* (Wiener Prähist. Zs., 19. Bd., 1932, S. 357 ff.); A. van Gennep, *Le cheval-jupon* (Cahiers d'Ethnographie folklorique, Nr. 1, Paris 1945).

[14] V. Ia. Propp, *a. a. O.*, S. 286.

als Totentier erleichterte das Pferd die Trance, den ekstatischen Flug der Seele in die verbotenen Bereiche. Der symbolische «Ritt» drückte das Verlassen des Körpers, den «mystischen Tod» des Schamanen aus.

Schamanen und Schmiede

Das Handwerk des Schmieds kommt an Wichtigkeit gleich nach dem Beruf des Schamanen [15]. «Schmiede und Schamanen sind aus demselben Nest», sagt ein jakutisches Sprichwort. «Die Frau eines Schamanen ist achtbar, die Frau eines Schmieds verehrungswürdig», sagt ein anderes. Die Schmiede können heilen und sogar die Zukunft voraussagen [16]. Nach den Dolganen können die Schamanen die Seelen der Schmiede nicht «verschlingen», weil die Schmiede ihre Seelen im Feuer aufbewahren; dem Schmied dagegen ist es möglich, sich der Seele eines Schamanen zu bemächtigen und sie im Feuer brennen zu lassen. Dafür sind die Schmiede ihrerseits ständiger Bedrohung durch die bösen Geister ausgesetzt. Sie müssen unablässig arbeiten, das Feuer schüren und einen unaufhörlichen Lärm machen, um die feindlichen Geister zu entfernen [17].

Nach den Mythen der Jakuten hat der Schmied sein Handwerk von der «bösen» Gottheit K'daai Maqsin, dem obersten Schmied der Unterwelt. Dieser haust in einem Haus aus Eisen, das mit Eisensplittern umgeben ist. K'daai Maqsin ist ein berühmter Meister, er repariert die gebrochenen oder amputierten Glieder der Heroen. Einmal nimmt er an der Initiation der berühmten Schamanen der andern Welt teil und härtet ihre Seelen, wie er das Eisen härtet [18].

---

[15] Vgl. Miß Czaplicka, *Aboriginal Siberia*, S. 204 ff. Über die einstige Bedeutung des Schmiedes bei den Jenisseern vgl. Radlov, *Aus Sibirien*, I, S. 186 ff.

[16] Sieroszewski, *Du chamanisme d'après les croyances des Yakoutes*, S. 319. Vgl. auch W. Jochelson, *The Yakut*, S. 172 ff.

[17] A. Popov, *Consecration ritual for a blacksmith novice among the Yakuts* (Journal of American Folklore, 46. Bd., 1933, S. 257–271), S. 258–260.

[18] A. Popov, a. a. O., S. 260–261. Wir erinnern uns an die Rolle der Schmied-Schamanen («Teufel») in den Initiationsträumen der künftigen Schamanen. Zum Haus K'daai Maqsin's: Bekanntlich hört der altaische Schamane auf seiner ekstatischen Fahrt in die Unterwelt Erlik Khan's metallische Geräusche. Erlik fesselt mit eisernen Banden die von den bösen Geistern gefangenen Seelen, Sandschejew, S. 953.

Nach dem Glauben der Buriäten sind die neun Söhne Boshintojs, des himmlischen Schmieds, auf die Erde herabgestiegen und haben den Menschen die Metallurgie gelehrt; ihre ersten Schüler waren die Ahnen der Schmiedfamilien (Sandschejew, S. 538–539). Nach einer anderen Legende schickte Weiß-Tängri selbst den Boshintoj mit seinen neun Söhnen auf die Erde, damit er den Menschen die Kunst der Metallbearbeitung entdecke. Boshintojs Söhne heirateten Erdentöchter und wurden so die Ahnherrn der Schmiede, und niemand kann Schmied werden, wenn er nicht von einer dieser Familien abstammt (*ebd.,* S. 539). Die Buriäten kennen auch «schwarze Schmiede», welche sich bei bestimmten Zeremonien das Gesicht mit Ruß beschmieren; sie sind beim Volk besonders gefürchtet (*ebd.,* S. 540). Die Götter und Schutzgeister der Schmiede helfen ihnen nicht nur bei ihren Arbeiten, sondern beschützen sie auch vor den bösen Geistern. Die buriätischen Schmiede haben ihre besonderen Riten; dabei wird ein Pferd geopfert, indem man ihm den Bauch aufschneidet und das Herz herausreißt (der letztere Ritus deutlich «schamanisch»). Die Seele des Pferdes macht sich auf zu dem himmlischen Schmied Boshintoj. Neun junge Männer spielen die neun Söhne Boshintojs und ein Mann, der den Himmelsschmied selber verkörpert, fällt in Ekstase und rezitiert einen langen Monolog mit der Erzählung, wie er *in illo tempore* seine Söhne auf die Erde geschickt hat, damit sie den Menschen helfen usw. Darauf berührt er das Feuer mit der Zunge. Man berichtete Sandschejew, daß nach dem alten Brauch der Darsteller Boshintojs geschmolzenes Eisen in die Hand nahm. Sandschejew selber sah nur rotglühendes Eisen mit dem Fuß berühren (S. 550 ff.). Man erkennt in solchen Proben ohne weiteres schamanische Darbietungen; wie die Schmiede sind auch die Schamanen «Meister des Feuers». Doch sind ihre magischen Kräfte denen der Schmiede deutlich überlegen.

A. Popov beschreibt eine Sitzung, bei der ein Schmied durch einen Schamanen geheilt wird. Die Krankheit war von den «Geistern» des Schmieds verursacht. Man opferte dem K'daai Maqsin einen schwarzen Stier und bestrich alle Werkzeuge des Schmieds mit seinem Blut. Sieben Männer zündeten ein großes Feuer an und warfen den Kopf des Stiers in die Glut. Inzwischen begann der Schamane mit seiner Beschwörung und bereitete sich zu der ekstatischen Reise zu K'daai Maqsin. Die sieben Männer nahmen den Kopf des Stiers wieder auf, legten ihn auf den Amboß und schlugen mit Hämmern darauf – ohne Zweifel ein symbolisches Schmieden des «Kopfs» des Schmiedes, so wie in den Initiationsträumen der künftige Schamane von Dämonen geschmiedet wird. Der Schamane steigt in die Unterwelt K'daai Maqsins hinab; es gelingt ihm, sich einen Geist einzukörpern und dieser antwortet durch seinen Mund auf die Fragen über die Krankheit und die richtige Behandlung (Popov, *Consecration ritual*, S. 262 ff.).

Ihre «Macht über das Feuer» und vor allem der Metallzauber haben den Schmieden überall den Ruf furchtbarer Zauberer eingebracht[19]. Daher die ambivalente Einstellung gegen sie: sie werden verachtet und verehrt zugleich. Dieses gegensätzliche Benehmen ist vor allem für Afrika bezeugt[20]. Bei vielen Stämmen wird der Schmied verhöhnt; er gilt als Paria und man kann ihn sogar ungestraft töten[21]. In anderen Stämmen dagegen ist der Schmied geehrt und einem Medizinmann gleichgeachtet und wird sogar politisches Oberhaupt[22]. Das erklärt sich aus den gegensätzlichen Reaktionen, welche Metall und Metallurgie erwecken können, und aus der Auseinanderentwicklung der verschiedenen afrikanischen Gesellschaften, von denen manche die Metallbearbeitung erst spät und in komplexem geschichtlichem Zusammenhang kennengelernt haben. Wichtig für unser Thema ist allein, daß in Afrika auch die Schmiede zuweilen Geheimgesellschaften mit spezifischen Initiationsriten bilden[23]. In bestimmten Fällen gibt es sogar eine Symbiose zwischen Schmieden einerseits und Schamanen oder Me-

---

[19] Wir haben dieses Problem in unserer Arbeit *Metallurgy, Magic and Alchemy* behandelt (Zalmoxis I, 1938, S. 85–129, und Cahiers de Zalmoxis I, 1938).

[20] Vgl. Walter Cline, *Mining and Metallurgy in Negro Africa* (General Series of Anthropology, Nr. 5, Paris 1937); vgl. auch B. Gutmann, *Der Schmied und seine Kunst im animistischen Denken* (Zeitschrift für Ethnologie, 44. Bd., 1912, S. 81–93); Webster, *Magic*, S. 165–167.

[21] Z. B. bei den Bari am Weißen Nil (Richard Andree, *Die Metalle bei den Naturvölkern mit Berücksichtigung prähistorischer Verhältnisse*, Leipzig 1884, S. 9, 42), bei den Joloff, den Tibbu (Andree, S. 41–43), den Wa Ndorobbo und den Masai (Cline, S. 114) usw.

[22] Die Ba Lolo am Kongo schreiben den Schmieden königliche Abstammung zu (Cline, S. 22). Die Wa Chagga ehren und fürchten sie zugleich *(ebd.*, S. 115). Die teilweise Identifizierung von Schmied und Oberhaupt begegnet bei mehreren Kongostämmen, den Ba Songe, Ba Holoholo usw. (Cline, S. 125).

[23] Vgl. Cline, a. a. O., S. 119; Eliade, *Metallurgy, Magic and Alchemy*, S. 8 (Katanga).

dizinmännern andererseits [24]. Das Vorkommen von Schmieden in den Geheimgesellschaften («Männerbünden») auf Initiationsgrundlage ist für die alten Germanen [25] und die Japaner [26] bezeugt. Ähnliche Beziehungen zwischen Metallurgie, Magie und Dynastiegründern wurden in den chinesischen mythologischen Traditionen festgestellt [27]. Dieselben Beziehungen, diesmal jedoch unendlich komplexer, zeigen sich zwischen Kyklopen, Daktylen, Kureten, Telchinen und Metallarbeit [28]. Der dämonische, «asurische» Charakter der Metallbearbeitung wird durch die Mythen der indischen Ureinwohnervölker (Birhor, Munda, Oraon) ins Licht gesetzt, wo von dem Stolz des Schmiedes die Rede ist und von seiner endlichen Niederlage vor dem höchsten Wesen, das ihn schließlich in seiner eigenen Schmiede verbrennt [29].

Die «Geheimnisse der Metallurgie» erinnern uns an die Berufsgeheimnisse, welche bei den Schamanen durch die Initiation weitergegeben werden; in beiden Fällen handelt es sich um eine magische Technik von esoterischem Charakter. Aus diesem Grund ist auch der Beruf des Schmiedes im allgemeinen erblich wie der des Schamanen. Eine weitere Analyse der geschichtlichen Beziehungen zwischen Schamanismus und Metallarbeit würde uns zu weit von unserem Gegenstand abbringen. Hier galt es nur zu zeigen, daß die Magie der Metallurgie sich durch die «Macht über das Feuer» viele schamanische Fähigkeiten angeeignet hat. Wir finden in der Mythologie der Schmiede eine Menge Themen und Motive, welche aus der Mythologie der Schamanen und der Zauberer im allgemeinen entlehnt sind. Diese

---

[24] Cline, S. 120 (Bayeke, Jla).

[25] Höfler, *Kultische Geheimbünde*, S. 54 ff. Über die Beziehungen zwischen Metallurgie und Magie in den mythologischen Traditionen der Finnen vgl. Meuli, *Scythica*, S. 175.

[26] Slawik, *Kultische Geheimbünde*, S. 697 ff.

[27] Marcel Granet, *Danses et légendes*, 2. Bd., S. 609 ff. und passim.

[28] Vgl. L. Gernet und A. Boulanger, *Le génie grec dans la religion* (Paris 1932), S. 79; Bengt Hemberg, *Die Kabiren* (Uppsala 1950), S. 286 ff. und passim. Über die Beziehungen zwischen Schmied, Tänzer und Zauberer vgl. Robert Eiser, *Das Qainszeichen und die Queniter* (Le Monde Oriental, 23. Bd., 1929, S. 48–112).

[29] Vgl. Sarat Chandra Roy, *The Birhors* (Rangi 1925), S. 402 ff. (Birhor); E. T. Dalton, *Descriptive Ethnology of Bengal* (Calcutta 1872), S. 186 ff. (Munda); P. Dehon, *Religion and Customs of the Uraons* (Memoirs of the Asiatic Society of Bengal, 1. Bd., Nr. 9, Calcutta 1906), S. 128 ff. (Oraon). Zu diesem ganzen Problem s. die reichhaltige, aber abenteuerliche Abhandlung von Walter Ruben, *Eisenschmiede und Dämonen in Indien*, S. 11 ff., 130 ff., 149 ff. und passim.

Sachlage zeigt sich auch in der europäischen Volksüberlieferung, gleichgültig woher die Traditionen stammen. Der Schmied ist vielfach zu einem dämonischen Wesen geworden, und der Teufel wird flammenspeiend vorgestellt – also wieder die magische Macht über das Feuer, doch ins Negative gewendet.

Die «magische Hitze»

Ganz wie der Teufel im Glauben der europäischen Völker, sind auch die Schamanen nicht nur «Meister des Feuers»; sie können sich auch den Geist des Feuers einkörpern und während ihrer Sitzung durch Mund, Nase und den ganzen Körper Flammen aussenden[30]. Diese Leistung gehört in die Kategorie der schon oft erwähnten schamanischen «Feuermeisterschafts»-Wunder, aus denen die «Geistesverfassung» hervorgeht, die der Schamane erreicht hat.

Doch, wie wir gesehen haben, ist die Vorstellung von der «mystischen Hitze» kein Monopol des Schamanismus; sie gehört der allgemeinen Magie an. Eine große Anzahl «primitiver» Stämme stellt sich die religiös-magische Kraft «brennend» vor und drückt sie durch Wörter aus, die «Hitze», «Brandwunde», «sehr heiß» usw. bedeuten. In Dobu geht der Begriff «Hitze» immer mit «Zauberei» zusammen[31]. Dieselbe Konstellation gilt auf den Rossel-Inseln, wo die «Hitze» das Attribut der Zauberer ist[32]. Auf den Salomon-Inseln gelten alle Leute mit viel *mana* als *saka*, «brennend»[33]. An anderen Orten, z. B. auf Sumatra und im malaiischen Archipel, drücken die Wörter für «Hitze» auch den Begriff des Übels aus, während die Begriffe Seligkeit, Friede, Heiterkeit durch dieselben Wörter wie «Frische» ausgedrückt werden[34]. Aus diesem Grund trinken viele Zauberer und Hexer Salzwasser oder

---

[30] Propp, *Le radice storiche dei racconti di fate*, S. 284 ff. mit Beispielen von Gilyaken- und Eskimoschamanen.

[31] R. E. Fortune, *Sorcerers of Dobu* (London 1932), S. 295 ff. Vgl. auch A. R. Brown, *The Andaman Islanders*, S. 266 ff.

[32] Webster, *Magic*, S. 7, zitiert W. E. Armstrong, *Rossel Islands* (Cambridge 1928), S. 112 ff.

[33] Webster, *Magic*, S. 27; vgl. Codrington, *The Melanesias*, S. 191 ff.

[34] *Ebd.*, S. 27.

gepfeffertes Wasser und essen die pikantesten Pflanzen; sie wollen damit ihre innere «Hitze» steigern[35]. Ein ähnlicher Grund verbietet bestimmten australischen Hexern und Hexen «brennende» Substanzen; sie haben ja selber schon genug «inneres Feuer»[36].

Dieselben Vorstellungen haben sich auch in komplexeren Religionen erhalten. Die heutigen Hindus geben einer besonders mächtigen Gottheit die Epitheta *prakhar*, «sehr heiß», *jâjval*, «brennend» oder *jvalit*, «Feuer besitzend»[37]. Die indischen Mohammedaner glauben, daß ein Mensch, der sich mit Gott vereinigt, «brennend» wird (Abbott, *The Keys of Power*, S. 6). Ein Mensch, der Wunder tut, wird *sahib-josh* genannt, wobei *josh* «kochend» bedeutet (Abbott, *ebd.*). Das wurde dann ausgeweitet und alle Personen oder Handlungen mit irgendeiner religiös-magischen «Kraft» galten als «brennend» (*ebd.*, S. 7 ff., und Index, bes. unter «heat»).

Hier ist nun der Ort, noch einmal an die Initiations-Schwitzstuben der nordamerikanischen mystischen Bruderschaften zu denken und überhaupt an die magische Rolle, welche die Schwitzstube bei vielen nordamerikanischen Stämmen in der Vorbereitungszeit der künftigen Schamanen spielt. Wir haben die ekstatische Funktion der Schwitzstube zusammen mit Vergiftung durch Hanfrauch auch bei den Skythen gefunden. In diesem Zusammenhang ist auch an den *tapas* der altindischen kosmogonischen und mystischen Traditionen zu denken: «Innere Hitze» und Schwitzen sind «schöpferisch». Man könnte auch noch einige indogermanische Heroenmythen erwähnen mit ihrem *furor*, ihrer *wut*, ihrem *ferg*. Der irische Heros Cûchulainn geht so «erhitzt» aus seiner ersten Heldentat hervor (die übrigens, wie Georges Dumézil gezeigt hat, eine Initiation vom kriegerischen Typ ist), daß man ihm drei Bottiche mit kaltem Wasser bringt. «Man setzte ihn in den ersten Bottich und er machte das Wasser so heiß, daß es die Bretter und Reifen des Bottichs sprengte wie man eine Nußschale aufschlägt. Im zweiten Bottich kochte das Wasser und warf Blasen so groß wie eine Faust. Im dritten Bottich war die Hitze so, wie manche Leute sie ertragen und manche nicht. Nun ließ der Zorn (*ferg*) des Kleinen nach und man

---

[35] *Ebd.*, S. 7.
[36] *Ebd.*, S. 237 f.
[37] J. Abott, *The Keys of Power. A study of Indian ritual and belief* (London 1932), S. 5 ff.

reichte ihm seine Kleider[38].» Dieselbe «mystische Hitze» (vom «kriegerischen» Typ) zeichnet Batradz, den Heros der Narten, aus[39].

Alle diese Mythen und Glaubensvorstellungen sind bemerkenswerterweise gleichbedeutend mit Initiationsritualen, welche eine wirkliche «Meisterschaft über das Feuer» enthalten. Der künftige Eskimo- oder Mandschu-Schamane muß wie der himalajische oder tantrische Yogi seine magische Kraft durch Aushalten der härtesten Kälte oder Trocknen von nassen Tüchern mit seinem Körper beweisen. Eine Reihe anderer Proben der künftigen Schamanen ergänzen diese Feuermeisterschaft im Gegensinn. Beides, Widerstandskraft gegen Kälte durch «mystische Hitze» und Unempfindlichkeit gegen das Feuer, verkünden die Erreichung eines übermenschlichen Zustands.

Oft tritt die schamanische Ekstase erst nach der «Erhitzung» ein. Wie wir schon früher feststellen konnten, ergibt sich die Darbietung fakirischer Proben in bestimmten Momenten der Sitzung aus der Verpflichtung des Schamanen, den durch die Ekstase erreichten «zweiten Zustand» zu beglaubigen. Er spickt sich mit Messern, berührt weißglühendes Eisen, verschluckt glühende Kohlen, weil er nicht anders kann; er muß einen Beweis erbringen für die neue, übermenschliche Verfassung, die er soeben erreicht hat.

Man darf sicherlich annehmen, daß der Gebrauch von Narkotika durch das Streben nach «magischer Hitze» angeregt wurde. Der Rauch gewisser Kräuter, die «Verbrennung» gewisser Pflanzen hatte die Eigenschaft, die «Kraft» zu vermehren. Der Vergiftete «erhitzt sich»; der narkotische Rauch ist «brennend». Man bemühte sich, durch mechanische Mittel die «innere Hitze» hervorzubringen, welche zur Trance führte. Hier ist auch die symbolische Geltung der Vergiftung zu erwähnen: Die Vergiftung bedeutete einen «Tod»; der Vergiftete verließ seinen Körper und geriet in den Zustand der Abgeschiedenen und der Geister. Da die mystische Ekstase einem vorübergehenden «Tod», einem Verlassen des Körpers gleichkam, waren damit alle Vergiftungen, die zu demselben Resultat führten, in die Ekstasetechniken einbezogen. Doch bei aufmerksamerem Studium dieser Frage hat man den

---

[38] *Tâin Bö Cuâlnge,* zusammengefaßt und übersetzt von Georges Dumézil, *Horace et les Curiaces* (Paris 1942), S. 35 ff.

[39] Vgl. G. Dumézil, *Légendes sur les Nartes,* S. 50 ff., 179 ff.; ders., *Horace et les Curiaces,* S. 55 ff.

Eindruck, daß der Gebrauch von Narkotika eher die Entartung einer Ekstasetechnik oder ihre Ausbreitung zu «niedereren» Völkern oder sozialen Schichten anzeigt[40]. Jedenfalls ist festgestellt, daß der Gebrauch der Narkotika (Tabak usw.) im Schamanismus des äußersten Nordostens ziemlich jung ist.

«Magischer Flug»

Sibirische, nordamerikanische und Eskimoschamanen fliegen[41]. Auf der ganzen Erde schreibt man den Zauberern und *medicine-men* dieselbe magische Fähigkeit zu[42]. Auf Malekula haben die Zauberer (*bwili*) die Fähigkeit sich in Tiere zu verwandeln, und zwar verwandeln sie sich am liebsten in Hühner und Falken, weil die Flugkraft sie den Geistern ähnlich macht[43]. Der Marind-Zauberer «begibt sich in einen kleinen Verschlag, den er im Walde aus Palmblättern hergestellt hat, versieht die Ober- und Unterarme mit den Schwungfedern eines Reihers und zündet schließlich das Blätterhüttchen an, ohne es zu verlassen. Mit dem Rauch und den Flammen soll er nach oben getragen werden und wie ein Vogel nach dem gewünschten Ort davonfliegen...[44].»

[40] Wir hoffen dieses Problem im Rahmen einer eingehenderen vergleichenden Studie über die Ideologien und Techniken der «inneren Hitze» wieder aufgreifen zu können. Über die Struktur von Feuervorstellungen vgl. G. Bachelard, *La psychanalyse du feu* (Paris 1935).

[41] Siehe z. B. A. Czaplicka, *Aboriginal Siberia*, S. 175 ff., 238 usw.; Kroeber, *The Eskimos of the Smith Sound* (Bulletin of the American Museum of Natural History, 12. Bd., 1900), S. 303 ff.; Thalbitzer, *Les magiciens Esquimaux*, S. 80 f.; J. Layard, *Shamanism. An analysis based on comparison with the flying tricksters of Malekula*, S. 536 ff.; A. Métraux, *Le shamanisme chez les Indiens de l'Amérique du Sud*, S. 209; Itkonen, *Heidnische Religion*, S. 116.

[42] Australien: W. J. Perry, *The Children of the Sun* (2. Aufl., London 1926), S. 396, 403 ff.; Trobriand-Inseln: B. Malinowski, *The Argonauts of the Pacific* (London 1932), S. 239 ff. Die *njiamas* auf den Salomon-Inseln verwandeln sich in Vögel und fliegen: A. M. Hocart, *Medicine and Witchcraft in Eddy-stone of the Salomon* (Journal of the Royal Anthropological Institute, 55. Bd., 1925, S. 231 f.). S. auch die schon zitierten Belege (vgl. Index, besonders «fliegen»).

[43] John Layard, *Malekula. Flying tricksters, ghosts, gods and epileptics*, S. 504 ff.

[44] P. Wirz, *Die Marind-anim von Holländisch Süd-Neu-Guinea*, (Universität Hamburg, Abh. aus dem Gebiet der Auslandskunde) II. Bd., 3. Teil, S. 74.

Diese Züge erinnern an den Vogelsymbolismus auf dem Kostüm des sibirischen Schamanen. Auch der Dajak-Schamane, der die Seelen der Abgeschiedenen in die andere Welt begleitet, nimmt Vogelgestalt an [45]. Wie wir gesehen haben, breitet der vedische Opferer oben auf der Leiter die Arme aus wie ein Vogel seine Flügel und ruft: «Ich habe den Himmel erreicht!» usw. Denselben Ritus gibt es in Malekula: Auf dem Höhepunkt des Opfers breitet der Opfernde die Arme aus, um den Falken nachzuahmen, und stimmt einen Gesang zu Ehren der Sterne an [46]. Nach zahlreichen Traditionen erstreckte sich in mythischer Zeit die Flugkraft auf alle Menschen; alle konnten den Himmel erreichen, entweder auf den Flügeln eines Vogels oder auf Wolken [47]. Unnötig, hier noch einmal auf alle schon verzeichneten Details zum Flugsymbolismus (Federn, Flügel) zurückzukommen. Nach einem allgemeinen, in Europa reichlich bezeugten Glauben haben Hexer und Hexen die Fähigkeit durch die Luft zu fliegen [48]. Dieselben magischen Kräfte schreibt man, wie wir gesehen haben, den Yogis, Fakiren und Alchimisten zu (s. o. S. 387 ff.). Doch genau genommen nehmen hier diese Kräfte oft einen rein geistigen Charakter an; der «Flug» drückt nur die Erkenntnis geheimer Dinge und metaphysischer Wahrheiten aus. «Die Intelligenz (*manas*) ist der schnellste der Vögel», sagt der *Rig Veda* VI, 9, 5. Und der *Pañcaviṃça Brâhmaṇa* XIV, I, 13 führt aus: «Wer begreift, hat Flügel [49].»

Eine adäquate Analyse der Symbolik des magischen Fluges würde uns zu weit führen. Nur soviel sei festgestellt, daß zwei wichtige mythische Motive zu der gegenwärtigen Struktur dieser Symbolik beigetragen haben, die mythische Vorstellung von der Seele in Vogelgestalt und der Gedanke von den Vögeln als Seelenführern. Negelein, Frazer und Frobenius haben über diese beiden Seelenmythen viel Material

---

[45] Chadwick, *The growth of literature*, 3. Bd., S. 495; dies., *Poetry and Prophecy*, S. 27.

[46] John Layard, *Stone Men of Malekula* (London 1942), S. 733 f.

[47] So z. B. in Jap: s. Walleser, *Religiöse Anschauungen und Gebräuche der Bewohner von Jap, Deutsche Südsee* (Anthropos, 8. Bd., 1913, S. 607–629), S. 612 ff.

[48] Siehe Kittredge, *Witchcraft in Old and New England* (Harvard 1929), S. 243 ff., 547 f. (Bibliographie); Penzer-Tawney, *The Ocean of Story*, 2. Bd., S. 104; Stith Thompson, *Motif-Index of Folk-Literature*, 3. Bd., S. 217; Arne Runeberg, *Witches, Demons and fertility magic* (Helsingfors 1947), S. 15 ff., 93 ff., 105 ff., 222 ff.

[49] Über den Symbolismus des «Fliegens durch die Luft» s. Ananda K. Coomaraswamy, *Figures of Speech and Figures of Thought* (London 1946), S. 183 ff.

zusammengetragen [50]. Das für uns Wichtige liegt darin, daß die Zauberer und Schamanen *hienieden und so oft sie es wollen* das «Heraustreten» aus dem Körper, also den Tod verwirklichen, welcher allein die übrigen Menschen in «Vögel» verwandeln kann. Schamanen und Zauberer dürfen sich des Zustands von «Seelen», von «Desinkarnierten» erfreuen, den der Profane nur im Augenblick seines Todes erreicht. Dieser magische Flug ist zugleich Ausdruck für die Autonomie der Seele wie für die Ekstase und damit erklärt es sich, daß dieser Mythus sich so verschiedenen kulturellen Komplexen eingliedern konnte wie der Zauberei, der Traummythologie, den Sonnenkulten und den Kaiserapotheosen, den Ekstasetechniken, Todessymbolismen usw. Er steht ebenso auch in Verbindung mit dem Symbolismus der Auffahrt (s. u.). Dieser Seelenmythus enthält keimhaft eine ganze Metaphysik der Autonomie und geistigen Freiheit des Menschen, und hier liegt der Ausgangspunkt für die frühesten Spekulationen über das freiwillige Verlassen des Körpers, die Allmacht der Intelligenz und die Unsterblichkeit der menschlichen Seele. Eine Analyse der «Bewegungsimagination» vermag zu zeigen, wie wesentlich das Heimweh nach dem Fliegen der menschlichen Psyche ist [51]. Der Hauptpunkt ist für uns, daß die den Schamanen und Zauberern eigenen Mythen und Riten des magischen Flugs ein Hinauswachsen über den menschlichen Zustand verkünden: Wenn die Schamanen durch die Lüfte fliegen, sei es in Vogelgestalt oder in ihrer eigenen, verkünden sie gewissermaßen den Niedergang der Menschen, denn vielen Mythen zufolge konnten ja in einer Urzeit *alle Menschen* zum Himmel steigen, indem sie einen Berg, einen Baum oder eine Leiter erstiegen oder indem sie aufflogen, sei es aus eigener Kraft oder von Vögeln getragen. Das Absinken der Menschheit versagt es seither den Menschen zum Himmel aufzufliegen; nur der Tod stellt den Menschen (und nicht einmal allen!) ihre uranfängliche Verfassung wieder her; erst dann können sie zum Himmel steigen und wie Vögel fliegen.

[50] Seele und Vogel: J. von Negelein, *Seele als Vogel* (Globus, 79. Bd., S. 357–361, 381–384); James George Frazer, *Taboo and the Perils of the Soul*, 1914; Seelengleitender Vogel: L. Frobenius, *Die Weltanschauung der Naturvölker* (Weimar 1898), S. 11 ff.; Frazer, *The fear of the dead in primitive religion* (London 1933), 1. Bd., S. 189.

[51] Siehe z. B. Gaston Bachelard, *L'air et les songes. Essai sur l'imagination du mouvement* (Paris 1943) und unsern Artikel *Durohâna and the «waking dream»* (Art and Thought. A volume in Honour of the late Dr. Ananda K. Coomaraswamy, London 1947, S. 209–213).

Ohne die Analyse dieser Flugsymbolik und der Seelenvogel-Mythologie weiter treiben zu wollen, sei daran erinnert, daß die Vorstellung von der Vogelseele und damit die Gleichsetzung des Toten mit einem Vogel schon in den Religionen des alten Nahen Orient bezeugt ist. Das *Buch der Toten* beschreibt den Toten als einen Falken, der entfliegt (Kap. 27 usw.), und in Mesopotamien stellt man sich die Abgeschiedenen in Vogelgestalt vor. Der Mythus ist wahrscheinlich noch älter. Auf den prähistorischen Denkmälern Europas und Asiens ist der Weltenbaum mit zwei Vögeln in seinen Zweigen dargestellt[52]; diese Vögel scheinen abgesehen von ihrer kosmogonischen Bedeutung auch die Ahnenseele symbolisiert zu haben. Wir erinnern uns, daß in den Mythologien Zentralasiens, Sibiriens und Indonesiens die auf den Zweigen des Weltenbaums sitzenden Vögel die Seelen der Menschen darstellen. Die Schamanen können infolge ihrer Fähigkeit sich in «Vögel» zu verwandeln, also infolge ihrer «Geisterhaftigkeit» bis zum Weltenbaum fliegen und die «Vogelseelen» von dort bringen.

Man erkennt schon an diesen wenigen Beispielen, daß Vogelsymbolismus und Mythologien des «magischen Flugs» über den Schamanismus *stricto sensu* weit hinausreichen und älter als er sind. Sie gehören zur Ideologie der allgemeinen Magie und spielen in vielen religiös-magischen Komplexen eine wesentliche Rolle. Trotzdem kann man sich die Eingliederung dieses Symbolismus und all dieser Mythologien in den Schamanismus gut erklären: Sie brachten auf wirkungsvolle Weise die übermenschliche Verfassung der Schamanen zur Geltung, die Freiheit sich ungestraft durch die drei kosmischen Zonen zu bewegen und beliebig oft vom «Leben» zum «Tode» und umgekehrt überzugehen, genau wie die Geister, deren Fähigkeiten sie sich angeeignet hatten. Der «magische Flug» der Herrscher offenbart die nämliche Autonomie und den nämlichen Sieg über den Tod.

Erinnern wir uns an dieser Stelle, daß die Levitation der Heiligen und Zauberer sowohl in den christlichen als in den islamischen Traditionen bezeugt ist. Die katholische Hagiographie hat eine ziemlich große Zahl von Levitationen und sogar von «Flügen» verzeichnet; *La lévitation* (Paris 1928), das neue Sammelwerk von Olivier Leroy, beweist das. Das berühmteste Beispiel liefert der heilige Joseph von Co-

---

[52] Vgl. G. Wilke, *Der Weltenbaum und die beiden kosmischen Vögel in der vorgeschichtlichen Kunst* (Mannus, 14. Bd., S. 73–99).

pertino (1603–1663). Ein Zeuge beschreibt seine Levitation auf folgende Weise: «... er erhob sich in dem Raum und flog von der Mitte der Kirche wie ein Vogel auf den Hochaltar, wo er den Tabernakel umarmte...» (Leroy, *a. a. O.*, S. 125). «Zuweilen sah man ihn... auch auf den Altar des heiligen Franziskus und der Muttergottes von Grotello fliegen...» (*ebd.*, S. 126). Ein anders Mal flog er auf einen Ölbaum «... und er kniete eine halbe Stunde auf einem Ast, den man zittern sah, wie wenn ein Vogel daraufgesetzt worden wäre» (*ebd.*, S. 127). Ein anderes Mal flog er in Ekstase ungefähr 250 Meter vom Boden bis zu einem Mandelbaum, der etwa 30 Meter hoch lag (S. 128). Von den übrigen zahllosen Beispielen für Levitation oder Flug von Heiligen und Frommen nennen wir nur noch die Erlebnisse der Schwester Marie vom gekreuzigten Jesus, einer arabischen Karmelitin; sie erhob sich sehr hoch in die Luft, bis zu den Wipfeln der Bäume im Garten des Karmels von Bethlehem, «aber sie begann damit sich an einigen Ästen emporzuhissen und flatterte nie frei im Leeren» *(a. a. O.,* S. 178).

Brücke und «schwieriger Übergang»

Die Schamanen müssen wie die Abgeschiedenen im Lauf ihrer Unterweltsreise eine Brücke überschreiten. Wie der Tod enthält auch die Ekstase eine «Veränderung», welche der Mythus plastisch durch einen gefährlichen Übergang ausdrückt. Wir haben dafür ziemlich viele Beispiele gefunden. Da wir vorhaben in einer eigenen Arbeit auf diesen Gegenstand zurückzukommen, wollen wir uns hier mit einigen bündigen Bemerkungen begnügen. Die Symbolik der Totenbrücke ist überall verbreitet und geht über die schamanische Ideologie und Mythologie hinaus [53]. Sie steht einerseits mit dem Mythus von der Brücke

---

[53] Außer den in diesem Buch bereits zitierten Beispielen vgl. Dr. Johannes Zemmrich, *Toteninseln und verwandte geographische Mythen* (Internat. Archiv für Ethnographie, 4. Bd., 1891, S. 217–244), S. 236 ff.; Rosalind Moss, *The Life after Death in Oceania and the Malay Archipelago*, s. besonders «bridge»; Kira Weinberger-Goebel, *Melanesische Jenseitsgedanken*, S. 101 ff.; Martii Rasanen, *Regenbogen – Himmelsbrücke*, passim; Theodor Koch, *Zum Animismus der südamerikanischen Indianer*, S. 129 ff.; F. K. Numazawa, *Die Weltanfänge in der japanischen Mythologie*, S. 151 ff., 313 ff., 393; L. Vannicelli, *La religione dei Lolo*, S. 179 ff.; Stith Thompson, *Motif-Index of Folk-Literature*, 3. Bd., S. 22 (F 152).

(dem Baum, der Liane usw.) in Beziehung, welche einst die Erde mit dem Himmel verband und über die die Menschen mühelos mit den Göttern verkehrten, andererseits mit der Initiationssymbolik der «engen Pforte» und des «paradoxen Übergangs», für die wir einige Beispiele geben werden. Es handelt sich hier um einen mythologischen Komplex mit folgenden Hauptelementen: a) *in illo tempore,* zur Paradieseszeit der Menschheit, verband eine Brücke die Erde mit dem Himmel [54] und man kam ohne Hindernis vom einen Ende zum anderen, weil es *den Tod* nicht gab; b) als aber die *leichten* Verbindungen zwischen Erde und Himmel unterbrochen waren, überschritt man die Brücke nur noch «im Geist», das heißt im Tod oder in der Ekstase; c) dieser Übergang ist schwierig, anders ausgedrückt mit Hindernissen übersät, und nicht allen Seelen gelingt er; es gilt Dämonen und Untieren zu begegnen, die die Seele verschlingen möchten, oder die Brücke wird für die Gottlosen schmal wie die Schneide eines Rasiermessers, nur die «Guten», im besonderen die *Eingeweihten,* überschreiten die Brücke leicht (die Eingeweihten kennen in gewisser Hinsicht den Weg, weil sie im Ritual Tod und Auferstehung durchgemacht haben); d) gewisse Privilegierte vermögen sie dennoch zu Lebzeiten zu überschreiten, sei es in der Ekstase wie die Schamanen, sei es «mit Gewalt» wie bestimmte Heroen, sei es «auf paradoxe Weise», durch «Weisheit» oder durch die Initiation (auf das «Paradoxe» werden wir sogleich zurückkommen).

Das Wichtige daran ist, daß viele Rituale auf symbolische Weise eine «Brücke» oder «Leiter» «errichten», so zum Beispiel im Symbolismus des brâhmanischen Opfers (vgl. *Taittirîya Samhitâ* VI, 5, 3, 3; VI, 5, 4, 2; VII, 5, 8,5 usw.). Wie wir gesehen haben, heißt das Seil, welches die für die schamanische Sitzung aufgestellten Zeremonialbirken verbindet, geradezu «Brücke» und symbolisiert die Auffahrt des Schamanen in den Himmel. Bei gewissen japanischen Initiationen müssen die Kandidaten auf sieben Pfeilen aus sieben Brettern eine «Brücke» bauen [55]. Dieser Ritus ist mit den von den Schamanenkandidaten bei der Initiation bestiegenen Messerleitern und ganz allgemein mit Initiationsauffahrten in Verbindung zu bringen. Der Sinn all dieser Riten des

---

[54] Vgl. Numazawa, *a. a. O.,* S. 155 ff.; H. Th. Fischer, *Indonesische Paradiesmythen* (Zeitschrift für Ethnologie, 64. Bd., 1932, S. 204–245), S. 207 ff.

[55] Bei den Schamaninnen von Ryûkyû, vgl. Slawik, *Kultische Geheimbünde der Japaner und Germanen,* S. 739.

«gefährlichen Übergangs» ist folgender: Man richtet eine Verbindung zwischen Erde und Himmel ein, indem man sich bemüht, die «Verkehrsmöglichkeit», welche *in illo tempore* gegolten hat, wieder herzustellen. Unter einem bestimmten Gesichtswinkel betrachtet verfolgen alle Initiationsriten die Wiederherstellung eines «Übergangs» ins Jenseits und insofern die Abschaffung des Bruches zwischen den Ebenen, der die menschliche Verfassung seit dem «Fall» kennzeichnet.

Wie lebenskräftig die Symbolik der Brücke ist, wird auch durch die Rolle bewiesen, welche sie in den christlichen und islamischen Apokalypsen wie in den Initiationstraditionen des abendländischen Mittelalters spielt. Die *Vision des heiligen Paulus* zeigt eine Brücke, die «so schmal ist wie ein Haar» und unsere Welt mit dem Paradies verbindet[56]. Dasselbe Bild begegnet bei den arabischen Schriftstellern und Mystikern: Die Brücke ist «schmäler als ein Haar» und verbindet die Erde mit den astralen Sphären und dem Paradies[57]; die Sünder sind, ganz wie in den christlichen Traditionen, außerstande sie zu überschreiten und werden in die Unterwelt gestürzt. Die arabische Terminologie unterstreicht deutlich das Moment des «schwierigen Zugangs» zu der Brücke oder dem «Pfad»[58]. Die mittelalterlichen Legenden sprechen von einer «unter dem Wasser verborgenen Brücke» und von einer Säbelbrücke, welche der Held (Lanzelot) mit bloßen Füßen und Händen überschreiten muß. Diese Brücke «schneidet schärfer als eine Sichel» und der Übergang geschieht «mit Leiden und Todesqual». Der Initiationscharakter des Überschreitens der Säbelbrücke wird noch durch etwas anderes bekräftigt: Bevor er die Brücke betritt, bemerkt Lanzelot am andern Ufer zwei Löwen; dort angekommen sieht er nur mehr eine Eidechse. Die «Gefahr» verschwindet schon damit, daß die Initiationsprobe bestanden ist[59].

Der «enge» oder «gefährliche» Durchgang ist ein gängiges Motiv in Toten- wie Initiationsmythologien (wir kennen den Zusammen-

---

[56] Vgl. Miguel Asin Palacios, *La escatologia musulmana en la Divina Comedia* (2. Aufl., Madrid-Granada 1943), S. 282.

[57] M. Asin Palacios, *a. a. O.*, S. 182.

[58] Ebd., S. 181 ff. Die islamische Brückenvorstellung (*sirât*) ist persischen Ursprungs, *ebd.*, S. 180.

[59] Vgl. die bei H. Zimmer, *The king and the corpse* (Neuyork 1948), S. 166 ff., 173 ff. wiedergegebenen Texte. Vgl. *ebd.*, S. 166 (Fig. 3) das schöne Bild des «Übergangs über die Schwertbrücke» aus einem französischen Manuskript des 12. Jh.

hang, ja das Zusammenwachsen, zu dem es manchmal zwischen beiden kommt). Auf Neuseeland muß der Tote an einer sehr engen Stelle zwischen zwei Dämonen hindurchgehen, die ihn fangen wollen: Wenn er «leicht» ist, kommt er hindurch, doch wenn er «schwer» ist, fällt er zu Boden und ist die Beute der Dämonen [60]. «Leichtigkeit» und «Geschwindigkeit» ist – wie in den Mythen, wo es «sehr schnell» zwischen den Kiefern eines Untiers hindurchzukommen gilt – immer eine symbolische Formel für «Erkenntnis», «Weisheit», «Transzendenz», letzten Endes für Initiation. «Schlecht kommt man über die dünne Klinge des Rasiermessers, sagen die Dichter, um die Schwierigkeit des Weges auszudrücken (der zur höchsten Erkenntnis führt)», sagt die *Katha Upanisad* (III, 14, übers. von Louis Renou) [61]. Diese Formel rückt den Initiationscharakter der metaphysischen Erkenntnis ins Licht. «Eng ist die Pforte und schmal der Weg, der zum Leben hinführt, und wenige sind es, die ihn finden» (Matthäus 7, 14).

Der Symbolismus der «engen Pforte» und der «gefährlichen Brücke» ist eng verbunden mit dem Symbolismus des von uns so benannten «paradoxen Übergangs», denn er erweist sich oft als Unmöglichkeit oder als Situation ohne Ausweg. Wir erinnern uns, daß die Schamanenkandidaten und die Helden gewisser Mythen sich manchmal in einer scheinbar verzweifelten Situation befinden. Sie müssen dorthin gehen, «wo Nacht und Tag sich begegnen», oder eine Pforte in einer Mauer finden oder zum Himmel aufsteigen durch einen Durchgang, der sich nur für einen Augenblick öffnet, zwischen zwei ständig sich bewegenden Mühlsteinen hindurchgehen, zwischen zwei Felsen, die sich jeden Moment berühren oder zwischen den Kiefern eines Ungeheuers [62]. Wie Coomaraswamy richtig gesehen hat, drücken alle diese mythischen Bilder die Notwendigkeit aus, die Gegensätze zu überwinden, die Polarität, welche den Zustand des Menschen kennzeichnet, abzuschaffen, um zur

---

[60] E. S. C. Handy, *Polynesian Religion* (Honolulu, Hawai, 1927), S. 73 ff.

[61] Über den indischen und keltischen Brückensymbolismus vgl. Doña Luisa Coomaraswamy, *The perilous Bridge of Welfare* (Harvard Journal of Asiatic Studies, 8. Bd., 1944, S. 196–213); vgl. auch Ananda K. Coomaraswamy, *Time and Eternity* (Ascona 1947), S. 28 und Anm. 36.

[62] Über diese Motive vgl. A. B. Cook, *Zeus* III, 2 (Cambridge 1940), Anhang P: «Floating Islands» (S. 975–1016); Ananda Coomaraswamy, *Symplegades* (Studies and Essays in the History of Science and Learning offered in Homage to George Sarton on the Occasion of his Sixtieth Birthday, hrsg. von M. F. Ashley Montagu, Neuyork 1947, S. 463–488).

letzten Realität zu gelangen. «Wer sich von dieser Welt in die andere begeben oder von dort zurückkehren will, muß das in dem eindimensionalen und außerzeitlichen ‚Intervall' tun, welcher zwei verwandte, aber entgegengesetzte Kräfte trennt, zwischen denen man immer nur einen Augenblick lang hindurchkann» (Coomaraswamy, *Symplegades,* S. 486). In den Mythen soll mit diesem «paradoxen Durchgang» hervorgehoben sein, daß der, dem er gelingt, den menschlichen Zustand überschritten hat. Er ist ein Schamane, ein Heros oder ein «Geist», und wirklich kann man diesen «paradoxen Durchgang» nur vollbringen, wenn man «Geist» ist.

Diese wenigen Beispiele erhellen die Funktion der «Übergangs»-mythen, -riten und -symbole in der schamanischen Ideologie und Technik. Indem der Schamane in der Ekstase die «gefährliche» Brücke überschreitet, welche die beiden Welten verbindet und mit welcher nur die Toten es aufnehmen können, beweist er einerseits, daß er «Geist» ist, kein menschliches Wesen mehr, und bemüht er sich andererseits die «Verkehrsmöglichkeit» wiederherzustellen, welche *in illo tempore* zwischen dieser Welt und dem Himmel bestand. Denn was heutzutage die Schamanen *in Ekstase* vollbringen, das war einst, am Morgen der Zeiten, allen Menschen *in concreto* möglich; sie stiegen zum Himmel auf und wieder herab, ohne dazu der Trance zu bedürfen. Die Ekstase bringt vorübergehend und für eine beschränkte Zahl von Menschen, die Schamanen, den uranfänglichen Zustand der ganzen Menschheit zurück. In dieser Hinsicht ist das mystische Erlebnis der «Primitiven» eine Rückkehr zu den Ursprüngen, in die mystische Zeit des verlorenen Paradieses. Für den Schamanen in Ekstase gewinnen die Brücke oder der Baum, die Liane, das Seil, die *in illo tempore* die Erde mit dem Himmel verbanden, für die Dauer eines Augenblicks ihre Realität und Gegenwärtigkeit zurück.

Leiter – Totenweg – Auffahrt

Es gibt unzählige Beispiele für die schamanische Himmelfahrt mittels einer Leiter [63]. Dasselbe Mittel dient dazu, das Herabsteigen der

---

[63] S. die Photographie einer solchen Leiter, wie sie der Bhil-Zauberer benützt, in W. Koppers, *Die Bhil in Zentralindien,* Tafel XIII, Fig. 1.

Götter auf die Erde zu erleichtern und die Auffahrt der Seele des Toten zu sichern. So fordert man im indischen Archipel den Sonnengott auf, über eine Leiter mit sieben Sprossen auf die Erde herabzusteigen. Bei den Dajak in Dusun stellt der Medizinmann, wenn er zu einem Kranken gerufen wird, in der Mitte des Zimmers eine Leiter auf, die bis zum Dach reicht; auf dieser Leiter steigen nach der Einladung des Zauberers die Geister herab, die von ihm Besitz ergreifen sollen[64]. Bestimmte malaiische Stämme schlagen in die Gräber Stöcke ein, die sie «Seelenleitern» nennen, ohne Zweifel um die Toten aufzufordern ihr Grab zu verlassen und zum Himmel zu fliegen[65]. Die Mangar, ein Stamm in Nepal, machen sich eine symbolische Leiter, indem sie sieben Einschnitte oder Stufen in einen Stock machen und ihn in das Grab stecken; diese Leiter dient der Seele des Toten zum Aufstieg in den Himmel[66].

Die Ägypter haben in ihren Totentexten den Ausdruck *asken pet* (asken = Stufe) bewahrt, um zu zeigen, daß die Leiter, die Râ ihnen gibt, um zum Himmel zu steigen, eine wirkliche Leiter ist[67]. «Aufgestellt ist für mich die Leiter, damit ich die Götter sehen kann», sagt das *Totenbuch*[68]. «Die «Götter machen ihm eine Leiter, damit er mit ihrer Hilfe zum Himmel steigen kann» (Weill, *a. a. O.*, S. 28). In vielen Gräbern der archaischen und mittleren Dynastien fanden sich

---

[64] Sir James George Frazer, *Folklore in the Old Testament* (London 1919), 2. Bd., S. 54 f.

[65] W. W. Skeat und Blagden, *Pagan Races of the Malay Peninsula* (London 1906), 2. Bd., S. 108, 114.

[66] H. H. Risley, *The Tribes and Castes of Bengal* (Calcutta 1891), 2. Bd., S. 75. In Woronetz backen die Russen zu Ehren ihrer Toten kleine Leitern aus Teig und manchmal bezeichnen sie daran durch sieben Querstangen die sieben Himmel. Dieser Brauch wurde auch von den Tscheremissen entlehnt, vgl. Frazer, *Folklore in the Old Testament* II, S. 57; ders., *The fear of the dead*, I, S. 187. Über die Leiter in der russischen Totenmythologie vgl. Propp, *Le radice storiche dei racconti di fate*, S. 338 ff.

[67] Vgl. z. B. Wallis Budge, *From fetish to God in Ancient Egypt* (Oxford 1934), S. 346; H. P. Blok, *Zur altägyptischen Vorstellung der Himmelsleiter* (Acta Orientalia, 6. Bd., 1928, S. 257–269).

[68] Zitiert bei R. Weill, *Le Champ des Roseaux et le Champ des Offrandes dans la religion funéraire et la religion générale* (Paris 1936), S. 52. Vgl. auch J. H. Breasted, *The development of Religion and Thought in Ancient Egypt* (London 1912), S. 112 ff., 156 ff.; W. Max Müller, *Egyptian Mythology* (Boston 1918), S. 176; J. W. Perry, *The Primordial Ocean* (London 1935), S. 263, 266; Jacques Vandier, *La religion égyptienne* (Paris 1944), S. 71 f.

Amulette in Gestalt einer Leiter (maqet) oder Stiege[69]. Ähnliche Gebilde waren in den Begräbnisstätten an der Rheingrenze[70].

Eine Leiter *(climax)* mit sieben Sprossen ist in den Mithrasmysterien bezeugt, und, wie wir schon sahen, drohte der Priesterkönig Kosingas seinen Untertanen, daß er sich auf einer Leiter zu Hera begeben werde. Eine Himmelfahrt durch zeremonielles Ersteigen einer Leiter bildete wahrscheinlich einen Bestandteil der orphischen Initiation[71]. Auf jeden Fall war der Symbolismus der Auffahrt mit Hilfe einer Leiter in Griechenland bekannt[72].

W. Bousset hat schon lange die Mithrasleiter mit ähnlichen orientalischen Vorstellungen zusammengestellt und ihre gemeinsame kosmologische Symbolik gezeigt[73]. Doch wäre hier auch der Symbolismus des «Zentrums der Welt» ins Licht zu setzen, der implicite in allen Himmelfahrten enthalten ist. Jakob träumt von einer Leiter, deren Spitze den Himmel erreicht und auf der «die Engel des Herrn auf- und niedersteigen» *(Genesis* 28, 12). Der Stein, auf dem Jakob einschläft, ist ein *bethel* und befindet sich «im Zentrum der Welt», weil hier die Verbindung zwischen allen kosmischen Regionen stattfand[74]. Nach der islamischen Tradition sieht Mohammed eine Leiter sich vom Tempel in Jerusalem (dem «Zentrum» par excellence) bis zum Himmel

---

[69] Vgl. z. B. Wallis Budge, *The Mummy* (2. Aufl., Cambridge 1925), S. 324, 327. Abbildung der Toten-Himmelsleitern bei Wallis Budge, *The Egyptian Heaven and Hell* (London 1925), 2. Bd., S. 159 ff.

[70] Vgl. F. Cumont, *Lux Perpetua,* S. 282.

[71] Wenigstens nach der Hypothese von A. B. Cook, *Zeus*, II, I (Cambridge 1925), S. 124 ff., der auf seine Art eine große Menge von Hinweisen auf rituelle Leitern in anderen Religionen anhäuft. Doch s. auch W. K. C. Guthrie, *Orpheus and Greek Religion* (London 1935), S. 208.

[72] Vgl. Cook, *Zeus*, II, I, S. 37, S. 127 ff. Vgl. auch C.-M. Edsman, *Le baptême de feu* (Uppsala-Leipzig 1940), S. 41.

[73] W. Bousset, *Die Himmelsreise der Seele* (Archiv für Religionswissenschaft IV, 1901, S. 155-169); s. auch A. Jeremias, *Handbuch der altorientalischen Geisteskultur* (2. Aufl., Berlin 1929), S. 180 ff. Der 8. Band der «Vorträge» der Warburg-Bibliothek ist den Himmelsreisen der Seele in den verschiedenen Traditionen gewidmet (Leipzig 1930); vgl. auch F. Saxl, *Mithras* (Berlin 1931), S. 97 ff.; Benjamin Rowland, *Studies in the Buddhist Art of Bâmiyân* (Art and Thought, S. 46–50), S. 48.

[74] Vgl. Eliade, *Die Religionen und das Heilige,* S. 262 ff., 432 ff. Siehe auch oben 8. Kapitel. Nicht vergessen sei auch ein anderer Typ von Himmelfahrt, die des Herrschers oder Propheten, der von der Hand des höchsten Gottes das «himmlische Buch» entgegennimmt, ein sehr wichtiges Motiv, das Geo Widengren in *The Ascension of the Apostle and the Heavenly Book* behandelt hat (Uppsala 1950).

erheben mit Engeln rechts und links; auf dieser Leiter stiegen die Seelen der Gerechten zu Gott empor [75]. Die mystische Leiter ist in der christlichen Tradition überreich bezeugt; wir erwähnen nur das Martyrium der heiligen Perpetua und die Legende des heiligen Olaf [76]. Der heilige Johannes Climacus übernimmt den Symbolismus der Leiter, um die verschiedenen Phasen des geistigen Aufstiegs auszudrücken. Ein bemerkenswert ähnlicher Symbolismus begegnet in der islamischen Mystik: Zum Aufstieg der Seele zu Gott gehört die Ersteigung der sieben Grade: Reue, Enthaltsamkeit, Verzicht, Armut, Geduld, Gottvertrauen, Buße [77]. Die christliche Mystik hat nie aufgehört die Symbolik der «Stufe», der «Leitern» und «Aufstiege» auszuwerten. Dante sieht im Saturnhimmel eine goldene Leiter sich schwindelnd bis zur äußersten Himmelssphäre erheben, auf der die Seelen der Seligen aufsteigen (*Paradiso* XXI–XXII) [78]. Die Leiter mit sieben Stufen hat sich auch in der alchimistischen Tradition erhalten; ein Kodex stellt die alchimistische Initiation durch eine Leiter mit sieben Sprossen dar, auf welcher Menschen mit verbundenen Augen aufsteigen; auf der siebten Sprosse befindet sich ein Mensch ohne Augenbinde vor einer geschlossenen Tür [79].

---

[75] Miguel Asin Palacios, *La escatologia musulmana en la Divina Comedia*, S. 70. Nach anderen Traditionen erreicht Mohammed den Himmel auf dem Rücken eines Vogels; so erzählt das *Buch der Leiter*, daß er seine Reise «auf einer Art Ente machte, die größer war als ein Esel und kleiner als ein Maultier», geführt vom Erzengel Gabriel, s. Enrico Cerulli, *Il «libro della scala»* (Studi e Testi, 150, Citta di Vaticano, Biblioteca Apostolica Vaticana 1949). S. oben die analogen Berichte von heiligen Muselmanen. «Mystischer Flug», Ersteigung, Auffahrt sind übrigens homologable Formeln für ein und dieselbe mystische Symbolik und Erfahrung.

[76] Vgl. Edsman, *Le baptême de feu*, S. 32 ff.

[77] Van der Leeuw, *La religion dans son essence et ses manifestations* (Paris 1948), S. 484, mit Nachweisen.

[78] Der heilige Johann vom Kreuz stellt die Etappen der mystischen Vervollkommnung durch eine schwierige Ersteigung dar. Seine *Subida del Monte Carmelo* beschreibt die asketischen und geistigen Anstrengungen als lange und mühsame Besteigung eines Berges. In bestimmten osteuropäischen Legenden wird das Kreuz Christi als Brücke oder Leiter betrachtet, die dem Herrn dazu dient, auf die Erde herabzusteigen, den Seelen zu ihm hinaufzusteigen, s. Harva (=Holmberg), *Der Baum des Lebens*, S. 133. Über die byzantinische Ikonographie der Himmelsleiter vgl. Coomaraswamy, *Svayamâtrnnâ: Janua Coeli*, S. 47.

[79] G. Carbonelli, *Sulle fonti storiche della chimica e dell'Alchimia in Italia* (Rom 1925), S. 39, Fig. 47; es handelt sich um einen Kodex in der Königlichen Bibliothek in Modena.

Der Mythus von der Himmelfahrt über eine Leiter ist auch in Afrika [80], Ozeanien [81] und Nordamerika [82] bekannt. Doch die Stiege ist nur eine von vielen symbolischen Ausdrucksweisen für die Himmelfahrt. Man kann den Himmel auch durch das Feuer oder den Rauch erreichen [83], durch das Ersteigen eines Baums [84] oder eines Berges [85], das Erklettern eines Seils [86] oder einer Liane [87], des Regenbogens [88], sogar eines Sonnenstrahls. Erinnern wir uns schließlich noch an eine andere Gruppe von Mythen und Legenden, die mit dem Thema der Auffahrt in Beziehung steht, nämlich die «Pfeilkette». Ein Heros steigt zum Himmel, indem er den ersten Pfeil in das Himmelsgewölbe bohrt, den folgenden in den ersten und so weiter, bis er eine Kette zwischen Himmel und Erde hergestellt hat. Das Motiv begegnet in Melanesien, in Nordamerika und Südamerika; es fehlt in Afrika und Asien (außer bei den Semang, vgl. Pettazzoni, *La catena di frecce*, S. 79), und bei den Korjaken, vgl. Jochelson, S. 213, 304). Da in Australien der Bogen unbekannt war, wurde sein Platz im Mythus von einer Lanze mit einem langen Stück Stoff eingenommen. Nachdem die Lanze sich in das Him-

---

[80] Vgl. Alice Werner, *African Mythology* (Boston 1925), S. 136.

[81] Vgl. Ad. E. Jensen, *Hainuwele* (Frankfurt am Main 1939), S. 51 ff., 82, 84 usw.; ders., *Die Drei Ströme* (Leipzig 1948), S. 164; Chadwick, *The Growth of Literature* III, S. 481 usw.

[82] Stith Thompson, *Motif-Index of Folk-Literature* III, S. 8.

[83] Vgl. z. B. R. Pettazzoni, *Saggi di Storia delle Religioni e di Mitologia* (Rom 1946), S. 68, Anm. 1; A. Riesenfeld, *The megalithic culture of Melanesia*, S. 196 ff., usw.

[84] Vgl. A. van Gennep, *Mythes et Légendes d'Australie*, Nr. XVII und LVI; Pettazzoni, *a. a. O.*, S. 67, Anm. 1; Chadwick III, S. 486 usw.; Harry Tegnaeus, *Le Héros Civilisateur* (Uppsala 1950), S. 150, Anm. 1 usw.

[85] Der Medizinmann des australischen Kulin-Stammes kann sich bis zum «Dunklen Himmel» erheben, der einem Berg gleicht; A. W. Howitt, *The native tribes of South-East-Australia* (London 1904), S. 490. Vgl. auch W. Schmidt, *Der Ursprung der Gottesidee*, 3. Bd., S. 845, 868, 871.

[86] Vgl. R. Pettazzoni, *Miti e Leggendi* I, S. 63 (Thonga) usw.; Chadwick III, 481 (Meer-Dajak); Frazer, *Folklore in the Old Testament* II, S. 54 (Tscheremissen).

[87] H. H. Juynboll, *Religionen der Naturvölker Indonesiens* (Archiv für Religionswissenschaft, 17. Bd., 1914, S. 582–606), S. 583 (Indonesien); Frazer, *Folklore* II, S. 52–53 (Indonesien); Roland Dixon, *Oceanic Mythology* (Boston 1916), S. 156; Alice Werner, *African Mythology*, S. 135; H. B. Alexander, *Latin America Mythology* (Boston 1920), S. 271; Stith Thompson, *Motif-Index*, 3. Bd., S. 7 (Nordamerika). Fast in denselben Gegenden findet man den Mythus vom Aufstieg an einem Spinnengewebe.

[88] Außer den schon erwähnten Beispielen: Juynboll, *a. a. O.*, S. 585 (Indonesien); Evans, *Studies in Religion, Folk-lore and Custom.*. S. 51 f. (Dusun); Chadwick, *Growth* III, S. 272 ff.; usw.

melsgewölbe gebohrt hat, steigt der Heros mit Hilfe des Stoffstücks hinauf (*ebd.*, S. 76 f.) [89].

Es bedürfte eines eigenen Bandes, um diese mythischen Motive und ihre rituellen Zusammenhänge nach Gebühr darzulegen. Hier sei nur festgestellt, daß die Reisewege sowohl für die mythischen Heroen gelten wie für die Schamanen (Zauberer, Medizinmänner usw.) und bestimmte privilegierte Tote. Das sehr komplexe Problem der Verschiedenheit der Reisewege *post mortem* in den verschiedenen Religionen haben wir hier nicht zu studieren [90]. Stellen wir nur fest, daß für bestimmte Stämme, die zu den archaischsten zählen, die Toten in den Himmel kommen, daß aber die meisten «primitiven» Völker zum mindesten zwei Reisewege nach dem Tode kennen, einen himmlischen für die Privilegierten (Oberhäupter, Schamanen, «Eingeweihte») und einen horizontalen oder unterweltlichen für die übrige Menschheit. So glaubt eine gewisse Anzahl australischer Stämme – Narrinyeri, Dieri, Buandik, Kurnai und Kulin –, daß ihre Toten sich zum Himmel aufschwingen [91]; bei den Kulin steigen sie auf den Strahlen der untergehenden Sonne auf [92]. In Zentralaustralien dagegen suchen die Toten die vertrauten Orte aus ihrem Leben heim; an anderen Orten wenden sie sich nach bestimmten Gegenden im Westen [93].

Für die Maori auf Neuseeland ist der Aufstieg der Seelen lang und schwierig, denn es gibt bis zu zehn Himmeln und erst im letzten wohnen die Götter. Der Priester wendet verschiedene Mittel an, um dorthin

---

[89] R. Pettazzoni, *The Chain of Arrows: The diffusion of a mythical motive* (in Folk-Lore, 35. Bd., 1924, S. 151–165), wieder veröffentlicht mit Zusätzen (*La catena di frecce*, S. 63–79) in dem Band *Saggi di Storia delle Religioni e di Mitologia* (Rom 1946). Dazu Jochelson, *The Koryak*, S. 293, 304; *ebd.* ergänzende Hinweise über die Verbreitung des Motivs in Nordamerika.

[90] Wir werden diesem Problem in unserem Buch *Mythologies de la Mort* nachgehen (in Vorbereitung).

[91] Vgl. Frazer, *The Belief in Immortality*, 1. Bd. (London 1913), S. 134, 138 usw.

[92] A. W. Howitt, *Native Tribes of South-East Australia*, S. 438.

[93] Nach Graebner (*Weltbild der Primitiven*, München 1924, S. 25 ff.) und W. Schmidt (*Der Ursprung der Gottesidee*, 1. Bd., 2. Aufl., Münster 1926, S. 334 bis 476; 3. Bd., 1931, 574–586 usw.) wären die archaischsten Stämme Australiens die im Südosten des Kontinents, also genau diejenigen, bei denen man eine festere Verbindung der Todes- und Himmelsvorstellung findet (zweifellos im Zusammenhang mit dem Glauben an ein höchstes Wesen uranischer Struktur). Dagegen wären die Stämme im Zentrum, wo die «horizontale» Vorstellung vom Totenreich in Verbindung mit Ahnenkult und Totemismus herrscht, ethnologisch gesehen die weniger «primitiven».

zu gelangen; er singt und begleitet so die Seele auf magische Weise bis zum Himmel. Gleichzeitig bemüht er sich durch einen besonderen Ritus die Seele vom Leichnam zu trennen und in die Höhe zu werfen. Stirbt ein Häuptling, so befestigen der Priester und seine Helfer Vogelfedern an der Spitze eines Stockes und heben singend ihre Stöcke mehr und mehr in die Luft. Auch in diesem Fall steigen also nur die Privilegierten zum Himmel; anders die übrigen Sterblichen, die durch den Ozean oder in eine unterirdische Gegend fortgehen.

Versucht man alle die Mythen und Riten, die wir nur kurz aufgezählt haben, mit einem Blick zu überschauen, so stellt man mit Erstaunen fest, daß sie alle von einem Gedanken beherrscht sind: Die Verbindung zwischen Himmel und Erde ist durch irgendein physisches Mittel (Regenbogen, Brücke, Stiege, Liane, Seil, «Pfeilkette») herstellbar – oder war es *in illo tempore*. Alle diese symbolischen Bilder für die Verbindung zwischen Himmel und Erde sind nichts anderes als Varianten des Weltenbaums oder der *Axis Mundi*. In einem früheren Kapitel haben wir gesehen, daß Mythus und Symbolik des Kosmischen Baums die Idee eines «Zentrums der Welt» einschließen, eines Punktes, in dem Erde, Himmel und Unterwelt miteinander verbunden sind. Wir haben auch festgestellt, daß die Symbolik des «Zentrums», wiewohl sie in schamanischer Ideologie und Technik eine Hauptrolle spielt, ungleich verbreiteter ist als der Schamanismus und älter als er. Die Symbolik des «Zentrums» ist wiederum verbunden mit dem Mythus von einer uranfänglichen Epoche, wo die Verbindungen zwischen Himmel und Erde, Göttern und Menschen nicht nur möglich, sondern leicht waren und im Vermögen jedes Menschen standen. Die Mythen, die wir soeben aufführten, beziehen sich im allgemeinen auf jenes uranfängliche *illud tempus,* doch einige von ihnen erwähnen eine Himmelfahrt eines Heros, Herrschers oder Zauberers *nach* der Unterbrechung der Verbindungen, mit anderen Worten die Möglichkeit für bestimmte Auserwählte oder Privilegierte an den Anfang der Zeit zurückzugehen und den mythischen, paradiesischen Augenblick von vor dem «Fall» zu erreichen, also vor dem Abbruch der Verbindungen zwischen Himmel und Erde.

In diese Kategorie von Auserwählten oder Privilegierten gehören die Schamanen. Sie sind nicht die einzigen, die zum Himmel auffliegen oder über einen Baum, eine Treppe dorthin gelangen können; andere

Privilegierte können mit ihnen wetteifern, nämlich Herrscher, Heroen und Eingeweihte. Die Schamanen stechen von den anderen Kategorien Privilegierter durch ihre spezifische Technik, die Ekstase, ab. Die schamanische Ekstase kann, wie wir gesehen haben, als die Wiedergewinnung der menschlichen Verfassung vor dem «Fall» betrachtet werden; mit anderen Worten, sie reproduziert eine uranfängliche «Situation», die den übrigen Menschen nur im Tod erreichbar ist (denn die Himmelfahrten durch Riten – vgl. den Fall des Opferers im vedischen Indien – sind *symbolisch,* nicht *konkret* wie die der Schamanen). Obwohl die Ideologie der schamanischen Auffahrt außerordentlich fest mit den eben betrachteten mythischen Vorstellungen zusammenhängt («Zentrum der Welt», Abbruch der Verbindungen, Niedergang der Menschheit usw.), gibt es doch viele Fälle von abwegigen schamanischen Praktiken. Wir denken dabei vor allem an die rudimentären, mechanischen Trancemittel (Narkotika, Tanzen bis zur Erschöpfung, «Besessenheit usw.). Man könnte fragen, ob diese abirrenden Techniken neben den «historischen Erklärungen» (Absinken infolge äußerer kultureller Einflüsse, Bastardisierung) nicht auch auf einer anderen Ebene zu interpretieren sind. Man kann zum Beispiel fragen, ob nicht die abwegige Seite der schamanischen Trance darauf zurückgeht, daß der Schamane *in concreto* mit einem Symbolismus und einer Mythologie experimentieren will, die von Natur auf «konkreter» Ebene nicht «experimentabel» sind; mit einem Wort, ob nicht der Wunsch, um jeden Preis und mit jedem Mittel eine Auffahrt *in concreto,* eine mystische, aber zugleich *reale* Himmelsreise zu erreichen, zu den behandelten abwegigen Trancen führte; ob diese Erscheinungen nicht die unvermeidliche Konsequenz eines so erbitterten Strebens sind, das zu «leben», das heißt im Fleische zu vollziehen, was der menschlichen Verfassung nur «im Geiste» zugänglich ist. Doch wir wollen dieses Problem lieber offen lassen, zumal es den Rahmen der Religionsgeschichte übersteigt und in den Bereich der Philosophie und Theologie einmündet.

SCHLUSSBETRACHTUNGEN

Die Entstehung des nordasiatischen Schamanismus

Wir erinnern uns, daß das Wort «Schamane» über das Russische von tungusisch *shaman* kommt. Die Erklärung dieses Wortes aus pâli *samana* (skr. *çramana*) durch Vermittlung von chinesisch *scha-men* (einfache Transskription des Pali-Wortes) wurde, obwohl von den meisten Orientalisten des 19. Jahrhunderts angenommen, dennoch schon ziemlich früh angezweifelt (1842 durch W. Schott, 1846 durch Dordji Banzarov) und 1914 von J. Németh[1], 1917 von B. Laufer[2] abgelehnt. Diese beiden Forscher glaubten die Zugehörigkeit des tungusischen Wortes zur türkisch-mongolischen Sprachgruppe nachweisen zu können und zwar auf Grund gewisser phonetischer Entsprechungen. Da sich alttürkisches anlautendes *k'* zu tatarisch *k*, tschuwaschisch *j*, jakutisch *ch* (stumme Spirans wie in deutsch *ach*), mongolisch *ts, tsch* und mandschurisch-tungusisch *s* oder *sh* entwickelt hat, wäre das tungusische *shaman* die genaue phonetische Entsprechung von turkomongolisch *kam* (*qam*), das in den meisten türkischen Sprachen den «Schamanen» im eigentlichen Sinn bezeichnet.

Doch G. J. Ramstedt[3] hat die Unzulänglichkeit von Némeths phonetischem Gesetz nachgewiesen. Außerdem rückt die Entdeckung ähnlicher Wörter im Tocharischen (*samâne* = buddhistischer Mönch) und Soghdischen (*çmn* = *çaman*) die Hypothese von der indischen Herkunft

---

[1] *Über den Ursprung des Wortes shaman und einige Bemerkungen zur türkisch-mongolischen Lautgeschichte* (Keleti Szemle, 14. Bd., 1913–1914, S. 240–249).

[2] *Origin of the word shaman* (American Anthropologist, 19. Bd., 1917, S. 361–371). Der Artikel von Laufer enthält auch eine knappe Geschichte und Bibliographie der Frage.

[3] *Zur Frage nach der Stellung des Tchuwassischen* (Journal de la Société Finno-Ougrienne, 38. Bd., 1922–1923, S. 1–34), S. 20 f.; vgl. Kai Donner, *Über soghdisch* nôm *«Gesetz» und samojedisch* nom *«Himmel, Gott»* (Studia Orientalia, Helsingfors, I, 1925, S. 4–8), S. 7. S. auch G. J. Ramstedt, *The relation of the altaic languages to other language groups* (Journal de la Société Finno-Ougrienne, 53. Bd., I, 1946–1947, S. 15–26).

des Terminus von neuem in den Vordergrund[4]. Wir wagen nicht uns über den linguistischen Aspekt der Frage auszusprechen und wir sind uns klar über die Schwierigkeit, die Wanderung dieses indischen Wortes von Zentralasien bis in den äußersten Osten Asiens zu erklären, aber auf jeden Fall muß das Problem der indischen Einflüsse auf die Völker Sibiriens in seiner ganzen Breite gestellt werden, wobei auch die historischen und ethnographischen Gegebenheiten heranzuziehen sind.

Das hat Shirokogorov für die Tungusen in einer Reihe von Arbeiten geleistet[5], deren Resultate und allgemeine Schlußfolgerungen wir zusammenfassen wollen. Das Wort *shaman,* bemerkt Shirokogorov, scheint dem Tungusischen fremd zu sein. Aber, was wichtiger ist, auch das Phänomen des Schamanismus selbst zeigt Elemente südlichen, in diesem Fall buddhistischen (lamaistischen) Ursprungs. In der Tat war der Buddhismus ziemlich weit nach Nordostasien vorgedrungen, im 4. Jahrhundert nach Korea, in der zweiten Hälfte des 1. Jahrtausends zu den Uiguren, im 13. Jahrhundert zu den Mongolen, im 15. in die Amurgegend (buddhistischer Tempel an der Amurmündung). Die Mehrzahl der tungusischen Geister-(*burkhan*)-namen sind von den Mongolen und Mandschu entlehnt, die sie ihrerseits von den Lamaisten[6] übernommen haben. In Tracht, Trommel und Malereien der

---

[4] Vgl. Sylvain Lévy, *Etude des documents tokhariens de la Mission Pelliot* (Journal Asiatique, Mai–Juni 1911, S. 431–464), bes. S. 445 f.; Paul Pelliot, *Sur quelques mots d'Asie centrale attestés dans les textes chinois* (Journal Asiatique, März–April 1913) S. 451–469, bes. S. 466–469; A. Meillet, *Le tokharien* (Indogermanisches Jahrbuch I, 1914), S. 19 weist ebenfalls auf die Ähnlichkeit des tocharischen *samâne* mit dem tungusischen Wort hin. F. Rosenberg, *On Wine and Feasts in the Iranian National Epic* (Übersetzung aus dem Russischen von L. Bogdanov, Journal of Cama Oriental Institute, Nr. 19, Bombay, August 1931), Anm., S. 18–20, unterstreicht die Wichtigkeit des soghdischen Wortes *çmn.*

[5] N. D. Mironov und S. Shirokogorov, *Sramana-Shaman* (Journal of the North-China Branch of the Royal Asiatic Society, 55. Bd., Shanghai 1924, S. 110–130); vgl. auch S. Shirokogorov, *General Theory of shamanism among the Tungus* (ebd., 57. Bd., 1923, S. 246–249); *Northern Tungus Migrations in the Far East* (ebd., 57. Bd., 1926, S. 123–183); *Versuch einer Erforschung der Grundlagen des Schamanentums bei den Tungusen* (Baeßler-Archiv, 18. Bd., 1935, S. 41–96 – deutsche Übersetzung eines russisch erschienenen Artikels, Wladiwostock 1919); *Psychomental Complex of the Tungus* (London 1935), S. 268 ff.

[6] Shirokogorov, *Sramana-shaman,* S. 119 ff.; ders., *Psychomental Complex,* S. 279 ff. Shirokogorovs These wurde auch von N. N. Poppe akzeptiert, vgl. Asia Major, 1926, S. 138. Der südliche (chinesisch-buddhistische) Einfluß auf die *burkhan* wurde auch von Harva herausgestellt (*Die religiösen Vorstellungen der altaischen Völker,* S. 381).

tungusischen Schamanen entdeckt Shirokogorov moderne Einflüsse [7]. Noch dazu behaupten die Mandschu, daß der Schamanismus bei ihnen um die Mitte des 11. Jahrhunderts aufgetreten sei, sich aber erst unter der Ming-Dynastie (14. bis 17. Jahrhundert) ausgebreitet habe. Die Südtungusen wieder behaupten, daß ihr Schamanismus von den Mandschu und Dahur entlehnt sei. Die Nordtungusen schließlich sind von ihren südlichen Nachbarn, den Jakuten, beeinflußt. Daß eine Koinzidenz zwischen dem Erscheinen des Schamanismus und der Ausbreitung des Buddhismus in diesen Gegenden Nordasiens besteht, glaubt Shirokogorov dadurch nachweisen zu können, daß der Schamanismus in der Mandschurei vom 12. bis 17. Jahrhundert, in der Mongolei vor dem 14. Jahrhundert, bei den Kirgisen und Uiguren wahrscheinlich zwischen dem 7. und 11. Jahrhundert geblüht hat, also kurz vor der offiziellen Anerkennung des Buddhismus (Lamaismus) durch diese Völker (*Sramana-Shaman,* S. 125). Der russische Ethnologe erwähnt außerdem mehrere ethnologische Elemente südlichen Ursprungs: Die Schlange (in gewissen Fällen die *boa constrictor*), die in Ideologie und Ritualtracht des Schamanen vorkommt, fehlt im religiösen Glauben der Tungusen, Mandschu und Dahur usw.; bei einigen von diesen Völkern ist sogar das Tier selbst unbekannt [8]. Die Schamanentrommel, deren Ausbreitungszentrum nach dem russischen Forscher die Gegend des Baikalsees ist, spielt in der religiösen Musik des Lamaismus eine Hauptrolle, wie übrigens auch der Kupferspiegel lamaistischen Ursprungs ist, der im Schamanismus so wichtig wurde, daß man sogar ohne Tracht und ohne Trommel schamanisieren kann, wenn man nur den Spiegel hat. Auch gewisse Arten von Kopfschmuck seien eine Entlehnung aus dem Lamaismus.

Zusammenfassend betrachtet Shirokogorov den tungusischen Schamanismus als ein «relativ junges Phänomen, das sich von Westen nach Osten und von Süden nach Norden ausgebreitet zu haben scheint. Er enthält viele Elemente, die unmittelbar vom Buddhismus entlehnt sind» (*Sramana-Shaman,* S. 127). «Der Schamanismus hat seine tiefen Wurzeln in Sozialordnung und Psychologie der animistischen Philosophie,

---

[7] Shirokogorov, *Sramana-shaman,* S. 122; *Psychomental Complex,* S. 281.

[8] *Sramana-shaman,* S. 126. Viele «Geister» der Tungusenschamanen sind buddhistischer Herkunft, *Psychomental Complex,* S. 278. Ihre Darstellung auf den Schamanentrachten verrät «eine genaue Wiedergabe der Tracht der buddhistischen Priester» (*ebd.*).

welche für die Tungusen und anderen Schamanisten charakteristisch ist. Andererseits aber ist der Schamanismus in seiner gegenwärtigen Form eine von den Folgen des Eindringens des Buddhismus unter den ethnischen Gruppen Nordostasiens» (*ebd.*, S. 130, Anm. 52). In seiner großen Synthese *The psychomental complex of the Tungus* gelangt Shirokogorov zu der Formel von dem «vom Buddhismus angereizten Schamanismus» (S. 282). Dieses Phänomen der Anreizung ist noch heute in der Mongolei zu beobachten: Die Lamas raten den Verrückten Schamanen zu werden, und nicht selten wird ein Lama Schamane und benützt die «Geister» von Schamanen (*ebd.*). Es braucht uns deshalb nicht zu wundern, wenn die tungusischen Kulturkomplexe mit Elementen aus dem Buddhismus und Lamaismus gesättigt sind (*ebd.*). Die Koexistenz Schamanismus – Lamaismus erweist sich auch bei anderen asiatischen Völkern. Bei den Tuvanern z. B. findet man in vielen Jurten, sogar in denen der Lamas, neben den Buddhabildern die schamanischen *eréni* als Schützer gegen den bösen Geist [9].

Wir sind mit Shirokogorovs Formel von dem «vom Buddhismus angereizten Schamanismus» vollkommen einverstanden. Die südlichen Einflüsse haben in der Tat den tungusischen Schamanismus modifiziert und bereichert – aber *er ist keine Schöpfung des Buddhismus*. Wie Shirokogorov selbst bemerkt, herrschte in der Religion der Tungusen vor dem Eindringen des Buddhismus der Kult des Himmelsgottes Buga, außerdem spielte das Totenritual eine gewisse Rolle. Wenn auch keine «Schamanen» im jetzigen Sinn da waren, so gab es doch eigene Priester und Zauberer für die Opfer an Buga und für den Totenkult. Heute nehmen, wie Shirokogorov bemerkt, in keinem der tungusischen Stämme die Schamanen an den Opfern für den Himmelsgott teil, und zum Totenkult werden die Schamanen, wie schon gesagt, nur in Ausnahmefällen beigezogen, z. B. wenn ein Abgeschiedener die Erde nicht verlassen will und durch eine schamanische Sitzung in die Unterwelt gerufen werden muß (*Psychomental Complex*, S. 282). Zwar greifen die tungusischen Schamanen bei den Opfern an Buga nicht ein, doch gibt es bei den schamanischen Sitzungen noch eine Anzahl von Elementen, die man als zum Himmel gehörig ansehen könnte; die Auffahrtssymbolik ist übrigens bei den Tungusen reichlich bezeugt. Es

---

[9] Prof. V. Bounak. *Un pays de l'Asie peu connu: le Tanna-Toura* (Internationales Archiv für Ethnographie, 29. Bd., 1928, S. 1–16), S. 9.

kann sein, daß diese Symbolik *in ihrer gegenwärtigen Form* von den Buriäten oder Jakuten entlehnt ist, doch das beweist in keiner Weise, daß die Tungusen sie vor ihrer Berührung mit den südlichen Nachbarn nicht gekannt hätten; die religiöse Bedeutung des Himmelsgottes und die allgemeine Verbreitung der Auffahrtsmythen und -riten im äußersten Norden Sibiriens und in den arktischen Gegenden führt sogar zu der gegenteiligen Annahme. Daraus ergäbe sich für die Entstehung des tungusischen Schamanismus die Schlußfolgerung, daß die lamaistischen Einflüsse sich vor allem in der Bedeutung ausgewirkt hätten, die man den «Geistern» beimaß, und in der Technik zur Meisterung und Einkörperung dieser Geister. Dann wäre also der tungusische Schamanismus in seiner gegenwärtigen Form vom Lamaismus stark beeinflußt. Aber ist wirklich der asiatische und sibirische Schamanismus in seiner Gesamtheit das Ergebnis solcher chinesisch-budhistischer Einflüsse?

Bevor wir diese Frage beantworten, wollen wir uns noch einmal einige Ergebnisse der vorliegenden Arbeit vergegenwärtigen. Wie wir festgestellt haben, ist das spezifische Element des Schamanismus nicht die Einkörperung von «Geistern» durch den Schamanen, sondern die Ekstase, welche durch die Himmel- oder Unterweltsfahrt herbeigeführt wird; Einkörperung von Geistern und Besessensein durch Geister sind allgemein verbreitete Phänomene, doch sie gehören nicht notwendig zum Schamanismus im strengen Sinn. Von diesem Gesichtspunkt aus darf der heutige tungusische Schamanismus nicht als «klassische» Form des Schamanismus betrachtet werden, eben weil er der Einkörperung von «Geistern» eine Haupt- und der Himmelfahrt nur eine geringere Rolle einräumt. Nun haben wir gesehen, daß nach Shirokogorov gerade die Ideologie und Technik der Bemeisterung und Einkörperung der «Geister», also der südliche (lamaistische) Zustrom, dem tungusischen Schamanismus sein heutiges Gesicht gegeben haben. Wir dürfen also mit gutem Grund diese moderne Form des tungusischen Schamanismus als eine Bastardisierung des alten nordasiatischen Schamanismus betrachten; übrigens sprechen, wie wir gesehen haben, die Mythen oft genug von dem gegenwärtigen Niedergang des Schamanismus, und solche Mythen begegnen ebenso bei den Tataren in Zentralasien wie bei den Völkern im äußersten Nordosten Sibiriens.

Die Einflüsse des Buddhismus (Lamaismus), die für den tungusischen Schamanismus entscheidend wurden, haben auch auf Buriäten und Mongolen reichlich gewirkt. Wir haben mehrfach Beweise für solche indische Einflüsse auf Mythologie, Kosmologie und religiöse Ideologie der Buriäten, Mongolen und Tataren angeführt. An dem indischen Zustrom in den Religionen Zentralasiens kommt dem Buddhismus der Hauptanteil zu. Doch hier drängt sich eine Bemerkung auf: Die indischen Einflüsse waren weder die ersten noch die einzigen, die vom Süden nach Zentral- und Nordasien ausgestrahlt sind. Seit der frühesten Vorgeschichte haben die südlichen Kulturen und später der antike Nahe Orient alle Kulturen Zentralasiens und Sibiriens beeinflußt. Die Steinzeit der Polargegenden ist von der Vorgeschichte Europas und des Nahen Orients abhängig [10]. Die vor- und frühgeschichtlichen Zivilisationen Nordrußlands und Nordasiens sind stark von den altorientalischen Zivilisationen beeinflußt [11]. Auf ethnologischer Ebene sind alle Nomadenkulturen als Tributäre der Entdeckungen der Ackerbau- und Stadtzivilisationen anzusprechen; mittelbar dringt die Ausstrahlung dieser Zivilisationen außerordentlich weit nach Norden und Nordosten vor. Und diese Ausstrahlung, die in vorgeschichtlicher Zeit begann, setzt sich noch heute fort. Die Bedeutung indo-iranischer und mesopotamischer Einflüsse auf die Bildung der zentralasiatischen und sibirischen Mythologien und Kosmologien haben wir schon gesehen. Iranische Wörter sind bei Ugriern, Tataren, ja sogar Mongolen bezeugt [12] und die kulturelle Berührung und gegenseitige Beeinflussung zwischen China und dem hellenistischen Orient ist bekannt genug. Sibirien hat seinerseits von diesem Kulturaustausch profitiert: Die Ziffern der verschiedenen sibirischen Völker sind mittelbar von Rom und von China entlehnt (Kai Donner, *La Sibérie*, S. 215 f.).

---

[10] Vgl. Gutorm Gjessing, *Circumpolar Stone Age* (Acta Arctica, Heft II, Kopenhagen 1944).

[11] Vgl. z. B. A. M. Tallgren, *The copper idols from Galich and their relatives* (Studia Orientalia, Helsinki I, 1925, S. 312–341). Über die Beziehungen der Prätürken und der Völker des Nahen Orients im 4. Jahrtausend s. W. Koppers, *Urtürkentum und Urindogermanentum* (Belleten, Nr. 20, Istambul 1941, S. 481–525), S. 488 ff. Nach den Wortuntersuchungen von D. Sinor ist die Urheimat der Prototürken «viel weiter westlich zu suchen, als man bisher glaubte»: D. Sinor, *Ouralo-altaique-indo-européen* (T'oung Pao, 37. Bd., 1944, S. 226–244), S. 244.

[12] Über die iranischen Elemente im mongolischen Wortschatz s. auch B. Laufer, *Sino-Iranica* (Field Museum, Anthropological Series, XV, Nr. 3, Chikago 1919), S. 572 bis 576.

Die Einflüsse der chinesischen Zivilisation reichen bis an den Ob und Jenessej [13].

In diese historisch-ethnologischen Perspektiven sind die südlichen Einflüsse auf Religion und Mythologie der zentral- und nordasiatischen Völker einzubauen. Das Ergebnis dieser Einflüsse auf den eigentlichen Schamanismus, besonders auf seine magischen Techniken, haben wir bereits gesehen. Ebenso haben auch Schamanentracht und Trommel [14] südlichen Einfluß erlebt. Doch kann man nicht den Schamanismus in seiner Struktur und seiner Gesamtheit als eine Schöpfung dieses südlichen Zustroms ansprechen. Die in diesem Buch gesammelten und interpretierten Zeugnisse zeigen, daß Ideologie und spezifische Techniken des Schamanismus in archaischen Kulturen belegt sind, wo es schwer hielte altorientalische Einflüsse anzunehmen [15].

[13] Vgl. z. B. F. B. Steiner, *Skinboats and the Yakut «xayik»* (Ethnos, 4. Bd., 1939, S. 177–183).

[14] In einer noch unveröffentlichten, von W. Schmidt (*Ursprung der Gottesidee*, 3. Bd., Münster 1931, S. 334–338) zusammengefaßten Arbeit äußert Al. Gahs die Ansicht, daß die Schamanentrommel Zentral- und Nordasiens die tibetanische Doppeltrommel zum Vorbild habe. Shirokogorov, *Psychomental Complex*, S. 299, akzeptiert die Hypothese W. Schmidts (*Ursprung* III, S. 338), wonach die runde Trommel mit Holzgriff – tibetanischen Ursprungs – als erste in Asien eingedrungen wäre, auch bei den Tschuktschen und Eskimo. Die asiatische Herkunft der Eskimotrommel wird auch von W. Thalbitzer *(The Ammasalik Eskimo*, 2. Teil, 2. Halbband, Kopenhagen 1941, S. 580) angenommen. W. Koppers, *Probleme der indischen Religionsgeschichte* (Anthropos, 1940–1941, 35.–36. Bd., S. 761–814), S. 805–807, akzeptiert zwar die Folgerungen von Shirokogorov und Gahs hinsichtlich des südlichen Ursprungs der Schamanentrommel, glaubt aber nicht, daß das Vorbild tibetanisch ist, sondern meint die Trommel in Form einer Getreideschwinge, die auch bei den Zauberern der archaischen indischen Völker (Santali, Munda, Bhil, Bhaiga) vorkommen. Bei der Behandlung des Schamanismus dieser Ureinwohnervölker (der übrigens auch seinerseits stark von der indischen Magie beeinflußt ist) fragt sich Koppers (*ebd.*, S. 810–812), ob es eine organische Beziehung gibt zwischen der turktatarischen Form *kam* und einer Gruppe von Wörtern für Zauberei, Zauberer oder Zauberland in der Sprache der Bhil (*kâmru*, das Zauberland usw.), der Santali (*kamru*, die Heimat der Zauberei, Kamru, der Erste Zauberer usw.) sowie im Hindi (*Kâmrûp*, skr. *Kâmarûpa* usw.). Der Verf. denkt an eine eventuelle ostasiatische Herkunft des Wortes *kâmaru* (*kamru*), das später durch Volksetymologie zu *Kâmarûpa* wurde (Name des Distrikts Assam, der durch die Bedeutung berühmt wurde, die dort der Shaktismus gewann). Über den Schamanismus der Munda vgl. J. Hoffmann, Encyclopaedia Mundarica II (Patna 1930), S. 422 ff.; und Koppers, S. 801 ff. S. auch Al. Gahs, *Die kulturhistorischen Beziehungen der östlichen Paläosibirier zu den austrischen Völkern, insbesondere zu denen Formosas* (Mitt. der Anthropologischen Gesellschaft Wien, 60. Bd., 1930, Sitzungsberichte S. 3–8).

[15] S. auch Horst Kirchner, *Ein archäologischer Beitrag zur Urgeschichte des Schamanismus* (Anthropos, 47. Bd., 1952, S. 244–286.)

Bei allen Erwägungen über die Entstehung des Komplexes «Schamanismus» in Zentral- und Nordasien muß man die beiden wesentlichen Elemente des Problems im Auge behalten: auf der einen Seite das ekstatische Erlebnis als solches, insofern es ein ursprüngliches Phänomen ist, und auf der anderen Seite das religionsgeschichtliche Milieu, dem sich dieses ekstatische Erlebnis einzufügen, und die Ideologie, die ihm letzten Endes seine Gültigkeit zu geben hatte. Wir haben das ekstatische Erlebnis als «Urphänomen» betitelt, weil wir keinen Grund sehen es als das Produkt eines bestimmten geschichtlichen Moments, einer bestimmten Zivilisationsform zu betrachten. Wir neigen vielmehr dazu es als ein Konstitutivum der menschlichen Verfassung zu betrachten und damit als der gesamten archaischen Menschheit bekannt, und nur seine Interpretation und seine Wertung hätte sich mit den verschiedenen Kultur- und Religionsformen gewandelt.

Welches war nun die religionsgeschichtliche Situation in Zentral- und Nordostasien, dort wo sich später der Schamanismus als autonomer und spezifischer Komplex herauskristallisiert hat? Überall in diesem Bereich und seit den frühesten Zeiten ist die Existenz eines Höchsten Wesens uranischer Struktur bezeugt, das übrigens morphologisch allen anderen höchsten Himmelswesen in den archaischen Religionen entspricht (s. unser Buch *Die Religionen und das Heilige*, 2. Kap.). Die Symbolik der Auffahrt mit allen von ihr abhängigen Riten und Mythen ist mit den Höchsten Himmelswesen in Beziehung zu setzen; bekanntlich war die «Höhe» selber geheiligt und heißen viele höchsten Gottheiten archaischer Völker «Der von oben», «Der vom Himmel» oder einfach «Himmel». Die Symbolik der Auffahrt und Elevation behält ihre religiöse Gültigkeit und Aktualität sogar noch nach der «Entfernung» des Höchsten Himmelswesens; verlieren doch die Höchsten Wesen allmählich ihre Aktualität im Kult, um «dynamischeren» und «vertrauteren» religiösen Gestalten und Formen Platz zu machen (Sturm- und Fruchtbarkeitsgötter, Demiurgen, die Seelen der Toten, die Großen Göttinnen usw.). Durch den religiös-magischen Komplex des sogenannten Matriarchats wird die Verwandlung des Himmelsgottes in einen *deus otiosus* noch mehr betont. Dieser Rückgang und völlige Schwund der religiösen Aktualität der höchsten Himmelswesen fand seinen Niederschlag in manchen Mythen mit einer uranfänglichen paradiesischen Zeit, wo die Verbindung zwischen Himmel und Erde leicht und allen Menschen möglich war; infolge irgendeines Ereignisses (vorzüglich eines rituellen Versehens) wurde diese Verbindung unterbrochen und die Höchsten Wesen zogen sich in den obersten Himmel zurück. Noch einmal: Das Verschwinden des höchsten Himmelswesens aus dem Kult hat die Auffahrtssymbolik mit allem, was zu ihr gehört, nicht ins Wanken gebracht. Wie wir gesehen haben, ist diese Symbolik überall und in jedem religionsgeschichtlichen Zusammenhang bezeugt. Nun spielt aber die Auffahrtssymbolik eine wesentliche Rolle in der schamanischen Ideologie und Technik.

Im vorhergehenden Kapitel haben wir gesehen, in welchem Sinn die schamanische Ekstase als eine Wiedervergegenwärtigung des mythischen *illud tempus* gelten kann, wo die Menschen *in concreto* mit dem Himmel verkehren konnten. Ohne Zweifel ist die Himmelfahrt des Schamanen (Medizinmanns, Zauberers) ein, wenn auch stark umgestaltetes, zuweilen entartetes Überlebsel dieser archaischen Ideologie, die auf den Glauben an ein Höchstes Himmelswesen und die Vorstellung von konkreten Verbindungen zwischen Himmel und Erde zentriert war. Doch gilt der Schamane, wie wir gesehen haben, auf Grund seines ekstatischen Erlebnisses, das ihn einen der übrigen Menschheit nicht mehr erreichbaren Zustand noch einmal leben läßt, als ein privilegiertes Wesen und hält sich auch selber dafür. Und die Mythen wissen von noch engeren Beziehungen zwischen dem Höchsten Wesen und den Schamanen; so ist vor allem von einem Ersten Schamanen die Rede, der von dem Höchsten Wesen oder seinem Stellvertreter (dem Demiurgen oder dem solarisierten Gott) auf die Erde geschickt wurde, um die Menschen gegen die Krankheiten und die bösen Geister zu schützen.

Die Wandlungen, welche die Religionen Zentral- und Nordasiens im Lauf der Geschichte erlebt haben, also vor allem die immer größere Rolle des Ahnenkults und der göttlichen und halbgöttlichen Gestalten, die an den Platz des Höchsten Wesens getreten sind, wirken ihrerseits auf die Bedeutung des ekstatischen Erlebnisses der Schamanen verändernd ein. Die Unterweltsfahrten, die Kämpfe gegen die bösen Geister, doch auch die immer vertrauteren Beziehungen zu den «Geistern», die zu ihrer «Einkörperung» oder zur «Besessenheit» führen, sind Neuerungen – in den meisten Fällen sogar ziemlich junge Neuerungen –, welche zu Lasten der allgemeinen Umwandlung des religiösen

Komplexes gehen. Dazu sind noch die Einflüsse aus dem Süden zu rechnen, die sich ziemlich frühzeitig Bahn brechen und sowohl Kosmologie als Mythologie und Ekstasetechniken verändern. Unter diese südlichen Einflüsse der späteren Zeit ist der Beitrag des Buddhismus und Lamaismus zu rechnen, der zu den früheren iranischen und letzten Endes mesopotamischen Einflüssen hinzukam.

Wahrscheinlich ist auch das Initiationsschema mit rituellem Tod und Auferstehen des Schamanen eine Neuerung, die aber in viel ältere Zeit zurückreicht; dem Einfluß des antiken Nahen Orients ist sie jedenfalls nicht zuzurechnen, da Symbolik und Ritual einer Initiation durch Tod und Auferstehung schon in den australischen und südamerikanischen Religionen bezeugt sind. Doch gerade die Struktur dieses Initiationsschemas wurde besonders von den Neuerungen des Ahnenkults betroffen. Sogar die Vorstellung des mystischen Todes selber wandelte sich infolge der vielfachen Veränderungen, welche Mondmythologien, Totenkult und die Ausgestaltung der magischen Ideologien über dieses Gebiet gebracht hatten.

So müssen wir uns den asiatischen Schamanismus als eine archaische Ekstasetechnik vorstellen, gegründet auf eine Urideologie – den Glauben an ein Höchstes Himmelswesen, mit dem man durch den Aufstieg zum Himmel direkte Beziehungen unterhalten kann –, später aber unaufhörlich umgeformt durch eine lange Reihe exotischer Einflüsse, deren Höhepunkt die Invasion des Buddhismus war. Der Gedanke des mystischen Todes begünstigte die Aufnahme von Beziehungen zu den Seelen der Ahnen und den «Geistern», Beziehungen, welche immer intensiver gepflegt wurden und zur «Besessenheit» führten. Die Phännomenologie der Trance hat, wie wir sahen, manche Abänderung und Verderbnis erlebt, woran zum großen Teil falsche Vorstellungen über die Natur der Ekstase schuld waren. Doch alle diese Neuerungen und Herabsetzungen haben an der Möglichkeit der wirklichen schamanischen Ekstase nichts geändert, und wir trafen bei den Schamanen mehr als ein Beispiel echter mystischer Erlebnisse, welche in einer «geistigen» Himmelfahrt bestanden und durch Meditationen vorbereitet waren, deren Methoden denen der großen Mystiker des Ostens und Westens vergleichbar sind.

REGISTER

REGISTER

Abstieg s. Unterwelt, Meeresgrund
Adler (Sibirien) 79 ff.
Auffahrt, Aufstieg: rituelle Besteigung von Bäumen 130 f.; Aufstieg über den Regenbogen 135 ff.; Aufstiegsmythen und -riten: 143 ff., 314 ff. (Südamerika), 384 ff. (altes Indien), 449 ff., 453 ff.; s. Leiter, Initiation, schamanische Sitzung, Flug
Aufstiegsriten 143 ff.; s. Aufstieg, Flug
Bär, s. *bear ceremonialism*
Bai Ülgän 191 ff.
bear ceremonialism 427 ff.
Berufung s. schamanische Berufung
Besessenheit 353 ff. (Polynesien), 422 ff. (China)
Brücke 378 ff. (Iran), 445 ff.; s. schwieriger Übergang, Initiation, schamanische Sitzung
Bon-po 405 ff.
«brennend» 347, 438 ff.; s. magische Hitze
Buddhismus 402 ff.; s. Lamaismus, Tantrismus, Yoga
Dekadenz der Schamanen 241 (Korjaken)
dīkṣā 394
Einflüsse (auf die nordasiatischen Religionen): indische 333, iranische 126, südliche 461
Ekstase 420 ff. (China); s. schamanische Sitzung
Erlik Khan 197 ff., 211; s. Unterwelt
Fakire 402 ff.
Feuermeisterschaft 247; s. magische Hitze, Schmiede
Flug, magischer 387 ff. (Indien), 418 ff. (China), 441 ff. (Symbolismus); s. Aufstieg, Vogelsymbolismus
Geheimbünde 301 ff.
Geheimsprache 103 ff.
Geisteskrankheit und Schamanismus 33 ff.
Ghost-dance religion 307 ff.
Hanf 376 ff. (Skythen), 380 (Iranier), 381 (Zentralasien)
Hausschamanismus 242

Hilfsgeister 96 ff. (Sibirien, Zentralasien), 98 ff. (Nordamerika); s. schamanische Sitzung
Himmelsreisen, ekstatische 120 ff. (Buriäten), 131 (Kariben), 189 ff. (Altai), 223 ff. (Jakuten); s. Aufstieg, Initiation, schamanische Sitzung, Flug
Hitze, magische 409 ff., 428 ff.; s. «brennend»
Hund 430
Hysterie, arktische 33 ff.; s. Geisteskrankheiten, Psychopathologie
Indien, altes 384 ff.; s. Buddhismus, Lamaismus, Tantrismus, Yoga
indische Einflüsse s. Einflüsse
Initiation: australische 139 ff., bei den Midêwiwin 304 ff.; schamanische: in Australien 54, bei den Eskimos 61, 67 ff., in Nord- und Südamerika 62 ff., bei den Mandschu 116 ff., Golden und Jakuten 119 ff., Buriäten 120 ff., Araukaniern 127 ff., Kariben 131 ff., Negrito 324 ff., auf den Nikobaren 328 f.; I. durch Krankheit 43 ff., 244; Stammesinitiationen 73 ff.
Initiationsträume 48 ff.; s. Initiationszerstückelung, Tod und Auferstehung
Initiationszerstückelung 45 ff. (Sibirien), 54 ff. (Australien), 62 ff. (Nord- und Südamerika), 65 ff. (Afrika), 66 (Borneo)
Jenseitsreise 343 ff. (Dajak); s. Unterwelt
Klageweiber 343 (Meer-Dajak)
Knochen (Wiedergeburt aus den) 161 ff.; s. Skelett
Kosmische Regionen, drei: 249 ff., 272 ff.; s. Kosmologie, Weltenbaum
Kosmischer Berg 255 ff.; s. Weltenbaum
Kosmologie 249 ff.; s. Zentrum der Welt, Weltenbaum
Krankheit, Vorstellung von der 288 ff.
Kristalle 141 ff.
Lamaismus 406 ff.; Einfluß des 458; s. Indien
Leiter 446, 449 ff.; s. Brücke, Aufstieg
Licht, mystisches 400 (Indien)
Meeresgrund, Abstieg auf den 281 ff.
Meneryk, Meryak s. Hysterie
Messerleiter 446, 413 (Lolo), 424 (China)
Metapsychische Phänomene 245 f.; s. Feuermeisterschaft, Fakire
Midêwiwin 302 ff.
Orpheus 372 ff.
Orpheusmythen 206 f. (Tataren), 232 (Mandschu), 298 ff. (Nordamerika); s. Unterwelt
Orphik 373 ff.
Pferd 431 ff.
Pferdeopfer (Altai) 185 ff.
Psychopathologie 33 ff.; s. Initiation

Regenbogen, Aufstieg über den 135 ff.
Rekrutierung von Schamanen 24 ff. (Sibirien); s. Initiation, schamanische Berufung
rope-trick 402 ff.
Séance s. schamanische Sitzung
Seele s. Ekstase, schamanische Heilung, Krankheit; Zurückrufung und Suche der Seele 210 ff.
seiðr 367 ff.; s. Schamanismus bei den Germanen
Seil s. *rope-trick*
sieben, mystische Zahl 263 ff.
Skelett 159 ff., 406 ff.; Betrachtung des eigenen Skeletts 71 ff. (Eskimo)
Sprache, s. Geheimsprache, Tiersprache
Schädel 406; s. Knochen, Skelett
Schamanen: Etymologie 457, weiße und schwarze 180 ff., als Seelengeleiter 199 ff. (Zentral- und Nordasien); Funktionen des Sch. 177 ff. (Sibirien, Zentralasien); Mythen von den ersten Sch. 134 ff.; Rekrutierung von Sch. siehe dort; mythischer Ursprung der Schamanen 77 ff. (Sibirien); s. auch Initiation, Seelensuche, schamanische Heilung
Schamanenboot 340 ff., -masken 166 ff., -mützen 156 f., -tracht 150 ff. (Sibirien), 152 (Buriäten), 154 (Altaier); -trommel siehe dort, -spiegel 156 ff., -sprache s. Geheimsprache, Tiersprache
schamanische Berufung 27 ff., s. Rekrutierung; sch. Heilung 208 ff. (Zentral- und Nordasien), 210 ff., 220 ff. (Jakuten), 228 ff. (Tungusen), 290 ff. (Nordamerika), 309 ff. (Südamerika), Verleihung der sch. Kräfte 22 ff.
schamanische Sitzung: bei den Ugriern und Lappen 213 ff., bei den Ostjaken 217 ff., Jakuten 220, Tungusen 228 ff., Orotschen 235, Jukagiren 236 ff., Tschuktschen 243 ff., Eskimo 276 ff., in Nordamerika 288 ff., Südamerika 311 ff., bei den Negrito 323 ff., den Batak, Sakai, Jakun 326, Malaien 329 ff., auf Sumatra 331 ff., bei den Dajak 335 ff., in Melanesien 345 ff., Polynesien 350 (s. schamanische Heilung, Seele)
Schamanismus: bei den Tungusen 228 ff., 430 (Ursprung), den Jukagiren 236, Korjaken 240, Tschuktschen 243, Eskimo 276 ff., in Nordamerika 285 ff., Südamerika 309 ff., Südostasien 323 ff., Melanesien 345 ff., Polynesien 350 ff., bei den Germanen 362 ff., Griechen 369 ff., Skythen 376 ff.; Kaukasiern und Iraniern 377 ff., Lolo 412 ff., Mo-so 414 ff., in China 417; s. auch schamanische Sitzung
Schmiede 434 ff.; s. Feuermeisterschaft
Steckenpferd 431
Stiege 449 ff.; s. Leiter
Tantrismus 406 ff.; s. Buddhismus, Indien, Lamaismus

tapas 392 ff.; s. Indien   Teufel: 438 (schwed)
Tiersprache 103 ff.
Tiertänze 427 ff.
Tod, Vorstellung vom 200 ff. (Zentral- und Nordasien)
Tod und Auferstehung im Ritual, s. Initiationszerstückelung, Initiationsträume
Tote 397 ff. (altes Indien), 410 ff. (Tibet)
Tote, Seelen der, und die schamanische Berufung 91 ff.
Totenboot 339 ff., -weg 449 ff. (siehe Brücke, Leiter)
Tracht, rituelle 174 ff.; s. Schamanentracht   Traum: 246;
Trommel: Schamanentrommel 168 ff., Zaubertrommeln 174 ff., 400 f. (Indien), 463 ff.
tschöd 407 ff.; s. Tantrismus
Übergang, schwieriger 445 ff.; s. Brücke, Leiter
Unterwelt 195 ff. (Altai); Abstieg in die 203 ff. (Golden), 205 ff. (Juraken), 206 ff. (Tataren), 228 ff. (Tungusen), 296 ff. (Nordamerika), 366 ff. (Germanen), 372 ff. (Griechen), 416 (Mo-so), 426 f. (China); s. Initiation, schamanische Sitzung
Verwandlung in eine Frau, rituelle 248 (Tschuktschen)
Visionen vor der Initiation 45 ff.; s. Rekrutierung, Initiationsträume, Initiation durch Krankheit
Vogelsymbolismus 157 ff.; s. Flug
Weltachse 251 ff.; s. Weltenbaum, Kosmischer Berg, Weltsäule
Weltenbaum 49 ff., 168 ff., 189 ff., 259 ff., 269 ff.; s. Weltachse, Weltsäule, Kosmischer Berg
Weltsäule 249 ff.; s. Weltenbaum
Yoga 396 ff., 409 ff.; s. Indien, Fakire, Buddhismus, Lamaismus, Tantrismus
Zahlen, mystische, 7 und 9: 263 ff.
Zentrum der Welt 251 ff., 456; s. Weltenbaum, Weltachse
Zerstückelung, s. Initiation
Zurückrufung der Seele, s. Seele

suhrkamp taschenbücher wissenschaft
Evolutionstheorie, Ethnologie, Kulturgeschichte, Religionswissenschaft

Arbeitsgruppe Ethnologie, Wien (Hg.): Von fremden Frauen. stw 784

Assmann/Hölscher (Hg.): Kultur und Gedächtnis. stw 724

Bachofen: Das Mutterrecht. stw 135
– siehe auch Wesel

Bateson: Geist und Natur. stw 691
– Ökologie des Geistes. stw 571

Berg/Fuchs (Hg.): Kultur, soziale Praxis, Text. stw 1051

Bilz: Studien über Angst und Schmerz. stw 44
– Wie frei ist der Mensch? stw 17

Childe: Soziale Evolution. stw 115

Devereux: Angst und Methode in den Verhaltenswissenschaften. stw 461
– Normal und anormal. stw 395
– Träume in der griechischen Tragödie. stw 536

Dilcher/Staff (Hg.): Christentum und modernes Recht. stw 421

Dodds: Heiden und Christen in einem Zeitalter der Angst. stw 1024

Douglas: Reinheit und Gefährdung. stw 712

Dux: Die Logik der Weltbilder. stw 370
– Die Zeit in der Geschichte. stw 1025

Eder: Die Entstehung staatlich organisierter Gesellschaften. stw 332
– Die Vergesellschaftung der Natur. stw 714

Eisenstadt (Hg.): Kulturen der Achsenzeit. 2 Bde. stw 653
– Kulturen der Achsenzeit II. 3 Bde. stw 930

Eliade: Schamanismus und archaische Ekstasetechnik. stw 126

Erdheim: Die gesellschaftliche Produktion von Unbewußtheit. stw 465
– Psychoanalyse und Unbewußtheit in der Kultur. stw 654

Evans-Pritchard: Hexerei, Orakel und Magie bei den Zande. stw 721
– Theorien über primitive Religion. stw 359

Geertz: Dichte Beschreibung. stw 696
– Religiöse Entwicklungen im Islam. stw 972

Giesecke: Sinnenwandel, Sprachwandel, Kulturwandel. stw 997

Goody: Die Entwicklung von Ehe und Familie in Europa. stw 781

Goody/Watt/Gough: Entstehung und Folgen der Schriftkultur. stw 600

Gould: Der Daumen des Panda. stw 789
– Der falsch vermessene Mensch. stw 583
– Wie das Zebra zu seinen Streifen kommt. stw 919

suhrkamp taschenbücher wissenschaft
Evolutionstheorie, Ethnologie, Kulturgeschichte, Religionswissenschaft

Granet: Das chinesische Denken. stw 519
- Die chinesische Zivilisation. stw 518

Groh, D.: Anthropologische Dimensionen der Geschichte. stw 992

Groh, R./Groh, D.: Weltbild und Naturaneignung. stw 939

Kippenberg: Die vorderasiatischen Erlösungsreligionen. stw 917

Kippenberg/Luchesi (Hg.): Magie. Die sozialwissenschaftliche Kontroverse über das Verstehen fremden Denkens. stw 674

Klibansky/Panofsky/Saxl: Saturn und Melancholie. stw 1010

Leiris: Ethnologische Schriften. 4 Bde. stw 574-577
- Bd. 1: Die eigene und die fremde Kultur. stw 574
- Bd. 2: Das Auge des Ethnographen. stw 575
- Bd. 3: Phantom Afrika 1. stw 576
- Bd. 4: Phantom Afrika 2. stw 577

Leroi-Gourhan: Hand und Wort. stw 700

Lévi-Strauss: Die elementaren Strukturen der Verwandschaft. stw 1044
- Mythologica I. Das Rohe und das Gekochte. stw 167
- Mythologica II. Vom Honig zur Asche. stw 168
- Mythologica III. Der Ursprung der Tischsitten. stw 169
- Mythologica IV. Der nackte Mensch. 2 Bde. stw 770
- Strukturale Anthropologie I. stw 226
- Strukturale Anthropologie II. stw 1006
- Traurige Tropen. stw 240
- Das wilde Denken. stw 14

Luckmann: Die unsichtbare Religion. stw 947

Luhmann: Funktion der Religion. stw 407
– *siehe auch Welker*

Malinowski: Eine wissenschaftliche Theorie der Kultur. stw 104

Mauss: Die Gabe. stw 743

Meillassoux: »Die wilden Früchte der Frau«. stw 447

Niemitz (Hg.): Erbe und Umwelt. stw 646

Oppitz: Frau für Fron. stw 731
- Notwendige Beziehungen. stw 101

Pannenberg: Wissenschaftstheorie und Theologie. stw 676

Parin/Morgenthaler/Parin-Matthèy: Fürchte deinen Nächsten wie dich selbst. stw 235

Peukert: Wissenschaftstheorie – Handlungstheorie – Fundamentale Theologie. stw 231

Rodinson: Islam und Kapitalismus. stw 584

suhrkamp taschenbücher wissenschaft
Evolutionstheorie, Ethnologie,
Kulturgeschichte, Religionswissenschaft

Sabean: Das zweischneidige Schwert. stw 888

Schluchter: Religion und Lebensführung. 2 Bde. stw 961/962

Schluchter (Hg.): Max Webers Sicht des antiken Christentums. stw 548

– Max Webers Sicht des Islam. stw 638

– Max Webers Sicht des okzidentalen Christentums. stw 730

– Max Webers Studie über das antike Judentum. stw 340

– Max Webers Studie über Hinduismus und Buddhismus. stw 473

– Max Webers Studie über Konfuzianismus und Taoismus. stw 402

Schöfthaler/Goldschmidt (Hg.): Soziale Struktur und Vernunft. stw 365

Scholem: Die jüdische Mystik in ihren Hauptströmungen. stw 330

– Von der mystischen Gestalt der Gottheit. stw 209

– Zur Kabbala und ihrer Symbolik. stw 13

Thompson: Über Wachstum und Form. stw 410

Tibi: Der Islam und das Problem der kulturellen Bewältigung sozialen Wandels. stw 531

– Die Krise des modernen Islams. stw 889

– Islamischer Fundamentalismus, moderne Wissenschaft und Technologie. stw 990

– Vom Gottesreich zum Nationalstaat. stw 650

Uexküll: Theoretische Biologie. stw 20

Voland (Hg.): Fortpflanzung: Natur und Kultur im Wechselspiel. stw 983

Wahl (Hg.): Einführung in den Strukturalismus. stw 10

Weber, Max: *siehe Schluchter (Hg.)*

Welker (Hg.): Theologie und funktionale Systemtheorie. stw 495

Wesel: Der Mythos vom Matriarchat. stw 333

Whitehead: Wie entsteht Religion. stw 847

Zimmer: Philosophie und Religion Indiens. stw 26

Über sämtliche bis Mai 1992 erschienenen suhrkamp taschenbücher wissenschaft (stw) informiert Sie das Verzeichnis der Bände 1 – 1000 (stw 1000) ausführlich. Sie erhalten es in Ihrer Buchhandlung.

suhrkamp taschenbücher wissenschaft
Philosophie

Adorno: Ästhetische Theorie. stw 2
- Drei Studien zu Hegel. stw 110
- Einleitung in die Musiksoziologie. stw 142
- Kierkegaard. stw 74
- Die musikalischen Monographien. stw 640
- Negative Dialektik. stw 113
- Philosophie der neuen Musik. stw 239
- Philosophische Terminologie. Bd. 1. stw 23
- Philosophische Terminologie. Bd. 2. stw 50
- Zur Metakritik der Erkenntnistheorie. stw 872

Adorno-Konferenz 1983. Hg. v. L. v. Friedeburg und J. Habermas. stw 460

Analytische Handlungstheorie, *siehe Beckermann und Meggle*

Angehrn u.a. (Hg.): Dialektischer Negativismus. stw 1034

Apel: Der Denkweg von Charles Sanders Peirce. stw 141
- Diskurs und Verantwortung. stw 893
- Transformation der Philosophie. Bd. 1/2. stw 164/165
- *siehe auch Kuhlmann/Böhler*

Apel (Hg.): Sprachpragmatik und Philosophie. stw 375

Apel/Kettner (Hg.): Zur Anwendung der Diskursethik in Politik, Recht und Wissenschaft. stw 999

Assmann/Hölscher (Hg.): Kultur und Gedächtnis. stw 724

Bachelard: Die Bildung des wissenschaftlichen Geistes. stw 668
- Die Philosophie des Nein. stw 325

Barth: Wahrheit und Ideologie. stw 68

Bateson: Geist und Natur. stw 691
- Ökologie des Geistes. stw 571

Batscha: »Despotismus von jeder Art reizt zur Widersetzlichkeit.« stw 759

Batscha (Hg.): Materialien zu Kants Rechtsphilosophie. stw 171

Batscha/Saage (Hg.): Friedensutopien. stw 267

Beckermann (Hg.): Analytische Handlungstheorie. Bd. 2: Handlungserklärungen. stw 489
- *siehe auch Meggle*

Benjamin: Gesammelte Schriften I–VII. stw 931-937
- *siehe auch Tiedemann*

Berkeley: Schriften über die Grundlagen der Mathematik und Physik. stw 496

Biervert/Held/Wieland (Hg.): Sozialphilosophische Grundlagen ökonomischen Handelns. stw 870

Bloch: Werkausgabe in 17 Bänden. stw 550-566
- Bd. 1: Spuren. stw 550
- Bd. 2: Thomas Münzer als Theologe der Revolution. stw 551

suhrkamp taschenbücher wissenschaft
Philosophie

- Bd. 3: Geist der Utopie. Zweite Fassung. stw 552
- Bd. 4: Erbschaft dieser Zeit. stw 553
- Bd. 5: Das Prinzip Hoffnung. 3 Bde. stw 554
- Bd. 6: Naturrecht und menschliche Würde. stw 555
- Bd. 7: Das Materialismusproblem. stw 556
- Bd. 8: Subjekt-Objekt. stw 557
- Bd. 9: Literarische Aufsätze. stw 558
- Bd. 10: Philosophische Aufsätze. stw 559
- Bd. 11: Politische Messungen, Pestzeit, Vormärz. stw 560
- Bd. 12: Zwischenwelten in der Philosophiegeschichte. stw 561
- Bd. 13: Tübinger Einleitung in die Philosophie. stw 562
- Bd. 14: Atheismus im Christentum. stw 563
- Bd. 15: Experimentum Mundi. stw 564
- Bd. 16: Geist der Utopie. Faksimile der Ausgabe von 1918. stw 565
- Bd. 17: Tendenz – Latenz – Utopie. stw 566
- Leipziger Vorlesungen zur Geschichte der Philosophie. 4 Bde. stw 567- 570
- Bd. 1: Antike Philosophie. stw 567
- Bd. 2: Philosophie des Mittelalters. stw 568
- Bd. 3: Neuzeitliche Philosophie 1. stw 569
- Bd. 4: Neuzeitliche Philosophie 2. stw 570
- Vorlesungen zur Philosophie der Renaissance. stw 252

Materialien zu Ernst Blochs »Prinzip Hoffnung«. Hg. v. B. Schmidt. stw 111

Zur Philosophie Ernst Blochs. Hg. von B. Schmidt. stw 268

Blumenberg: Die Genesis der kopernikanischen Welt. 3 Bde. stw 352
- Das Lachen der Thrakerin. stw 652
- Die Lesbarkeit der Welt. stw 592
- Der Prozeß der theoretischen Neugierde. (Die Legitimität der Neuzeit. 3. Teil) stw 24
- Schiffbruch mit Zuschauer. stw 289

Böhler/Nordenstam/Skirbekk (Hg.): Die pragmatische Wende. stw 631

Böhme, G.: Philosophieren mit Kant. stw 642
- Der Typ Sokrates. stw 1016

Böhme, H./Böhme, G.: Das Andere der Vernunft. stw 542

Braun/Holzhey/Orth (Hg.): Über Ernst Cassirers Philosophie der symbolischen Formen. stw 705

Bubner: Antike Themen und ihre moderne Verwandlung. stw 998
- Geschichtsprozesse und Handlungsnormen. stw 463
- Handlung, Sprache und Vernunft. stw 382

suhrkamp taschenbücher wissenschaft
Philosophie

Bungard/Lenk (Hg.): Technikbewertung. Philosophische und psychologische Perspektiven. stw 684
- *siehe auch Lenk*

Cassirer: *siehe Braun/Holzhey/Orth (Hg.)*

Castoriadis: Durchs Labyrinth. Seele, Vernunft, Gesellschaft. stw 435
- Gesellschaft als imaginäre Institution. stw 867

Condorcet: Entwurf einer historischen Darstellung der Fortschritte des menschlichen Geistes. stw 175

Cramer/Fulda/Horstmann/Pothast (Hg.): Theorie der Subjektivität. stw 862

Danto: Analytische Philosophie der Geschichte. stw 328
- Die Verklärung des Gewöhnlichen. stw 957

Davidson: Handlung und Ereignis. stw 895
- Wahrheit und Interpretation. stw 896

Picardi/Schulte (Hg.): Die Wahrheit der Interpretation. Beiträge zur Philosophie Donald Davidsons. stw 897

Deleuze: Foucault. stw 1023

Deleuze/Guattari: Anti-Ödipus. stw 224

Demmerling/Kambartel (Hg.): Vernunftkritik nach Hegel. stw 1038

Derrida: Vom Geist. stw 995

Descombes: Das Selbe und das Andere. stw 346

Dewey: Kunst als Erfahrung. stw 703

Dilthey: Der Aufbau der geschichtlichen Welt in den Geisteswissenschaften. stw 354

Materialien zur Philosophie Wilhelm Diltheys. Hg. von F. Rodi und H.-U. Lessing. stw 439

Duerr: Ni Dieu – ni mètre. stw 541

Dummett: Ursprünge der analytischen Philosophie. stw 1003

Durkheim: Soziologie und Philosophie. stw 176

Edelstein/Nunner-Winkler (Hg.): Zur Bestimmung der Moral. stw 628

Euchner: Naturrecht und Politik bei John Locke. stw 280

Ferguson: Versuch über die Geschichte der bürgerlichen Gesellschaft. stw 739

Fetscher: Rousseaus politische Philosophie. stw 143

Feyerabend: Wider den Methodenzwang. stw 597

Fichte: Ausgewählte politische Schriften. stw 201
- *siehe auch Batscha/Saage*

Fischer/Retzer/Schweitzer (Hg.): Das Ende der großen Entwürfe. stw 1032

Foerster: Wissen und Gewissen. stw 876

Forum für Philosophie Bad Homburg (Hg.): Die Ideen von 1789 in der deutschen Rezeption. stw 798
- Intentionalität und Verstehen. stw 856

suhrkamp taschenbücher wissenschaft
Philosophie

- Kants transzendentale Deduktion und die Möglichkeit von Transzendentalphilosophie. stw 723
- Martin Heidegger: Innen- und Außenansichten. stw 779
- Philosophie und Begründung. stw 673
- Realismus und Antirealismus. stw 976
- Zeiterfahrung und Personalität. stw 986
- Zerstörung des moralischen Selbstbewußtseins – Chance oder Gefährdung? stw 752

Foucault: Archäologie des Wissens. stw 356
- Die Ordnung der Dinge. stw 96
- Sexualität und Wahrheit 1. Der Wille zum Wissen. stw 716
- Sexualität und Wahrheit 2. Der Gebrauch der Lüste. stw 717
- Sexualität und Wahrheit 3. Die Sorge um sich. stw 718
- Überwachen und Strafen. stw 184
- Wahnsinn und Gesellschaft. stw 39

Frank, M.: Eine Einführung in Schellings Philosophie. stw 520

Frank, M. (Hg.): Selbstbewußtseinstheorien von Fichte bis Sartre. stw 964

Frank, M./Kurz (Hg.): Materialien zu Schellings philosophischen Anfängen. stw 139

Frank, Ph.: Das Kausalgesetz und seine Grenzen. stw 734

Friedeburg: *siehe Adorno-Konferenz*

Frisby: Georg Simmel. stw 926

Fulda/Horstmann/Theunissen: Kritische Darstellung der Metaphysik. stw 315

Furth: Intelligenz und Erkennen. Die Grundlagen der genetischen Erkenntnistheorie Piagets. stw 160

Gert: Die moralischen Regeln. stw 405

Gethmann (Hg.): Logik und Pragmatik. stw 399

Gethmann-Siefert/Pöggeler (Hg.): Heidegger und die praktische Philosophie. stw 694

Goodman: Tatsache, Fiktion, Voraussage. stw 732
- Weisen der Welterzeugung. stw 863

Goodman/Elgin: Revisionen. Philosophie und andere Künste und Wissenschaften. stw 1050

Haag: Der Fortschritt in der Philosophie. stw 579

Habermas: Erkenntnis und Interesse. stw 1
- Erläuterungen zur Diskursethik. stw 975
- Moralbewußtsein und kommunikatives Handeln. stw 422
- Nachmetaphysisches Denken. stw 1004
- Philosophisch-politische Profile. stw 659
- Der philosophische Diskurs der Moderne. stw 749
- Strukturwandel der Öffentlichkeit. stw 891

suhrkamp taschenbücher wissenschaft
Philosophie

- Texte und Kontexte. stw 944
- Theorie und Praxis. stw 243
- Zur Logik der Sozialwissenschaften. stw 517
- Zur Rekonstruktion des Historischen Materialismus. stw 154
- *siehe auch Honneth/Joas*
- *siehe auch McCarthy*

Hahn: Empirismus, Logik, Mathematik. stw 645

Hampe/Maaßen (Hg.): Prozeß, Gefühl und Raum-Zeit. stw 920
- Die Gifford Lectures und ihre Deutung. stw 921

Hare: Freiheit und Vernunft. stw 457
- Die Sprache der Moral. stw 412

Harman: Das Wesen der Moral. stw 324

Hausen/Nowotny (Hg.): Wie männlich ist die Wissenschaft. stw 590

Haussmann: Erklären und Verstehen: Zur Theorie und Praxis der Geschichtswissenschaft. stw 918

Hegel: Werke in 20 Bänden. stw 601–621
- Bd. 1: Frühe Schriften. stw 601
- Bd. 2: Jenaer Schriften. stw 602
- Bd. 3: Phänomenologie des Geistes. stw 603
- Bd. 4: Nürnberger und Heidelberger Schriften. stw 604
- Bd. 5: Wissenschaft der Logik I. stw 605
- Bd. 6: Wissenschaft der Logik II. stw 606
- Bd. 7: Grundlinien der Philosophie des Rechts. stw 607
- Bd. 8: Enzyklopädie der philosophischen Wissenschaften I. stw 608
- Bd. 9: Enzyklopädie der philosophischen Wissenschaften II. stw 609
- Bd. 10: Enzyklopädie der philosophischen Wissenschaften I-II. stw 610
- Bd. 11: Berliner Schriften. stw 611
- Bd. 12: Philosophie der Geschichte. stw 612
- Bd. 13: Ästhetik I. stw 613
- Bd. 14: Ästhetik II. stw 614
- Bd. 15: Ästhetik III. stw 615
- Bd. 16: Philosophie der Religion I. stw 616
- Bd. 17: Philosophie der Religion II. stw 617
- Bd. 18: Geschichte der Philosophie I. stw 618
- Bd. 19: Geschichte der Philosophie II. stw 619
- Bd. 20: Geschichte der Philosophie III. stw 620
- Bd. 21: Registerband von H. Reinicke. stw 621

Materialien zu Hegels ›Phänomenologie des Geistes‹. stw 9

Materialien zu Hegels Rechtsphilosophie. Bd. 1/2. stw 88/89
- *siehe auch Horstmann*
- *siehe auch Jakobson/Gadamer/Holenstein*
- *siehe auch Jamme/Schneider*

suhrkamp taschenbücher wissenschaft
Philosophie

- *siehe auch Kojève*
- *siehe auch Lukács*
- *siehe auch Taylor*

Hegselmann/Merkel (Hg.): Zur Debatte über Euthanasie. stw 943

Heidegger: *siehe Forum für Philosophie Bad Homburg*
- *siehe Gethmann-Siefert/Pöggeler*

Hobbes: Leviathan. stw 462

Höffe: Ethik und Politik. stw 266
- Die Moral als Preis der Moderne. stw 1046
- Politische Gerechtigkeit. stw 800
- Sittlich-politische Diskurse. stw 380
- Strategien der Humanität. stw 540

Hoerster: Abtreibung im säkularen Staat. stw 929

Hogrebe: Metaphysik und Mantik. stw 1039
- Prädikation und Genesis. stw 772

d'Holbach: System der Natur. stw 259

Holenstein: Roman Jakobsons phänomenologischer Strukturalismus. stw 116
- Menschliches Selbstverständnis. stw 534

Hollis: Rationalität und soziales Verstehen. stw 928

Holzhey (Hg.): Ethischer Sozialismus. stw 949

Holzhey/Rust/Wiehl (Hg.): Natur, Subjektivität, Gott. Zur Prozeßphilosophie Alfred N. Whiteheads. stw 769

Honneth: Kritik der Macht. stw 738
- Die zerrissene Welt des Sozialen. stw 849

Honneth/Jaeggi (Hg.): Theorien des Historischen Materialismus 1. stw 182
- Arbeit, Handlung, Normativität. Theorien des Historischen Materialismus 2. stw 321

Honneth/Joas (Hg.): Kommunikatives Handeln. stw 625

Horstmann (Hg.): Dialektik in der Philosophie Hegels. stw 234

Husserl: *siehe Jamme/Pöggeler*

Jakobson/Gadamer/Holenstein: Das Erbe Hegels II. stw 440

Jamme/Pöggeler (Hg.): Phänomenologie im Widerstreit. stw 843

Jamme/Schneider (Hg.): Mythologie der Vernunft. Hegels »ältestes Systemprogramm des deutschen Idealismus«. stw 413
- Der Weg zum System. Materialien zum jungen Hegel. stw 761

Janich (Hg.): Entwicklungen der methodischen Philosophie. stw 979

Kambartel: Philosophie der humanen Welt. stw 773

Kant: Band I: Vorkritische Schriften bis 1768/1. stw 186
- Band II: Vorkritische Schriften bis 1768/2. stw 187
- Band III/IV: Kritik der reinen Vernunft 1/2. 2 Bde. stw 55

suhrkamp taschenbücher wissenschaft
Philosophie

- Band V: Schriften zur Metaphysik und Logik 1. stw 188
- Band VI: Schriften zur Metaphysik und Logik 2. stw 189
- Band VII: Kritik der praktischen Vernunft. stw 56
- Band VIII: Die Metaphysik der Sitten. stw 190
- Band IX: Schriften zur Naturphilosophie. stw 191
- Band X: Kritik der Urteilskraft. stw 57
- Band XI: Schriften zur Anthropologie, Geschichtsphilosophie, Politik und Pädagogik 1. stw 192
- Band XII: Schriften zur Anthropologie, Geschichtsphilosophie, Politik und Pädagogik 2. Register. stw 193

Kopper/Malter (Hg.): Immanuel Kant zu ehren. stw 61

Materialien zu Kants Rechtsphilosophie. stw 171
- *siehe auch Batscha/Saage*
- *siehe auch Böhme*

Kempski: Schriften 1-3. stw 922-924
- Brechungen. stw 922
- Recht und Politik. stw 923
- Prinzipien der Wirklichkeit. stw 924

Kenny: Wittgenstein. stw 69

Kienzle/Pape (Hg.): Dimensionen des Selbst. stw 942

Kierkegaard: *siehe Theunissen/Greve*
- *siehe Adorno*

Klibansky/Panofsky/Saxl: Saturn und Melancholie. stw 1010

Kojève: Hegel. Eine Vergegenwärtigung seines Denkens. stw 97

Koppe (Hg.): Perspektiven der Kunstphilosophie. stw 951

Koselleck: Kritik und Krise. stw 36

Kosík: Die Dialektik des Konkreten. stw 632

Kracauer: Geschichte – Vor den letzten Dingen. stw 11

Kripke: Name und Notwendigkeit. stw 1056

Kuhlmann/Böhler (Hg.): Kommunikation und Reflexion. Zur Diskussion der Transzendentalpragmatik. stw 408

Lange: Geschichte des Materialismus. 2 Bde. stw 70

Leist (Hg.): Um Leben und Tod. stw 846

Lenk: Philosophie und Interpretation. stw 1060
- Zur Sozialphilosophie der Technik. stw 414
- Zwischen Sozialpsychologie und Sozialphilosophie. stw 708
- Zwischen Wissenschaft und Ethik. stw 980
- Zwischen Wissenschaftstheorie und Sozialwissenschaft. stw 637
- *siehe auch Bungard/Lenk*

Locke: Zwei Abhandlungen über die Regierung. stw 213

suhrkamp taschenbücher wissenschaft
Philosophie

Lorenzen: Grundbegriffe technischer und politischer Kultur. stw 494
– Methodisches Denken. stw 73
Luhmann/Spaemann: Paradigm lost: Über die ethische Reflexion der Moral. stw 797
Lukács: Der junge Hegel. 2 Bde. stw 33
Mandeville: Die Bienenfabel oder Private Laster, öffentliche Vorteile. stw 300
Marquard: Schwierigkeiten mit der Geschichtsphilosophie. stw 394
McCarthy: Kritik der Verständigungsverhältnisse. stw 782
McGuinness: Wittgensteins frühe Jahre. stw 1014
McGuinness/Habermas/Apel u.a.: »Der Löwe spricht ... und wir können ihn nicht verstehen«. stw 866
McGuinness/Schulte (Hg.): Einheitswissenschaft. stw 963
Meggle (Hg.): Analytische Handlungstheorie. Bd. 1: Handlungsbeschreibungen. stw 488
– *siehe auch Beckermann*
Menke: Die Souveränität der Kunst. stw 958
Merleau-Ponty: Die Abenteuer der Dialektik. stw 105
Millar: Vom Ursprung des Unterschieds in den Rangordnungen und Ständen der Gesellschaft. stw 483
Mises: Kleines Lehrbuch des Positivismus. stw 871

Mittelstraß: Der Flug der Eule. stw 796
– Leonardo-Welt. stw 1042
– Die Möglichkeit der Wissenschaft. stw 62
– Wissenschaft als Lebensform. stw 376
Morris: Pragmatische Semiotik und Handlungstheorie. stw 179
Moscovici: Versuch über die menschliche Geschichte der Natur. stw 873
Münch (Hg.): Kognitionswissenschaft. stw 989
Neurath: Wissenschaftliche Weltauffassung, Sozialismus und Logischer Empirismus. stw 281
Niehues-Pröbsting: Der Kynismus des Diogenes und der Begriff des Zynismus. stw 713
Oelmüller: Die unbefriedigte Aufklärung. stw 263
Pannenberg: Wissenschaftstheorie und Theologie. stw 676
Peirce: Naturordnung und Zeichenprozeß. stw 912
– Schriften zum Pragmatismus und Pragmatizismus. stw 945
– *siehe auch Apel*
Peukert: Wissenschaftstheorie – Handlungstheorie – Fundamentale Theologie. stw 231
Piaget: Einführung in die genetische Erkenntnistheorie. stw 6
– Weisheit und Illusionen der Philosophie. stw 539
– *siehe auch Furth*
Picardi/Schulte: *siehe Davidson*

suhrkamp taschenbücher wissenschaft
Philosophie

Plessner: Die verspätete Nation. stw 66

Polanyi, M.: Implizites Wissen. stw 543

Pothast: Die eigentlich metaphysische Tätigkeit. stw 787

– Die Unzulänglichkeit der Freiheitsbeweise. stw 688

Pothast (Hg.): Freies Handeln und Determinismus. stw 257

Putnam: Vernunft, Wahrheit und Geschichte. stw 853

Quine: Grundzüge der Logik. stw 65

– Theorien und Dinge. stw 960

– Wurzeln der Referenz. stw 764

Rawls: Eine Theorie der Gerechtigkeit. stw 271

Ricœur: Die Interpretation. stw 76

Riedel: Für eine zweite Philosophie. stw 720

– Urteilskraft und Vernunft. stw 773

Riedel (Hg.): Materialien zu Hegels Rechtsphilosophie. Bd. 1/2. stw 88/89

– Hegel und die antike Dialektik. stw 907

Riegas/Vetter (Hg.): Zur Biologie der Kognition. stw 850

Ritter: Metaphysik und Politik. stw 199

Rodi: Erkenntnis des Erkannten. stw 858

– *siehe auch Dilthey*

Ropohl: Technologische Aufklärung. stw 971

Rorty: Kontingenz, Ironie und Solidarität. stw 981

– Der Spiegel der Natur. stw 686

Rusch/Schmidt (Hg.): Konstruktivismus: Geschichte und Anwendung. DELFIN 1992. stw 1040

Sandkühler (Hg.): Natur und geschichtlicher Prozeß. Studien zur Naturphilosophie F. W. J. Schellings. stw 397

Schadewaldt: Die Anfänge der Philosophie bei den Griechen. stw 218

Scheidt: Die Rezeption der Psychoanalyse in der deutschsprachigen Philosophie vor 1940. stw 589

Schelling: Ausgewählte Schriften. 6 Bde. stw 521-526

– Bd. 1: Schriften 1794-1800. stw 521

– Bd. 2: Schriften 1801-1803. stw 522

– Bd. 3: Schriften 1804-1806. stw 523

– Bd. 4: Schriften 1807-1834. stw 524

– Bd. 5: Schriften 1842-1852. 1. Teil. stw 525

– Bd. 6: Schriften 1842-1852. 2. Teil. stw 526

– Philosophie der Offenbarung. stw 181

– Philosophische Untersuchungen über das Wesen der menschlichen Freiheit. stw 138

Materialien zu Schellings philosophischen Anfängen. Hg. von M. Frank und G. Kurz. stw 139

– *siehe auch Frank*

suhrkamp taschenbücher wissenschaft
Philosophie

- *siehe auch Frank/Kurz*
- *siehe auch Sandkühler*

Schleiermacher: Hermeneutik und Kritik. stw 211

Schlick: Allgemeine Erkenntnislehre. stw 269
- Fragen der Ethik. stw 477
- Philosophische Logik. stw 598
- Die Probleme der Philosophie in ihrem Zusammenhang. stw 580

Schmidt, S. J. (Hg.): Der Diskurs des Radikalen Konstruktivismus. stw 636
- Gedächtnis. stw 900
- Kognition und Gesellschaft. Der Diskurs des Radikalen Konstruktivismus 2. stw 950

Schmidt-Biggemann: Theodizee und Tatsachen. stw 722

Schnädelbach: Philosophie in Deutschland 1831-1933. stw 401
- Vernunft und Geschichte. stw 683
- Zur Rehabilitierung des animal rationale. stw 1043

Scholtz: Zwischen Wissenschaftsanspruch und Orientierungsbedürfnis. stw 966

Schopenhauer: Sämtliche Werke in 5 Bänden. stw 661-665
- Bd. 1: Die Welt als Wille und Vorstellung I. stw 661
- Bd. 2: Die Welt als Wille und Vorstellung II. stw 662
- Bd. 3: Kleinere Schriften. stw 663
- Bd. 4: Parerga und Paralipomena I. stw 664
- Bd. 5: Parerga und Paralipomena II. stw 665

Materialien zu Schopenhauers ›Die Welt als Wille und Vorstellung‹. Hg. v. V. Spierling. stw 444

Schulte: Chor und Gesetz. stw 899

Schulte (Hg.): Texte zum Tractatus. stw 771

Schwemmer: Ethische Untersuchungen. stw 599
- Handlung und Struktur. stw 669
- Philosophie der Praxis. stw 331
- Die Philosophie und die Wissenschaften. stw 869

Searle: Ausdruck und Bedeutung. stw 349
- Geist, Hirn und Wissenschaft. stw 591
- Intentionalität. stw 956
- Sprechakte. stw 458

Serres: Der Parasit. stw 677

Siep: Praktische Philosophie im Deutschen Idealismus. stw 1035

Simmel: Aufsätze 1887-1890. Über sociale Differenzierung (1890). Die Probleme der Geschichtsphilosophie (1892). stw 802
- Einleitung in die Moralwissenschaft I. stw 803
- Einleitung in die Moralwissenschaft II. stw 804
- Aufsätze und Abhandlungen 1894-1900. stw 805
- Philosophie des Geldes. stw 806

suhrkamp taschenbücher wissenschaft
Philosophie

- Aufsätze und Abhandlungen 1901-1908. Band II. stw 808
- Das individuelle Gesetz. stw 660
- *siehe auch Frisby*

Skirbekk (Hg.): Wahrheitstheorien. stw 210

Sommer: Lebenswelt und Zeitbewußtsein. stw 851
- Identität im Übergang: Kant. stw 751

Sorel: Über die Gewalt. stw 360

Spierling: *siehe Schopenhauer*

Spinner: Pluralismus als Erkenntnismodell. stw 32

Strauss: Naturrecht und Geschichte. stw 216

Taylor: Hegel. stw 416
- Negative Freiheit. stw 1027

Theorie der Subjektivität. Hg. v. K. Cramer, H. F. Fulda, R.-P. Horstmann, U. Pothast. stw 862

Theunissen: Negative Theologie der Zeit. stw 938
- Sein und Schein. stw 314
- *siehe auch Angehrn*

Theunissen/Greve (Hg.): Materialien zur Philosophie Sören Kierkegaards. stw 241

Tiedemann: Dialektik im Stillstand. stw 445

Toulmin: Kritik der kollektiven Vernunft. stw 437
- Voraussicht und Verstehen. stw 358

Tugendhat: Philosophische Aufsätze. stw 1017
- Selbstbewußtsein und Selbstbestimmung. stw 221
- Vorlesungen zur Einführung in die sprachanalytische Philosophie. stw 45

Turgot: Über die Fortschritte des menschlichen Geistes. stw 657

Varela: Kognitionswissenschaft - Kognitionstechnik. stw 882

Vranicki: Geschichte des Marxismus. stw 406

Wahl (Hg.): Einführung in den Strukturalismus. stw 10

Waldenfels: In den Netzen der Lebenswelt. stw 545
- Phänomenologie in Frankreich. stw 644
- Der Spielraum des Verhaltens. stw 311
- Der Stachel des Fremden. stw 868

Waldenfels/Broekman/Pažanin (Hg.): Phänomenologie und Marxismus. Bd. 1. stw 195
- Phänomenologie und Marxismus. Bd. 2. stw 196
- Phänomenologie und Marxismus. Bd. 3. stw 232
- Phänomenologie und Marxismus. Bd. 4. stw 273

Wellmer: Ethik und Dialog. stw 578
- Zur Dialektik von Moderne und Postmoderne. stw 532

Whitehead: Prozeß und Realität. stw 690
- Wie entsteht Religion? stw 847
- Wissenschaft und moderne Welt. stw 753

Whitehead/Russell: Principia Mathematica. stw 593
- *siehe auch Holzhey/Rust/Wiehl*

suhrkamp taschenbücher wissenschaft
Philosophie

– *siehe auch Hampe/Maaßen*
Winch: Die Idee der Sozialwissenschaft und ihr Verhältnis zur Philosophie. stw 95
Wittgenstein: Werkausgabe in 8 Bänden. stw 501-508
– Bd. 1: Tractatus logico-philosophicus. Tagebücher 1914-1916. Philosophische Untersuchungen. stw 501
– Bd. 2: Philosophische Bemerkungen. stw 502
– Bd. 3: Ludwig Wittgenstein und der Wiener Kreis. stw 503
– Bd. 4: Philosophische Grammatik. stw 504
– Bd. 5: Das Blaue Buch. Eine Philosophische Betrachtung (Das Braune Buch). stw 505
– Bd. 6: Bemerkungen über die Grundlagen der Mathematik. stw 506
– Bd. 7: Bemerkungen über die Philosophie der Psychologie. Letzte Schriften über die Philosophie der Psychologie. stw 507
– Bd. 8: Bemerkungen über die Farben. Über Gewißheit. Zettel. Vermischte Bemerkungen. stw 508
– Philosophische Bemerkungen. stw 336
– Vorlesungen 1930-1935. stw 865
– Vortrag über Ethik und andere kleine Schriften. stw 770
»Der Löwe spricht ... und wir können ihn nicht verstehen.« Ein Symposion an der Universität Frankfurt anläßlich des 100. Geburtstages von Ludwig Wittgenstein. stw 866
Ludwig Wittgenstein: Porträts und Gespräche. Hg. v. R. Rhees. stw 985
Texte zum Tractatus. Hg. v. J. Schulte. stw 771
– *siehe auch Kenny*
– *siehe auch McGuinness*
– *siehe auch Wright*
Wolf (Hg.): Eigennamen. stw 1057
Wright: Wittgenstein. stw 887

Über sämtliche bis Mai 1992 erschienenen suhrkamp taschenbücher wissenschaft (stw) informiert Sie das Verzeichnis der Bände 1 – 1000 (stw 1000) ausführlich. Sie erhalten es in Ihrer Buchhandlung.